Andrew Scullion

CALCUL INTÉGRAL

3E ÉDITION

GILLES CHARRON

PIERRE PARENT

Beauchemin

Calcul intégral, 3e édition
Gilles Charron et Pierre Parent

© 2004, **GB** Groupe **Beauchemin**, éditeur ltée
3281, avenue Jean-Béraud
Laval (Québec) H7T 2L2
Téléphone : (514) 334-5912
        1 800 361-4504
Télécopieur : (450) 688-6269
www.beaucheminediteur.com

 Le photocopillage entraîne une baisse des achats de livres à tel point que la possibilité pour les auteurs de créer des œuvres nouvelles et de les faire éditer par des professionnels est menacée.

Nous reconnaissons l'aide financière du gouvernement du Canada par l'entremise du Programme d'aide au développement de l'industrie de l'édition (PADIÉ) pour nos activités d'édition.

ISBN : 2-7616-1986-2

Dépôt légal : 1er trimestre 2004
Bibliothèque nationale du Québec
Bibliothèque nationale du Canada

Imprimé au Canada
1 2 3 4 5   07 06 05 04 03

Supervision éditoriale
Sophie Gagnon

Chargé de projet
Dany Cloutier

Coordination de la production
Maryse Quesnel

Révision linguistique
Annick Loupias

Correction d'épreuves
Renée Bédard

Réalisation de la couverture
Atelier Image-In

Conception graphique
Infoscan Collette

Recherche iconographique
Josée Doucet

Crédits photographiques
Sylvain Baillargeon
Dominique Parent
Pierre Parent

Impression
Imprimeries Transcontinental

Avant-propos

Cette troisième édition de *Calcul intégral* a été préparée en fonction des besoins exprimés par le milieu collégial. Ainsi, le présent ouvrage, qui se veut une suite de *Calcul différentiel,* est le résultat d'une intégration des commentaires et suggestions d'un grand nombre d'utilisatrices et utilisateurs.

Une troisième édition renouvelée

L'approche programme se reflète dans toutes les parties du livre. Tout d'abord dans les exemples, où l'on traite de sujets variés, puis dans les exercices, qui touchent plusieurs champs d'études du domaine des sciences naturelles et des sciences humaines. Les auteurs ont utilisé la terminologie ainsi que les notations propres à la physique, à la chimie et à l'économie. Les exercices se rapportant à une matière en particulier sont identifiés à l'aide d'un pictogramme représentant cette matière.

Le présent ouvrage comporte plusieurs nouveautés. Chaque chapitre s'ouvre sur un **problème type** qui est repris plus loin dans le chapitre. Ce problème sert de pont entre la matière théorique et l'application pratique du calcul intégral.

Les auteurs proposent la résolution de problèmes à l'aide d'**outils technologiques.** Ils fournissent également des exemples faisant appel au logiciel Maple. Certains exercices et problèmes portant la mention « outil technologique » suggèrent une résolution à l'aide d'un outil technologique, quel qu'il soit.

Nous retrouvons au début de chaque chapitre une capsule « **Perspective historique** » qui met en relation le contenu du chapitre et le contexte des découvertes en mathématiques. De plus, des « **bulles historiques** » présentent divers mathématiciens et quelques rappels sur l'origine ou l'utilisation de certains outils mathématiques.

Un **réseau de concepts** permet de saisir les liens entre les notions étudiées dans chaque chapitre. Finalement, une **liste de vérification des connaissances,** située juste avant les exercices de fin de chapitre, permet à l'élève de prendre conscience de ses acquis et de ses lacunes avant d'entreprendre la partie pratique.

Cette troisième édition **exploite la couleur de façon pédagogique.** Celle-ci favorise la compréhension des liens qui existent entre les différentes parties d'une équation. Grâce à la couleur, l'élève est aussi en mesure de repérer les notions clés et les aspects importants de la matière.

Nous espérons que vous pourrez tirer le meilleur de *Calcul intégral, 3e édition,* et que cet ouvrage deviendra pour vous un outil privilégié d'apprentissage.

Particularités de l'ouvrage

Plan du chapitre et introduction

L'introduction trace les grandes lignes du chapitre. Un problème type présente aux élèves une utilisation concrète des concepts qui seront étudiés. L'introduction fait le lien entre les différents chapitres, permettant ainsi un apprentissage graduel et continu. Cette section est accompagnée d'un plan du chapitre, afin de repérer rapidement le contenu de l'enseignement, et d'une photo illustrant de façon concrète les champs d'application de la matière.

Perspective historique

Chaque chapitre débute par une perspective historique. Elle donne un visage humain à la matière enseignée en retraçant le contexte historique des découvertes importantes dans le domaine étudié. Parfois, la perspective historique propose aux élèves un problème qui leur permettra d'approfondir un aspect relié à ces innovations.

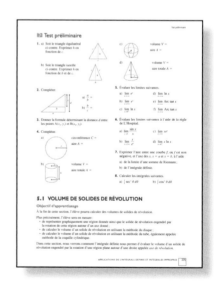

Test préliminaire

Reprenant une formule éprouvée, cette troisième édition intègre un test préliminaire à chacun des chapitres. Les élèves peuvent ainsi évaluer le niveau de leurs connaissances avant de poursuivre leur apprentissage.

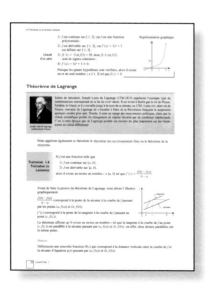

Bulles historiques

Les bulles historiques permettent aux élèves de faire une incursion dans la vie des personnalités qui ont marqué leur époque dans le domaine des mathématiques. Parfois, ces bulles donnent un complément d'information sur un concept présenté dans une section.

Objectifs d'apprentissage

Les objectifs d'apprentissage établissent de façon claire et précise, pour chaque section, les habiletés et connaissances que les élèves devront acquérir. Ces objectifs sont d'une grande utilité à l'élève pour la planification de son étude.

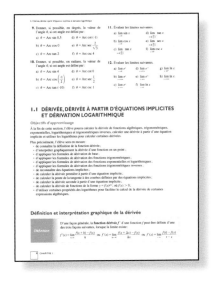

Utilisation pédagogique de la couleur

La couleur est utilisée de façon pédagogique pour mettre en relief les aspects importants de la matière et guider l'élève dans son cheminement.
Les théorèmes, définitions et formules clés sont présentés sous forme d'encadrés. Dans le même esprit, certains passages du texte sont en couleur afin de souligner une notion particulière. Les graphiques et illustrations, qui accompagnent plusieurs exemples, ajoutent à la clarté de la présentation.

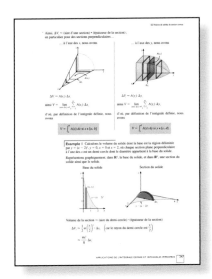

Exemples

Tout au long des chapitres, les exemples favorisent l'assimilation et la mise en pratique des concepts appris par l'élève. L'utilisation du logiciel Maple a été intégrée à certains exemples facilement identifiables grâce aux pictogrammes « Outil technologique ».

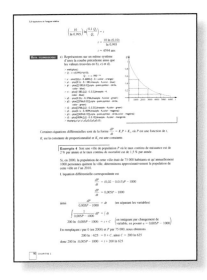

Réseau de concepts

À la fin de chaque chapitre, un réseau de concepts illustre les notions essentielles qui ont été étudiées. Présenté sous forme hiérarchique, le réseau de concepts permet de schématiser le contenu des chapitres et d'établir, d'un coup d'œil, les liens qui unissent ces concepts.

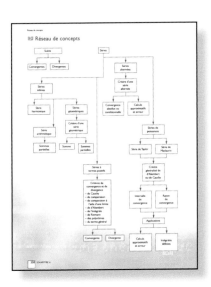

Liste de vérification des connaissances

La liste de vérification des connaissances permet à l'élève d'évaluer s'il a acquis ou non les notions relatives à la réalisation des exercices récapitulatifs et des problèmes de synthèse. Grâce à cette liste, l'élève est en mesure de vérifier sa compréhension des notions présentées dans le chapitre et de corriger d'éventuelles faiblesses.

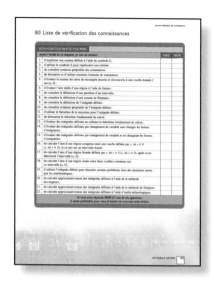

Exercices

À l'instar de l'édition précédente, cet ouvrage propose de nombreux exercices. Certains sont marqués d'un pictogramme relié à différentes disciplines (administration, économie, chimie et physique), en accord avec l'approche du programme qui cherche à intégrer les acquis de plusieurs domaines d'études. L'utilisation d'outils technologiques est aussi conseillée dans plusieurs cas. Chaque section se termine par une série d'exercices. À la fin de chaque chapitre, on retrouve des exercices récapitulatifs et des problèmes de synthèse.

chimie   administration ou économie   physique

Corrigé

À la fin du manuel, l'élève trouvera un corrigé des tests préliminaires et des exercices de fin de section. Il y trouvera également la majorité des réponses aux exercices récapitulatifs et aux problèmes de synthèse. Ce recueil de solutions développe l'esprit d'autonomie de l'élève dans son processus d'apprentissage.

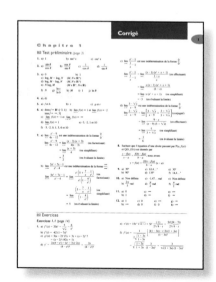

Remerciements

Nous tenons d'abord à remercier les nombreuses personnes-ressources qui ont collaboré à l'élaboration des éditions précédentes :

Monique Beaudoin-Jacob, Cégep de Sainte-Foy
Gilles Boutin, Cégep de Sainte-Foy
Gilles Goulet, Cégep régional de Lanaudière
Marthe Grenier, Cégep de Saint-Laurent
Daniel Lachance, Cégep de Sorel-Tracy
Christiane Lacroix, Collège Lionel-Groulx
Jean-Yves Morissette, Collège Édouard-Montpetit
Paul Paquet, Cégep de Saint-Jérôme
Robert Paquin, Collège Édouard-Montpetit
Dominique Parent, Université de Sherbrooke
Suzanne Philips, Collège de Maisonneuve
Lise Primeau, Cégep de Limoilou
Benoît Régis, Cégep de la Région de l'Amiante
Caroline Samson, Cégep de Sainte-Foy
Victorien Sirois, Cégep de Rimouski
Lyne Soucy, Collège Lionel-Groulx
Jocelyne Tétrault, Collège Ahuntsic
Suzanne Wildi, Cégep F.-X. Garneau

Nous témoignons également notre gratitude aux enseignants et enseignantes du département de mathématiques du Cégep André-Laurendeau pour leurs commentaires et suggestions.

Nous soulignons l'excellent travail des consultants et des consultantes du réseau collégial qui ont permis, grâce à leurs commentaires éclairés, d'enrichir les versions provisoires de chacun des chapitres :

Robert Bradley, Collège Ahuntsic
Christian Caouette, Cégep d'Alma
Suzanne Grenier, Cégep de Sainte-Foy
René Maldonado, Cégep Édouard-Montpetit

Finalement, nous remercions les personnes suivantes :

Sylvain Baillargeon, pour sa photo de la pyramide de Khéops
Louis Charbonneau, pour avoir rédigé les perspectives et les capsules historiques
Dany Cloutier, pour son travail vigilant au cours de la production du volume
Julie Fortin, pour avoir permis la réalisation du projet
Sophie Gagnon, pour sa gestion efficace du projet
Dominique Parent, pour les nombreuses photographies dont celle de la page de couverture

Gilles Charron
Pierre Parent

Table des matières

CHAPITRE

Dérivées et théorèmes d'analyse

▦ Introduction

Nous consacrons le premier chapitre à l'étude de la dérivée, car il est essentiel de bien posséder cette notion avant d'entreprendre l'étude de l'intégrale.

Nous rappellerons d'abord la définition de la dérivée, les notations utilisées et l'interprétation graphique de la dérivée. De plus, nous donnerons des formules de dérivation et nous calculerons des dérivées de fonctions algébriques, trigonométriques, exponentielles, logarithmiques, trigonométriques inverses et d'équations implicites.

Nous utiliserons également les logarithmes et leurs propriétés pour évaluer certaines dérivées et certaines limites. Enfin, l'étude de quelques théorèmes d'analyse nous permettra d'approfondir nos connaissances sur les fonctions continues et dérivables. À l'aide de ces théorèmes, nous démontrerons l'existence d'une constante d'intégration ainsi que la règle de

L'Hospital, un outil indispensable pour lever des indéterminations de différents types.

En particulier, l'élève pourra résoudre le problème suivant.

On ensemence un lac avec des truites. Des écologistes estiment que le nombre N de truites en fonction du temps t, en mois, est donné par

$$N(t) = \frac{3t + 2400e^{0,36t}}{5 + t^2 + e^{0,36t}}$$

a) Déterminer le nombre de truites ensemencées.

b) Selon cette estimation, déterminer théoriquement le nombre de truites existant dans ce lac après une très longue période de temps.

c) Trouver l'équation de l'asymptote horizontale correspondante et représenter la courbe de N et l'asymptote trouvée.

(Problème de synthèse n° 13, page 48.)

Perspective historique

Au XIIe siècle, le pape décide d'entraîner toute l'Europe catholique dans une grande expédition militaire destinée à reprendre la Terre sainte (Israël actuel) aux mains des Arabes. Au cours des cent années qui suivront, d'autres croisades mettront l'Europe du Moyen Âge en contact avec le Proche-Orient. Ainsi, le «vieux» monde prend-il conscience de la richesse matérielle et intellectuelle du monde arabe. L'établissement de relations commerciales avec ce «nouveau» monde provoque un choc profond, car pour commercer, il faut voyager. Mener les voiliers à bon port fait ainsi surgir un double problème: d'une part s'assurer que le navire ne sera pas la proie des pirates ou de puissances hostiles, et, d'autre part, déterminer la route pour se rendre à destination.

Le canon, dévoilé aux Européens par les Arabes, apporte un élément de solution au premier problème. Mais reste à savoir où tombera exactement le tir. À la fin du Moyen Âge, les réponses à cette question primordiale découlaient de l'expérience des canonniers. Sur le plan théorique, tout reposait sur la physique d'Aristote et de ses disciples. Cependant, les mouvements et, *a fortiori,* les mouvements complexes comme celui d'un boulet de canon, échappent complètement au pouvoir descriptif et explicatif de cette physique essentiellement qualitative. Beaucoup travailleront à résoudre le problème de la trajectoire du projectile, sans succès toutefois, car il leur aurait fallu considérer, à chaque instant, les changements des influences agissant sur le boulet. Autrement dit, il aurait fallu considérer un nombre infini de modifications infimes de ces influences. En 1638, Galilée (1564-1642) discute longuement des difficultés découlant de l'introduction de l'infini dans ce problème. Certes, il réussit à donner une formule décrivant la chute d'un corps soumis à l'attraction terrestre, mais il lui manquait le concept de vitesse instantanée pour pouvoir aborder, en généralisant, les mouvements pour lesquels l'accélération n'est pas uniforme. Le lien entre le taux de variation d'une grandeur, sa vitesse instantanée, la direction de cette vitesse instantanée et la tangente à une trajectoire fera l'objet de nombreuses études dans le deuxième tiers du XVIIe siècle. Malheureusement, ces études demeurant plus ou moins indépendantes, la synthèse se fera attendre.

Passons maintenant aux procédés de navigation. Au Moyen Âge, pour connaître la position d'un bateau en mer, loin de toute côte visible, il fallait s'en remettre aux étoiles. Les gouvernements avaient lancé des concours suscitant la mise au point de méthodes efficaces pour déterminer la latitude d'un navire. Tous savaient que la solution passerait par les astres… et une bonne horloge, et que la précision serait tributaire de l'exactitude des éphémérides, ces tables donnant l'emplacement des astres au cours d'une année. Galilée proposa une méthode basée sur la position des quatre satellites de Jupiter, méthode qui s'avéra impraticable. Cent ans auparavant, la recherche d'une plus grande finesse dans les prévisions des mouvements des astres constitua l'un des motifs de la révolution astronomique engagée par Copernic (1473-1543). Il plaça le Soleil au centre de l'univers, ce qui simplifiait grandement l'explication du modèle astronomique par rapport au modèle géocentrique de Ptolémée (vers l'an 150 de notre ère). Pourtant, la précision des calculs de Copernic ne dépassait pas celle de son illustre prédécesseur. Mais il déclencha, en astronomie, une remise en question des idées reçues. De très nombreux scientifiques, dont les plus connus sont Kepler (1571-1630) et Galilée, élargirent la brèche. Newton (1642-1727) vint couronner leur œuvre en montrant que les découvertes astronomiques de ses prédécesseurs s'expliquent par une théorie mécanique ne reposant que sur quelques principes. Comme pour l'étude de la balistique, la compréhension des mouvements complexes fut au centre de leurs recherches.

Il n'est donc pas surprenant de voir Newton synthétiser les travaux de ses prédécesseurs pour créer une toute nouvelle approche de ces questions: le calcul différentiel.

Suggestion de lecture: «Qui a inventé le calcul intégral?», *Les cahiers de science et vie*, avril 1997.

Soit un boulet d'une masse m, éjecté à différentes vitesses v_i avec un angle de tir α, d'un canon placé sur un champ dégagé et horizontal. Quelle est la portée du tir? Pour résoudre ce problème classique, il faut nécessairement faire appel à un système d'équations différentielles.

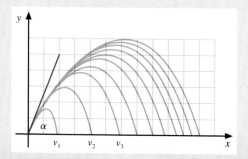

▚ Test préliminaire

I. Compléter les égalités suivantes.

a) $\sin^2 x + \cos^2 x =$

b) $1 + \tan^2 x =$

c) $1 + \cot^2 x =$

2. Exprimer les fonctions suivantes en fonction de $\sin \theta$, de $\cos \theta$ ou en fonction de $\sin \theta$ et de $\cos \theta$.

a) $\tan \theta$ c) $\sec \theta$

b) $\cot \theta$ d) $\csc \theta$

3. Utiliser les propriétés des logarithmes pour compléter les égalités suivantes.

a) $\log_b 1 =$

b) $\log_b b =$

c) $\log_b (MN) =$

d) $\log_b \left(\dfrac{M}{N} \right) =$

e) $\log_b M^N =$

f) $\log_b M = \log_b N \Leftrightarrow M =$

g) Transformer en base e, $\log_b x =$

h) $e^{\ln M} =$

i) $\ln e =$

j) Si $A > 0$, $B > 0$ et $A = B$, alors $\ln A =$

4. Parmi les fonctions suivantes, déterminer celles qui sont continues sur $[a, b]$ donné.

a) $f(x) = \dfrac{1}{x - 4}$ sur $[-5, 3]$

b) $f(x) = \dfrac{1}{x - 4}$ sur $[3, 5]$

c) $f(x) = \begin{cases} x^2 + 1 & \text{si} & 0 \le x < 1 \\ 2 & \text{si} & x = 1 \\ x + 2 & \text{si} & 1 < x \le 2 \end{cases}$, sur $[0, 2]$

d) Même fonction qu'en c) sur $[0, 1]$

e) Même fonction qu'en c) sur $[1, 2]$

5. Soit f, g, h, r et s, cinq fonctions telles que

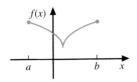
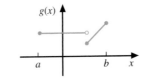

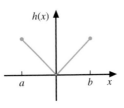
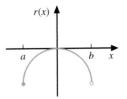

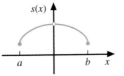

Parmi les fonctions précédentes, déterminer :

a) celles qui sont continues sur $[a, b]$

b) celles qui sont dérivables sur $]a, b[$

c) celles dont la dérivée s'annule en au moins une valeur c, où $c \in \,]a, b[$

6. Soit la fonction f définie par le graphique suivant :

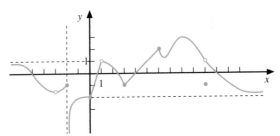

Déterminer :

a) $\text{dom} f$ et $\text{ima} f$

b) $\displaystyle\lim_{x \to -\infty} f(x)$ et $\displaystyle\lim_{x \to +\infty} f(x)$

c) $\displaystyle\lim_{x \to (-2)^-} f(x)$ et $\displaystyle\lim_{x \to (-2)^+} f(x)$

d) $\displaystyle\lim_{x \to 10} f(x)$

e) les valeurs de x, où f n'est pas continue

f) les valeurs de x, où f n'est pas dérivable

7. Lever les indéterminations suivantes en transformant l'expression donnée.

a) $\displaystyle\lim_{x \to 3} \dfrac{x^2 - 9}{4x - 12}$ c) $\displaystyle\lim_{x \to 1} \dfrac{x^3 - 1}{\dfrac{1}{x} - 1}$

b) $\displaystyle\lim_{x \to +\infty} \dfrac{5x^2 + 7x - 1}{x^2 - 4}$ d) $\displaystyle\lim_{x \to 9} \dfrac{3 - \sqrt{x}}{x - 9}$

8. Soit f, une fonction continue sur $[a, b]$. Déterminer l'équation de la sécante passant par les points $P(a, f(a))$ et $Q(b, f(b))$.

9. Donner, si possible, en degrés, la valeur de l'angle θ, si cet angle est défini par :

a) $\theta = \text{Arc sin } 0,5$

b) $\theta = \text{Arc cos } 0$

c) $\theta = \text{Arc tan } 2$

d) $\theta = \text{Arc cot } (\text{-}1)$

e) $\theta = \text{Arc sec } \dfrac{2}{\sqrt{3}}$

f) $\theta = \text{Arc csc } 4$

10. Donner, si possible, en radians, la valeur de l'angle θ, si cet angle est défini par :

a) $\theta = \text{Arc sin } 4$

b) $\theta = \text{Arc cos } \left(\dfrac{\text{-}1}{2}\right)$

c) $\theta = \text{Arc tan } (\text{-}10)$

d) $\theta = \text{Arc cot } 0$

e) $\theta = \text{Arc sec } \dfrac{1}{2}$

f) $\theta = \text{Arc csc } 1$

11. Évaluer les limites suivantes.

a) $\lim\limits_{x \to 0} \sin x$

b) $\lim\limits_{x \to 0} \cos x$

c) $\lim\limits_{x \to (\frac{\pi}{2})^-} \tan x$

d) $\lim\limits_{x \to (\frac{\pi}{2})^+} \tan x$

e) $\lim\limits_{x \to (\frac{\pi}{2})^-} \sec x$

f) $\lim\limits_{x \to 0^-} \csc x$

12. Évaluer les limites suivantes.

a) $\lim\limits_{x \to 0} e^x$

b) $\lim\limits_{x \to +\infty} e^x$

c) $\lim\limits_{x \to -\infty} e^x$

d) $\lim\limits_{x \to +\infty} e^{-x}$

e) $\lim\limits_{x \to -\infty} e^{-x}$

f) $\lim\limits_{x \to 1} \ln x$

g) $\lim\limits_{x \to 0^+} \ln x$

h) $\lim\limits_{x \to +\infty} \ln x$

1.1 DÉRIVÉE, DÉRIVÉE À PARTIR D'ÉQUATIONS IMPLICITES ET DÉRIVATION LOGARITHMIQUE

Objectifs d'apprentissage

À la fin de cette section, l'élève pourra calculer la dérivée de fonctions algébriques, trigonométriques, exponentielles, logarithmiques et trigonométriques inverses, calculer une dérivée à partir d'une équation implicite et utiliser les logarithmes pour calculer certaines dérivées.

Plus précisément, l'élève sera en mesure :
- de connaître la définition de la fonction dérivée ;
- d'interpréter graphiquement la dérivée d'une fonction en un point ;
- d'appliquer les formules de dérivation de base ;
- d'appliquer les formules de dérivation des fonctions trigonométriques ;
- d'appliquer les formules de dérivation des fonctions exponentielles et logarithmiques ;
- d'appliquer les formules de dérivation des fonctions trigonométriques inverses ;
- de reconnaître des équations implicites ;
- de calculer la dérivée première à partir d'une équation implicite ;
- de calculer la pente de la tangente à des courbes définies par des équations implicites ;
- de calculer la dérivée seconde à partir d'une équation implicite ;
- de calculer la dérivée de fonctions de la forme $y = f(x)^{g(x)}$, où $f(x) > 0$;
- d'utiliser certaines propriétés des logarithmes pour faciliter le calcul de la dérivée de certaines expressions algébriques.

Définition et interprétation graphique de la dérivée

Définition

D'une façon générale, la **fonction dérivée** f' d'une fonction f peut être définie d'une des trois façons suivantes, lorsque la limite existe :

$$f'(x) = \lim_{h \to 0} \frac{f(x+h) - f(x)}{h} \quad \text{ou} \quad f'(x) = \lim_{\Delta x \to 0} \frac{f(x + \Delta x) - f(x)}{\Delta x} \quad \text{ou} \quad f'(x) = \lim_{t \to x} \frac{f(t) - f(x)}{t - x}$$

Les notations suivantes sont utilisées pour désigner la fonction dérivée d'une fonction $y = f(x)$:

$$f'(x), \quad y', \quad \frac{dy}{dx}, \quad \frac{d}{dx}(y), \quad \frac{df}{dx}, \quad \frac{d}{dx}f \quad \text{ou} \quad D_x f$$

Les notations suivantes sont utilisées pour désigner la dérivée d'une fonction f au point $P(a, f(a))$:

$$f'(a), \quad y'\Big|_{x=a}, \quad \frac{dy}{dx}\Big|_{x=a}, \quad \frac{d}{dx}(y)\Big|_{x=a}, \quad \frac{df}{dx}\Big|_{x=a}, \quad \frac{d}{dx}(f)\Big|_{x=a} \quad \text{ou} \quad D_{x=a}f$$

Graphiquement, $f'(a)$ correspond à la pente de la tangente à la courbe de f au point $P(a, f(a))$.

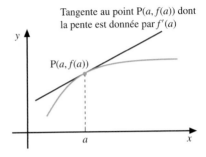

Formules de dérivation

Nous trouvons dans les tableaux de cette section les principales formules de dérivation étudiées dans un premier cours de calcul différentiel.

Type de fonction	Équation	Dérivée
Constante	$y = k$, où $k \in \mathbb{R}$	$y' = 0$
Identité	$y = x$	$y' = 1$
Produit d'une constante par une fonction	$y = k f(x)$, où $k \in \mathbb{R}$	$y' = k f'(x)$
Somme ou différence	$y = f_1(x) \pm f_2(x) \pm ... \pm f_n(x)$	$y' = f_1'(x) \pm f_2'(x) \pm ... \pm f_n'(x)$
Produit	$y = f(x)\, g(x)$	$y' = f'(x)\, g(x) + f(x)\, g'(x)$
Exposant réel	$y = x^r$, où $r \in \mathbb{R}$	$y' = rx^{r-1}$
Quotient	$y = \dfrac{f(x)}{g(x)}$	$y' = \dfrac{f'(x)\, g(x) - f(x)\, g'(x)}{g^2(x)}$
Dérivation en chaîne	$y = [f(x)]^r$, où $r \in \mathbb{R}$	$y' = r[f(x)]^{r-1}\, f'(x)$
	$y = f(g(x))$	$y' = f'(g(x))\, g'(x)$

Notation de Leibniz

Dans la règle de dérivation en chaîne, en posant $u = g(x)$, nous avons $y = f(u)$; ainsi, la règle de dérivation en chaîne peut s'écrire sous la forme

$$\frac{dy}{dx} = \frac{dy}{du}\frac{du}{dx}$$

Gottfried Wilhelm Leibniz (1646-1716) fut diplomate et conseiller du duc de Hanovre, en Allemagne. Avec Newton, il est considéré comme l'un des deux inventeurs du calcul différentiel et intégral. Son souci majeur était de donner à cette théorie, nouvelle pour l'époque, la forme d'un véritable calcul permettant de «calculer» grâce à des automatismes semblables aux opérations élémentaires effectuées sur les nombres écrits en numération indo-arabe. Il fit plusieurs essais, et sa notation $\dfrac{dy}{dx}$ fut universellement adoptée. Elle a l'avantage de suivre des règles de manipulation similaires à celles des fractions et, de la sorte, elle nous semble plus intuitive.

Gottfried Wilhelm Leibniz,
mathématicien allemand

Exemple 1 Calculons la dérivée des fonctions suivantes.

a) Si $\quad f(x) = \sqrt{x} - 5x^4 + \dfrac{3}{x^2}$

alors $f'(x) = \dfrac{1}{2\sqrt{x}} - 20x^3 - \dfrac{6}{x^3}$

b) Si $\quad f(x) = (x^3 + 2x)\sqrt[3]{4 - 3x^5}$

alors $f'(x) = (3x^2 + 2)\sqrt[3]{4 - 3x^5} + (x^3 + 2x)\dfrac{1}{3}(4 - 3x^5)^{\frac{-2}{3}}(-15x^4)$

$\quad = (3x^2 + 2)\sqrt[3]{4 - 3x^5} - \dfrac{5x^4(x^3 + 2x)}{\sqrt[3]{(4 - 3x^5)^2}}$

c) Si $\quad y = \dfrac{x^2 + 1}{4x^7}$

alors $\dfrac{dy}{dx} = \dfrac{2x(4x^7) - (x^2 + 1)(28x^6)}{16x^{14}} = \dfrac{-20x^8 - 28x^6}{16x^{14}} = \dfrac{-(5x^2 + 7)}{4x^8}$

d) Si $\quad H(x) = [(x^4 + 3x)^5 + x^2]^8$

alors $H'(x) = 8[(x^4 + 3x)^5 + x^2]^7\,[(x^4 + 3x)^5 + x^2]'$

$\quad = 8[(x^4 + 3x)^5 + x^2]^7\,[5(x^4 + 3x)^4\,(4x^3 + 3) + 2x]$

Exemple 2 Soit $f(x) = 4x^2 - 5x + 2$.

Pente d'une tangente

a) Calculons la pente de la tangente au point P$(1, f(1))$.

Puisque $\quad f(x) = 4x^2 - 5x + 2$

$\qquad f'(x) = 8x - 5$

d'où $m_{\tan(1, f(1))} = f'(1) = 3$

Équation d'une tangente

b) Déterminons l'équation de la tangente au point R$(-2, f(-2))$.

$\dfrac{y - f(-2)}{x - (-2)} = f'(-2)$

$\dfrac{y - 28}{x + 2} = -21$

d'où $\qquad y = -21x - 14$

Dérivation des fonctions trigonométriques

$y = \sin\ f(x)$	$y' = [\cos\ f(x)]\ f'(x)$
$y = \cos\ f(x)$	$y' = [\text{-}\sin\ f(x)]\ f'(x)$
$y = \tan\ f(x)$	$y' = [\sec^2\ f(x)]\ f'(x)$
$y = \cot\ f(x)$	$y' = [\text{-}\csc^2\ f(x)]\ f'(x)$
$y = \sec\ f(x)$	$y' = [\sec\ f(x) \tan\ f(x)]\ f'(x)$
$y = \csc\ f(x)$	$y' = [\text{-}\csc\ f(x) \cot\ f(x)]\ f'(x)$

Exemple 3 Calculons la dérivée des fonctions suivantes.

a) Si $\quad y = \sin\ (x^6 - \cos^3 x^2)$

$\quad$ alors $\dfrac{dy}{dx} = [\cos\ (x^6 - \cos^3 x^2)]\ (x^6 - \cos^3 x^2)'$

$\qquad\qquad = [\cos\ (x^6 - \cos^3 x^2)]\ (6x^5 + 6x \cos^2 x^2 \sin x^2)$

b) Si $\quad y = \dfrac{\tan x}{\sec x^2}$

$\quad$ alors $y' = \dfrac{\sec^2 x \sec x^2 - \tan x\ [\sec x^2 \tan x^2]\ 2x}{\sec^2 x^2}$

$\qquad\quad = \dfrac{\sec x\ [\sec^2 x - 2x \tan x \tan x^2]}{\sec^2 x^2}$

$\qquad\quad = \dfrac{\sec^2 x - 2x \tan x \tan x^2}{\sec x^2}$

c) Si $\quad y = \cot^3 \theta - \csc \theta^3$

$\quad$ alors $\dfrac{dy}{d\theta} = \text{-}3 \cot^2 \theta \csc^2 \theta + 3\theta^2 \csc \theta^3 \cot \theta^3$

Dérivation des fonctions exponentielles et logarithmiques

$y = e^{f(x)}$	$y' = e^{f(x)}\ f'(x)$
$y = a^{f(x)}$	$y' = [a^{f(x)} \ln a]\ f'(x)$, où $a > 0$ et $a \neq 1$
$y = \ln\ f(x)$	$y' = \dfrac{f'(x)}{f(x)}$
$y = \log_a f(x)$	$y' = \dfrac{f'(x)}{f(x) \ln a}$

Exemple 4 Calculons la dérivée des fonctions suivantes.

a) Si $\quad f(x) = e^{3x^2 - 4x}$

$\quad$ alors $f'(x) = e^{3x^2 - 4x}\ (3x^2 - 4x)' = (6x - 4)\ e^{3x^2 - 4x}$

b) Si $\quad f(x) = 9^{\sin 2x}$

$\quad$ alors $f'(x) = [9^{\sin 2x} \ln 9]\ (\sin 2x)' = 2 \cos 2x\ 9^{\sin 2x} \ln 9$

c) Si $\quad g(x) = \ln^4 (3 - 5x^4)$

$\quad$ alors $g'(x) = [4 \ln^3 (3 - 5x^4)]\ [\ln (3 - 5x^4)]'$

$$= [4 \ln^3 (3 - 5x^4)] \frac{-20x^3}{(3 - 5x^4)}$$

$$= \frac{-80x^3 \ln^3 (3 - 5x^4)}{3 - 5x^4}$$

d) Si $\quad u = \log (t^3 - 2t)$

alors $\dfrac{du}{dt} = \dfrac{3t^2 - 2}{(t^3 - 2t) \ln 10}$

Dérivation des fonctions trigonométriques inverses

$y = \text{Arc sin } f(x)$	$\dfrac{dy}{dx} = \dfrac{f'(x)}{\sqrt{1 - [f(x)]^2}}$
$y = \text{Arc cos } f(x)$	$\dfrac{dy}{dx} = \dfrac{-f'(x)}{\sqrt{1 - [f(x)]^2}}$
$y = \text{Arc tan } f(x)$	$\dfrac{dy}{dx} = \dfrac{f'(x)}{1 + [f(x)]^2}$
$y = \text{Arc cot } f(x)$	$\dfrac{dy}{dx} = \dfrac{-f'(x)}{1 + [f(x)]^2}$
$y = \text{Arc sec } f(x)$	$\dfrac{dy}{dx} = \dfrac{f'(x)}{\sqrt{f(x)[f(x)]^2 - 1}}$ *
$y = \text{Arc csc } f(x)$	$\dfrac{dy}{dx} = \dfrac{-f'(x)}{f(x)\sqrt{[f(x)]^2 - 1}}$ *

Exemple 5 Calculons la dérivée des fonctions suivantes.

a) Si $\quad f(x) = (\text{Arc sin } 2x) (\text{Arc cos } x^3)$

alors $f'(x) = \dfrac{2}{\sqrt{1 - 4x^2}} \text{Arc cos } x^3 - \dfrac{3x^2}{\sqrt{1 - x^6}} \text{Arc sin } 2x$

b) Si $\quad y = \dfrac{\text{Arc tan } (1 - 3x)}{\text{Arc csc } (x^4 + 1)}$

alors $\dfrac{dy}{dx} = \dfrac{\dfrac{-3 \text{ Arc csc } (x^4 + 1)}{1 + (1 - 3x)^2} + \dfrac{4x^3 \text{ Arc tan } (1 - 3x)}{(x^4 + 1)\sqrt{(x^4 + 1)^2 - 1}}}{(\text{Arc csc } (x^4 + 1))^2}$

c) Si $\quad f(x) = \text{Arc cot } (e^x + \text{Arc sec } 3x)$

alors $f'(x) = \dfrac{-1}{1 + (e^x + \text{Arc sec } 3x)^2} \left(e^x + \dfrac{1}{x\sqrt{9x^2 - 1}} \right)$

Dérivée à partir d'équations implicites

Dans la majorité des équations, la variable dépendante est exprimée en fonction de la variable indépendante. De telles équations sont appelées équations explicites.

---

* Tirées du volume de G. Charron et P. Parent, *Calcul différentiel, 5e édition*, Laval, Groupe Beauchemin, éditeur, 2002, p. 380 à 386.

Exemple 1   a) $y = \dfrac{3x^4 - 5x}{x^2 + 1}$ est une équation explicite.

b) $u = e^t + \sin 3t$ est une équation explicite.

Par contre, dans certaines expressions, les variables sont liées entre elles par une équation où aucune des variables n'est explicitée en fonction d'une autre variable. De telles équations sont appelées équations implicites.

Exemple 2 Les équations suivantes sont des équations implicites.

a) $x^2 + y^2 = 4$

b) $x^3 t^4 + \sin t = e^x \ln t^2$

c) $\sin (xy) = 3x - 4y$

Dans toutes les équations suivantes, nous supposons que y est dérivable par rapport à x.

Ainsi, en calculant la dérivée de chacun des deux membres de l'équation par rapport à la variable x, pourvu que chaque membre soit dérivable, nous obtenons une nouvelle équation à partir de laquelle nous pourrons isoler y'. Cette méthode de dérivation s'appelle dérivation implicite.

Dans l'exemple suivant, nous allons calculer la dérivée de y par rapport à x, c'est-à-dire $\dfrac{dy}{dx}$ ou y', en utilisant la méthode de dérivation implicite.

Dérivation implicite

Exemple 3 Calculons $\dfrac{dy}{dx}$ si $x^3 - 5x^2y = y^4 + 7$.

Calculons d'abord la dérivée par rapport à x de chacun des membres de l'équation.

$$\frac{d}{dx}(x^3 - 5x^2y) = \frac{d}{dx}(y^4 + 7)$$

$$\frac{d}{dx}(x^3) - \frac{d}{dx}(5x^2y) = \frac{d}{dx}(y^4) + \frac{d}{dx}(7)$$

$$3x^2 - 5\left(y\,\frac{d}{dx}(x^2) + x^2\,\frac{d}{dx}(y)\right) = \frac{d}{dy}(y^4)\frac{dy}{dx} + 0$$

$$3x^2 - 5\left(y\,(2x) + x^2\,\frac{dy}{dx}\right) = 4y^3\,\frac{dy}{dx}$$

$$3x^2 - 10yx - 5x^2\,\frac{dy}{dx} = 4y^3\,\frac{dy}{dx}$$

Isolons maintenant $\dfrac{dy}{dx}$.

$$4y^3\,\frac{dy}{dx} + 5x^2\,\frac{dy}{dx} = 3x^2 - 10yx$$

$$(4y^3 + 5x^2)\,\frac{dy}{dx} = 3x^2 - 10yx$$

d'où

$$\frac{dy}{dx} = \frac{3x^2 - 10yx}{4y^3 + 5x^2}$$

Les étapes de la dérivation implicite sont données dans le tableau suivant.

Dérivée à partir d'équations implicites

Soit une équation de la forme $F(x, y) = G(x, y)$.

Pour déterminer $\dfrac{dy}{dx}$ ou y', nous pouvons procéder comme suit :

Étape 1 Calculer la dérivée des deux membres de l'équation.

$$\frac{d}{dx}(F(x, y)) = \frac{d}{dx}(G(x, y)) \text{ ou } (F(x, y))' = (G(x, y))'$$

Étape 2 Isoler $\dfrac{dy}{dx}$ ou y' dans l'équation obtenue à l'étape 1.

Exemple 4 Calculons y', si $\dfrac{x}{y} = \dfrac{y}{x}$.

1) Calculons d'abord la dérivée par rapport à x de chacun des membres de l'équation.

$$\left(\frac{x}{y}\right)' = \left(\frac{y}{x}\right)'$$

$$\frac{y - xy'}{y^2} = \frac{y'x - y}{x^2}$$

2) Isolons y' dans l'équation précédente.

$$x^2(y - xy') = y^2(y'x - y)$$
$$x^2y - x^3y' = y^2y'x - y^3$$
$$x^2y + y^3 = x^3y' + y^2y'x$$
$$x^2y + y^3 = y'(x^3 + y^2x)$$
$$y' = \frac{x^2y + y^3}{x^3 + y^2x} = \frac{y(x^2 + y^2)}{x(x^2 + y^2)}$$

d'où $\quad y' = \dfrac{y}{x} \quad$ (en simplifiant)

Remarque Il est parfois préférable de transformer l'équation initiale, de façon à faciliter les calculs de la dérivée. Par contre, il faut s'assurer que les deux équations ont le même domaine de définition.

Nous allons maintenant calculer y' en transformant l'équation initiale.

De $\quad \dfrac{x}{y} = \dfrac{y}{x}$, nous obtenons en transformant

$x^2 = y^2 \quad$ (pour $x \neq 0$ et $y \neq 0$)

$(x^2)' = (y^2)' \quad$ (en calculant la dérivée des deux membres par rapport à x)

$2x = 2yy'$

d'où $\quad y' = \dfrac{x}{y} \quad$ (en isolant y')

Les réponses obtenues, c'est-à-dire $y' = \dfrac{y}{x}$ et $y' = \dfrac{x}{y}$, sont équivalentes, car $\dfrac{y}{x} = \dfrac{x}{y}$ dans l'équation initiale.

Exemple 5 Soit les courbes définies par $xy = 20$ et $x^2 - y^2 = 9$.

a) Représentons graphiquement les deux courbes précédentes.

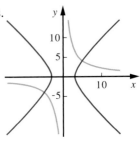

```
>with (plots):
>c1:=implicitplot(x*y=20,x=-15..15,y=-15..15,color=orange):
>c2:=implicitplot(x^2-y^2=9,x=-15..15,y=-15..15,color=blue):
>display (c1,c2);
```

b) Déterminons les points d'intersection des deux courbes.

De $xy = 20$, nous obtenons $y = \dfrac{20}{x}$.

En substituant, nous avons

$$x^2 - \left(\dfrac{20}{x}\right)^2 = 9$$

$$x^2 - \dfrac{400}{x^2} = 9$$

$$x^4 - 400 = 9x^2 \quad \text{(en multipliant les 2 membres de l'équation par } x^2\text{)}$$

$$x^4 - 9x^2 - 400 = 0$$

donc $z^2 - 9z - 400 = 0 \quad$ (en posant $z = x^2$)

Ainsi $z = \dfrac{9 \pm \sqrt{81 + 1600}}{2}$

$z = 25 \quad$ ou $\quad z = \text{-}16$

$x^2 = 25 \qquad x^2 = \text{-}16 \quad$ (à rejeter)

$x = \text{-}5$ ou $x = 5$

D'où les points d'intersection R(-5, -4) et S(5, 4).

c) Démontrons que les tangentes aux courbes sont perpendiculaires aux points d'intersection.

De $\quad xy = 20 \qquad$ (courbe 1)

$(xy)' = (20)'$

$1y + xy' = 0$

$y' = \dfrac{\text{-}y}{x}$

donc $y'\Big|_{(\text{-}5,\,\text{-}4)} = \dfrac{\text{-}4}{5} \quad$ et $\quad y'\Big|_{(5,\,4)} = \dfrac{\text{-}4}{5}$

De $\quad x^2 - y^2 = 9 \qquad$ (courbe 2)

$(x^2 - y^2)' = (9)'$

$2x - 2yy' = 0$

$y' = \dfrac{x}{y}$

$$\text{donc } y'\Big|_{(-5,\,-4)} = \frac{5}{4} \quad \text{et} \quad y'\Big|_{(5,\,4)} = \frac{5}{4}$$

Puisque dans les deux cas le produit des pentes est égal à $-1\left(\left(\dfrac{-4}{5}\right)\left(\dfrac{5}{4}\right) = -1\right)$, les tangentes aux courbes sont perpendiculaires aux points d'intersection.

Dans certains problèmes, il peut être utile de calculer la dérivée seconde, notée $\dfrac{d^2y}{dx^2}$ ou y'', pour déterminer la concavité d'une courbe.

Exemple 6 Soit le cercle d'équation $x^2 + y^2 = 9$.

Évaluons y'' au point P$(-2, -\sqrt{5})$.

$$x^2 + y^2 = 9$$
$$(x^2 + y^2)' = (9)'$$
$$2x + 2yy' = 0$$

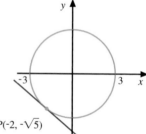

En calculant la dérivée par rapport à x une seconde fois, nous obtenons

$$(2x + 2yy')' = (0)'$$
$$2 + 2y'y' + 2yy'' = 0$$

donc
$$y'' = \frac{-(1 + (y')^2)}{y}$$

Pour évaluer y'' au point P$(-2, -\sqrt{5})$, il faut d'abord évaluer y' au point P$(-2, -\sqrt{5})$.

De
$$y' = \frac{-x}{y}$$

(en isolant y' de $2x + 2yy' = 0$)

nous trouvons $y'\Big|_{(-2,\,-\sqrt{5})} = \dfrac{-2}{\sqrt{5}}$, ce qui correspond à la pente de la tangente au point P$(-2, -\sqrt{5})$.

Il suffit maintenant de remplacer, dans l'expression de y'', x par -2, y par $-\sqrt{5}$ et y' par $\dfrac{-2}{\sqrt{5}}$.

d'où
$$y''\Big|_{(-2,\,-\sqrt{5})} = \frac{-\left(1 + \left(\dfrac{-2}{\sqrt{5}}\right)^2\right)}{(-\sqrt{5})} = \frac{9}{5\sqrt{5}}.$$

Remarque Puisque $y'' = \dfrac{-(1 + (y')^2)}{y}$, il est facile de constater que si

i) $y < 0$, alors $y'' > 0$, d'où la courbe est concave vers le haut ;

ii) $y > 0$, alors $y'' < 0$, d'où la courbe est concave vers le bas.

Dérivation de fonctions de la forme $f(x)^{g(x)}$

Nous savons que si $y = x^a$, alors $y' = ax^{a-1} \; \forall \, a \in \mathbb{R}$.

Nous savons également que si $y = a^x$, alors $y' = a^x \ln a \; \forall \, a > 0$ et $a \neq 1$.

Par contre, nous n'avons vu aucune méthode nous permettant de calculer la dérivée de fonctions de la forme $y = f(x)^{g(x)}$, où $f(x) > 0$, par exemple :

$$y = x^x; \quad y = (x^3 + 4x)^{e^x}; \quad y = (\tan x)^x$$

Une méthode, appelée **dérivation logarithmique,** est utilisée pour calculer y' dans de telles équations ; elle consiste à :

1) prendre le logarithme naturel de chaque membre de l'équation ;

2) appliquer certaines propriétés des logarithmes pour obtenir des expressions possibles à dériver ;

3) calculer la dérivée des deux membres de l'équation par rapport à la variable x ;

4) isoler y'.

Exemple 1 Calculons y' si $y = x^x$.

Si	$y = x^x$	
alors	$\ln y = \ln x^x$	(car si $A > 0$, $B > 0$ et $A = B$, alors $\ln A = \ln B$)
	$\ln y = x \ln x$	(propriété des logarithmes)
	$(\ln y)' = (x \ln x)'$	(en calculant la dérivée des deux membres de l'équation)
	$\dfrac{y'}{y} = 1 \ln x + x \dfrac{1}{x}$	
	$y' = y[1 + \ln x]$	(en isolant y')
d'où	$y' = x^x(1 + \ln x)$	(car $y = x^x$)

Exemple 2 Calculons y' si $y = (x^3 + 4x)^{e^x}$.

Si	$y = (x^3 + 4x)^{e^x}$	
alors	$\ln y = \ln(x^3 + 4x)^{e^x}$	
	$\ln y = e^x \ln(x^3 + 4x)$	(propriété des logarithmes)
	$(\ln y)' = (e^x \ln(x^3 + 4x))'$	
	$\dfrac{y'}{y} = e^x \ln(x^3 + 4x) + \dfrac{e^x(3x^2 + 4)}{(x^3 + 4x)}$	
	$y' = y\left[e^x \ln(x^3 + 4x) + \dfrac{e^x(3x^2 + 4)}{(x^3 + 4x)}\right]$	(en isolant y')
d'où	$y' = (x^3 + 4x)^{e^x}\left[e^x \ln(x^3 + 4x) + \dfrac{e^x(3x^2 + 4)}{(x^3 + 4x)}\right]$	(car $y = (x^3 + 4x)^{e^x}$)

Nous pouvons également calculer la dérivée de fonctions de la forme $y = f(x)^{g(x)}$ en utilisant l'identité

$$f(x)^{g(x)} = e^{\ln f(x)^{g(x)}}, \text{ c'est-à-dire } f(x)^{g(x)} = e^{g(x) \ln f(x)}$$

Exemple 3 Calculons y' si $y = (\tan x)^x$.

Puisque
$$(\tan x)^x = e^{x \ln \tan x}$$
$$((\tan x)^x)' = (e^{x \ln \tan x})'$$
$$y' = e^{x \ln \tan x} (x \ln \tan x)'$$

d'où
$$y' = (\tan x)^x \left(\ln \tan x + \frac{x \sec^2 x}{\tan x} \right) \quad (\text{car } e^{x \ln \tan x} = (\tan x)^x)$$

Lorsque nous avons à calculer la dérivée d'une fonction constituée de nombreux produits, quotients ou exposants, il est plus facile de calculer la dérivée de cette fonction en utilisant le logarithme naturel et ses propriétés.

Exemple 4 Calculons y' si $y = \dfrac{x^3 \ln x}{x^x \sec x}$.

Si
$$y = \frac{x^3 \ln x}{x^x \sec x}$$

alors
$$\ln y = \ln \left(\frac{x^3 \ln x}{x^x \sec x} \right)$$
$$\ln y = \ln (x^3 \ln x) - \ln (x^x \sec x) \quad (\text{propriété des logarithmes})$$
$$\ln y = \ln x^3 + \ln (\ln x) - (\ln x^x + \ln \sec x) \quad (\text{propriétés des logarithmes})$$
$$\ln y = \ln x^3 + \ln (\ln x) - \ln x^x - \ln \sec x$$
$$(\ln y)' = (\ln x^3 + \ln (\ln x) - x \ln x - \ln \sec x)' \quad (\text{propriétés des logarithmes})$$
$$\frac{y'}{y} = \frac{3x^2}{x^3} + \frac{1}{(\ln x)x} - (\ln x + 1) - \frac{\sec x \tan x}{\sec x}$$
$$y' = y \left[\frac{3}{x} + \frac{1}{x \ln x} - \ln x - 1 - \tan x \right] \quad (\text{en isolant } y')$$

d'où
$$y' = \frac{x^3 \ln x}{x^x \sec x} \left[\frac{3}{x} + \frac{1}{x \ln x} - \ln x - 1 - \tan x \right]$$

Exercices 1.1

1. Calculer la dérivée des fonctions suivantes.

a) $f(x) = 5x^4 - \left(10\sqrt{x} - \dfrac{3}{x^2} + \dfrac{1}{7} \right)$

b) $f(t) = (1 - 7t)^6$

c) $g(x) = (x - 2)^5 (7x + 3)$

d) $y = \dfrac{x^2 - 3}{4 - x^2}$

e) $v(t) = 5t^3 \sqrt{4 - t}$

f) $f(x) = \sqrt{\dfrac{1 + 3x}{1 - 3x}}$

g) $H(u) = [u^2 - 5)^8 + u^7]^{18}$

h) $f(x) = \dfrac{ax^2}{(a + x^2)^3}$

2. Calculer la dérivée des fonctions suivantes.

a) $x(\theta) = \sin \sqrt{\theta} + \sqrt{\cos \theta}$

b) $g(u) = \tan^4 (2u^2 - 1)$

c) $v(t) = \csc \left(\dfrac{t - 1}{t} \right)$

d) $y = \sin 2x \cos (x^2 - 3x)$

e) $f(x) = \sqrt[3]{\sec (5x - 4)}$

f) $g(x) = \cot (x^3 + \sin x^2)$

3. Calculer $\dfrac{dy}{dx}$ pour les fonctions suivantes.

a) $y = \dfrac{e^x + e^{-x}}{e^x - e^{-x}}$

b) $y = \log_3 x^3 + 3^{x^4}$

c) $y = e^{\cos x} \ln \sec x$

d) $y = \sin(\ln x) - e^{\ln x}$

e) $y = \ln(\sec x + \tan x)$

f) $y = \ln(\ln x)$

4. Calculer la dérivée des fonctions suivantes.

a) $f(x) = \operatorname{Arc\,sin}(x^3 - 3x)$

b) $g(x) = \operatorname{Arc\,cos}\left(\dfrac{2x}{1 - x^2}\right)$

c) $x(\theta) = \operatorname{Arc\,tan}(\sin\theta)$

d) $H(x) = \operatorname{Arc\,csc}(2x - 1) + \operatorname{Arc\,sec} x^4$

e) $f(x) = (\operatorname{Arc\,sec} x)^3 \operatorname{Arc\,cot}(x^2 - 1)$

f) $v(t) = (\operatorname{Arc\,sin} t)^3 + \operatorname{Arc\,sin} t^3$

5. Soit la fonction f définie par $f(x) = x^3 - x^2 - 6x$.

a) Déterminer l'équation de la droite L_1, illustrée ci-dessous, qui est tangente à la courbe de f au point Q$(b, 0)$.

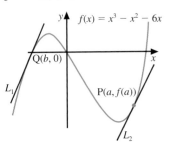

b) Déterminer les coordonnées du point P$(a, f(a))$ si la tangente L_2 en ce point a une pente de 7,75.

6. Calculer y' si :

a) $4x^2 + 9y^2 = 36$

b) $3x^2y - 4xy^2 = 9x + 5y$

c) $e^{\tan x} + \sec e^y = 3x$

d) $\sqrt{x^2 + y^2} = 5x + 1$

e) $y \cos x = 7x^2 - 3x \cos y$

f) $\ln(x^2 + y^3) = ye^x$

7. Soit $\dfrac{x}{y} = \dfrac{y^2}{x}$.

a) Déterminer y' en calculant la dérivée des deux membres de l'équation donnée.

b) Isoler y à partir de l'équation initiale et calculer y'.

c) Vérifier que les deux réponses sont égales.

8. Pour chacune des équations suivantes, calculer y' et la pente de la tangente à la courbe au point donné de la courbe.

a) $\cos y = \sin x$, au point P$\left(\dfrac{\pi}{6}, \dfrac{\pi}{3}\right)$

b) $e^{2x - y} = x^2 - 3$, au point P$(2, 4)$

c) $y^2 = \dfrac{x - y}{x + y}$, au point P$\left(\dfrac{-10}{3}, 2\right)$

9. Calculer la pente de la tangente à la courbe :

a) $x^2 + y^2 = y - x$, pour $x = 0$

b) $x^2 + 4 = \dfrac{5x}{y}$ pour $y = 1$

O/T c) Représenter graphiquement, sur un intervalle approprié, la courbe précédente, la droite $y = 1$, ainsi que les points de la courbe en $y = 1$. Vérifier la cohérence des résultats relativement à la pente de la tangente.

10. Pour chacune des équations suivantes, calculer y'' et évaluer y'' au point donné de la courbe.

a) $x^3y + xy^3 = 2$, au point P$(1, 1)$

b) $x + x \sin y = 3$, au point P$(3, 0)$

c) $\ln(ye^x) = x^2 + 1$, au point P$(1, e)$

O/T d) Représenter graphiquement, sur un intervalle approprié, la courbe précédente et le point P$(1, e)$, et vérifier la cohérence des résultats relativement à la concavité de la courbe.

11. Calculer y' si :

a) $y = x^{\sin x}$

b) $y = (3x + 1)^{(1 - 2x)}$ en utilisant l'identité $f(x)^{g(x)} = e^{g(x) \ln f(x)}$

12. Calculer la dérivée des fonctions suivantes.

a) $f(x) = (2x)^{3x}$

b) $v(\theta) = (\sin\theta)^{\cos\theta}$

c) $y = (\tan x^2)^{\pi x^3}$

d) $g(x) = x^{\ln x}$

e) $x(t) = (\ln t)^t$

f) $y = (x)^{e^x}$

13. Après avoir transformé en somme ou en différence la fonction initiale, calculer sa dérivée.

a) $y = \ln((3 - 2x)(5 + 4x^2))$

b) $y = \ln\left(\dfrac{x^2 - 4x}{3x + 1}\right)$

c) $y = \ln\left(\dfrac{(x^2 + 4)(5 - x)^3}{(2x - 1)(x^3 + 1)}\right)$

14. Utiliser la dérivation logarithmique pour calculer $\dfrac{dy}{dx}$.

a) $y = \sqrt{x} \ \sqrt[3]{1-x} \ \sqrt[5]{4+5x}$

b) $y = \sqrt[3]{\dfrac{1-x^4}{5x^2+5}}$

c) $y = \dfrac{(x^3+5x)^7 \sin x}{\sqrt{x}}$

15. Calculer y' si :

a) $y = x^{3x} + (\cos x)^x$

b) $y = 4(\sec x)^x$

c) $x^y - y^x = 0$

d) $y = x^{(x^x)}$

16. Soit $y = f(x)^{g(x)}$. Déterminer $\dfrac{dy}{dx}$.

1.2 THÉORÈMES SUR LES FONCTIONS CONTINUES

Objectif d'apprentissage

À la fin de cette section, l'élève pourra appliquer certains théorèmes d'analyse à des fonctions continues.

Plus précisément, l'élève sera en mesure :
- de connaître le théorème de la valeur intermédiaire ;
- de connaître le théorème des valeurs extrêmes ;
- de savoir qu'à un point maximal (ou minimal), la dérivée, si elle existe, est égale à 0 ;
- de connaître le théorème de Rolle ;
- d'appliquer le théorème de Rolle ;
- de connaître le théorème de Lagrange ;
- d'appliquer le théorème de Lagrange ;
- de démontrer la validité d'une inégalité à l'aide du théorème de Lagrange ;
- de calculer approximativement certaines valeurs à l'aide du théorème de Lagrange ;
- de connaître les corollaires du théorème de Lagrange ;
- d'appliquer les corollaires du théorème de Lagrange ;
- de connaître le théorème de Cauchy ;
- d'appliquer le théorème de Cauchy.

Dans cette section, nous allons énoncer et appliquer certains théorèmes relatifs aux fonctions continues. Nous ne démontrerons pas tous ces théorèmes, car la démonstration de certains d'entre eux nécessite une connaissance approfondie des propriétés des nombres réels. Toutefois, la justification graphique et intuitive de ces théorèmes devrait nous convaincre de leur validité.

Énonçons d'abord le théorème de la valeur intermédiaire ainsi qu'un corollaire étudiés dans le cours de calcul différentiel (G. Charron et P. Parent, *Calcul différentiel, 5ᵉ édition*, Laval, Groupe Beauchemin, éditeur, 2002, p. 63-65).

Théorème de la valeur intermédiaire

THÉORÈME 1.1 **THÉORÈME DE LA VALEUR INTERMÉDIAIRE**	Si f est une fonction telle que 1) f est continue sur $[a, b]$; 2) $f(a) < L < f(b)$ (ou $f(a) > L > f(b)$), alors il existe au moins un nombre $c \in\ ]a, b[$ tel que $f(c) = L$.

Les graphiques suivants illustrent le théorème de la valeur intermédiaire.

Théorème de la valeur intermédiaire

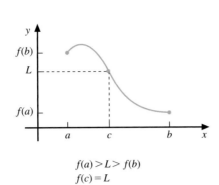

$$f(a) > L > f(b)$$
$$f(c) = L$$

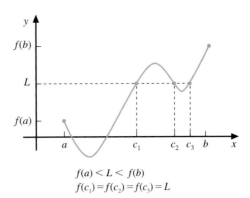

$$f(a) < L < f(b)$$
$$f(c_1) = f(c_2) = f(c_3) = L$$

Dans le cas où $f(a)$ et $f(b)$ sont de signes contraires, nous obtenons le corollaire suivant.

COROLLAIRE

Si f est une fonction telle que

1) f est continue sur $[a, b]$;

2) $f(a)$ et $f(b)$ sont de signes contraires,

alors il existe au moins un nombre $c \in \,]a, b[$ tel que $f(c) = 0$.

Exemple 1 Soit f la fonction définie par $f(x) = 13 - x^5 - 5x^2 - 4x$ sur $[0, 2]$.

a) Vérifions, à l'aide du corollaire précédent, que f admet au moins un zéro sur $]0, 2[$.

1) f est continue sur $[0, 2]$, car f est une fonction polynomiale.

2) $f(0) = 13$ et $f(2) = -47$, donc $f(0)$ et $f(2)$ sont de signes contraires, alors il existe au moins un nombre $c \in \,]0, 2[$ tel que $f(c) = 0$.

OUTIL TECHNOLOGIQUE

b) Représentons graphiquement la fonction f.

```
> f:=x→13−x^5−5*x^2−4*x;
        f:= x → 13 − x^5 − 5x^2 − 4x
> plot(f(x),x=0..2);
```

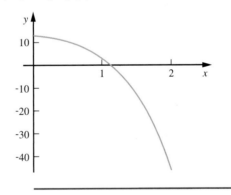

c) L'élève peut vérifier, à l'aide d'une calculatrice à affichage graphique ou d'un logiciel tel que Maple, que $c \approx 1{,}140\ 695\ 2$, où $f(1{,}140\ 695\ 2) \approx -0{,}000\ 001$.

Remarque Il existe également des méthodes faisant appel au calcul différentiel, par exemple la méthode de Newton-Raphson, qui permettent de calculer approximativement la valeur de c.

Théorème des valeurs extrêmes

THÉORÈME 1.2 THÉORÈME DES VALEURS EXTRÊMES

Si f est une fonction continue sur $[a, b]$, alors il existe au moins un $c \in [a, b]$ tel que $f(c)$ soit égale au maximum absolu de f sur $[a, b]$, et il existe également au moins un $d \in [a, b]$ tel que $f(d)$ soit égale au minimum absolu de f sur $[a, b]$.

Exemple 1 Voici des exemples graphiques qui illustrent le théorème des valeurs extrêmes.

a) Soit la fonction f, continue sur $[a, b]$, définie par le graphique ci-contre.

$c = b$, car $f(b)$ est le maximum absolu de f sur $[a, b]$;

$d = a$, car $f(a)$ est le minimum absolu de f sur $[a, b]$.

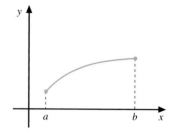

b) Soit la fonction f, continue sur $[1, 7]$, définie par le graphique ci-contre.

$c = 5$, car $f(5)$ est le maximum absolu de f sur $[1, 7]$;

$d = 1$, car $f(1)$ est le minimum absolu de f sur $[1, 7]$.

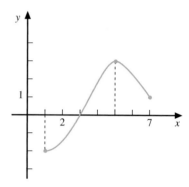

c) Soit la fonction f, continue sur $[-3, 5]$, définie par le graphique ci-contre.

$c_1 = 0$, $c_2 = 4$, car $f(0)$ et $f(4)$ égalent le maximum absolu de f sur $[-3, 5]$;

$d = 2$, car $f(2)$ est le minimum absolu de f sur $[-3, 5]$.

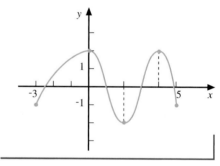

THÉORÈME 1.3

Si f est une fonction telle que

1) f est continue sur $[a, b]$;

2) f est dérivable sur $]a, b[$;

3) $c \in\ ]a, b[$, où $(c, f(c))$ est un point de maximum (ou un point de minimum) absolu ou relatif de f,

alors $f'(c) = 0$.

Exemple 2 Soit la fonction f, continue sur $[-4, 4]$ et dérivable sur $]-4, 4[$, définie par le graphique ci-contre.

Puisque $(-2, f(-2))$ est un point de maximum relatif de f, alors $f'(-2) = 0$.

Puisque $(1, f(1))$ est un point de minimum relatif de f, alors $f'(1) = 0$.

Puisque $(3, f(3))$ est un point de maximum absolu de f, alors $f'(3) = 0$.

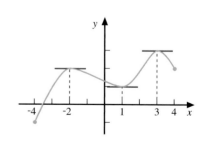

Théorème de Rolle

Au début du XVIIIᵉ siècle, le mathématicien amateur français Michel Rolle (1652-1719) se montre très critique envers le calcul différentiel, qu'il voit comme une collection de recettes reposant sur des principes douteux. La carrière de Rolle débute au moment où ce calcul commence tout juste à être connu de la communauté mathématique. Comme lui, de nombreux mathématiciens émettaient des doutes sur les fondements du calcul différentiel, mais certains autres n'appréciaient guère ces commentaires négatifs. En 1691, Rolle a publié le théorème qui porte aujourd'hui son nom. Il est aussi connu comme l'inventeur du symbole $\sqrt[n]{\ }$.

THÉORÈME 1.4
THÉORÈME
DE ROLLE

Si f est une fonction telle que

1) f est continue sur $[a, b]$;
2) f est dérivable sur $]a, b[$;
3) $f(a) = f(b)$,

alors il existe au moins un nombre $c \in]a, b[$ tel que $f'(c) = 0$.

Preuve

1ᵉʳ cas : $f(x) = k$, où $k \in \mathbb{R}$.

Si f est une fonction constante sur $[a, b]$,
alors $f'(x) = 0$ pour tout $x \in]a, b[$,
d'où $f'(c) = 0$ quel que soit $c \in]a, b[$.

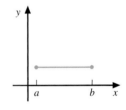

2ᵉ cas : $f(x) \neq k$.

D'après le théorème des valeurs extrêmes, f possède un minimum absolu et un maximum absolu sur $[a, b]$.

Puisque f n'est pas égale à une fonction constante et que $f(a) = f(b)$, f possède donc un maximum absolu ou un minimum absolu sur $]a, b[$.

Soit $c \in]a, b[$, tel que $(c, f(c))$ est un point de maximum (ou de minimum) ; ainsi, $f'(c) = 0$ d'après le théorème 1.3.

Représentations graphiques

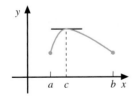 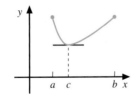 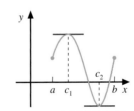

Exemple 1 Soit $f(x) = x^3 - 3x^2 + 1$ sur $[0, 3]$.

a) Vérifions si les hypothèses du théorème de Rolle sont satisfaites.

1) f est continue sur $[0, 3]$, car f est une fonction polynomiale.
2) f est dérivable sur $]0, 3[$, car $f'(x) = 3x^2 - 6x$ est définie sur $]0, 3[$.
3) $f(0) = 1$ et $f(3) = 1$, d'où $f(0) = f(3)$.

Puisque les trois hypothèses sont vérifiées, nous pouvons conclure qu'il existe au moins un nombre $c \in]0, 3[$ tel que $f'(c) = 0$.

b) Trouvons cette valeur ou ces valeurs de c.

$$f(x) = x^3 - 3x^2 + 1$$

$$f'(x) = 3x^2 - 6x = 3x(x - 2)$$

ainsi $f'(c) = 3c(c - 2)$

donc $f'(c) = 0$, lorsque $c = 0$ ou $c = 2$.

Puisque $c \in {]0, 3[}$, alors la valeur cherchée est $c = 2$.

$(c = 0$ est à rejeter, car $0 \notin {]0, 3[})$

OUTIL TECHNOLOGIQUE   Représentation graphique

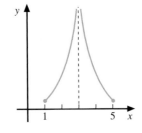

```
> with(plots):
> f:=x→x^3−3*x^2+1;
            f := x → x³ − 3x² + 1
> with(student):
> c:=plot(f(x),x=0..3,y=-3..1,color=orange):
> t1:=showtangent(f(x),x=2,x=1.5..2.5,color=blue):
> display(c,t1);
```

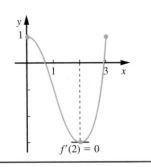

Exemple 2 Vérifions si nous pouvons appliquer le théorème de Rolle aux fonctions suivantes.

a) Soit $f(x) = \dfrac{1}{(x - 3)^2}$ sur $[1, 5]$ représentée par le graphique ci-contre.

f n'est pas continue sur $[1, 5]$, car $f(3)$ n'est pas définie et $3 \in [1, 5]$.

Puisque la première hypothèse n'est pas vérifiée, le théorème de Rolle ne s'applique pas et nous ne pouvons rien conclure.

De plus, nous observons à l'aide du graphique qu'il n'existe aucune valeur de $c \in {]1, 5[}$ où $f'(c) = 0$.

b) Soit $f(x) = \begin{cases} x^2 + 1 & \text{si} \quad 0 \le x \le 2 \\ (4 - x)^2 + 1 & \text{si} \quad 2 < x \le 4 \end{cases}$

représentée par le graphique ci-contre.

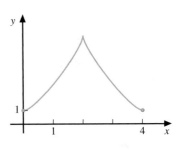

Graphiquement, nous constatons que la première et la troisième hypothèse sont vérifiées ; par contre, cette fonction n'est pas dérivable au point $(2, f(2))$, d'où f n'est pas dérivable sur $]0, 4[$; donc, le théorème de Rolle ne s'applique pas et nous ne pouvons rien conclure.

De plus, nous observons à l'aide du graphique qu'il n'existe aucune valeur de $c \in {]0, 4[}$ où $f'(c) = 0$.

Remarque Même si une ou plusieurs des hypothèses ne sont pas vérifiées, il est possible dans certains cas de trouver un nombre $c \in {]a, b[}$ tel que $f'(c) = 0$.

Exemple 3 Soit f définie par le graphique ci-contre.

1) f n'est pas continue sur $[a, b]$;

2) f n'est pas dérivable sur $]a, b[$;

3) $f(a) \neq f(b)$.

Le théorème ne s'applique donc pas, mais il existe cependant un nombre $c \in]a, b[$ tel que $f'(c) = 0$.

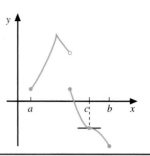

En mathématiques, on peut démontrer un résultat en le déduisant logiquement d'un fait ou d'un résultat connu (une preuve directe), ou encore en montrant que la négation du résultat cherché en entraîne un autre qui se révèle impossible ou *absurde*. Selon la légende, au Ve siècle avant notre ère, le pythagoricien Hyppase de Metapone démontre l'irrationalité de $\sqrt{2}$, constituant ainsi l'exemple le plus célèbre de la preuve par l'absurde. Grâce à elle, on montre que si $\sqrt{2}$ est rationnel, alors il y a un nombre pair qui est égal à un nombre impair… ce qui est absurde.

Nous pouvons utiliser le théorème de Rolle pour démontrer le théorème suivant.

THÉORÈME 1.5
UNICITÉ
D'UN ZÉRO

Si f est une fonction telle que

1) f est continue sur $[a, b]$;

2) f est dérivable sur $]a, b[$;

3) $f(a)$ et $f(b)$ sont de signes contraires ;

4) $f'(x) \neq 0, \forall\ x \in]a, b[$,

alors il existe un et un seul nombre $z \in]a, b[$ tel que $f(z) = 0$.

Preuve Le théorème se démontre en deux parties.

a) Démontrons d'abord l'existence d'au moins un zéro.

Puisque 1) f est continue sur $[a, b]$ et 2) $f(a)$ et $f(b)$ sont de signes contraires, alors il existe au moins un $z \in]a, b[$ tel que $f(z) = 0$ (corollaire, page 17).

b) Démontrons, par l'absurde, l'unicité de ce zéro.

Supposons qu'il existe dans $[a, b]$ un second zéro différent de z.

Soit $z_1 \in]a, b[$ tel que $z < z_1$ et $f(z_1) = 0$.

Appliquons le théorème de Rolle à f sur $[z, z_1]$.

1) f est continue sur $[z, z_1]$, car f est continue sur $[a, b]$;

2) f est dérivable sur $]z, z_1[$, car f est dérivable sur $]a, b[$;

3) $f(z) = 0$ et $f(z_1) = 0$, d'où $f(z) = f(z_1)$.

Alors $\exists\ c \in]z, z_1[$ tel que $f'(c) = 0$, ce qui contredit l'hypothèse 4 du théorème, donc $f(z_1) \neq 0$.

D'où il existe un et un seul nombre $z \in]a, b[$ tel que $f(z) = 0$.

Exemple 4 Soit $f(x) = x^5 + 3x + 1$ sur $[-1, 2]$.

Démontrons, à l'aide du théorème 1.5, que cette fonction a un et un seul zéro sur $[-1, 2]$.

Il suffit de vérifier les quatre hypothèses :

1) f est continue sur [-1, 2], car f est une fonction polynomiale ;

2) f est dérivable sur]-1, 2[, car $f'(x) = 5x^4 + 3$ est définie sur]-1, 2[;

Unicité d'un zéro

3) $f(-1) = -3$ et $f(2) = 39$, donc $f(-1)$ et $f(2)$ sont de signes contraires ;

4) $f'(x) = 5x^4 + 3 \neq 0$.

Puisque les quatre hypothèses sont vérifiées, alors il existe un et un seul nombre $z \in\ ]-1, 2[$ tel que $f(z) = 0$.

Représentation graphique

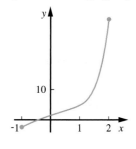

Théorème de Lagrange

Italien de naissance, Joseph Louis de Lagrange (1736-1813) représente l'exemple type du mathématicien international de la fin du XVIIIe siècle. Il est invité à Berlin par le roi de Prusse, Frédéric le Grand, et il y travaille jusqu'à la mort de ce dernier, en 1783. Louis XVI, alors roi de France, convainc de Lagrange de s'installer à Paris où la Révolution française le surprendra quelques années plus tard. Timide, il reste en marge des mouvements politiques, alors que le climat scientifique profite du changement de régime favorisé par de nombreux intellectuels. C'est à cette époque que de Lagrange produit ses travaux les plus importants sur les fondements du calcul différentiel.

Joseph Louis de Lagrange, mathématicien français

Nous appelons également ce théorème le théorème des accroissements finis ou le théorème de la moyenne.

THÉORÈME 1.6
THÉORÈME DE LAGRANGE

Si f est une fonction telle que

1) f est continue sur $[a, b]$;

2) f est dérivable sur $]a, b[$,

alors il existe au moins un nombre $c \in\ ]a, b[$ tel que $f'(c) = \dfrac{f(b) - f(a)}{b - a}$.

Avant de faire la preuve du théorème de Lagrange, nous allons l'illustrer graphiquement.

$\dfrac{f(b) - f(a)}{b - a}$ correspond à la pente de la sécante à la courbe de f passant par les points $(a, f(a))$ et $(b, f(b))$.

$f'(c)$ correspond à la pente de la tangente à la courbe de f passant au point $(c, f(c))$.

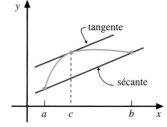

Le théorème affirme qu'il existe au moins un nombre c tel que la tangente à la courbe de f au point $(c, f(c))$ est parallèle à la sécante passant par $(a, f(a))$ et $(b, f(b))$; en effet, deux droites parallèles ont la même pente.

Preuve

Définissons une nouvelle fonction $H(x)$ qui correspond à la distance verticale entre la courbe de f et la sécante d'équation $g(x)$ passant par $(a, f(a))$ et $(b, f(b))$.

Soit $H(x) = f(x) - g(x)$, pour $x \in [a, b]$

ainsi $H(x) = f(x) - \left[f(a) + \dfrac{f(b) - f(a)}{b - a}(x - a) \right]$

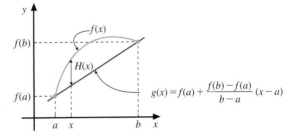

(Voir le Test préliminaire, n° 8.)

Vérifions si H satisfait les hypothèses du théorème de Rolle.

1) H est continue sur $[a, b]$, car la somme de deux fonctions continues est continue.

2) H est dérivable sur $]a, b[$, car la somme de fonctions dérivables est dérivable.

3) $H(a) = 0$ et $H(b) = 0$, d'où $H(a) = H(b)$.

Selon le théorème de Rolle, il existe au moins un nombre $c \in]a, b[$ tel que $H'(c) = 0$.

Or $H'(x) = f'(x) - \dfrac{f(b) - f(a)}{b - a}$

ainsi $H'(c) = f'(c) - \dfrac{f(b) - f(a)}{b - a}$

$0 = f'(c) - \dfrac{f(b) - f(a)}{b - a}$ (car $H'(c) = 0$)

d'où $f'(c) = \dfrac{f(b) - f(a)}{b - a}$

Exemple 1 Soit $f(x) = x^2 - 4x + 5$ sur $[1, 4]$.

a) Vérifions si nous pouvons appliquer le théorème de Lagrange à cette fonction.

1) f est continue sur $[1, 4]$, car f est une fonction polynomiale.
2) f est dérivable sur $]1, 4[$, car $f'(x) = 2x - 4$ est définie sur $]1, 4[$.

Puisque les deux hypothèses sont vérifiées, nous pouvons conclure qu'il existe au moins un nombre $c \in]1, 4[$ tel que $f'(c) = \dfrac{f(4) - f(1)}{4 - 1}$.

b) Déterminons la valeur de c.

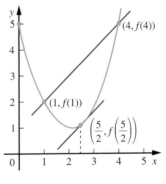

Puisque $f(4) = 5$ et $f(1) = 2$,

nous avons $\dfrac{f(4) - f(1)}{4 - 1} = \dfrac{5 - 2}{4 - 1} = \dfrac{3}{3} = 1$.

Puisque $f'(x) = 2x - 4$, nous avons $f'(c) = 2c - 4$.

Donc $2c - 4 = 1 \quad \left(f'(c) = \dfrac{f(4) - f(1)}{4 - 1} \right)$

d'où $c = \dfrac{5}{2}$

Le théorème de Lagrange peut être utilisé pour démontrer certaines inégalités.

Exemple 2 Utilisons le théorème de Lagrange pour démontrer que $(1 + \ln x) < x,\ \forall\ x \in]1, +\infty$.

Appliquons le théorème de Lagrange à la fonction f définie par $f(x) = \ln x$ sur $[1, x]$, où $x \in]1, +\infty$, après avoir vérifié si les deux hypothèses du théorème sont satisfaites.

Puisque

1) f est continue sur $[1, x]$, car f est continue sur $]0, +\infty$,

2) f est dérivable sur $]1, x[$, car $f'(x) = \dfrac{1}{x}$ est définie $\forall\, x \in\,]1, +\infty$,

alors il existe un nombre $c \in\,]1, x[$ tel que

$$f'(c) = \frac{f(x) - f(1)}{x - 1}$$

Donc $\quad \dfrac{1}{c} = \dfrac{\ln x - \ln 1}{x - 1}$

Représentation graphique

$\left(\text{car } f(x) = \ln x \text{ et } f'(x) = \dfrac{1}{x}\right)$

$\qquad \dfrac{\ln x}{x - 1} = \dfrac{1}{c} \quad$ (car $\ln 1 = 0$)

ainsi $\qquad \dfrac{\ln x}{x - 1} < 1 \quad$ (car $\dfrac{1}{c} < 1,\ \forall\, c \in\,]1, x[$)

$\qquad\qquad \ln x < (x - 1) \quad$ (car $(x - 1) > 0$)

d'où $\;\; (1 + \ln x) < x, \forall\, x \in\,]1, +\infty.$

Exemple 3 Utilisons le théorème de Lagrange pour démontrer que
$\sin x \leq x$, où x est en radians et $x \in [0, +\infty$.

Dans le cas où $x = 0$,
nous avons $\sin 0 = 0$, ainsi $\sin x \leq x$.

Dans le cas où $x > 0$,
appliquons le théorème de Lagrange à la fonction $f(x) = \sin x$ sur $[0, x]$
où $x \in\,]0, +\infty$, après avoir vérifié si les deux hypothèses du théorème sont satisfaites.

Puisque

1) f est continue sur $[0, x]$, car f est continue sur $\mathbb{R}$,

2) f est dérivable sur $]0, x[$, car $f'(x) = \cos x$ est définie $\forall\, x \in \mathbb{R}$,

alors il existe un nombre $c \in\,]0, x[$ tel que

$$f'(c) = \frac{f(x) - f(0)}{x - 0}.$$

Donc $\cos c = \dfrac{\sin x - \sin 0}{x - 0} \qquad$ (car $f(x) = \sin x$ et $f'(x) = \cos x$)

$\qquad \dfrac{\sin x}{x} = \cos c \qquad\qquad$ (car $\sin 0 = 0$)

$\qquad \dfrac{\sin x}{x} \leq 1 \qquad\qquad$ (car $\cos c \leq 1\ \forall\, c \in\,]0, +\infty$)

$\qquad \sin x \leq x \qquad\qquad$ (car $x > 0$)

d'où $\;\; \sin x \leq x, \forall\, x \in [0, +\infty.$

L'élève peut vérifier, à l'aide d'un outil technologique, le résultat précédent en traçant sur un même système d'axes le graphique des fonctions $\sin x$ et x.

Corollaires du théorème de Lagrange

COROLLAIRE 1

Si f est une fonction telle que

  1) f est continue sur $[a, b]$;

  2) $f'(x) = 0, \forall x \in \,]a, b[$,

alors $\forall x \in [a, b], f(x) = C$, où C est une constante réelle.

Preuve

Soit $x_1 < x_2$, deux nombres quelconques de $[a, b]$. Appliquons le théorème de Lagrange à f sur $[x_1, x_2]$. Puisque f est continue sur $[x_1, x_2]$ et dérivable sur $]x_1, x_2[$, car $[x_1, x_2] \subseteq [a, b]$, alors il existe un nombre $c \in \,]x_1, x_2[$ tel que

$$\frac{f(x_2) - f(x_1)}{x_2 - x_1} = f'(c)$$

$$\frac{f(x_2) - f(x_1)}{x_2 - x_1} = 0 \qquad (\text{car } f'(x) = 0, \forall x \in \,]a, b[)$$

$$f(x_2) - f(x_1) = 0$$

donc $\qquad f(x_2) = f(x_1)$

d'où $f(x) = C, \forall x \in [a, b] \quad$ (car x_1 et x_2 sont quelconques).

Exemple 1 Soit une fonction f continue sur $[1, 5]$ telle que

$f(2) = 8$ et $f'(x) = 0, \forall x \in \,]1, 5[$. Calculons $f(3)$.

Puisque 1) f est continue sur $[1, 5]$;

  2) $f'(x) = 0, \forall x \in \,]1, 5[$,

alors $f(x) = C, \forall x \in [1, 5]$ d'après le corollaire 1.

Or $\quad f(2) = 8$.

Donc $f(x) = 8, \forall x \in [1, 5]$,

d'où $f(3) = 8$.

COROLLAIRE 2

Si f et g sont deux fonctions telles que

  1) f et g sont continues sur $[a, b]$;

  2) $f'(x) = g'(x), \forall x \in \,]a, b[$,

alors $\forall x \in [a, b], f(x) = g(x) + C$, où C est une constante réelle.

Preuve

Soit $H(x) = f(x) - g(x)$.

Puisque 1) H est continue sur $[a, b]$, car f et g sont continues sur $[a, b]$;

  2) $H'(x) = 0, \forall x \in \,]a, b[$, car $f'(x) = g'(x), \forall x \in \,]a, b[$,

alors, d'après le corollaire 1, H est une fonction constante sur $[a, b]$, c'est-à-dire

$$H(x) = C$$

$$f(x) - g(x) = C \qquad \text{(car } H(x) = f(x) - g(x))$$

d'où $\qquad f(x) = g(x) + C$

Exemple 2 Soit $f(x) = \sin^2 x$ et $g(x) = -\cos^2 x$, deux fonctions continues et dérivables $\forall \ x \in \mathbb{R}$.

a) Démontrons que $f(x) = g(x) + C$.

En calculant $f'(x)$ et $g'(x)$, nous obtenons $f'(x) = 2 \sin x \cos x$ et $g'(x) = 2 \cos x \sin x$.

Puisque les hypothèses du corollaire 2 sont vérifiées, nous avons
$$f(x) = g(x) + C$$

c'est-à-dire $\quad \sin^2 x = -\cos^2 x + C$.

b) Déterminons la valeur de C.

Pour déterminer C, il suffit d'évaluer l'expression pour une valeur quelconque de x.

Soit $x = 0$, $\sin^2 0 = -\cos^2 0 + C$

$$0 = -1 + C$$

d'où $\qquad C = 1$

Théorème de Cauchy

Augustin-Louis Cauchy,
mathématicien français

Élève à l'École polytechnique de Paris, Augustin-Louis Cauchy (1789-1857) déplorait le manque de rigueur des démonstrations des théorèmes à la base du calcul différentiel. Devenu professeur dans cette même école, il publie des notes de cours en 1821 et 1823 : *Cours d'analyse* et *Résumé des leçons données à l'École royale polytechnique sur le calcul infinitésimal*. Cauchy donne au calcul la forme qu'on lui connaît aujourd'hui. Se basant sur les notions de limite et de fonction continue, qu'il définit précisément, il reconstruisit le calcul différentiel et intégral avec une rigueur telle que les mathématiciens y virent tout de suite un modèle en la matière.

Nous appelons également ce théorème le théorème des accroissements finis généralisé ou le théorème de la moyenne généralisé.

THÉORÈME 1.7 **THÉORÈME** **DE CAUCHY**	Si f et g sont deux fonctions telles que 1) f et g sont continues sur $[a, b]$; 2) f et g sont dérivables sur $]a, b[$; 3) $g'(x) \neq 0$, $\forall \ x \in \ ]a, b[$, alors il existe au moins un nombre $c \in \ ]a, b[$ tel que $\dfrac{f(b) - f(a)}{g(b) - g(a)} = \dfrac{f'(c)}{g'(c)}$.

Preuve

Soit $H(x) = [f(b) - f(a)]\, g(x) - [g(b) - g(a)]\, f(x)$, pour $x \in [a, b]$.

Vérifions si H satisfait les hypothèses du théorème de Rolle.

1) H est continue sur $[a, b]$, car la somme de deux fonctions continues est continue.

2) H est dérivable sur $]a, b[$, car la somme de fonctions dérivables est dérivable.

3) $\quad H(a) = f(b)\, g(a) - g(b)\, f(a)$

$\quad\quad H(b) = -g(b)\, f(a) + f(b)\, g(a)$,

d'où $H(a) = H(b)$.

Selon le théorème de Rolle, il existe au moins un nombre $c \in\ ]a, b[$ tel que $H'(c) = 0$.

Or $\quad\quad\quad\quad H'(x) = [f(b) - f(a)]\, g'(x) - [g(b) - g(a)]\, f'(x)$

d'où $\quad\quad\quad H'(c) = [f(b) - f(a)]\, g'(c) - [g(b) - g(a)]\, f'(c)$

$\quad\quad\quad\quad\quad 0 = [f(b) - f(a)]\, g'(c) - [g(b) - g(a)]\, f'(c)$

$[f(b) - f(a)]\, g'(c) = [g(b) - g(a)]\, f'(c)$

$$f(b) - f(a) = \frac{[g(b) - g(a)]\, f'(c)}{g'(c)} \quad (\text{car } g'(x) \neq 0,\ \forall\, x \in\ ]a, b[)$$

d'où $\quad\quad \dfrac{f(b) - f(a)}{g(b) - g(a)} = \dfrac{f'(c)}{g'(c)} \quad$ (car $g(b) \neq g(a)$; autrement, d'après le théorème de Rolle, il existerait $x_0 \in\ ]a, b[$ tel que $g'(x_0) = 0$).

Exemple 1 Soit $f(x) = x^2 - 5$ et $g(x) = x^3 + 3$ sur $[1, 3]$.

a) Vérifions si nous pouvons appliquer le théorème de Cauchy à ces fonctions.

1) f et g sont continues sur $[1, 3]$, car f et g sont deux fonctions polynomiales.

2) f est dérivable sur $]1, 3[$, car $f'(x) = 2x$ est définie sur $]1, 3[$.

$\quad g$ est dérivable sur $]1, 3[$, car $g'(x) = 3x^2$ est définie sur $]1, 3[$.

3) $\quad\quad g'(x) = 3x^2$

$\quad\quad\quad g'(x) = 0 \quad$ si $\quad 3x^2 = 0$, c'est-à-dire $x = 0$, or $0 \notin\ ]1, 3[$,

$\quad$ d'où $g'(x) \neq 0,\ \forall\, x \in\ ]1, 3[$.

Puisque les hypothèses sont satisfaites, nous pouvons conclure qu'il existe au moins un nombre $c \in\ ]1, 3[$ tel que $\dfrac{f(3) - f(1)}{g(3) - g(1)} = \dfrac{f'(c)}{g'(c)}$.

b) Déterminons la valeur de c.

De l'équation précédente, nous avons $\dfrac{4 - (-4)}{30 - 4} = \dfrac{2c}{3c^2}$

d'où $\quad\quad\quad\quad\quad\quad\quad\quad\quad\quad\quad c = \dfrac{13}{6}$

Exercices 1.2

1. Utiliser le théorème de la valeur intermédiaire ou son corollaire pour démontrer que :

a) si $f(x) = \dfrac{x + 4}{x - 1}$

alors $\exists\, c \in\ ]2, 5[$ tel que $f(c) = 4$

b) si $f(x) = 4x^3 - 3x^2 + 2x - 1$

alors $\exists\, c \in\ ]0, 1[$ tel que $f(c) = 0$

2. Pour chacune des fonctions suivantes, déterminer si les hypothèses du théorème de Rolle sont vérifiées. Si oui, déterminer la valeur de c, sinon, donner une des hypothèses qui n'est pas vérifiée.

a) $f(x) = x^2 + 3x - 4$ sur $[-5, 2]$

b) $g(x) = \sqrt[3]{x^2} + 5$ sur $[-1, 1]$

c) $f(x) = \dfrac{x^2 - 3x}{x^2 + 6x - 7}$ sur $[0, 3]$

d) $f(x) = \dfrac{x(x-2)}{x^2 - 2x + 2}$ sur $[0, 2]$

e) $v(t) = (t-3)^8 + (t-3)^2 - 2$ sur $[2, 4]$

f) $f(x) = \begin{cases} x & \text{si } 0 \leq x < 1 \\ 2 - x & \text{si } 1 \leq x \leq 2 \end{cases}$, sur $[0, 2]$

g) $h(x) = x^3 - 3x^2 + 2x$ sur $[0, 2]$

h) $x(t) = t^3 - 12t + 1$ sur $[0, 2\sqrt{3}]$

O T **3.** Démontrer, à l'aide du théorème de l'unicité d'un zéro, que les fonctions suivantes ont un et un seul zéro sur l'intervalle donné et déterminer ce zéro.

a) $f(x) = -x^3 + 3x - 1$ sur $[-2, -1]$

b) $g(x) = \text{Arc tan}(x^5 + x + 3)$ sur $[-2, 2]$

4. Pour chacune des fonctions suivantes, déterminer la valeur c du théorème de Lagrange après avoir vérifié si les hypothèses de ce théorème sont satisfaites.

a) $f(x) = 3x^2 + 4x - 3$ sur $[1, 4]$

b) $g(x) = x^3 - 3x^2 + 3x + 2$ sur $[-3, 3]$

c) $f(t) = 3t + \dfrac{4}{t}$ sur $[1, 4]$

d) $f(t) = 3t + \dfrac{4}{t}$ sur $[-1, 4]$

e) $h(x) = \sqrt{x} - 1$ sur $[0, 4]$

f) $f(x) = \sqrt[3]{x} - 1$ sur $[-2, 2]$

g) $f(x) = \ln x$ sur $[1, e^2]$

h) $g(\theta) = \cos 2\theta$ sur $[0, \pi]$

5. Déterminer en quel point de la courbe définie par $f(x) = \ln x$, où $x \in [1, e]$, la tangente à cette courbe est parallèle à la sécante passant par les points $A(1, f(1))$ et $B(e, f(e))$.

6. Utiliser le théorème de Lagrange pour démontrer que:

a) $\tan x > x$ pour $0 < x < \dfrac{\pi}{2}$

b) $e^x \geq x + 1$, où $x \in [0, +\infty$

c) $\text{Arc tan } x < x$, où $x \in]0, +\infty$

d) $(1 + x)^n > (1 + nx)$, où $n > 1$ et $x > 0$

7. a) Soit une fonction f continue sur $[-2, 3]$ telle que $f(-1) = 7$. Si $f'(x) = 0$, $\forall x \in]-2, 3[$, trouver $f(x)$.

b) Représenter graphiquement la fonction définie par $f(x) = \text{Arc sin } x + \text{Arc sec}\left(\dfrac{1}{x}\right)$, où $x \in]0, 1]$.

8. Appliquer le corollaire 2 aux deux fonctions continues et dérivables sur l'intervalle donné et déterminer la valeur de C.

a) $f(\theta) = 2\cos^2\theta$ et $g(\theta) = \cos 2\theta$, où $\theta \in \mathbb{R}$

b) $f(x) = \ln(3 \sec x + 3 \tan x)$ et $g(x) = -\ln(5 \sec x - 5 \tan x)$, où $x \in \left[0, \dfrac{\pi}{2}\right[$

9. Pour chacune des fonctions suivantes, déterminer la valeur c du théorème de Cauchy, après en avoir vérifié les hypothèses.

a) $f(x) = x + 1$ et $g(x) = x^2 + 4x + 1$ sur $[0, 3]$

b) $x(\theta) = \sin \theta$ et $y(\theta) = \cos \theta$ sur $\left[0, \dfrac{\pi}{2}\right]$

10. Démontrer que:

a) $|\sin b - \sin a| \leq |b - a|$;

b) $|\tan b - \tan a| \geq |b - a|$ sur $\left]\dfrac{-\pi}{2}, \dfrac{\pi}{2}\right[$.

11. Déterminer si les propositions suivantes sont vraies ou fausses. Justifier votre réponse.

a) Si $f(x) = 5$ sur $[1, 10]$, alors $f'(x) = 0$ sur $]1, 10[$.

b) Soit f continue sur $[2, 7]$ et $f(2) = 10$. Si $f'(3) = 0$, alors nécessairement $f(x) = 10$, $\forall x \in [2, 7]$.

c) Soit f continue sur $[2, 7]$ et $f(2) = 10$. Si $f'(3) = f'(4) = f'(5) = f'(6) = 0$, alors nécessairement $f(x) = 10$, $\forall x \in [2, 7]$.

d) Soit f continue sur $[2, 7]$ et $f(2) = 10$. Si $f'(x) = 0$, $\forall x \in]2, 7[$, alors nécessairement $f(x) = 10$, $\forall x \in [2, 7]$.

e) Soit f continue sur $[2, 7]$, $f(2) = 3$ et $f(7) = -5$. Alors il existe au moins un nombre $c \in]2, 7[$ tel que $f(c) = 0$.

f) Soit f continue sur $[2, 7]$, $f(2) = 3$ et $f(7) = 5$. Alors il existe au moins un nombre $c \in]2, 7[$ tel que $f(c) = 0$.

g) Soit f continue sur $[2, 7]$, $f(2) = 3$ et $f(7) = 5$. Alors il peut exister un nombre $c \in]2, 7[$ tel que $f(c) = 0$.

h) Soit $f(x) = \dfrac{1}{x}$ sur [-1, 1], alors il existe au

moins un nombre $c \in$]-1, 1[tel que

$$f'(c) = \frac{f(1) - f(-1)}{1 - (-1)}.$$

i) Si une ou plusieurs hypothèses du théorème de Rolle ne sont pas vérifiées sur [a, b], alors il n'existe aucun $c \in$]a, b[tel que $f'(c) = 0$.

O T **12.** Soit $f(x) = x^5 - 5x^4 + 3x^3 + 10x^2 - 14x + 17$, où $x \in$ [-2, 4].

a) Vérifier si les hypothèses du théorème de Lagrange sont satisfaites.

b) Déterminer l'équation de la sécante S passant par A(-2, f(-2)) et par B(4, f(4)) et représenter sur un même système d'axes la courbe de f et S.

c) Déterminer les valeurs c_i du théorème de Lagrange.

d) Représenter sur un même système d'axes la courbe de f, la sécante S et les tangentes aux points $(c_i, f(c_i))$.

1.3 RÈGLE DE L'HOSPITAL

Objectif d'apprentissage

À la fin de cette section, l'élève pourra lever certaines indéterminations en utilisant la règle de L'Hospital.

Plus précisément, l'élève sera en mesure :
- de lever des indéterminations à l'aide de transformations algébriques ;
- d'utiliser la règle de L'Hospital ;
- de lever des indéterminations de la forme $\dfrac{0}{0}$ à l'aide de la règle de L'Hospital ;
- de lever des indéterminations de la forme $\dfrac{\pm\infty}{\pm\infty}$ à l'aide de la règle de L'Hospital ;
- de lever des indéterminations de la forme $(+\infty - \infty)$ ou $(-\infty + \infty)$ à l'aide de la règle de L'Hospital ;
- de lever des indéterminations de la forme $0 \cdot (\pm\infty)$ à l'aide de la règle de L'Hospital ;
- de lever des indéterminations de la forme 0^0, $(+\infty)^0$ et $1^{\pm\infty}$ à l'aide de la règle de L'Hospital.

Guillaume François Antoine de L'Hospital, mathématicien français

Guillaume de L'Hospital (1661-1704), marquis de Sainte-Mesme, publie en 1696 un traité, *Analyse des infiniment petits, pour l'intelligence des lignes courbes,* qui connut un succès immédiat. Pour la première fois, sous une forme bien organisée, il expose les règles du calcul différentiel conçues une vingtaine d'années auparavant par Leibniz, et jusqu'alors disséminées et peu accessibles. Pour la rédaction de ce livre, Guillaume de L'Hospital puise abondamment dans les notes de cours donnés par le mathématicien suisse Jean Bernoulli. Doit-on parler de plagiat ? La règle de L'Hospital devrait-elle s'appeler la règle de Jean Bernoulli ? La question reste ouverte encore aujourd'hui.

Avant d'aborder le calcul de limites indéterminées, rappelons quelques résultats déjà étudiés dans un premier cours de calcul différentiel.

> **Exemple 1** Soit f et g, deux fonctions telles que
>
> $$\lim_{x \to a} f(x) = k, \text{ où } k > 0 \text{ et } \lim_{x \to a} g(x) = 0^+.$$
>
> Dans cette situation, nous écrivons
>
> $$\lim_{x \to a} \frac{f(x)}{g(x)} = +\infty \quad \left(\text{forme } \frac{k}{0^+}, \text{ où } k > 0\right).$$

Voici un tableau contenant différentes formes de limites ainsi que leur évaluation pour $k \in \mathbb{R}$.

Forme	Limite correspondante	Forme	Limite correspondante
Si $k > 0$, $\dfrac{k}{0^+}$	$+\infty$	$+\infty \pm k$	$+\infty$
si $k > 0$, $\dfrac{k}{0^-}$	$-\infty$	$-\infty \pm k$	$-\infty$
si $k < 0$, $\dfrac{k}{0^+}$	$-\infty$	si $k > 0$, $k(+\infty)$	$+\infty$
si $k < 0$, $\dfrac{k}{0^-}$	$+\infty$	si $k > 0$, $k(-\infty)$	$-\infty$
$\dfrac{k}{+\infty}$	0	si $k < 0$, $k(+\infty)$	$-\infty$
$\dfrac{k}{-\infty}$	0	si $k < 0$, $k(-\infty)$	$+\infty$
$+\infty + \infty$	$+\infty$	si $k > 0$, $(+\infty)^k$	$+\infty$
$-\infty - \infty$	$-\infty$		

Nous avons déjà vu dans un premier cours de calcul différentiel que, pour certaines fonctions, nous pouvions lever des indéterminations de la forme $\dfrac{0}{0}$, $\dfrac{\pm\infty}{\pm\infty}$ et $(+\infty - \infty)$ à l'aide de transformations algébriques. Évaluons quelques limites de forme indéterminée à l'aide de transformations algébriques.

Exemple 2

a) Évaluons $\lim\limits_{x \to 3} \dfrac{x^2 - 9}{\sqrt{x} - \sqrt{3}}$, qui est une indétermination de la forme $\dfrac{0}{0}$.

Levons cette indétermination en utilisant le conjugué.

$$\lim_{x \to 3} \frac{x^2 - 9}{\sqrt{x} - \sqrt{3}} = \lim_{x \to 3}\left[\frac{x^2 - 9}{\sqrt{x} - \sqrt{3}} \times \frac{\sqrt{x} + \sqrt{3}}{\sqrt{x} + \sqrt{3}} \right]$$

$$= \lim_{x \to 3} \frac{(x+3)(x-3)(\sqrt{x} + \sqrt{3})}{(x - 3)}$$

$$= \lim_{x \to 3} ((x+3)(\sqrt{x} + \sqrt{3})) \qquad \text{(en simplifiant car } (x-3) \neq 0)$$

$$= 12\sqrt{3} \qquad \text{(en évaluant la limite)}$$

b) Évaluons $\lim\limits_{x \to 4^+} \dfrac{3x - 12}{(4 - x)^2}$, qui est une indétermination de la forme $\dfrac{0}{0}$.

Levons cette indétermination.

$$\lim_{x \to 4^+} \frac{3x - 12}{(4 - x)^2} = \lim_{x \to 4^+} \frac{3(x - 4)}{(4 - x)(4 - x)} \qquad \text{(en factorisant)}$$

$$= \lim_{x \to 4^+} \frac{-3}{4 - x} \qquad \text{(en simplifiant car } (x - 4) \neq 0)$$

$$= +\infty \qquad \left(\text{forme } \frac{-3}{0^-}\right)$$

Pour lever des indéterminations de la forme $\dfrac{\pm\infty}{\pm\infty}$, nous pouvons

i) mettre en évidence, au numérateur, la plus grande puissance de x figurant au numérateur ;

ii) mettre en évidence, au dénominateur, la plus grande puissance de x figurant au dénominateur ;

iii) simplifier l'expression, ce qui nous permettra éventuellement d'évaluer la limite.

Exemple 3 Évaluons $\displaystyle\lim_{x\to+\infty} \dfrac{2x^2 + 4x + 3}{7 - 3x^2}$, qui est une indétermination de la forme $\dfrac{+\infty}{+\infty}$.

Levons cette indétermination.

$$\lim_{x\to+\infty} \dfrac{2x^2 + 4x + 3}{7 - 3x^2} = \lim_{x\to+\infty} \dfrac{x^2\left(2 + \dfrac{4}{x} + \dfrac{3}{x^2}\right)}{x^2\left(\dfrac{7}{x^2} - 3\right)} = \lim_{x\to+\infty} \dfrac{\left(2 + \dfrac{4}{x} + \dfrac{3}{x^2}\right)}{\left(\dfrac{7}{x^2} - 3\right)} = \dfrac{-2}{3}$$

Pour lever des indéterminations de la forme $(+\infty - \infty)$, nous pouvons mettre en évidence la plus grande puissance de x.

Exemple 4 Évaluons $\displaystyle\lim_{x\to-\infty} (x^5 - 7x^3 + x + 1)$, qui est une indétermination de la forme $(+\infty - \infty)$.

Levons cette indétermination.

$$\lim_{x\to-\infty} (x^5 - 7x^3 + x + 1) = \lim_{x\to-\infty} x^5\left(1 - \dfrac{7}{x^2} + \dfrac{1}{x^4} + \dfrac{1}{x^5}\right) = -\infty$$

Nous allons maintenant énoncer et démontrer une méthode, appelée **règle de L'Hospital,** qui nous permet de lever des indéterminations de la forme $\dfrac{0}{0}$.

Cette méthode est particulièrement utile lorsque la fonction donnée ne peut pas être transformée algébriquement de façon élémentaire, par exemple pour évaluer $\displaystyle\lim_{x\to0} \dfrac{e^x - e^{-x}}{\sin x}$, qui est une indétermination de la forme $\dfrac{0}{0}$.

**THÉORÈME 1.8
RÈGLE DE
L'HOSPITAL**

Si f et g sont deux fonctions continues sur $[b, d]$ telles que

1) $\displaystyle\lim_{x\to a} f(x) = 0$ et $\displaystyle\lim_{x\to a} g(x) = 0$, où $a \in \,]b, d[$;

2) f' et g' sont continues en $x = a$;

3) $g'(x) \neq 0, \ \forall \ x \in \,]b, d[\setminus \{a\}$,

alors $\displaystyle\lim_{x\to a} \dfrac{f(x)}{g(x)} = \lim_{x\to a} \dfrac{f'(x)}{g'(x)}$, si cette dernière limite existe ou est infinie.

Nous allons démontrer la règle de L'Hospital dans le cas particulier où $g'(a) \neq 0$.

Preuve

Puisque f est continue en $x = a$, alors $\lim\limits_{x \to a} f(x) = f(a)$, d'où $f(a) = 0$ par 1).

De façon analogue, $g(a) = 0$,

ainsi $\lim\limits_{x \to a} \dfrac{f(x)}{g(x)} = \lim\limits_{x \to a} \dfrac{f(x) - f(a)}{g(x) - g(a)}$ (car $f(a) = 0$ et $g(a) = 0$)

$$= \lim\limits_{x \to a} \dfrac{\dfrac{f(x) - f(a)}{x - a}}{\dfrac{g(x) - g(a)}{x - a}} \qquad \text{(en divisant le numérateur et le dénominateur par } (x - a), \text{ où } (x - a) \neq 0)$$

$$= \dfrac{\lim\limits_{x \to a} \dfrac{f(x) - f(a)}{x - a}}{\lim\limits_{x \to a} \dfrac{g(x) - g(a)}{x - a}} \qquad \text{(car la limite d'un quotient égale le quotient des limites, puisque } g'(a) \neq 0)$$

$$= \dfrac{f'(a)}{g'(a)} \qquad \text{(par définition de la dérivée)}$$

$$= \dfrac{\lim\limits_{x \to a} f'(x)}{\lim\limits_{x \to a} g'(x)} \qquad \text{(car } f' \text{ et } g' \text{ sont continues en } x = a)$$

$$= \lim\limits_{x \to a} \dfrac{f'(x)}{g'(x)}$$

d'où $\lim\limits_{x \to a} \dfrac{f(x)}{g(x)} = \lim\limits_{x \to a} \dfrac{f'(x)}{g'(x)}$

Remarque De façon générale, après avoir vérifié que nous avons une indétermination de la forme $\dfrac{0}{0}$, nous appliquons la règle de L'Hospital sans nécessairement vérifier les autres hypothèses.

Indéterminations de la forme $\dfrac{0}{0}$

Exemple 1 Réévaluons, à l'aide de la règle de L'Hospital, les limites de l'exemple 2 précédent (page 30).

a) $\lim\limits_{x \to 3} \dfrac{x^2 - 9}{\sqrt{x} - \sqrt{3}}$ est une indétermination de la forme $\dfrac{0}{0}$.

$$\lim\limits_{x \to 3} \dfrac{x^2 - 9}{\sqrt{x} - \sqrt{3}} = \lim\limits_{x \to 3} \dfrac{2x}{\dfrac{1}{2\sqrt{x}}} \qquad \text{(règle de L'Hospital)}$$

$$= 12\sqrt{3} \qquad \text{(en évaluant la limite)}$$

b) $\displaystyle\lim_{x\to 4^+}\frac{3x-12}{(4-x)^2}$ est une indétermination de la forme $\dfrac{0}{0}$.

$$\lim_{x\to 4^+}\frac{3x-12}{(4-x)^2}=\lim_{x\to 4^+}\frac{3}{\text{-}2(4-x)}\qquad\text{(règle de L'Hospital)}$$

$$=+\infty\qquad\left(\text{forme }\frac{3}{0^+}\right)$$

Exemple 2

a) Évaluons $\displaystyle\lim_{x\to 0}\frac{e^x-e^{-x}}{\sin x}$, qui est une indétermination de la forme $\dfrac{0}{0}$.

$$\lim_{x\to 0}\frac{e^x-e^{-x}}{\sin x}=\lim_{x\to 0}\frac{e^x+e^{-x}}{\cos x}\qquad\text{(règle de L'Hospital)}$$

$$=2\qquad\text{(en évaluant la limite)}$$

En représentant sur un même système d'axes les courbes $f(x)=e^x-e^{-x}$, $g(x)=\sin x$ et $h(x)=\dfrac{e^x-e^{-x}}{\sin x}$, nous obtenons le graphique ci-contre.

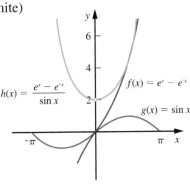

```
> f:=x→exp(x)−exp(-x):
> g:=x→sin(x):
> h:=x→f(x)/g(x):
> plot([f(x),g(x),h(x)],x=-Pi..Pi,y=-2..7,
    color=[blue,green,orange],discont=true);
```

Nous constatons sur le graphique que les courbes f et g passent par O(0, 0) et que $h(x)$ s'approche de 2 lorsque x s'approche de 0. Cependant, le point P(0, 2) n'est pas un point de la courbe de h.

b) Évaluons $\displaystyle\lim_{x\to\left(\frac{\pi}{2}\right)^+}\frac{\cos x}{\sin x-1}$, qui est une indétermination de la forme $\dfrac{0}{0}$.

$$\lim_{x\to\left(\frac{\pi}{2}\right)^+}\frac{\cos x}{\sin x-1}=\lim_{x\to\left(\frac{\pi}{2}\right)^+}\frac{\text{-}\sin x}{\cos x}\qquad\text{(règle de L'Hospital)}$$

$$=+\infty\qquad\left(\text{forme }\frac{\text{-}1}{0^-}\right)$$

Remarque Dans le cas où $f(a)=0$, $g(a)=0$, $f'(a)=0$ et $g'(a)=0$, et que les fonctions f' et g' satisfont également les hypothèses de la règle de L'Hospital, nous pouvons de nouveau appliquer la règle de L'Hospital.

Exemple 3 Évaluons $\displaystyle\lim_{x\to 0}\frac{x+1-e^x}{x^2}$, qui est une indétermination de la forme $\dfrac{0}{0}$.

$$\lim_{x\to 0}\frac{x+1-e^x}{x^2}=\lim_{x\to 0}\frac{1-e^x}{2x}\qquad\text{(règle de L'Hospital)}$$

Or cette dernière limite est également une indétermination de la forme $\dfrac{0}{0}$.

Appliquons de nouveau la règle de L'Hospital.

$$\lim_{x \to 0} \frac{1 - e^x}{2x} = \lim_{x \to 0} \frac{-e^x}{2} \qquad \text{(règle de L'Hospital)}$$

$$= \frac{-1}{2} \qquad \text{(en évaluant la limite)}$$

d'où $\lim\limits_{x \to 0} \dfrac{x + 1 - e^x}{x^2} = \dfrac{-1}{2}$

En représentant sur un même système d'axes les courbes $f(x) = x + 1 - e^x$, $g(x) = x^2$ et $h(x) = \dfrac{x + 1 - e^x}{x^2}$, nous obtenons le graphique ci-contre.

```
> f:=x→x + 1 − exp(x):
> g:=x→x^2;
> h:=x→f(x)/g(x):
> plot([f(x),g(x),h(x)],x=−2..2,y=−1..1,
color=[blue,green,orange];
```

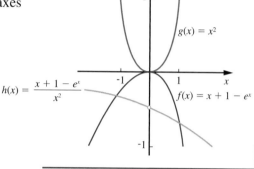

Nous pouvons généraliser l'application de la règle de L'Hospital de la façon suivante lorsque les hypothèses de la règle de L'Hospital sont vérifiées pour chaque nouvelle limite.

$$\lim_{x \to a} \frac{f(x)}{g(x)} = \lim_{x \to a} \frac{f'(x)}{g'(x)} = \lim_{x \to a} \frac{f''(x)}{g''(x)} = \ldots = \lim_{x \to a} \frac{f^{(n)}(x)}{g^{(n)}(x)}$$

Exemple 4 Évaluons $\lim\limits_{x \to 2} \dfrac{x^4 - 5x^3 + 6x^2 + 4x - 8}{x^4 - 6x^3 + 12x^2 - 8x}$, qui est une indétermination de la forme $\dfrac{0}{0}$.

Appliquons la règle de L'Hospital.

$$\lim_{x \to 2} \frac{x^4 - 5x^3 + 6x^2 + 4x - 8}{x^4 - 6x^3 + 12x^2 - 8x} = \lim_{x \to 2} \frac{4x^3 - 15x^2 + 12x + 4}{4x^3 - 18x^2 + 24x - 8} \quad \left(\text{indétermination de la forme } \frac{0}{0} \right)$$

Appliquons de nouveau la règle de L'Hospital.

$$\lim_{x \to 2} \frac{4x^3 - 15x^2 + 12x + 4}{4x^3 - 18x^2 + 24x - 8} = \lim_{x \to 2} \frac{12x^2 - 30x + 12}{12x^2 - 36x + 24} \quad \left(\text{indétermination de la forme } \frac{0}{0} \right)$$

Appliquons une fois de plus la règle de L'Hospital.

$$\lim_{x \to 2} \frac{12x^2 - 30x + 12}{12x^2 - 36x + 24} = \lim_{x \to 2} \frac{24x - 30}{24x - 36} = \frac{3}{2} \qquad \text{(en évaluant la limite)}$$

d'où $\lim\limits_{x \to 2} \dfrac{x^4 - 5x^3 + 6x^2 + 4x - 8}{x^4 - 6x^3 + 12x^2 - 8x} = \dfrac{3}{2}$

Nous pouvons également appliquer la règle de L'Hospital dans le cas où $\lim\limits_{x \to \pm\infty} f(x) = 0$ et $\lim\limits_{x \to \pm\infty} g(x) = 0$.

Exemple 5 Évaluons $\displaystyle\lim_{t \to +\infty} \dfrac{\sin\left(\dfrac{5}{t}\right)}{\dfrac{7}{t}}$, qui est une indétermination de la forme $\dfrac{0}{0}$.

$$\lim_{t \to +\infty} \frac{\sin\left(\dfrac{5}{t}\right)}{\dfrac{7}{t}} = \lim_{t \to +\infty} \frac{\left(\dfrac{-5}{t^2}\right)\cos\left(\dfrac{5}{t}\right)}{\dfrac{-7}{t^2}} \quad \text{(règle de L'Hospital)}$$

$$= \lim_{t \to +\infty} \frac{5\cos\left(\dfrac{5}{t}\right)}{7} \quad \text{(en simplifiant)}$$

$$= \frac{5}{7} \quad \text{(en évaluant la limite)}$$

Remarque Il peut être utile, ou même essentiel, de simplifier l'expression avant d'appliquer la règle de L'Hospital.

Exemple 6 Évaluons $\displaystyle\lim_{x \to 0} \dfrac{x - \operatorname{Arc}\tan x}{x \operatorname{Arc}\tan x}$, qui est une indétermination de la forme $\dfrac{0}{0}$.

$$\lim_{x \to 0} \frac{x - \operatorname{Arc}\tan x}{x \operatorname{Arc}\tan x} = \lim_{x \to 0} \frac{1 - \dfrac{1}{1 + x^2}}{\operatorname{Arc}\tan x + \dfrac{x}{1 + x^2}} \quad \text{(règle de L'Hospital)}$$

Or cette dernière limite est également une indétermination de la forme $\dfrac{0}{0}$. Simplifions d'abord l'expression.

$$\lim_{x \to 0} \frac{1 - \dfrac{1}{1 + x^2}}{\operatorname{Arc}\tan x + \dfrac{x}{1 + x^2}} = \lim_{x \to 0} \frac{\dfrac{1 + x^2 - 1}{1 + x^2}}{\dfrac{(1 + x^2)\operatorname{Arc}\tan x + x}{1 + x^2}}$$

$$= \lim_{x \to 0} \frac{x^2}{(1 + x^2)\operatorname{Arc}\tan x + x} \quad \left(\begin{array}{l}\text{indétermination de} \\ \text{la forme } \dfrac{0}{0}\end{array}\right)$$

$$= \lim_{x \to 0} \frac{2x}{2x\operatorname{Arc}\tan x + 1 + 1} \quad \text{(règle de L'Hospital)}$$

$$= 0$$

Indéterminations de la forme $\dfrac{\pm\infty}{\pm\infty}$

La règle de L'Hospital nous permet également de lever des indéterminations de la forme $\dfrac{\pm\infty}{\pm\infty}$. Nous ne verrons pas la preuve de ce résultat, car elle déborde le cadre du cours.

Exemple 1 Réévaluons, à l'aide de la règle de L'Hospital, la limite de l'exemple 3, page 31.

$$\lim_{x \to +\infty} \frac{2x^2 + 4x + 3}{7 - 3x^2} \text{ est une indétermination de la forme } \frac{+\infty}{+\infty}.$$

Appliquons la règle de L'Hospital.

$$\lim_{x \to +\infty} \frac{2x^2 + 4x + 3}{7 - 3x^2} = \lim_{x \to +\infty} \frac{4x + 4}{-6x} \quad \left(\text{indétermination de la forme } \frac{+\infty}{+\infty} \right)$$

Appliquons de nouveau la règle de L'Hospital.

$$\lim_{x \to +\infty} \frac{4x + 4}{-6x} = \lim_{x \to +\infty} \frac{4}{-6} = \frac{-2}{3}$$

Exemple 2

a) Évaluons $\lim\limits_{x \to 0^+} \dfrac{\ln x}{\dfrac{1}{x}}$, qui est une indétermination de la forme $\dfrac{-\infty}{+\infty}$.

$$\lim_{x \to 0^+} \frac{\ln x}{\dfrac{1}{x}} = \lim_{x \to 0^+} \frac{\dfrac{1}{x}}{\dfrac{-1}{x^2}} \quad (\text{règle de L'Hospital})$$

$$= \lim_{x \to 0^+} (-x) \quad (\text{en simplifiant})$$

$$= 0 \quad\quad (\text{en évaluant la limite})$$

b) Évaluons $\lim\limits_{x \to -\infty} \dfrac{x^2 + 1}{e^{-x}}$, qui est une indétermination de la forme $\dfrac{+\infty}{+\infty}$.

Appliquons la règle de L'Hospital.

$$\lim_{x \to -\infty} \frac{x^2 + 1}{e^{-x}} = \lim_{x \to -\infty} \frac{2x}{-e^{-x}} \quad \left(\text{indétermination de la forme } \frac{-\infty}{-\infty} \right)$$

Appliquons de nouveau la règle de L'Hospital.

$$\lim_{x \to -\infty} \frac{2x}{-e^{-x}} = \lim_{x \to -\infty} \frac{2}{e^{-x}}$$

$$= 0 \quad\quad (\text{en évaluant la limite})$$

$$\text{d'où } \lim_{x \to -\infty} \frac{x^2 + 1}{e^{-x}} = 0$$

Il peut arriver qu'après avoir appliqué la règle de L'Hospital pour lever une indétermination, nous obtenions une limite qui n'existe pas.

Exemple 3 Évaluons $\lim\limits_{x \to +\infty} \dfrac{3x + \cos x}{x}$, qui est une indétermination de la forme $\dfrac{+\infty}{+\infty}$.

$$\lim_{x \to +\infty} \frac{3x + \cos x}{x} = \lim_{x \to +\infty} \frac{3 - \sin x}{1} \quad (\text{règle de L'Hospital})$$

Or $\lim\limits_{x \to +\infty} (3 - \sin x)$ n'existe pas, car elle oscille entre 2 et 4 (car $-1 \le \sin x \le 1$).

Dans ce cas, nous devons lever l'indétermination sans utiliser la règle de L'Hospital.

$$\lim_{x \to +\infty} \frac{3x + \cos x}{x} = \lim_{x \to +\infty} \left(3 + \frac{\cos x}{x}\right) = 3 \quad \left(\text{car } \lim_{x \to +\infty} \frac{\cos x}{x} = 0\right)$$

Il peut également arriver qu'après avoir appliqué la règle de L'Hospital un certain nombre de fois, nous obtenions une expression rencontrée précédemment.

Exemple 4 Évaluons $\lim\limits_{x \to -\infty} \dfrac{\sqrt{16x^2 - 5}}{3x + 7}$, qui est une indétermination de la forme $\dfrac{+\infty}{-\infty}$.

$$\lim_{x \to -\infty} \frac{\sqrt{16x^2 - 5}}{3x + 7} = \lim_{x \to -\infty} \frac{\dfrac{16x}{\sqrt{16x^2 - 5}}}{3} \quad \text{(règle de L'Hospital)}$$

$$= \lim_{x \to -\infty} \frac{16x}{3\sqrt{16x^2 - 5}} \quad \left(\text{indétermination de la forme } \frac{-\infty}{+\infty}\right)$$

$$= \lim_{x \to -\infty} \frac{16}{\dfrac{3(16x)}{\sqrt{16x^2 - 5}}} \quad \text{(règle de L'Hospital)}$$

$$= \lim_{x \to -\infty} \frac{\sqrt{16x^2 - 5}}{3x}$$

Cette dernière expression est analogue à l'expression initiale. L'élève peut vérifier qu'en continuant à appliquer la règle de L'Hospital il obtiendra des expressions analogues aux précédentes. Ainsi, la règle de L'Hospital ne permet pas de lever l'indétermination. Dans ce cas, nous devons lever l'indétermination sans utiliser la règle de L'Hospital.

$$\lim_{x \to -\infty} \frac{\sqrt{16x^2 - 5}}{3x + 7} = \lim_{x \to -\infty} \frac{\sqrt{x^2\left(16 - \dfrac{5}{x^2}\right)}}{x\left(3 + \dfrac{7}{x}\right)} = \lim_{x \to -\infty} \frac{\sqrt{x^2}\sqrt{16 - \dfrac{5}{x^2}}}{x\left(3 + \dfrac{7}{x}\right)}$$

$$= \lim_{x \to -\infty} \frac{|x|\sqrt{16 - \dfrac{5}{x^2}}}{x\left(3 + \dfrac{7}{x}\right)} \quad \left(\text{car } \sqrt{x^2} = |x|\right)$$

$$= \lim_{x \to -\infty} \frac{-x\sqrt{16 - \dfrac{5}{x^2}}}{x\left(3 + \dfrac{7}{x}\right)} \quad \text{(puisque } x < 0, |x| = -x\text{)}$$

$$= \lim_{x \to -\infty} \frac{-\sqrt{16 - \dfrac{5}{x^2}}}{\left(3 + \dfrac{7}{x}\right)} = \frac{-4}{3}$$

Indéterminations de la forme (+∞ − ∞) ou (-∞ + ∞)

Dans certaines indéterminations de la forme ($+\infty - \infty$) ou ($-\infty + \infty$), nous pourrons appliquer la règle de L'Hospital uniquement après avoir transformé l'expression de façon à obtenir une indétermination de la forme $\dfrac{0}{0}$ ou $\dfrac{\pm\infty}{\pm\infty}$.

Exemple 1 Évaluons $\lim\limits_{\theta\to 0^+} (\csc\theta - \cot\theta)$, qui est une indétermination de la forme ($+\infty - \infty$).

$$\lim_{\theta\to 0^+} (\csc\theta - \cot\theta) = \lim_{\theta\to 0^+} \left(\frac{1}{\sin\theta} - \frac{\cos\theta}{\sin\theta}\right) \quad \text{(en transformant)}$$

$$= \lim_{\theta\to 0^+} \frac{1-\cos\theta}{\sin\theta} \quad \left(\text{indétermination de la forme } \frac{0}{0}\right)$$

$$= \lim_{\theta\to 0^+} \frac{\sin\theta}{\cos\theta} \quad \text{(règle de L'Hospital)}$$

$$= 0 \quad \text{(en évaluant la limite)}$$

Exemple 2 Évaluons $\lim\limits_{x\to 1^-} \left[\dfrac{1}{\ln x} - \dfrac{x}{x-1}\right]$, qui est une indétermination de la forme ($-\infty + \infty$).

$$\lim_{x\to 1^-} \left[\frac{1}{\ln x} - \frac{x}{x-1}\right] = \lim_{x\to 1^-} \frac{x-1-x\ln x}{(\ln x)(x-1)} \quad \left(\text{indétermination de la forme } \frac{0}{0}\right)$$

$$= \lim_{x\to 1^-} \frac{1-\ln x - 1}{\dfrac{x-1}{x} + \ln x} \quad \text{(règle de L'Hospital)}$$

$$= \lim_{x\to 1^-} \frac{-x\ln x}{x-1+x\ln x} \quad \left(\text{indétermination de la forme } \frac{0}{0}\right)$$

$$= \lim_{x\to 1^-} \frac{-\ln x - 1}{1+\ln x + 1} \quad \text{(règle de L'Hospital)}$$

$$= \frac{-1}{2} \quad \text{(en évaluant la limite)}$$

Indéterminations de la forme 0 · (±∞)

Dans certaines indéterminations de la forme $0 \cdot (\pm\infty)$, nous pourrons appliquer la règle de L'Hospital uniquement après avoir transformé l'expression de façon à obtenir une indétermination de la forme $\dfrac{0}{0}$ ou $\dfrac{\pm\infty}{\pm\infty}$.

Cette transformation peut se faire en écrivant $f(x)\,g(x) = \dfrac{f(x)}{\dfrac{1}{g(x)}}$ ou $\dfrac{g(x)}{\dfrac{1}{f(x)}}$.

Exemple 1 Évaluons $\lim\limits_{x \to 0^+} [x^3 \ln (5x)]$, qui est une indétermination de la forme $0 \cdot (-\infty)$.

$$\lim_{x \to 0^+} [x^3 \ln (5x)] = \lim_{x \to 0^+} \frac{\ln (5x)}{\dfrac{1}{x^3}} \quad \left(\text{en transformant, nous obtenons une indétermination de la forme } \frac{-\infty}{+\infty}\right)$$

$$= \lim_{x \to 0^+} \frac{\dfrac{1}{x}}{\dfrac{-3}{x^4}} \quad \text{(règle de L'Hospital)}$$

$$= \lim_{x \to 0^+} \frac{x^3}{-3} \quad \text{(en simplifiant)}$$

$$= 0 \quad \text{(en évaluant la limite)}$$

L'élève peut facilement vérifier qu'en transformant l'expression initiale sous la forme $\lim\limits_{x \to 0^+} \dfrac{x^3}{\dfrac{1}{\ln (5x)}}$, l'application de la règle de L'Hospital donne une limite plus complexe à évaluer.

Exemple 2 Évaluons $\lim\limits_{\theta \to \pi^-} \left[\left(1 - \tan \dfrac{\theta}{4}\right) \csc \theta\right]$, qui est une indétermination de la forme $0 \cdot (+\infty)$.

$$\lim_{\theta \to \pi^-} \left[\left(1 - \tan \frac{\theta}{4}\right) \csc \theta\right] = \lim_{\theta \to \pi^-} \frac{1 - \tan \dfrac{\theta}{4}}{\sin \theta} \quad \left(\text{indétermination de la forme } \frac{0}{0}\right)$$

$$= \lim_{\theta \to \pi^-} \frac{\dfrac{-1}{4} \sec^2 \dfrac{\theta}{4}}{\cos \theta} \quad \text{(règle de L'Hospital)}$$

$$= \frac{\dfrac{-1}{4} \cdot 2}{-1} \quad \text{(en évaluant la limite)}$$

$$= \frac{1}{2}$$

Indéterminations de la forme 0^0, $(+\infty)^0$ et $1^{\pm\infty}$

Exemple 1 Voici des exemples de types d'indétermination de la forme 0^0, $(+\infty)^0$ et $1^{\pm\infty}$.

a) $\lim\limits_{\theta \to 0^+} (\sin \theta)^\theta$ est une indétermination de la forme 0^0.

b) $\lim\limits_{x \to +\infty} x^{\frac{1}{x}}$ est une indétermination de la forme $(+\infty)^0$.

c) $\lim\limits_{x \to 0^-} (1 + x)^{\frac{2}{x}}$ est une indétermination de la forme $1^{-\infty}$.

Avant d'appliquer la règle de L'Hospital pour lever ces indéterminations, il faut d'abord utiliser la fonction logarithme naturel, certaines propriétés des logarithmes et des transformations algébriques de façon à obtenir une indétermination de la forme $\dfrac{0}{0}$ ou $\dfrac{\pm\infty}{\pm\infty}$.

Exemple 2 Évaluons $\lim\limits_{\theta\to 0^+} (\sin\theta)^\theta$, qui est une indétermination de la forme 0^0 (exemple 1 a).

En posant $A = \lim\limits_{\theta\to 0^+} (\sin\theta)^\theta$, nous obtenons

$$\ln A = \ln\left(\lim_{\theta\to 0^+} (\sin\theta)^\theta\right) \qquad \text{(car si } A>0, B>0 \text{ et } A=B, \text{ alors } \ln A = \ln B)$$

$$= \lim_{\theta\to 0^+} (\ln (\sin\theta)^\theta) \qquad \text{(car ln est une fonction continue)}$$

$$= \lim_{\theta\to 0^+} (\theta \ln \sin\theta) \qquad \text{(propriété des logarithmes)}$$

$$= \lim_{\theta\to 0^+} \frac{\ln \sin\theta}{\dfrac{1}{\theta}} \qquad \left(\text{indétermination de la forme } \frac{-\infty}{+\infty}\right)$$

$$= \lim_{\theta\to 0^+} \frac{\dfrac{\cos\theta}{\sin\theta}}{\dfrac{-1}{\theta^2}} \qquad \text{(règle de L'Hospital)}$$

$$= \lim_{\theta\to 0^+} \frac{-\theta^2 \cos\theta}{\sin\theta} \qquad \left(\begin{array}{l}\text{en transformant, nous obtenons une}\\ \text{indétermination de la forme } \frac{0}{0}\end{array}\right)$$

$$= \lim_{\theta\to 0^+} \frac{-2\theta \cos\theta + \theta^2 \sin\theta}{\cos\theta} \qquad \text{(règle de L'Hospital)}$$

$$= 0 \qquad \text{(en évaluant la limite)}$$

Ainsi, $\ln A = 0$, donc $A = e^0 = 1$,

d'où $\lim\limits_{\theta\to 0^+} (\sin\theta)^\theta = 1$.

Exemple 3 Évaluons $\lim\limits_{x\to 0^-} (1+x)^{\frac{2}{x}}$, qui est une indétermination de la forme $1^{-\infty}$ (exemple 1 c).

En posant $A = \lim\limits_{x\to 0^-} (1+x)^{\frac{2}{x}}$, nous obtenons

$$\ln A = \ln\left(\lim_{x\to 0^-} (1+x)^{\frac{2}{x}}\right)$$

$$= \lim_{x\to 0^-} \left(\ln (1+x)^{\frac{2}{x}}\right) \qquad \text{(car ln est une fonction continue)}$$

$$= \lim_{x\to 0^-} \frac{2\ln (1+x)}{x} \qquad \left(\text{indétermination de la forme } \frac{0}{0}\right)$$

$$= \lim_{x\to 0^-} \frac{\dfrac{2}{1+x}}{1} \qquad \text{(règle de L'Hospital)}$$

$$= 2 \qquad \text{(en évaluant la limite)}$$

Ainsi, $\ln A = 2$, donc $A = e^2$,

d'où $\displaystyle\lim_{x \to 0^-} (1 + x)^{\frac{2}{x}} = e^2$.

Le tableau suivant vous propose un résumé des étapes à suivre pour lever des indéterminations à l'aide de la règle de L'Hospital. Il faut se rappeler que, fréquemment, une simplification de l'expression facilite le calcul de la limite.

Indéterminations de la forme	Étapes à suivre
$\dfrac{0}{0}$ et $\dfrac{\pm\infty}{\pm\infty}$	Utiliser directement la règle de L'Hospital.
$0 \cdot (\pm\infty)$	1) Transformer le produit $f(x)\, g(x)$ sous la forme $\dfrac{f(x)}{\frac{1}{g(x)}}$ ou $\dfrac{g(x)}{\frac{1}{f(x)}}$ pour obtenir une indétermination de la forme $\dfrac{0}{0}$ ou $\dfrac{\pm\infty}{\pm\infty}$. 2) Utiliser la règle de L'Hospital.
$+\infty - \infty$	1) Transformer l'expression initiale sous la forme d'un quotient, à l'aide de transformations algébriques telles que : identités trigonométriques, dénominateur commun, conjugué, etc., pour obtenir une indétermination de la forme $\dfrac{0}{0}$ ou $\dfrac{\pm\infty}{\pm\infty}$. 2) Utiliser la règle de L'Hospital.
0^0, $(+\infty)^0$ et $1^{\pm\infty}$	1) Poser A égale à la limite à évaluer. 2) Prendre le logarithme naturel de chaque membre de l'équation. 3) Utiliser la propriété des logarithmes, $\ln(M^k) = k \ln M$. 4) Effectuer les transformations algébriques nécessaires pour obtenir une indétermination de la forme $\dfrac{0}{0}$ ou $\dfrac{\pm\infty}{\pm\infty}$. 5) Utiliser la règle de L'Hospital.

Exercices 1.3

1. Parmi les limites suivantes, déterminer lesquelles sont des indéterminations, en précisant la forme d'indétermination dont il s'agit, et évaluer les limites qui ne sont pas des indéterminations.

a) $\displaystyle\lim_{x \to -\infty} (xe^{-x^2})$

b) $\displaystyle\lim_{x \to -\infty} (xe^{-x})$

c) $\displaystyle\lim_{t \to +\infty} \dfrac{\ln t}{t}$

d) $\displaystyle\lim_{t \to 0^+} \dfrac{\ln t}{t}$

e) $\displaystyle\lim_{x \to +\infty} \left(x - \dfrac{1}{x}\right)^{\frac{1}{x}}$

f) $\displaystyle\lim_{x \to 0} (1 + \sin x)^{\frac{1}{x^2}}$

g) $\displaystyle\lim_{x \to 1^+} (x - 1)^{\frac{1}{x-1}}$

h) $\displaystyle\lim_{y \to 0} \dfrac{\operatorname{Arc\,sin} y}{y}$

i) $\displaystyle\lim_{x \to 0} (e^{x^2} - 1)^x$

j) $\displaystyle\lim_{x \to 0} (\cos 2x)^x$

k) $\displaystyle\lim_{u \to 1^-} \left(\dfrac{u-1}{2} - \dfrac{1}{\ln u}\right)$

l) $\displaystyle\lim_{x \to 3^+} \left(\dfrac{x}{x-3} - \dfrac{1}{\ln(x-2)}\right)$

2. Répondre par vrai ou faux en expliquant votre réponse.

$$\lim_{x \to 4} \dfrac{x^2 - 16}{\sqrt{x} - 4} = \lim_{x \to 4} \dfrac{2x}{\dfrac{1}{2\sqrt{x}}} \quad \text{(règle de L'Hospital)}$$

$$= 32 \quad \text{(en évaluant la limite)}$$

3. Évaluer les limites suivantes.

a) $\lim\limits_{x \to 1} \dfrac{x^2 + 4x - 5}{4x - 3 - x^2}$

d) $\lim\limits_{x \to 0} \dfrac{8^x - 5^x}{5x}$

b) $\lim\limits_{x \to 0^+} \dfrac{\tan x}{x^2}$

e) $\lim\limits_{x \to 0} \dfrac{e^x - e^{-x} - 2x}{x - \sin x}$

c) $\lim\limits_{\theta \to 0} \dfrac{\ln(\cos \theta)}{\sin 2\theta}$

f) $\lim\limits_{x \to +\infty} \dfrac{e^{\frac{1}{3x}} - 1}{\dfrac{4}{x}}$

4. Évaluer les limites suivantes.

a) $\lim\limits_{x \to +\infty} \dfrac{5x^2 + 7x - 1}{7x^3 + 3x - 7}$

d) $\lim\limits_{x \to 0^+} \dfrac{\ln x}{x^{\frac{-1}{2}}}$

b) $\lim\limits_{x \to +\infty} \dfrac{\ln x^2}{\ln(1 + x)}$

e) $\lim\limits_{x \to 0^+} \dfrac{\ln x}{e^{\frac{1}{x}}}$

c) $\lim\limits_{t \to +\infty} \dfrac{7t + \ln 5t}{9t + \ln 3t}$

f) $\lim\limits_{\theta \to (\frac{\pi}{4})^+} \dfrac{\tan 2\theta}{1 + \sec 2\theta}$

5. Évaluer les limites suivantes.

a) $\lim\limits_{x \to +\infty} (xe^{-x})$

d) $\lim\limits_{s \to 2^+} \left[\dfrac{1}{s - 2} + \dfrac{4}{4 - s^2} \right]$

b) $\lim\limits_{x \to 0^+} (x \ln x)$

e) $\lim\limits_{x \to 1^+} \left[\dfrac{1}{1 - x} - \dfrac{1}{\ln(2 - x)} \right]$

c) $\lim\limits_{x \to +\infty} \left(4x \sin \dfrac{1}{5x} \right)$

f) $\lim\limits_{x \to 0^+} \left[\dfrac{1}{\text{Arc tan } x} - \dfrac{1}{x} \right]$

6. Évaluer les limites suivantes.

a) $\lim\limits_{x \to 0^+} x^{\sin x}$

d) $\lim\limits_{x \to 5^+} (x - 5)^{\ln(x - 4)}$

b) $\lim\limits_{x \to 1^-} \left[\ln \left(\dfrac{1}{1 - x} \right) \right]^{1 - x}$

e) $\lim\limits_{x \to +\infty} \left(1 - \dfrac{5}{x} \right)^{3x}$

c) $\lim\limits_{x \to +\infty} \left(1 + \dfrac{4}{x^2} \right)^{x^2}$

f) $\lim\limits_{x \to 0^+} \left(1 + \dfrac{5}{x} \right)^{3x}$

7. Utiliser, si possible, la règle de L'Hospital pour lever les indéterminations suivantes. Si la règle de L'Hospital ne peut s'appliquer, lever les indéterminations en utilisant une autre méthode.

a) $\lim\limits_{x \to +\infty} \dfrac{\sqrt{x^2 + 1}}{x}$

c) $\lim\limits_{x \to +\infty} \dfrac{3e^{2x} - 3e^{-2x}}{2e^{2x} - 2e^{-x}}$

b) $\lim\limits_{x \to 0} \dfrac{3e^{2x} - 3e^{-2x}}{2e^{2x} - 2e^{-x}}$

8. Évaluer les limites suivantes.

a) $\lim\limits_{x \to 0} \dfrac{x^2 + 2x - 2\sin x}{e^{2x} - 2e^x}$

g) $\lim\limits_{x \to -\infty} e^{3x}(4e^{-3x} + 1)$

b) $\lim\limits_{x \to 0} \dfrac{e^x - 1}{x^3}$

h) $\lim\limits_{x \to +\infty} (e^{x^2} - 1)^{\frac{2}{x^2}}$

c) $\lim\limits_{y \to +\infty} \dfrac{5y^2(y + 1)^2}{4y^4}$

i) $\lim\limits_{x \to 0^+} (1 + 6x)^{\frac{3}{x}}$

d) $\lim\limits_{\theta \to \frac{\pi}{2}} (1 + \cos \theta)^{\tan \theta}$

j) $\lim\limits_{x \to +\infty} (1 + 6x)^{\frac{3}{x}}$

e) $\lim\limits_{x \to 0} \left(\dfrac{1}{x} - \dfrac{2}{\sin 2x} \right)$

k) $\lim\limits_{x \to 0} \left(\dfrac{1}{x^2} - \dfrac{1}{\sin^2 x} \right)$

f) $\lim\limits_{x \to 0} \dfrac{e^{3x} + e^{-2x} - x - 2\cos x}{x \sin x}$

Réseau de concepts

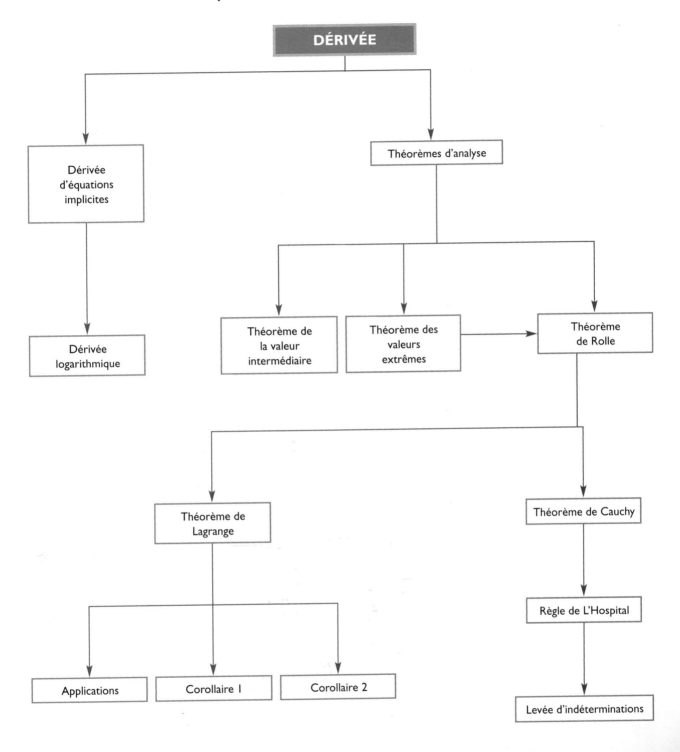

▦ Liste de vérification des connaissances

RÉPONDRE PAR **OUI** OU PAR **NON.**		
Après l'étude de ce chapitre, je suis en mesure :	OUI	NON
1. de connaître la définition de la fonction dérivée ;		
2. d'interpréter graphiquement la dérivée d'une fonction en un point ;		
3. d'appliquer les formules de dérivation de base ;		
4. d'appliquer les formules de dérivation des fonctions trigonométriques ;		
5. d'appliquer les formules de dérivation des fonctions exponentielles et logarithmiques ;		
6. d'appliquer les formules de dérivation des fonctions trigonométriques inverses ;		
7. de reconnaître des équations implicites ;		
8. de calculer la dérivée première à partir d'une équation implicite ;		
9. de calculer la pente de la tangente à des courbes définies par des équations implicites ;		
10. de calculer la dérivée seconde à partir d'une équation implicite ;		
11. de calculer la dérivée de fonctions de la forme $y = f(x)^{g(x)}$, où $f(x) > 0$;		
12. d'utiliser certaines propriétés des logarithmes pour faciliter le calcul de la dérivée de certaines expressions algébriques ;		
13. de connaître le théorème de la valeur intermédiaire ;		
14. de connaître le théorème des valeurs extrêmes ;		
15. de savoir qu'à un point maximal (ou minimal) la dérivée, si elle existe, est égale à 0 ;		
16. de connaître le théorème de Rolle ;		
17. d'appliquer le théorème de Rolle ;		
18. de connaître le théorème de Lagrange ;		
19. d'appliquer le théorème de Lagrange ;		
20. de démontrer la validité d'une inégalité à l'aide du théorème de Lagrange ;		
21. de calculer approximativement certaines valeurs à l'aide du théorème de Lagrange ;		
22. de connaître les corollaires du théorème de Lagrange ;		
23. d'appliquer les corollaires du théorème de Lagrange ;		
24. de connaître le théorème de Cauchy ;		
25. d'appliquer le théorème de Cauchy ;		
26. de lever des indéterminations à l'aide de transformations algébriques ;		
27. d'utiliser la règle de L'Hospital ;		
28. de lever des indéterminations de la forme $\frac{0}{0}$ à l'aide de la règle de L'Hospital ;		
29. de lever des indéterminations de la forme $\frac{\pm\infty}{\pm\infty}$ à l'aide de la règle de L'Hospital ;		
30. de lever des indéterminations de la forme $(+\infty - \infty)$ ou $(-\infty + \infty)$ à l'aide de la règle de L'Hospital ;		
31. de lever des indéterminations de la forme $0 \cdot (\pm\infty)$ à l'aide de la règle de L'Hospital ;		
32. de lever des indéterminations de la forme 0^0, $(+\infty)^0$ et $1^{\pm\infty}$ à l'aide de la règle de L'Hospital.		
Si vous avez répondu **NON** à l'une de ces questions, il serait préférable pour vous d'étudier de nouveau cette notion.		

▦ Exercices récapitulatifs

1. Calculer

a) $\dfrac{dy}{dx}$ si $2x^4 y^{\frac{7}{2}} - 5x^3 y^4 = 5$

b) $\dfrac{d\varphi}{d\theta}$ si $\cos(\theta\varphi^2) = \varphi$

c) $\dfrac{dy}{dx}\Big|_{(0,\,0)}$ si $\sin(x^2 + y^2) = 2y + 5x$

d) $\dfrac{d^2 y}{dx^2}\Big|_{x=3}$ si $y^2 - 2xy = 6x - 23$

2. Soit la courbe définie par $x^2 + y^2 - 6x - 8y = 0$.

a) En utilisant le calcul différentiel, déterminer les points de la courbe où la tangente à celle-ci est horizontale ; verticale.

O/T b) Représenter graphiquement la courbe et les tangentes précédentes.

3. Utiliser la dérivation logarithmique pour calculer $\dfrac{dy}{dx}$.

a) $y = (\sin x^2)^{\cos 3x}$ d) $1 - x = y^y$

b) $y = \dfrac{10^{x^2} \cos 3x}{\sqrt{x}}$ e) $y = \sqrt[5]{\dfrac{(1 - x^4)e^x}{(5x^2 - 2x + 1)}}$

c) $y = (\ln x)^{\ln x}$ f) $y = \left(\dfrac{1-x}{x}\right)^{x-1}$

4. Soit $f(x) = 3\,(2x)^x$.

a) Déterminer l'équation de la tangente D_1 à la courbe de f lorsque $x = 1$.

b) Déterminer l'équation de la normale D_2 à la courbe de f lorsque $x = 1$.

O/T c) Représenter graphiquement la courbe de f ainsi que la tangente D_1 et la normale D_2.

5. Soit la fonction f définie par le graphique suivant.

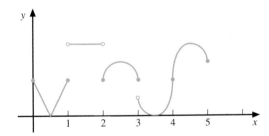

Déterminer, parmi les intervalles $[0, 1]$, $[1, 2]$, $[2, 3]$, $[3, 4]$ et $[4, 5]$:

a) les intervalles où les hypothèses du théorème de Rolle sont satisfaites ;

b) les intervalles où la dérivée de la fonction s'annule en au moins un point de l'intervalle donné.

6. Soit une fonction f définie sur $[a, b]$ telle que $f'(c) = 0$, où $c \in \,]a, b[$.

a) Pouvons-nous conclure que les trois hypothèses du théorème de Rolle sont vérifiées ?

b) Si la réponse de a) est négative, donner un exemple graphique d'une telle fonction f où les trois hypothèses du théorème de Rolle ne seraient pas vérifiées.

7. Pour chacune des fonctions suivantes, déterminer la valeur c du théorème de Rolle après avoir vérifié les hypothèses de ce théorème.

a) $f(x) = x^3 - 2x^2 - 5x + 6$ sur $[1, 3]$

b) $g(x) = 5 + |x - 3|$ sur $[1, 5]$

c) $v(t) = t + \dfrac{1}{t}$ sur $\left[\dfrac{1}{3}, 3\right]$

d) $f(x) = \dfrac{x^4 + 1}{x^2}$ sur $[-1, 1]$

e) $f(x) = \dfrac{x^4 + 1}{x^2}$ sur $\left[\dfrac{1}{2}, 2\right]$

f) $h(x) = \sqrt{x}$ sur $[1, 9]$

8. Pour chacune des fonctions suivantes, déterminer la valeur c du théorème de Lagrange après avoir vérifié les hypothèses de ce théorème.

a) $f(x) = x^3$ sur $[-2, 1]$ (représenter graphiquement)

b) $f(x) = (x - 1)^{\frac{2}{3}}$ sur $[-2, 2]$

c) $f(x) = \sqrt[3]{x} - 1$ sur $[0, 8]$

d) $f(x) = \text{Arc tan } x$ sur $[-1, 1]$

e) $f(x) = x + \dfrac{1}{x}$ sur $[-1, 1]$

f) $f(x) = (4 - \sqrt{x})^{\frac{3}{2}}$ sur $[0, 16]$

9. Soit deux fonctions continues sur $[0, 8]$ et dérivables sur $]0, 8[$, définies par $f(x) = x^2 + 4$ et $g(x) = x^3 + 1$.

a) Déterminer la valeur c_1 du théorème de Lagrange pour f.

b) Déterminer la valeur c_2 du théorème de Lagrange pour g.

c) Déterminer la valeur c du théorème de Cauchy pour ces deux fonctions.

10. En supposant que les deux membres de l'équation sont définis, démontrer les égalités suivantes et déterminer la valeur de C, où $C \in \mathbb{R}$.

a) $\text{Arc tan} \left(\dfrac{x+1}{1-x} \right) = \text{Arc tan } x + C$

b) $\ln(\csc x + \cot x) + \ln(\csc x - \cot x) = C$

c) $(\ln x^2)(\ln 2x) - (\ln x)^2 = (\ln 2x)^2 + C$

11. Démontrer que :

a) $\text{Arc sin } x > x$, où $x \in {]}0, 1{[}$;

b) $\sin^2 x \le 2x$, où $x \in [0, +\infty$;

c) $\sqrt{1 + 2x} \le x + 1$, où $x \in [0, +\infty$;

d) $e^{ax} > ax + 1$, où $x \in {]}0, +\infty$ et $a > 0$.

12. Évaluer les limites suivantes.

a) $\displaystyle\lim_{x \to 0} \dfrac{x - \tan x}{x \sin x}$

k) $\displaystyle\lim_{x \to 0^+} \dfrac{\sin x}{1 - \cos \sqrt{x}}$

b) $\displaystyle\lim_{x \to +\infty} (e^x \, \text{Arc tan } e^{-x})$

l) $\displaystyle\lim_{x \to 0^+} \left(1 + \dfrac{e^x - e^{-x}}{2} \right)^{\frac{1}{2x}}$

c) $\displaystyle\lim_{x \to +\infty} \dfrac{e^{3x} + 4x - 7}{e^{2x} + 3x - 1}$

d) $\displaystyle\lim_{x \to \pi^-} \left(\dfrac{x}{\pi} \right)^{\tan\left(\frac{x}{2} \right)}$

e) $\displaystyle\lim_{x \to 0} \dfrac{x - \text{Arc tan } x}{x - \text{Arc sin } x}$

f) $\displaystyle\lim_{x \to 0} \left(\dfrac{1}{e^x - 1} - \dfrac{2}{e^{2x} - 1} \right)$

g) $\displaystyle\lim_{x \to \left(\frac{1}{2} \right)^-} 2 \, (\tan \pi x)^{(1 - 2x)}$

h) $\displaystyle\lim_{x \to 0} \dfrac{x + x \sin 2x}{x - \sin 2x}$

i) $\displaystyle\lim_{x \to 0} \dfrac{\sqrt{1 + x} + \sqrt{1 - x} - 2}{x^2}$

j) $\displaystyle\lim_{x \to +\infty} x^2 \, (4^{\frac{1}{x}} - 1)$

O T 13. a) Évaluer $\displaystyle\lim_{x \to 0} (1 + x)^{\frac{1}{x}}$ et représenter graphiquement la fonction sur un intervalle approprié.

b) Évaluer $\displaystyle\lim_{x \to +\infty} \left(1 + \dfrac{1}{x} \right)^x$ et représenter graphiquement la fonction sur un intervalle approprié.

c) Évaluer $\displaystyle\lim_{x \to 0^+} x^x$, $\displaystyle\lim_{x \to 0^+} x^{(x^x)}$ et $\displaystyle\lim_{x \to 0^+} (x^x)^x$ et représenter graphiquement, sur un même système d'axes, les trois fonctions sur un intervalle approprié.

14. Utiliser, si possible, la règle de L'Hospital pour lever les indéterminations suivantes. Si la règle de L'Hospital ne peut s'appliquer, lever les indéterminations en utilisant une autre méthode.

a) $\displaystyle\lim_{x \to +\infty} \dfrac{3x^2 + \sin 2x}{x^2 + \cos 3x}$

e) $\displaystyle\lim_{x \to +\infty} (\sqrt{x^2 + ax} - x)$

b) $\displaystyle\lim_{x \to -\infty} (3e^{-x} - e^{-3x})$

f) $\displaystyle\lim_{x \to 0} \left[\dfrac{1}{e^{2x} - 1} - \dfrac{1}{2x} \right]$

c) $\displaystyle\lim_{x \to 0^+} (x + e^{3x})^{\csc x}$

g) $\displaystyle\lim_{x \to \left(\frac{\pi}{2} \right)^-} \dfrac{\tan 5x}{\tan 3x}$

d) $\displaystyle\lim_{x \to 0^+} \dfrac{\sqrt{1 - \cos x}}{\sin x}$

15. Sachant qu'une fonction définie par $f(x) = Px^2 + Qx + S$, où P, Q et $S \in \mathbb{R}$ et $P \ne 0$, est continue sur $[a, b]$ et dérivable sur ${]}a, b{[}$, démontrer que la valeur c du théorème de Lagrange est la valeur située au milieu de $[a, b]$.

16. a) Soit une fonction f qui vérifie les hypothèses du théorème de Lagrange sur $[a, b]$ et telle que $f(a) = f(b)$. En appliquant le théorème de Lagrange à cette fonction, quel théorème obtenons-nous ?

b) Si, dans le théorème de Cauchy, $g(x) = x$, quel théorème obtenons-nous ?

▨ Problèmes de synthèse

1. Soit $f(x) = \dfrac{\ln(1 + 3x)}{x}$.

a) Compléter le tableau suivant.

x	0,001	10^{-5}	10^{-7}	10^{-9}	10^{-13}	10^{-15}
$f(x)$						

b) À l'aide du tableau précédent peut-on évaluer $\displaystyle\lim_{x \to 0^+} \dfrac{\ln(1 + 3x)}{x}$?

c) Évaluer, en utilisant la règle de L'Hospital, $\displaystyle\lim_{x \to 0^+} \dfrac{\ln(1 + 3x)}{x}$.

d) Expliquer pourquoi les résultats obtenus en a) ne coïncident pas avec celui obtenu en c).

2. Calculer $\dfrac{dy}{dx}$ si:

a) $x^{\sin y} = \ln(x^2 + 1)$ c) $y = x^{\sin x}(\cos x)^x$

b) $y = x^{2x} + (3x + 1)^{5x}$

O/T **3.** Soit la courbe définie par Arc sin y + 4 Arc tan $x = 2xy + \pi$.

a) Déterminer l'équation de la tangente et de la normale à la courbe, lorsque la courbe coupe l'axe des x au point P(a, 0).

b) Représenter graphiquement la courbe, la tangente et la normale sur $[a - 1, a + 1]$.

O/T **4.** Soit la lemniscate définie par $(x^2 + y^2)^2 = x^2 - y^2$.

a) Déterminer algébriquement les coordonnées des points de la courbe où la tangente à la courbe est horizontale.

b) Déterminer algébriquement les coordonnées des points P(x, y), où $x \neq y$, de la courbe où la tangente à la courbe est verticale.

c) Représenter graphiquement la courbe et vérifier la pertinence des résultats trouvés en a) et en b).

5. Soit le folium de Descartes défini par $x^3 + y^3 = 3xy$.

a) Déterminer algébriquement les coordonnées du point P(x, y), où $x \neq y$, de la courbe où la tangente est horizontale. Déterminer algébriquement les coordonnées du point Q(x, y), où $x \neq y$, de la courbe où la tangente est verticale.

O/T b) Représenter graphiquement la courbe et vérifier la pertinence des résultats trouvés en a).

6. Soit $f(x) = x^x$, où $x > 0$. Construire le tableau de variation relatif à f' et à f'', et tracer le graphique de cette fonction.

7. Soit l'équation $\tan x = 1 - x$, où $x \in \,]0, 1[$.

a) Démontrer qu'il existe une solution à l'équation en utilisant le théorème de la valeur intermédiaire.

b) Démontrer qu'il existe une solution à l'équation en utilisant le théorème de Rolle où $f(x) = (x - 1)\sin x$ sur $[0, 1]$.

O/T c) Représenter graphiquement les fonctions $\tan x$ et $(1 - x)$, puis déterminer approximativement la valeur de x vérifiant l'équation.

8. La position d'un mobile en fonction du temps est donnée par $x(t) = 6t^2 - t^3 + 4$, où $x(t)$ est en mètres et $t \in [0, 4]$ est en secondes.

a) Déterminer les temps où la vitesse instantanée du mobile sera égale à la vitesse moyenne de ce mobile sur $[0, 4]$.

b) Déterminer le temps où la vitesse instantanée du mobile est maximale et calculer cette vitesse maximale.

O/T c) Représenter sur un même graphique les fonctions position, vitesse et accélération sur $[0, 4]$.

9. Soit $f(x) = (x - a)^m (x - b)^n$, où $x \in [a, b]$, et c la valeur obtenue du théorème de Rolle appliqué à cette fonction sur $[a, b]$.

a) Déterminer le rapport $\dfrac{c - a}{b - c}$.

b) À l'aide du résultat précédent, déterminer la valeur c du théorème de Rolle si $f(x) = (x - 4)^6 (x - 10)^3$, où $x \in [4, 10]$.

10. a) Après avoir élevé au carré chacun des membres de l'équation $y = \sqrt{x}$, utiliser la dérivation implicite pour calculer $\dfrac{dy}{dx}$.

b) Utiliser un procédé semblable pour démontrer que $\dfrac{dy}{dx} = \dfrac{m}{n}x^{\frac{m}{n} - 1}$ si $y = x^{\frac{m}{n}}$, où $m \in \mathbb{Z}$ et $n \in \mathbb{Z} \setminus \{0\}$.

11. Soit la courbe définie par $\sqrt{x} + \sqrt{y} = C$, où $C \in \mathbb{R}$. La droite L est une tangente quelconque à la courbe.

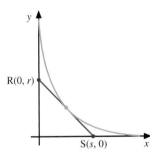

Démontrer que $r + s = k$, où $k \in \mathbb{R}$, et déterminer la valeur de k.

12. Utiliser les propriétés des limites et la règle de L'Hospital, si nécessaire, pour évaluer les limites suivantes.

a) $\displaystyle\lim_{\theta \to 0} \dfrac{(5\theta^2 + 7)\sin 3\theta}{\theta e^\theta}$

b) $\displaystyle\lim_{x \to 0^+} \left[\dfrac{\tan x}{x} + x \ln x \right]$

c) $\displaystyle\lim_{t\to+\infty} \frac{t\left(1+\dfrac{t}{e^t}\right)}{(2t+\ln t)}$

d) $\displaystyle\lim_{s\to+\infty} \left(\frac{s+\sqrt{s}}{s-\sqrt{s}}\right)^{\sqrt{s}}$

e) $\displaystyle\lim_{x\to+\infty} \left[\frac{\ln x}{x} + \frac{e^{-x}}{\left(\dfrac{\pi}{2} - \text{Arc tan } x\right)}\right]$

f) $\displaystyle\lim_{x\to+\infty} \left[\left(\frac{\cos 2x}{x} + x\sin\left(\frac{3}{x}\right)\right)e^{\frac{-5}{x}}\right]$

13. On ensemence un lac avec des truites. Des écologistes estiment que le nombre N de truites en fonction du temps t, en mois, est donné par

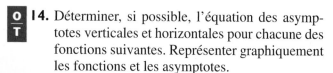

$$N(t) = \frac{3t + 2400e^{0,36t}}{5 + t^2 + e^{0,36t}}.$$

a) Déterminer le nombre de truites ensemencées.

b) Selon cette estimation, déterminer théoriquement le nombre de truites existant dans ce lac après une très longue période de temps.

O/T c) Trouver l'équation de l'asymptote horizontale correspondante et représenter la courbe de N et l'asymptote trouvée.

O/T 14. Déterminer, si possible, l'équation des asymptotes verticales et horizontales pour chacune des fonctions suivantes. Représenter graphiquement les fonctions et les asymptotes.

a) $f(x) = \left(1+\dfrac{1}{x}\right)^x$ sur $]0, +\infty$

b) $f(x) = \dfrac{2x^3 + x - 3}{x\,(x-1)^2}$

c) $f(x) = \dfrac{x}{2e^x - xe^x - x - 2}$

15. Soit $f(x) = x^3 - 3x^2 + 3x + 2$, où $x \in [-3, 3]$.

a) Déterminer le point P sur la courbe de f où la distance verticale, entre la courbe de f et la sécante passant par A(-3, f(-3)) et B(3, f(3)), est maximale.

b) Calculer cette distance verticale maximale.

O/T c) Représenter graphiquement la courbe de f, la sécante donnée et le point P.

16. Soit une fonction f continue sur $[a, b]$ et dérivable sur $]a, b[$. Si $m < f'(x) < M$, $\forall\, x \in\,]a, b[$, démontrer que :

a) $f(a) + m(b - a) < f(b) < f(a) + M(b - a)$.

b) À l'aide du résultat obtenu en a), démontrer que $0,5 < \ln 2 < 1$.

17. a) Démontrer que $\ln(1 + t) \leqslant t$, $\forall\, t \geqslant 0$.

b) En posant $t = \ln(\ln(x))$, démontrer que $x^e < e^x$, $\forall\, x > e$.

O/T c) Représenter sur un même système d'axes les courbes de f et de g, où $f(x) = x^e$ et $g(x) = e^x$, sur $[0, 5]$.

d) À l'aide des résultats précédents, déterminer si $\pi^e < e^\pi$ ou $\pi^e > e^\pi$.

18. Nous appelons a une valeur fixe d'une fonction f, si $f(a) = a$. Démontrer que si f est dérivable et que $f'(c) \neq 1\ \forall\, c \in \mathbb{R}$, alors la fonction f possède au plus une valeur fixe.

19. Soit f une fonction continue et dérivable sur $\mathbb{R}$.

a) Démontrer que si f' a k zéros distincts, alors f a au plus $k + 1$ zéros distincts.

b) Si f'' est définie et a k zéros distincts, déterminer le nombre maximal de zéros que f possède.

c) Si $f^{(n)}$ est définie et a k zéros distincts, déterminer le nombre maximal de zéros que f possède.

CHAPITRE

2

Intégration

Introduction

Dans le cours précédent, nous avons vu qu'à partir d'une fonction f il était possible de trouver une nouvelle fonction f' appelée dérivée de f. Nous verrons maintenant comment procéder de façon inverse, c'est-à-dire comment trouver une fonction dont la dérivée est donnée ; c'est ce qu'on appelle intégrer. Nous donnerons quelques méthodes permettant d'intégrer. Il est à noter que d'autres méthodes d'intégration seront étudiées au chapitre 4. Nous verrons également des applications de l'intégrale indéfinie dans différents domaines, tels que la physique, l'économie, la démographie, etc.

En particulier, l'élève pourra résoudre le problème suivant.

Pour endormir un chat au cours d'une opération, on lui administre un produit ayant une demi-vie de 3 heures. Une quantité minimale de 18 ml/kg de produit est nécessaire pour qu'un chat reste endormi pendant une opération. Déterminer la dose à injecter à un chat de 5,5 kg pour qu'il reste endormi durant 45 minutes, sachant que le taux d'élimination de la quantité de médicament est proportionnel à la quantité présente.

(Problème de synthèse n° 6, page 105.)

Perspective historique

La remise en question de la physique aristotélicienne à la fin du Moyen Âge (XIVe et XVe siècles) et à la Renaissance (XVIe siècle) s'est nourrie de l'étude des mouvements et plus généralement des changements. Les approches alors développées permirent de jeter un nouveau regard sur des questions de mécanique dont certaines dataient d'Archimède (287-212 avant notre ère). Ainsi en est-il de la détermination, pour une surface ou un objet, de son aire, de son volume ou de son centre de gravité. Lorsque la forme comporte des parties courbes, le calcul se fait par une approximation de la surface ou de l'objet par des suites infinies de surfaces ou d'objets dont on connaît déjà l'aire ou le volume. En 1584, l'ingénieur flamand Simon Stevin (1548-1620) emploie cette méthode pour le centre de gravité, après avoir grandement participé à la popularisation de l'usage des fractions décimales. Kepler suit cet exemple dans ses travaux astronomiques et lorsqu'il cherche, en 1615, à déterminer la forme optimale d'un tonneau de vin. L'étude du mouvement et l'étude des aires, des volumes et du centre de gravité font toutes les deux appel à l'infini. Mais il existe un lien plus profond entre elles, *a priori* pas évident du tout. L'établissement formel de ce lien, réalisé indépendamment par l'Anglais Isaac Newton (1642-1727) et par l'Allemand Gottfried Wilhelm Leibniz (1646-1716), constitue l'acte de création du calcul différentiel et intégral. Pour savoir quel est ce lien, reformulons sommairement ce qu'en dit le grand Newton dans *La méthode des fluxions et des suites infinies,* achevée en 1671.

Notons z, l'aire de la surface ADB produite par le mouvement du segment variable DB qui se déplace vers la droite depuis A. La variation instantanée de cette aire en fonction du temps sera notée $\dot{z}$. La variation du segment AB en fonction du temps sera notée $\dot{x}$. Comparons la variation de l'aire ADB à la variation de l'aire du rectangle ACEB de hauteur 1, la longueur du segment BE. Le rapport $\dfrac{\dot{z}}{\dot{x}}$ de ces variations sera nécessairement égal au rapport de BD à BE.

On a donc $\dfrac{\dot{z}}{\dot{x}} = \dfrac{\text{BD}}{\text{BE}}$. Si l'on considère que $x = \text{AB}$ varie comme le temps, alors $\dot{x} = 1$ et on a $\dot{z} = \text{BD}$.

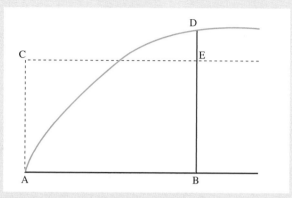

Cette dernière équation nous dit que la variation instantanée de l'aire sous la courbe formée par le déplacement du segment variable BD est égale au segment BD. Une relation est ainsi établie entre un point qui se déplace (le point D) et l'aire sous la courbe que trace ce point. Ce résultat, en apparence simple, porte aujourd'hui le nom de **théorème fondamental du calcul différentiel et intégral.**

La notation employée par Newton pour la variation instantanée, la dérivée, de l'aire sous la courbe n'est pas celle que nous utilisons aujourd'hui. De plus, il n'utilisait pas de notation pour l'aire. Après de nombreux essais, Leibniz, soucieux de trouver une notation aux règles de manipulations simples et intuitives, en proposera une nouvelle. En 1675, il suggéra la notation $omn \cdot \overline{y\ ad\ x}$ pour symboliser l'aire sous la courbe lorsque x varie. Le *omn* est une abréviation de *omnes,* mot latin signifiant *toutes,* en référence à tous les segments BD qui, ajoutés successivement les uns aux autres, forment la surface sous la courbe. Plus tard, il utilisera le symbole $\int$, un S allongé, pour *somme* de toutes les lignes. Dans la notation de Leibniz, le théorème fondamental s'écrit $d \int y = y$, autrement dit, d et $\int$ apparaissent comme des opérations inverses l'une de l'autre.

▦ Test préliminaire

I. Déterminer l'aire totale A et le volume V

   a) d'un cube d'arête c ;

   b) d'un cylindre de rayon r et de hauteur h ;

   c) d'une sphère de rayon r ;

   d) d'un cône de rayon r et de hauteur h.

2. Compléter les égalités.

   a) $\sin (A + B) =$ e) $\cos^2 \theta + \sin^2 \theta =$

   b) $\sin (A - B) =$ f) $1 + \tan^2 \theta =$

   c) $\cos (A + B) =$ g) $1 + \cot^2 \theta =$

   d) $\cos (A - B) =$

3. a) Exprimer $\sin 2\theta$ en fonction de $\sin \theta$ et $\cos \theta$.

   b) Exprimer $\cos 2\theta$ en fonction de $\cos \theta$ et $\sin \theta$.

   c) Exprimer $\cos 2\theta$ en fonction de $\cos \theta$.

   d) Exprimer $\cos 2\theta$ en fonction de $\sin \theta$.

   e) Exprimer $\sin^2 \theta$ en fonction de $\cos 2\theta$.

   f) Exprimer $\cos^2 \theta$ en fonction de $\cos 2\theta$.

4. Effectuer la multiplication des expressions suivantes par leur conjugué.

   a) $1 - \cos \theta$ b) $1 + \sec t$

5. Exprimer N en fonction de t, si :

   a) $\ln N = 5t$;   c) $\ln \left(\dfrac{N}{100} \right) = \text{-}4t$;

   b) $\ln N = 5t + 3$;   d) $\ln N = \text{-}4t + \ln 100$.

6. Simplifier.

   a) $e^{\frac{\ln\left(\frac{25}{12}\right)x}{2}}$ b) $e^{\frac{\text{-}\ln\left(\frac{3}{4}\right)x}{5}}$

7. Effectuer les divisions suivantes.

   a) $\dfrac{2x^3 - 3x^2 - 7x + 9}{x^2 - 1}$ b) $\dfrac{3x^4 + 7x + 5}{x + 3}$

2.1 DIFFÉRENTIELLES

Objectifs d'apprentissage

À la fin de cette section, l'élève pourra calculer la différentielle dy, la représenter graphiquement et l'utiliser dans certains problèmes.

Plus précisément, l'élève sera en mesure :
- de connaître la définition de dx et celle de dy, où $y = f(x)$;
- de déterminer la différentielle de certaines fonctions ;
- de trouver des différentielles à l'aide des règles de dérivation ;
- d'utiliser la différentielle pour démontrer certaines égalités ;
- de repérer sur un graphique dx, dy, Δx et Δy ;
- de calculer approximativement certaines quantités en utilisant la différentielle.

Définitions et représentation graphique de la différentielle

> **Définition**   La **différentielle de x,** notée dx, est un nombre réel quelconque ; autrement dit, $dx \in \mathbb{R}$.

Remarque Si Δx est un accroissement donné à x, alors $\Delta x \in \mathbb{R}$ et nous pouvons écrire $dx = \Delta x$.

> **Définition**   Si $y = f(x)$, la **différentielle de y,** notée dy, est définie par
>
> $dy = f'(x)\, dx$, où $f'(x)$ est la dérivée de $f(x)$.

> # Exemple 1
>
> a) Calculons dy si $y = \sin 6x + \ln (3 + e^{-x})$.
>
> $$dy = (\sin 6x + \ln (3 + e^{-x}))' \, dx \quad \text{(par définition de la différentielle)}$$
>
> d'où $dy = \left[6 \cos 6x - \dfrac{e^{-x}}{3 + e^{-x}} \right] dx$
>
> b) Calculons du si $u = \text{Arc tan } 2t$.
>
> $$du = (\text{Arc tan } 2t)' \, dt \qquad \text{(par définition de la différentielle)}$$
>
> d'où $du = \dfrac{2}{1 + 4t^2} \, dt$

> # Exemple 2
>
> a) Démontrons que si $u = 7x + 4$, alors $dx = \dfrac{du}{7}$.
>
> Si $\quad u = 7x + 4$
>
> alors $du = 7dx$ (par définition de la différentielle)
>
> d'où $dx = \dfrac{du}{7}$
>
> b) Démontrons que si $u = \ln (\cos 2\theta)$, alors $\tan 2\theta \, d\theta = \dfrac{-du}{2}$.
>
> Si $\qquad\qquad u = \ln (\cos 2\theta)$
>
> alors $\qquad du = \dfrac{-2 \sin 2\theta}{\cos 2\theta} \, d\theta$ (par définition de la différentielle)
>
> $\qquad\qquad du = -2 \tan 2\theta \, d\theta$
>
> d'où $\tan 2\theta \, d\theta = \dfrac{-du}{2}$
>
> c) Démontrons que si $v = e^{0,5x}$, alors $dx = \dfrac{2 \, dv}{v}$.
>
> Si $\quad v = e^{0,5x}$
>
> alors $dv = 0,5e^{0,5x} \, dx$ (par définition de la différentielle)
>
> $\qquad dx = \dfrac{dv}{0,5e^{0,5x}}$
>
> d'où $dx = \dfrac{2 \, dv}{v}$ (car $v = e^{0,5x}$)

Exemple 3 Calculons la différentielle d'un produit, c'est-à-dire $d(uv)$ où u et v sont des fonctions de x.

$$d(uv) = (uv)' \, dx \qquad \text{(par définition de la différentielle)}$$
$$= (u'v + uv') \, dx \qquad \text{(dérivée d'un produit)}$$
$$= vu' \, dx + uv' \, dx$$
$$= v \, du + u \, dv \qquad \text{(car } u' \, dx = du \text{ et } v' \, dx = dv)$$

Donnons maintenant la représentation graphique de la différentielle dy pour une fonction f croissante.

Soit une fonction f continue et dérivable en $x = x_0$.

Soit la tangente à la courbe de f au point $(x_0, f(x_0))$, dont la pente est donnée par $f'(x_0)$, et Δx un accroissement donné à x_0.

Nous avons $\Delta y = f(x_0 + \Delta x) - f(x_0)$
$$\Delta y = \overline{QN}$$

De plus, $m_{\tan (x_0, f(x_0))} = \dfrac{\overline{MN}}{\Delta x}$ (voir le graphique)

Puisque $m_{\tan (x_0, f(x_0))} = f'(x_0)$

alors $\dfrac{\overline{MN}}{\Delta x} = f'(x_0)$

$\overline{MN} = f'(x_0) \, \Delta x$

$\overline{MN} = f'(x_0) \, dx \quad$ (car $dx = \Delta x$)

d'où $\overline{MN} = dy \qquad$ (car $dy = f'(x) \, dx$)

Représentation graphique de la différentielle

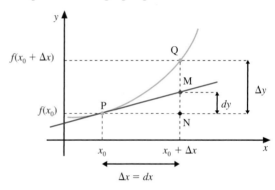

Exemple 4 Soit $f(x) = x^2 + 1$.

Calculons Δy et dy, si $x_0 = 1$ et $\Delta x = 2$.

Si $x_0 = 1$ et $\Delta x = 2$, alors $x_0 + \Delta x = 3$.

Ainsi $\Delta y = f(x_0 + \Delta x) - f(x_0)$
$$= f(3) - f(1)$$
$$= 8$$

De $dy = f'(x) \, dx$, nous obtenons
$$dy = (x^2 + 1)' \, dx$$
$$= 2x \, dx$$
$$= 2(1)(2) \quad \text{(car } x = 1 \text{ et } dx = 2)$$
$$= 4$$

D'où $\Delta y = 8$ et $dy = 4$.

Représentation graphique

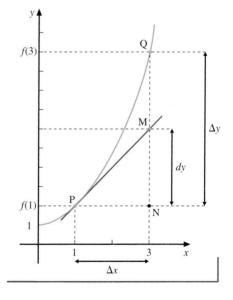

Remarque Nous pouvons constater graphiquement qu'en général, plus Δx est petit, plus la valeur de Δy est près de la valeur de dy ($\Delta y \approx dy$).

Approximation en utilisant la différentielle

Exemple 1 Calculons approximativement la valeur de $\sqrt{17}$, en utilisant la différentielle.

Étape 1 : Déterminer une fonction appropriée.
Puisqu'il est question d'extraire la racine carrée d'un nombre, choisissons $f(x) = \sqrt{x}$.

Étape 2 : Déterminer x_0 et dx.
Nous choisissons pour x_0 la valeur la plus près de 17 dont nous pouvons facilement calculer la racine carrée. Ainsi,

$x_0 = 16$ et $x_0 + dx = 17$, d'où $dx = (17 - 16)$ c'est-à-dire $dx = 1$.

Étape 3 : Calculer la différentielle de la fonction déterminée à l'étape 1 en utilisant les valeurs x_0 et dx de l'étape 2.

Puisque $f(x) = x^{\frac{1}{2}}$, alors

$$dy = \frac{1}{2x^{\frac{1}{2}}}\, dx$$

En remplaçant x par 16 et dx par 1, nous obtenons

$$dy = \frac{1}{2\sqrt{16}}\,(1)$$

$$= 0{,}125$$

Calcul par approximation

Étape 4 : Calculer approximativement la valeur cherchée.

De $\quad f(x_0 + \Delta x) - f(x_0) = \Delta y \quad$ (définition de Δy)

nous avons $\sqrt{17} - \sqrt{16} = \Delta y$

$\sqrt{17} = \sqrt{16} + \Delta y$

$\sqrt{17} \approx 4 + dy \quad$ (car $\Delta y \approx dy$)

d'où $\qquad \sqrt{17} \approx 4{,}125 \quad$ (car $dy = 0{,}125$)

L'élève peut vérifier à l'aide d'une calculatrice que la valeur obtenue en utilisant la différentielle est une bonne approximation de $\sqrt{17}$.

Voici un résumé des étapes à suivre pour calculer approximativement une valeur.

1. Déterminer une fonction appropriée.

2. Déterminer x_0 et dx.

3. Calculer la différentielle en utilisant les données trouvées en 1 et 2.

4. Calculer approximativement la valeur cherchée.

Exemple 2 Calculons approximativement $\sqrt[3]{62}$ en utilisant la différentielle.

1. Soit $f(x) = \sqrt[3]{x}$

2. Choisissons $x_0 = 64 \qquad$ (car $\sqrt[3]{64} = 4$)

et $\quad x_0 + dx = 62$

d'où $\qquad dx = 62 - 64 = \text{-}2$

3. Puisque $f(x) = x^{\frac{1}{3}}$

   alors $\quad dy = \dfrac{1}{3x^{\frac{2}{3}}}\, dx$

   En remplaçant x par 64 et dx par -2, nous obtenons

   $$dy = \dfrac{1}{3\,(64)^{\frac{2}{3}}}\,(\text{-}2)$$

   $$= \dfrac{\text{-}1}{24}$$

4. $f(x_0 + \Delta x) - f(x_0) = \Delta y$

   $\sqrt[3]{62} - \sqrt[3]{64} = \Delta y$

   $\sqrt[3]{62} = \sqrt[3]{64} + \Delta y$

   $\sqrt[3]{62} \approx 4 + dy \qquad (\text{car } \Delta y \approx dy)$

   $\sqrt[3]{62} \approx 4 - \dfrac{1}{24} \qquad \left(\text{car } dy = \dfrac{\text{-}1}{24}\right)$

   d'où $\quad \sqrt[3]{62} \approx 3{,}958\overline{3}$

Exemple 3 En mesurant le côté d'un carré à l'aide d'un instrument dont la précision est de $\pm 0{,}3$ cm, nous obtenons 20 cm.

Erreur absolue

a) Calculons approximativement, à l'aide de la différentielle, l'erreur absolue de la mesure de l'aire A. Cette erreur est notée E_a.

Nous avons $A(x) = x^2$, $x_0 = 20$ et $dx = \pm 0{,}3$

Ainsi $E_a = |\Delta A| \qquad$ (par définition)

$E_a \approx |dA| \qquad$ (car $\Delta A \approx dA$)

$E_a \approx |2x\, dx| \quad$ (car $A(x) = x^2$)

En remplaçant x par 20 et dx par $\pm 0{,}3$, nous obtenons

$E_a \approx |2(20)(\pm 0{,}3)|$

d'où $E_a \approx 12$ cm²

Erreur relative

b) Calculons approximativement, à l'aide de la différentielle, l'erreur relative de la mesure de l'aire A, notée E_r, qui correspond à la valeur absolue du quotient de l'erreur absolue par la valeur de l'aire A.

Ainsi $E_r = \left|\dfrac{E_a}{A}\right| \qquad$ (par définition)

$E_r \approx \left|\dfrac{12}{400}\right| \quad$ (car $E_a \approx 12$ et $A = 20^2$)

d'où $E_r \approx 0{,}03$, c'est-à-dire $3\,\%$

c) Calculons, à l'aide de la différentielle, la précision nécessaire de l'instrument de mesure pour avoir une erreur relative approximative de $1{,}5\,\%$.

Puisque $E_r = \left|\dfrac{E_a}{A}\right| \approx 0{,}015$

$$\left|\frac{2x\,dx}{x^2}\right| \approx 0{,}015 \quad (\text{car } E_a = |2x\,dx|)$$

$$\frac{2\,|dx|}{x} \approx 0{,}015$$

$$\frac{2\,|dx|}{20} \approx 0{,}015 \quad (\text{car } x = 20)$$

$$|dx| \approx |0{,}15|$$

d'où $\qquad dx \approx \pm 0{,}15$ cm

Exercices 2.1

1. Représenter Δx, Δy, dx et dy sur le graphique ci-contre.

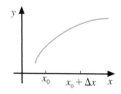

2. Calculer la différentielle de chaque fonction.

   a) $y = x^4 - 3x$

   b) $y = \dfrac{\sin \theta}{\theta}$

   c) $x = \text{Arc tan } (t^3 - 1)$

   d) $y = e^u \text{ Arc sin } u^2$

   e) $s = 8 \text{ Arc sec } (\ln z)$

   f) $v = 5^t + \log (t^4 + 1)$

3. Calculer les différentielles suivantes, où $K \in \mathbb{R}$ et u et v sont des fonctions de x.

   a) $d\,(Ku)$

   b) $d\,(u + v)$

4. a) Si $u = x^8$, démontrer que $\dfrac{du}{8} = x^7\,dx$.

   b) Si $u = 4x^3 - 3x^2$, démontrer que
   $(6x^2 - 3x)\,dx = \dfrac{du}{2}$.

   c) Si $u = \dfrac{7}{x^6}$, démontrer que $\dfrac{21}{x^7}\,dx = \dfrac{-du}{2}$.

   d) Si $u = e^{\tan \theta}$, démontrer que $\sec^2 \theta\,d\theta = \dfrac{du}{u}$.

5. Transformer les expressions suivantes en fonction de u et du.

   a) $e^{\sin x} \cos x\,dx$, où $u = \sin x$

   b) $e^{\sin x} \cos x\,dx$, où $u = e^{\sin x}$

   c) $(x^4 + 1)^5\,x^3\,dx$, où $u = x^4 + 1$

   d) $\dfrac{e^{2x}}{\sqrt{1 - e^{4x}}}\,dx$, où $u = e^{2x}$

   e) $\sec^2 4\theta \tan 4\theta\,d\theta$, où $u = \tan 4\theta$

   f) $\sec^2 4\theta \tan 4\theta\,d\theta$, où $u = \sec 4\theta$

6. Calculer Δy et dy si y est définie par chacune des fonctions suivantes.

   a) $f(x) = \sqrt{x}$, $x_0 = 4$ et $dx = 0{,}41$

   b) $g(x) = \dfrac{1}{x}$, $x_0 = -2$ et $\Delta x = -0{,}5$

7. Calculer d'une façon approximative les valeurs suivantes en utilisant la différentielle.

   a) $\sqrt[5]{31{,}5}$

   b) $\ln 1{,}1$

   c) $(1{,}98)^8$

8. Sous l'effet de la chaleur, le rayon d'une plaque circulaire métallique croît de 100 cm à 100,5 cm. Calculer, en utilisant la différentielle, la valeur approximative de l'augmentation de l'aire A.

9. En mesurant le diamètre d'une balle de tennis à l'aide d'un calibre à coulisse, dont la précision est de $\pm 0{,}050$ cm, nous obtenons 6,5 cm. À l'aide de la différentielle,

   a) déterminer approximativement l'erreur absolue E_a de la mesure du volume V de la balle ;

   b) déterminer l'erreur relative E_r correspondante ;

   c) déterminer approximativement la précision du calibre à coulisse pour obtenir une erreur relative de 1 %.

10. Quelle doit être la précision dans la mesure des arêtes d'un cube pour que le volume obtenu soit de 125 ± 3 cm³ ?

2.2 INTÉGRALE INDÉFINIE ET FORMULES DE BASE

Objectifs d'apprentissage

À la fin de cette section, l'élève pourra donner la définition de l'intégrale indéfinie, énoncer certaines de ses propriétés et déterminer l'intégrale indéfinie de certaines fonctions.

Plus précisément, l'élève sera en mesure :
- de connaître la définition de primitive (ou d'antidérivée) ;
- de connaître la terminologie et la notation employées dans l'étude de l'intégrale indéfinie ;
- de connaître certaines propriétés de l'intégrale indéfinie ;
- de connaître l'intégrale indéfinie de x^a, où $a \in \mathbb{R}$ et $a \neq -1$;
- de connaître l'intégrale indéfinie de x^a, où $a = -1$;
- de connaître les formules d'intégration de base de certaines fonctions ;
- de transformer la fonction à intégrer afin d'utiliser si possible les formules de base.

Intégrale indéfinie

Dans un premier cours de calcul différentiel, nous avons calculé des dérivées de fonctions. Nous amorçons maintenant l'étude du processus inverse : déterminer une fonction dont la dérivée est donnée.

Définition	Une fonction F est appelée **primitive** (ou **antidérivée**) d'une fonction f si $$F'(x) = f(x)$$

Exemple 1

a) $F(x) = x^3 + \tan x$ est une primitive de $f(x) = 3x^2 + \sec^2 x$, car
$F'(x) = (x^3 + \tan x)' = 3x^2 + \sec^2 x = f(x)$.

b) $F(\theta) = \sin 3\theta$ est une primitive de $f(\theta) = 3 \cos 3\theta$, car $F'(\theta) = f(\theta)$.

Exemple 2
$F(x) = x^6$ est une primitive de $f(x) = 6x^5$, car $F'(x) = f(x)$.

Il est facile de vérifier que les fonctions $(x^6 + 1)$, $(x^6 - 3)$ et $(x^6 + \pi)$ sont également des primitives de $f(x) = 6x^5$.

De façon générale, si $G(x)$ une primitive de $f(x) = 6x^5$, alors $G'(x) = f(x)$.

Puisque $G'(x) = F'(x)$ alors, d'après le corollaire 2 (page 25) du théorème de Lagrange, nous avons

$$G(x) = F(x) + C \text{ où } C \in \mathbb{R}, \text{ d'où } G(x) = x^6 + C$$

Nous notons l'ensemble de toutes les primitives de $f(x) = 6x^5$ par $(x^6 + C)$, où $C \in \mathbb{R}$.

Définition	Nous appelons **intégrale indéfinie** de la fonction $f(x)$ toute expression de la forme $F(x) + C$, où $F(x)$ est une primitive de $f(x)$ et $C \in \mathbb{R}$, que nous notons comme suit : $$\int f(x)\, dx = F(x) + C, \text{ si } F'(x) = f(x)$$

La constante C apparaissant dans la définition de l'intégrale indéfinie s'appelle constante d'intégration. La fonction $f(x)$ est appelée intégrande et le x de l'expression dx nous indique que x est la variable d'intégration.

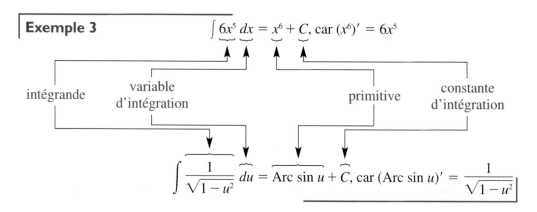

Exemple 3
$$\int \underbrace{6x^5}\ \underbrace{dx} = \overbrace{x^6} + \overbrace{C}, \text{ car } (x^6)' = 6x^5$$

intégrande — variable d'intégration — primitive — constante d'intégration

$$\int \overbrace{\frac{1}{\sqrt{1-u^2}}}\ \overbrace{du} = \overbrace{\text{Arc sin } u} + \overbrace{C}, \text{ car } (\text{Arc sin } u)' = \frac{1}{\sqrt{1-u^2}}$$

Formules de base pour l'intégrale indéfinie

Dans cette section, nous donnerons des formules de base essentielles pour calculer des intégrales indéfinies. Par exemple :

Puisque $\left(\dfrac{x^5}{5}\right)' = \dfrac{1}{5}(x^5)' = \dfrac{1}{5}(5x^4) = x^4$, alors $\displaystyle\int x^4\, dx = \dfrac{x^5}{5} + C$.

Il est facile de vérifier que de façon générale $\left(\dfrac{x^{a+1}}{a+1}\right)' = x^a$, où $a \in \mathbb{R}\setminus\{-1\}$, d'où nous obtenons la formule d'intégration suivante.

Formule 1
$$\int x^a\, dx = \frac{x^{a+1}}{a+1} + C, \text{ où } a \in \mathbb{R} \text{ et } a \neq -1$$

Exemple 1

a) $\displaystyle\int x^7\, dx = \frac{x^{7+1}}{7+1} + C = \frac{x^8}{8} + C$

b) $\displaystyle\int x^{\frac{-1}{2}}\, dx = \frac{x^{\frac{-1}{2}+1}}{\frac{-1}{2}+1} + C = \frac{x^{\frac{1}{2}}}{\frac{1}{2}} + C = 2x^{\frac{1}{2}} + C$

Il faut parfois transformer l'intégrande avant de pouvoir utiliser la formule 1.

Exemple 2

a) $\displaystyle\int \frac{1}{s^4}\, ds = \int s^{-4}\, ds = \frac{s^{-4+1}}{-4+1} + C = \frac{s^{-3}}{-3} + C = \frac{-1}{3s^3} + C$

b) $\displaystyle\int \sqrt{u}\, du = \int u^{\frac{1}{2}}\, du = \frac{u^{\frac{1}{2}+1}}{\frac{1}{2}+1} + C = \frac{u^{\frac{3}{2}}}{\frac{3}{2}} + C = \frac{2}{3}u^{\frac{3}{2}} + C = \frac{2\sqrt{u^3}}{3} + C$

c) $\displaystyle\int dx = \int 1\, dx = \int x^0\, dx = \frac{x^{0+1}}{0+1} + C = x + C$

d) $\displaystyle\int \frac{1}{\sqrt[3]{t^2}}\, dt = \int t^{\frac{-2}{3}}\, dt = \frac{t^{\frac{1}{3}}}{\frac{1}{3}} + C = 3\sqrt[3]{t} + C$

Dans le cas où l'exposant $a = -1$, nous avons à trouver $\int x^{-1}\, dx$, c'est-à-dire $\int \dfrac{1}{x}\, dx$.

En calculant la dérivée de $\ln|x|$ pour $x \neq 0$, nous obtenons

si $x > 0$, $\ln|x| = \ln x$, alors $(\ln|x|)' = \dfrac{1}{x}$;

si $x < 0$, $\ln|x| = \ln(-x)$, alors $(\ln|x|)' = \dfrac{-1}{-x} = \dfrac{1}{x}$.

Puisque $(\ln|x|)' = \dfrac{1}{x}$, nous obtenons la formule d'intégration suivante.

Formule 2
$$\int \frac{1}{x}\, dx = \ln|x| + C$$

Le tableau suivant contient les formules 1 et 2 ainsi que les formules d'intégration de base obtenues à partir des formules de dérivation des fonctions trigonométriques, exponentielles et trigonométriques inverses.

Formules de dérivation	**Formules d'intégration**	
$\left(\dfrac{x^{a+1}}{a+1}\right)' = x^a,\ \text{si } a \neq -1$	Formule 1	$\int x^a\, dx = \dfrac{x^{a+1}}{a+1} + C,\ \text{si } a \neq -1$
$(\ln|x|)' = \dfrac{1}{x}$	Formule 2	$\int \dfrac{1}{x}\, dx = \ln|x| + C$
$(\sin x)' = \cos x$	Formule 3	$\int \cos x\, dx = \sin x + C$
$(\cos x)' = -\sin x$	Formule 4	$\int \sin x\, dx = -\cos x + C$
$(\tan x)' = \sec^2 x$	Formule 5	$\int \sec^2 x\, dx = \tan x + C$
$(\cot x)' = -\csc^2 x$	Formule 6	$\int \csc^2 x\, dx = -\cot x + C$
$(\sec x)' = \sec x \tan x$	Formule 7	$\int \sec x \tan x\, dx = \sec x + C$
$(\csc x)' = -\csc x \cot x$	Formule 8	$\int \csc x \cot x\, dx = -\csc x + C$
$(e^x)' = e^x$	Formule 9	$\int e^x\, dx = e^x + C$
$(a^x)' = a^x \ln a$	Formule 10	$\int a^x\, dx = \dfrac{a^x}{\ln a} + C$
$(\text{Arc sin } x)' = \dfrac{1}{\sqrt{1 - x^2}}$	Formule 11	$\int \dfrac{1}{\sqrt{1 - x^2}}\, dx = \text{Arc sin } x + C$
$(\text{Arc tan } x)' = \dfrac{1}{1 + x^2}$	Formule 12	$\int \dfrac{1}{1 + x^2}\, dx = \text{Arc tan } x + C$
$(\text{Arc sec } x)' = \dfrac{1}{x\sqrt{x^2 - 1}}$	Formule 13	$\int \dfrac{1}{x\sqrt{x^2 - 1}}\, dx = \text{Arc sec } x + C$

Propriétés de l'intégrale indéfinie

Rappelons d'abord deux théorèmes étudiés dans le cours de calcul différentiel.

$$(f(x) + g(x))' = f'(x) + g'(x) \qquad \text{et} \qquad (k f(x))' = k f'(x)$$

THÉORÈME 2.1	Si $\int f(x)\, dx = F(x) + C_1$ et $\int g(x)\, dx = G(x) + C_2$, alors :

a) $\int [f(x) + g(x)]\, dx = \int f(x)\, dx + \int g(x)\, dx$

b) $\int k f(x)\, dx = k \int f(x)\, dx$, où $k \in \mathbb{R}$

Preuve

a) Puisque $\int f(x)\, dx = F(x) + C_1$, $F'(x) = f(x)$

et puisque $\int g(x)\, dx = G(x) + C_2$, $G'(x) = g(x)$

alors $[F(x) + G(x)]' = F'(x) + G'(x)$ (propriété de la dérivée)

$\qquad\qquad\qquad = [f(x) + g(x)]$

Nous pouvons donc affirmer que $[F(x) + G(x)]$ est une primitive de $[f(x) + g(x)]$, c'est-à-dire

$\int [f(x) + g(x)]\, dx = F(x) + G(x) + C$, où $C = C_1 + C_2$

$\qquad\qquad = (F(x) + C_1) + (G(x) + C_2) = \int f(x)\, dx + \int g(x)\, dx$

Le théorème 2.1 a) signifie que l'intégrale d'une somme de fonctions est égale à la somme des intégrales des fonctions.

b) Puisque $\int f(x)\, dx = F(x) + C_1$ où $F'(x) = f(x)$

alors $\quad [kF(x)]' = kF'(x)$ (propriété de la dérivée)

$\qquad\qquad = kf(x)$

Nous pouvons donc affirmer que $kF(x)$ est une primitive de $kf(x)$, c'est-à-dire

$\int kf(x)\, dx = kF(x) + C$, où $C = kC_1 = k\,[F(x) + C_1] = k \int f(x)\, dx$

Le théorème 2.1 b) signifie que l'intégrale du produit d'une constante par une fonction est égale au produit de la constante par l'intégrale de la fonction.

Exemple 1 Calculons $\int \left(3e^x + \dfrac{\sec^2 x}{4} \right) dx$.

$$\int \left(3e^x + \frac{\sec^2 x}{4} \right) dx = \int 3e^x\, dx + \int \frac{\sec^2 x}{4}\, dx \qquad \text{(théorème 2.1 a)}$$

$$= 3 \int e^x\, dx + \frac{1}{4} \int \sec^2 x\, dx \qquad \text{(théorème 2.1 b)}$$

$$= 3(e^x + C_1) + \frac{1}{4}(\tan x + C_2) \quad \text{(formules 9 et 5)}$$

$$= 3e^x + 3C_1 + \frac{1}{4}\tan x + \frac{C_2}{4}$$

$$= 3e^x + \frac{1}{4}\tan x + C, \text{ où } C = 3C_1 + \frac{C_2}{4}$$

Remarque Dans les intégrales indéfinies où plusieurs C_i devraient apparaître, nous pouvons effectuer toutes les intégrales et ajouter la constante C à la fin seulement.

Le théorème 2.1 peut être généralisé de la façon suivante.

THÉORÈME 2.2

Si $\int f_i(x)\,dx = F_i(x) + C_i$, alors
$$\int [k_1 f_1(x) + k_2 f_2(x) + \ldots + k_n f_n(x)]\,dx = k_1 \int f_1(x)\,dx + k_2 \int f_2(x)\,dx + \ldots + k_n \int f_n(x)\,dx$$

La preuve est laissée à l'élève.

Exemple 2 Calculons les intégrales suivantes.

a) $\int (5\sin\theta - 3\cos\theta)\,d\theta = 5\int \sin\theta\,d\theta - 3\int \cos\theta\,d\theta$ (théorème 2.2)

$\qquad = 5(-\cos\theta) - 3\sin\theta + C$ (formules 4 et 3)

$\qquad = -5\cos\theta - 3\sin\theta + C$

b) $\int \left(x^4 - \sqrt[4]{x} + \dfrac{4}{5\sqrt[7]{x^3}} - \dfrac{5}{7x}\right)dx = \int x^4\,dx - \int x^{\frac{1}{4}}\,dx + \dfrac{4}{5}\int x^{\frac{-3}{7}}\,dx - \dfrac{5}{7}\int \dfrac{1}{x}\,dx$

$\qquad$ (théorème 2.2)

$\qquad = \dfrac{x^5}{5} - \dfrac{x^{\frac{5}{4}}}{\frac{5}{4}} + \dfrac{4}{5}\left(\dfrac{x^{\frac{4}{7}}}{\frac{4}{7}}\right) - \dfrac{5}{7}\ln|x| + C$ (formules 1 et 2)

$\qquad = \dfrac{x^5}{5} - \dfrac{4x^{\frac{5}{4}}}{5} + \dfrac{7x^{\frac{4}{7}}}{5} - \dfrac{5}{7}\ln|x| + C$

$\qquad = \dfrac{x^5}{5} - \dfrac{4\sqrt[4]{x^5}}{5} + \dfrac{7\sqrt[7]{x^4}}{5} - \dfrac{5\ln|x|}{7} + C$

c) $\int \left(\dfrac{7}{\sqrt{1-u^2}} + \dfrac{1}{3u^3}\right)du = 7\int \dfrac{7}{\sqrt{1-u^2}}\,du + \dfrac{1}{3}\int u^{-3}\,du$ (théorème 2.2)

$\qquad = 7\operatorname{Arc\,sin} u - \dfrac{1}{12u^4} + C$ (formules 11 et 1)

d) $\int \left(x^3 - 3^x + \left(\dfrac{1}{2}\right)^x\right)dx = \int x^3\,dx - \int 3^x\,dx + \int \left(\dfrac{1}{2}\right)^x dx$ (théorème 2.2)

$\qquad = \dfrac{x^4}{4} - \dfrac{3^x}{\ln 3} + \dfrac{\left(\frac{1}{2}\right)^x}{\ln\left(\frac{1}{2}\right)} + C$ (formules 1 et 10)

e) $\int \left(\dfrac{e^x}{3} - \dfrac{x^e}{5} + \dfrac{9\csc x \cot x}{7}\right)dx = \dfrac{1}{3}\int e^x\,dx - \dfrac{1}{5}\int x^e\,dx + \dfrac{9}{7}\int \csc x \cot x\,dx$

$\qquad$ (théorème 2.2)

$\qquad = \dfrac{1}{3}e^x - \dfrac{1}{5}\dfrac{x^{e+1}}{e+1} - \dfrac{9}{7}\csc x + C$

$\qquad$ (formules 9, 1 et 8)

Transformation de l'intégrande

Parfois, il est essentiel de transformer l'intégrande, c'est-à-dire la fonction à intégrer, avant d'utiliser les formules de base.

Exemple 1 Calculons $\int (x^2 + 4)^2 \sqrt[3]{x}\, dx$.

Nous pouvons effectuer cette intégrale en faisant les opérations suivantes : élever au carré et distribuer.

$$\int (x^2 + 4)^2 \sqrt[3]{x}\, dx = \int (x^4 + 8x^2 + 16)x^{\frac{1}{3}}\, dx \qquad \text{(en élevant au carré)}$$

$$= \int (x^{\frac{13}{3}} + 8x^{\frac{7}{3}} + 16x^{\frac{1}{3}})\, dx \qquad \text{(en distribuant)}$$

$$= \int x^{\frac{13}{3}}\, dx + 8\int x^{\frac{7}{3}}\, dx + 16\int x^{\frac{1}{3}}\, dx \quad \text{(théorème 2.2)}$$

$$= \frac{x^{\frac{16}{3}}}{\frac{16}{3}} + \frac{8x^{\frac{10}{3}}}{\frac{10}{3}} + \frac{16x^{\frac{4}{3}}}{\frac{4}{3}} + C \qquad \text{(formule 1)}$$

$$= \frac{3x^{\frac{16}{3}}}{16} + \frac{12x^{\frac{10}{3}}}{5} + 12x^{\frac{4}{3}} + C$$

Exemple 2 Calculons $\int \left(\dfrac{4x^3 - 5x + 1}{x^2}\right) dx$.

Nous pouvons effectuer cette intégrale en décomposant en une somme de fractions.

$$\int \left(\frac{4x^3 - 5x + 1}{x^2}\right) dx = \int \left(\frac{4x^3}{x^2} - \frac{5x}{x^2} + \frac{1}{x^2}\right) dx \qquad \text{(en décomposant)}$$

$$= \int \left(4x - \frac{5}{x} + x^{-2}\right) dx$$

$$= 4\int x\, dx - 5\int \frac{1}{x}\, dx + \int x^{-2}\, dx \quad \text{(théorème 2.2)}$$

$$= 2x^2 - 5\ln|x| - \frac{1}{x} + C \qquad \text{(formules 1 et 2)}$$

Exemple 3 Calculons $\int \tan^2 x\, dx$.

Nous pouvons effectuer cette intégrale en utilisant une identité trigonométrique.

$$\int \tan^2 x\, dx = \int (\sec^2 x - 1)\, dx \qquad (\text{car } \tan^2 x = \sec^2 x - 1)$$

$$= \int \sec^2 x\, dx - \int dx \quad \text{(théorème 2.2)}$$

$$= \tan x - x + C$$

Exercices 2.2

1. Déterminer si F est une primitive de f lorsque:

a) $F(x) = e^x + e^{-x}$ et $f(x) = e^x + e^{-x}$

b) $F(\theta) = \sec^2 5\theta$ et $f(\theta) = 10 \sec^2 5\theta \tan 5\theta$

c) $F(t) = \text{Arc sin } 2t$ et $f(t) = \dfrac{2}{\sqrt{4t^2 - 1}}$

d) $F(x) = \tan^2 x$ et $f(x) = 2 \sec^2 x \tan x$

2. Pour les fonctions F suivantes, trouver une expression de la forme $\int f(x)\,dx = F(x) + C$.

a) $F(x) = x^3$

b) $F(x) = \text{Arc tan } x$

c) $F(x) = e^{\sqrt{x}}$

d) $F(x) = \ln(x^2 + 1)$

3. Calculer les intégrales suivantes.

a) $\displaystyle\int \dfrac{1}{x^7}\,dx$

b) $\displaystyle\int \sqrt[3]{v}\,dv$

c) $\displaystyle\int \dfrac{1}{\sqrt{u}}\,du$

d) $\displaystyle\int \left(x^3 - \sqrt{x} + \dfrac{1}{\sqrt{x^3}}\right)dx$

e) $\displaystyle\int d\theta$

f) $\displaystyle\int (y + 1)\,dy$

g) $\displaystyle\int x^{-1}\,dx$

h) $\displaystyle\int (x^4 + 4^x)\,dx$

4. Calculer les intégrales suivantes.

a) $\displaystyle\int (3 \sin\theta - \sec^2\theta)\,d\theta$

b) $\displaystyle\int \left(3x^2 - e^x - \dfrac{5}{\sqrt{1-x^2}}\right)dx$

c) $\displaystyle\int \left(4 \sec u \tan u - \dfrac{8}{1+u^2} - 6 \csc^2 u\right)du$

d) $\displaystyle\int \left(x^5 - 5^x + \dfrac{5}{x} - \dfrac{x}{5}\right)dx$

e) $\displaystyle\int \left[\dfrac{5 \cos u}{3} + \dfrac{1}{7u\sqrt{u^2-1}}\right]du$

f) $\displaystyle\int \left(\dfrac{7}{5\sqrt{t}} - 2 \csc t \cot t + \dfrac{1}{3t^2}\right)dt$

5. Calculer les intégrales suivantes.

a) $\displaystyle\int [(x-2)(3-4x)]\,dx$

b) $\displaystyle\int \left(\dfrac{4x^3 - 5x^2 - 1}{x^3}\right)dx$

c) $\displaystyle\int \left(u + \dfrac{1}{u}\right)^2 du$

d) $\displaystyle\int \left(\dfrac{\dfrac{\sqrt{x}}{2} - \dfrac{2}{\sqrt{x}}}{\sqrt{x}}\right)dx$

e) $\displaystyle\int \dfrac{1}{x}\left(4 - \dfrac{7}{\sqrt{x^2-1}}\right)dx$

f) $\displaystyle\int \dfrac{v^2-4}{v-2}\,dv$

g) $\displaystyle\int \dfrac{(x-4)(x+1)}{\sqrt{x}}\,dx$

h) $\displaystyle\int \sqrt{t^4 + 2t^2 + 1}\,dt$

i) $\displaystyle\int (x^2 - 1)^3 x\,dx$

6. Calculer les intégrales suivantes.

a) $\displaystyle\int (\cos^2\theta + \sin^2\theta)\,d\theta$

b) $\displaystyle\int \dfrac{\tan\varphi}{\sec\varphi}\,d\varphi$

c) $\displaystyle\int \dfrac{3}{1-\sin^2 x}\,dx$

d) $\displaystyle\int \dfrac{\sin t}{\cos^2 t}\,dt$

e) $\displaystyle\int \csc x (\sin x + \cot x)\,dx$

f) $\displaystyle\int \cot^2 u\,du$

2.3 INTÉGRATION À L'AIDE D'UN CHANGEMENT DE VARIABLE

Objectif d'apprentissage

À la fin de cette section, l'élève pourra résoudre certaines intégrales en utilisant la méthode du changement de variable.

Plus précisément, l'élève sera en mesure:
- de résoudre une intégrale à l'aide d'un changement de variable;
- de déterminer des formules d'intégration pour les fonctions $\tan x$ et $\cot x$, et de les appliquer;
- de déterminer des formules d'intégration pour les fonctions $\sec x$ et $\csc x$, et de les appliquer;
- de calculer des intégrales après avoir utilisé certains artifices de calcul ou certaines identités.

Changement de variable

La méthode de résolution employée pour résoudre $\int (x^2 - 1)^3 \, x \, dx$ (Exercices 2.2, n° 5 i) exige des transformations algébriques. Ainsi

$$\int (x^2 - 1)^3 \, x \, dx = \int (x^7 - 3x^5 + 3x^3 - x) \, dx \quad \text{(en effectuant)}$$

$$= \frac{x^8}{8} - \frac{x^6}{2} + \frac{3x^4}{4} - \frac{x^2}{2} + C \quad \text{(en intégrant)}$$

Cette méthode laisse entrevoir des calculs de plus en plus longs pour des puissances de plus en plus grandes, par exemple $\int (x^2 - 1)^{30} \, x \, dx$. Il serait à propos, dans de tels cas, de rechercher une nouvelle façon d'intégrer. Cette méthode s'appelle changement de variable ou intégration par substitution.

Calculons maintenant la même intégrale en utilisant la méthode du changement de variable.

Cette méthode du changement de variable consiste à :

1. Choisir dans l'expression à intégrer une fonction f et à poser $u = f(x)$;
2. Calculer la différentielle de u, $du = f'(x) \, dx$;
3. Exprimer l'intégrale initiale en fonction de la variable u et de la différentielle du ;
4. Intégrer en fonction de cette variable u ;
5. Exprimer la réponse en fonction de la variable initiale.

Le choix de u dépend en fait du type d'intégrale indéfinie que nous avons à effectuer. Nous choisissons généralement de poser $u = f(x)$ dans une intégrale donnée lorsque nous retrouvons dans cette même intégrale la dérivée $f'(x)$ multipliée par une constante.

> **Exemple 1** Calculons $\int (x^2 - 1)^3 \, x \, dx$ à l'aide d'un changement de variable.
>
> En posant $\qquad u = x^2 - 1$
>
> nous obtenons $du = 2x \, dx$, ainsi $x \, dx = \dfrac{1}{2} \, du$
>
> d'où $\displaystyle\int (x^2 - 1)^3 \, x \, dx = \int \overbrace{(x^2 - 1)^3}^{u^3} \overbrace{x \, dx}^{\frac{1}{2} \, du}$
>
> $\qquad\qquad\qquad\qquad = \displaystyle\int u^3 \, \frac{1}{2} \, du \qquad \text{(par substitution)}$
>
> $\qquad\qquad\qquad\qquad = \dfrac{1}{2} \displaystyle\int u^3 \, du \qquad \text{(théorème 2.1 b)}$
>
> $\qquad\qquad\qquad\qquad = \dfrac{1}{2} \dfrac{u^4}{4} + C \qquad \text{(en intégrant)}$
>
> $\qquad\qquad\qquad\qquad = \dfrac{u^4}{8} + C$
>
> $\qquad\qquad\qquad\qquad = \dfrac{(x^2 - 1)^4}{8} + C \quad \text{(car } u = x^2 - 1)$

L'élève peut vérifier que $\left(\dfrac{x^8}{8} - \dfrac{x^6}{2} + \dfrac{3x^4}{4} - \dfrac{x^2}{2} \right)$ et $\dfrac{(x^2 - 1)^4}{8}$ sont égales, à une constante près (corollaire 2 du théorème de Lagrange, p. 25).

L'élève constatera dans les prochains exemples que la méthode du changement de variable facilite beaucoup les calculs nécessaires à la résolution de certaines intégrales et permet même d'effectuer certaines intégrales impossibles à effectuer directement avec les formules de base.

THÉORÈME 2.3   Si G est une primitive de g, alors $\int g(f(x))\, f'(x)\, dx = G(f(x)) + C$.

Preuve

En posant $\qquad u = f(x)$

nous obtenons $du = f'(x)\, dx$

d'où $\int g(f(x))\, f'(x)\, dx = \int g(u)\, du$

$$= G(u) + C \qquad \text{(car } G \text{ est une primitive de } g\text{)}$$

$$= G(f(x)) + C$$

Exemple 2 Calculons $\int 5x^2\, \sqrt{2x^3 + 1}\; dx$.

En posant $\qquad u = 2x^3 + 1$

nous obtenons $du = 6x^2\, dx$, ainsi $x^2\, dx = \dfrac{1}{6}\, du$

d'où $\displaystyle\int 5x^2\, \sqrt{2x^3 + 1}\; dx = \int 5 \overbrace{(2x^3 + 1)^{\frac{1}{2}}}^{u^{\frac{1}{2}}} \overbrace{x^2\, dx}^{\frac{1}{6}\, du}$

$$= \int 5u^{\frac{1}{2}}\, \frac{1}{6}\, du \qquad \text{(par substitution)}$$

$$= \frac{5}{6} \int u^{\frac{1}{2}}\, du \qquad \text{(théorème 2.1 b)}$$

$$= \frac{5}{6}\, \frac{u^{\frac{3}{2}}}{\dfrac{3}{2}} + C \qquad \text{(en intégrant)}$$

$$= \frac{5}{9}\, (2x^3 + 1)^{\frac{3}{2}} + C \quad \text{(car } u = 2x^3 + 1\text{)}$$

$$= \frac{5}{9}\, \sqrt{(2x^3 + 1)^3} + C$$

Exemple 3 Calculons $\int \sin(4x + 3)\, dx$.

En posant $\qquad u = 4x + 3$

nous obtenons $du = 4\, dx$, ainsi $dx = \dfrac{1}{4}\, du$

d'où $\displaystyle\int \sin(4x + 3)\, dx = \int \sin \overbrace{(4x + 3)}^{u}\; \overbrace{dx}^{\frac{1}{4}\, du}$

$$= \int \sin u \, \frac{1}{4} \, du \qquad \text{(par substitution)}$$

$$= \frac{1}{4} \int \sin u \, du \qquad \text{(théorème 2.1 b)}$$

$$= \frac{1}{4} \, (\text{-}\cos u) + C \qquad \text{(en intégrant)}$$

$$= \frac{\text{-}\cos (4x + 3)}{4} + C \qquad \text{(car } u = 4x + 3\text{)}$$

Exemple 4 Calculons $\int \sin^5 3\theta \cos 3\theta \, d\theta$.

En posant $\qquad u = \sin 3\theta$

nous obtenons $du = 3 \cos 3\theta \, d\theta$, ainsi $\cos 3\theta \, d\theta = \dfrac{1}{3} \, du$

d'où $\int \sin^5 3\theta \cos 3\theta \, d\theta = \int \overbrace{(\sin 3\theta)^5}^{u^5} \overbrace{\cos 3\theta \, d\theta}^{\frac{1}{3} \, du}$

$$= \int u^5 \, \frac{1}{3} \, du \qquad \text{(par substitution)}$$

$$= \frac{1}{3} \int u^5 \, du \qquad \text{(théorème 2.1 b)}$$

$$= \frac{1}{3} \, \frac{u^6}{6} + C \qquad \text{(en intégrant)}$$

$$= \frac{\sin^6 3\theta}{18} + C \qquad \text{(car } u = \sin 3\theta\text{)}$$

Exemple 5 Calculons $\int \dfrac{1}{u \ln^2 u} \, du$.

En posant $\qquad v = \ln u$

nous obtenons $dv = \dfrac{1}{u} \, du$

d'où $\int \dfrac{1}{u \ln^2 u} \, du = \int \overbrace{\dfrac{1}{(\ln u)^2}}^{\frac{1}{v^2}} \overbrace{\dfrac{1}{u} \, du}^{dv}$

$$= \int \frac{1}{v^2} \, dv$$

$$= \int v^{\text{-}2} \, dv$$

$$= \frac{\text{-}1}{v} + C = \frac{\text{-}1}{\ln u} + C$$

Exemple 6 Calculons $\int \dfrac{\sec \sqrt{3x} \tan \sqrt{3x}}{\sqrt{x}} \, dx$.

En posant $\quad u = \sqrt{3x}$

nous obtenons $du = \dfrac{3}{2\sqrt{3x}} \, dx$, ainsi $\dfrac{1}{\sqrt{x}} \, dx = \dfrac{2\sqrt{3}}{3} \, du$

d'où $\displaystyle\int \dfrac{\sec \sqrt{3x} \tan \sqrt{3x}}{\sqrt{x}} \, dx = \int \sec \overbrace{\sqrt{3x}}^{u} \tan \overbrace{\sqrt{3x}}^{u} \overbrace{\dfrac{1}{\sqrt{x}} \, dx}^{\frac{2\sqrt{3}}{3} du}$

$\qquad\qquad = \displaystyle\int \sec u \tan u \, \dfrac{2\sqrt{3}}{3} \, du$

$\qquad\qquad = \dfrac{2\sqrt{3}}{3} \displaystyle\int \sec u \tan u \, du$

$\qquad\qquad = \dfrac{2\sqrt{3}}{3} \sec u + C$

$\qquad\qquad = \dfrac{2\sqrt{3}}{3} \sec \sqrt{3x} + C$

Exemple 7 Calculons $\int \sec^2\left(\dfrac{\varphi}{3}\right) e^{\tan\left(\frac{\varphi}{3}\right)} \, d\varphi$.

En posant $\quad u = \tan\left(\dfrac{\varphi}{3}\right)$

nous obtenons $du = \dfrac{\sec^2\left(\dfrac{\varphi}{3}\right)}{3} \, d\varphi$, ainsi $\sec^2\left(\dfrac{\varphi}{3}\right) d\varphi = 3 \, du$

d'où $\displaystyle\int \sec^2\left(\dfrac{\varphi}{3}\right) e^{\tan\left(\frac{\varphi}{3}\right)} d\varphi = \int e^{\tan\left(\frac{\varphi}{3}\right)} \overbrace{\sec^2\left(\dfrac{\varphi}{3}\right) d\varphi}^{3\,du}$

$\qquad\qquad = \displaystyle\int e^u \, 3 \, du$

$\qquad\qquad = 3 \displaystyle\int e^u \, du$

$\qquad\qquad = 3 e^u + C$

$\qquad\qquad = 3 e^{\tan\left(\frac{\varphi}{3}\right)} + C$

Exemple 8 Calculons $\int \dfrac{10^{\text{Arc tan } x}}{x^2 + 1} \, dx$.

En posant $\quad u = \text{Arc tan } x$

nous obtenons $du = \dfrac{1}{1 + x^2} \, dx$

$$\text{d'où } \int \frac{10^{\text{Arc tan } x}}{x^2 + 1}\, dx = \int 10^{\overbrace{\text{Arc tan } x}^{u}}\ \overbrace{\frac{1}{x^2 + 1}\, dx}^{du}$$

$$= \int 10^u\, du$$

$$= \frac{10^u}{\ln 10} + C$$

$$= \frac{10^{\text{Arc tan } x}}{\ln 10} + C$$

Nous aurons occasionnellement à transformer la fonction à intégrer avant d'effectuer un changement de variable.

Exemple 9 Calculons $\displaystyle\int \frac{3x^4}{1 + x^{10}}\, dx$.

En transformant $\displaystyle\int \frac{3x^4}{1 + x^{10}}\, dx$, nous obtenons $\displaystyle\int \frac{3x^4}{1 + (x^5)^2}\, dx$.

En posant $\qquad u = x^5$

nous obtenons $du = 5x^4\, dx$, ainsi $x^4\, dx = \dfrac{1}{5}\, du$

$$\text{d'où } \int \frac{3}{1 + x^{10}}\, x^4\, dx = 3 \int \frac{1}{1 + \underbrace{(x^5)^2}_{u^2}}\ \overbrace{x^4\, dx}^{\frac{1}{5}\, du}$$

$$= 3 \int \frac{1}{1 + u^2}\ \frac{1}{5}\, du$$

$$= \frac{3}{5} \int \frac{1}{1 + u^2}\, du$$

$$= \frac{3}{5} \text{ Arc tan } u + C$$

$$= \frac{3}{5} \text{ Arc tan } x^5 + C$$

Intégrale des fonctions tangente, cotangente, sécante et cosécante

Dans cette section, nous allons démontrer des formules d'intégration qu'il sera utile de mémoriser.

Déterminons $\int \tan x\, dx$ à l'aide de deux méthodes différentes.

Méthode I $\quad \displaystyle\int \tan x\, dx = \int \frac{\sin x}{\cos x}\, dx \quad \left(\text{car } \tan x = \frac{\sin x}{\cos x}\right)$

En posant $\qquad u = \cos x$

nous obtenons $du = -\sin x\, dx$, ainsi $\sin x\, dx = -du$

$$\text{d'où } \int \tan x \, dx = \int \underbrace{\frac{1}{\cos x}}_{u} \overbrace{(\sin x \, dx)}^{-du}$$

$$= \int \frac{1}{u} (\text{-}du) \qquad \text{(par substitution)}$$

$$= \text{-} \int \frac{1}{u} \, du$$

$$= \text{-}\ln |u| + C \qquad \text{(en intégrant)}$$

$$= \text{-}\ln |\cos x| + C \quad \text{(car } u = \cos x\text{)}$$

Méthode 2 $\quad \int \tan x \, dx = \int \dfrac{\tan x \sec x}{\sec x} \, dx \qquad \left(\text{car } \tan x = \dfrac{\tan x \sec x}{\sec x} \right)$

En posant $\quad u = \sec x$

nous obtenons $du = \sec x \tan x \, dx$

$$\text{d'où } \int \tan x \, dx = \int \underbrace{\frac{1}{\sec x}}_{u} \overbrace{(\sec x \tan x \, dx)}^{du}$$

$$= \int \frac{1}{u} \, du \qquad \text{(par substitution)}$$

$$= \ln |u| + C \qquad \text{(en intégrant)}$$

$$= \ln |\sec x| + C \quad \text{(car } u = \sec x\text{)}$$

L'élève peut vérifier que $\ln |\sec x| = \text{-}\ln |\cos x|$.

Nous avons donc les formules d'intégration suivantes.

Formule 14	a) $\int \tan x \, dx = \text{-}\ln |\cos x| + C \quad$ ou b) $\int \tan x \, dx = \ln |\sec x| + C$

Exemple 1 Calculons $\int \tan 6\theta \, d\theta$.

En posant $\quad u = 6\theta$

nous obtenons $du = 6 \, d\theta$, ainsi $d\theta = \dfrac{1}{6} \, du$

$$\text{d'où } \int \tan 6\theta \, d\theta = \int \tan \overbrace{6\theta}^{u} \overbrace{d\theta}^{\frac{1}{6} du}$$

$$= \int (\tan u) \frac{1}{6} \, du$$

$$= \frac{1}{6} \int \tan u \, du$$

$$= \frac{1}{6} \ln |\sec u| + C \quad \text{(formule 14 b)}$$

$$= \frac{1}{6} \ln |\sec 6\theta| + C$$

Nous laissons en exercice (Exercices récapitulatifs, n° 4, page 101) la démonstration de la formule d'intégration suivante.

Formule 15 $\int \cot x \, dx = \ln |\sin x| + C$

Exemple 2 Calculons $\int \dfrac{e^{\sqrt{x}} \cot (e^{\sqrt{x}} + 1)}{\sqrt{x}} \, dx$.

En posant $u = e^{\sqrt{x}} + 1$

nous obtenons $du = \dfrac{e^{\sqrt{x}} \, dx}{2\sqrt{x}}$, ainsi $\dfrac{e^{\sqrt{x}}}{\sqrt{x}} \, dx = 2 \, du$

d'où $\displaystyle\int \dfrac{e^{\sqrt{x}} \cot (e^{\sqrt{x}} + 1)}{\sqrt{x}} \, dx = \int \cot (\overbrace{e^{\sqrt{x}} + 1}^{u}) \overbrace{\dfrac{e^{\sqrt{x}}}{\sqrt{x}} \, dx}^{2\,du}$

$$= \int (\cot u) \, 2 \, du$$
$$= 2 \int \cot u \, du$$
$$= 2 \ln |\sin u| + C \quad \text{(formule 15)}$$
$$= 2 \ln |\sin (e^{\sqrt{x}} + 1)| + C$$

Déterminons une formule pour $\int \sec x \, dx$.

$$\int \sec x \, dx = \int \dfrac{\sec x \, (\sec x + \tan x)}{(\sec x + \tan x)} \, dx \qquad \left(\text{car } \sec x = \dfrac{\sec x \, (\sec x + \tan x)}{(\sec x + \tan x)} \right)$$

En posant $u = \sec x + \tan x$

nous obtenons $du = (\sec x \tan x + \sec^2 x) \, dx$, ainsi $\sec x \, (\sec x + \tan x) \, dx = du$

d'où $\displaystyle\int \sec x \, dx = \int \underbrace{\dfrac{1}{(\sec x + \tan x)}}_{u} \overbrace{\sec x \, (\sec x + \tan x) \, dx}^{du}$

$$= \int \dfrac{1}{u} \, du$$
$$= \ln |u| + C$$
$$= \ln |\sec x + \tan x| + C$$

Nous avons donc la formule d'intégration suivante.

Formule 16	$\int \sec x \, dx = \ln \lvert \sec x + \tan x \rvert + C$

Exemple 3 Calculons $\int \sec (1 - 3x) \, dx$.

En posant $\qquad u = 1 - 3x$

nous obtenons $du = \text{-}3 \, dx$, ainsi $dx = \dfrac{\text{-}1}{3} \, du$

d'où $\int \sec (1 - 3x) \, dx = \int \sec \overbrace{(1 - 3x)}^{u} \; \overbrace{dx}^{\frac{\text{-}1}{3} \, du}$

$$= \int (\sec u) \dfrac{\text{-}1}{3} \, du$$

$$= \dfrac{\text{-}1}{3} \int \sec u \, du$$

$$= \dfrac{\text{-}1}{3} \ln \lvert \sec u + \tan u \rvert + C \qquad \text{(formule 16)}$$

$$= \dfrac{\text{-}1}{3} \ln \lvert \sec (1 - 3x) + \tan (1 - 3x) \rvert + C$$

Nous laissons en exercice (Exercices récapitulatifs, n° 4, page 101) la démonstration des formules d'intégration suivantes.

Formule 17	a) $\int \csc x \, dx = \text{-}\ln \lvert \csc x + \cot x \rvert + C$ ou b) $\int \csc x \, dx = \ln \lvert \csc x - \cot x \rvert + C$, ou $\int \csc x \, dx = \ln \lvert \cot x - \csc x \rvert + C$

L'élève peut vérifier que $\text{-}\ln \lvert \csc x + \cot x \rvert = \ln \lvert \csc x - \cot x \rvert = \ln \lvert \cot x - \csc x \rvert$.

Utilisation d'artifices de calcul pour intégrer

Division de polynômes   Lorsque la fonction à intégrer est de la forme $\dfrac{f(x)}{g(x)}$, où $f(x)$ et $g(x)$ sont des polynômes tels que le degré du numérateur est supérieur ou égal au degré du dénominateur, nous pouvons d'abord effectuer la division avant d'intégrer.

Exemple 1 Calculons $\int \dfrac{4x^3 + 7x + 5}{x^2 + 1} \, dx$.

En effectuant la division $\dfrac{4x^3 + 7x + 5}{x^2 + 1}$, nous obtenons $4x + \dfrac{3x + 5}{x^2 + 1}$

d'où $\int \dfrac{4x^3 + 7x + 5}{x^2 + 1} \, dx = \int \left[4x + \dfrac{3x + 5}{x^2 + 1} \right] dx$

$$= \int \left[4x + \frac{3x}{x^2 + 1} + \frac{5}{x^2 + 1} \right] dx$$

$$= \int 4x \, dx + \int \frac{3x}{x^2 + 1} \, dx + \int \frac{5}{x^2 + 1} \, dx$$

$$= 2x^2 + \frac{3}{2} \int \frac{du}{u} + 5 \text{ Arc tan } x \quad (\text{où } u = x^2 + 1 \text{ et } du = 2x \, dx)$$

$$= 2x^2 + \frac{3}{2} \ln |u| + 5 \text{ Arc tan } x + C$$

$$= 2x^2 + \frac{3}{2} \ln (x^2 + 1) + 5 \text{ Arc tan } x + C$$

Conjugué   Pour calculer l'intégrale de certaines fonctions, il peut être utile de multiplier le numérateur et le dénominateur par le conjugué d'une expression que l'on retrouve dans l'intégrande.

Exemple 2   Calculons $\int \dfrac{1}{1 - \sin x} \, dx$.

En multipliant le numérateur et le dénominateur par $(1 + \sin x)$, où $(1 + \sin x)$ est le conjugué de $(1 - \sin x)$, nous obtenons

$$\int \frac{1}{1 - \sin x} \, dx = \int \frac{(1 + \sin x)}{(1 - \sin x)(1 + \sin x)} \, dx$$

$$= \int \frac{(1 + \sin x)}{1 - \sin^2 x} \, dx$$

$$= \int \frac{(1 + \sin x)}{\cos^2 x} \, dx \qquad (\text{car } 1 - \sin^2 x = \cos^2 x)$$

$$= \int \left[\frac{1}{\cos^2 x} + \frac{\sin x}{\cos^2 x} \right] dx$$

$$= \int (\sec^2 x + \sec x \tan x) \, dx$$

$$= \tan x + \sec x + C$$

Identité
trigonométrique   Pour calculer l'intégrale de certaines fonctions, il peut être utile d'utiliser des identités trigonométriques.

Exemple 3   Calculons $\int \cos^2 3x \, dx$.

Nous pouvons effectuer cette intégrale en utilisant l'identité trigonométrique suivante : $\cos^2 \theta = \dfrac{1 + \cos 2\theta}{2}$, ainsi $\cos^2 3x = \dfrac{1 + \cos 6x}{2}$,

$$\text{d'où } \int \cos^2 3x \, dx = \int \frac{1 + \cos 6x}{2} \, dx$$

$$= \frac{1}{2} \int (1 + \cos 6x) \, dx$$

$$= \frac{1}{2} \left[\int 1 \, dx + \int \cos 6x \, dx \right]$$

$$= \frac{1}{2}\left[x + \frac{1}{6}\int \cos u\, du\right] \quad \text{(où } u = 6x \text{ et } du = 6\, dx\text{)}$$

$$= \frac{1}{2}\left[x + \frac{1}{6}\sin u\right] + C$$

$$= \frac{1}{2}\left[x + \frac{1}{6}\sin 6x\right] + C \quad \text{(car } u = 6x\text{)}$$

$$= \frac{x}{2} + \frac{\sin 6x}{12} + C$$

Exemple 4 Calculons $\displaystyle\int \frac{1}{1 - \cos 2x}\, dx$.

$$\int \frac{1}{1 - \cos 2x}\, dx = \int \frac{1}{1 - (\cos^2 x - \sin^2 x)}\, dx \quad \text{(car } \cos 2x = \cos^2 x - \sin^2 x\text{)}$$

$$= \int \frac{1}{(1 - \cos^2 x) + \sin^2 x}\, dx$$

$$= \int \frac{1}{2\sin^2 x}\, dx \quad\quad \text{(car } 1 - \cos^2 x = \sin^2 x\text{)}$$

$$= \frac{1}{2}\int \csc^2 x\, dx$$

$$= \frac{-\cot x}{2} + C$$

L'élève peut également effectuer l'intégrale précédente en multipliant le numérateur et le dénominateur par le conjugué du dénominateur.

Expression de x en fonction de u Pour calculer l'intégrale de certaines fonctions, où nous avons posé $u = f(x)$, il peut être nécessaire d'exprimer x en fonction de u pour résoudre l'intégrale.

Exemple 5 Calculons $\displaystyle\int x^2 \sqrt{8x + 1}\, dx$.

En posant $\quad u = 8x + 1$

nous obtenons $du = 8\, dx$, ainsi $dx = \dfrac{1}{8}\, du$

d'où $\displaystyle\int x^2 \sqrt{8x + 1}\, dx = \int x^2 \overbrace{(8x + 1)^{\frac{1}{2}}}^{u^{\frac{1}{2}}} \overbrace{dx}^{\frac{1}{8}\, du}$

$$= \int x^2\, u^{\frac{1}{2}}\, \frac{1}{8}\, du$$

Avant d'intégrer, il faut exprimer x en fonction de u, car on ne peut pas intégrer avec les variables x et u dans l'intégrale.

De $u = 8x + 1$, nous trouvons $x = \dfrac{u-1}{8}$

$$\text{d'où } \int x^2 \sqrt{8x+1}\, dx = \int \overbrace{x^2}^{\left(\frac{u-1}{8}\right)^2} u^{\frac{1}{2}} \frac{1}{8}\, du$$

$$= \int \frac{(u-1)^2}{64} u^{\frac{1}{2}} \frac{1}{8}\, du$$

$$= \frac{1}{512} \int (u^2 - 2u + 1)\, u^{\frac{1}{2}}\, du$$

$$= \frac{1}{512} \int \left(u^{\frac{5}{2}} - 2u^{\frac{3}{2}} + u^{\frac{1}{2}} \right) du$$

$$= \frac{1}{512} \left(\frac{2}{7} u^{\frac{7}{2}} - 2 \cdot \frac{2}{5} u^{\frac{5}{2}} + \frac{2}{3} u^{\frac{3}{2}} \right) + C$$

$$= \frac{1}{512} \left(\frac{2}{7} (8x+1)^{\frac{7}{2}} - \frac{4}{5} (8x+1)^{\frac{5}{2}} + \frac{2}{3} (8x+1)^{\frac{3}{2}} \right) + C$$

Exemple 6 Calculons $\displaystyle\int \frac{1}{x\sqrt{9x^2-5}}\, dx$.

Nous remarquons que cette intégrale semble être de la même forme que $\displaystyle\int \frac{1}{u\sqrt{u^2-1}}\, du$.

Transformons donc $\displaystyle\int \frac{1}{x\sqrt{9x^2-5}}\, dx$.

$$\int \frac{1}{x\sqrt{9x^2-5}}\, dx = \int \frac{1}{x\sqrt{5\left(\frac{9x^2}{5}-1\right)}}\, dx = \frac{1}{\sqrt{5}} \int \frac{1}{x\sqrt{\left(\frac{3x}{\sqrt{5}}\right)^2-1}}\, dx$$

Posons $u = \dfrac{3x}{\sqrt{5}}$, ainsi $x = \dfrac{\sqrt{5}}{3}u$

alors $du = \dfrac{3}{\sqrt{5}}\, dx$, ainsi $dx = \dfrac{\sqrt{5}}{3}\, du$

$$\text{d'où } \int \frac{1}{x\sqrt{9x^2-5}}\, dx = \frac{1}{\sqrt{5}} \int \frac{1}{\underbrace{x}_{\frac{\sqrt{5}}{3}u}\sqrt{\underbrace{\left(\frac{3x}{\sqrt{5}}\right)^2}_{u^2}-1}} \overbrace{dx}^{\frac{\sqrt{5}}{3}\,du}$$

$$= \frac{1}{\sqrt{5}} \int \frac{\frac{\sqrt{5}}{3}}{\frac{\sqrt{5}}{3}u\sqrt{u^2-1}}\, du$$

$$= \frac{1}{\sqrt{5}} \int \frac{1}{u \sqrt{u^2 - 1}}\, du$$

$$= \frac{1}{\sqrt{5}} \operatorname{Arc\,sec} u + C$$

$$= \frac{1}{\sqrt{5}} \operatorname{Arc\,sec} \left(\frac{3x}{\sqrt{5}} \right) + C$$

$$= \frac{\sqrt{5}}{5} \operatorname{Arc\,sec} \left(\frac{3\sqrt{5}\,x}{5} \right) + C$$

Exercices 2.3

1. Calculer les intégrales suivantes.

a) $\displaystyle\int \sqrt{3 + 2x}\, dx$

h) $\displaystyle\int \frac{1}{(4x - 3)^2}\, dx$

b) $\displaystyle\int \sqrt[3]{5 - 8t}\, dt$

i) $\displaystyle\int \frac{12h^2}{(h^3 + 8)}\, dh$

c) $\displaystyle\int 4x(5 - 3x^2)^5\, dx$

j) $\displaystyle\int \frac{h^3 + 8}{12h^2}\, dh$

d) $\displaystyle\int (x^3 - 4)x\, dx$

k) $\displaystyle\int \frac{(4 - \sqrt{u})^7}{\sqrt{u}}\, du$

e) $\displaystyle\int \frac{3r}{\sqrt{1 - r^2}}\, dr$

l) $\displaystyle\int \frac{1}{\sqrt{x}\,(\sqrt{x} + 5)}\, dx$

f) $\displaystyle\int (3t^4 + 12t^2)^2(6t^3 + 12t)\, dt$

g) $\displaystyle\int \frac{1}{4x - 3}\, dx$

2. Calculer les intégrales suivantes.

a) $\displaystyle\int 5 \cos 3\theta\, d\theta$

h) $\displaystyle\int \frac{\sec^2 (3 - \sqrt{x})}{\sqrt{x}}\, dx$

b) $\displaystyle\int x \sin (1 - 3x^2)\, dx$

i) $\displaystyle\int \frac{1}{t^2} \sec \left(\frac{1}{t}\right) \tan \left(\frac{1}{t}\right)\, dt$

c) $\displaystyle\int \sin x \cos x\, dx$

j) $\displaystyle\int \cot \left(\frac{x}{2}\right) \csc \left(\frac{x}{2}\right)\, dx$

d) $\displaystyle\int \frac{3 \sec^2 4\theta}{\tan^3 4\theta}\, d\theta$

k) $\displaystyle\int \sin 2x \cos^4 2x\, dx$

e) $\displaystyle\int \tan t \sec^3 t\, dt$

l) $\displaystyle\int 5 \sin^6 \left(\frac{\theta}{5}\right) \cos \left(\frac{\theta}{5}\right)\, d\theta$

f) $\displaystyle\int 4 \csc^2 (1 - 40x)\, dx$

g) $\displaystyle\int \frac{\csc^2 \varphi}{3 + 5 \cot \varphi}\, d\varphi$

3. Calculer les intégrales suivantes.

a) $\displaystyle\int \cos \theta\, e^{\sin \theta}\, d\theta$

g) $\displaystyle\int 10^{\tan 3\theta} \sec^2 3\theta\, d\theta$

b) $\displaystyle\int (5e^x + 1)^3\, e^x\, dx$

h) $\displaystyle\int \frac{e^{\operatorname{Arc\,sin} x}}{\sqrt{1 - x^2}}\, dx$

c) $\displaystyle\int \frac{e^{-4x}}{1 - e^{-4x}}\, dx$

i) $\displaystyle\int \frac{3^{\cos 8\varphi}}{\csc 8\varphi}\, d\varphi$

d) $\displaystyle\int e^{-x}\, dx$

j) $\displaystyle\int \frac{e^x}{1 + e^x}\, dx$

e) $\displaystyle\int \frac{\sqrt{\ln t}}{3t}\, dt$

k) $\displaystyle\int \frac{e^u}{1 + e^{2u}}\, du$

f) $\displaystyle\int \frac{e^x + \cos x}{e^x + \sin x}\, dx$

l) $\displaystyle\int \frac{5^x}{\sqrt{1 - 5^{2x}}}\, dx$

4. Calculer les intégrales suivantes.

a) $\displaystyle\int \tan (5\theta + 1)\, d\theta$

c) $\displaystyle\int 4e^x \sec (3e^x)\, dx$

b) $\displaystyle\int \csc \left(\frac{1 - t}{3}\right)\, dt$

5. Calculer les intégrales suivantes.

a) $\displaystyle\int \frac{6x^2 - 11x + 5}{3x - 4}\, dx$

e) $\displaystyle\int \sin^2 3\theta\, d\theta$

b) $\displaystyle\int \frac{2x^3 - 3x^2 + x + 1}{x^2 + 1}\, dx$

f) $\displaystyle\int x \sqrt{2x - 1}\, dx$

c) $\displaystyle\int \frac{1}{1 + \cos 3\theta}\, d\theta$

g) $\displaystyle\int x^9 (x^5 + 1)^{20}\, dx$

d) $\displaystyle\int \frac{\cos^3 t}{1 - \sin t}\, dt$

h) $\displaystyle\int \frac{1}{25t^2 + 100}\, dt$

6. Calculer les intégrales suivantes.

a) $\displaystyle\int \frac{x+1}{x^2+2x-1}\,dx$
f) $\displaystyle\int \frac{4}{\sqrt{e^{2x}-1}}\,dx$

b) $\displaystyle\int \frac{x^2+2x-1}{x+1}\,dx$
g) $\displaystyle\int \frac{e^{2x}}{(1+e^x)^2}\,dx$

c) $\displaystyle\int \frac{x+1}{x^2-x-2}\,dx$
h) $\displaystyle\int \frac{1}{\sqrt{x}\,(1+\sqrt{x})}\,dx$

d) $\displaystyle\int \frac{e^{2x}}{\sqrt{1-e^{2x}}}\,dx$
i) $\displaystyle\int \frac{1}{\sqrt{x}\,(1+x)}\,dx$

e) $\displaystyle\int \frac{e^x}{\sqrt{1-e^{2x}}}\,dx$

7. Démontrer les formules d'intégration suivantes en utilisant un changement de variable approprié.

a) $\displaystyle\int \frac{1}{\sqrt{a^2-u^2}}\,du = \text{Arc sin}\left(\frac{u}{a}\right)+C$

b) $\displaystyle\int \frac{u}{\sqrt{a^2-u^2}}\,du = -\sqrt{a^2-u^2}+C$

c) $\displaystyle\int \frac{1}{a^2+u^2}\,du = \frac{1}{a}\text{Arc tan}\left(\frac{u}{a}\right)+C$

d) $\displaystyle\int \frac{u}{a^2+u^2}\,du = \frac{1}{2}\ln(a^2+u^2)+C$

e) $\displaystyle\int \frac{1}{u\sqrt{u^2-a^2}}\,du = \frac{1}{a}\text{Arc sec}\left(\frac{u}{a}\right)+C$

8. Utiliser les formules de l'exercice 7 pour calculer les intégrales suivantes.

a) $\displaystyle\int \frac{1}{\sqrt{9-x^2}}\,dx$
d) $\displaystyle\int \frac{1}{4+9x^2}\,dx$

b) $\displaystyle\int \frac{1}{2+x^2}\,dx$
e) $\displaystyle\int \frac{3x}{5+x^2}\,dx$

c) $\displaystyle\int \frac{7}{4x\sqrt{x^2-7}}\,dx$
f) $\displaystyle\int \frac{-5x}{7\sqrt{8-3x^2}}\,dx$

2.4 RÉSOLUTION D'ÉQUATIONS DIFFÉRENTIELLES

Objectif d'apprentissage

À la fin de cette section, l'élève pourra utiliser la notion d'intégrale indéfinie pour résoudre des équations différentielles.

Plus précisément, l'élève sera en mesure :
- de connaître la définition d'une équation différentielle ainsi que la définition de solution à une équation différentielle ;
- de résoudre des équations différentielles ;
- de connaître la notion de famille de courbes ;
- de déterminer, parmi une famille de courbes, la courbe qui satisfait une condition initiale.

Équations différentielles

Définition Une **équation différentielle** est une équation dans laquelle nous trouvons une fonction inconnue ainsi que une ou plusieurs de ses dérivées premières, secondes, troisièmes, etc.

Exemple 1

a) Une équation de la forme $y''-3y'+2y=0$ est une équation différentielle, où y est la fonction inconnue, que nous pouvons exprimer en fonction d'une variable.

b) Une équation de la forme $\frac{dQ}{dt}=K(Q-M)$, où K et M sont des constantes, est une équation différentielle, où Q est la fonction inconnue, que nous exprimerons en fonction de t.

| Définition | Toute fonction vérifiant une équation différentielle est appelée **solution** de cette équation. |

Exemple 2 Vérifions que la fonction définie par $y = e^{2x}$ est une solution de l'équation différentielle $y'' - 3y' + 2y = 0$.

Puisque $y = e^{2x}$, alors $y' = 2e^{2x}$ et $y'' = 4e^{2x}$

ainsi $y'' - 3y' + 2y = 4e^{2x} - 3(2e^{2x}) + 2e^{2x}$ (en remplaçant)

$$= 4e^{2x} - 6e^{2x} + 2e^{2x} = 0$$

D'où e^{2x} est une solution de l'équation différentielle.

De façon générale, résoudre une équation différentielle consiste à trouver une fonction, ou des fonctions, vérifiant cette équation.

Exemple 3 Trouvons y si $y' = 3x^2 + e^x + 5$.

En transformant cette équation à l'aide de la notation différentielle, nous obtenons
$$dy = (3x^2 + e^x + 5)\, dx$$

Pour résoudre cette équation, il suffit d'intégrer les deux membres de l'équation.

$$\int dy = \int (3x^2 + e^x + 5)\, dx$$

$$y + C_1 = x^3 + e^x + 5x + C_2 \qquad \text{(en intégrant)}$$

d'où $\quad y = x^3 + e^x + 5x + C$ (où $C = C_2 - C_1$) est la solution générale de l'équation différentielle.

Cette solution générale est la famille de toutes les fonctions satisfaisant l'équation différentielle.

De façon générale, certaines équations différentielles peuvent être résolues de la façon suivante :

1. Séparer les variables, c'est-à-dire regrouper chaque variable avec sa différentielle dans un des membres de l'équation ; les différentielles doivent être au numérateur ;

2. Intégrer chacun des membres de l'équation ;

3. Exprimer une variable en fonction de l'autre.

Exemple 4 Résolvons $\dfrac{du}{dt} = \dfrac{t^3}{u^2}$.

En séparant les variables, nous obtenons
$$u^2\, du = t^3\, dt$$

En intégrant chacun des membres de l'équation, nous obtenons

$$\int u^2\, du = \int t^3\, dt$$

ainsi $\quad \dfrac{u^3}{3} + C_1 = \dfrac{t^4}{4} + C_2$

Isolons la variable u.

$$\frac{u^3}{3} = \frac{t^4}{4} + C_3 \qquad (\text{où } C_3 = C_2 - C_1)$$

$$u^3 = 3\left(\frac{t^4}{4} + C_3\right)$$

$$u^3 = \frac{3t^4}{4} + 3C_3$$

d'où $\qquad u = \left[\frac{3t^4}{4} + C\right]^{\frac{1}{3}} \quad (\text{où } C = 3C_3)$

Dans ce cours, nous nous limiterons à la résolution d'équations différentielles où nous pouvons séparer les variables.

Familles de courbes

Exemple 1 Soit $y' - 2x = 0$.

a) Résolvons l'équation précédente.

$$\frac{dy}{dx} - 2x = 0 \qquad \left(\text{car } y' = \frac{dy}{dx}\right)$$

$$\frac{dy}{dx} = 2x$$

$$dy = 2x\, dx \qquad (\text{en séparant les variables})$$

$$\int dy = \int 2x\, dx$$

$$y + C_1 = x^2 + C_2 \quad (\text{en intégrant})$$

d'où $\quad y = x^2 + C$ est la solution générale.

b) Représentons graphiquement des courbes définies par $y = x^2 + C$ en donnant à C différentes valeurs.

Les courbes ci-contre ont été obtenues en donnant à C les valeurs -3, 0, 2 et 4. Si nous donnons à C d'autres valeurs, nous obtenons d'autres courbes. Nous appelons l'ensemble de toutes ces courbes définies par $y = x^2 + C$ une famille de courbes.

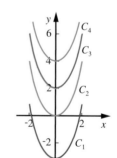

```
> with(plots):
> C1:=plot(x^2-3,x=-2..2,color=blue):
> C2:=plot(x^2,x=-2..2,color=red):
> C3:=plot(x^2+2,x=-2..2,color=green):
> C4:=plot(x^2+4,x=-2..2,color=magenta):
> display(C1,C2,C3,C4,scaling=constrained);
```

Définition	Nous appelons **famille de courbes** l'ensemble de toutes les courbes définies par la variable dépendante, qui est exprimée en fonction de la variable indépendante et de une ou plusieurs constantes.

Exemple 2 Soit $yy' = -x$.

a) Résolvons cette équation différentielle.

$$yy' = -x$$

$$y\frac{dy}{dx} = -x$$

$$y\,dy = -x\,dx \qquad \text{(en séparant les variables)}$$

$$\int y\,dy = \int (-x)\,dx$$

$$\frac{y^2}{2} + C_1 = \frac{-x^2}{2} + C_2 \qquad \text{(en intégrant)}$$

$$\frac{y^2}{2} = C_3 - \frac{x^2}{2} \qquad \text{(où } C_3 = C_2 - C_1)$$

$$y^2 = 2C_3 - x^2$$

$$y^2 = C - x^2 \qquad \text{(où } C = 2C_3)$$

$$\text{d'où } y = \pm\sqrt{C - x^2}$$

b) Représentons graphiquement quelques éléments de la famille de courbes définie par $y = \pm\sqrt{C - x^2}$ en donnant à C différentes valeurs.

Remarque Dans ce cas, il aurait été avantageux de laisser l'équation sous la forme $x^2 + y^2 = C$; cette équation représente un cercle de rayon $\sqrt{C}$.

En donnant à C différentes valeurs, nous obtenons des cercles concentriques de centre $(0, 0)$ et de rayon $\sqrt{C}$.

Dans le cas particulier où $C = 0$, nous obtenons le point $(0, 0)$.

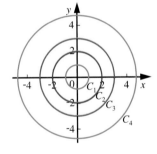

```
> with(plots):
> C1:=implicitplot(x^2+y^2=1,x=-5..5,y=-5..5,color=red):
> C2:=implicitplot(x^2+y^2=4,x=-5..5,y=-5..5,color=blue):
> C3:=implicitplot(x^2+y^2=10.25,x=-5..5,y=-5..5,color=green):
> C4:implicitplot(x^2+y^2=24,x=-5..5,y=-5..5,color=magenta):
> display(C1,C2,C3,C4,scaling=constrained);
```

c) Déterminons, parmi la famille de courbes précédente, la courbe qui passe par le point P(-1, 2).

Pour déterminer l'équation de cette courbe, il suffit de remplacer x par -1 et y par 2 dans l'équation $x^2 + y^2 = C$ pour trouver C.

En remplaçant, nous obtenons

$$(-1)^2 + (2)^2 = C$$

$$\text{ainsi} \qquad C = 5$$

$$\text{d'où} \qquad x^2 + y^2 = 5 \text{ est l'équation de la courbe cherchée.}$$

Définition La condition imposée $y = y_0$ lorsque $x = x_0$ s'appelle **condition initiale**.

Exemple 3

a) Trouvons l'équation représentant la famille de courbes dont la pente de la tangente à la courbe est égale à $3x^2$ en tout point $P(x, y)$.

Puisque la pente de la tangente est égale à $3x^2$, nous avons

$$\frac{dy}{dx} = 3x^2$$

ainsi $dy = 3x^2\, dx$ (en séparant les variables)

$$\int dy = \int 3x^2\, dx$$

$$y + C_1 = x^3 + C_2 \quad \text{(en intégrant)}$$

d'où $y = x^3 + C$ est l'équation représentant la famille de courbes.

b) Déterminons, parmi toutes les courbes de la famille, celle qui passe par $Q(-2, 6)$.

Ainsi, la condition initiale est donnée par $x = -2$ et $y = 6$.

En remplaçant x par -2 et y par 6 dans l'équation $y = x^3 + C$,

nous obtenons $6 = (-2)^3 + C$

ainsi $C = 14$

d'où $y = x^3 + 14$ est l'équation cherchée.

Exemple 4 Soit une fonction f, où $\text{dom } f = \,]0, +\infty$ telle que $f''(x) = 4 + \dfrac{2}{x^2}$ et telle que la pente de la tangente à la courbe de f au point $P(1, -2)$ est égale à 3.

a) Déterminons f.

Nous savons que $f'(x) = \int f''(x)\, dx$

ainsi $f'(x) = \displaystyle\int \left(4 + \frac{2}{x^2}\right) dx$

$$f'(x) = 4x - \frac{2}{x} + C_1 \qquad \text{(en intégrant)}$$

Puisque $f'(1) = 3$

nous obtenons $3 = 4 - 2 + C_1$

alors $C_1 = 1$

d'où $f'(x) = 4x - \dfrac{2}{x} + 1$

Nous savons que $f(x) = \int f'(x)\, dx$

ainsi $f(x) = \displaystyle\int \left(4x - \frac{2}{x} + 1\right) dx$

$$f(x) = 2x^2 - 2\ln|x| + x + C_2 \quad \text{(en intégrant)}$$

Puisque $f(1) = -2$

nous obtenons $-2 = 2 - 0 + 1 + C_2$

alors $C_2 = -5$

d'où $f(x) = 2x^2 - 2\ln x + x - 5$ (car $x > 0$)

OUTIL TECHNOLOGIQUE

b) Représentons la courbe de f sur $[0, 3]$ et la tangente au point P(1, -2).

> $f:=x\rightarrow2*x^2-2*\ln(x)+x-5$;
> $\qquad f := x \rightarrow 2x^2 - 2\ln(x) + x - 5$
> with(student):
> showtangent($f(x)$,$x=1$,$x=0..3$,color=[blue,red]);

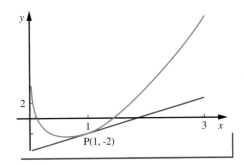

Définition

Deux courbes sont **orthogonales** en un point de rencontre si les tangentes respectives à chaque courbe en ce point sont perpendiculaires.

Exemple 5

a) Déterminons la famille de courbes orthogonales à la courbe définie par $y_1 = \sqrt{x}$.

En un point quelconque P(x, y) de la courbe définie par $y_1 = \sqrt{x}$, la pente de la tangente à la courbe est donnée par

$$m_1 = \frac{dy_1}{dx}$$

Ainsi, $\quad m_1 = \dfrac{1}{2\sqrt{x}}$

La pente m de la tangente de la trajectoire orthogonale passant au même point P(x, y) est

$$m = \frac{-1}{m_1} \qquad (\text{car } m_1 \cdot m = \text{-}1)$$

ainsi, $\quad \dfrac{dy}{dx} = \dfrac{\text{-}1}{\dfrac{1}{2\sqrt{x}}} \qquad \left(\text{car } m = \dfrac{dy}{dx} \text{ et } m_1 = \dfrac{1}{2\sqrt{x}}\right)$

$$dy = \text{-}2\sqrt{x}\, dx \qquad (\text{en séparant les variables})$$

$$\int dy = \int \left(\text{-}2x^{\frac{1}{2}}\right) dx$$

$$y = \frac{\text{-}4x^{\frac{3}{2}}}{3} + C \qquad (\text{en intégrant})$$

d'où $\quad y = \dfrac{\text{-}4\sqrt{x^3}}{3} + C$ est la famille de courbes orthogonales cherchée.

b) Déterminons la courbe y_2 de la famille précédente qui passe par le point Q(1, 1).

En remplaçant x par 1 et y par 1 dans l'équation

$$y = \frac{\text{-}4\sqrt{x^3}}{3} + C$$

nous obtenons $1 = \dfrac{\text{-}4(1)}{3} + C$

ainsi $\qquad C = \dfrac{7}{3}$

d'où $\qquad y_2 = \dfrac{-4\sqrt{x^3}}{3} + \dfrac{7}{3}$ est l'équation de la courbe cherchée.

c) Déterminons la courbe y_3 de la famille précédente, qui coupe la courbe y_1 en $x = 4$.

En remplaçant x par 4 dans l'équation $y_1 = \sqrt{x}$, nous obtenons 2. Ainsi, la courbe y_3 passe par le point R(4, 2).

En remplaçant x par 4 et y par 2 dans l'équation

$$y = \dfrac{-4\sqrt{x^3}}{3} + C$$

nous obtenons $2 = \dfrac{-4\sqrt{4^3}}{3} + C$

$$2 = \dfrac{-32}{3} + C$$

ainsi $\qquad C = \dfrac{38}{3}$

d'où $\qquad y_3 = \dfrac{-4x^{\frac{3}{2}}}{3} + \dfrac{38}{3}$ est l'équation de la courbe cherchée.

OUTIL TECHNOLOGIQUE d) Représentons les courbes y_1, y_2 et y_3.

```
> with(plots):
> f1:=x→x^(1/2);
```
$$f1 := x \to \sqrt{x}$$
```
> f2:=x→(-4*x^(3/2))/3+7/3;
```
$$f2 := x \to -\dfrac{4}{3}x^{(3/2)} + \dfrac{7}{3}$$
```
> f3:=x→(-4*x^(3/2))/3+38/3;
```
$$f3 := x \to -\dfrac{4}{3}x^{(3/2)} + \dfrac{38}{3}$$
```
> y1:=plot(f1(x),x=0..6,y=-5..14,color=orange):
> y2:=plot(f2(x),x=0..6,y=-5..14,color=red):
> y3:=plot(f3(x),x=0..6,y=-5..14,color=green):
> display(y1,y2,y3,scaling=constrained);
```

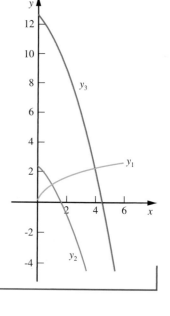

Exercices 2.4

1. Vérifier que y est une solution de l'équation différentielle donnée.

a) $y = e^x + \sin x$ si $y'' + y = 2e^x$

b) $y = \sqrt{C + x^2}$ si $\dfrac{dy}{dx} = \dfrac{x}{y}$

c) $y = xe^{-x}$ si $xy' = y(1 - x)$

d) $y = \sin x$ si $\dfrac{d^2y}{dx^2} = -y$

2. Résoudre les équations différentielles suivantes, et représenter graphiquement certaines courbes de la famille de courbes.

a) $\dfrac{dy}{dx} = -2$

 b) $2x\,dx + 8y\,dy = 0$

c) $\dfrac{dy}{dx} = \dfrac{y}{3}$ où $y > 0$

3. Déterminer la valeur de C dans les équations suivantes à l'aide de la condition initiale.

a) $y = \left(\dfrac{2}{3}x^2 + C\right)^{\frac{1}{3}}$ si $y = 4$ lorsque $x = 3$

b) $y = 3x^2 + \dfrac{\ln x}{2} + C$ si $y = {-3}$ lorsque $x = 1$

c) $y = C(e^{2x} + 5)$ si $y = 10$ lorsque $x = 0$

d) $y = C \sin 2\theta$ si $y = 3$ lorsque $\theta = \dfrac{\pi}{12}$

4. Après avoir résolu l'équation différentielle, trouver l'équation de la courbe satisfaisant la condition initiale donnée.

a) $f'(x) = x^3 - 2x + 4$ et $f(1) = 4$

b) $\dfrac{dx}{dt} = {-9{,}8}t + 12$ et $x = 10$ lorsque $t = 0$

c) $\dfrac{dy}{dx} = \dfrac{x^2}{y^2}$ et la courbe passe par P(2, -1)

d) $x^2 y' = y$, où $y > 0$ et $y = 4$ lorsque $x = {-1}$

e) $y' = 2xy^2$ et la courbe passe par P(-3, 4)

f) $\dfrac{dv}{dt} = \sqrt{vt}$, où $v > 0$, $t > 0$ et la courbe passe par P(4, 9)

g) $\dfrac{dQ}{dt} = {-5}Q$, où $Q > 0$ et $Q = 22$ lorsque $t = 0$

h) $y^2\, dx = x^2\, dy$ et la courbe passe par P(1, -1)

i) $\sec \theta \dfrac{dy}{d\theta} = y^4$ et la courbe passe par le point $P\left(\dfrac{\pi}{6}, \dfrac{1}{2}\right)$

5. Trouver l'équation de la courbe définie par $y = f(x)$:

a) si $f''(x) = 3$, $f'(2) = 5$ et la courbe passe par le point P(-2, 3) ;

b) passant par le point Q(3, -2) et dont la pente de la tangente en tout point P(x, y) est donnée par $2x^2 + 3$;

c) passant par le point P(1, 6) et dont la tangente à la courbe en ce point est parallèle à la droite définie par $g(x) = 3x + 1$ et telle que $y'' = \dfrac{-1}{x^2}$.

6. a) Trouver l'équation de la famille de courbes dont la pente de la tangente est égale au carré de la fonction.

b) Déterminer l'équation de la courbe appartenant à la famille de courbes précédente et passant par le point

   i) $P_1\left(0, \dfrac{1}{2}\right)$ ii) $P_2\left(\dfrac{1}{2}, 2\right)$ iii) $P_3\left(2, \dfrac{-1}{3}\right)$

[O/T] c) Représenter graphiquement sur un même système d'axes les 3 courbes trouvées en b).

7. a) Trouver l'équation $y = g(x)$ de la famille de courbes orthogonales à la famille de courbes définies par $f(x) = x^2 + k$, où $x > 0$ et $k \in \mathbb{R}$.

b) Des familles précédentes, trouver l'équation des courbes passant par le point

   i) $P_1(1, 5)$ ii) $P_2(2, 3)$

[O/T] c) Représenter graphiquement sur un même système d'axes les 4 courbes trouvées en b).

2.5 APPLICATIONS DE L'INTÉGRALE INDÉFINIE

Objectif d'apprentissage

À la fin de cette section, l'élève pourra résoudre des problèmes à l'aide de l'intégrale indéfinie.

Plus précisément, l'élève sera en mesure :
- de connaître la relation entre les notions de position, de vitesse et d'accélération afin de résoudre des problèmes de physique ;
- d'utiliser l'intégrale indéfinie pour résoudre des problèmes de croissance et de décroissance ;
- d'utiliser l'intégrale indéfinie pour résoudre des problèmes d'économie.

Vous trouverez dans le tableau suivant un résumé des étapes à suivre pour résoudre des problèmes reliés à des équations différentielles.

1. Identifier les variables ;

2. Déterminer l'équation différentielle ;

3. Résoudre l'équation différentielle ;

4. Déterminer la ou les constantes à l'aide de la ou des conditions initiales ;

5. Répondre aux questions à l'aide des équations obtenues.

Problèmes de physique

Soit les fonctions x, v et a, où

x représente la position d'un mobile en fonction du temps,

v représente la vitesse d'un mobile en fonction du temps et

a représente l'accélération d'un mobile en fonction du temps.

Dans un premier cours de calcul différentiel, nous avons vu que

$$\frac{dx}{dt} = v \quad \text{et que} \quad \frac{dv}{dt} = a$$

À partir de ces équations différentielles, nous obtenons

$dx = v\, dt$, ainsi $\int dx = \int v\, dt$, d'où $\qquad x(t) = \int v(t)\, dt$

Autrement dit, la fonction donnant la position en fonction du temps est égale à l'intégrale de la fonction vitesse par rapport au temps. De même,

$dv = a\, dt$, ainsi $\int dv = \int a\, dt$, d'où $\qquad v(t) = \int a(t)\, dt$

Autrement dit, la fonction donnant la vitesse en fonction du temps est égale à l'intégrale de la fonction accélération par rapport au temps.

Exemple 1 La vitesse d'une motoneige en fonction du temps est donnée par $v(t) = 1,5t + 1$, où $t \in [0s, 15s]$ et $v(t)$ est exprimée en m/s.

Au temps $t = 2s$, la motoneige est située à 10 m du point d'observation et elle s'éloigne de celui-ci de façon rectiligne.

a) Déterminons la fonction x donnant la position de la motoneige en fonction du temps t.

Nous avons $x(t) = \int v(t)\, dt$

$x(t) = \int (1,5t + 1)\, dt \qquad$ (car $v(t) = 1,5t + 1$)

$x(t) = 0,75t^2 + t + C$

En remplaçant t par 2 et $x(t)$ par 10, nous obtenons

$$10 = 0{,}75(2)^2 + 2 + C$$

ainsi $C = 5$

d'où $x(t) = 0{,}75t^2 + t + 5$, exprimée en m.

b) Déterminons la position de la motoneige par rapport à son point d'observation après les 6 premières secondes.

Puisque $x(6) = 38$, alors la motoneige est située à 38 m de son point d'observation.

c) Déterminons la distance d parcourue par la motoneige durant les 6 premières secondes.

$$d = x(6) - x(0)$$
$$d = 38 - 5$$

d'où $d = 33$ m

d) Déterminons le temps nécessaire pour que la motoneige parcoure 85 m.

Puisque au temps $t = 0$, la motoneige est située à 5 m du point d'observation, si elle parcourt 85 m, elle est donc située à 90 m du point d'observation.

En posant $\qquad\qquad x(t) = 90$

nous obtenons $\quad 0{,}75t^2 + t + 5 = 90$

$$0{,}75t^2 + t - 85 = 0$$

donc $t_1 = \dfrac{\text{-}1 - \sqrt{1^2 - 4(0{,}75)(\text{-}85)}}{1{,}5} = \text{-}11{,}\overline{3}$ (à rejeter)

ou $\quad t_2 = \dfrac{\text{-}1 + \sqrt{256}}{1{,}5} = 10$

d'où $t = 10s$

Exemple 2 Supposons qu'au moment où un automobiliste filant à 108 km/h freine, l'accélération de son automobile en fonction du temps est donnée par $a(t) = \text{-}6$, où t est en secondes et $a(t)$ en m/s^2.

a) Déterminons la fonction v donnant la vitesse en fonction du temps t.

Puisque $v = \displaystyle\int a\, dt$

alors $\quad v = \displaystyle\int \text{-}6\, dt$

ainsi $\quad v = \text{-}6t + C$

Nous savons qu'à l'instant où l'automobiliste freine, c'est-à-dire au temps $t = 0$, la vitesse de l'automobile est $v = 108$ km/h $= 30$ m/s. En remplaçant t par 0 et v par 30, nous obtenons

$$30 = \text{-}6(0) + C$$

ainsi $C = 30$

d'où $v(t) = \text{-}6t + 30$

b) Déterminons la vitesse de l'automobile après 2 secondes.

$v(2) = 18$, donc 18 m/s ou 64,8 km/h.

c) Déterminons le temps nécessaire pour que l'automobile s'immobilise.

$$v(t) = 0$$

$$-6t + 30 = 0$$

d'où $t = 5$, donc 5 s

d) Déterminons la distance d parcourue entre le moment où l'automobiliste freine et l'instant précis où l'automobile s'immobilise.

$$x = \int (-6t + 30)\, dt = -3t^2 + 30t + C$$

d'où $d = x(5) - x(0) = 75$, donc 75 m.

OUTIL TECHNOLOGIQUE   e) Représentons sur un même système d'axes la courbe des fonctions a, v et x sur $[0s, 5s]$, où $x(t) = -3t^2 + 30t$.

```
> with(plots):
> a:=plot(-6,t=0..5,y=-10..80,color=red):
> v:=plot(-6*t+30,t=0..5,color=blue):
> x:=plot(-3*t^2+30*t,t=0..5,color=orange):
> display(a,v,x);
```

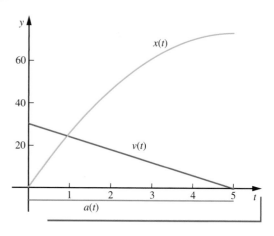

Problèmes de croissance et de décroissance exponentielles

Il arrive fréquemment que le taux de croissance ou de décroissance d'une quantité soit proportionnel à la quantité présente ; par exemple, certains types de placements, la population d'un pays, le nombre de bactéries, la radioactivité, etc.

Lorsque le taux de croissance ou de décroissance d'une quantité Q est proportionnel en tout temps à la quantité présente, l'équation différentielle correspondante est de la forme

$$\frac{dQ}{dt} = KQ, \text{ où } K \text{ est la } \textit{constante de proportionnalité.}$$

Exemple 1   Si la population P d'une ville augmente proportionnellement en tout temps à la population présente à un taux continu de 5 % par année et qu'en 1995 elle était de 80 000 habitants,

a) déterminons la fonction P donnant la population en fonction du temps.

L'équation différentielle correspondante est

$$\frac{dP}{dt} = 0,05P \qquad (\text{car } K = 0,05)$$

nous obtenons $\dfrac{dP}{P} = 0,05\, dt$ (en séparant les variables)

ainsi $\displaystyle\int \frac{1}{P}\, dP = \int 0,05\, dt$

$$\ln |P| = 0,05t + C \quad \text{(en intégrant)}$$

$$\ln P = 0,05t + C \quad \text{(car } P > 0\text{)}$$

En remplaçant t par 0 (en 1995) et P par 80 000, nous obtenons

$$\ln 80\ 000 = 0,05(0) + C, \text{ ainsi } C = \ln 80\ 000,$$

d'où $\quad \ln P = 0,05t + \ln 80\ 000 \quad \text{(équation 1)}$

Cette équation est la forme logarithmique de la solution.
De l'équation précédente, nous avons

$$P = e^{0,05t + \ln 80\ 000} \quad \text{(par définition)}$$

$$P = e^{0,05t}\, e^{\ln 80\ 000}$$

Puisque $e^{\ln 80\ 000} = 80\ 000$, nous obtenons

$$P = 80\ 000 e^{0,05t} \quad \text{(équation 2)}$$

Cette équation est la forme exponentielle de la solution.

b) Déterminons la population de cette ville en l'an 2015.

Pour déterminer la population en 2015, il suffit de remplacer t par 20 dans l'équation 2.

$$P = 80\ 000 e^{0,05 \times 20}$$

$$P \approx 217\ 462, \text{ donc environ 217 462 habitants.}$$

c) Déterminons en quelle année la population de cette ville sera de 150 000 habitants.

Pour déterminer cette année, remplaçons P par 150 000 dans l'équation 1 et trouvons t.

$$\ln 150\ 000 = 0,05t + \ln 80\ 000$$

$$0,05t = \ln 150\ 000 - \ln 80\ 000$$

$$t = \frac{\ln\left(\dfrac{15}{8}\right)}{0,05}$$

ainsi $\quad t \approx 12,6$ ans, donc environ au milieu de l'an 2007.

Remarque Dans certains problèmes, nous devrons évaluer la valeur de la constante de proportionnalité K à l'aide des données du problème.

Exemple 2 Dans une culture de bactéries, le nombre de bactéries s'accroît à un taux proportionnel en tout temps au nombre de bactéries présentes. Si au début de l'expérience nous comptons 3000 bactéries et, 2 jours après, 7000 bactéries, déterminons la quantité de bactéries après 5 jours.

L'équation différentielle correspondante est $\dfrac{dN}{dt} = KN$, où N est le nombre de bactéries et K, la constante de proportionnalité.

Donc $\quad \dfrac{dN}{N} = K\, dt \quad$ (en séparant les variables)

$$\int \frac{1}{N}\, dN = \int K\, dt$$

$$\ln |N| = Kt + C \quad \text{(en intégrant)}$$

$$\ln N = Kt + C \quad \text{(car } N > 0)$$

Déterminons les valeurs de C et de K à l'aide des données.

Nous savons que $\qquad N = 3000$ lorsque $t = 0$

ainsi $\qquad \ln 3000 = K(0) + C$, donc $C = \ln 3000$

L'équation devient alors $\qquad \ln N = Kt + \ln 3000$.

De plus, nous savons que $\qquad N = 7000$ lorsque $t = 2$

ainsi $\qquad \ln 7000 = K(2) + \ln 3000$

$$\ln 7000 - \ln 3000 = K(2)$$

$$\ln \left(\frac{7}{3} \right) = K(2)$$

ainsi $\qquad K = \dfrac{\ln \left(\dfrac{7}{3} \right)}{2}$

d'où $\qquad \ln N = \dfrac{\ln \left(\dfrac{7}{3} \right)}{2} t + \ln 3000 \quad \text{(équation 1)}$

ainsi $\qquad N = 3000 e^{\frac{\ln\left(\frac{7}{3}\right) t}{2}} \quad \text{(équation 2)}$

Cette dernière équation peut être transformée de la façon suivante :

$$N = 3000 \left(e^{\ln\left(\frac{7}{3}\right)} \right)^{\frac{t}{2}}$$

$$N = 3000 \left(\frac{7}{3} \right)^{\frac{t}{2}} \quad \text{(équation 3)}$$

En remplaçant t par 5 dans l'équation 2 ou 3, nous obtenons $N \approx 24\,949$ bactéries.

Définition

La **demi-vie** ou la **période** est le temps nécessaire pour qu'une quantité donnée (masse, concentration, etc.) diminue de moitié.

Exemple 3 Considérons une substance radioactive de masse initiale Q_0. Après 10 ans, sa masse est de 99,5 % de Q_0.

a) Déterminons la fonction Q donnant la quantité en fonction du temps, sachant que le taux de désintégration de la masse est proportionnel à celle-ci.

L'équation différentielle correspondante est $\dfrac{dQ}{dt} = KQ$, où Q est la masse de la substance radioactive et K, la constante de proportionnalité.

Donc $\qquad \dfrac{dQ}{Q} = K\,dt \qquad$ (en séparant les variables)

$$\int \frac{1}{Q}\,dQ = \int K\,dt$$

$$\ln |Q| = Kt + C \quad \text{(en intégrant)}$$

$$\ln Q = Kt + C \quad \text{(car } Q > 0\text{)}$$

Déterminons les valeurs de C et de K à l'aide des données.

Nous savons que $\qquad Q = Q_0$ lorsque $t = 0$

donc $\qquad \ln Q_0 = K(0) + C$, ainsi $C = \ln Q_0$

L'équation devient alors $\qquad \ln Q = Kt + \ln Q_0$

De plus, nous savons que $\qquad Q = 0{,}995Q_0$ lorsque $t = 10$

donc $\qquad \ln (0{,}995Q_0) = K(10) + \ln Q_0$

$$K(10) = \ln (0{,}995Q_0) - \ln Q_0 = \ln \left(\frac{0{,}995Q_0}{Q_0} \right)$$

ainsi $\qquad K = \dfrac{\ln (0{,}995)}{10}$

donc $\qquad \ln Q = \dfrac{\ln 0{,}995}{10} t + \ln Q_0 \quad \text{(équation 1)}$

d'où $\qquad Q = Q_0 e^{\frac{\ln 0{,}995}{10} t} \quad \text{(équation 2)}$

et $\qquad Q = Q_0 (0{,}995)^{\frac{t}{10}} \quad \text{(équation 3)}$

b) Calculons la demi-vie de cette substance.

Il suffit de remplacer Q par $\dfrac{Q_0}{2}$ dans l'équation 1 pour déterminer la demi-vie de cette substance.

$$\ln \left(\frac{Q_0}{2} \right) = \frac{\ln (0{,}995)}{10} t + \ln Q_0$$

$$\ln \left(\frac{Q_0}{2} \right) - \ln Q_0 = \frac{\ln (0{,}995)}{10} t$$

$$t = \frac{10 \ln (0{,}5)}{\ln (0{,}995)}$$

donc $t \approx 1383$, d'où la demi-vie est d'environ 1383 ans.

c) Déterminons la masse de la substance radioactive qu'il reste après 2766 ans.

En remplaçant t par 2766 dans l'équation 3, nous obtenons

$$Q = Q_0(0{,}995)^{\frac{2766}{10}}$$

d'où $Q \approx 0{,}25 Q_0$

Ce résultat était prévisible, car $2766 = 2(1383)$; donc la masse initiale a été réduite de moitié deux fois.

d) Déterminons le nombre d'années pour que 90% de la masse initiale soit désintégrée.

En remplaçant Q par $0{,}10 Q_0$ dans l'équation 1, nous obtenons

$$\ln (0{,}1 Q_0) = \frac{\ln 0{,}995}{10} t + \ln Q_0$$

$$\ln (0{,}1 Q_0) - \ln Q_0 = \frac{\ln 0{,}995}{10} t$$

$$\left(\frac{10}{\ln 0{,}995}\right) \ln\left(\frac{0{,}1\ Q_0}{Q_0}\right) = t$$

$$t = \frac{10 \ln (0{,}10)}{\ln 0{,}995}$$

$$t \approx 4594 \text{ ans}$$

OUTIL TECHNOLOGIQUE   e) Représentons sur un même système d'axes la courbe précédente ainsi que les valeurs trouvées en b), c) et d).

```
> with(plots):
> Q:=t→(0.995)^(t/10);
            Q:= t → .995^(1/10t)
> y:=plot(Q(t),t=0..6000,Q=0..1,color=orange):
> y1:=plot(0.5,t=0..1383,linestyle=4,color=black):
> p1:=plot([[1383,0.5]],style=point,symbol=circle,
        color=orange):
> t1:=plot([1383,Q,Q=0..0.5],linestyle=4,
        color=black):
> y2:=plot(0.25,t=0..2766,linestyle=4,color=black):
> p2:=plot([[2766,0.25]],style=point,symbol=circle,
        color=orange):
> t2:=plot([2766,Q,Q=0..0.25],linestyle=4,color=black):
> y3:=plot(0.1,t=0..4594,linestyle=4,color=black):
> p3:=plot([[4594,0.10]],style=point,symbol=circle,color=orange):
> t3:=plot([4594,Q,Q=0..0.10],linestyle=4,color=black):
> display(y,y1,p1,t1,y2,p2,t2,y3,p3,t3);
```

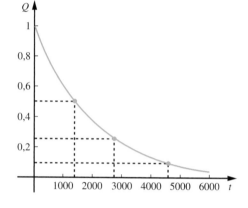

Certaines équations différentielles sont de la forme $\dfrac{dP}{dt} = K_1 P + K_2$, où P est une fonction de t, K_1 est la constante de proportionnalité et K_2 est une constante.

Exemple 4 Soit une ville de population P où le taux continu de naissance est de 2 % par année et le taux continu de mortalité est de 1,5 % par année.

Si, en 2000, la population de cette ville était de 75 000 habitants et qu'annuellement 1000 personnes quittent la ville, déterminons approximativement la population de cette ville en l'an 2010.

L'équation différentielle correspondante est

$$\frac{dP}{dt} = (0{,}02 - 0{,}015)P - 1000$$

$$\frac{dP}{dt} = 0{,}005P - 1000$$

ainsi $\dfrac{dP}{0{,}005P - 1000} = dt$ (en séparant les variables)

$$\int \frac{1}{0{,}005P - 1000}\, dP = \int dt$$

$$200 \ln |0{,}005P - 1000| = t + C \quad \left(\begin{array}{l}\text{en intégrant par changement de}\\\text{variable, en posant } u = 0{,}005P - 1000\end{array}\right)$$

En remplaçant t par 0 (en 2000) et P par 75 000, nous obtenons

$$200 \ln |{-}625| = 0 + C, \text{ ainsi } C = 200 \ln 625$$

donc $200 \ln |0{,}005P - 1000| = t + 200 \ln 625$

$$\ln|0{,}005P - 1000| = 0{,}005t + \ln 625$$

puisque $\qquad |0{,}005P - 1000| = 1000 - 0{,}005P \qquad$ (car $1000 > 0{,}005P$)

alors $\qquad \ln(1000 - 0{,}005P) = 0{,}005t + \ln 625 \qquad$ (équation 1)

ainsi $\qquad 1000 - 0{,}005P = e^{0{,}005t + \ln 625}$

$$0{,}005P = 1000 - e^{\ln 625}\, e^{0{,}005t}$$

et $\qquad P = \dfrac{1000 - 625 e^{0{,}005t}}{0{,}005}$

donc $\qquad P = 200\,000 - 125\,000 e^{0{,}005t} \qquad$ (équation 2)

En remplaçant t par 10 dans l'équation 2, nous obtenons $P \approx 68\,591$ habitants.

Nous savons qu'une tasse de café, dont la température est au-dessus de la température ambiante, se refroidira. De même, un jus retiré d'un réfrigérateur se réchauffera s'il est laissé à une température supérieure. Ces variations de température satisfont la loi de refroidissement de Newton.

Isaac Newton (1642-1727) est né dans une famille de fermiers, l'année où mourait Galilée. En 1661, il entre au Trinity College de Cambridge. Au moment où Newton obtient son diplôme, la peste éclate à Londres. Fuyant le fléau, il quitte Cambridge pour la ferme familiale. Deux années d'isolement, 1665 et 1666, qui seront les plus productives de sa vie et qui changeront le cours de l'histoire des sciences. Le jeune Isaac, alors âgé de 23 ans, met au point le calcul différentiel et intégral, après avoir découvert le théorème fondamental du calcul.

Isaac Newton,
mathématicien britannique

LOI DE REFROIDISSEMENT DE NEWTON

Soit T, la température d'un objet, et A, la température ambiante. Le taux de variation de la température T, par rapport au temps t, est proportionnel à la différence entre la température de l'objet et la température ambiante, c'est-à-dire

$$\frac{dT}{dt} = K(T - A).$$

Exemple 5 Le thermomètre dans une pièce indique une température de 22 °C.

Un jus, dont la température est de 4 °C, est sorti du réfrigérateur et, au bout de 20 minutes, il a atteint la température de 7 °C.

a) Déterminons la température T du jus en fonction du temps t.

D'après la loi de refroidissement de Newton, nous avons

$$\frac{dT}{dt} = K(T - 22)$$

Un café, dont la température est de 83 °C, est amené dans la pièce et, au bout de 15 minutes, il a atteint la température de 60 °C.

a) Déterminons la température Z du café en fonction du temps t.

D'après la loi de refroidissement de Newton, nous avons

$$\frac{dZ}{dt} = K(Z - 22)$$

$$\frac{dT}{T - 22} = K\,dt$$

$$\text{(en séparant les variables)}$$

$$\int \frac{1}{T - 22}\,dT = \int K\,dt$$

$$\ln |T - 22| = Kt + C$$

$$\text{(en intégrant)}$$

$$\frac{dZ}{Z - 22} = K\,dt$$

$$\text{(en séparant les variables)}$$

$$\int \frac{1}{Z - 22}\,dZ = \int K\,dt$$

$$\ln |Z - 22| = Kt + C$$

$$\text{(en intégrant)}$$

Déterminons la valeur de la constante C à l'aide des données pertinentes.

Nous savons que $T = 4$ lorsque $t = 0$,

donc $\ln |4 - 22| = K(0) + C$

ainsi $C = \ln 18$

L'équation devient alors

$$\ln |T - 22| = Kt + \ln 18$$

Nous savons que $Z = 83$ lorsque $t = 0$,

donc $\ln |83 - 22| = K(0) + C$

ainsi $C = \ln 61$

L'équation devient alors

$$\ln |Z - 22| = Kt + \ln 61$$

Déterminons la valeur de la constante K à l'aide des données pertinentes.

Nous savons que $T = 7$ lorsque $t = 20$,

donc $\ln |7 - 22| = K(20) + \ln 18$

ainsi
$$K = \frac{\ln\left(\frac{5}{6}\right)}{20}$$

L'équation devient alors

$$\ln |T - 22| = \frac{\ln\left(\frac{5}{6}\right)}{20}\, t + \ln 18$$

Nous savons que $T = 60$ lorsque $t = 15$,

donc $\ln |60 - 22| = K(15) + \ln 61$

ainsi
$$K = \frac{\ln\left(\frac{38}{61}\right)}{15}$$

L'équation devient alors

$$\ln |Z - 22| = \frac{\ln\left(\frac{38}{61}\right)}{15}\, t + \ln 61$$

Déterminons la température de la boisson en fonction du temps t.

Puisque $T < 22$, $|T - 22| = (22 - T)$,

d'où $\ln (22 - T) = \dfrac{\ln\left(\frac{5}{6}\right)}{20}\, t + \ln 18$

$$\text{(équation 1)}$$

ainsi
$$T = 22 - 18e^{\frac{\ln\left(\frac{5}{6}\right)}{20}t}$$

$$\text{(équation 2)}$$

et
$$T = 22 - 18\left(\frac{5}{6}\right)^{\frac{t}{20}}$$

$$\text{(équation 3)}$$

Puisque $Z > 22$, $|Z - 22| = (Z - 22)$,

d'où $\ln (Z - 22) = \dfrac{\ln\left(\frac{38}{61}\right)}{15}\, t + \ln 61$

$$\text{(équation 1)}$$

ainsi
$$Z = 22 + 61e^{\frac{\ln\left(\frac{38}{61}\right)}{15}t}$$

$$\text{(équation 2)}$$

et
$$Z = 22 + 61\left(\frac{38}{61}\right)^{\frac{t}{15}}$$

$$\text{(équation 3)}$$

b) Calculons la température de la boisson après 35 minutes.

En remplaçant t par 35 dans l'équation 3, nous obtenons

$$T \approx 8{,}92\ ^\circ\text{C}$$

En remplaçant t par 35 dans l'équation 3, nous obtenons

$$Z \approx 42{,}22\ ^\circ\text{C}$$

c) Déterminons le temps nécessaire pour que…

… le jus atteigne une température de 12 °C.	… le café atteigne une température de 35 °C.
En remplaçant T par 12 dans l'équation 1, nous obtenons	En remplaçant Z par 35 dans l'équation 1, nous obtenons
$t \approx 64$ minutes	$t \approx 49$ minutes

d) Déterminons théoriquement la température…

… maximale $T_{\max}$ du jus.

$$T_{\max} = \lim_{t \to +\infty} \left(22 - 18e^{\frac{\ln\left(\frac{5}{6}\right)}{20}t}\right)$$

$$= 22 - 0$$

d'où $T_{\max} = 22\ °\text{C}$

… minimale $Z_{\min}$ du café.

$$Z_{\min} = \lim_{t \to +\infty} \left(22 + 61e^{\frac{\ln\left(\frac{38}{61}\right)}{15}t}\right)$$

$$= 22 + 0$$

d'où $Z_{\min} = 22\ °\text{C}$

OUTIL TECHNOLOGIQUE

e) Représentons graphiquement, sur un même système d'axes, les courbes de T et de Z en fonction de t.

```
> with(plots):
> T:=t→22−18*(5/6)^(t/20);
```
$$T := t \to 22 - 18\left(\frac{5}{6}\right)^{(1/20t)}$$
```
> Z:=t→22+61*(38/61)^(t/15);
```
$$Z := t \to 22 + 61\left(\frac{38}{61}\right)^{(1/15t)}$$
```
> TT:=plot(T(t),t=0..150,y=0..85,color=orange):
> ZZ:=plot(Z(t),t=0..150,y=0..85,color=blue):
> y1:=plot(22,t=0..150,linestyle=4,color=black):
> display(TT,ZZ,y1);
```

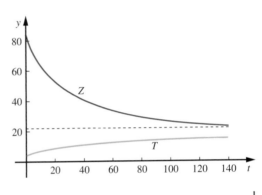

Exemple 6 Un réservoir de 40 litres est rempli d'un mélange des substances A et B. Le pourcentage de la substance A dans ce mélange est de 20 %. Nous introduisons dans ce réservoir, au rythme de 3 litres par minute, un nouveau mélange des substances A et B, où la substance A est dans une proportion de 60 %. Le réservoir se vide au même rythme qu'il se remplit. On suppose que le mélange est toujours homogène.

a) Déterminons l'équation différentielle correspondant à cette situation.

Soit Q la quantité de substance A présente à chaque instant dans le réservoir.

Calculons d'abord la quantité de la substance A ajoutée chaque minute.

$$\frac{3\ \text{litres}}{\text{minute}} \times 0{,}60 = 1{,}8\ \text{L/min}$$

Calculons à présent la quantité de la substance A retranchée chaque minute.

$$\frac{3\ \text{litres}}{\text{minute}} \times \frac{Q}{40} = \frac{3Q}{40}\ \text{L/min}$$

Ainsi, la variation de la quantité de la substance A à chaque instant est donnée par

$$\frac{dQ}{dt} = 1{,}8 - \frac{3Q}{40}, \text{ donc } \frac{dQ}{dt} = \frac{72 - 3Q}{40}$$

b) Déterminons Q en fonction de t.

Puisque $\dfrac{dQ}{\dfrac{72 - 3Q}{40}} = dt$ (en séparant les variables)

$$\int \frac{40}{72 - 3Q}\, dQ = \int dt$$

$$\frac{\text{-}40}{3} \ln |72 - 3Q| = t + C \quad \text{(en intégrant)}$$

$$\frac{\text{-}40}{3} \ln (72 - 3Q) = t + C \quad \text{(car } (72 - 3Q) > 0\text{)}$$

Déterminons la valeur de la constante C.

Nous savons que $Q = 0{,}20 \times 40 = 8$ litres lorsque $t = 0$.

Donc $\dfrac{\text{-}40}{3} \ln (72 - 24) = 0 + C$, ainsi $C = \dfrac{\text{-}40}{3} \ln (48)$

d'où $\ln (72 - 3Q) = \dfrac{\text{-}3}{40} t + \ln (48)$ (équation 1)

et $Q = 24 - 16e^{\frac{\text{-}3t}{40}}$ (équation 2)

c) Déterminons après combien de temps la quantité de la substance A dans le mélange sera de 40 %.

En remplaçant Q par 40×40 %, c'est-à-dire 16 dans l'équation 1, nous obtenons $t \approx 9{,}24$, donc environ 9 minutes et 14 secondes.

d) Déterminons théoriquement la quantité maximale $Q_{\max}$ de la substance A.

$Q_{\max} = \lim\limits_{t \to +\infty} \left(24 - 16e^{\frac{\text{-}3t}{40}} \right) = 24$, donc 24 litres.

Problèmes d'économie

Exemple 1 Nous estimons que le taux de variation instantané de la valeur V d'une automobile neuve de 21 600 \$ est donné par $(300t - 3600)$, exprimé en \$/an, et $t \in [0 \text{ an}, 6 \text{ ans}]$.

a) Exprimons la valeur V de cette automobile en fonction du temps.

L'équation différentielle correspondante est

$$\frac{dV}{dt} = 300t - 3600$$

$$dV = (300t - 3600)\, dt \quad \text{(en séparant les variables)}$$

$$V = \int (300t - 3600)\, dt$$

$$V(t) = 150t^2 - 3600t + C \quad \text{(en intégrant)}$$

Puisque la valeur initiale (c'est-à-dire au temps $t = 0$) de l'automobile est 21 600 \$, nous avons $21\,600 = 150(0)^2 - 3600(0) + C$, ainsi $C = 21\,600$,

d'où $V(t) = 150t^2 - 3600t + 21\,600$.

b) Déterminons la valeur de cette automobile après 3 ans.

En posant $t = 3$, nous obtenons

$$V(3) = 12\ 150, \text{ donc } 12\ 150\ \$.$$

c) Déterminons après combien de temps cette automobile vaudra 6000 $.

En posant $V(t) = 6000$, nous avons

$$150t^2 - 3600t + 21\ 600 = 6000$$

$$150t^2 - 3600t + 15\ 600 = 0$$

En résolvant, nous obtenons $t \approx 5,7$ ans $(t \approx 18,3$ à rejeter$)$

D'où, dans environ 5,7 ans.

Définissons quelques termes employés en mathématiques financières.

<table>
<tr><td>**Définition**</td><td>

1. Le **taux d'intérêt nominal,** noté j, est un taux annuel qui est capitalisé une ou plusieurs fois par année.

2. Le **taux d'intérêt effectif** ou **taux d'intérêt réel,** noté i, est le taux réellement payé annuellement.

</td></tr>
</table>

Le taux de variation d'un capital A, investi à un taux d'intérêt nominal j capitalisé continuellement, est donné par l'équation différentielle suivante :

$$\frac{dA}{dt} = j\,A$$

Exemple 2 Soit un capital de 1000 $ investi à un taux d'intérêt nominal de 6 % capitalisé continuellement.

a) Déterminons la fonction A donnant le capital en fonction du nombre t d'années écoulées.

Puisque $\dfrac{dA}{dt} = 0,06A$ (car $j = 0,06$)

nous obtenons $\dfrac{dA}{A} = 0,06\,dt$ (en séparant les variables)

ainsi $\displaystyle\int \frac{1}{A}\,dA = \int 0,06\,dt$

$$\ln|A| = 0,06t + C \quad \text{(en intégrant)}$$

$$\ln A = 0,06t + C \quad \text{(car } A > 0)$$

En remplaçant t par 0 et A par 1000, nous obtenons

$$\ln 1000 = 0,06(0) + C, \text{ ainsi } C = \ln 1000$$

d'où $\ln A = 0,06t + \ln 1000$ (équation 1)

De l'équation précédente, nous avons

$$A = e^{0,06t + \ln 1000} = e^{0,06t}\, e^{\ln 1000}$$

d'où $A = 1000e^{0,06t}$ (équation 2)

b) Déterminons le capital A après 3 ans.

Pour déterminer ce capital, remplaçons t par 3 dans l'équation 2.

$$A = 1000e^{0,06 \times 3}$$

d'où $A \approx 1197,22$, donc environ 1197,22 $.

c) Déterminons le temps nécessaire pour que le capital initial double.

Pour déterminer ce temps, remplaçons A par 2000 dans l'équation 1.

$$\ln 2000 = 0,06t + \ln 1000$$

$$0,06t = \ln 2000 - \ln 1000 = \ln 2$$

$$t = \frac{\ln 2}{0,06}$$

d'où $t \approx 11,55$, donc environ 11,55 ans.

d) Déterminons le taux d'intérêt effectif i correspondant à cette situation.

En remplaçant t par 1 dans l'équation 2, nous obtenons

$$A = 1000e^{0,06 \times 1} \approx 1061,84, \text{ ainsi } i = \frac{1061,84 - 1000}{1000}$$

d'où $i \approx 0,0618$, donc environ 6,18 %.

Dans un premier cours de calcul différentiel, nous avons vu que le coût marginal C_m est donné par la dérivée de la fonction coût C par rapport à la quantité produite q.

De $C_m = \dfrac{dC}{dq}$, nous obtenons $dC = C_m \, dq$, d'où $C = \int C_m \, dq$.

De façon analogue, nous pouvons obtenir le revenu R de la façon suivante :

$$R = \int R_m \, dq, \text{ où } R_m \text{ est le revenu marginal.}$$

Exercices 2.5

1. Un automobiliste roulant à 54 km/h freine. Si sa décélération est de 2 m/s^2,

   a) déterminer la fonction v donnant la vitesse de l'automobile en fonction du temps ;

   b) déterminer la fonction x donnant la distance parcourue par l'automobile en fonction du temps ;

   c) calculer la distance d parcourue entre le moment où l'automobiliste freine et l'instant précis où l'auto s'immobilise.

2. Nous laissons tomber un objet d'une montgolfière, située à 1225 mètres du sol.

   a) Déterminer la fonction donnant la vitesse de l'objet en fonction du temps.

   b) Déterminer la fonction donnant la position de l'objet en fonction du temps.

c) Calculer le temps que prendra l'objet pour toucher le sol.

d) Calculer la vitesse de l'objet à l'instant où ce dernier touche le sol.

3. Le conducteur d'un train roulant à une vitesse de 90 km/h freine. La décélération du train en fonction du temps est donnée par

$$a = \frac{-1296}{(0,1t + 12)^3} \text{ m/s}^2$$

   a) Déterminer le temps qu'il prendra pour s'immobiliser.

b) Quelle distance aura-t-il franchie ?

 c) Représenter graphiquement les fonctions a, v et x sur l'intervalle approprié.

4. En 2000, la population d'une ville était approximativement de 60 000 habitants. Un démographe estime que la population P de cette ville augmentera proportionnellement à la population présente à un taux continu de 1,2 % par année, pour les 25 prochaines années.

a) Déterminer l'équation différentielle correspondant à cette situation.

b) Exprimer la solution particulière de cette équation différentielle sous 2 formes.

c) Déterminer la population de cette ville en l'an 2015 selon cette projection.

d) Déterminer en quelle année la population sera de 80 000 habitants selon cette projection.

5. Dans une culture de bactéries, le nombre N de bactéries s'accroît à un taux proportionnel en tout temps au nombre de bactéries présentes. Si au temps $t = 0$ nous comptons 10 000 bactéries et, deux heures après, 14 000 bactéries, et si $t \in [0\,h, 8\,h]$,

a) déterminer l'équation différentielle correspondant à cette situation ;

b) exprimer la solution particulière de cette équation différentielle sous 3 formes ;

c) déterminer le nombre de bactéries présentes après 5 heures ;

d) déterminer le temps nécessaire pour que la population initiale double.

6. Soit une population P dont le taux continu de naissance est de 4,2 % par année et le taux continu de mortalité, de 3,5 % par année de la population présente.

a) Déterminer l'équation différentielle correspondant à cette situation.

b) Exprimer la solution particulière de cette équation différentielle sous 2 formes.

c) Déterminer en combien de temps cette population doublera.

d) Si le taux de mortalité était plutôt de 2,4 %, déterminer alors le temps nécessaire pour que la population double.

e) Représenter graphiquement, sur un même système d'axes, les courbes correspondant aux situations données en c) et en d).

7. En l'an 2000, la population P d'une ville du Québec était de 25 000 habitants. Des études sur cette population nous donnent un taux continu de naissance de 2,8 % par année et un taux continu de mortalité de 1,5 % par année. De plus, 1000 personnes par année quittent cette ville pour une autre ville du Québec.

a) Déterminer l'équation différentielle correspondant à cette situation.

b) Exprimer la solution particulière de cette équation différentielle sous 2 formes.

c) Sous les mêmes conditions, quelle sera la population de cette ville en 2010 ?

d) En quelle année la population de cette ville deviendra-t-elle inférieure à 10 000 habitants ?

e) Déterminer théoriquement l'année où la population de cette ville sera nulle.

f) Représenter graphiquement la fonction donnant la population en fonction du temps sur un intervalle approprié.

8. Le carbone-14, utilisé pour déterminer l'âge des fossiles, est un élément radioactif dont la demi-vie est approximativement de 5600 ans. Sachant que le taux de désintégration de la masse Q est proportionnel à celle-ci,

a) déterminer l'équation différentielle correspondant à cette situation ;

b) exprimer la solution particulière de cette équation différentielle sous 3 formes ;

c) déterminer la quantité restante de carbone-14 au bout de 10 000 ans.

d) Au bout de combien d'années 90 % de la quantité initiale sera-t-elle désintégrée ?

e) Représenter graphiquement Q en fonction de t et le point de la courbe où $Q = \dfrac{Q_0}{2}$.

9. D'après la loi de refroidissement de Newton, nous savons que $\dfrac{dT}{dt} = K(T - A)$, où A est la température ambiante et T, la température d'un objet à un temps t déterminé. En 10 minutes, un corps dans l'air à 20 °C passe de 65 °C à 30 °C.

a) Exprimer la solution particulière de cette situation sous 3 formes.

b) Déterminer le temps nécessaire pour que l'objet atteigne une température de 45 °C.

c) Déterminer en combien de temps l'objet passe de 50 °C à 35 °C.

d) Déterminer la température du corps après 40 minutes.

e) Déterminer théoriquement la température minimale T_{min} du corps.

O T f) Représenter T en fonction de t, ainsi que l'asymptote correspondante.

10. Dans un bassin contenant 4000 litres d'eau, on dissout 160 kilogrammes d'une substance A. On introduit, au rythme de 200 litres par minute, de l'eau contenant 0,015 kilogramme par litre de la substance A. Si le mélange du bassin est homogène et que le bassin se vide au même rythme qu'il se remplit,

a) déterminer l'équation différentielle correspondant à cette situation, où Q est la quantité de la substance A présente à chaque instant.

b) Exprimer la solution particulière de cette équation différentielle sous 2 formes.

c) Après combien de temps ne restera-t-il que 100 kilogrammes de substance A dans le mélange ?

d) Combien restera-t-il de substance A après 1 heure ?

e) Trouver théoriquement la quantité minimale Q_{min} de la substance A.

O T f) Représenter graphiquement Q en fonction de t, ainsi que l'asymptote correspondante.

11. Un réservoir d'une capacité de 5000 litres contient 1000 litres d'eau dans laquelle sont dissous 50 kilogrammes de sel. Pour remplir ce réservoir, nous introduisons de l'eau pure au rythme de 2 litres par minute. Si le réservoir se vide du mélange uniforme au rythme de 1 litre par minute,

a) déterminer l'équation différentielle correspondant à cette situation ;

b) exprimer la quantité de sel dissous dans l'eau en fonction du temps ;

c) déterminer le temps nécessaire pour qu'il reste 20 kilogrammes de sel dans le mélange ;

d) donner la concentration de sel présent dans le mélange à ce moment ;

e) lorsque le réservoir est rempli, déterminer la quantité de sel présent dans le mélange.

12. Un cylindre droit, dont le rayon est de 5 mètres, a une hauteur de 12 mètres. Si ce réservoir, dont la base circulaire est horizontale, est rempli d'une substance qui se vide à un rythme proportionnel à la hauteur de la substance présente et qu'après 5 heures il reste 80 % de la quantité initiale,

a) déterminer l'équation différentielle donnant la variation de volume de la substance par rapport au temps ;

b) exprimer le volume de cette substance en fonction du temps ;

c) déterminer le volume de la substance après 8 heures ;

d) trouver le temps nécessaire pour que 60 % de la substance initiale se soit vidée ;

e) déterminer la hauteur de la substance présente dans le cylindre après 1 journée.

13. Une compagnie pharmaceutique estime qu'une personne adulte élimine un médicament à un taux de $\dfrac{50}{1+t}$ millilitres par heure. Nous administrons 100 millilitres de ce médicament à une personne. Si Q est la quantité de ce médicament présente à chaque instant,

a) déterminer l'équation différentielle correspondant à cette situation ;

b) résoudre cette équation différentielle ;

c) trouver la quantité de médicament présente après 2 heures ;

d) trouver la quantité de médicament éliminée après 4 heures ;

e) déterminer après combien d'heures le médicament ne sera plus présent dans l'organisme.

f) Sans utiliser un outil technologique, tracer le graphique de la courbe de la quantité Q de ce médicament.

14. Un bateau de 31 250 $ se déprécie à un taux de $100t - 2500$ $/an, où $0 \le t \le 12$.

a) Trouver la valeur V de ce bateau après 3 ans.

b) Après combien d'années la valeur du bateau sera-t-elle de 22 050 $?

15. Un administrateur estime que son coût marginal est donné par $C_m = 5q^2 + 3q$ \$/unité, où q représente le nombre de milliers d'unités produites.

a) Déterminer la fonction F donnant le coût en fonction de q si les coûts fixes sont de 3096 \$.

b) Trouver le coût de 12 000 unités produites.

16. Un certain capital A est placé à un taux d'intérêt nominal de 10 % capitalisé continuellement. Après 5 ans, le capital accumulé est de 8243,61 \$.

a) Déterminer l'équation différentielle correspondant à cette situation.

b) Exprimer la solution particulière de cette équation différentielle sous 2 formes.

c) Trouver le capital initial.

d) Déterminer le temps qu'il faudra placer ce capital pour obtenir un capital de 20 000 \$.

17. Une somme d'argent est investie à un taux d'intérêt nominal j, capitalisé continuellement.

a) Déterminer l'équation différentielle correspondant à cette situation.

b) Exprimer la solution particulière de cette équation différentielle sous 2 formes.

c) En combien d'années le montant initial doublera-t-il si $j = 4$ % ? si $j = 8$ % ?

d) Calculer le capital final si $j = 5$ % et $t = 7$ ans ; si $j = 7$ % et $t = 5$ ans.

Réseau de concepts

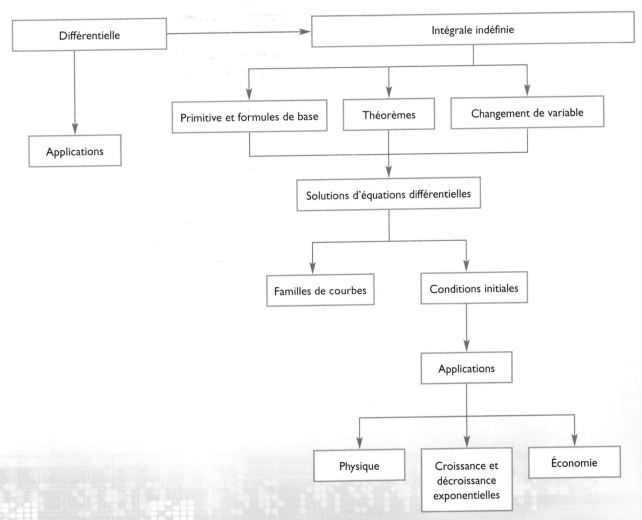

Liste de vérification des connaissances

RÉPONDRE PAR **OUI** OU PAR **NON**.		
Après l'étude de ce chapitre, je suis en mesure :	**OUI**	**NON**
1. de connaître la définition de dx et celle de dy, où $y = f(x)$;		
2. de déterminer la différentielle de certaines fonctions ;		
3. de trouver des différentielles à l'aide des règles de dérivation ;		
4. d'utiliser la différentielle pour démontrer certaines égalités ;		
5. de repérer sur un graphique les valeurs dx, dy, Δx et Δy ;		
6. de calculer approximativement certaines quantités en utilisant la différentielle ;		
7. de connaître la définition de primitive (ou d'antidérivée) ;		
8. de connaître la terminologie et d'appliquer la notation employées dans l'étude de l'intégrale indéfinie ;		
9. de connaître certaines propriétés de l'intégrale indéfinie ;		
10. de calculer l'intégrale indéfinie de x^a, où $a \in \mathbb{R}$ et $a \neq -1$;		
11. de calculer l'intégrale indéfinie de x^a, où $a = -1$;		
12. d'utiliser les formules d'intégration de base de certaines fonctions ;		
13. de transformer la fonction à intégrer afin d'utiliser si possible les formules de base ;		
14. de résoudre une intégrale à l'aide d'un changement de variable ;		
15. de déterminer des formules d'intégration pour les fonctions $\tan x$ et $\cot x$, et de les appliquer ;		
16. de déterminer des formules d'intégration pour les fonctions $\sec x$ et $\csc x$, et de les appliquer ;		
17. de calculer des intégrales après avoir utilisé certains artifices de calcul ou certaines identités ;		
18. de connaître la définition d'une équation différentielle ainsi que la définition de solution à une équation différentielle ;		
19. de résoudre des équations différentielles ;		
20. de comprendre la notion de famille de courbes ;		
21. de déterminer, parmi une famille de courbes, la courbe qui satisfait une condition initiale ;		
22. d'établir la relation entre les notions de position, de vitesse et d'accélération afin de résoudre des problèmes de physique ;		
23. d'utiliser l'intégrale indéfinie pour résoudre des problèmes de croissance et de décroissance exponentielles ;		
24. d'utiliser l'intégrale indéfinie pour résoudre des problèmes d'économie.		
Si vous avez répondu **NON** à l'une de ces questions, il serait préférable pour vous d'étudier de nouveau cette notion.		

▦ Exercices récapitulatifs

1. Calculer d'une façon approximative les valeurs suivantes en utilisant la différentielle.

   a) $\sqrt{26} + \sqrt[3]{26}$ b) $\tan 44°$

2. Nous accroissons l'arête d'un cube de 8 centimètres à 8,01 centimètres.

   a) Calculer dV, l'augmentation approximative du volume, et ΔV, l'augmentation réelle du volume de ce cube.

   b) Calculer dA, l'augmentation approximative de l'aire des faces du cube, et ΔA, l'augmentation réelle de l'aire des faces.

3. La fabrication d'un cylindre droit fermé aux extrémités nécessite le moins de matériau lorsque la hauteur du cylindre est égale à son diamètre*. En mesurant la hauteur d'un tel cylindre à l'aide d'un instrument de mesure dont la précision est de $\pm 0,02$ cm, nous obtenons 14,3 cm. Calculer approximativement, à l'aide de la différentielle :

   a) l'erreur absolue E_a de la mesure de l'aire A ;

   b) l'erreur relative E_r ;

   c) l'erreur relative E_r, en fonction de h et de dh, si la mesure de la hauteur et de la précision sont quelconques lorsque le cylindre satisfait les conditions énoncées.

4. Démontrer les formules d'intégration suivantes en utilisant un changement de variable approprié.

   a) $\int \cot x \, dx = \ln |\sin x| + C$ (formule 15)

   b) $\int \csc x \, dx = -\ln |\csc x + \cot x| + C$

   (formule 17 a)

   c) $\int \csc x \, dx = \ln |\csc x - \cot x| + C$

   (formule 17 b)

5. Calculer les intégrales suivantes.

   b) $\int \left(\sqrt[5]{x^3} + \dfrac{4}{\sqrt{x}} - \dfrac{7}{\sqrt[3]{x^5}} \right) dx$

   b) $\int \left(\dfrac{7}{3u} - \dfrac{4}{5u^2} - \dfrac{2}{7\sqrt{1-u^2}} \right) du$

   c) $\int \left(\dfrac{3}{5t^2+5} - 10^t \right) dt$

   d) $\int \sec \theta \, (\sec \theta - \tan \theta) \, d\theta$

   e) $\int \left(1 - \dfrac{1}{\sqrt{x}} \right)^2 dx$

   f) $\int \dfrac{x^2 - 4}{x^2 + 1} \, dx$

   g) $\int \dfrac{x^2 - x - 6}{x^2 + 2x} \, dx$

   h) $\int (\tan \theta + \cot \theta)^2 \, d\theta$

6. Calculer les intégrales suivantes.

   a) $\int 2x^2 \, (5 - x^3)^8 \, dx$

   b) $\int \sin^3 2\theta \cos 2\theta \, d\theta$

   c) $\int 3x \sin x^2 \, dx$

   d) $\int \dfrac{4u}{u^2 + 1} \, du$

   e) $\int (3x^4 + 3) \sec^2 (x^5 + 5x) \, dx$

   f) $\int \dfrac{e^{\frac{1}{x}}}{3x^2} \, dx$

   g) $\int \dfrac{1}{(1 + x^2) \operatorname{Arc\,tan} x} \, dx$

   h) $\int \sec^4 \left(\dfrac{t}{3} \right) \tan \left(\dfrac{t}{3} \right) dt$

   i) $\int \dfrac{e^{\sin 3x}}{\sec 3x} \, dx$

   j) $\int \dfrac{8}{\left(1 + \dfrac{1}{v^2} \right)^3 v^3} \, dv$

   k) $\int \csc^2 4\theta \cot^2 4\theta \, d\theta$

   l) $\int \dfrac{e^x + \sin x}{\sqrt{e^x - \cos x}} \, dx$

7. Calculer les intégrales suivantes à l'aide de changements de variable.

   a) $\int \left(e^{\left(\frac{-x}{3} \right)} + 3^{6x} \right) dx$

   b) $\int \left(\sin \left(\dfrac{\theta}{5} \right) - \cos 4\theta \right) d\theta$

   c) $\int \left(\sqrt{8 - t} + \dfrac{3t}{\sqrt{9 + t^2}} - \dfrac{9}{\sqrt{t} \, (1 + \sqrt{t})^5} \right) dt$

---

* Voir Calcul différentiel, *5ᵉ édition, de Gilles Charron et Pierre Parent, Laval, Groupe Beauchemin, éditeur, 2002, page 216, nᵒ 16.*

d) $\int \left(\dfrac{\sec^2 \sqrt{x}}{\sqrt{x}} - x^3 \csc^2 x^4 \right) dx$

e) $\int \left(\dfrac{1}{(3h+1)^2} - \dfrac{6}{5h+6} \right) dh$

f) $\int \left(\dfrac{4 \log x}{x} - \dfrac{5}{e^x} + \dfrac{1}{3x \ln x} \right) dx$

8. Calculer les intégrales suivantes en utilisant, si nécessaire, des identités trigonométriques et un changement de variable.

a) $\int \sec(3x+4)\, dx$

b) $\int \sec^2(\tan \theta) \sec^2 \theta\, d\theta$

c) $\int 3x \tan 3x^2\, dx$

d) $\int \tan^2(5t+1)\, dt$

e) $\int (\sec 5\theta + 3 \tan 5\theta)^2\, d\theta$

f) $\int \left(\dfrac{\sin x}{\cos^2 x} - \dfrac{\sin^2 x}{\cos x} \right) dx$

g) $\int \cot^3 \varphi \sec^2 \varphi\, d\varphi$

h) $\int \sin^2 \left(\dfrac{x}{2} \right) dx$

i) $\int (\sin t + \cos t)^2\, dt$

j) $\int \dfrac{8}{\sin(1-4x)}\, dx$

k) $\int \dfrac{1}{\tan t \sqrt{\csc t}}\, dt$

l) $\int \dfrac{\tan \theta}{1 + \sec \theta}\, d\theta$

9. Calculer les intégrales suivantes.

a) $\int \dfrac{1}{\sqrt{x}} \left(2x + 7 - \dfrac{5}{\sqrt{x}} + e^{\sqrt{x}} \right) dx$

b) $\int \dfrac{1}{t^2 + 2t + 1}\, dt$

c) $\int e^x \sin^4(e^x) \cos(e^x)\, dx$

d) $\int \left(\dfrac{e^{2x}}{2 + e^{2x}} + \dfrac{2 + e^{2x}}{e^{2x}} \right) dx$

e) $\int \dfrac{6u+5}{3u+1}\, du$

f) $\int \csc^{\frac{3}{2}}(1-x) \cot(1-x)\, dx$

g) $\int \sec^2 \theta \tan \theta (\tan^2 \theta + \sec \theta)\, d\theta$

h) $\int \dfrac{6}{1 + \cos 2x}\, dx$

i) $\int \dfrac{1}{\sqrt{7 - y^2}}\, dy$

j) $\int \dfrac{1}{t \ln t \sqrt{\ln^2 t - 1}}\, dt$

k) $\int \left(\dfrac{8x}{\sqrt{1-x^2}} + \dfrac{8x}{\sqrt{1-x^4}} \right) dx$

l) $\int 3x^2 (x^2 + (x^3+1)^{12})\, dx$

m) $\int \dfrac{e^x}{4e^{2x} + 9}\, dx$

n) $\int x^3 \sqrt{1 - x^2}\, dx$

10. Résoudre les équations différentielles suivantes.

a) $\dfrac{dy}{dx} = \dfrac{x}{y}, y < 0; y = -3$ lorsque $x = 4$.

b) $\dfrac{ds}{dt} = \dfrac{s}{t}, s > 0, t > 0; s = 20$ lorsque $t = 5$.

c) $\dfrac{dx}{dt} = \sin t \cos^2 x; x = \dfrac{\pi}{4}$ lorsque $t = \pi$.

d) $\dfrac{dy}{dx} = e^{2x-y}; y = 8$ lorsque $x = 4$.

e) $\dfrac{dy}{dx} = (3 - 5y)x, y < \dfrac{3}{5}; y = 0$ lorsque $x = 0$.

11. Trouver l'équation de la courbe qui satisfait les conditions suivantes.

a) $f''(x) = e^x + e^{-x} + \cos x, f'(0) = 1$ et $f(0) = 2$.

b) $g''(x) = 12x - 8$, la pente de la tangente à cette courbe au point P(2, g(2)) est 11 et la courbe passe par le point R(0, 1).

c) $h''(x) = 6x$ et la courbe passe par les points R(0, 5) et S(-3, -4).

12. a) Trouver l'équation de la famille de courbes dont la pente de la tangente, en tout point (x, y) où $x \neq 0$ et $y \neq 0$, est égale au produit des coordonnées.

b) Déterminer l'équation de la courbe passant par le point $(2, e)$; par le point $(-1, -e)$.

13. a) Identifier la famille de courbes satisfaisant l'équation différentielle suivante :
$$(x - 4)\, dx + y\, dy = 0$$

b) Trouver l'équation d'une deuxième famille de courbes orthogonales à celle de a).

c) Représenter graphiquement, sur un même système d'axes, les deux familles de courbes.

d) Déterminer l'équation des courbes des familles précédentes qui passent par le point P(6, $\sqrt{3}$).

14. Du haut d'un édifice de 245 mètres, nous lançons un objet verticalement vers le haut avec une vitesse initiale de 24,5 m/s.

a) Déterminer la fonction donnant la vitesse de l'objet.

b) Déterminer la fonction donnant la position de l'objet par rapport au sol.

c) À quelle valeur de t l'objet atteindra-t-il sa hauteur maximale ?

d) Quelle est la hauteur maximale que pourra atteindre l'objet ?

e) Calculer la vitesse de l'objet en arrivant au sol.

15. L'accélération d'un mobile en fonction du temps est donnée par $a = \dfrac{100}{(25 - 2t)^2}$, où t est en secondes, $0 \le t \le 12$ et a est en m/s². Sachant que sa vitesse initiale est de 4 m/s, calculer la distance parcourue par le mobile entre la 3e et la 7e seconde.

16. On raconte qu'en 1626 un individu aurait déboursé 24 $ pour l'île de Manhattan. Nous estimons qu'en 1990 sa valeur était de 6×10^{11} $. Calculer le taux d'intérêt nominal, capitalisé continuellement, correspondant à cet accroissement.

17. En 1980, nous comptions 2000 bélougas dans le fleuve Saint-Laurent et 600 en 1990. Si le nombre de bélougas diminue à un taux proportionnel au nombre de bélougas présents,

a) trouver le nombre de bélougas en l'an 2005.

b) En quelle année la population sera-t-elle de 50 bélougas ?

c) Dans ces conditions, vers quelle année la population de bélougas disparaîtra-t-elle ?

18. Pour les abeilles travailleuses d'une ruche, le taux continu de décès de la population P est de 4 % par jour. Déterminer le nombre de jours nécessaires pour que la population soit réduite de moitié.

19. Le potassium-42 a un taux continu de désintégration de 5,5 % par heure.

a) Déterminer la quantité restante après 3 heures.

b) Déterminer la quantité désintégrée après 1 journée.

c) Trouver la demi-vie de cette substance.

d) Déterminer le temps nécessaire pour que 99 % de la substance initiale soit désintégrée.

20. Lors de l'explosion, en 1986, des réacteurs de la centrale nucléaire de Tchernobyl, en Ukraine, une substance radioactive de césium-137 fut trouvée près du lieu de l'explosion. Le taux continu de désintégration de cette substance est de 1,87 % par année. S'il faut 7 demi-vies avant que le césium-137 ne soit plus considéré comme dangereux, trouver le nombre d'années nécessaires pour que nous puissions considérer l'endroit comme sécuritaire et déterminer le pourcentage de la quantité initiale de césium-137 qui restera à ce moment.

21. Le propriétaire d'une galerie d'art estime qu'une toile, dont la valeur initiale est de 2000 $, s'appréciera au cours des 10 prochaines années à un taux de $\dfrac{45\,(1,5)^{\sqrt{t}}}{\sqrt{t}}$ $/an.

a) Déterminer l'équation donnant la valeur V de cette toile en fonction du temps et la valeur de cette toile après 10 ans.

b) Après combien d'années le prix de la toile sera-t-il de 2377 $?

22. Nicole investit un capital de 10 000 $ à un taux d'intérêt nominal de 5,75 % capitalisé continuellement.

a) Déterminer la valeur V du capital accumulé après 8 ans.

b) Déterminer en combien d'années son capital doublera.

c) À quel taux d'intérêt nominal capitalisé continuellement faudrait-il placer ce capital pour obtenir la valeur V en 7 ans ?

d) À un taux d'intérêt nominal de 6,25 % capitalisé continuellement, déterminer la valeur du capital initial nécessaire pour obtenir la même valeur V en 8 ans.

e) Quel montant Nicole devra-t-elle investir en 2005 si elle veut un montant de 30 000 $ en 2030, sachant que le taux d'intérêt nominal est de 5 % capitalisé continuellement ?

23. Soit une ville dont la population en 1995 était de 46 000 habitants. Les démographes observent par des études statistiques que le taux continu de naissance est de 4 % par année, le taux continu de mortalité, de 1 % par année, et qu'en moyenne 240 personnes quittent annuellement cette ville.

a) Déterminer l'équation donnant la population de cette ville en fonction du temps.

b) Trouver la population de cette ville en 2015.

c) En combien d'années la population de cette ville doublera-t-elle ?

24. Dans un milieu donné, le nombre maximal de bactéries est de 500 000 ; de plus, le taux de croissance de cette population est proportionnel à la différence entre le nombre maximal de bactéries et le nombre présent de bactéries. Si au début de notre expérience nous comptions 50 000 bactéries et, 2 heures après, 80 000 bactéries,

a) exprimer le nombre N de bactéries présentes en fonction du temps ;

b) trouver le nombre de bactéries présentes après 1 jour.

c) Après combien de temps la population de cette culture sera-t-elle de 450 000 ?

O T d) Représenter graphiquement la courbe de N et son asymptote, s'il y a lieu.

25. En arrivant à 17 h sur les lieux d'un meurtre, les inspecteurs Pierre et Gilles notent que la température du corps est de 35 °C et que celle de la pièce est de 21 °C. Une heure plus tard, la température de la pièce est encore de 21 °C et celle du corps est de 33,5 °C. D'après la loi de refroidissement de Newton, nous savons que la température du corps varie proportionnellement à la différence entre la température du corps et la température ambiante. Sachant que la température normale du corps est de 37 °C, déterminer approximativement l'heure du décès.

26. Deux objets, situés dans une même pièce à une température ambiante constante de 20 °C, passent respectivement de 90 °C à 60 °C et de 80 °C à 70 °C en 10 minutes.

a) Après combien de temps les objets seront-ils à la même température ?

b) Trouver cette température.

O T c) Représenter graphiquement, sur un même système d'axes, les courbes représentant la température des objets en fonction du temps sur [0 min, 10 min].

27. En supposant que la température est constante quelle que soit l'altitude, nous pouvons affirmer que la variation de la pression atmosphérique P en fonction de l'altitude h est proportionnelle à P. Si au niveau de la mer (altitude 0) la pression est de 1 atm, et qu'elle est de 0,56 atm à 5 km d'altitude, déterminer la pression à 8 km d'altitude.

28. Dans un réservoir, nous trouvons 900 litres d'eau dans laquelle 100 kilogrammes de sel sont dissous. Nous remplissons le réservoir avec de l'eau pure au rythme de 30 litres par minute ; il en sort un mélange uniforme, au même rythme.

a) Exprimer la quantité Q de sel en fonction du temps.

b) Quelle quantité de sel restera-t-il après 1 heure ?

c) Après combien de temps la quantité de sel sera-t-elle de 50 grammes ?

29. Dans un réservoir, nous trouvons 700 litres d'eau pure. Nous introduisons, au rythme de 20 litres par minute, de l'eau contenant 200 grammes de sel par litre. Si le mélange du bassin est homogène et que le bassin se vide au même rythme qu'il se remplit,

a) déterminer l'équation différentielle correspondant à cette situation ;

b) exprimer la quantité de sel présente en fonction du temps ;

c) déterminer la quantité de sel présente dans le réservoir après 24 minutes.

d) Après combien de temps trouverons-nous la moitié de la quantité maximale possible de sel dans ce réservoir ?

O T e) Représenter graphiquement la courbe de Q en fonction du temps t et l'asymptote correspondante, s'il y a lieu.

30. Un réservoir cylindrique droit de 20 cm de rayon et de 64 cm de hauteur est rempli d'un liquide. Ce réservoir, dont la base circulaire est horizontale, se vide par un orifice à un rythme proportionnel à la racine carrée de la hauteur du liquide présent. Si après 5 minutes il reste le quart du liquide initial,

a) exprimer la hauteur du liquide présent en fonction du temps.

b) En combien de temps le réservoir se videra-t-il du reste ?

▦ Problèmes de synthèse

I. Calculer les intégrales suivantes.

a) $\displaystyle\int \frac{1}{e^x + e^{-x} + 2}\, dx$

f) $\displaystyle\int \sqrt[3]{x^5 - 2x^3}\, dx$

b) $\displaystyle\int \frac{t^2}{\sqrt{t-1}}\, dt$

g) $\displaystyle\int \sqrt[3]{x^{11} - 2x^9}\, dx$

c) $\displaystyle\int \frac{x}{1 + x\tan x}\, dx$

h) $\displaystyle\int \sqrt{1 - \sin t}\, dt$

d) $\displaystyle\int \frac{\sqrt{u}}{u^3 + 1}\, du$

i) $\displaystyle\int \frac{\sin 2\theta}{\cos \theta}\, d\theta$

e) $\displaystyle\int \frac{1}{v + \sqrt{v}}\, dv$

j) $\displaystyle\int \frac{1}{\sin^2 \varphi \cos^2 \varphi}\, d\varphi$

2. Soit l'équation différentielle

$(x^2 + 1)\dfrac{dy}{dx} = 4xy + y.$

Résoudre cette équation différentielle et déterminer l'équation de la courbe qui passe par $P\left(\dfrac{-\pi}{4}, 1\right)$.

3. a) Trouver l'équation de la famille de courbes dont la pente de la tangente, en tout point (x, y) où $x \neq 0$ et $y \neq 0$, est égale à l'abscisse élevée à la puissance 2, divisée par l'ordonnée élevée à la puissance 4.

b) Trouver l'équation de la famille de courbes orthogonales à celle définie en a).

c) Déterminer l'équation des courbes des deux familles précédentes, qui passent par le point P(3, 2).

d) Représenter graphiquement, sur un même système d'axes, les deux courbes précédentes sur un intervalle approprié.

4. Un mobile se déplace à une vitesse $v = \cos^2\left(\dfrac{\pi x}{100}\right)$ 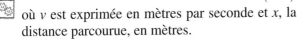 où v est exprimée en mètres par seconde et x, la distance parcourue, en mètres.

a) Trouver le temps nécessaire au mobile pour parcourir 25 mètres.

b) Déterminer la distance parcourue par le mobile après 1 journée.

c) Déterminer théoriquement le temps que prendrait le mobile pour parcourir 50 mètres.

d) Déterminer la fonction donnant la vitesse et celle donnant l'accélération du mobile en fonction du temps.

5. Par une nuit claire et calme, au sommet d'une montagne désertique, sans végétation, le refroidissement de la terre suit approximativement la loi de Stefan (physicien autrichien, 1835-1893), c'est-à-dire que le taux de décrois-  sance de la température est proportionnel à la puissance quatrième de la température exprimée en kelvins. La température observée à 22 heures est de 293 K et à minuit, elle est de 282 K.

a) Exprimer la température T en fonction du temps.

b) Déterminer la température à 4 heures.

6. Pour endormir un chat au cours d'une opération, on lui administre un produit ayant une demi-vie de 3 heures. Une quantité minimale de 18 ml/kg du produit est nécessaire pour qu'un chat reste endormi pendant une  opération. Déterminer la dose à injecter à un chat de 5,5 kg pour qu'il reste endormi durant 45 minutes, sachant que le taux d'élimination de la quantité de médicament est proportionnel à la quantité présente.

7. Déterminer à quelle vitesse maximale en km/h un automobiliste peut rouler s'il veut arrêter son automobile en moins de 32 mètres, étant donné que sa décélération constante est de 8 m/s^2.

8. Un automobiliste passe de 0 km/h à 240 km/h sur une piste d'accélération longue de 0,4 km. En supposant que son accélération est constante, déterminer la durée de sa course ainsi que son accélération.

9. Une automobiliste roulant à 90 km/h freine et s'arrête 50 mètres plus loin. Considérant sa décélération constante, calculer le temps requis pour s'arrêter, ainsi que sa décélération.

10. La valeur finale A d'un capital initial A_0 est donnée par $A = A_0 \left(1 + \dfrac{j}{x}\right)^{xt}$, où j est le taux d'intérêt nominal, x le nombre de capitalisations annuelles et t, le nombre d'années. Si nous plaçons 1000 $ à un taux nominal de 6 % pour 5 ans,

  a) calculer A, si la somme d'argent est capitalisée annuellement ;

  b) calculer A, si A est capitalisé semestriellement ;

  c) calculer A, si A est capitalisé mensuellement ;

  d) calculer A, si A est capitalisé quotidiennement ;

  e) calculer A, si $x \to +\infty$;

  f) calculer A, si $\dfrac{dA}{dt} = 0{,}06A$ pour $A_0 = 1000$ et $t = 5$ ans.

  g) Comparer les résultats obtenus en e) et f).

11. a) Si un montant d'argent A est capitalisé continuellement à un taux nominal j, exprimer le taux effectif i en fonction de j.

  b) Déterminer le taux effectif i lorsque $j = 7{,}25$ % et que la capitalisation est continue.

12. Un cube de glace de 27 cm^3 fond à un rythme proportionnel à la surface extérieure du cube. Après 5 minutes, le volume du cube est de 8 cm^3.

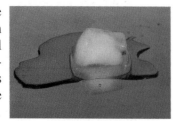

  a) Trouver le volume du cube de glace après 7 minutes.

  b) Trouver le temps que prend le cube de glace pour fondre entièrement.

13. D'après la loi de refroidissement de Newton, nous savons que $\dfrac{dT}{dt} = K(T - A)$, où T est la température de l'objet et A, la température ambiante, qui est constante. Pour un objet dont la température initiale est T_0, exprimer, de façon générale, T en fonction de t.

14. Dans un restaurant où la température est de 22 °C, Lyne et Johanne commandent toutes les deux un café qu'elles reçoivent en même temps. Lyne y ajoute 10 ml de lait et le laisse refroidir. Six minutes plus tard, Johanne ajoute la même quantité de lait à son café et toutes les deux commencent à boire. Si les deux tasses contenaient initialement 250 ml de café à 85 °C et que la température du lait est de 4 °C dans les deux cas, déterminer laquelle boira son café le plus chaud au moment où elles commencent à boire en donnant la température du café de chacune et en utilisant la loi de refroidissement de Newton, $\dfrac{dT}{dt} = K(T - A)$, où $K = -0{,}02$.

15. Soit une cuisine de 120 m^3, adjacente à un garage. Une automobile située dans le garage démarre. La concentration de monoxyde de carbone produite par l'automobile se maintient à 5 %. Si 0,8 m^3/min d'air, contenant le monoxyde de carbone et provenant du garage, s'infiltre dans la cuisine et que la même quantité d'air s'échappe de la pièce vers l'extérieur de la maison,

  a) déterminer la fonction donnant le volume V de monoxyde de carbone en fonction du temps t ;

  b) si on considère qu'une concentration de monoxyde de carbone peut être dangereuse à 1,4 %, déterminer le nombre de minutes pour atteindre cette concentration ;

  c) représenter graphiquement la courbe de V.

16. Soit L la longueur d'un pendule et T sa période pour de petits déplacements angulaires, lorsque la seule force agissant sur le pendule est l'attraction terrestre ; alors nous avons $\dfrac{dT}{dL} = \dfrac{T}{2L}$. Exprimer T en fonction de L, sachant que si L est égale à 1 mètre, T égale $\dfrac{2\pi}{\sqrt{g}}$.

17. Par une journée d'hiver, il commence à neiger très tôt le matin, la neige tombant à un taux constant de 7 cm/h. Le service de déneigement d'une ville commence à nettoyer les rues à 7 h. À 9 h, le service a nettoyé 14 km de route et à 11 h, il a nettoyé 7 km supplémentaires. Sachant que la vitesse à laquelle le service de déneige-ment nettoie les rues est inversement proportion-nelle à la hauteur de neige accumulée, déter-miner à quelle heure il a commencé à neiger.

18. L'équation des gaz de Van der Waals (physicien hollandais, 1837-1923) est :

$$\left(p + \frac{a}{v^2}\right)(v - b) = nRT,$$

où a, b, R et n sont des constantes et p, v et T désignent respectivement la pression, le volume et la température.

a) Si la température T est maintenue constante, trouver une approximation pour la variation de pression produite par une petite variation du volume du gaz.

b) Si le volume v est maintenu constant, trouver une approximation pour la variation de pres-sion produite par une petite variation de la température du gaz.

c) Si la pression p est maintenue constante, trouver une approximation pour la variation de la température produite par une petite variation du volume du gaz.

19. Supposons une fusée se déplaçant dans l'espace où aucune force gravitationnelle n'est exercée. Soit v_0 la vitesse initiale de cette fusée et m_0, sa masse initiale. Si nous éjectons du gaz de cette fusée à une vitesse u_0, la loi de conservation du moment en physique définit que le taux de variation de la vitesse de cette fusée par rapport à la masse de celle-ci est donné par $\frac{dv}{dm} = \frac{-u_0}{m}$.

a) Exprimer v en fonction de m.

b) Étudier le comportement de m lorsque $v \rightarrow +\infty$.

20. La loi d'Ohm pour un circuit contenant une inductance est donnée par $E = L\frac{dI}{dt} + RI$, où R, L et E sont des constantes. Exprimer I en fonc-tion du temps, sachant que lorsque $t = 0$, $I = 0$.

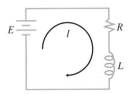

21. Le problème suivant correspond à l'évolution simultanée de deux populations, dans un habitat fermé, dont l'une sert d'aliment à l'autre. Par exemple, une zone québécoise constitue un habitat fermé pour les chevreuils et les loups, ces derniers se nourrissant à peu près exclu-sivement des premiers.

Soit C et L, le nombre, en tout temps, de che-vreuils et de loups.

D'une part, le taux continu de naissance des chevreuils est proportionnel au nombre de che-vreuils présents et le taux continu de mortalité de ces derniers, non dévorés par les loups, est également proportionnel à leur nombre. Soit n_1 et m_1, les constantes de proportionnalité res-pectives telles que $n_1 > m_1$. De plus, le taux continu de mortalité des chevreuils dévorés par les loups est à la fois proportionnel au nombre de chevreuils et au nombre de loups présents. Soit p la constante de proportionnalité.

D'autre part, le taux continu de naissance des loups est à la fois proportionnel au nombre de chevreuils et au nombre de loups présents, et le taux continu de mortalité de ces derniers est proportionnel au nombre de loups présents. Soit h et m_2, les constantes de proportionnalité res-pectives.

a) Déterminer $\frac{dC}{dt}$ et $\frac{dL}{dt}$.

b) Établir la relation entre C et L, et l'exprimer sous la forme $K = f(C)g(L)$, où K désigne une constante.

Le graphique résultant de l'évolution des deux populations est le suivant.

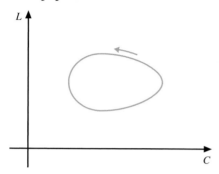

c) Pour quelles valeurs de C la tangente à la courbe est-elle parallèle à l'axe horizontal, et pour quelles valeurs de L la tangente à la courbe est-elle parallèle à l'axe vertical ?

d) Si le cycle est dans le sens indiqué par la flèche représentée sur le graphique, interpréter l'évolution des populations.

CHAPITRE **3**

Intégrale définie

Introduction

Archimède fut l'un des premiers à calculer l'aire d'une figure géométrique bornée, en découpant la surface intérieure de la figure en minces bandes parallèles, pour ensuite additionner les aires de ces bandes.

Dans un premier temps, nous calculerons donc l'aire de certaines régions fermées en utilisant le même principe et en appliquant la notion de limite pour évaluer l'aire exacte de la région.

Nous définirons ensuite, à l'aide de sommes de Riemann, l'intégrale définie sur un intervalle donné. Nous énoncerons le théorème fondamental du calcul intégral, dont la démonstration nous permettra ultérieurement de constater les liens existant entre la différentiation, l'intégration et l'intégrale définie. Isaac Newton (1642-1727) et Gottfried Leibniz (1646-1716) furent les premiers, alors qu'ils travaillaient séparément, à établir les liens entre ces notions. L'utilisation du théorème fondamental nous permettra de résoudre facilement des problèmes concrets dans différents domaines d'application, comme le calcul d'aires (application principale de ce chapitre), la recherche du centre de gravité, le calcul du travail en physique, l'étude de croissance d'une population, les variations d'une valeur financière, etc.

En particulier, l'élève pourra calculer, à l'aide de l'intégrale définie, la valeur exacte de l'aire d'une région plane fermée et trouver son centre de gravité.

(Exercices récapitulatifs, n° 23, page 169.)

La découverte, par Newton et Leibniz, du théorème fondamental du calcul différentiel et intégral, établissant un lien entre les problèmes de mouvements (dérivation) et ceux de calcul d'aire (intégration), fournit aux physiciens et mathématiciens un nouvel outil extrêmement puissant. Étant donné les qualités et l'efficacité du symbolisme de Leibniz, les mathématiciens du XVIIe siècle et surtout ceux du XVIIIe siècle constatèrent que les processus de sommation infinie, qui impliquent toutes sortes de difficultés, se réduisent le plus souvent à la recherche d'une fonction dont on connaît déjà la dérivée, un processus de manipulation symbolique assez simple et souvent automatique.

Fort de ces techniques, Leonhard Euler réussit à mathématiser un grand nombre de domaines de la physique : la mécanique, l'astronomie, l'acoustique, la théorie ondulatoire de la lumière, l'hydraulique, la construction navale, etc. Rien ne semblait résister à ce nouvel outil par lequel tout se ramène à des dérivations ou à des recherches de fonctions dont la dérivée est donnée. Peu à peu, les mathématiciens du Siècle des lumières développèrent des intuitions symboliques extraordinairement efficaces. Les fruits ainsi obtenus étaient si remarquables qu'on oublia bientôt les racines de cet arbre, le calcul différentiel et intégral, qui demeuraient bien obscures.

Deux événements viendront perfectionner ce bel élan. Premièrement, en 1794, la création de l'École polytechnique de Paris, qui forme l'élite de la nation. Le programme repose sur les mathématiques, et en particulier sur l'apprentissage du calcul différentiel et intégral, qu'on appelle alors l'analyse. Les élèves n'acceptent pas tous d'apprendre l'analyse sans comprendre pourquoi tout cet appareillage symbolique fonctionne si bien. L'un d'eux, Augustin-Louis Cauchy, devenu professeur à la Polytechnique, reformulera avec rigueur, vers 1820, la présentation de l'analyse. Deuxièmement, dès 1805, Joseph Fourier étudie la propagation de la chaleur dans les corps solides. Jusqu'alors, le calcul s'appliquait à des sciences dans lesquelles les grandeurs variaient intuitivement de façon continue ; il mesurait

des objets qui se déplacent, de l'eau qui coule, etc. Pour les scientifiques, le déplacement de la chaleur dans un corps est un phénomène très peu intuitif. Fourier envisage la possibilité que la température d'un point d'un corps puisse être très différente de la température du point immédiatement voisin. Mathématiquement, cela signifie que Fourier manipule des fonctions qui sautent subitement lorsque la variable indépendante passe d'une valeur à une autre immédiatement voisine. Éventuellement, une telle fonction pourrait avoir une infinité de telles valeurs où la fonction change ainsi subitement. Dans ce contexte, l'absence d'intuition force les mathématiciens à se demander si le calcul s'applique à de telles fonctions. En particulier, le théorème fondamental continue-t-il d'être vrai ? Cette question se révèle d'autant plus pertinente que le concept d'aire sous la courbe d'une fonction ayant un nombre infini de discontinuités apparaît pour le moins ambigu. Fourier, tout en étant conscient de cette problématique, n'aborde pas de front ces questions. Il introduit néanmoins le symbole $\int_a^b$ pour indiquer l'aire de la surface sous la courbe d'une certaine fonction lorsque la variable indépendante varie de a à b.

Cauchy reprendra ce symbole et s'intéressera, au début des années 1820, à la notion d'aire sous la courbe d'une fonction n'ayant aucune discontinuité. Il montrera rigoureusement que l'on peut voir l'aire de cette surface comme la limite d'une somme des aires de rectangles dont les largeurs sont arbitrairement petites et que cette limite, qu'il nomme intégrale définie, satisfait le théorème fondamental du calcul. En 1854, Bernhard Riemann ira plus loin en cherchant à savoir ce qui se passe s'il y a une infinité de discontinuités. Par exemple, peut-on calculer la surface sous la courbe de la fonction caractéristique des nombres irrationnels sur l'intervalle allant de 0 à 1, fonction dont la valeur est 1 pour un nombre irrationnel et 0 pour un nombre rationnel ? Les sommes de Riemann qu'on aborde dans le présent chapitre forment la base de son travail.

Test préliminaire

1. Soit A une fonction dérivable.

Compléter $\lim\limits_{h \to 0} \dfrac{A(x + h) - A(x)}{h} = \ldots$

2. Évaluer les limites suivantes.

a) $\lim\limits_{x \to +\infty} \left(6 - \dfrac{3}{x} + \dfrac{4}{x^2}\right)$ b) $\lim\limits_{x \to +\infty} \dfrac{3x^2 - 4x + 1}{8x^2 + 5}$

3. a) Compléter le théorème de la valeur intermédiaire.

Si f est une fonction telle que :

1) f est continue sur $[a, b]$;

2) $f(a) < K < f(b)$ ou $f(a) > K > f(b)$, où $K \in \mathbb{R}$, alors ...

b) Compléter le théorème de Lagrange.

Si f est une fonction telle que :

1) f est continue sur $[a, b]$;

2) f est dérivable sur $]a, b[$, alors ...

c) Compléter le corollaire 2 du théorème de Lagrange.

Si f et g sont deux fonctions telles que :

1) f et g sont continues sur $[a, b]$;

2) $f'(x) = g'(x), \forall\ x \in\ ]a, b[$, alors ...

4. Calculer l'aire des régions ombrées suivantes.

a)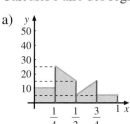

b)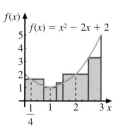

5. Déterminer l'équation de la parabole qui passe par les points P(0, 7), Q(1, 6) et R(-2, 21).

3.1   NOTIONS DE SOMMATIONS

Objectif d'apprentissage

À la fin de cette section, l'élève pourra utiliser le symbole de sommation Σ, appelé sigma.

Plus précisément, l'élève sera en mesure :
- d'expliciter une somme définie à l'aide du symbole Σ ;
- d'utiliser le symbole Σ pour représenter une somme ;
- de connaître certaines propriétés des sommations ;
- de démontrer et d'utiliser certaines formules de sommation.

Utilisation du symbole de sommation Σ, appelé sigma

Leonhard Euler,
mathématicien suisse

Dans son *Institutiones calculi differentialis* publié à Saint-Pétersbourg en 1755, le mathématicien suisse Leonhard Euler (1707-1783) utilise pour la première fois la lettre majuscule grecque sigma : Σ. Elle correspond à l'initiale de *summa*, qui signifie somme en latin. L'usage du Σ se répandit seulement au début du XIXe siècle. Euler proposa plusieurs autres notations, par exemple $f(x)$ pour une fonction f de la variable x (1734), e pour la base des logarithmes népériens (1727), i pour la racine carrée de -1 (1777). Il popularisa le symbole π, en l'utilisant pour le rapport de la circonférence au diamètre d'un cercle.

Dans la section suivante, nous aurons à faire des sommes de termes de forme semblable, et il sera alors utile d'utiliser le symbole de sommation Σ pour représenter ces sommes.

Explicitons d'abord les termes de sommations données à l'aide du symbole de sommation Σ.

Exemple 1

a) Explicitons les termes de la sommation $\displaystyle\sum_{i=1}^{5} i^2$.

Cette expression représente la somme de termes de la forme i^2, où i prend successivement toutes les valeurs entières à partir de 1 jusqu'à 5 inclusivement ; nous avons donc

$$\sum_{i=1}^{5} i^2 = 1^2 + 2^2 + 3^2 + 4^2 + 5^2.$$

b) Explicitons $\displaystyle\sum_{k=3}^{6} (2k-1)^3$.

$$\sum_{k=3}^{6} (2k-1)^3 = 5^3 + 7^3 + 9^3 + 11^3 \quad \text{(ici, } k \text{ prend les valeurs entières de 3 à 6)}$$

c) Explicitons $\displaystyle\sum_{j=4}^{29} \frac{(-1)^j (j+1)}{2^j}$.

$$\sum_{j=4}^{29} \frac{(-1)^j (j+1)}{2^j} = \frac{5}{2^4} - \frac{6}{2^5} + \frac{7}{2^6} - \dots + \frac{29}{2^{28}} - \frac{30}{2^{29}}$$

d) Explicitons et calculons $\displaystyle\sum_{i=1}^{15} 3$.

$$\sum_{i=1}^{15} 3 = \underbrace{3 + 3 + 3 + \dots + 3 + 3}_{15 \text{ termes}} = 15 \, (3) = 45$$

De façon générale, dans l'expression $\displaystyle\sum_{i=r}^{s} a_i$, nous disons que

– a_i est le **terme général** ;

– l'indice i prend toutes les valeurs entières à partir de r (la **borne inférieure**) jusqu'à s (la **borne supérieure**) inclusivement.

Ainsi, $\displaystyle\sum_{i=r}^{s} a_i = a_r + a_{r+1} + a_{r+2} + \dots + a_{s-2} + a_{s-1} + a_s$.

Utilisons maintenant le symbole Σ pour représenter une somme de termes donnée explicitement.

Exemple 2

a) Représentons $\dfrac{1}{4}\left(\dfrac{1}{2}\right) + \dfrac{1}{4}\left(\dfrac{1}{2}\right)^2 + \dfrac{1}{4}\left(\dfrac{1}{2}\right)^3 + \dots + \dfrac{1}{4}\left(\dfrac{1}{2}\right)^n$ à l'aide du symbole Σ.

$$\frac{1}{4}\left(\frac{1}{2}\right) + \frac{1}{4}\left(\frac{1}{2}\right)^2 + \dots + \frac{1}{4}\left(\frac{1}{2}\right)^n = \sum_{k=1}^{n} \frac{1}{4}\left(\frac{1}{2}\right)^k$$

b) Représentons $\dfrac{1}{5^2} - \dfrac{1}{6^2} + \dfrac{1}{7^2} - \dfrac{1}{8^2} + \ldots - \dfrac{1}{100^2}$ à l'aide du symbole Σ.

$$\frac{1}{5^2} - \frac{1}{6^2} + \frac{1}{7^2} - \ldots - \frac{1}{100^2} = \sum_{j=5}^{100} \frac{(-1)^{j+1}}{j^2}$$

Nous pouvons également représenter cette somme par $\displaystyle\sum_{j=1}^{96} \frac{(-1)^{j+1}}{(j+4)^2}$.

Théorèmes sur les sommations

THÉORÈME 3.1 $\displaystyle\sum_{i=1}^{k} (a_i \pm b_i) = \sum_{i=1}^{k} a_i \pm \sum_{i=1}^{k} b_i$

Preuve

$$\sum_{i=1}^{k} (a_i \pm b_i) = (a_1 \pm b_1) + (a_2 \pm b_2) + \ldots + (a_k \pm b_k) \quad \text{(en explicitant la somme)}$$

$$= (a_1 + a_2 + \ldots + a_k) \pm (b_1 + b_2 + \ldots + b_k) \quad \text{(en regroupant les termes)}$$

$$= \sum_{i=1}^{k} a_i \pm \sum_{i=1}^{k} b_i \quad \text{(en utilisant le symbole } \Sigma\text{)}$$

THÉORÈME 3.2 $\displaystyle\sum_{i=1}^{k} ca_i = c \sum_{i=1}^{k} a_i$, où $c \in \mathbb{R}$

Preuve

$$\sum_{i=1}^{k} ca_i = ca_1 + ca_2 + \ldots + ca_k \quad \text{(en explicitant la somme)}$$

$$= c(a_1 + a_2 + \ldots + a_k) \quad \text{(mise en évidence de } c\text{)}$$

$$= c \sum_{i=1}^{k} a_i \quad \text{(en utilisant le symbole } \Sigma\text{)}$$

THÉORÈME 3.3 $\displaystyle\sum_{i=1}^{k} c = kc$, où $c \in \mathbb{R}$

Preuve

$$\sum_{i=1}^{k} c = \underbrace{c + c + c + \ldots + c}_{k \text{ termes}} = kc$$

Exemple 3 Calculons $\displaystyle\sum_{j=1}^{20} (4 - 3j^2)$, sachant que $\displaystyle\sum_{j=1}^{20} j^2 = 2870$.

$$\sum_{j=1}^{20} (4 - 3j^2) = \sum_{j=1}^{20} 4 - \sum_{j=1}^{20} 3j^2 \quad \text{(théorème 3.1)}$$

$$= 4(20) - 3 \sum_{j=1}^{20} j^2 \quad \text{(théorèmes 3.3 et 3.2)}$$

$$= 80 - 3(2870) = \text{-}8530$$

Formules de sommation

Démontrons d'abord la formule nous permettant de déterminer la somme des k premiers entiers.

Carl Friedrich Gauss,
mathématicien allemand

La légende veut qu'un instituteur ait demandé à ses élèves de calculer la somme des nombres de 1 à 100. Carl Friedrich Gauss (1777-1855), alors âgé de 10 ans, se mit à la tâche comme les autres. Quelques secondes plus tard, il avait terminé, et le résultat obtenu était juste. Gauss avait remarqué que $1 + 100 = 101$, $2 + 99 = 101$, $3 + 98 = 101$, donc la somme devait être 50×101, soit 5050. Gauss est probablement le plus grand mathématicien de tous les temps.

Formule 1
$$\sum_{i=1}^{k} i = 1 + 2 + 3 + \dots + k = \frac{k(k+1)}{2}$$

Preuve

$$\sum_{i=1}^{k} i = 1 \;+\; 2 \;+\; 3 \;+ \dots + (k-1) + k, \text{ et}$$

$$\sum_{i=1}^{k} i = k + (k-1) + (k-2) + \dots + \;\; 2 \;+\; 1 \quad \text{(en inversant l'ordre des termes)}$$

En additionnant respectivement les membres de gauche et les membres de droite des deux équations précédentes, et en regroupant adéquatement, nous obtenons

$$2\left(\sum_{i=1}^{k}\right) i = \underbrace{(k+1) + (k+1) + (k+1) + \dots + (k+1) + (k+1)}_{k \text{ termes}}$$

$$2\left(\sum_{i=1}^{k}\right) i = k(k+1)$$

d'où $\displaystyle\sum_{i=1}^{k} i = \frac{k(k+1)}{2}$

Exemple 1 Évaluons $1 + 2 + 3 + ... + 59 + 60$.

$$1 + 2 + 3 + ... + 59 + 60 = \frac{60(60 + 1)}{2} \quad \text{(formule 1, où } k = 60\text{)}$$

$$= 1830$$

Exemple 2 Calculons $\sum_{i=1}^{40} \frac{i}{50}$.

$$\sum_{i=1}^{40} \frac{i}{50} = \frac{1}{50} \sum_{i=1}^{40} i \quad \text{(théorème 3.2)}$$

$$= \frac{1}{50} \frac{(40)(41)}{2} \quad \text{(formule 1)}$$

$$= 16,4$$

Exemple 3 Calculons $\sum_{i=20}^{153} i$.

Puisque $\sum_{i=1}^{153} i = \sum_{i=1}^{19} i + \sum_{i=20}^{153} i$, nous obtenons

$$\sum_{i=20}^{153} i = \sum_{i=1}^{153} i - \sum_{i=1}^{19} i$$

$$= \frac{153(154)}{2} - \frac{19(20)}{2} \quad \text{(formule 1)}$$

$$= 11\ 591$$

Démontrons maintenant la formule nous permettant de déterminer la somme des carrés des k premiers entiers.

Formule 2
$$\sum_{i=1}^{k} i^2 = 1^2 + 2^2 + 3^2 + ... + (k-1)^2 + k^2 = \frac{k(k+1)(2k+1)}{6}$$

Preuve

Évaluons $\sum_{i=1}^{k} [i^3 - (i-1)^3]$ de deux façons différentes.

1ʳᵉ façon

$$\sum_{i=1}^{k} [i^3 - (i-1)^3] = \sum_{i=1}^{k} [i^3 - (i^3 - 3i^2 + 3i - 1)]$$

$$= \sum_{i=1}^{k} [3i^2 - 3i + 1]$$

$$= 3\left(\sum_{i=1}^{k} i^2\right) - 3\left(\sum_{i=1}^{k} i\right) + \sum_{i=1}^{k} 1 \quad \text{(théorèmes 3.1 et 3.2)}$$

$$= 3\left(\sum_{i=1}^{k} i^2\right) - 3\,\frac{k\,(k+1)}{2} + k \quad \left(\text{formule 1 et théorème 3.3}\right)$$

2e façon

$$\sum_{i=1}^{k} [i^3 - (i-1)^3] = [1^3 - 0^3] + [2^3 - 1^3] + [3^3 - 2^3] + \dots [(k-1)^3 - (k-2)^3] + [k^3 - (k-1)^3]$$
(en explicitant)

$$= k^3 \qquad \text{(en effectuant)}$$

En comparant les deux résultats précédents, nous obtenons

$$3\left(\sum_{i=1}^{k} i^2\right) - 3\,\frac{k\,(k+1)}{2} + k = k^3$$

ainsi

$$3\left(\sum_{i=1}^{k} i^2\right) = k^3 + 3\,\frac{k\,(k+1)}{2} - k$$

$$3\left(\sum_{i=1}^{k} i^2\right) = \frac{2k^3 + 3k^2 + k}{2}$$

d'où

$$\sum_{i=1}^{k} i^2 = \frac{k\,(k+1)\,(2k+1)}{6}$$

Exemple 4 Évaluons $\displaystyle\sum_{i=1}^{60} i^2$.

$$\sum_{i=1}^{60} i^2 = 1^2 + 2^2 + 3^2 + \dots + 59^2 + 60^2 = \frac{60(60+1)\,(2 \times 60 + 1)}{6} \quad \begin{array}{l}\text{(formule 2,}\\ \text{où } k = 60)\end{array}$$

$$= 73\,810$$

Exemple 5 Exprimons $\displaystyle\sum_{k=1}^{n-1} \left(\frac{k}{n}\right)^2$ en fonction de n.

$$\sum_{k=1}^{n-1} \left(\frac{k}{n}\right)^2 = \sum_{k=1}^{n-1} \frac{k^2}{n^2}$$

$$= \frac{1}{n^2} \sum_{k=1}^{n-1} k^2 \qquad \text{(théorème 3.2)}$$

$$= \frac{1}{n^2} \left(\frac{(n-1)\,(n-1+1)\,(2(n-1)+1)}{6}\right) \quad \text{(formule 2, où } k = n-1)$$

$$= \frac{1}{n^2} \left(\frac{(n-1)\,n\,(2n-1)}{6}\right)$$

$$= \frac{(n-1)\,(2n-1)}{6n} \qquad \text{(en simplifiant)}$$

La formule suivante donne la somme des cubes des k premiers entiers.

| Formule 3 | $$\sum_{i=1}^{k} i^3 = 1^3 + 2^3 + 3^3 + \ldots + (k-1)^3 + k^3 = \frac{k^2(k+1)^2}{4}$$ |

La démonstration est laissée à l'élève (Exercices récapitulatifs, n° 2, page 166).

Exemple 6 Évaluons $\displaystyle\sum_{i=1}^{25} (2i^3 - i^2 + 4i + 5)$

$$\sum_{i=1}^{25}(2i^3 - i^2 + 4i + 5) = 2\sum_{i=1}^{25} i^3 - \sum_{i=1}^{25} i^2 + 4\sum_{i=1}^{25} i + \sum_{i=1}^{25} 5 \quad \text{(théorèmes 3.1 et 3.2)}$$

formule 3   formule 2   formule 1   théorème 3.3

$$= 2\left(\frac{(25)^2(26)^2}{4}\right) - \frac{25(26)(51)}{6} + 4\left(\frac{25(26)}{2}\right) + 25(5)$$

$$= 207\ 150$$

Exercices 3.1

1. Développer les sommations suivantes.

a) $\displaystyle\sum_{k=3}^{9} \frac{k}{k^2+1}$

b) $\displaystyle\sum_{j=2}^{5} (4j^3 - 1)$

c) $\displaystyle\sum_{i=4}^{58} 2^{(i-1)}$

d) $\displaystyle\sum_{k=0}^{30} \frac{2k-1}{2k+1}$

e) $\displaystyle\sum_{j=3}^{7} (-1)^{(j+1)}(5+j)$

f) $\displaystyle\sum_{k=1}^{4} [(-2)^k - 2^{-k}]$

2. Utiliser le symbole Σ pour représenter les sommes suivantes.

a) $1 + 4 + 9 + 16 + 25 + 36 + 49$

b) $1 + 2 + 4 + 8 + 16 + 32$

c) $5 + 5 + 5 + 5$

d) $8 + 27 + 64 + \ldots + 13\ 824 + 15\ 625$

e) $\dfrac{-1}{2} + \dfrac{4}{3} - \dfrac{9}{4} + \ldots - \dfrac{81}{10} + \dfrac{100}{11}$

f) $1 - 3 + 5 - 7 + 9 - 11 + 13 - 15$

3. Évaluer les sommes suivantes à l'aide des formules et des théorèmes.

a) $1 + 2 + 3 + \ldots + 99 + 100$

b) $\displaystyle\sum_{i=1}^{100} i^2$

c) $\displaystyle\sum_{i=1}^{42} 6$

d) $1 + 2^3 + 3^3 + \ldots + 29^3 + 30^3$

e) $\displaystyle\sum_{i=10}^{90} i$

f) $\left(\dfrac{1}{45}\right)^2 \dfrac{1}{45} + \left(\dfrac{2}{45}\right)^2 \dfrac{1}{45} + \ldots + \left(\dfrac{44}{45}\right)^2 \dfrac{1}{45}$

g) $\left(3 + \dfrac{1}{10}\right) + \left(3 + \dfrac{2}{10}\right) + \ldots + \left(3 + \dfrac{99}{10}\right)$

h) $\displaystyle\sum_{i=1}^{20} \dfrac{3i - 5}{2}$

i) $\displaystyle\sum_{i=1}^{25} (2i - 3)^2$

j) $\displaystyle\sum_{i=1}^{15} (i^3 - 120i)$

4. Exprimer, en utilisant les formules de sommation, les sommations suivantes en fonction de n.

a) $\displaystyle\sum_{i=1}^{n-1} i$

b) $\displaystyle\sum_{i=1}^{n-1} \dfrac{3i^2}{5n}$

c) $\displaystyle\sum_{i=1}^{n} (5i^3 + 6)$

d) $\displaystyle\sum_{i=1}^{n-1} (6i^2 - 2i)$

5. Nous superposons des cubes de 4 cm d'arêtes comme dans la figure suivante.

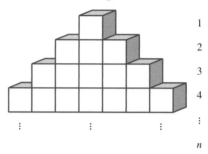

a) Déterminer, en fonction de n, le nombre N de cubes sur la n-ième rangée.

b) Exprimer à l'aide du symbole Σ le nombre total T de cubes si votre montage est d'une hauteur de 2 mètres.

c) Déterminer ce nombre total T.

6. Démontrer que $\displaystyle\sum_{i=1}^{k} i = \dfrac{k(k+1)}{2}$, en évaluant

$\displaystyle\sum_{i=1}^{k} [i^2 - (i - 1)^2]$ de deux façons différentes.

3.2 CALCUL D'AIRES À L'AIDE DE LIMITES

Objectif d'apprentissage

À la fin de cette section, l'élève pourra calculer l'aire d'une région à l'aide de limites.

Plus précisément, l'élève sera en mesure :
- d'évaluer la somme des aires de rectangles inscrits et circonscrits à une courbe donnée f sur $[a, b]$;
- d'évaluer l'aire réelle d'une région à l'aide de limites ;
- de connaître la définition d'une partition d'un intervalle.

Dans cette section, nous donnerons une première méthode utilisée par Archimède pour calculer l'aire d'une région fermée. Cette méthode consiste essentiellement à estimer l'aire réelle d'une région fermée à l'aide de sommes d'aires de rectangles inscrits et circonscrits, et à prendre la limite de ces sommes.

Le mathématicien et physicien grec Archimède ne faisait pas que prendre des bains ! Il calcula aussi la surface de plusieurs surfaces courbes. Il fit l'approximation de l'aire d'un cercle en le découpant selon un polygone régulier de 96 côtés. Pour l'aire d'un secteur de parabole, il imagina qu'il pesait cette surface à l'aide d'une balance et qu'il l'équilibrait par un triangle dont il savait calculer facilement l'aire. Le livre décrivant cette dernière méthode est resté inconnu pendant deux millénaires et n'a été découvert qu'au début du XXᵉ siècle.

Définition

Soit f une fonction telle que $f(x) \geq 0$ sur $[a, b]$.

1) Un **rectangle inscrit** est un rectangle de base $(b - a)$ et de hauteur $f(c)$, où $f(c)$ est minimale $\forall x \in [a, b]$.

2) Un **rectangle circonscrit** est un rectangle de base $(b - a)$ et de hauteur $f(d)$, où $f(d)$ est maximale $\forall x \in [a, b]$.

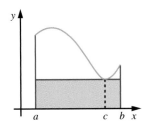

Aires de rectangles inscrits et circonscrits sur [0, 1]

Exemple 1 Soit la fonction f définie par $f(x) = x^2 + 1$ sur $[0, 1]$.

Évaluons l'aire réelle de la région ci-contre, en faisant des sommes d'aires de rectangles inscrits et circonscrits.

Nous notons A_0^1 cette aire réelle.

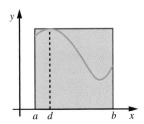

Calculons premièrement s_4 et S_4, où s_4 représente la somme des aires des quatre *rectangles inscrits* ci-dessous et S_4, la somme des aires des quatre *rectangles circonscrits* ci-dessous à la courbe de f.

Calcul de s_4 s_4: somme des aires des 4 rectangles inscrits.

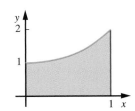

$$s_4 = A(r_1) + A(r_2) + A(r_3) + A(r_4)$$
$$= f(0)\tfrac{1}{4} + f(\tfrac{1}{4})\tfrac{1}{4} + f(\tfrac{2}{4})\tfrac{1}{4} + f(\tfrac{3}{4})\tfrac{1}{4}$$
$$= \tfrac{1}{4}[f(0) + f(\tfrac{1}{4}) + f(\tfrac{2}{4}) + f(\tfrac{3}{4})]$$
$$= \frac{1}{4}\left[1 + \frac{17}{16} + \frac{20}{16} + \frac{25}{16}\right]$$
$$= \frac{78}{64}$$
$$\simeq 1{,}219 \text{ unité}^2$$

Calcul de S_4 S_4: somme des aires des 4 rectangles circonscrits.

$$S_4 = A(R_1) + A(R_2) + A(R_3) + A(R_4)$$
$$= f(\tfrac{1}{4})\tfrac{1}{4} + f(\tfrac{2}{4})\tfrac{1}{4} + f(\tfrac{3}{4})\tfrac{1}{4} + f(1)\tfrac{1}{4}$$
$$= \tfrac{1}{4}[f(\tfrac{1}{4}) + f(\tfrac{2}{4}) + f(\tfrac{3}{4}) + f(1)]$$
$$= \frac{1}{4}\left[\frac{17}{16} + \frac{20}{16} + \frac{25}{16} + 2\right]$$
$$= \frac{94}{64}$$
$$\simeq 1{,}469 \text{ unité}^2$$

Il est évident que $s_4 \leq A_0^1 \leq S_4$.

De plus,

$$(S_4 - s_4) = \frac{94}{64} - \frac{78}{64}$$
$$= 0{,}25$$

Représentation graphique de $(S_4 - s_4)$

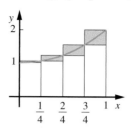

Calculons maintenant s_{10} et S_{10} pour obtenir une meilleure approximation de l'aire réelle sous la courbe.

Calcul de s_{10} s_{10}: somme des aires des 10 rectangles inscrits.

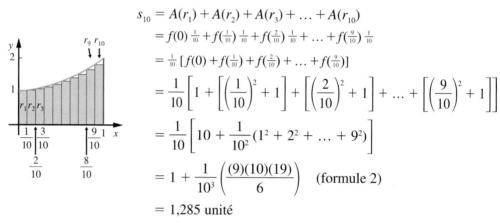

$$s_{10} = A(r_1) + A(r_2) + A(r_3) + \ldots + A(r_{10})$$
$$= f(0)\,\tfrac{1}{10} + f(\tfrac{1}{10})\,\tfrac{1}{10} + f(\tfrac{2}{10})\,\tfrac{1}{10} + \ldots + f(\tfrac{9}{10})\,\tfrac{1}{10}$$
$$= \tfrac{1}{10}\,[\,f(0) + f(\tfrac{1}{10}) + f(\tfrac{2}{10}) + \ldots + f(\tfrac{9}{10})\,]$$
$$= \frac{1}{10}\left[1 + \left[\left(\frac{1}{10}\right)^2 + 1\right] + \left[\left(\frac{2}{10}\right)^2 + 1\right] + \ldots + \left[\left(\frac{9}{10}\right)^2 + 1\right]\right]$$
$$= \frac{1}{10}\left[10 + \frac{1}{10^2}(1^2 + 2^2 + \ldots + 9^2)\right]$$
$$= 1 + \frac{1}{10^3}\left(\frac{(9)(10)(19)}{6}\right) \quad \text{(formule 2)}$$
$$= 1{,}285 \text{ unité}$$

Calcul de S_{10} S_{10}: somme des aires des 10 rectangles circonscrits.

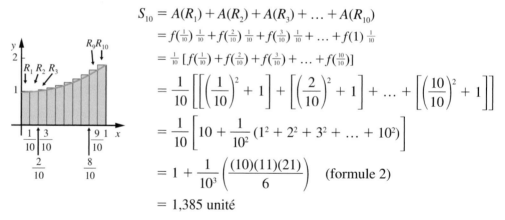

$$S_{10} = A(R_1) + A(R_2) + A(R_3) + \ldots + A(R_{10})$$
$$= f(\tfrac{1}{10})\,\tfrac{1}{10} + f(\tfrac{2}{10})\,\tfrac{1}{10} + f(\tfrac{3}{10})\,\tfrac{1}{10} + \ldots + f(1)\,\tfrac{1}{10}$$
$$= \tfrac{1}{10}\,[\,f(\tfrac{1}{10}) + f(\tfrac{2}{10}) + f(\tfrac{3}{10}) + \ldots + f(\tfrac{10}{10})\,]$$
$$= \frac{1}{10}\left[\left[\left(\frac{1}{10}\right)^2 + 1\right] + \left[\left(\frac{2}{10}\right)^2 + 1\right] + \ldots + \left[\left(\frac{10}{10}\right)^2 + 1\right]\right]$$
$$= \frac{1}{10}\left[10 + \frac{1}{10^2}(1^2 + 2^2 + 3^2 + \ldots + 10^2)\right]$$
$$= 1 + \frac{1}{10^3}\left(\frac{(10)(11)(21)}{6}\right) \quad \text{(formule 2)}$$
$$= 1{,}385 \text{ unité}$$

Les résultats obtenus jusqu'à maintenant, soit

$$s_4 \simeq 1{,}219 \qquad\qquad S_4 \simeq 1{,}469$$
$$s_{10} = 1{,}285 \qquad\qquad S_{10} = 1{,}385$$

nous révèlent que $s_4 \leq s_{10} \leq A_0^1 \leq S_{10} \leq S_4$.

De plus, $(S_{10} - s_{10}) = 1{,}385 - 1{,}285 = 0{,}1$ et $(S_{10} - s_{10}) \leq (S_4 - s_4)$.

OUTIL TECHNOLOGIQUE

Représentons à l'aide de Maple s_{100} et S_{100} ainsi que leurs valeurs respectives.

```
> f:=x→x^2+1;
                 f:= x → x² + 1
> with(plots):
> with(student):
> leftbox(f(x),x=0..1,100);
```

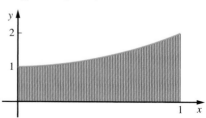

Calcul de s_{100}

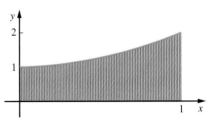

> s100:=leftsum($f(x)$,x=0..1,100)=evalf(leftsum($f(x)$,x=0..1,100));

$$s100 := \frac{1}{100}\left(\sum_{i=0}^{99}\left(\frac{1}{10000}\,i^2 + 1\right)\right) = 1.328350000$$

> rightbox($f(x)$,x=0..1,100);

Calcul de S_{100}

> S100:=rightsum($f(x)$,x=0..1,100)=evalf(rightsum($f(x)$,x=0..1,100));

$$S100 := \frac{1}{100}\left(\sum_{i=1}^{100}\left(\frac{1}{10000}\,i^2 + 1\right)\right) = 1.338350000$$

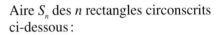

Les résultats obtenus jusqu'à maintenant nous révèlent que

$$s_4 \leq s_{10} \leq s_{100} \leq A_0^1 \leq S_{100} \leq S_{10} \leq S_4.$$

De plus, $(S_{100} - s_{100}) = 0{,}01$ et $(S_{100} - s_{100}) \leq (S_{10} - s_{10}) \leq (S_4 - s_4)$.

Il est évident que les sommes des aires des rectangles inscrits et circonscrits s'approchent de plus en plus de l'aire réelle A_0^1 à mesure que l'on augmente le nombre de rectangles (inscrits, circonscrits).

Trouvons maintenant une formule générale pour s_n et S_n, où s_n représente la somme des aires des *n rectangles inscrits* et S_n, la somme des aires des *n rectangles circonscrits*.

Calcul de s_n et de S_n

Aire s_n des *n* rectangles inscrits ci-dessous :

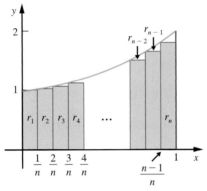

$$s_n = A(r_1) + A(r_2) + A(r_3) + \ldots + A(r_n)$$
$$= f(0)\,\tfrac{1}{n} + f\left(\tfrac{1}{n}\right)\tfrac{1}{n} + f\left(\tfrac{2}{n}\right)\tfrac{1}{n} + \ldots + f\left(\tfrac{n-1}{n}\right)\tfrac{1}{n}$$
$$= \tfrac{1}{n}\left[f(0) + f\left(\tfrac{1}{n}\right) + f\left(\tfrac{2}{n}\right) + \ldots + f\left(\tfrac{n-1}{n}\right)\right]$$
$$= \frac{1}{n}\left[1 + \left[\left(\frac{1}{n}\right)^2 + 1\right] + \left[\left(\frac{2}{n}\right)^2 + 1\right] + \ldots + \left[\left(\frac{n-1}{n}\right)^2 + 1\right]\right]$$
$$= \frac{1}{n}\left[n + \frac{1}{n^2}\underbrace{(1^2 + 2^2 + \ldots + (n-1)^2)}\right]$$
(formule 2, où $k = n-1$)
$$= 1 + \frac{1}{n^3}\left(\frac{(n-1)(n)(2n-1)}{6}\right)$$
$$= 1 + \frac{2n^2 - 3n + 1}{6n^2}$$
$$= 1 + \frac{1}{3} - \frac{1}{2n} + \frac{1}{6n^2}$$
$$= \frac{4}{3} - \frac{1}{2n} + \frac{1}{6n^2}$$

Aire S_n des *n* rectangles circonscrits ci-dessous :

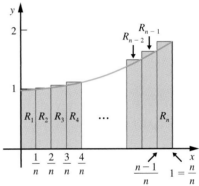

$$S_n = A(R_1) + A(R_2) + A(R_3) + \ldots + A(R_n)$$
$$= f\left(\tfrac{1}{n}\right)\tfrac{1}{n} + f\left(\tfrac{2}{n}\right)\tfrac{1}{n} + f\left(\tfrac{3}{n}\right)\tfrac{1}{n} + \ldots + f\left(\tfrac{n}{n}\right)\tfrac{1}{n}$$
$$= \tfrac{1}{n}\left[f\left(\tfrac{1}{n}\right) + f\left(\tfrac{2}{n}\right) + f\left(\tfrac{3}{n}\right) + \ldots + f\left(\tfrac{n}{n}\right)\right]$$
$$= \frac{1}{n}\left[\left[\left(\frac{1}{n}\right)^2 + 1\right] + \left[\left(\frac{2}{n}\right)^2 + 1\right] + \ldots + \left[\left(\frac{n}{n}\right)^2 + 1\right]\right]$$
$$= \frac{1}{n}\left[n + \frac{1}{n^2}\underbrace{(1^2 + 2^2 + 3^2 + \ldots + n^2)}\right]$$
(formule 2, où $k = n$)
$$= 1 + \frac{1}{n^3}\left(\frac{n(n+1)(2n+1)}{6}\right)$$
$$= 1 + \frac{2n^2 + 3n + 1}{6n^2}$$
$$= 1 + \frac{1}{3} + \frac{1}{2n} + \frac{1}{6n^2}$$
$$= \frac{4}{3} + \frac{1}{2n} + \frac{1}{6n^2}$$

Nous avons donc, pour $n > 100$:

$$s_4 \leqslant \ldots \leqslant s_{10} \leqslant \ldots \leqslant s_{100} \leqslant \ldots \leqslant s_n \leqslant \ldots \leqslant A_0^1 \leqslant \ldots \leqslant S_n \leqslant \ldots \leqslant S_{100} \leqslant \ldots \leqslant S_{10} \leqslant \ldots \leqslant S_4$$

De plus, $(S_n - s_n) = \dfrac{1}{n}$ et il est facile de vérifier que $(S_n - s_n)$ tend vers zéro lorsque n tend vers plus l'infini.

Lorsque n augmente indéfiniment, c'est-à-dire $n \to +\infty$, nous définissons s et S de la façon suivante.

Définition

1) $s = \lim\limits_{n \to +\infty} s_n$, lorsque la limite existe.

2) $S = \lim\limits_{n \to +\infty} S_n$, lorsque la limite existe.

Ainsi, nous avons $s \leq A_0^1 \leq S$ et, de plus, si $s = S$, alors $A_0^1 = s = S$.

Évaluons donc s et S.

$$s = \lim_{n \to +\infty} s_n \quad \text{(par définition)}$$
$$= \lim_{n \to +\infty} \left(\frac{4}{3} - \frac{1}{2n} + \frac{1}{6n^2} \right)$$
$$= \frac{4}{3} \quad \text{(en évaluant la limite)}$$

$$S = \lim_{n \to +\infty} S_n \quad \text{(par définition)}$$
$$= \lim_{n \to +\infty} \left(\frac{4}{3} + \frac{1}{2n} + \frac{1}{6n^2} \right)$$
$$= \frac{4}{3} \quad \text{(en évaluant la limite)}$$

Puisque $s = S = \dfrac{4}{3}$, nous pouvons conclure que l'aire réelle de la région est égale à $\dfrac{4}{3}$ unité^2, d'où $A_0^1 = \dfrac{4}{3}$ unité^2.

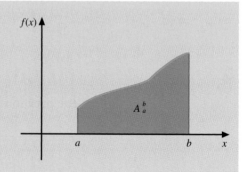

En général, pour une fonction f telle que $f(x) \geq 0$ sur $[a, b]$, où $s = \lim\limits_{n \to +\infty} s_n$ et $S = \lim\limits_{n \to +\infty} S_n$, nous avons $s \leq A_a^b \leq S$.

De plus, si $s = S$, alors $A_a^b = s = S$.

Aires de rectangles inscrits et circonscrits sur $[a, b]$

Définissons d'abord la notion de partition d'un intervalle.

Définition

Une **partition** P de $[a, b]$ est une suite de nombres réels $x_0, x_1, x_2, \ldots, x_n$ tels que $a = x_0 < x_1 < x_2 < \ldots < x_{n-1} < x_n = b$.

Nous la notons $P = \{x_0, x_1, x_2, \ldots, x_{n-1}, x_n\}$.

| Définition | La **longueur** Δx_i de chaque sous-intervalle de la partition P est définie de la façon suivante : $\Delta x_i = x_i - x_{i-1}$, où $i \in \{1, 2, 3, ..., n\}$. |

Ainsi, $\Delta x_1 = x_1 - x_0$, $\Delta x_2 = x_2 - x_1$, ..., $\Delta x_n = x_n - x_{n-1}$.

Une partition P de $[a, b]$ peut être représentée de la façon suivante :

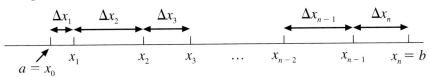

| Définition | Une partition est dite **régulière** lorsque $\Delta x_1 = \Delta x_2 = ... = \Delta x_i = ... = \Delta x_n$. |

Dans le cas d'une partition régulière d'un intervalle $[a, b]$, chaque sous-intervalle est de même longueur et est noté Δx.

Ainsi, $\Delta x = \dfrac{b - a}{n}$, où n représente le nombre d'intervalles de même longueur.

Exemple 1

a) En séparant $[2, 3]$ en n parties égales, nous obtenons $\Delta x = \dfrac{3 - 2}{n} = \dfrac{1}{n}$.

Cette partition peut être représentée par

$$2 \quad \left(2 + \frac{1}{n}\right)\left(2 + \frac{2}{n}\right)\left(2 + \frac{3}{n}\right)\left(2 + \frac{4}{n}\right) \quad \cdots \quad \left(2 + \frac{(n-2)}{n}\right) \quad \left(2 + \frac{(n-1)}{n}\right) \qquad 3 = 2 + \frac{n}{n}$$

b) En séparant $[2, 5]$ en n parties égales, nous obtenons $\Delta x = \dfrac{5 - 2}{n} = \dfrac{3}{n}$.

Cette partition peut être représentée par

$$2 \quad \left(2 + \frac{3}{n}\right)\left(2 + \frac{6}{n}\right)\left(2 + \frac{9}{n}\right)\left(2 + \frac{12}{n}\right) \quad \cdots \quad \left(2 + \frac{(n-2)3}{n}\right) \quad \left(2 + (n-1)\frac{3}{n}\right) \qquad 5 = 2 + \frac{3n}{n}$$

Exemple 2 Soit $f(x) = -x^2 + 2x + 5$ sur $[1, 3]$.

Déterminons l'aire réelle A_1^3 entre l'axe des x et la courbe d'équation $f(x) = -x^2 + 2x + 5$, $x = 1$ et $x = 3$, en calculant s et S.

En séparant $[1, 3]$ et n parties égales, nous obtenons $\Delta x = \dfrac{3 - 1}{n} = \dfrac{2}{n}$.

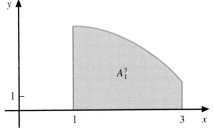

Calcul de s_n   Aire s_n des n rectangles inscrits :

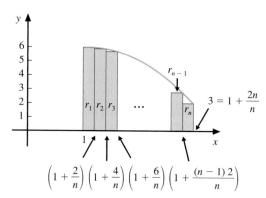

$$s_n = A(r_1) + A(r_2) + A(r_3) + \ldots + A(r_{n-1}) + A(r_n)$$

$$= f\left(1 + \frac{2}{n}\right)\frac{2}{n} + f\left(1 + \frac{4}{n}\right)\frac{2}{n} + f\left(1 + \frac{6}{n}\right)\frac{2}{n} + \ldots + f\left(1 + (n-1)\frac{2}{n}\right)\frac{2}{n} + f(3)\frac{2}{n}$$

$$= \frac{2}{n}\left[f\left(1 + \frac{2}{n}\right) + f\left(1 + \frac{4}{n}\right) + f\left(1 + \frac{6}{n}\right) + \ldots + f\left(1 + (n-1)\frac{2}{n}\right) + f\left(1 + (n)\frac{2}{n}\right) \right]$$

$$= \frac{2}{n}\left\{ \left[-\left(1 + \frac{2}{n}\right)^2 + 2\left(1 + \frac{2}{n}\right) + 5 \right] + \left[-\left(1 + \frac{4}{n}\right)^2 + 2\left(1 + \frac{4}{n}\right) + 5 \right] + \ldots + \left[-\left(1 + \frac{2n}{n}\right)^2 + 2\left(1 + \frac{2n}{n}\right) + 5 \right] \right\}$$

$$= \frac{2}{n}\left\{ \left[-\left(1 + \frac{4}{n} + \frac{4}{n^2}\right) + 2 + \frac{4}{n} + 5 \right] + \left[-\left(1 + \frac{8}{n} + \frac{16}{n^2}\right) + 2 + \frac{8}{n} + 5 \right] + \ldots + \left[-\left(1 + \frac{4n}{n} + \frac{4n^2}{n^2}\right) + 2 + \frac{4n}{n} + 5 \right] \right\}$$

$$= \frac{2}{n}\left\{ \left(6 - \frac{4}{n^2}\right) + \left(6 - \frac{16}{n^2}\right) + \ldots + \left(6 - \frac{4n^2}{n^2}\right) \right\}$$

$$= \frac{2}{n}\left\{ \underbrace{(6 + 6 + 6 + \ldots + 6)}_{n \text{ termes}} - \frac{4}{n^2}(1^2 + 2^2 + \ldots + n^2) \right\}$$

$$= \frac{2}{n}\left\{ 6n - \frac{4}{n^2}\frac{n(n+1)(2n+1)}{6} \right\} \quad (\text{formule 2, où } k = n)$$

$$= \frac{2}{n}\left\{ 6n - \frac{4}{n}\frac{(n+1)(2n+1)}{6} \right\}$$

$$= \frac{2}{n}\left(\frac{28n^2 - 12n - 4}{6n} \right)$$

$$= \frac{28n^2 - 12n - 4}{3n^2}, \text{ ainsi}$$

$$s_n = \frac{28}{3} - \frac{4}{n} - \frac{4}{3n^2}$$

Calcul de S_n   Aire S_n des n rectangles circonscrits :

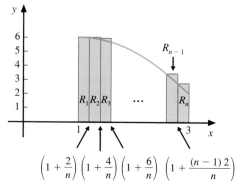

$$S_n = A(R_1) + A(R_2) + A(R_3) + \ldots + A(R_n)$$

$$= f(1)\frac{2}{n} + f\left(1 + \frac{2}{n}\right)\frac{2}{n} + f\left(1 + \frac{4}{n}\right)\frac{2}{n} + \ldots + f\left(1 + \frac{2(n-1)}{n}\right)\frac{2}{n}$$

$$= \frac{2}{n}\left\{f(1) + f\left(1 + \frac{2}{n}\right) + f\left(1 + \frac{4}{n}\right) + \ldots + f\left(1 + \frac{2(n-1)}{n}\right)\right\}$$

$$= \frac{2}{n}\left\{6 + \left[-\left(1 + \frac{2}{n}\right)^2 + 2\left(1 + \frac{2}{n}\right) + 5\right] + \left[-\left(1 + \frac{4}{n}\right)^2 + 2\left(1 + \frac{4}{n}\right) + 5\right] + \ldots + \left[-\left(1 + \frac{2(n-1)}{n}\right)^2 + 2\left(1 + \frac{2(n-1)}{n}\right) + 5\right]\right\}$$

$$= \frac{2}{n}\left\{6 + \left[-\left(1 + \frac{4}{n} + \frac{4}{n^2}\right) + 2 + \frac{4}{n} + 5\right] + \left[-\left(1 + \frac{8}{n} + \frac{16}{n^2}\right) + 2 + \frac{8}{n} + 5\right] + \right.$$

$$\left. \ldots + \left[-\left(1 + \frac{4(n-1)}{n} + \frac{4(n-1)^2}{n^2}\right) + 2 + \frac{4(n-1)}{n} + 5\right]\right\}$$

$$= \frac{2}{n}\left\{6 + \left(6 - \frac{4}{n^2}\right) + \left(6 - \frac{16}{n^2}\right) + \ldots + \left(6 - \frac{4(n-1)^2}{n^2}\right)\right\}$$

$$= \frac{2}{n}\left\{\underbrace{(6 + 6 + 6 + \ldots + 6)}_{n \text{ termes}} - \frac{4}{n^2}(1^2 + 2^2 + \ldots + (n-1)^2)\right\}$$

$$= \frac{2}{n}\left\{6n - \frac{4}{n^2}\frac{(n-1)n(2n-1)}{6}\right\} \quad \text{(formule 2, où } k = n - 1\text{)}$$

$$= \frac{28n^2 + 12n - 4}{3n^2}, \text{ ainsi}$$

$$S_n = \frac{28}{3} + \frac{4}{n} - \frac{4}{3n^2}$$

En remplaçant n par des valeurs particulières dans les résultats précédents, nous obtenons les sommes suivantes :

si $n = 3$, alors $s_3 \approx 7{,}852$ et $S_3 \approx 10{,}519$;

si $n = 10$, alors $s_{10} = 8{,}92$ et $S_{10} = 9{,}72$;

si $n = 100$, alors $s_{100} = 9{,}2932$ et $S_{100} = 9{,}3732$.

En plaçant en ordre croissant les valeurs précédentes et A_1^3, nous obtenons pour $n > 100$:

$$s_3 \leq \ldots \leq s_{10} \leq \ldots \leq s_{100} \leq \ldots \leq s_n \leq \ldots \leq A_1^3 \leq \ldots \leq S_n \leq \ldots \leq S_{100} \leq \ldots \leq S_{10} \leq \ldots \leq S_3$$

Évaluons s et S.

$$s = \lim_{n \to +\infty} s_n \quad \text{(par définition)}$$

$$= \lim_{n \to +\infty}\left[\frac{28}{3} - \frac{4}{n} - \frac{4}{3n^2}\right]$$

$$= \frac{28}{3} \quad \text{(en évaluant la limite)}$$

$$S = \lim_{n \to +\infty} S_n \quad \text{(par définition)}$$

$$= \lim_{n \to +\infty}\left[\frac{28}{3} + \frac{4}{n} - \frac{4}{3n^2}\right]$$

$$= \frac{28}{3} \quad \text{(en évaluant la limite)}$$

Puisque $s = S = \frac{28}{3}$, nous pouvons conclure que l'aire réelle A_1^3 de la région est égale à $\frac{28}{3}$ unités^2, d'où $A_1^3 = \frac{28}{3}$ unités^2.

Exercices 3.2 ....

1. Pour chacun des intervalles suivants, évaluer la longueur Δx de chaque sous-intervalle si nous séparons l'intervalle en un nombre donné n de parties égales, et représenter cette partition pour a), b) et c).

a) $[0, 1]$, $n = 5$

b) $[2, 7]$, $n = 51$

c) $\left[-2, \dfrac{3}{2}\right]$, $n = 10$

d) $[a, b]$, $n = 35$

2. Représenter graphiquement et évaluer.

a) s_4 si $f(x) = 9 - x^2$ sur $[0, 2]$

b) S_4 si $f(x) = 9 - x^2$ sur $[0, 2]$

c) s_4 si $f(x) = \sqrt{x}$ sur $[0, 4]$

d) s_4 si $f(x) = \dfrac{1}{x}$ sur $[1, 3]$

e) s_5 si $f(x) = x^2 - 4x + 5$ sur $[0, 5]$

f) S_5 si $f(x) = x^2 - 4x + 5$ sur $[0, 5]$

3. Soit $f(x) = x^2 + 3x + 1$ sur $[0, 1]$.

a) Représenter graphiquement et évaluer s_n.

b) Évaluer S_n.

c) Évaluer $\lim\limits_{n \to +\infty} (S_n - s_n)$

d) Évaluer s et S.

e) Évaluer A_0^1.

4. Soit $f(x) = x^2$ sur $[1, 2]$.

a) Démontrer que $s_n = \dfrac{7}{3} - \dfrac{3}{2n} + \dfrac{1}{6n^2}$.

b) Démontrer que $S_n = \dfrac{7}{3} + \dfrac{3}{2n} + \dfrac{1}{6n^2}$.

c) Déterminer A_1^2.

5. Soit $f(x) = \sin x$, où $x \in \left[0, \dfrac{\pi}{2}\right]$.

a) Représenter graphiquement et évaluer s_3 et s_{10}.

b) Évaluer s_{100}.

c) Représenter graphiquement et évaluer S_3 et S_{10}.

d) Évaluer S_{100}.

e) Évaluer s et S.

f) Déterminer $A_0^{\frac{\pi}{2}}$.

3.3 INTÉGRALE DÉFINIE

Objectif d'apprentissage

À la fin de cette section, l'élève pourra calculer des sommes de Riemann.

Plus précisément, l'élève sera en mesure :
- de connaître la définition d'une somme de Riemann ;
- de connaître la définition de l'intégrale définie ;
- de connaître certaines propriétés de l'intégrale définie.

Dans cette section, nous généraliserons la notion de calcul d'aire à l'aide de sommes d'aires de rectangles. Par la suite, nous donnerons la définition de l'intégrale définie et certaines de ses propriétés.

Somme de Riemann

Georg Friedrich Bernhard Riemann, mathématicien allemand

Fils d'un pasteur protestant, Georg Friedrich Bernhard Riemann (1826-1866) voulait devenir professeur d'université. À l'époque, pour enseigner dans une université allemande, il fallait d'abord devenir *Privadozent,* c'est-à-dire professeur non rémunéré, en présentant un texte démontrant ses capacités et en faisant un exposé. Dans son mémoire, il introduisit les « sommes de Riemann ». Son exposé portait sur les fondements de la géométrie, dont il révolutionna l'approche. Gauss, professeur à Göttingen et l'un des plus grands mathématiciens de tous les temps, fit grand cas de cette présentation. Les travaux d'Einstein sur la relativité reposent sur ceux de Riemann en géométrie.

Définition

Soit une fonction f continue sur $[a, b]$ et P une partition quelconque de $[a, b]$. Nous appelons **somme de Riemann** toute somme de la forme

$$\sum_{i=1}^{n} f(c_i) \, \Delta x_i, \text{ où } c_i \in [x_{i-1}, x_i].$$

Exemple 1 Illustrons la somme de Riemann pour la fonction f, ci-contre, continue sur $[a, b]$ et la partition P de $[a, b]$ suivante : $P = \{x_0, x_1, x_2, \ldots, x_{n-1}, x_n\}$.

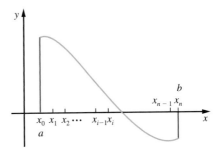

Choisissons dans chaque sous-intervalle $[x_{i-1}, x_i]$ une valeur quelconque c_i, c'est-à-dire $c_1 \in [x_0, x_1]$, $c_2 \in [x_1, x_2]$, ..., $c_i \in [x_{i-1}, x_i]$, ...

Ainsi la somme de Riemann SR_n correspondante est

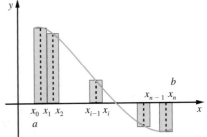

$$SR_n = \sum_{i=1}^{n} f(c_i) \, \Delta x_i$$

$$= f(c_1) \, \Delta x_1 + f(c_2) \, \Delta x_2 + f(c_3) \, \Delta x_3 + \ldots + f(c_i) \, \Delta x_i + \ldots + f(c_n) \, \Delta x_n$$

Remarque Dans la section précédente, s_n et S_n étaient des sommes de Riemann. Dans le cas de s_n, chaque c_i était choisi tel que $f(c_i)$ donnait le minimum de la fonction sur le sous-intervalle. Dans le cas de S_n, chaque c_i était choisi tel que $f(c_i)$ donnait le maximum de la fonction sur le sous-intervalle. De plus, tous les Δx_i étaient égaux.

De façon générale, lorsque f est continue et non négative sur $[a, b]$, toute somme de Riemann donne une approximation de l'aire réelle entre la courbe et l'axe des x entre $x = a$ et $x = b$. Pour obtenir une meilleure approximation de l'aire, il suffit d'augmenter indéfiniment le nombre de rectangles ($n \to +\infty$), tout en s'assurant que la longueur de la base de chaque rectangle tend vers zéro (max $\Delta x_i \to 0$).

Intégrale définie

Définition

Soit f une fonction définie sur $[a, b]$ et P une partition $\{x_0, x_1, x_2, \ldots, x_n\}$ quelconque de $[a, b]$.

Nous définissons l'**intégrale définie** de f sur $[a, b]$, notée $\int_a^b f(x) \, dx$, comme suit :

$$\int_a^b f(x) \, dx = \lim_{(\max \Delta x_i) \to 0} \sum_{i=1}^{n} f(c_i) \, \Delta x_i, \text{ où } c_i \in [x_{i-1}, x_i], \text{ si la limite existe.}$$

Dans la définition précédente, si la limite existe, c'est-à-dire s'il existe un nombre réel L tel que

$$\lim_{(\max \Delta x_i) \to 0} \sum_{i=1}^{n} f(c_i) \, \Delta x_i = L$$

alors nous disons que f est intégrable sur $[a, b]$ et nous appelons a la borne inférieure de l'intégrale définie et b la borne supérieure de l'intégrale définie.

Remarque L'intégrale définie $\displaystyle\int_a^b f(x)\,dx$ est un nombre réel, c'est-à-dire :

$$\int_a^b f(x)\,dx = L,\ \text{où } L \in \mathbb{R}$$

alors que l'intégrale indéfinie $\int f(x)\,dx$ est une famille de fonctions, c'est-à-dire :

$$\int f(x)\,dx = F(x) + C,\ \text{où } F'(x) = f(x)$$

Nous énonçons maintenant un théorème que nous acceptons sans démonstration.

THÉORÈME 3.4 Si f est une fonction continue sur $[a, b]$, alors f est une fonction **intégrable** sur $[a, b]$.

De plus, si f est continue et non négative sur $[a, b]$, nous pouvons exprimer l'aire réelle, notée A_a^b, à l'aide de l'intégrale définie de la façon suivante :

$$A_a^b = \int_a^b f(x)\,dx$$

THÉORÈME 3.5 Pour toute partition P, où $P = \{x_0, x_1, x_2, \ldots, x_{n-1}, x_n\}$, d'un intervalle $[a, b]$,

nous avons $\displaystyle\sum_{i=1}^{n} \Delta x_i = b - a$.

Preuve

$$\sum_{i=1}^{n} \Delta x_i = \Delta x_1 + \Delta x_2 + \ldots + \Delta x_{n-1} + \Delta x_n$$

$$= (x_1 - x_0) + (x_2 - x_1) + \ldots + (x_{n-1} - x_{n-2}) + (x_n - x_{n-1}) \quad \text{(par définition de } \Delta x_i\text{)}$$

$$= x_n - x_0 \quad \text{(en simplifiant)}$$

$$= b - a \quad \text{(car } x_n = b \text{ et } x_0 = a\text{)}$$

Exemple 1 Évaluons $\displaystyle\int_2^7 4\,dx$ à partir de la définition de l'intégrale définie.

Soit $P = \{x_0, x_1, x_2, \ldots, x_{n-1}, x_n\}$, une partition quelconque de $[2, 7]$, où $x_0 = 2$ et $x_n = 7$.

Sur chaque sous-intervalle $[x_{i-1}, x_i]$, choisissons un c_i quelconque.

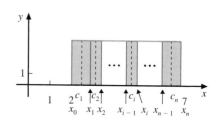

$$\int_2^7 4\,dx = \lim_{(\max \Delta x_i) \to 0} \sum_{i=1}^{n} f(c_i)\,\Delta x_i \quad \text{(par définition)}$$

$$= \lim_{(\max \Delta x_i) \to 0} \sum_{i=1}^{n} 4\, \Delta x_i \qquad (\text{car } f(x) = 4,\ \forall\ x \in [2,\ 7])$$

$$= \lim_{(\max \Delta x_i) \to 0} 4 \sum_{i=1}^{n} \Delta x_i \qquad (\text{théorème } 3.2)$$

$$= \lim_{(\max \Delta x_i) \to 0} (4\,(7-2)) \qquad (\text{théorème } 3.5)$$

$$= 20 \qquad (\text{en évaluant})$$

Puisque la fonction est continue et non négative sur $[2,\ 7]$, la valeur 20 trouvée correspond à l'aire réelle A_2^7.

Exemple 2 Évaluons $\displaystyle\int_2^6 (1-x)\, dx$ à partir de la définition de l'intégrale définie.

Soit $P = \{x_0,\ x_1,\ x_2,\ ...,\ x_{n-1},\ x_n\}$, une partition quelconque de $[2,\ 6]$, où $x_0 = 2$ et $x_n = 6$. Sur chaque sous-intervalle $[x_{i-1},\ x_i]$, choisissons c_i comme étant le point milieu de l'intervalle, c'est-à-dire $c_i = \dfrac{x_{i-1} + x_i}{2}$.

Puisque $\displaystyle\int_2^6 (1-x)\, dx = \lim_{(\max \Delta x_i) \to 0} \sum_{i=1}^{n} f(c_i)\, \Delta x_i$, calculons d'abord $\displaystyle\sum_{i=1}^{n} f(c_i)\, \Delta x_i$.

$$\sum_{i=1}^{n} f(c_i)\, \Delta x_i = f(c_1)\, \Delta x_1 + f(c_2)\, \Delta x_2 + ... + f(c_n)\, \Delta x_n$$

$$= \left(1 - \frac{x_0 + x_1}{2}\right)(x_1 - x_0) + \left(1 - \frac{x_1 + x_2}{2}\right)(x_2 - x_1) +$$

$$... + \left(1 - \frac{x_{n-1} + x_n}{2}\right)(x_n - x_{n-1})$$

$$= \left(x_1 - x_0 - \frac{(x_0 + x_1)(x_1 - x_0)}{2}\right) + \left(x_2 - x_1 - \frac{(x_1 + x_2)(x_2 - x_1)}{2}\right) +$$

$$... + \left(x_n - x_{n-1} - \frac{(x_{n-1} + x_n)(x_n - x_{n-1})}{2}\right)$$

$$= x_n - x_0 - \frac{1}{2}(x_1^2 - x_0^2 + x_2^2 - x_1^2 + ... + x_n^2 - x_{n-1}^2) \quad (\text{en effectuant})$$

$$= x_n - x_0 - \frac{1}{2}(x_n^2 - x_0^2) \quad (\text{en effectuant})$$

$$= 6 - 2 - \frac{1}{2}(6^2 - 2^2) \quad (\text{car } x_0 = 2 \text{ et } x_n = 6)$$

$$= \text{-}12$$

donc $\displaystyle\int_2^6 (1-x)\, dx = \lim_{(\max \Delta x_i) \to 0} (\text{-}12) \quad \left(\text{car } \sum_{i=1}^{n} f(c_i)\, \Delta x_i = \text{-}12\right)$

$$= \text{-}12$$

Propriétés de l'intégrale définie

Définition

1) Pour toute fonction f intégrable, $\int_a^a f(x)\,dx = 0$, pour tout $a \in \text{dom } f$.

2) Pour toute fonction f intégrable sur $[a, b]$, $\int_b^a f(x)\,dx = -\int_a^b f(x)\,dx.$

Exemple 1

a) $\int_2^2 (x + 4)\,dx = 0$

b) Si $\int_7^9 f(x)\,dx = 10$, alors $\int_9^7 f(x)\,dx = -10$.

THÉORÈME 3.6

Si f est une fonction continue sur $[a, b]$ et $c \in\ ]a, b[$, alors

$$\int_a^b f(x)\,dx = \int_a^c f(x)\,dx + \int_c^b f(x)\,dx.$$

Nous admettons ce théorème sans démonstration ; cependant, l'exemple suivant illustre le théorème dans le cas où f est continue et $f(x) \geq 0$ sur $[a, b]$.

Exemple 2 Soit une fonction f continue telle que $f(x) \geq 0$ sur $[a, b]$.

Ainsi,

$$\int_a^b f(x)\,dx = A_a^b$$

$$= A_a^c + A_c^b$$

$$= \int_a^c f(x)\,dx + \int_c^b f(x)\,dx$$

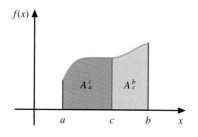

THÉORÈME 3.7

Si f et g sont deux fonctions continues sur $[a, b]$, alors

$$\int_a^b [f(x) \pm g(x)]\,dx = \int_a^b f(x)\,dx \pm \int_a^b g(x)\,dx.$$

Preuve

Soit $P = \{x_0, x_1, x_2, \ldots, x_{n-1}, x_n\}$ une partition de $[a, b]$.

$$\int_a^b [f(x) \pm g(x)]\,dx = \lim_{(\max \Delta x_i) \to 0} \sum_{i=1}^n [f(c_i) \pm g(c_i)]\,\Delta x_i \qquad \text{(par définition)}$$

$$= \lim_{(\max \Delta x_i) \to 0} \sum_{i=1}^{n} [f(c_i)\, \Delta x_i \pm g(c_i)\, \Delta x_i]$$

$$= \lim_{(\max \Delta x_i) \to 0} \left(\sum_{i=1}^{n} f(c_i)\, \Delta x_i \pm \sum_{i=1}^{n} g(c_i)\, \Delta x_i \right) \quad \text{(théorème 3.1)}$$

$$= \lim_{(\max \Delta x_i) \to 0} \sum_{i=1}^{n} f(c_i)\, \Delta x_i \pm \lim_{(\max \Delta x_i) \to 0} \sum_{i=1}^{n} g(c_i)\, \Delta x_i \quad \text{(propriété des limites)}$$

$$= \int_a^b f(x)\, dx \pm \int_a^b g(x)\, dx \quad \text{(par définition)}$$

THÉORÈME 3.8

Si f est une fonction continue sur $[a, b]$ et $k \in \mathbb{R}$, alors
$$\int_a^b k\, f(x)\, dx = k \int_a^b f(x)\, dx.$$

Preuve

Soit $P = \{x_0, x_1, x_2, \ldots, x_{n-1}, x_n\}$, une partition de $[a, b]$.

$$\int_a^b k\, f(x)\, dx = \lim_{(\max \Delta x_i) \to 0} \sum_{i=1}^{n} k\, f(c_i)\, \Delta x_i \quad \text{(par définition)}$$

$$= \lim_{(\max \Delta x_i) \to 0} k \sum_{i=1}^{n} f(c_i)\, \Delta x_i \quad \text{(théorème 3.2)}$$

$$= k \left(\lim_{(\max \Delta x_i) \to 0} \sum_{i=1}^{n} f(c_i)\, \Delta x_i \right) \quad \text{(propriété des limites)}$$

$$= k \int_a^b f(x)\, dx \quad \text{(par définition)}$$

Exemple 3 Calculons $\int_{-1}^{4} [3\, f(x) - 4\, g(x)]\, dx$, si $\int_{-1}^{4} f(x)\, dx = -7$ et $\int_{4}^{-1} g(x)\, dx = 2$.

$$\int_{-1}^{4} [3\, f(x) - 4\, g(x)]\, dx = \int_{-1}^{4} 3\, f(x)\, dx - \int_{-1}^{4} 4\, g(x)\, dx \quad \text{(théorème 3.7)}$$

$$= 3 \int_{-1}^{4} f(x)\, dx - 4 \int_{-1}^{4} g(x)\, dx \quad \text{(théorème 3.8)}$$

$$= 3 \int_{-1}^{4} f(x)\, dx - 4 \left(-\int_{4}^{-1} g(x)\, dx \right) \quad \text{(par définition)}$$

$$= 3(-7) + 4(2) \quad \text{(en remplaçant)}$$

$$= -13$$

Exercices 3.3

1. Pour chacune des fonctions suivantes, calculer les sommes de Riemann correspondantes.

a)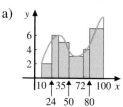

c)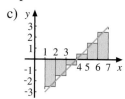

b)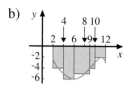

2. Soit $f(x) = x^2 + 2x - 3$ sur $[0, 2]$ et la partition $P = \{0, 0{,}6, 0{,}8, 1{,}2, 1{,}7, 2\}$ de $[0, 2]$. Calculer la somme de Riemann correspondante pour $c_i \in [x_{i-1}, x_i]$ tel que :

a) $c_i = x_{i-1}$

b) $c_i = x_i$

c) c_i est le point milieu de $[x_{i-1}, x_i]$

3. a) Si $f(x) = c$ sur $[a, b]$, où $c \in \mathbb{R}$, évaluer $\int_a^b c\, dx$ à partir de la définition de l'intégrale définie.

b) Évaluer, à l'aide du résultat de a), $\int_{-1}^4 \frac{1}{2}\, dx$.

c) Évaluer, à l'aide du résultat de a), $\int_{-10}^{-1} (\text{-}3)\, dx$.

4. Soit $f(x) = x$ sur $[a, b]$ et la partition $P = \{x_0, x_1, x_2, \ldots, x_{n-1}, x_n\}$ où $x_0 = a$ et $x_n = b$.

a) En utilisant sur chaque sous-intervalle le point milieu, déterminer SR_n.

b) Évaluer $\int_a^b x\, dx$.

c) Évaluer, à l'aide du résultat de b), $\int_2^9 x\, dx$.

d) Évaluer, à l'aide du résultat de b), $\int_{-4}^1 x\, dx$.

e) Évaluer, à l'aide du résultat de b), $\int_{-3}^3 x\, dx$.

f) Lorsque $0 < a < b$, représenter et interpréter $\int_a^b x\, dx$.

5. Sachant que $\int_0^3 f(x)\, dx = 5$, $\int_3^5 f(x)\, dx = \text{-}6$ et $\int_5^9 f(x)\, dx = 8$, utiliser les propriétés de l'intégrale définie pour évaluer :

a) $\int_3^9 f(x)\, dx$ b) $\int_9^3 f(x)\, dx$ c) $\int_0^9 f(x)\, dx$

6. Sachant que $\int_2^5 f(x)\, dx = 4$ et $\int_2^5 g(x)\, dx = 3$, utiliser les propriétés de l'intégrale définie pour évaluer :

a) $\int_2^5 [f(x) + g(x)]\, dx$

b) $\int_2^2 8f(x)\, dx$

c) $\int_2^5 [5g(x) - 2f(x)]\, dx$

3.4 LE THÉORÈME FONDAMENTAL DU CALCUL

Objectif d'apprentissage

À la fin de cette section, l'élève pourra calculer certaines intégrales définies en utilisant le théorème fondamental du calcul.

Plus précisément, l'élève sera en mesure :
- d'utiliser le théorème de la moyenne pour l'intégrale définie ;
- de démontrer le théorème fondamental du calcul ;
- d'évaluer des intégrales définies en utilisant le théorème fondamental du calcul ;
- d'évaluer des intégrales définies par changement de variable sans changer les bornes d'intégration ;
- d'évaluer des intégrales définies par changement de variable et en changeant les bornes d'intégration.

Dans les sections précédentes, nous avons calculé l'aire de différentes régions en faisant la somme des aires des rectangles inscrits et circonscrits. Cela nous a permis d'obtenir la valeur de l'aire réelle en évaluant $\lim\limits_{n \to +\infty} s_n$ et $\lim\limits_{n \to +\infty} S_n$.

Nous avons également évalué des intégrales définies à partir de la définition, c'est-à-dire :

$$\int_a^b f(x)\, dx = \lim_{(\max \Delta x_i) \to 0} \sum_{i=1}^{n} f(c_i)\, \Delta x_i, \text{ où } c_i \in [x_{i-1}, x_i]$$

Notons cependant que, dans nos exemples, nous avons limité l'utilisation de cette méthode de calcul d'aires et d'intégrales définies à des fonctions polynomiales de degré inférieur à 4.

Cependant, lorsqu'il s'agit d'évaluer des intégrales définies de fonctions telles que : $\sqrt{x}$, $\sin x$, e^x, $\ln x$, etc., cette méthode devient impraticable.

Nous allons maintenant démontrer le théorème fondamental du calcul qui relie les notions de dérivée, d'intégrale indéfinie et d'intégrale définie. Nous pourrons alors évaluer des intégrales définies en utilisant ce théorème.

Théorème fondamental du calcul

Énonçons maintenant un théorème essentiel à la démonstration du théorème fondamental du calcul.

THÉORÈME 3.9 **THÉORÈME DE LA** **MOYENNE POUR** **L'INTÉGRALE DÉFINIE**	Si f est une fonction continue sur $[a, b]$, alors il existe au moins un nombre $c \in [a, b]$ tel que $$\int_a^b f(x)\, dx = f(c)\,(b - a).$$

Nous allons démontrer ce théorème dans le cas particulier où f est une fonction non négative sur $[a, b]$.

Preuve

Soit m le minimum et M le maximum de f sur $[a, b]$ (ces valeurs existent par le théorème des valeurs extrêmes).

Nous constatons graphiquement que $m(b - a) \leq \int_a^b f(x)\, dx \leq M(b - a)$.

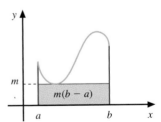 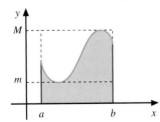 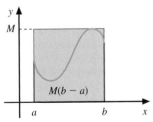

Ainsi, en divisant chaque membre par $(b - a)$, où $(b - a) > 0$, nous obtenons

$$m \leq \frac{1}{(b-a)} \int_a^b f(x)\, dx \leq M$$

Puisque $\dfrac{1}{(b-a)} \displaystyle\int_a^b f(x)\, dx$ est un nombre réel compris entre m et M, alors, par le théorème de la valeur intermédiaire, il existe un $c \in [a, b]$ tel que $\dfrac{1}{(b-a)} \displaystyle\int_a^b f(x)\, dx = f(c)$

d'où $\displaystyle\int_a^b f(x)\, dx = f(c)(b - a)$

Le théorème de la moyenne nous indique qu'il existe une droite parallèle à l'axe des x, formant le côté supérieur d'un rectangle dont les autres côtés sont $x = a$, $x = b$ et l'axe des x, et telle que l'aire de ce rectangle est égale à A_a^b; cette droite parallèle à l'axe des x rencontre au moins une fois la courbe de f sur $[a, b]$. L'abscisse d'un de ces points d'intersection est le nombre c du théorème de la moyenne.

Interprétation géométrique du théorème de la moyenne pour l'intégrale définie

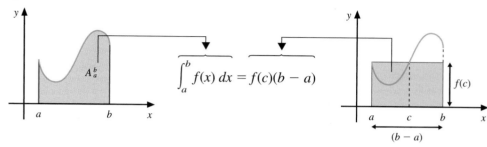

THÉORÈME 3.10
THÉORÈME FONDAMENTAL DU CALCUL

Soit f une fonction continue sur un intervalle ouvert I, et $a \in I$.

1re *partie*   Si $A(x) = \displaystyle\int_a^x f(t)\, dt$, où $x \in I$, alors $A(x)$ est une primitive de $f(x)$,

c'est-à-dire $A'(x) = \dfrac{d}{dx}\left[\displaystyle\int_a^x f(t)\, dt\right] = f(x)$.

2e *partie*   Si $F(x)$ est une primitive quelconque de $f(x)$, alors

$\displaystyle\int_a^b f(t)\, dt = F(b) - F(a)$, où a et $b \in I$.

Nous allons démontrer ce théorème dans le cas particulier où f est une fonction non négative sur I.

Preuve

1re *partie*

Soit $a \in I$ et $x \in I$, tel que $a < x$.

Ainsi, $A(x) = \displaystyle\int_a^x f(t)\, dt$ représente l'aire de la région ci-contre.

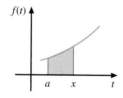

Soit $h > 0$, tel que $(x + h) \in I$.

Ainsi, $A(x + h) = \displaystyle\int_a^{x+h} f(t)\, dt$ représente l'aire de la région ci-contre.

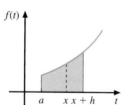

Nous avons donc

$$A(x + h) - A(x) = \int_a^{x+h} f(t)\, dt - \int_a^x f(t)\, dt$$

$$= \int_x^{x+h} f(t)\, dt \quad \text{(théorème 3.6)}$$

qui représente l'aire de la région ci-contre.

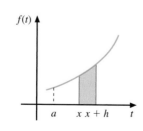

Par le théorème de la moyenne pour l'intégrale définie, nous avons

$$\int_x^{x+h} f(t)\,dt = f(c)\,h, \text{ où } c \in [x, x+h].$$

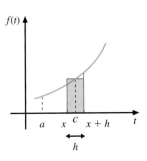

Ainsi, $A(x+h) - A(x) = f(c)\,h$

$$\frac{A(x+h) - A(x)}{h} = f(c) \qquad \text{(en divisant par } h)$$

Dans le cas où $h < 0$, nous procédons de façon analogue. Alors,

$$\lim_{h \to 0} \frac{A(x+h) - A(x)}{h} = \lim_{h \to 0} f(c) \qquad \text{(en prenant la limite de chaque membre de l'équation)}$$

$$A'(x) = \lim_{h \to 0} f(c) \qquad \text{(par définition de } A'(x))$$

$$A'(x) = \lim_{c \to x} f(c) \qquad \text{(car si } h \to 0, \text{ alors } c \to x)$$

$$A'(x) = f(x) \qquad \text{(car } f \text{ est continue)}$$

d'où $A(x)$ est une primitive de $f(x)$.

Preuve

2e partie

Soit $a \in I$ et $b \in I$, tel que $a \leq b$.

Puisque $F(x)$ est également une primitive de $f(x)$, alors

$$A(x) = F(x) + C \qquad \text{(corollaire 2, chapitre 1)}$$

Ainsi $A(a) = F(a) + C \qquad \text{(en posant } x = a)$

$$0 = F(a) + C \qquad \left(\text{car } A(a) = \int_a^a f(t)\,dt = 0\right)$$

donc $C = -F(a)$

Alors $A(x) = F(x) - F(a) \qquad \text{(car } C = -F(a))$

ainsi $A(b) = F(b) - F(a) \qquad \text{(en posant } x = b)$

d'où $\displaystyle\int_a^b f(t)\,dt = F(b) - F(a) \qquad \left(\text{car } A(b) = \int_a^b f(t)\,dt\right)$

Exemple 1

a) Déterminons $\dfrac{d}{dx}\left[\displaystyle\int_2^x (t^3 - 5t)\,dt\right]$.

$$\frac{d}{dx}\left[\int_2^x (t^3 - 5t)\,dt\right] = x^3 - 5x \qquad \text{(théorème 3.10, 1^{re} partie)}$$

b) Déterminons $\dfrac{d}{du}\left[\displaystyle\int_u^5 \text{Arc tan } x\,dx\right]$.

$$\frac{d}{du}\left[\int_u^5 \text{Arc tan } x\,dx\right] = \frac{d}{du}\left[-\int_5^u \text{Arc tan } x\,dx\right] \qquad \text{(par définition)}$$

$$= \frac{-d}{du}\left[\int_5^u \text{Arc tan } x\,dx\right]$$

$$= -\text{Arc tan } u \qquad \text{(théorème 3.10, 1^{re} partie)}$$

Exemple 2 Évaluons $\int_2^5 (3x^2 + 4x)\, dx$ à l'aide du théorème fondamental du calcul.

Soit $F(x) = x^3 + 2x^2 + C$, une primitive de $(3x^2 + 4x)$, car $(x^3 + 2x^2 + C)' = 3x^2 + 4x$.

Ainsi $\int_2^5 (3x^2 + 4x)\, dx = F(5) - F(2)$ (théorème 3.10, 2ᵉ partie)

$$= ((5)^3 + 2(5)^2 + C) - ((2)^3 + 2(2)^2 + C)$$
$$= (175 + C) - (16 + C)$$
$$= 159$$

THÉORÈME 3.11 Si $F(x)$ et $G(x)$ sont deux primitives de $f(x)$, alors $F(b) - F(a) = G(b) - G(a)$.

Preuve

Puisque $G(x) = F(x) + C$ (corollaire 2 du théorème de Lagrange)

$G(b) - G(a) = (F(b) + C) - (F(a) + C)$ (théorème 3.10, 2ᵉ partie)

$$= F(b) + C - F(a) - C$$
$$= F(b) - F(a)$$

Dorénavant, nous n'écrirons plus la constante d'intégration dans le calcul des intégrales définies.

Voici un résumé des étapes à suivre pour évaluer une intégrale définie de la forme $\int_a^b f(x)\, dx$.

Étape 1 Déterminer une primitive $F(x)$ de $f(x)$.

Étape 2 Évaluer F à la borne supérieure b pour obtenir $F(b)$, évaluer F à la borne inférieure a pour obtenir $F(a)$ et calculer $F(b) - F(a)$ pour obtenir $\int_a^b f(x)\, dx$.

Nous utilisons la notation suivante pour calculer des intégrales définies.

$$\int_a^b f(x)\, dx = F(x)\Big|_a^b = F(b) - F(a)$$

Exemple 3

a) Évaluons $\int_1^4 \frac{x - 4}{\sqrt{x}}\, dx$.

$$\int_1^4 \frac{x - 4}{\sqrt{x}}\, dx = \int_1^4 (x^{\frac{1}{2}} - 4x^{\frac{-1}{2}})\, dx$$

$$= \left(\frac{2x^{\frac{3}{2}}}{3} - 8x^{\frac{1}{2}} \right) \Big|_1^4$$

$$= \left(\frac{2}{3}(4)^{\frac{3}{2}} - 8(4)^{\frac{1}{2}} \right) - \left(\frac{2}{3}(1)^{\frac{3}{2}} - 8(1)^{\frac{1}{2}} \right) = \frac{-10}{3}$$

b) Évaluons $\int_0^{0,5} \frac{1}{\sqrt{1-x^2}} \, dx$.

$$\int_0^{0,5} \frac{1}{\sqrt{1-x^2}} \, dx = \text{Arc sin } x \Big|_0^{0,5}$$

$$= (\text{Arc sin } 0,5) - (\text{Arc sin } 0)$$

$$= \frac{\pi}{6} - 0 = \frac{\pi}{6}$$

c) Évaluons $\int_0^{2\pi} \sin\theta \, d\theta$.

$$\int_0^{2\pi} \sin\theta \, d\theta = -\cos\theta \Big|_0^{2\pi}$$

$$= (-\cos 2\pi) - (-\cos 0)$$

$$= -1 + 1 = 0$$

Changement de variable dans l'intégrale définie

Voici une première méthode pour évaluer une intégrale définie, où un changement de variable est nécessaire :

Étape 1 Déterminer l'intégrale indéfinie.

Étape 2 Évaluer l'intégrale définie à l'aide du théorème fondamental du calcul.

Exemple 1 Évaluons $\int_0^{\frac{\pi}{2}} \sin^3 4\theta \cos 4\theta \, d\theta$.

Étape 1 Déterminons d'abord $\int \sin^3 4\theta \cos 4\theta \, d\theta$.

Posons $u = \sin 4\theta$

$du = 4\cos 4\theta \, d\theta$, d'où $\cos 4\theta \, d\theta = \frac{1}{4} du$

Ainsi $\int \sin^3 4\theta \cos 4\theta \, d\theta = \int u^3 \frac{1}{4} du$

$$= \frac{u^4}{16} + C = \frac{\sin^4 4\theta}{16} + C \quad (\text{car } u = \sin 4\theta)$$

Étape 2 Évaluons l'intégrale définie à l'aide du théorème fondamental du calcul.

$$\int_0^{\frac{\pi}{2}} \sin^3 4\theta \cos 4\theta \, d\theta = \frac{\sin^4 4\theta}{16} \Big|_0 = \frac{\sin^4 2\pi}{16} - \frac{\sin^4 0}{16} = 0$$

Une deuxième méthode pour évaluer une intégrale définie, où un changement de variable est nécessaire, consiste à changer les bornes d'intégration en fonction de la nouvelle variable, afin d'éviter de revenir à la variable initiale.

THÉORÈME 3.12

Si g' est une fonction continue sur $[a, b]$ telle que $g'(x) \neq 0$ sur $]a, b[$ et si f est une fonction continue sur un intervalle I contenant toutes les valeurs u, où $u = g(x)$ et $x \in [a, b]$, alors

$$\int_a^b f(g(x))\, g'(x)\, dx = \int_{g(a)}^{g(b)} f(u)\, du.$$

Preuve

Pour $F(x)$ une primitive de $f(x)$, nous avons

$$\int_a^b f(g(x))\, g'(x)\, dx = F(g(x))\Big|_a^b \qquad \text{(théorème fondamental du calcul)}$$

$$= F(g(b)) - F(g(a))$$

$$= F(u)\Big|_{g(a)}^{g(b)} \qquad \text{(car } u = g(x))$$

$$= \int_{g(a)}^{g(b)} f(u)\, du \qquad \text{(théorème fondamental du calcul)}$$

Exemple 2 Évaluons $\int_0^4 x\sqrt{x^2 + 9}\, dx$ à l'aide du théorème précédent.

Posons $u = x^2 + 9$

$$du = 2x\, dx, \text{ d'où } x\, dx = \frac{1}{2}\, du$$

Si $x = 0$, alors $u = 0^2 + 9 = 9$, et si $x = 4$, alors $u = 4^2 + 9 = 25$.

Ainsi $\displaystyle\int_0^4 x\sqrt{x^2 + 9}\, dx = \int_9^{25} u^{\frac{1}{2}} \frac{1}{2}\, du \qquad$ (théorème 3.12)

$$= \frac{u^{\frac{3}{2}}}{3}\Big|_9^{25}$$

$$= \frac{(25)^{\frac{3}{2}}}{3} - \frac{9^{\frac{3}{2}}}{3} = \frac{98}{3}$$

Exemple 3 Évaluons $\int_0^4 \frac{4x}{\sqrt{25 - x^2}}\, dx$ de deux façons différentes.

1re méthode	2e méthode

1re méthode

Étape 1 Évaluons d'abord

$$\int \frac{4x}{\sqrt{25 - x^2}}\, dx.$$

Posons $u = 25 - x^2$

$du = -2x\, dx$

d'où $x\, dx = \frac{-1}{2}\, du$

Ainsi $\int \frac{4x}{\sqrt{25 - x^2}}\, dx = 4 \int u^{-\frac{1}{2}} \left(\frac{-1}{2}\right) du$

$$= -4u^{\frac{1}{2}} + C$$
$$= -4\sqrt{25 - x^2} + C$$

Étape 2 Évaluons l'intégrale définie.

$$\int_0^4 \frac{4x}{\sqrt{25 - x^2}}\, dx = -4\sqrt{25 - x^2}\; \Big|_0^4$$
$$= -4\sqrt{9} + 4\sqrt{25}$$
$$= 8$$

2e méthode

Posons $u = 25 - x^2$

$du = -2x\, dx$

d'où $x\, dx = \frac{-1}{2}\, du$

Si $x = 0$, alors $u = 25$, et si $x = 4$, alors $u = 9$.

Ainsi

$$\int_0^4 \frac{4x}{\sqrt{25 - x^2}}\, dx = 4 \int_{25}^9 u^{-\frac{1}{2}} \left(\frac{-1}{2}\right) du$$
$$= -4u^{\frac{1}{2}}\; \Big|_{25}^9$$
$$= -4\sqrt{9} + 4\sqrt{25}$$
$$= 8$$

Exercices 3.4

1. Utiliser le théorème fondamental du calcul pour évaluer chacune des intégrales suivantes.

a) $\displaystyle\int_1^4 (1 - \sqrt{x})\, dx$

f) $\displaystyle\int_{-1}^2 \frac{4e^x + 1}{2}\, dx$

b) $\displaystyle\int_{\frac{-\pi}{2}}^{\frac{\pi}{2}} 2\sin\theta\, d\theta$

g) $\displaystyle\int_0^2 (x^3 + 3^x)\, dx$

c) $\displaystyle\int_1^e \frac{3}{t}\, dt$

h) $\displaystyle\int_{\frac{-\pi}{5}}^{\frac{\pi}{5}} \sec^2\theta\, d\theta$

d) $\displaystyle\int_{-1}^1 \frac{1}{1 + x^2}\, dx$

i) $\displaystyle\int_0^{0,5} \frac{-2}{\sqrt{1 - x^2}}\, dx$

e) $\displaystyle\int_{\frac{-\pi}{3}}^0 \sec u \tan u\, du$

j) $\displaystyle\int_1^8 \left(\frac{2}{x^3} - \frac{4}{\sqrt[3]{x}}\right) dx$

2. Évaluer chacune des intégrales définies suivantes de deux façons différentes, c'est-à-dire en utilisant un changement de variable sans changer les bornes d'intégration, et en utilisant un changement de variable en changeant les bornes d'intégration.

a) $\displaystyle\int_2^4 \frac{1}{3 + 5x}\, dx$

b) $\displaystyle\int_0^{\frac{\pi}{12}} \tan^2 3\theta \sec^2 3\theta\, d\theta$

3. Évaluer les intégrales définies suivantes.

a) $\displaystyle\int_1^2 x^2\,(3 - x^4)\, dx$

g) $\displaystyle\int_{\sqrt{e}}^{e^2} \frac{1}{x \ln x}\, dx$

b) $\displaystyle\int_{-1}^1 x^2\,(x^3 - 1)^4\, dx$

h) $\displaystyle\int_{\frac{-\pi}{2}}^{\frac{\pi}{2}} \frac{\cos\varphi}{1 + \sin^2\varphi}\, d\varphi$

c) $\displaystyle\int_{\frac{\pi}{2}}^{\pi} \cos 2t\, dt$

i) $\displaystyle\int_{\pi}^{2\pi} \frac{\cos\theta}{2 + \sin\theta}\, d\theta$

d) $\displaystyle\int_2^6 \frac{(x + 1)^2}{x}\, dx$

j) $\displaystyle\int_4^9 \frac{1}{\sqrt{x}\,(1 + \sqrt{x})^3}\, dx$

e) $\displaystyle\int_{\frac{-\pi}{3}}^{\frac{-\pi}{4}} \frac{\sec^2\theta}{\tan^2\theta}\, d\theta$

k) $\displaystyle\int_{\frac{1}{2}}^1 \frac{\text{Arc}\sin x}{\sqrt{1 - x^2}}\, dx$

f) $\displaystyle\int_0^{\frac{\pi}{4}} \sec\theta\, d\theta$

l) $\displaystyle\int_0^{\frac{\pi}{12}} \sec^2 3\theta\, e^{\tan 3\theta}\, d\theta$

4. Déterminer $F(x)$, puis trouver $F'(x)$ si :

a) $\displaystyle F(x) = \int_{\frac{\pi}{2}}^x \cos t\, dt$

b) $\displaystyle F(x) = \int_1^x e^{2t}\, dt$

c) $F(x) = \displaystyle\int_1^x \frac{1}{t}\, dt$

d) $F(x) = \displaystyle\int_x^4 (3t^2 - 4t + 5)\, dt$

5. Trouver

a) $F'(x)$, si $F(x) = \displaystyle\int_1^x \sec^3 t\, dt$

b) $F'(x)$, si $F(x) = \displaystyle\int_x^2 \ln u\, du$

c) $\dfrac{d}{dx}\left[\displaystyle\int_1^x \dfrac{d}{dt}\,(te^t)\, dt \right]$

6. Déterminer la valeur c du théorème de la moyenne pour l'intégrale définie, pour les fonctions continues suivantes.

a) $f(x) = x^3$, où $x \in [2, 8]$

b) $f(x) = \dfrac{1}{x}$, où $x \in [2, 6]$

c) $f(x) = \sqrt[3]{x}$, où $x \in [-8, 1]$

7. Soit f une fonction intégrable sur $[a, b]$, où $a < c < b$. Vérifier à l'aide du théorème fondamental du calcul que :

a) $\displaystyle\int_a^a f(x)\, dx = 0$

b) $\displaystyle\int_a^c f(x)\, dx + \displaystyle\int_c^b f(x)\, dx = \displaystyle\int_a^b f(x)\, dx$

c) $\displaystyle\int_a^b k\, f(x)\, dx = k \displaystyle\int_a^b f(x)\, dx$

8. Évaluer

a) $\displaystyle\int_{-1}^5 |x - 3|\, dx$ \qquad b) $\displaystyle\int_{-2}^3 |1 - x^2|\, dx$

3.5 CALCUL D'AIRES ET APPLICATIONS DE L'INTÉGRALE DÉFINIE

Objectifs d'apprentissage

À la fin de cette section, l'élève pourra calculer l'aire de régions fermées et résoudre certains problèmes à l'aide de l'intégrale définie.

Plus précisément, l'élève sera en mesure :
- de calculer l'aire d'une région comprise entre une courbe définie par y, où $y \geq 0$ (x, où $x \geq 0$), et un axe sur un intervalle donné ;
- de calculer l'aire d'une région fermée définie par y, où $y \geq 0$ (x, où $x \geq 0$), après avoir déterminé l'intervalle $[a, b]$;
- de calculer l'aire d'une région située entre deux courbes continues sur un intervalle $[a, b]$;
- d'utiliser l'intégrale définie pour résoudre certains problèmes dans des domaines autres que les mathématiques.

Nous avons d'abord défini à la section 3.3 l'intégrale définie comme étant

$$\int_a^b f(x)\, dx = \lim_{(\max \Delta x_i) \to 0} \sum_{i=1}^n f(c_i)\, \Delta x_i$$

Puis, à la section 3.4, le théorème fondamental du calcul nous a permis d'évaluer cette intégrale définie comme suit :

$$\int_a^b f(x)\, dx = F(x)\Big|_a^b = F(b) - F(a)$$

Dans cette section, nous relierons ces deux notions pour calculer l'aire d'une région. En effet, dans le cas où f est continue et non négative sur $[a, b]$, $\displaystyle\int_a^b f(x)\, dx$ correspond à l'aire entre la courbe de f et l'axe des x, $x = a$ et $x = b$.

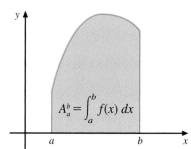

$$A_a^b = \int_a^b f(x)\, dx$$

Aire de régions délimitées par une courbe et un axe sur un intervalle donné

Exemple 1 Soit $f(x) = -x^2 + 2x + 5$ sur $[1, 3]$. Évaluons l'aire de la région comprise entre la courbe de f et l'axe des x, $x = 1$ et $x = 3$, à l'aide de l'intégrale définie.

Remarque Nous avons déjà évalué A_1^3 de cette fonction, à l'aide de $\lim\limits_{n \to +\infty} s_n$ et de $\lim\limits_{n \to +\infty} S_n$, dans l'exemple 2 de la page 123.

Nous avions trouvé que $A_1^3 = \dfrac{28}{3}$ unités^2.

Étape 1 Représentons graphiquement la région.

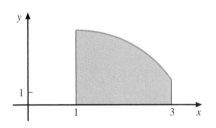

Étape 2 Représentons graphiquement un élément (rectangle) de l'aire totale et calculons l'aire de cet élément.

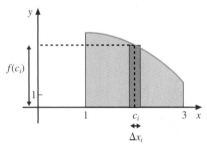

Aire du rectangle $= f(c_i)\, \Delta x_i$

Pour déterminer l'aire réelle A_1^3 de la région, il faut faire la somme des aires des rectangles et calculer la limite lorsque (max Δx_i) tend vers zéro de cette somme.

Étape 3 $A_1^3 = \lim\limits_{(\max \Delta x_i) \to 0} \sum\limits_{i=1}^{n} f(c_i)\, \Delta x_i$

$\qquad\qquad = \displaystyle\int_1^3 f(x)\, dx \qquad$ (par définition)

$\qquad\qquad = \displaystyle\int_1^3 (-x^2 + 2x + 5)\, dx \quad$ (car $f(x) = -x^2 + 2x + 5$)

$\qquad\qquad = \left(\dfrac{-x^3}{3} + x^2 + 5x \right)\Bigg|_1^3 \qquad$ (théorème fondamental du calcul)

$\qquad\qquad = 15 - \dfrac{17}{3}$

$\qquad\qquad = \dfrac{28}{3}$

d'où l'aire cherchée égale $\dfrac{28}{3}$ u^2.

Exemple 2 Déterminons, à l'aide de l'intégrale définie, l'aire de la région fermée comprise entre la courbe définie par $x = y^2 + 1$ et l'axe des y, $y = -2$ et $y = 3$.

Étape 1 Représentons graphiquement la région.

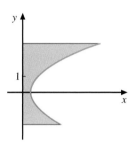

Étape 2 Représentons graphiquement un élément (rectangle) de l'aire totale et calculons l'aire de cet élément.

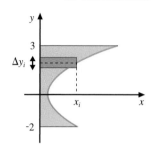

Aire du rectangle $= x_i \, \Delta y_i$.

Étape 3

$$A_{-2}^{3} = \lim_{(\max \Delta y_i) \to 0} \sum_{i=1}^{n} x_i \, \Delta y_i$$

$$= \int_{-2}^{3} x \, dy \qquad \text{(par définition)}$$

$$= \int_{-2}^{3} (y^2 + 1) \, dy \qquad \text{(car } x = y^2 + 1)$$

$$= \left(\frac{y^3}{3} + y \right) \Big|_{-2}^{3} \qquad \text{(théorème fondamental du calcul)}$$

$$= (9 + 3) - \left(\frac{-8}{3} - 2 \right)$$

$$= \frac{50}{3}$$

d'où l'aire cherchée égale $\dfrac{50}{3}$ u².

Remarque Pour simplifier l'écriture, nous écrirons sur les graphiques y (au lieu de $f(c_i)$), Δx (au lieu de Δx_i), x (au lieu de x_i) et Δy (au lieu de Δy_i). Ensuite, nous passerons directement à l'intégrale définie, c'est-à-dire $\int y \, dx$ (ou $\int x \, dy$), pour évaluer l'aire.

Exemple 3 Déterminons l'aire de la région délimitée par $y = x^2$, $y = 0$, $x = 1$ et $x = 3$.

Représentons sur le même graphique la région et un élément de l'aire totale.

L'aire du rectangle est donnée par $y \, \Delta x$,

donc $A_1^3 = \displaystyle\int_1^3 y \, dx$

$$= \int_1^3 x^2 \, dx \qquad \text{(car } y = x^2)$$

$$= \frac{x^3}{3} \Big|_1^3$$

$$= \frac{26}{3}, \text{ donc } \frac{26}{3} \text{ u}^2.$$

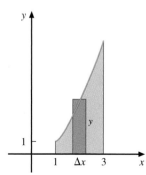

Exemple 4 Déterminons l'aire de la région délimitée par $y = \ln x$, $x = 0$, $y = 1$ et $y = 3$.

Représentons sur le même graphique la région et un élément de l'aire totale.

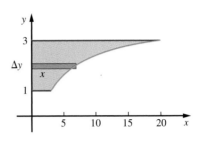

L'aire du rectangle est donnée par $x\,\Delta y$,

donc $A_1^3 = \displaystyle\int_1^3 x\,dy$

$\qquad = \displaystyle\int_1^3 e^y\,dy$ (puisque $y = \ln x$, $x = e^y$)

$\qquad = e^y\,\Big|_1^3 = e^3 - e^1$

d'où l'aire cherchée est approximativement de $17{,}37\ \text{u}^2$.

Aire de régions fermées comprises entre deux courbes

1er cas : Les courbes n'ont aucun point d'intersection sur $[a, b]$ donné.

Représentons sur le même graphique
la région délimitée par les courbes $y_1 = f(x)$,
$y_2 = g(x)$, $x = a$ et $x = b$, ainsi qu'un
élément de l'aire totale.

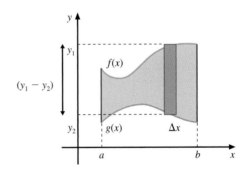

L'aire du rectangle est donnée par :

aire du rectangle = hauteur · base

$\qquad = (y_1 - y_2)\,\Delta x$

donc $\qquad A_a^b = \displaystyle\int_a^b (y_1 - y_2)\,dx$

Remarque Si $f(x) \geqslant g(x)$ sur $[a, b]$, alors la position des fonctions f et g relativement à l'axe des x n'est pas importante pour calculer l'aire de la région comprise entre ces courbes sur $[a, b]$.

En effet, pour les trois cas suivants,

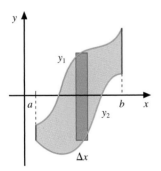
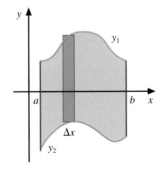
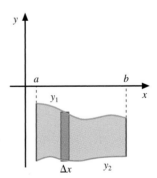

nous obtenons toujours que l'aire du rectangle est donnée par :

aire du rectangle = hauteur · base = $(y_1 - y_2)\,\Delta x$

donc $\qquad A_a^b = \displaystyle\int_a^b (y_1 - y_2)\,dx$

> **Exemple I** Déterminons l'aire de la région fermée délimitée par $y_1 = x^2 - 6x + 8$ et $y_2 = x - 5$ sur $[1, 6]$.
>
> En représentant sur le même graphique la région ainsi qu'un élément de l'aire totale, nous obtenons ce qui suit.
>
> L'aire du rectangle est donnée par
>
> $(y_1 - y_2)\, \Delta x$,
>
> donc $\displaystyle A_1^6 = \int_1^6 (y_1 - y_2)\, dx$
>
>
> $\displaystyle = \int_1^6 [(x^2 - 6x + 8) - (x - 5)]\, dx$ (car $y_1 = x^2 - 6x + 8$ et $y_2 = x - 5$)
>
> $\displaystyle = \int_1^6 (x^2 - 7x + 13)\, dx$
>
> $\displaystyle = \left(\frac{x^3}{3} - \frac{7x^2}{2} + 13x \right)\Bigg|_1^6 = \frac{85}{6}$
>
> d'où l'aire cherchée égale $\dfrac{85}{6}$ u².

> **Exemple 2** Déterminons l'aire de la région fermée délimitée par $x_1 = {\text{-}}y$ et $x_2 = 6y - y^2$ lorsque $y \in [1, 6]$.
>
> En représentant sur le même graphique la région ainsi qu'un élément de l'aire totale, nous obtenons ce qui suit.
>
> L'aire du rectangle est donnée par
>
> $(x_2 - x_1)\, \Delta y$,
>
>
> donc $\displaystyle A_1^6 = \int_1^6 (x_2 - x_1)\, dy$
>
> $\displaystyle = \int_1^6 [(6y - y^2) - ({\text{-}}y)]\, dy$ (car $x_2 = 6y - y^2$ et $x_1 = {\text{-}}y$)
>
> $\displaystyle = \int_1^6 ({\text{-}}y^2 + 7y)\, dy$
>
> $\displaystyle = \left(\frac{{\text{-}}y^3}{3} + \frac{7y^2}{2} \right)\Bigg|_1^6 = \frac{305}{6}$
>
> d'où l'aire cherchée égale $\dfrac{305}{6}$ u².

2ᵉ cas : Les courbes se rencontrent en au moins un point.

Voici les étapes à suivre pour déterminer l'aire entre les courbes y_1 et y_2 sur $[a, b]$.

Étape 1 : Déterminer les points de rencontre des deux courbes en posant $y_1 = y_2$ et en résolvant.

Étape 2 : Représenter les régions ainsi qu'un élément de l'aire sur chacune des régions. Cette représentation nous permet de déterminer si la hauteur du rectangle est $(y_1 - y_2)$ ou bien $(y_2 - y_1)$.

Étape 3 : Évaluer l'aire de chacune des régions à l'aide de l'intégrale définie et en faire la somme pour trouver l'aire totale.

Exemple 3 Évaluons l'aire A de la région fermée comprise entre la courbe de f et l'axe des x ($y = 0$) si $f(x) = x^3 - x^2 - 6x$.

La région fermée est celle qui est délimitée par la courbe de f et les zéros de celle-ci.

$$f(x) = 0$$
$$x^3 - x^2 - 6x = 0$$
$$x(x^2 - x - 6) = 0$$
$$x(x - 3)(x + 2) = 0$$

donc -2, 0 et 3 sont les zéros de f.

Représentons sur le même graphique les régions R_1 et R_2 ainsi qu'un élément de l'aire sur chacune des régions.

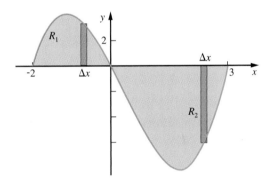

Sur [-2, 0], l'aire du rectangle est donnée par

$$(y - 0)\, \Delta x$$

Sur [0, 3], l'aire du rectangle est donnée par

$$(0 - y)\, \Delta x$$

Ainsi $A = A_{-2}^{\,0} + A_0^{\,3}$

$$= \int_{-2}^{0} (y - 0)\, dx + \int_{0}^{3} (0 - y)\, dx$$

$$= \int_{-2}^{0} (x^3 - x^2 - 6x)\, dx + \int_{0}^{3} (-x^3 + x^2 + 6x)\, dx$$

$$= \left(\frac{x^4}{4} - \frac{x^3}{3} - 3x^2 \right) \Big|_{-2}^{0} + \left(\frac{-x^4}{4} + \frac{x^3}{3} + 3x^2 \right) \Big|_{0}^{3}$$

$$= \frac{16}{3} + \frac{63}{4}$$

d'où $A = \dfrac{253}{12}$ u².

Exemple 4 Évaluons l'aire A de la région fermée délimitée par $y_1 = x^2 - 4$ et $y_2 = 14 - x^2$.

Déterminons d'abord les points d'intersection des deux courbes en posant $y_1 = y_2$.

$$y_1 = y_2$$
$$x^2 - 4 = 14 - x^2$$
$$2x^2 - 18 = 0$$
$$2(x + 3)(x - 3) = 0$$

donc $x = -3$ et $x = 3$. Les points d'intersection sont $(-3, 5)$ et $(3, 5)$.

Représentons sur le même graphique la région ainsi qu'un élément de l'aire totale.

L'aire du rectangle est donnée par $(y_2 - y_1)\,\Delta x$.

$$A = \int_{-3}^{3} (y_2 - y_1)\,dx$$

$$= \int_{-3}^{3} [(14 - x^2) - (x^2 - 4)]\,dx$$

$$= \int_{-3}^{3} (-2x^2 + 18)\,dx$$

$$= \left(\frac{-2x^3}{3} + 18x\right)\Bigg|_{-3}^{3} = 72$$

d'où $A = 72$ u^2.

Exemple 5 Évaluons l'aire A des régions fermées délimitées par $y_1 = x^2$ et $y_2 = 8 - x^2$ sur $[1, 4]$.

Déterminons d'abord les points d'intersection des courbes en posant $y_1 = y_2$.

$$y_1 = y_2$$
$$x^2 = 8 - x^2$$
$$2x^2 - 8 = 0$$
$$2(x - 2)(x + 2) = 0$$

donc $x = 2$ $\qquad$ (-2 est à rejeter, car $-2 \notin [1, 4]$)

Représentons sur le même graphique les régions R_1 et R_2 ainsi qu'un élément de l'aire sur chacune des régions.

Sur $[1, 2]$, l'aire du rectangle est donnée par $(y_2 - y_1)\,\Delta x$. Sur $[2, 4]$, l'aire du rectangle est donnée par $(y_1 - y_2)\,\Delta x$.

$$A = A_1^2 + A_2^4$$

$$= \int_{1}^{2} (y_2 - y_1)\,dx + \int_{2}^{4} (y_1 - y_2)\,dx$$

$$= \int_{1}^{2} (8 - x^2 - x^2)\,dx + \int_{2}^{4} (x^2 - (8 - x^2))\,dx$$

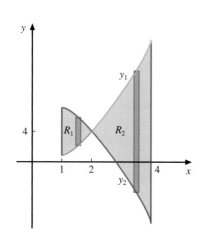

$$= \int_{1}^{2} (8 - 2x^2) \, dx + \int_{2}^{4} (2x^2 - 8) \, dx$$

$$= \left(8x - \frac{2x^3}{3} \right)\bigg|_{1}^{2} + \left(\frac{2x^3}{3} - 8x \right)\bigg|_{2}^{4}$$

$$= \frac{10}{3} + \frac{64}{3}$$

d'où $A = \dfrac{74}{3}$ u².

Exemple 6 Évaluons l'aire A des régions fermées délimitées par la courbe d'équation $y_1 = x^3$ et la courbe d'équation $y_2 = 6x - x^2$.

Déterminons d'abord les points d'intersection de ces deux courbes en posant $y_1 = y_2$.

$$y_1 = y_2$$
$$x^3 = 6x - x^2$$
$$x^3 + x^2 - 6x = 0$$
$$x(x^2 + x - 6) = 0$$
$$x(x + 3)(x - 2) = 0$$

donc $x = 0$, $x = -3$ ou $x = 2$. Les points d'intersection sont $(0, 0)$, $(-3, -27)$ et $(2, 8)$.

Représentons sur le même graphique les régions R_1 et R_2 ainsi qu'un élément de l'aire sur chacune des régions.

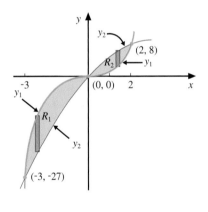

$$A = A_{-3}^{0} + A_{0}^{2}$$

$$= \int_{-3}^{0} (y_1 - y_2) \, dx + \int_{0}^{2} (y_2 - y_1) \, dx$$

$$= \int_{-3}^{0} [x^3 - (6x - x^2)] \, dx + \int_{0}^{2} (6x - x^2 - x^3) \, dx$$

$$= \frac{63}{4} + \frac{16}{3}$$

d'où $A = \dfrac{253}{12}$ u².

Exemple 7 Évaluons l'aire A des régions fermées comprises entre les courbes définies par $x = \dfrac{y^2}{2}$ et $x - y = 4$ lorsque $y \in [-3, 5]$.

Déterminons d'abord les points d'intersection de ces deux courbes.

Nous avons $\dfrac{y^2}{2} = y + 4$

$$y^2 = 2y + 8$$
$$y^2 - 2y - 8 = 0$$
$$(y - 4)(y + 2) = 0$$

donc $y = 4$ ou $y = -2$.

Les points d'intersection sont $(8, 4)$ et $(2, -2)$.

Représentons sur le même graphique les régions R_1, R_2 et R_3 ainsi qu'un élément de l'aire sur chacune des régions.

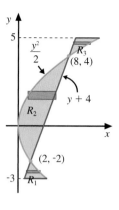

$$A_{-3}^{5} = A_{-3}^{-2} + A_{-2}^{4} + A_{4}^{5}$$

$$= \int_{-3}^{-2}\left[\frac{y^2}{2} - (y+4)\right] dy + \int_{-2}^{4}\left(y + 4 - \frac{y^2}{2}\right) dy$$

$$+ \int_{4}^{5}\left[\frac{y^2}{2} - (y+4)\right] dy$$

$$= \frac{5}{3} + 18 + \frac{5}{3}$$

d'où $A = \dfrac{64}{3}\ \text{u}^2$.

Applications de l'intégrale définie

Donnons quelques exemples d'application de l'intégrale définie dans divers domaines.

ÉCONOMIE

Exemple 1 Le revenu marginal d'une manufacture est donné par $R_m = 3 - 0,04q + 0,003q^2$, où q représente le nombre d'unités et R_m est exprimé en \$/unité. Déterminons le revenu supplémentaire du manufacturier si le nombre d'unités vendues passe de 100 à 200.

Soit R, le revenu total généré par la vente de q unités.

Puisque $\dfrac{dR}{dq} = R_m$

$$\frac{dR}{dq} = 3 - 0,04q + 0,003q^2$$

$$dR = (3 - 0,04q + 0,003q^2)\, dq$$

$$R = \int (3 - 0,04q + 0,003q^2)\, dq$$

Le revenu additionnel cherché, $R(200) - R(100)$, correspond à l'intégrale définie suivante : $\displaystyle\int_{100}^{200} (3 - 0,04q + 0,003q^2)\, dq$

$$R(200) - R(100) = \int_{100}^{200} (3 - 0,04q + 0,003q^2)\, dq$$

$$= (3q - 0,02q^2 + 0,001q^3)\Big|_{100}^{200}$$

$$= 6700$$

d'où le revenu supplémentaire est de 6700 \$.

Exemple 2 Une compagnie de pétrole estime que la consommation moyenne annuelle de pétrole pour les 10 prochaines années sera donnée par $C(t) = 3 \times 10^6\, e^{0,03t}$, où t est en années et $C(t)$ est en kilolitres. Déterminons la quantité totale requise pour les 5 premières années à compter d'aujourd'hui.

Soit Q, la quantité totale de pétrole requise pour les t premières années à partir d'aujourd'hui.

Nous pouvons obtenir une approximation de la quantité $Q(5)$ totale requise comme suit :

$$Q(5) \approx C(0)1 + C(1)1 + C(2)1 + C(3)1 + C(4)1$$

$$\approx 15\ 941\ 887 \text{ kilolitres}$$

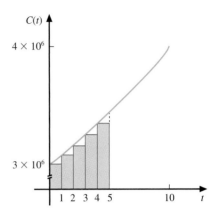

Ce résultat est une sous-estimation, car cette somme représente l'aire des rectangles inscrits représentés sur le graphique ci-contre.

Par contre, à l'aide de l'intégrale définie, nous obtenons $Q(5)$ comme suit :

$$Q(5) - Q(0) = \int_0^5 3 \times 10^6\, e^{0,03t}\, dt$$

$$= \frac{3 \times 10^6}{0,03}\, e^{0,03t}\Big|_0^5$$

d'où $\quad Q(5) = 16\ 183\ 424 \quad$ (car $Q(0) = 0$),

donc la quantité totale requise est de 16 183 424 <u>kilolitres</u>.

Exemple 3 Un réservoir de 18 litres contient déjà 2 litres d'eau et on le remplit à un rythme de $\dfrac{2}{\sqrt{t + 25}}$ L/s.

a) Déterminons la quantité d'eau ajoutée dans le réservoir au bout de 30 secondes.

Soit Q, la quantité d'eau ajoutée dans le réservoir au bout de t secondes.

Puisque $\dfrac{dQ}{dt} = \dfrac{2}{\sqrt{t + 25}}$

$$dQ = \frac{2}{\sqrt{t + 25}}\, dt$$

Ainsi $\quad Q(t) = \displaystyle\int \frac{2}{\sqrt{t + 25}}\, dt$

La quantité ajoutée est donnée par

$$Q(30) - Q(0) = \int_0^{30} \frac{2}{\sqrt{t + 25}}\, dt$$

$$= 4\sqrt{t + 25}\Big|_0^{30} = 4\sqrt{55} - 20 \approx 9,66$$

d'où environ 9,66 litres.

b) Déterminons la quantité d'eau dans le réservoir au bout de 50 secondes.

La quantité ajoutée est donnée par

$$Q(50) - Q(0) = 4\sqrt{t + 25}\Big|_0^{50} = 4\sqrt{75} - 20 \approx 14,64$$

d'où la quantité totale d'eau dans le réservoir est d'environ 16,64 litres.

c) Déterminons le temps nécessaire pour remplir le réservoir.

Soit a le temps cherché. Puisqu'il faut ajouter 16 litres d'eau pour remplir le réservoir,

$$Q(a) - Q(0) = 16$$

$$\int_0^a \frac{2}{\sqrt{t + 25}}\, dt = 16$$

$$4\sqrt{t + 25}\,\Big|_0^a = 16$$

$$4\sqrt{a + 25} - 20 = 16$$

$$\sqrt{a + 25} = 9$$

$$a = 56$$

d'où 56 secondes.

PHYSIQUE

Exemple 4 Soit un mobile dont la vitesse en fonction du temps est donnée par $v(t) = t^2 + 5$, où t est en secondes et $v(t)$ en m/s. Déterminons la distance parcourue par ce mobile entre 3 s et 6 s.

Puisque $\dfrac{dx}{dt} = v$ (où x est la position du mobile)

$$dx = v\, dt$$

$$dx = (t^2 + 5)\, dt$$

ainsi $x(t) = \int (t^2 + 5)\, dt$

donc $x(t) = \dfrac{t^3}{3} + 5t + C$

Nous cherchons la distance parcourue par ce mobile entre 3 s et 6 s, qui est obtenue en évaluant $x(6) - x(3)$, car v est une fonction croissante sur $[3s, 6s]$.

Donc la distance parcourue est donnée par

$x(6) - x(3) = (102 + C) - (24 + C) = 78$, c'est-à-dire 78 mètres.

Or $x(6) - x(3) = \displaystyle\int_3^6 v(t)\, dt$ (d'après le théorème fondamental du calcul)

Ce qui correspond à l'aire entre la courbe de v et l'axe des t, $t = 3$ et $t = 6$, puisque $v(t) \geq 0$, $\forall\, t \in [3, 6]$.

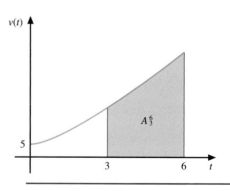

Travail effectué par une force variable

Considérons un objet qui se déplace de a à b sur l'axe des x sous l'action d'une force variable. Si on imagine que l'objet effectue un très petit déplacement Δx_i, alors la composante en x de la force F_{x_i} peut être considérée comme presque constante sur cet intervalle et le travail effectué par la force sur le petit déplacement est donné par $W_i \approx F_{x_i} \Delta x_i$, où Δx_i est en mètres, F_{x_i} en newtons et W_i en joules.

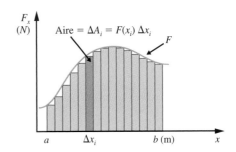

Ainsi, le travail total W effectué sur $[a, b]$ est donné approximativement par $W \approx \displaystyle\sum_{i=0}^{n-1} F_{x_i} \Delta x_i$

Si le $(\max \Delta x_i \to 0)$, alors $W = \displaystyle\lim_{(\max \Delta x_i) \to 0} \sum_{i=0}^{n-1} F_{x_i} \Delta x_i$

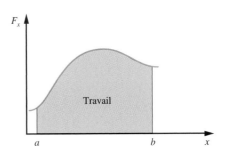

Ainsi, le travail W effectué par F_x sur $[a, b]$ est donné par

$$W = \int_a^b F(x)\, dx$$

Exemple 5 Une force agissant sur un objet varie en fonction de x, selon l'équation Travail $F(x) = \dfrac{20 - x^2}{4}$, où F est exprimée en N. Calculons le travail effectué par la force lorsque l'objet se déplace de 0 mètre à 4 mètres.

$$W = \int_0^4 F(x)\, dx$$

$$= \int_0^4 \frac{20 - x^2}{4}\, dx = \left(5x - \frac{x^3}{12}\right)\Bigg|_0^4$$

$$= 14,\overline{6}, \text{ donc } 14,\overline{6} \text{ J}$$

Loi de Hooke

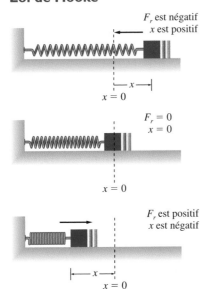

Soit une masse, placée sur une surface lisse horizontale, reliée à un ressort. Si on allonge ou si on comprime le ressort sur une petite distance à partir de sa position d'équilibre, le ressort exerce sur la masse une force F_r donnée par la Loi de Hooke :

$$F_r = -kx,$$

où x est le déplacement de la masse à partir de la position d'équilibre ($x = 0$) et k est une constante positive appelée **constante de rappel** du ressort et est exprimée en N/m. La valeur de k constitue une mesure de la rigidité du ressort. Elle est grande pour les ressorts rigides et faible pour les ressorts souples.

Exemple 6 Soit un ressort à l'horizontale obéissant à la loi de Hooke, où $k = 30$ N/m. Une de ses extrémités est fixée et l'autre est soumise à l'action d'une force extérieure qui allonge le ressort.

a) Déterminons le travail effectué par le ressort s'il est allongé de 0 cm à 5 cm.

$$W_1 = \int_0^{0,05} (-30x)\, dx$$

$$(\text{car } F_r = -30x)$$

$$= -15x^2 \Big|_0^{0,05}$$

$$= -0,0375, \text{ donc } -0,0375 \text{ J}$$

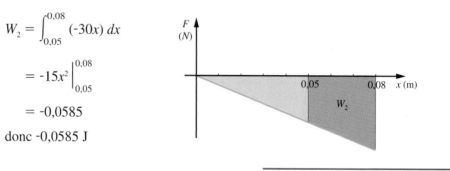

b) Déterminons le travail supplémentaire effectué par le ressort pour allonger de 5 cm à 8 cm.

$$W_2 = \int_{0,05}^{0,08} (-30x)\, dx$$

$$= -15x^2 \Big|_{0,05}^{0,08}$$

$$= -0,0585$$

$$\text{donc } -0,0585 \text{ J}$$

Centre de gravité

Nous allons restreindre le calcul de centre de gravité à des surfaces planes de densité uniforme.

Définition

1) Le **moment** M_x d'une surface plane, par rapport à l'axe des x, est égal au produit de la distance $\overline{y}$ du centre de gravité $C(\overline{x}, \overline{y})$ de la surface plane à l'axe des x par l'aire A de la surface plane, c'est-à-dire

$$M_x = \overline{y}\, A$$

2) Le **moment** M_y d'une surface plane, par rapport à l'axe des y, est égal au produit de la distance $\overline{x}$ du centre de gravité $C(\overline{x}, \overline{y})$ de la surface plane à l'axe des y par l'aire A de la surface plane, c'est-à-dire

$$M_y = \overline{x}\, A$$

Exemple 7 Soit le rectangle ci-dessous, dont les sommets sont $P(2, 1)$, $Q(2, 3)$, $R(8, 3)$ et $S(8, 1)$ et dont le centre de gravité est le point $C(5, 2)$.

Calculons les moments M_x et M_y.

Puisque $A = (6)(2) = 12$, nous avons

$$M_x = (2)(12) = 24 \text{ et}$$

$$M_y = (5)(12) = 60$$

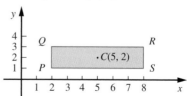

Définition	Le **moment** M d'une surface plane quelconque, par rapport à une droite D, est égal à la somme des moments M_i de chaque élément de surface, c'est-à-dire $$M = \sum_{i=1}^{n} M_i$$

De façon générale, pour une surface plane quelconque dont nous voulons déterminer le centre de gravité $C(\overline{x}, \overline{y})$, nous découpons cette surface en petits rectangles.

Voici la représentation graphique d'une courbe $y = f(x)$ et d'un élément de surface dont le centre de gravité est $C\left(x_i, \dfrac{1}{2} y_i\right)$.

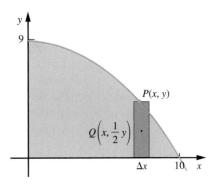

Ainsi, $M_{x_i} = \overline{y_i} A_i = \dfrac{1}{2} y_i(y_i \, \Delta x_i)$ et $M_{y_i} = \overline{x_i} A_i = x_i(y_i \, \Delta x_i)$.

En appliquant le théorème fondamental du calcul aux équations précédentes, nous obtenons

$$M_x = \int_a^b \frac{1}{2} y \, y \, dx \quad \text{et} \quad M_y = \int_a^b x \, y \, dx$$

Ainsi, $\overline{x} = \dfrac{M_y}{A}$ (car $M_y = \overline{x} A$) et $\overline{y} = \dfrac{M_x}{A}$ (car $M_x = \overline{y} A$)

où A est l'aire de la surface plane dont nous voulons trouver le centre de gravité.

> **Exemple 8** Soit $f(x) = 9 - 0{,}09\,x^2$, où $x \in [0, 10]$.
>
> Déterminons le centre de gravité $C(\overline{x}, \overline{y})$ de la surface plane délimitée par la courbe de f, $y = 0$ et $x \in [0, 10]$.
>
> Représentons la surface plane ainsi qu'un élément de surface.
>
> Calculons d'abord les moments M_x et M_y.
>
> $$M_x = \int_0^{10} \frac{1}{2} y \, y \, dx \quad \text{(par définition)}$$
>
> $$= \frac{1}{2} \int_0^{10} (9 - 0{,}09x^2)^2 \, dx$$
> $$\text{(car } y = 9 - 0{,}09x^2)$$
>
> $$= \frac{1}{2} \int_0^{10} (81 + 1{,}62x^2 + 0{,}0081x^4) \, dx$$
>
> $$= \frac{1}{2} \left[81x - \frac{1{,}62x^3}{3} + 0{,}0081 \frac{x^5}{5} \right] \Bigg|_0^{10}$$
>
> $$= 216$$
>
> $$M_y = \int_0^{10} x \, y \, dx \quad \text{(par définition)}$$
>
> $$= \int_0^{10} x \, (9 - 0{,}09x^2) \, dx$$

$$= \left(\frac{9x^2}{2} - \frac{0,09x^4}{4} \right) \Big|_0^{10}$$

$$= 225$$

Calculons l'aire A de la surface plane.

$$A = \int_0^{10} (9 - 0,09x^2) \, dx$$

$$= \left(9x - \frac{0,09x^3}{3} \right) \Big|_0^{10}$$

$$= 60 \text{ u}^2$$

Ainsi $\bar{x} = \dfrac{M_y}{A} = \dfrac{225}{60} = 3,75$ et $\bar{y} = \dfrac{M_x}{A} = \dfrac{216}{60} = 3,6$

d'où $C(3,75, 3,6)$ est le point cherché.

Exercices 3.5

1. Représenter graphiquement chacune des régions fermées suivantes ainsi qu'un élément de l'aire totale, et calculer l'aire des régions.

a) $y = x^2 + 1$, $y = 0$, $x = -1$ et $x = 2$

b) $y = e^x$, $y = 0$, $x = 0$ et $x = 1$

c) $y = \sqrt{x}$, $y = 0$ et $x \in [0, 9]$

d) $y = \sqrt{x}$, $x = 0$ et $y \in [0, 3]$

e) $x = 9 - y^2$, $x = 0$, $y = -1$ et $y = 2$

f) $y = \dfrac{1}{1 + x^2}$, $y = 0$, $x \in [-1, 1]$

2. Calculer l'aire de chacune des régions fermées suivantes situées sous la courbe de f et au-dessus de l'axe des x. Représenter graphiquement pour chaque région un élément de l'aire totale.

a) $f(x) = 6x - x^2$

b) $f(x) = x^3 - 6x^2 + 8x$

c) $f(x) = \cos x$ sur $[-\pi, \pi]$

3. Calculer l'aire de chacune des régions délimitées par la courbe et l'axe des y. Représenter pour chaque région un élément de l'aire totale.

a) $x = y^2 - 2y - 3$ b) $x = \sin \dfrac{y}{2}$ sur $[0, 2\pi]$

4. Sur le graphique suivant, les courbes f et g se rencontrent en $x = c$, $x = d$ et $x = e$. Exprimer l'aire totale des régions ombrées en fonction d'intégrales définies.

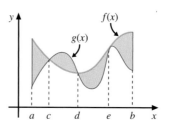

5. Calculer l'aire de chacune des régions fermées situées entre les courbes données. Représenter pour chaque région un élément de l'aire totale.

a) $f(x) = x + 1$ et $g(x) = x^2 - 2x - 3$

b) $x_1 = \dfrac{y^2}{2}$ et $x_2 = y + 4$

c) $y_1 = x^2$ et $y_2 = 18 - x^2$

d) $x_1 = 4y^2 - 2$ et $x_2 = y^2 + 1$

e) $y_1 = x^3 - 6x^2 + 8x$ et $y_2 = 0$

f) $x_1 = \dfrac{y^3}{4}$ et $x_2 = y$

6. Calculer l'aire de chacune des régions suivantes situées entre les courbes sur l'intervalle $[a, b]$ donné. Représenter pour chaque région un élément de l'aire totale.

a) $x_1 = 2y$ et $x_2 = y^2 + y - 2$ sur $[-3, 3]$

b) $f(x) = 1 + 2x$ et $g(x) = e^{-x}$ sur $[-1, 1]$

c) $y_1 = x^2$ et $y_2 = \dfrac{2}{x^2 + 1}$ sur $[0, 2]$

d) $y_1 = \cos x$, $y_2 = \sin x$, $x = 0$ et $x = \pi$

7. Calculer l'aire des régions ombrées suivantes.

a)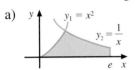

c)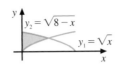

b)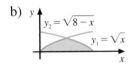

d)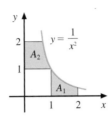

8. Soit $f(x) = x^3$ et $g(x) = \sqrt[3]{x}$ sur $[0, 1]$. Déterminer la valeur des aires A_1, A_2, A_3 et A_4 ci-contre.

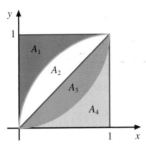

9. Soit A_1 et A_2, l'aire des régions ombrées ci-contre, où $a > 0$. Exprimer A_1 en fonction de A_2.

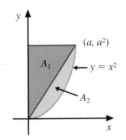

10. a) Évaluer $\int_1^4 \dfrac{1}{t}\, dt$; représenter graphiquement et interpréter le résultat.

b) Définir ln 8 à l'aide d'une intégrale définie ; représenter graphiquement et interpréter le résultat.

c) Définir $\ln \dfrac{1}{2}$ à l'aide d'une intégrale définie et interpréter le résultat.

d) Définir la fonction $\ln x$, où $x \in\ ]0, +\infty$, à l'aide d'une intégrale définie.

11. Le coût marginal d'une manufacture est donné par $C_m(q) = 5 + e^{\frac{-q}{100}}$ où q représente le nombre d'unités et C_m est exprimé en \$/unité. Déterminer le coût de fabrication lorsque le nombre d'unités fabriquées passe de 50 à 100.

12. Une compagnie estime que l'achat d'un ordinateur au coût initial de 5000 \$ lui procure un taux d'accroissement des revenus totaux estimé

par $\dfrac{dR}{dt} = 200(45 - 2t - t^2)$ et un taux d'accroissement des coûts totaux estimé par $\dfrac{dC}{dt} = 200(5 + t)$, où t est en années et les taux sont en dollars par année.

a) Déterminer le revenu total dû à cet achat durant les 3 premières années.

b) Déterminer le coût total dû à cet achat durant les 3 premières années.

c) Déterminer le profit P réalisé durant les 3 premières années.

d) Sachant que le profit est maximal lorsque $\dfrac{dR}{dt} = \dfrac{dC}{dt}$, déterminer le profit maximal réalisé grâce à l'achat de cet ordinateur.

e) Représenter graphiquement $\dfrac{dR}{dt}$ et $\dfrac{dC}{dt}$. Dire à quoi correspond le profit maximal.

13. Un réservoir d'une capacité de 5000 litres contenant déjà 500 litres se remplit d'eau au rythme de $\left(35 + \dfrac{1}{\sqrt{t}}\right)$ L/min.

a) Déterminer la quantité d'eau dans le réservoir après 1 heure.

b) Après combien de temps le réservoir sera-t-il rempli ?

14. D'une montgolfière située à 125 m du sol, nous laissons tomber une balle. Sachant que l'accélération due à la gravité est de 9,8 m/s², déterminer à l'aide de l'intégrale définie :

a) son changement de vitesse durant les 3 premières secondes ; les 2 secondes suivantes ;

b) la distance parcourue durant les 2 premières secondes ; les 3 secondes suivantes.

15. Un traîneau de 10 kg dont l'accélération est donnée par $a(x) = 0{,}3x + 1$, où a est exprimée en m/s², se déplace sur une distance de 6 mètres de son point de départ. Calculer le travail W effectué sachant que $F = ma$.

16. Soit $f(x) = \dfrac{1}{x^2}$, où $x \in [1, 3]$. Déterminer le centre de gravité $C(\bar{x}, \bar{y})$ de la surface plane délimitée par la courbe de f, $y = 0$ et $x \in [1, 3]$.

3.6 INTÉGRATION NUMÉRIQUE

Objectif d'apprentissage

À la fin de cette section, l'élève pourra calculer approximativement des intégrales définies.

Plus précisément, l'élève sera en mesure :
- de calculer approximativement des intégrales définies à l'aide de la méthode des trapèzes ;
- de calculer approximativement des intégrales définies à l'aide de la méthode de Simpson ;
- de calculer approximativement des intégrales définies à l'aide d'outils technologiques.

Nous avons d'abord calculé des aires de régions fermées à l'aide de sommes de Riemann. Par la suite, nous avons calculé des aires de régions fermées à l'aide de l'intégrale définie évaluée, en utilisant le théorème fondamental du calcul.

Cependant, pour certaines fonctions, il est difficile ou même impossible de trouver une primitive, par exemple : $\sqrt{1 + x^2}$, e^{x^2} et $\cos x^2$.

Dans cette section, nous étudierons deux méthodes, la *méthode des trapèzes* et la *méthode de Simpson*, permettant de calculer approximativement l'aire des régions précédentes.

Finalement, l'utilisation d'outils technologiques nous permettra également de calculer approximativement des aires.

Méthode des trapèzes

Cette méthode diffère de celle des sommes de Riemann par le choix de la figure géométrique utilisée pour calculer l'aire. Avec la somme de Riemann, on utilise des rectangles, tandis qu'avec cette méthode on utilise des trapèzes.

Remarque L'utilisation de trapèzes, pour le calcul approximatif de l'aire d'une région fermée, nous donne généralement une meilleure approximation que l'utilisation de rectangles inscrits ou circonscrits.

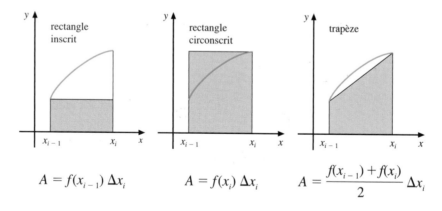

$$A = f(x_{i-1})\,\Delta x_i \qquad A = f(x_i)\,\Delta x_i \qquad A = \frac{f(x_{i-1}) + f(x_i)}{2}\,\Delta x_i$$

THÉORÈME 3.13 **MÉTHODE DES TRAPÈZES**	Si f est une fonction continue et non négative sur $[a, b]$ et $P = \{x_0, x_1, x_2, \dots, x_{n-1}, x_n\}$ une partition régulière de $[a, b]$, alors $$\int_a^b f(x)\,dx \approx \frac{b-a}{2n}\Big[f(x_0) + 2f(x_1) + 2f(x_2) + \dots + 2f(x_{n-1}) + f(x_n)\Big].$$

Preuve

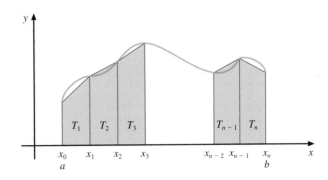

$$A_a^b \approx A(T_1) + A(T_2) + A(T_3) + \ldots + A(T_{n-1}) + A(T_n)$$

$$\approx \frac{f(x_0) + f(x_1)}{2}\Delta x + \frac{f(x_1) + f(x_2)}{2}\Delta x + \ldots + \frac{f(x_{n-2}) + f(x_{n-1})}{2}\Delta x + \frac{f(x_{n-1}) + f(x_n)}{2}\Delta x$$

$$\approx \frac{\Delta x}{2}\left[f(x_0) + f(x_1) + f(x_1) + f(x_2) + \ldots + f(x_{n-2}) + f(x_{n-1}) + f(x_{n-1}) + f(x_n)\right]$$

$$\approx \frac{\Delta x}{2}\left[f(x_0) + 2f(x_1) + 2f(x_2) + \ldots + 2f(x_{n-1}) + f(x_n)\right]$$

$$\approx \frac{b-a}{2n}\left[f(x_0) + 2f(x_1) + 2f(x_2) + \ldots + 2f(x_{n-1}) + f(x_n)\right] \left(\text{car } \Delta x = \frac{b-a}{n}\right)$$

d'où $\displaystyle\int_a^b f(x)\,dx \approx \frac{b-a}{2n}\left[f(x_0) + 2f(x_1) + 2f(x_2) + \ldots + 2f(x_{n-1}) + f(x_n)\right]$.

Exemple 1 Calculons approximativement $\displaystyle\int_1^4 x^2\,dx$ à l'aide

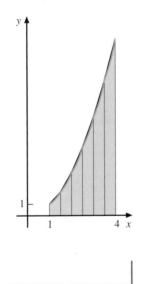

de la méthode des trapèzes avec $n = 6$.

Puisque $\dfrac{b-a}{n} = \dfrac{4-1}{6} = \dfrac{1}{2}$, nous avons

$$P = \left\{1, \frac{3}{2}, 2, \frac{5}{2}, 3, \frac{7}{2}, 4\right\}.$$

Ainsi, $\displaystyle\int_1^4 x^2\,dx \approx \frac{1}{2\cdot 2}\left[f(1) + 2f\left(\frac{3}{2}\right) + 2f(2) + 2f\left(\frac{5}{2}\right) + 2f(3) + 2f\left(\frac{7}{2}\right) + f(4)\right]$

$$\approx \frac{1}{4}\left[1 + 2\left(\frac{9}{4}\right) + 2(4) + 2\left(\frac{25}{4}\right) + 2(9) + 2\left(\frac{49}{4}\right) + 16\right]$$

$$\approx 21{,}125$$

Remarque En évaluant $\displaystyle\int_1^4 x^2\,dx$ à l'aide du théorème fondamental du calcul, nous trouvons

$$\int_1^4 x^2\,dx = \frac{x^3}{3}\Big|_1^4 = 21.$$

Il suffit d'augmenter le nombre n de trapèzes pour obtenir une meilleure approximation de $\displaystyle\int_a^b f(x)\,dx$.

L'erreur E commise en utilisant la méthode des trapèzes pour calculer approximativement $\int_a^b f(x)\,dx$ satisfait

$$|E| \leq \frac{(b-a)^3\,M}{12n^2},$$

où n est le nombre de trapèzes, M est la valeur maximale de $|f''(x)|$ sur $[a, b]$ et $\dfrac{(b-a)^3\,M}{12n^2}$ est l'erreur maximale possible en utilisant cette méthode.

La démonstration de cette inégalité dépasse le niveau de ce cours.

Dans l'exemple 1, nous avons

$$|E| \leq \frac{(4-1)^3\,2}{12(6)^2} \qquad \text{(puisque } f''(x) = 2\text{, alors } M = 2\text{)}$$

d'où $|E| \leq 0{,}125$.

> **Exemple 2**
>
> a) Calculons approximativement $\displaystyle\int_0^2 \sqrt{1+x^2}\,dx$ à l'aide de la méthode des trapèzes avec $n = 5$.
>
> Puisque $\dfrac{b-a}{n} = \dfrac{2-0}{5} = \dfrac{2}{5}$, nous avons $P = \left\{0, \dfrac{2}{5}, \dfrac{4}{5}, \dfrac{6}{5}, \dfrac{8}{5}, 2\right\}$.
>
> Ainsi, $\displaystyle\int_0^2 \sqrt{1+x^2}\,dx \approx \dfrac{1}{5}\left[f(0) + 2f\!\left(\dfrac{2}{5}\right) + 2f\!\left(\dfrac{4}{5}\right) + 2f\!\left(\dfrac{6}{5}\right) + 2f\!\left(\dfrac{8}{5}\right) + f(2)\right]$
>
> $$\approx \frac{1}{5}\left[\sqrt{1} + 2\sqrt{\frac{29}{25}} + 2\sqrt{\frac{41}{25}} + 2\sqrt{\frac{61}{25}} + 2\sqrt{\frac{89}{25}} + \sqrt{5}\right]$$
>
> $$\approx 2{,}97$$
>
> b) Calculons l'erreur maximale commise par cette approximation.
>
> En calculant $f''(x)$, nous obtenons $f''(x) = \dfrac{1}{(1+x^2)^{\frac{3}{2}}}$.
>
> Puisque $\left|\dfrac{1}{(1+x^2)^{\frac{3}{2}}}\right| \leq 1$, $\forall\, x \in [0, 2]$ et que $f''(0) = 1$, alors $M = 1$.
>
> Ainsi $|E| \leq \dfrac{(2-0)^3\,1}{12(5)^2}$, d'où $|E| \leq 0{,}02\overline{6}$.

Méthode de Simpson

L'Anglais Thomas Simpson (1710-1761) s'initia au calcul différentiel en lisant le livre du marquis de L'Hospital. Il exerçait comme tisserand et, en même temps, donnait des cours privés, souvent dans des cafés. Son grand intérêt pour les probabilités tirait sans doute son origine de ces curieuses « salles de cours ». En 1743, il publia une méthode d'approximation d'une intégrale définie par une approximation parabolique. Toutefois, cette publication n'était pas vraiment originale, car la démarche avait déjà été décrite au XVIIe siècle. En toute justice, il faudrait donc changer le nom de la « méthode de Simpson ».

Thomas Simpson,
mathématicien anglais

Dans cette méthode d'approximation, nous utilisons des portions de parabole au lieu de segments de droite pour calculer approximativement l'aire d'une région fermée.

Élaborons cette méthode d'approximation sur $[x_{i-1}, x_{i+1}]$, où $[x_{i-1}, x_{i+1}] \subseteq [a, b]$.

Soit f une fonction continue et non négative passant par les trois points non colinéaires suivants : (x_{i-1}, y_{i-1}), (x_i, y_i) et (x_{i+1}, y_{i+1}), où $\Delta x = (x_i - x_{i-1}) = (x_{i+1} - x_i)$.

Soit $p(x) = ax^2 + bx + c$, l'équation de l'unique parabole passant par les trois points précédents.

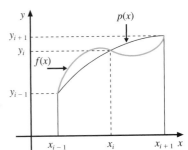

Pour déterminer les valeurs de a, b et c, effectuons la translation horizontale qui fait correspondre le point (x_{i-1}, y_{i-1}) au point $(-h, y_{i-1})$, le point (x_i, y_i) au point $(0, y_i)$ et le point (x_{i+1}, y_{i+1}) au point (h, y_{i+1}), où $h = \Delta x$.

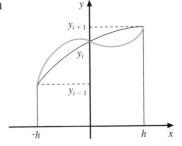

Donc
$$y_{i-1} = a(-h)^2 + b(-h) + c \quad \text{①}$$
$$y_i = a(0)^2 + b(0) + c \quad \text{②}$$
$$y_{i+1} = a(h)^2 + b(h) + c \quad \text{③}$$

De ②, nous obtenons $c = y_i$.

En additionnant ① + ③, nous avons
$$y_{i-1} + y_{i+1} = 2ah^2 + 2c$$
$$y_{i-1} + y_{i+1} = 2ah^2 + 2y_i \quad (\text{car } c = y_i)$$
donc
$$a = \frac{y_{i-1} + y_{i+1} - 2y_i}{2h^2}$$

En substituant les valeurs trouvées pour c et a dans ③, nous obtenons

$$y_{i+1} = \left(\frac{y_{i-1} + y_{i+1} - 2y_i}{2h^2}\right)h^2 + bh + y_i, \text{ donc } b = \frac{y_{i+1} - y_{i-1}}{2h}.$$

Calculons maintenant $\displaystyle\int_{-h}^{h} p(x)\, dx$, correspondant à l'aire de la région ombrée suivante qui est une approximation de l'aire réelle $A_{x_{i-1}}^{x_{i+1}}$.

$$\int_{-h}^{h} p(x)\, dx = \int_{-h}^{h} (ax^2 + bx + c)\, dx$$

$$= \left(\frac{ax^3}{3} + \frac{bx^2}{2} + cx \right)\Bigg|_{-h}^{h}$$

$$= \frac{2ah^3}{3} + 2ch$$

$$= \frac{h}{3}\left[2ah^2 + 6c \right]$$

$$= \frac{h}{3}\left[2\left(\frac{y_{i-1} + y_{i+1} - 2y_i}{2h^2} \right) h^2 + 6y_i \right]$$

$$= \frac{h}{3}\left[y_{i-1} + 4y_i + y_{i+1} \right]$$

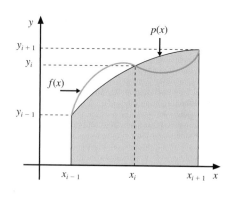

Nous avons donc démontré que

$$\int_{x_{i-1}}^{x_{i+1}} p(x)\, dx = \frac{\Delta x}{3}\left[y_{i-1} + 4y_i + y_{i+1} \right] \qquad (\text{car } h = \Delta x)$$

THÉORÈME 3.14
MÉTHODE DE
SIMPSON

Si f est une fonction continue et non négative sur $[a, b]$ et P une partition régulière telle que $P = \{x_0, x_1, x_2, \ldots, x_{n-1}, x_n\}$, où n est un nombre pair, alors

$$\int_a^b f(x)\, dx \approx \frac{b-a}{3n}\left[f(x_0) + 4f(x_1) + 2f(x_2) + 4f(x_3) + 2f(x_4) + \ldots + 2f(x_{n-2}) + 4f(x_{n-1}) + f(x_n) \right].$$

Preuve

Appliquons le résultat démontré précédemment aux polynômes $p_1(x)$ sur $[x_0, x_2]$, $p_2(x)$ sur $[x_2, x_4]$, $p_3(x)$ sur $[x_4, x_6]$, ..., et $p_{\frac{n}{2}}(x)$ sur $[x_{n-2}, x_n]$.

$$A_a^b \approx A(P_1) + A(P_2) + A(P_3) + \ldots + A(P_{\frac{n}{2}})$$

$$\approx \int_{x_0}^{x_2} p_1(x)\, dx + \int_{x_2}^{x_4} p_2(x)\, dx + \ldots + \int_{x_{n-2}}^{x_n} p_{\frac{n}{2}}(x)\, dx$$

$$\approx \frac{\Delta x}{3}\left[f(x_0) + 4f(x_1) + f(x_2) \right] + \frac{\Delta x}{3}\left[f(x_2) + 4f(x_3) + f(x_4) \right] + \ldots + \frac{\Delta x}{3}\left[f(x_{n-2}) + 4f(x_{n-1}) + f(x_n) \right]$$

$$\approx \frac{\Delta x}{3}\left[f(x_0) + 4f(x_1) + 2f(x_2) + 4f(x_3) + \ldots + 2f(x_{n-2}) + 4f(x_{n-1}) + f(x_n) \right]$$

$$\approx \frac{b-a}{3n}\left[f(x_0) + 4f(x_1) + 2f(x_2) + 4f(x_3) + \ldots + 2f(x_{n-2}) + 4f(x_{n-1}) + f(x_n) \right] \qquad \left(\text{car } \Delta x = \frac{b-a}{n} \right)$$

d'où $\displaystyle\int_a^b f(x)\, dx \approx \frac{b-a}{3n}\left[f(x_0) + 4f(x_1) + 2f(x_2) + 4f(x_3) + 2f(x_4) + \ldots + 2f(x_{n-2}) + 4f(x_{n-1}) + f(x_n) \right]$

Exemple 1 Calculons approximativement $\int_1^3 \dfrac{1}{x}\,dx$ à l'aide de la méthode de Simpson avec $n = 6$.

Puisque $\dfrac{b-a}{n} = \dfrac{3-1}{6} = \dfrac{1}{3}$, nous avons $P = \left\{ 1, \dfrac{4}{3}, \dfrac{5}{3}, 2, \dfrac{7}{3}, \dfrac{8}{3}, 3 \right\}$.

Ainsi, $\int_1^3 \dfrac{1}{x}\,dx \approx \dfrac{3-1}{3(6)} \left[f(1) + 4f\left(\dfrac{4}{3}\right) + 2f\left(\dfrac{5}{3}\right) + 4f(2) + 2f\left(\dfrac{7}{3}\right) + 4f\left(\dfrac{8}{3}\right) + f(3) \right]$

$$\approx \dfrac{1}{9} \left[1 + 4\left(\dfrac{3}{4}\right) + 2\left(\dfrac{3}{5}\right) + 4\left(\dfrac{1}{2}\right) + 2\left(\dfrac{3}{7}\right) + 4\left(\dfrac{3}{8}\right) + \dfrac{1}{3} \right]$$

$$\approx 1{,}098\,942$$

En évaluant $\int_1^3 \dfrac{1}{x}\,dx$ à l'aide du théorème fondamental du calcul, nous trouvons

$$\int_1^3 \dfrac{1}{x}\,dx = \ln x \,\Big|_1^3 = \ln 3 = 1{,}098\,612\ldots$$

L'erreur E commise en utilisant la méthode de Simpson pour calculer approximativement $\int_a^b f(x)\,dx$ satisfait

$$|E| \leq \dfrac{(b-a)^5\,M}{180n^4},$$

où n est le nombre de sous-intervalles, M est la valeur maximale de $|f^{(4)}(x)|$ sur $[a, b]$ et $\dfrac{(b-a)^5\,M}{180n^4}$ est l'erreur maximale possible en utilisant cette méthode.

La démonstration de cette inégalité dépasse le niveau de ce cours.

Dans l'exemple 1, nous avons $f(x) = \dfrac{1}{x}$, donc $f^{(4)}(x) = \dfrac{4!}{x^5}$.

Puisque $\left| \dfrac{4!}{x^5} \right| \leq 4!,\ \forall\, x \in [1, 3]$, et que $f^{(4)}(1) = 4!$, alors $M = 4!$.

Ainsi $|E| \leq \dfrac{(3-1)^5\,4!}{180(6)^4}$, d'où $|E| \leq 0{,}003\,292$.

Exemple 2 Déterminons la valeur de n suffisante telle que $|E| \leq 0{,}0001$ lorsque nous voulons évaluer approximativement $\int_1^3 \dfrac{1}{x}\,dx$ à l'aide de la méthode de Simpson.

Puisque $|E| \leq \dfrac{(b-a)^5\,M}{180n^4}$, il suffit de trouver la valeur de n telle que

$$\dfrac{(b-a)^5\,M}{180n^4} \leq 0{,}0001, \text{ c'est-à-dire } \dfrac{(3-1)^5\,4!}{180n^4} \leq 0{,}0001 \quad (\text{car } M = 4!)$$

$$n^4 \geq \frac{2^5\, 4!}{180\, (0,0001)}, \text{ c'est-à-dire } n \geq 14,3\ldots$$

d'où $\quad n = 16$ suffit pour que $|E| \leq 0,0001$.

Exemple 3 Calculons approximativement $\int_{-1}^{3} e^{\frac{-x^2}{2}}\, dx$ à l'aide de la méthode de Simpson avec $n = 4$.

Soit $P = \{-1, 0, 1, 2, 3\}$.

Ainsi, $\displaystyle\int_{-1}^{3} e^{\frac{-x^2}{2}}\, dx \approx \frac{3 - (-1)}{3(4)}\left[f(-1) + 4f(0) + 2f(1) + 4f(2) + f(3) \right]$

$$\approx \frac{1}{3}\left[e^{\frac{-1}{2}} + 4 + 2e^{\frac{-1}{2}} + 4e^{-2} + e^{\frac{-9}{2}} \right]$$

$$\approx 2,124$$

OUTIL TECHNOLOGIQUE L'utilisation d'un outil technologique tel que Maple nous permet de calculer approximativement l'aire de différentes régions.

Exemple 4 Soit $f(x) = \cos x^2$, où $x \in [0, \pi]$. Calculons l'aire de la région comprise entre la courbe de f et $y = 0$, sur $[0, \pi]$.

Représentons premièrement la région donnée.

```
> f:=x→(cos(x^2));
           f:= x → cos(x²)
> with(plots):
> y:=plot(f(x),x=0..Pi,color=red):
> a:=plot(f(x),x=0..Pi,
      filled=true,color=yellow):
> display(a,y);
```

Déterminons les zéros de f sur $[0, \pi]$.

```
> x1:=fsolve(f(x)=0,x=1.1..1.5);
           x1 := 1.253514137
> x2:=fsolve(f(x)=0,x=2..2.5);
           x2:= 2.170803764
> x3:=fsolve(f(x)=0,x=2.5..3);
           x3:= 2.802495608
```

Calculons l'aire de chaque région ainsi que l'aire totale A.

```
> A1:=Int(f(x),x=0..x1)=int(f(x),x=0..x1);
```
$$A1 := \int_{0}^{1.253314137} \cos(x^2)\, dx = .9774514243$$

```
> A2:=Int(-f(x),x=x1..x2)=int(-f(x),x=x1..x2);
```
$$A2 := \int_{1.253314137}^{2.170803764} -\cos(x^2)\, dx = .5750671670$$

```
> A3:=Int(f(x),x=x2..x3)=int(f(x),x=x2..x3);
```
$$A3 := \int_{2.170803764}^{2.802495608} \cos(x^2)\, dx = .4007480151$$

```
> A4:=Int(-f(x),x=x3..Pi)=int(-f(x),x=x3..Pi);
```
$$A4 := \int_{2.802495608}^{\pi} -\cos(x^2)\, dx = .2374387588$$

```
> A:=evalf(A1+A2+A3+A4);
```
$$A := 2.190705365$$

Exercices 3.6

1. Soit $f(x) = x^3$, où $x \in [0, 2]$.

   a) Calculer approximativement $\displaystyle\int_0^2 f(x)\, dx$ à l'aide de la méthode des trapèzes, avec $n = 6$.

   b) Déterminer l'erreur maximale possible en utilisant la méthode précédente.

   c) Calculer $\displaystyle\int_0^2 f(x)\, dx$ à l'aide du théorème fondamental du calcul et déterminer l'erreur réelle commise en comparant avec la réponse obtenue en a).

2. Calculer approximativement les intégrales définies suivantes à l'aide de la méthode des trapèzes, avec le n donné.

   a) $\displaystyle\int_0^4 \sqrt{x^3 + 1}\, dx, n = 8$

   b) $\displaystyle\int_0^1 \sin x^2\, dx, n = 5$

3. a) Calculer approximativement $\displaystyle\int_1^3 \ln x^2\, dx$ à l'aide de la méthode des trapèzes, avec $n = 4$.

   b) Déterminer l'erreur maximale possible en utilisant la méthode précédente.

   c) Déterminer la valeur de n telle que $|E| \leq 0,01$.

   d) Déterminer la valeur de n telle que $|E| \leq 10^{-3}$.

4. Soit $f(x) = 2x^3 + x$, où $x \in [1, 4]$.

   a) Calculer approximativement $\displaystyle\int_1^4 f(x)\, dx$ à l'aide de la méthode de Simpson, avec $n = 6$.

   b) Déterminer l'erreur maximale possible en utilisant la méthode précédente.

   c) Calculer $\displaystyle\int_1^4 f(x)\, dx$ à l'aide du théorème fondamental du calcul.

5. Calculer approximativement les intégrales définies suivantes à l'aide de la méthode de Simpson, avec le n donné.

   a) $\displaystyle\int_{-1}^5 \sqrt{x^4 + 1}\, dx, n = 6$

   b) $\displaystyle\int_{-2}^0 \frac{1}{e^{x^2}}\, dx, n = 4$

6. a) Calculer approximativement $\displaystyle\int_1^6 \ln x\, dx$ à l'aide de la méthode de Simpson, avec $n = 4$.

   b) Déterminer l'erreur maximale possible en utilisant la méthode précédente.

   c) Déterminer la valeur de n telle que $|E| \leq 0,1$.

   d) Déterminer la valeur de n telle que $|E| \leq 10^{-2}$.

7. Soit $f(x) = \dfrac{1}{\sqrt{4x + 5}}$, où $x \in [1, 5]$.

   a) Calculer approximativement $\displaystyle\int_1^5 f(x)\, dx$ à l'aide de la méthode des trapèzes, avec $n = 4$.

   b) Calculer approximativement $\displaystyle\int_1^5 f(x)\, dx$ à l'aide de la méthode de Simpson, avec $n = 4$.

   c) Calculer $\displaystyle\int_1^5 f(x)\, dx$ à l'aide du théorème fondamental du calcul.

8. Soit $f(x) = \sin(3x - \sin x)$ sur $[0, \pi]$. Utiliser un outil technologique pour calculer l'aire entre la courbe de f donnée et l'axe des x sur l'intervalle donné.

9. Soit $f(x) = x^3 - x^2 - 2x$ et $g(x) = -1 + 2\sin x^2$. Utiliser un outil technologique pour calculer l'aire de la région fermée entre la courbe de f et celle de g.

▦ Réseau de concepts

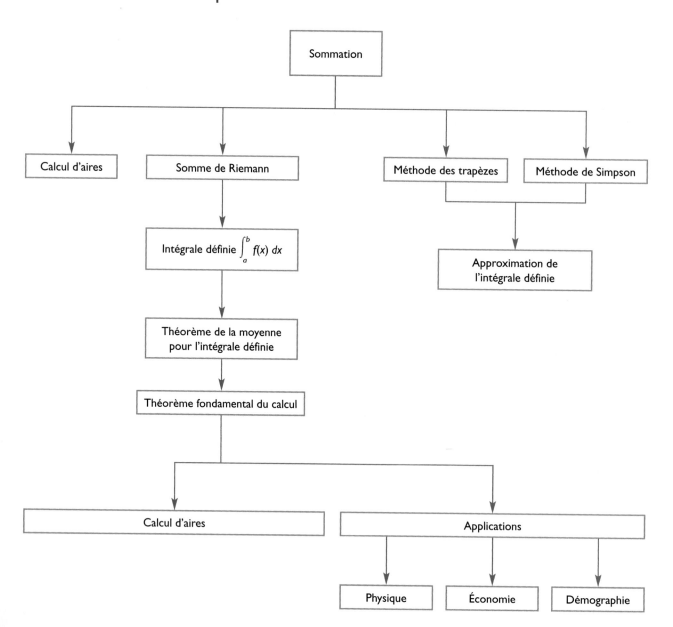

▦ Liste de vérification des connaissances

RÉPONDRE PAR **OUI** OU PAR **NON.**		OUI	NON
Après l'étude de ce chapitre, je suis en mesure :			
1.	d'expliciter une somme définie à l'aide du symbole Σ ;		
2.	d'utiliser le symbole Σ pour représenter une somme ;		
3.	de connaître certaines propriétés des sommations ;		
4.	de démontrer et d'utiliser certaines formules de sommation ;		
5.	d'évaluer la somme des aires de rectangles inscrits et circonscrits à une courbe donnée f sur $[a, b]$;		
6.	d'évaluer l'aire réelle d'une région à l'aide de limites ;		
7.	de connaître la définition d'une partition d'un intervalle ;		
8.	de connaître la définition d'une somme de Riemann ;		
9.	de connaître la définition de l'intégrale définie ;		
10.	de connaître certaines propriétés de l'intégrale définie ;		
11.	d'utiliser le théorème de la moyenne pour l'intégrale définie ;		
12.	de démontrer le théorème fondamental du calcul ;		
13.	d'évaluer des intégrales définies en utilisant le théorème fondamental du calcul ;		
14.	d'évaluer des intégrales définies par changement de variable sans changer les bornes d'intégration ;		
15.	d'évaluer des intégrales définies par changement de variable et en changeant les bornes d'intégration ;		
16.	de calculer l'aire d'une région comprise entre une courbe définie par y, où $y \geq 0$ (x, où $x \geq 0$), et un axe sur un intervalle donné ;		
17.	de calculer l'aire d'une région fermée définie par y, où $y \geq 0$ (x, où $x \geq 0$), après avoir déterminé l'intervalle $[a, b]$;		
18.	de calculer l'aire d'une région située entre deux courbes continues sur un intervalle $[a, b]$;		
19.	d'utiliser l'intégrale définie pour résoudre certains problèmes dans des domaines autres que les mathématiques ;		
20.	de calculer approximativement des intégrales définies à l'aide de la méthode des trapèzes ;		
21.	de calculer approximativement des intégrales définies à l'aide de la méthode de Simpson ;		
22.	de calculer approximativement des intégrales définies à l'aide d'outils technologiques.		
Si vous avez répondu **NON** à l'une de ces questions, il serait préférable pour vous d'étudier de nouveau cette notion.			

▓ Exercices récapitulatifs

1. Évaluer les sommes suivantes.

a) $\displaystyle\sum_{i=1}^{100} i^3$

b) $\displaystyle\sum_{i=1}^{100} (i+50)$

c) $\displaystyle\sum_{i=1}^{20} (2i^3 - 3i^2 - 5i)$

2. Démontrer que $\displaystyle\sum_{i=1}^{k} i^3 = \frac{k^2(k+1)^2}{4}$ en évaluant

$\displaystyle\sum_{i=1}^{k} [i^4 - (i-1)^4]$ de deux façons différentes.

3. a) Déterminer le nombre total de carrés visibles sur l'échiquier ci-contre.

b) Soit la pyramide de nombres suivante :

$$
\begin{array}{ccccccccc}
 & & & & 1 & & & & \\
 & & & 3 & & 5 & & & \\
 & & 7 & & 9 & & 11 & & \\
 & 13 & & 15 & & \dots & & \dots & \\
\end{array}
$$

Déterminer la somme des termes de la 26e ligne et la somme des termes des 26 premières lignes.

4. Pour chacune des fonctions suivantes, déterminer s_n et S_n, calculer s et S, et évaluer l'aire sous la courbe sur l'intervalle donné.

a) $f(x) = 5x^2 + 3$ sur $[0, 1]$

b) $f(x) = 2x^3 + 4$ sur $[0, 1]$

c) $f(x) = x^2 + 4x + 3$ sur $[1, 4]$

5. Soit f une fonction continue sur $\mathbb{R}$. Utiliser les propriétés de l'intégrale définie pour déterminer la valeur de a et de b dans les équations suivantes.

a) $\displaystyle\int_0^3 f(x)\,dx + \int_3^7 f(x)\,dx = \int_a^b f(x)\,dx$

b) $\displaystyle\int_4^7 f(x)\,dx = -\int_a^b f(x)\,dx$

c) $\displaystyle\int_{-2}^5 f(x)\,dx - \int_7^5 f(x)\,dx = \int_a^b f(x)\,dx$

d) $\displaystyle\int_3^5 f(x)\,dx + \int_a^b f(x)\,dx = \int_3^4 f(x)\,dx$

e) $\displaystyle\int_\pi^{2\pi} f(x)\,dx - \int_a^b f(x)\,dx = \int_{4\pi}^{2\pi} f(x)\,dx$

f) $\displaystyle\int_{-1}^2 f(x)\,dx - \int_4^a f(x)\,dx = \int_{-1}^b f(x)\,dx$

6. Évaluer les intégrales définies suivantes.

a) $\displaystyle\int_1^4 \left(\sqrt{x} + \frac{1}{\sqrt{x}}\right) dx$

b) $\displaystyle\int_2^4 \frac{(t+1)^2}{t}\,dt$

c) $\displaystyle\int_{-1}^1 [(x^3+1)(x+4)]\,dx$

d) $\displaystyle\int_{-r}^r \pi(r^2 - y^2)\,dy$

e) $\displaystyle\int_{-8}^{-5} \frac{x+2}{x^2+5x+6}\,dx$

f) $\displaystyle\int_0^3 \frac{6x + x^2 + 5}{1+x}\,dx$

g) $\displaystyle\int_0^1 \frac{3u^4 + 4u^2 + 4}{u^2+1}\,du$

h) $\displaystyle\int_{-2}^{-1} \frac{-10}{9x^2+6x+1}\,dx$

i) $\displaystyle\int_0^1 \left(\frac{e^x}{2} + 2x^e + e\right) dx$

j) $\displaystyle\int_{-1}^1 (4^{-2x} - e^{-x})\,dx$

7. Évaluer les intégrales définies suivantes.

a) $\displaystyle\int_1^2 \frac{e^{\frac{1}{x}}}{x^2}\,dx$

b) $\displaystyle\int_1^9 \frac{1}{\sqrt{v}\,(1+\sqrt{v})}\,dv$

c) $\displaystyle\int_{\frac{\pi}{6}}^{\frac{\pi}{4}} (\sin\theta + \cos\theta)^2\,d\theta$

d) $\displaystyle\int_{-1}^0 (x^3 + 2x + 1)^3 (6x^2 + 4)\,dx$

e) $\int_{-\pi}^{\pi} 3v^2(v + \sin v^3)\, dv$

f) $\int_{1}^{4} \left(1 - \frac{1}{x^2}\right)\left(x + \frac{1}{x}\right)^{-2} dx$

g) $\int_{\frac{-\pi}{6}}^{\frac{\pi}{6}} \frac{\cos x}{1 + \sin x}\, dx$

h) $\int_{0}^{\frac{\pi}{4}} \sin^2 \theta\, d\theta$

i) $\int_{-\pi}^{0} (x \sin^2 x^2 + x \cos^2 x^2)\, dx$

j) $\int_{0}^{\pi} (\cos^5 x + 2 \cos^3 x \sin^2 x + \cos x \sin^4 x)\, dx$

8. Calculer l'aire des régions fermées délimitées par les courbes suivantes.

a) $y = x^3$, $y = 0$, $x = -2$ et $x = 3$

b) $y = x^3 - x$ et $y = 0$

c) $y = x$, $y = x^2$, $x = 0$ et $x = 3$

d) $y = 6x - x^2$ et $y = x^2 - 2x$

e) $y = x^3 - x^2$ et $y = 3x^2$

f) $y = x^3 + x$ et $y = 3x^2 - x$

g) $y = 4 - x$ et $y = \dfrac{3}{x}$

h) $y = \dfrac{1}{x}$, $y = \dfrac{1}{x^2}$, $x = 0{,}5$ et $x = 2$

i) $x = y^2 + 1$ et $x = 5$

j) $y = \sin x$, $y = 0$, $x = \dfrac{-\pi}{3}$ et $x = \dfrac{\pi}{4}$

k) $y = \cos x$, $y = 1$, $x = 0$ et $x = \dfrac{\pi}{2}$

l) $y = x^2 + 1$, $y = \cos x$, $x = \dfrac{-\pi}{2}$ et $x = \dfrac{\pi}{2}$

9. Calculer l'aire des régions fermées délimitées par les courbes suivantes.

a) $y = \dfrac{x}{(x^2 + 1)^2}$, $y = 0$ et $x \in [1, 2]$

b) $y = \cos \pi x$, $y = 0$ et $x \in [0, 1]$

c) $y = xe^{x^2}$, $y = -1$ et $x \in [0, 1]$

d) $y = -x^2$, $y = 2^{-x}$ et $x \in [-3, 3]$

e) $y = x^2 (x^3 - 8)^4$ et $y = 0$

f) $y = x^{\frac{1}{3}} (1 - x^{\frac{4}{3}})^{\frac{1}{3}}$ et $y = 0$

g) $y = \dfrac{x - 2}{\sqrt{x^2 - 4x + 9}}$, $y = 0$ et $x = 0$

h) $y = \dfrac{1}{x + 1}$, $y = \dfrac{x}{x^2 + 1}$ et $x = 0$

i) $y = 2 + \cos\left(\dfrac{x}{2}\right)$, $y = \sin 2x$ et $x \in [0, \pi]$

j) $y^2 = 4x$ et $x^2 = 4y$

10. Déterminer la valeur de k si

a) $\int_{-2}^{3} k\,x^2 dx = 1$

b) $\int_{1}^{4} \sqrt{kx}\, dx = 1$

c) $\int_{1}^{k} \dfrac{1}{x}\, dx = 1$, où $k > 1$

d) $A = 1$, où A est l'aire entre la courbe de $y = kx^3$, où $k > 0$, et l'axe des x si $x \in [-1, 2]$

11. Calculer l'aire des régions ombrées suivantes.

a)
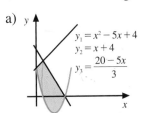
$y_1 = x^2 - 5x + 4$
$y_2 = x + 4$
$y_3 = \dfrac{20 - 5x}{3}$

b)
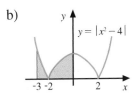
$y = |x^2 - 4|$

c)
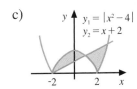
$y_1 = |x^2 - 4|$
$y_2 = x + 2$

12. Soit $f(x) = x^2$, $g(x) = \dfrac{1}{x^2}$ et $h(x) = 4$.

Déterminer l'aire des régions A_1, A_2 et A_3.

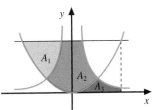

13. Soit $f(x) = \dfrac{\sin\left(\dfrac{1}{x}\right)}{x^2}$, où $x \in \left[\dfrac{1}{6\pi}, \dfrac{1}{2\pi}\right]$.

a) Représenter graphiquement f sur $\left[\dfrac{1}{6\pi}, \dfrac{1}{2\pi}\right]$.

b) Calculer l'aire des 4 régions délimitées par la courbe de f et l'axe des x.

c) Évaluer $\displaystyle\int_{\frac{1}{(n+1)\pi}}^{\frac{1}{n\pi}} \dfrac{\sin\left(\dfrac{1}{x}\right)}{x^2}\, dx$.

14. Déterminer la valeur c du théorème de la moyenne pour l'intégrale définie pour la fonction f et représenter graphiquement.

a) $f(x) = x^2 - 14x + 58$ sur $[2, 6]$

b) $f(x) = e^x$ sur $[0, 2]$

c) $f(x) = \dfrac{e^x}{1 + e^x}$ sur $[0, \ln 2]$

15. Soit $f(x) = 4x + 6 - x^2$ sur $[0, 5]$. Déterminer les valeurs de c_1 et de c_2 telles que $A_1 + A_3 = A_2$ sur le graphique suivant.

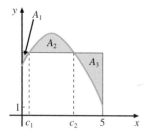

16. Calculer approximativement les intégrales définies suivantes.

a) $\displaystyle\int_0^4 \dfrac{1}{\sqrt{x^2+1}}\, dx$, $n = 4$ (méthode des trapèzes)

b) $\displaystyle\int_0^\pi \sin\sqrt{x}\, dx$, $n = 3$ (méthode des trapèzes)

c) $\displaystyle\int_0^2 \sqrt{9 + 4x^2}\, dx$, $n = 4$ (méthode de Simpson)

d) $\displaystyle\int_1^3 e^{x^2}\, dx$, $n = 6$ (méthode de Simpson)

17. a) Calculer approximativement $\displaystyle\int_1^3 \dfrac{1}{x+1}\, dx$ à l'aide de la méthode des trapèzes, avec $n = 4$.

b) Déterminer l'erreur maximale possible en utilisant la méthode précédente.

c) Déterminer la valeur de n telle que $|E| \leq 10^{-3}$.

d) Calculer $\displaystyle\int_1^3 \dfrac{1}{x+1}\, dx$ à l'aide du théorème fondamental du calcul.

18. a) Calculer approximativement $\displaystyle\int_0^\pi \sin x\, dx$ à l'aide de la méthode de Simpson, avec $n = 4$.

b) Déterminer l'erreur maximale possible en utilisant la méthode précédente.

c) Déterminer la valeur de n telle que $|E| \leq 10^{-3}$.

d) Calculer $\displaystyle\int_0^\pi \sin x\, dx$ à l'aide du théorème fondamental du calcul.

19. Soit f, la fonction représentant la température en °C d'une journée donnée à partir de 6 h jusqu'à 18 h, définie par $f(t) = -0,15t^2 + 2,4t + 20$, où t est en heures. Déterminer la température moyenne de cette journée entre 6 h et 18 h.

20. Soit $v(t) = t^2 + 5$ l'équation de la vitesse en m/s d'un mobile en fonction du temps en secondes, où $0 \leq t \leq 6$.

a) Calculer S_6 et interpréter le résultat.

b) Calculer A_0^6 et interpréter le résultat.

21. En estimant que le taux de dépréciation d'une automobile de 21 600 \$ est donné, après t années, par $D(t) = 300t - 3600$, où D est exprimée en \$/an, et $0 \leq t \leq 6$,

a) quel sera le montant de la dépréciation de cette automobile pendant la troisième année ?

b) quel sera le montant de la dépréciation de cette automobile pendant les 3 premières années ?

c) quelle sera la valeur de l'automobile après 5 ans ?

22. Une agence environnementale estime que le taux de variation de la quantité de pollution (en tonnes métriques par an) qu'une manufacture déverse dans une rivière est donné par $P(t) = 0,1t^3 + 15$, où t représente le temps en années ; $t = 0$ correspond à l'année 2000. Calculer la quantité totale de pollution déversée dans la rivière de 2000 à 2010,

a) de façon approximative en calculant s_{10} et S_{10} ;

b) de façon approximative en utilisant respectivement la méthode des trapèzes et la méthode de Simpson avec $n = 10$;

c) à l'aide de l'intégrale définie.

23. Soit $f(x) = \sqrt{x}$, où $x \in [1, 9]$.

a) Représenter la courbe de f et calculer l'aire A de la région délimitée par cette courbe et l'axe des x.

b) Déterminer le centre de gravité $C(\bar{x}, \bar{y})$ de la surface plane précédente.

24. Déterminer le centre de gravité $C(\bar{x}, \bar{y})$ des surfaces planes délimitées par les courbes suivantes. Représenter graphiquement la région et $C(\bar{x}, \bar{y})$.

a) $f(x) = \dfrac{6}{x}$, $y = 0$, $x = 1$ et $x = 6$

b) $f(x) = \dfrac{-8}{\sqrt{x}}$, $y = 0$, $x = 1$ et $x = 8$

O/T **25.** Calculer approximativement l'aire entre la courbe de f donnée et l'axe des x sur l'intervalle donné.

a) $f(x) = \cos(1 - \sin \pi x)$, sur $[0, 3]$

b) $f(x) = \dfrac{1}{\sqrt{2\pi}}\, e^{\frac{-x^2}{2}}$, sur $[-1, 1]$; sur $[-3, 3]$

O/T **26.** Soit $f(x) = (x - 1)^2$ et $g(x) = 2 \sin x^2$. Calculer approximativement l'aire de la région fermée entre la courbe de f et celle de g.

▨ Problèmes de synthèse

1. a) Déterminer les valeurs de a, b et c telles que
$$1^5 + 2^5 + 3^5 + 4^5 + \ldots + n^5 = \frac{n^2(2n^4 + 6n^3 + 5n^2 + an + b)}{c}.$$

b) Évaluer $\displaystyle\sum_{i=1}^{10} i^5$ à l'aide de la formule précédente.

2. Soit $f(x) = \sqrt{x}$, où $x \in [0, 1]$ et
$$P = \left\{ 0, \left(\frac{1}{n}\right)^2, \left(\frac{2}{n}\right)^2, \ldots, \left(\frac{k-1}{n}\right)^2, \left(\frac{k}{n}\right)^2, \ldots, \left(\frac{n-1}{n}\right)^2, 1 \right\}$$
une partition de $[0, 1]$.

a) Calculer Δx_k et $f(x_k)$.

b) Exprimer en fonction de n la somme de Riemann suivante : $\displaystyle\sum_{k=1}^{n} f(x_k)\, \Delta x_k$.

c) Calculer $\displaystyle\int_0^1 \sqrt{x}\, dx$ à l'aide de la $\displaystyle\lim_{n \to +\infty} \sum_{k=1}^{n} f(x_k)\, \Delta x_k$.

d) Vérifier le résultat à l'aide du théorème fondamental du calcul.

3. Évaluer les intégrales définies suivantes.

a) $\displaystyle\int_e^{ee} \dfrac{-1}{x \ln \sqrt{x}}\, dx$

b) $\displaystyle\int_{\frac{1}{3}}^{3} \sqrt{(2x - x^{-1})^2 + 8}\, dx$

c) $\displaystyle\int_0^2 \sqrt{|x^3 - 1|}\; x^2\, dx$

d) $\displaystyle\int_0^{\frac{\pi}{4}} \dfrac{\sin x}{1 + \sin x}\, dx$

e) $\displaystyle\int_2^7 x \sqrt{x + 2}\, dx$

4. Calculer l'aire des régions fermées délimitées par les courbes suivantes.

a) $y = (x - 2)^2 + 2$, $y = 0$, $y = -6x + 30$ et $x = 0$

b) $\sqrt{x} + \sqrt{y} = 3$, $x = 1$ et $y = 1$

c) $xy^2 = 1$ et $y = 3 - 2\sqrt{x}$

d) $y = \ln x$, $x = 0$, $y = 0$ et $y = 3$

e) $y = \operatorname{Arc\,sin} x$, $y = 0$ et $x \in [0, 1]$

f) $y = \sin\left(\dfrac{\pi x}{2}\right)$ et $y = x^2$

g) $y = \cos x$ et $y = \dfrac{4x^2}{\pi^2} - \dfrac{4x}{\pi} + 1$

h) $y = \cos x$, $y = \dfrac{2x^2}{\pi^2} - \dfrac{4x}{\pi} + 1$, où $x \in [0, 2\pi]$

5. Calculer l'aire des régions ombrées suivantes.

a)

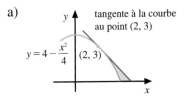

b)

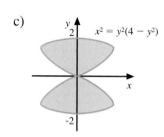

tangente à la courbe au point (1, 0)

$y = \ln x$

(1, 0)

c)

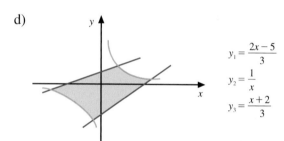

$x^2 = y^2(4 - y^2)$

d)

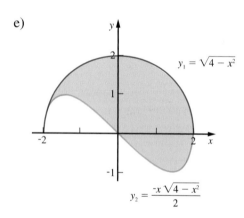

$y_1 = \dfrac{2x - 5}{3}$

$y_2 = \dfrac{1}{x}$

$y_3 = \dfrac{x + 2}{3}$

e)

$y_1 = \sqrt{4 - x^2}$

$y_2 = \dfrac{-x\sqrt{4 - x^2}}{2}$

6. Soit les fonctions $f(x) = x^2$ et $g(x) = mx$, où $m > 0$. Déterminer la valeur de m, telle que l'aire, comprise entre les courbes de f et de g, soit égale à 12,348 u².

7. Soit les fonctions $f(x) = 2x^3 - 15x^2 + 36x$ et $g(x) = mx$. Déterminer l'aire de la région comprise entre la courbe de f et celle de g

a) si g passe par le maximum relatif de f;

b) si g passe par le minimum relatif de f.

8. Soit la fonction f définie par $f(x) = x^3$, où $x \in [0, 1]$. Déterminer le point $(c, f(c))$ de la courbe tel que:

a) l'aire de la région A_1 égale l'aire de la région A_2;

b) la somme des aires A_1 et A_2 soit minimale;

c) la somme des aires A_1 et A_2 soit maximale.

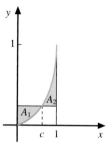

9. Déterminer le point $(c, f(c))$ tel que la somme des aires des régions A_1 et A_2 soit minimale si:

a)

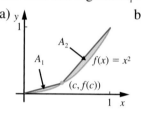

$f(x) = x^2$

b)

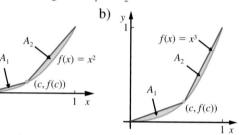

$f(x) = x^3$

10. Soit $f(x) = x^2$, où $x \in [0, b]$, et $c \in [0, b]$ tel que la tangente à la courbe de f au point $(c, f(c))$ soit parallèle à la sécante passant par les points $(0, f(0))$ et $(b, f(b))$.

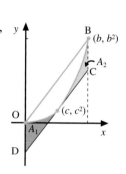

a) Déterminer le rapport entre A_1 et A_2.

b) Calculer l'aire du parallélogramme OBCD.

c) Calculer la distance entre la tangente et la sécante.

11. Soit $f(x) = x^2$ et $g(x) = \dfrac{x^2}{3}$. Déterminer une fonction $h(x)$ telle que $A_1 = A_2$, pour tout $t > 0$.

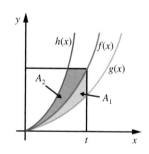

12. a) Soit $f(t)$ une fonction représentée par la courbe suivante.

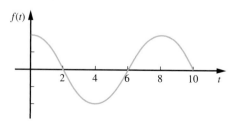

Tracer la courbe $F(x)$, où $x \in [0, 10]$, telle que $F(x) = \int_0^x f(t) \, dt$, en indiquant les points de maximum, de minimum et d'inflexion de la courbe de F.

b) Soit $g(t)$ une fonction représentée par la courbe suivante.

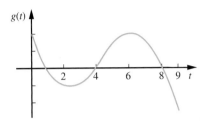

Tracer la courbe $G(x)$, où $x \in [0, 9]$, telle que $G(x) = \int_0^x g(t) \, dt$, en indiquant les points de maximum, de minimum et d'inflexion de la courbe de G.

13. Une compagnie achète un nouvel appareil au coût de 2500 $. Elle estime que le taux de variation de son revenu R est donné par

$$\frac{dR}{dt} = 100 \, (18 - 3\sqrt{t})$$

et que le taux de variation de son coût C est donné par

$$\frac{dC}{dt} = 100 \, (2 + \sqrt{t}),$$

où t est en mois, et R et C sont exprimés en dollars. Déterminer le profit maximal réalisé grâce à l'achat de ce nouvel appareil.

14. Les économistes définissent le **point d'équilibre** $E(q_e, p_e)$ comme le point de rencontre des courbes représentant l'offre et la demande d'un produit. Ils appellent A_1 la demande excédentaire et A_2 l'offre excédentaire.

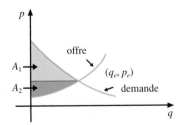

Déterminer la demande excédentaire et l'offre excédentaire lorsque $D(q) = 16 - q^2$ et $O(q) = 2q + 1$, où q, représentant le nombre d'articles, est en centaines, et D et O sont en milliers de dollars.

15. La population mondiale en 1995 était de 5,7 milliards d'habitants. Sachant que la population augmente à un taux continu de 2 % par année,

a) déterminer la fonction donnant la population en fonction du temps, où t est en années ;

b) déterminer la population mondiale moyenne pour les 20 prochaines années.

16. Un objet est lâché du haut d'un édifice de 44,1 mètres. Déterminer la vitesse moyenne de cet objet entre le moment où il est lâché et le moment où il touche le sol.

17. Soit un objet de masse m_1, situé en une valeur a sur l'axe des x, et un second objet de masse m_2 situé à la gauche du premier objet sur l'axe des x. Selon la **loi de l'attraction universelle de Newton,** toutes les particules de l'univers s'attirent avec une force directement proportionnelle au produit de leurs masses et inversement proportionnelle au carré de la distance d qui les sépare. Ainsi, $F = \dfrac{G \, m_1 \, m_2}{d^2}$, où G est une constante. Exprimer en fonction de c_1 et de c_2 le travail W requis pour déplacer le second objet de $c_2 < a$ à $c_1 < a$, sachant que le premier objet de masse m_1 est fixe.

18. Soit $f(x) = \sqrt{16 - x^2}$, où $x \in [0, 4]$ et P est une partition régulière de $[0, 4]$ avec $n = 4$. Calculer approximativement $\int_0^4 f(x) \, dx$

a) à l'aide d'une somme de Riemann en utilisant sur chaque sous-intervalle le point milieu ;

b) à l'aide de la méthode des trapèzes avec $n = 4$;

c) à l'aide de la méthode de Simpson avec $n = 4$;

d) en calculant l'aire réelle A_0^4.

19. Soit une fonction f continue, positive et croissante sur $[a, b]$, et P une partition régulière de $[a, b]$.

a) Démontrer que $S_n - s_n = (f(b) - f(a)) \left(\dfrac{b-a}{n} \right)$.

b) Sachant que $S = \lim_{n \to +\infty} S_n$ et que $s = \lim_{n \to +\infty} s_n$, démontrer que $S = s$.

20. a) Utiliser le théorème de la moyenne pour l'intégrale définie pour démontrer que $\dfrac{b-a}{b} < \displaystyle\int_a^b \dfrac{1}{t}\,dt < \dfrac{b-a}{a}$, où $0 < a < b$.

b) À l'aide des inégalités précédentes, démontrer que $\dfrac{1}{n+1} < \ln\left(\dfrac{n+1}{n}\right) < \dfrac{1}{n}$, où n est un entier positif.

21. Soit f une fonction continue sur $[0, 1]$ et dérivable sur $]0, 1[$ telle que $f(0) = 0$ et $\displaystyle\int_0^1 f(x)\,dx = 1$.

Démontrer qu'il existe au moins une valeur $c \in {}]0, 1[$ telle que $f'(c) = 2$.

22. Déterminer le centre de gravité $C(\overline{x}, \overline{y})$ de la région plane fermée délimitée par :

a) la courbe de f et $y = 0$, où $f(x) = \sqrt{9 - x^2}$;

b) la courbe de f et $y = 0$ et $x > 0$, où $f(x) = \sqrt{9 - x^2}$;

c) la courbe de g et celle de h, où $g(x) = 4x - x^2$ et $h(x) = x^2 - 6x + 8$.

23. Soit $f(x) = 4 - (x - 2)^2$ et $g(x) = x^3 - 4$.

a) Représenter graphiquement les courbes de f et de g.

b) Déterminer le centre de gravité de chacune des régions planes fermées délimitées par les courbes de f et de g.

Introduction

Le but de ce chapitre est de développer d'autres techniques d'intégration permettant de déterminer des primitives et d'effectuer des intégrales définies. À la méthode de changement de variable étudiée au chapitre 3, nous ajouterons la technique d'intégration par parties, l'intégration de fonctions trigonométriques, l'intégration par substitution trigonométrique et l'intégration de fonctions par décomposition en une somme de fractions partielles.

En particulier, l'élève pourra résoudre le problème suivant.

Le taux de croissance d'une plante de 10 cm de hauteur est à la fois proportionnel à la hauteur h de cette plante et à $(60 - h)$. Si, après trois jours d'observation, la plante mesure 12 cm de hauteur,

a) exprimer h en fonction de t.

b) Déterminer la hauteur de la plante après deux semaines.

c) Après combien de jours la plante atteindra-t-elle la moitié de sa hauteur maximale ?

d) Donner l'esquisse du graphique de la fonction h et indiquer les coordonnées du point d'inflexion.

e) Quelle est la taille de la plante à l'instant où son taux de croissance est le plus rapide ?

(Problème de synthèse n° 14, page 231.)

Si vous avez la chance de parcourir l'un des premiers grands livres qui marquent l'histoire du calcul différentiel et intégral, vous serez très surpris de constater qu'ils ne ressemblent en rien au livre que vous êtes en train de lire. Que ce soit dans le *Tractatus de methodis serierum et fluxionum* (*Traité sur les méthodes des séries et des fluxions*) (1671) de Newton ou dans *L'Analyse des infiniment petits pour l'intelligence des lignes courbes* (1696) du marquis de l'Hospital, même un mathématicien aguerri ne s'y retrouve qu'avec peine. La première chose qui frappe est la différence dans les notations. Mais il y a plus. L'on n'y voit pas trace de fonctions trigonométriques comme le sinus ou le cosinus. Pourquoi cette absence des fonctions trigonométriques?

Cette question est d'autant plus pertinente que Newton, en bon astronome et physicien, a nécessairement beaucoup utilisé la trigonométrie dans ses travaux. De plus, les logarithmes avaient été inventés une cinquantaine d'années auparavant par Napier. La surprise s'accentue lorsqu'on sait que Newton avait trouvé des formules impliquant des séries infinies comme celle-ci:

$$\sin y = y - \frac{1}{3!}\, y^3 + \frac{1}{5!}\, y^5 - \frac{1}{7!}\, y^7 + \ldots$$

De plus, on connaissait aussi le graphe du sinus. Roberval, dans son *Traité des indivisibles* de 1634, avait étudié une courbe qu'il appelait la roulette, et que nous appelons aujourd'hui la cycloïde. Il s'agit de la courbe tracée par un point d'un cercle qui, comme une roue, tourne le long d'une droite. Pascal encore adolescent et plusieurs autres mathématiciens de cette époque, avant l'invention du calcul, s'étaient intéressés à cette courbe. Roberval, pour sa part, cherchait à déterminer l'aire sous cette courbe. Dans ce dessein, il traça une autre courbe, qu'il appela la compagne de la roulette, et qui correspondait de fait au graphe de $y = 1 - \cos \theta$. Un peu plus loin dans son étude de la roulette, il avait même tracé le graphe de sinus, devenant le premier à tracer des graphes de ce que nous appelons aujourd'hui des fonctions trigonométriques, mais en se limitant à l'intervalle allant de 0° à 90°. C'est qu'à l'époque sinus et cosinus étaient vus simplement comme la longueur d'un certain segment dans un cercle. On les abordait toujours géométriquement. Même Newton, pour arriver au développement en série ci-dessus, avait procédé par des considérations uniquement géométriques.

De plus, le siècle de Roberval et de Newton est aussi le siècle des débuts de l'algèbre telle que nous la connaissons. On a à l'époque l'impression que seul ce qui s'exprime en termes algébriques, c'est-à-dire par des sommes de puissances entières, peut vraiment être traité mathématiquement avec précision. C'est pourquoi toute l'attention des mathématiciens se concentre sur de telles expressions. Dans ce contexte, les développements en séries de puissances entières prennent une importance majeure. Mais, par ricochet, généralement dans les premiers traités du calcul différentiel et intégral, les autres entités fonctionnelles, comme le sinus ou le cosinus, ne sont abordées que dans le cadre de problèmes précis.

Il faudra attendre le deuxième tiers du XVIIIᵉ siècle pour que l'on s'intéresse théoriquement à la différentiation et l'intégration d'expressions trigonométriques. Par exemple, c'est dans le *Treatise of Fluxions* (1737) de l'Anglais Thomas Simpson (1710-1761), puis dans un livre ayant le même titre publié en 1742 de l'Écossais Colin Maclaurin (1698-1746) que, pour la première fois, des formules sont données explicitement pour la dérivée du sinus et des autres fonctions trigonométriques. Mais alors, Maclaurin remarque qu'il semble y avoir une relation entre les fonctions trigonométriques et les fonctions logarithmiques et exponentielles, car la primitive, à une constante près, de $\dfrac{dy}{a^2 + y^2}$ est $\dfrac{1}{a} \operatorname{Arc} \tan \dfrac{y}{a}$ et qu'en changeant simplement le signe de y^2 au dénominateur, la primitive devient $\dfrac{1}{2a} \log_e \left| \dfrac{a+y}{a-y} \right|$. L'année suivante, le grand Euler (1707-1783) ira au bout de cette impression en montrant que ce lien passe par les nombres imaginaires et qu'il s'exprime par la formule pour le moins surprenante $e^{inz} = (\cos z \pm i \sin z)^n = \cos nz \pm i \sin nz$, où n est un entier, i est $\sqrt{-1}$ et $z = a + ib$, a et b étant des nombres réels.

C'est par l'entremise de ce lien extraordinaire que les fonctions trigonométriques prennent en mathématiques une place équivalente à celle des fonctions algébriques. Aussi, lorsque l'enseignement du calcul deviendra, au début du XIXᵉ siècle, en France puis dans toute l'Europe, la pierre angulaire de l'enseignement des sciences et en particulier de l'ingénierie, les nouveaux manuels de calcul différentiel et intégral feront une très large place aux fonctions trigonométriques, place qu'elles ont conservée jusqu'aujourd'hui.

⬚ Test préliminaire

1. Compléter les égalités.

   a) $\sin(A+B) =$ e) $1 - \sin^2\theta =$

   b) $\sin(A-B) =$ f) $1 + \tan^2\theta =$

   c) $\cos(A+B) =$ g) $\sec^2\theta - 1 =$

   d) $\cos(A-B) =$

2. Exprimer θ en fonction de x si :

   a) $x = \sin\theta$

   b) $x = 2\tan\theta$

   c) $4x = 5\sec\theta$

3. Soit le triangle rectangle ci-contre. Exprimer les fonctions trigonométriques suivantes en se servant de la mesure des côtés a, b et c.

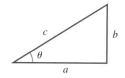

   a) $\sin\theta =$ d) $\sec\theta =$

   b) $\cos\theta =$ e) $\csc\theta =$

   c) $\tan\theta =$ f) $\cot\theta =$

4. Exprimer en fonction de $\cos 2\theta$.

   a) $\cos^2\theta$ b) $\sin^2\theta$

5. Exprimer $\sin 2\theta$ en fonction de $\sin\theta$ et $\cos\theta$.

6. Déterminer la valeur C si :

   a) $x^2 + 4x + 7 = (x+2)^2 + C$

   b) $12 - 4x^2 - 4x = C - (2x+1)^2$

   c) $9x^2 + 24x + 11 = (3x+4)^2 + C$

7. Décomposer en facteurs les expressions suivantes.

   a) $x^2 - 5x$ d) $x^3 - 8$

   b) $x^3 + x^2 - 20x$ e) $x^3 + a^3$

   c) $x^4 - 9x^2$

8. Effectuer les opérations suivantes.

   a) $\dfrac{A}{x} + \dfrac{B}{x-1} + \dfrac{C}{x+1}$

   b) $\dfrac{A}{x} + \dfrac{B}{x^2} + \dfrac{Cx+D}{3x^2+4}$

   c) $\dfrac{Ax+B}{x^2+3} + \dfrac{Cx+D}{x^2+1}$

9. Effectuer les divisions suivantes.

   a) $\dfrac{2x^3 + 6x^2 + 6x - 1}{x^2 + x + 1}$

   b) $\dfrac{x^5 - 2x^4 + 2x^2 - 5x + 2}{(x-1)^2}$

10. Résoudre les systèmes d'équations suivants.

   a) $3x - y + 2z = 7$ b) $A + 2B - 3C = 3$

       $x + 2y - z = 0$ $3B - 4A = \text{-}8$

       $2x - 4y + 3z = 8$ $6C - 2A = \text{-}6$

11. Calculer les intégrales suivantes.

   a) $\int e^{\frac{x}{2}}\, dx$ d) $\int \sec x\, dx$

   b) $\int \cos 2\theta\, d\theta$ e) $\int \tan u\, du$

   c) $\int \sin\left(\dfrac{x}{3}\right) dx$ f) $\int \csc x\, dx$

4.1 INTÉGRATION PAR PARTIES

Objectif d'apprentissage

À la fin de la présente section, l'élève pourra intégrer certaines fonctions à l'aide de la technique d'intégration par parties.

Plus précisément, l'élève sera en mesure :
- d'utiliser la formule d'intégration par parties pour résoudre certaines intégrales où $\int v\, du$ est directement intégrable ;
- d'utiliser la formule d'intégration par parties pour résoudre certaines intégrales où $\int v\, du$ se calcule par changement de variable ou par artifices de calcul ;
- d'utiliser plusieurs fois la formule d'intégration par parties dans un même problème ;

- d'utiliser la formule d'intégration par parties pour résoudre certaines intégrales où nous obtenons une intégrale identique à l'intégrale initiale ;
- d'utiliser la formule d'intégration par parties pour obtenir des formules de réduction ;
- d'utiliser des formules de réduction pour effectuer des intégrales appropriées ;
- d'utiliser la formule d'intégration par parties pour calculer des intégrales définies.

Formule d'intégration par parties

Soit u et v, deux fonctions différentiables exprimées en fonction d'une même variable.

Nous avons déjà vu au chapitre 2, section 2.1 exemple 3, en page 53, que

$$d(uv) = v\,du + u\,dv$$

donc $\quad u\,dv = d(uv) - v\,du$

$$\int u\,dv = \int d(uv) - \int v\,du \quad \text{(en intégrant les deux membres)}$$

d'où $\int u\,dv = uv - \int v\,du \qquad \left(\text{car } \int d(uv) = uv\right)$

Ainsi, nous avons la formule d'intégration suivante.

FORMULE D'INTÉGRATION PAR PARTIES	$\int u\,dv = uv - \int v\,du$

Par cette formule, nous voyons que le calcul de $\int u\,dv$ est ramené au calcul de $\int v\,du$ qui, normalement, devrait être plus simple à calculer que $\int u\,dv$.

Exemple 1 Calculons $\int xe^x\,dx$.

Puisque nous voulons utiliser la formule d'intégration par parties, il faut associer $\int xe^x\,dx$ à $\int u\,dv$. Ici, plusieurs choix sont possibles, par exemple :

$$\int \underbrace{x}_{u}\ \underbrace{e^x\,dx}_{dv} \quad \text{ou} \quad \int \underbrace{xe^x}_{u}\ \underbrace{dx}_{dv} \quad \text{ou bien} \quad \int \underbrace{e^x}_{u}\ \underbrace{x\,dx}_{dv}$$

En posant $\qquad u = x \quad$ et $\quad dv = e^x\,dx,$

nous obtenons $\quad du = dx \quad$ et $\quad v = e^x + C_1.$

du est obtenue en différentiant u, et v est obtenue en intégrant dv. Normalement, cette intégrale devrait être facile à calculer.

Donc, de $\qquad \int u\,dv = u \quad v \quad - \int v\,du$

nous obtenons $\quad \int x\ e^x\,dx = x\ (e^x + C_1) - \int (e^x + C_1)\,dx$

$$= xe^x + C_1 x - [e^x + C_1 x + C_2] \quad \text{(en intégrant)}$$

$$= xe^x + C_1 x - e^x - C_1 x - C_2$$

$$= xe^x - e^x + C \qquad\qquad \text{(en simplifiant)}$$

Remarque À l'avenir, nous omettrons d'écrire la constante C_1 provenant de l'intégration de dv, car celle-ci se simplifie toujours. Nous ajouterons la constante d'intégration C, une fois l'intégration terminée.

On peut tenter d'effectuer l'intégrale précédente en posant

$$u = e^x \qquad \text{et} \qquad dv = x \, dx$$

Ainsi, nous obtenons $\quad du = e^x \, dx \quad$ et $\quad v = \dfrac{x^2}{2}$

$$\text{Donc } \int \underbrace{x}_{} \underbrace{e^x}_{u} \, dx = e^x \left(\frac{x^2}{2}\right) - \int \frac{x^2}{2} \, e^x \, dx$$

(annotations: u, dv under left side; u, v under $e^x\left(\frac{x^2}{2}\right)$; v, du under $\frac{x^2}{2} e^x dx$)

$$= \frac{x^2 \, e^x}{2} - \frac{1}{2} \int x^2 \, e^x \, dx$$

Or $\int x^2 \, e^x \, dx$ est une intégrale plus difficile à effectuer que l'intégrale initiale $\int x \, e^x \, dx$.

Nous constatons que ce dernier choix n'était pas approprié.

Exemple 2 Calculons $\int x^3 \ln x \, dx$.

En posant $\qquad u = \ln x \qquad$ et $\qquad dv = x^3 \, dx$,

nous obtenons $\quad du = \dfrac{1}{x} \, dx \quad$ et $\quad v = \dfrac{x^4}{4}$.

$$\text{Donc } \int \underbrace{x^3}_{} \underbrace{\ln x}_{u} \, dx = (\ln x)\left(\frac{x^4}{4}\right) - \int \frac{x^4}{4} \frac{1}{x} \, dx$$

(annotations: u, dv under left side; u, v under $(\ln x)\left(\frac{x^4}{4}\right)$; v, du under $\frac{x^4}{4}\frac{1}{x}dx$)

$$= \frac{x^4 \ln x}{4} - \frac{1}{4} \int x^3 \, dx$$

$$= \frac{x^4 \ln x}{4} - \frac{x^4}{16} + C$$

Dans certains cas, pour résoudre $\int v \, du$, provenant de la formule d'intégration par parties, nous devons effectuer un changement de variable ou un artifice de calcul.

Exemple 3 Calculons $\int \text{Arc tan } x \, dx$.

En posant $\qquad u = \text{Arc tan } x \qquad$ et $\qquad dv = dx$,

nous obtenons $\quad du = \dfrac{1}{1 + x^2} \, dx \quad$ et $\quad v = x$.

$$\text{Donc } \int \underbrace{\text{Arc tan } x}_{u} \, \underbrace{dx}_{dv} = \underbrace{(\text{Arc tan } x)}_{u} \underbrace{(x)}_{v} - \int \underbrace{x}_{v} \cdot \underbrace{\frac{1}{1 + x^2}}_{du} \, dx$$

$$= x \, \text{Arc tan } x - \int \frac{x}{1 + x^2} \, dx$$

Pour calculer $\int \dfrac{x}{1 + x^2} \, dx$, il faut utiliser la méthode du changement de variable

en posant $h = 1 + x^2$, ainsi $dh = 2x \, dx$, donc $x \, dx = \dfrac{1}{2} \, dh$.

$$\int \frac{x}{1+x^2}\,dx = \frac{1}{2}\int \frac{1}{h}\,dh = \frac{1}{2}\ln|h| + C_1 = \frac{1}{2}\ln(1+x^2) + C_1$$

Nous avons alors $\int \text{Arc tan } x\,dx = x\,\text{Arc tan } x - \dfrac{1}{2}\ln(1+x^2) + C.$

Exemple 4 Calculons $\int x\,\text{Arc tan } x\,dx.$

En posant $\quad u = \text{Arc tan } x \quad$ et $\quad dv = x\,dx,$

nous obtenons $\quad du = \dfrac{1}{1+x^2}\,dx \quad$ et $\quad v = \dfrac{x^2}{2}.$

Donc $\int \underbrace{x}_{}\,\underbrace{\text{Arc tan } x}_{u}\,\underbrace{dx}_{} = (\text{Arc tan } x)\underbrace{\frac{x^2}{2}}_{} - \int \underbrace{\frac{x^2}{2}}_{v} \cdot \underbrace{\frac{1}{1+x^2}}_{du}\,dx$

$\qquad\qquad\qquad\qquad$ $\underbrace{\qquad\qquad}_{dv}$ $\qquad$ $\underbrace{\quad}_{u}$ $\underbrace{\quad}_{v}$

$$= \frac{x^2\,\text{Arc tan } x}{2} - \frac{1}{2}\int \frac{x^2}{1+x^2}\,dx$$

$$= \frac{x^2\,\text{Arc tan } x}{2} - \frac{1}{2}\int \left[1 - \frac{1}{x^2+1}\right]dx \qquad \text{(en divisant } x^2 \text{ par } (x^2+1))$$

$$= \frac{x^2\,\text{Arc tan } x}{2} - \frac{x}{2} + \frac{\text{Arc tan } x}{2} + C$$

Utilisation de la formule d'intégration par parties pour calculer des intégrales définies

L'utilisation de l'intégration par parties et du théorème fondamental du calcul permet de calculer des intégrales définies.

Exemple 1 Calculons $\displaystyle\int_0^2 xe^{-2x}\,dx.$

Étape 1 Calculons d'abord $\int xe^{-2x}\,dx.$

En posant $\quad u = x \quad$ et $\quad dv = e^{-2x}\,dx,$

nous obtenons $\quad du = dx \quad$ et $\quad v = \dfrac{-e^{-2x}}{2}.$

Donc $\int xe^{-2x}\,dx = \dfrac{-xe^{-2x}}{2} + \dfrac{1}{2}\int e^{-2x}\,dx$

$$= \frac{-xe^{-2x}}{2} - \frac{e^{-2x}}{4} + C$$

Étape 2 Calculons ensuite l'intégrale définie.

$$\int_0^2 xe^{-2x}\,dx = \left(\frac{-xe^{-2x}}{2} - \frac{e^{-2x}}{4}\right)\Bigg|_0^2 \quad \text{(théorème fondamental du calcul)}$$

$$= \left(-e^{-4} - \frac{e^{-4}}{4}\right) - \left(\frac{-1}{4}\right) = \frac{-5e^{-4}}{4} + \frac{1}{4} = \frac{1}{4} - \frac{5}{4e^4}$$

Exemple 2 Calculons l'aire de la région délimitée par la courbe d'équation $y = \ln x$ et l'axe des x lorsque $x \in [1, e]$.

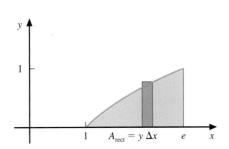

$$A_1^e = \int_1^e y \, dx = \int_1^e \ln x \, dx.$$

Étape 1 Calculons d'abord $\int \ln x \, dx$.

En posant $\quad u = \ln x \quad$ et $\quad dv = dx,$

nous obtenons $\quad du = \dfrac{1}{x} \, dx \quad$ et $\quad v = x.$

Donc $\int \ln x \, dx = x \ln x - \int dx$

$$= x \ln x - x + C$$

Étape 2 Calculons ensuite l'intégrale définie.

$$\int_1^e \ln x \, dx = (x \ln x - x) \Big|_1^e = (e - e) - (0 - 1) = 1$$

d'où $A_1^e = 1 \ \text{u}^2.$

Utilisations successives de la formule d'intégration par parties

Il peut arriver que nous ayons à utiliser plus d'une fois la formule d'intégration par parties pour calculer une intégrale donnée.

Exemple 1 Calculons $\int x^3 \sin 4x \, dx$, que nous notons I.

En posant $\quad u = x^3 \quad$ et $\quad dv = \sin 4x \, dx,$

nous obtenons $\quad du = 3x^2 \, dx \quad$ et $\quad v = \dfrac{-\cos 4x}{4}.$

Donc $I = \dfrac{-x^3 \cos 4x}{4} - \displaystyle\int \dfrac{-\cos 4x}{4} \, 3x^2 \, dx$

$$I = \dfrac{-x^3 \cos 4x}{4} + \dfrac{3}{4} \int x^2 \cos 4x \, dx \qquad \text{(équation 1)}$$

Pour calculer $\int x^2 \cos 4x \, dx$, provenant de l'équation 1,

posons $\quad u = x^2 \quad$ et $\quad dv = \cos 4x \, dx,$

$$du = 2x \, dx \quad \text{et} \quad v = \dfrac{\sin 4x}{4}.$$

Ainsi $\int x^2 \cos 4x \, dx = \dfrac{x^2 \sin 4x}{4} - \displaystyle\int \dfrac{\sin 4x}{4} \, 2x \, dx$

donc $I = \dfrac{-x^3 \cos 4x}{4} + \dfrac{3}{4} \left[\dfrac{x^2 \sin 4x}{4} - \dfrac{1}{2} \int x \sin 4x \, dx \right] \qquad \begin{array}{l}\text{(en remplaçant dans} \\ \text{l'équation 1)}\end{array}$

$$I = \dfrac{-x^3 \cos 4x}{4} + \dfrac{3x^2 \sin 4x}{16} - \dfrac{3}{8} \int x \sin 4x \, dx \qquad \text{(équation 2)}$$

Pour calculer $\int x \sin 4x\, dx$, provenant de l'équation 2,

posons $u = x$ et $dv = \sin 4x\, dx$,

$$du = dx \quad \text{et} \quad v = \frac{-\cos 4x}{4}.$$

Ainsi $\int x \sin 4x\, dx = \dfrac{-x \cos 4x}{4} - \displaystyle\int \dfrac{-\cos 4x}{4}\, dx$

donc
$$I = \frac{-x^3 \cos 4x}{4} + \frac{3x^2 \sin 4x}{16} - \frac{3}{8}\left[\frac{-x \cos 4x}{4} + \frac{1}{4}\int \cos 4x\, dx \right]$$

$$= \frac{-x^3 \cos 4x}{4} + \frac{3x^2 \sin 4x}{16} + \frac{3x \cos 4x}{32} - \frac{3}{32}\int \cos 4x\, dx$$

d'où
$$I = \frac{-x^3 \cos 4x}{4} + \frac{3x^2 \sin 4x}{16} + \frac{3x \cos 4x}{32} - \frac{3 \sin 4x}{128} + C$$

Remarque Dans ce type d'intégration, nous pouvons obtenir l'intégrale indéfinie en plaçant convenablement dans un tableau les valeurs successives de u et de ses dérivées, et les valeurs de dv et de ses intégrales.

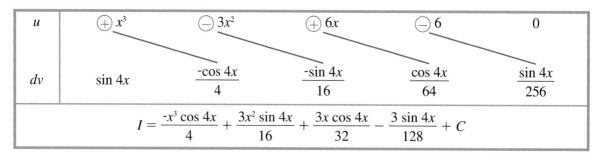

u	$\oplus\, x^3$	$\ominus\, 3x^2$	$\oplus\, 6x$	$\ominus\, 6$	0
dv	$\sin 4x$	$\dfrac{-\cos 4x}{4}$	$\dfrac{-\sin 4x}{16}$	$\dfrac{\cos 4x}{64}$	$\dfrac{\sin 4x}{256}$

$$I = \frac{-x^3 \cos 4x}{4} + \frac{3x^2 \sin 4x}{16} + \frac{3x \cos 4x}{32} - \frac{3 \sin 4x}{128} + C$$

Cas où nous obtenons une intégrale identique à l'intégrale initiale

Exemple 1 Calculons $\int e^{2x} \cos 3x\, dx$, que nous notons I.

En posant $u = e^{2x}$ et $dv = \cos 3x\, dx$,

nous obtenons $du = 2e^{2x}\, dx$ et $v = \dfrac{\sin 3x}{3}$.

Donc $I = \dfrac{e^{2x} \sin 3x}{3} - \dfrac{2}{3}\displaystyle\int e^{2x} \sin 3x\, dx$ (équation 1).

Pour calculer $\int e^{2x} \sin 3x\, dx$, provenant de l'équation 1,

posons $u = e^{2x}$ et $dv = \sin 3x\, dx$,

$$du = 2e^{2x}\, dx \quad \text{et} \quad v = \frac{-\cos 3x}{3}.$$

Ainsi $\int e^{2x} \sin 3x\, dx = \dfrac{-e^{2x} \cos 3x}{3} - \displaystyle\int \dfrac{-\cos 3x}{3}\, 2e^{2x}\, dx$,

donc $\int e^{2x} \cos 3x\, dx = \dfrac{e^{2x} \sin 3x}{3} - \dfrac{2}{3}\left[\dfrac{-e^{2x} \cos 3x}{3} + \dfrac{2}{3}\displaystyle\int e^{2x} \cos 3x\, dx \right]$

$$\int e^{2x} \cos 3x \, dx = \frac{e^{2x} \sin 3x}{3} + \frac{2e^{2x} \cos 3x}{9} - \frac{4}{9} \int e^{2x} \cos 3x \, dx$$

Nous pouvons observer que cette dernière intégrale est identique à l'intégrale initiale.

Ainsi
$$I = \frac{e^{2x} \sin 3x}{3} + \frac{2e^{2x} \cos 3x}{9} - \frac{4}{9} I$$

$$I + \frac{4}{9} I = \frac{e^{2x} \sin 3x}{3} + \frac{2e^{2x} \cos 3x}{9} + C_1$$

$$\frac{13}{9} I = \frac{e^{2x} \sin 3x}{3} + \frac{2e^{2x} \cos 3x}{9} + C_1$$

$$I = \frac{9}{13} \left[\frac{e^{2x} \sin 3x}{3} + \frac{2e^{2x} \cos 3x}{9} \right] + C$$

d'où
$$I = \frac{e^{2x} (3 \sin 3x + 2 \cos 3x)}{13} + C$$

Exemple 2 Calculons $\int \sec^3 x \, dx$, que nous notons I.

Pour utiliser la formule d'intégration par parties, il faut d'abord transformer I :

$$I = \int \sec^3 x \, dx = \int \sec x \sec^2 x \, dx$$

En posant
$$u = \sec x \qquad \text{et} \qquad dv = \sec^2 x \, dx,$$

nous obtenons $du = \sec x \tan x \, dx$ et $v = \tan x$.

Donc
$$\begin{aligned}
I &= \sec x \tan x - \int \tan x \sec x \tan x \, dx \\
&= \sec x \tan x - \int \sec x \tan^2 x \, dx \\
&= \sec x \tan x - \int \sec x (\sec^2 x - 1) \, dx \qquad (\text{car } \tan^2 x = \sec^2 x - 1) \\
&= \sec x \tan x - \int (\sec^3 x - \sec x) \, dx \\
&= \sec x \tan x - \int \sec^3 x \, dx + \int \sec x \, dx \\
&= \sec x \tan x - I + \ln |\sec x + \tan x| \qquad (\text{car } \int \sec^3 x \, dx = I) \\
2I &= \sec x \tan x + \ln |\sec x + \tan x| + C_1
\end{aligned}$$

Ainsi
$$I = \frac{\sec x \tan x + \ln |\sec x + \tan x|}{2} + C$$

d'où
$$\int \sec^3 x \, dx = \frac{1}{2} [\sec x \tan x + \ln |\sec x + \tan x|] + C.$$

Exemple 3 Soit $f(x) = \sin^2 x$, où $x \in [0, \pi]$.

Calculons l'aire de la région délimitée par la courbe de f et l'axe des x sur l'intervalle donné. Notons que f étant non négative sur $[0, \pi]$, l'aire cherchée est $A_0^\pi = \int_0^\pi \sin^2 x \, dx$.

Étape 1 Calculons d'abord
$\int \sin^2 x \, dx$, que nous notons I.

Pour utiliser la formule d'intégration par parties,
il faut d'abord transformer I.

$$I = \int \sin^2 x \, dx = \int \sin x \sin x \, dx$$

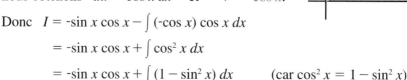

En posant $\qquad u = \sin x \qquad$ et $\qquad dv = \sin x \, dx$,

nous obtenons $\quad du = \cos x \, dx \quad$ et $\qquad v = \text{-}\cos x$.

Donc $\quad I = \text{-}\sin x \cos x - \int (\text{-}\cos x) \cos x \, dx$

$$= \text{-}\sin x \cos x + \int \cos^2 x \, dx$$

$$= \text{-}\sin x \cos x + \int (1 - \sin^2 x) \, dx \qquad (\text{car } \cos^2 x = 1 - \sin^2 x)$$

$$= \text{-}\sin x \cos x + \int 1 \, dx - \int \sin^2 x \, dx$$

$$= \text{-}\sin x \cos x + x + C_1 - I \qquad (\text{car } \int \sin^2 x \, dx = I)$$

$$2I = \text{-}\sin x \cos x + x + C_1$$

Ainsi $\quad I = \dfrac{\text{-}\sin x \cos x + x}{2} + C$

d'où
$$\int \sin^2 x \, dx = \frac{\text{-}\sin x \cos x + x}{2} + C.$$

Étape 2 Calculons l'aire.

$$A_0^\pi = \int_0^\pi \sin^2 x \, dx$$

$$= \left. \frac{\text{-}\sin x \cos x + x}{2} \right|_0^\pi = \left(\frac{\text{-}\sin \pi \cos \pi + \pi}{2} \right) - \left(\frac{\text{-}\sin 0 \cos 0 + 0}{2} \right) = \frac{\pi}{2} \, u^2$$

Formules de réduction

Dans certains cas où nous devons utiliser plusieurs fois la formule d'intégration par parties pour trouver une primitive, il est possible d'utiliser une formule de réduction nous permettant de trouver plus rapidement cette primitive.

Exemple 1

a) Déterminons une formule de réduction pour $\int x^n e^{ax} \, dx$, où $a \in \mathbb{R}\backslash\{0\}$ et $n \in \{1, 2, 3, \ldots\}$.

En posant $\qquad u = x^n \qquad$ et $\quad dv = e^{ax} \, dx$,

nous obtenons $\quad du = nx^{n-1} \, dx \quad$ et $\qquad v = \dfrac{e^{ax}}{a}$.

Donc $\int x^n e^{ax} \, dx = \dfrac{x^n e^{ax}}{a} - \dfrac{n}{a} \int x^{n-1} e^{ax} \, dx$.

Nous remarquons que la dernière intégrale a la même forme que l'intégrale initiale, sauf pour l'exposant n qui a diminué de 1. Une telle formule est appelée *formule de réduction*.

D'où nous obtenons la formule de réduction suivante.

$$\int x^n\, e^{ax}\, dx = \frac{x^n\, e^{ax}}{a} - \frac{n}{a} \int x^{n-1}\, e^{ax}\, dx, \text{ où } a \in \mathbb{R}\backslash\{0\} \text{ et } n \in \{1, 2, 3, \dots\}$$

b) Calculons $\int x^2\, e^{3x}\, dx$ en utilisant la formule de réduction précédente.

$$\int x^2\, e^{3x}\, dx = \frac{x^2\, e^{3x}}{3} - \frac{2}{3} \int x\, e^{3x}\, dx \qquad \text{(formule de réduction, où } n = 2\text{)}$$

$$= \frac{x^2\, e^{3x}}{3} - \frac{2}{3} \left[\frac{x\, e^{3x}}{3} - \frac{1}{3} \int e^{3x}\, dx \right] \quad \text{(formule de réduction, où } n = 1\text{)}$$

$$= \frac{x^2\, e^{3x}}{3} - \frac{2}{9} x\, e^{3x} + \frac{2}{9} \int e^{3x}\, dx$$

d'où $\int x^2\, e^{3x}\, dx = \dfrac{x^2\, e^{3x}}{3} - \dfrac{2}{9} x\, e^{3x} + \dfrac{2}{27} e^{3x} + C$

Exemple 2 Déterminons une formule de réduction pour $\int \sin^n x\, dx$, où $n \in \{2, 3, 4, \dots\}$.

Pour utiliser la formule d'intégration par parties, il faut d'abord transformer $\int \sin^n x\, dx$.

Soit $I = \int \sin^n x\, dx = \int \sin^{n-1} x \sin x\, dx$.

En posant $\qquad u = \sin^{n-1} x \qquad\qquad$ et $\quad dv = \sin x\, dx,$

nous obtenons $\quad du = (n-1) \sin^{n-2} x \cos x\, dx \quad$ et $\quad v = \text{-}\cos x.$

Donc $\quad I = \text{-}\sin^{n-1} x \cos x + (n-1) \int \cos x \sin^{n-2} x \cos x\, dx$

$$= \text{-}\sin^{n-1} x \cos x + (n-1) \int \cos^2 x \sin^{n-2} x\, dx$$

$$= \text{-}\sin^{n-1} x \cos x + (n-1) \int (1 - \sin^2 x) \sin^{n-2} x\, dx$$

$$= \text{-}\sin^{n-1} x \cos x + (n-1) \int [\sin^{n-2} x - \sin^n x]\, dx$$

$$= \text{-}\sin^{n-1} x \cos x + (n-1) \int \sin^{n-2} x\, dx - (n-1) \int \sin^n x\, dx$$

$$= \text{-}\sin^{n-1} x \cos x + (n-1) \int \sin^{n-2} x\, dx - (n-1) I$$

$$I + (n-1) I = \text{-}\sin^{n-1} x \cos x + (n-1) \int \sin^{n-2} x\, dx$$

$$nI = \text{-}\sin^{n-1} x \cos x + (n-1) \int \sin^{n-2} x\, dx$$

$$I = \frac{\text{-}\sin^{n-1} x \cos x}{n} + \frac{n-1}{n} \int \sin^{n-2} x\, dx$$

Nous remarquons que la dernière intégrale a la même forme que l'intégrale initiale, sauf pour l'exposant n, qui a diminué de 2.

D'où nous obtenons la formule de réduction suivante.

$$\int \sin^n x\, dx = \frac{\text{-}\sin^{n-1} x \cos x}{n} + \frac{n-1}{n} \int \sin^{n-2} x\, dx, \text{ où } n \in \{2, 3, 4, \dots\}$$

Lorsque nous utilisons de façon successive la formule précédente si n est impair, la dernière intégrale à effectuer sera $\int \sin x\, dx$, et si n est pair, la dernière intégrale à effectuer sera $\int dx$.

Exercices 4.1

1. Calculer les intégrales suivantes.

a) $\int x\, e^{3x}\, dx$

b) $\int \dfrac{t \sin 2t}{3}\, dt$

c) $\int \ln 8x\, dx$

d) $\int 3\theta \cos\left(\dfrac{\theta}{5}\right) d\theta$

e) $\int \sqrt{x}\, \ln x\, dx$

f) $\int x\, \sqrt{1 + 4x}\, dx$

2. Calculer les intégrales suivantes.

a) $\int x \sec^2 6x\, dx$

b) $\int \text{Arc} \sin 5x\, dx$

c) $\int t \sec t \tan t\, dt$

d) $\int x^2\, \text{Arc} \cos x^3\, dx$

e) $\int x^3\, e^{x^2}\, dx$

f) $\int y^2\, \text{Arc} \tan y\, dy$

3. Calculer les intégrales suivantes.

a) $\int x^2 \sin x\, dx$

b) $\int x^2\, e^{4x}\, dx$

c) $\int x^2 \ln^2 x\, dx$

d) $\int \dfrac{x^2 - 5x}{e^{3x}}\, dx$

4. Calculer les intégrales suivantes en utilisant un tableau contenant les valeurs successives de u et de dv.

a) $\int (2x^2 - 3x + 4)\, e^{7x}\, dx$ b) $\int \theta^3 \cos\left(\dfrac{2\theta}{5}\right) d\theta$

5. Calculer les intégrales suivantes.

a) $\int e^x \sin x\, dx$

b) $\int e^{-x} \cos 2x\, dx$

c) $\int \cos^2 \theta\, d\theta$

d) $\int \cos (\ln x)\, dx$

e) $\int \sin 3t \cos 4t\, dt$

f) $\int \csc^3 x\, dx$

6. Calculer les intégrales suivantes.

a) $\int \log x\, dx$

b) $\int x \ln^2 x\, dx$

c) $\int x^2 \ln x\, dx$

d) $\int x^3 \sin 2x\, dx$

e) $\int \sin \theta \sin 4\theta\, d\theta$

f) $\int \dfrac{y}{\sqrt{1 + y}}\, dy$

7. Démontrer la formule de réduction donnée et utiliser cette formule pour trouver les intégrales demandées.

a) $\int \ln^n x\, dx = x \ln^n x - n \int \ln^{n-1} x\, dx$, où $n \in \{1, 2, 3, \dots\}$; $\int \ln^3 x\, dx$

b) $\int \cos^n x\, dx = \dfrac{\cos^{n-1} x \sin x}{n} + \dfrac{n-1}{n} \int \cos^{n-2} x\, dx$, où $n \in \{2, 3, 4, \dots\}$; $\int \cos^4 x\, dx$ et $\int \cos^5 x\, dx$

c) $\int \sec^n x\, dx = \dfrac{\sec^{n-2} x \tan x}{n-1} + \dfrac{n-2}{n-1} \int \sec^{n-2} x\, dx$, où $n \in \{2, 3, 4, \dots\}$; $\int \sec^4 x\, dx$ et $\int \sec^5 x\, dx$

d) $\int \tan^n x\, dx = \dfrac{\tan^{n-1} x}{n-1} - \int \tan^{n-2} x\, dx$, où $n \in \{2, 3, 4, \dots\}$; $\int \tan^4 x\, dx$ et $\int \tan^7 x\, dx$

8. Évaluer les intégrales définies suivantes.

a) $\displaystyle\int_{-1}^{0} x\, e^{3x}\, dx$

b) $\displaystyle\int_{1}^{e} x \ln x\, dx$

c) $\displaystyle\int_{0}^{\pi} \cos^5 x\, dx$

d) $\displaystyle\int_{0}^{0,5} \text{Arc} \sin x\, dx$

9. Calculer l'aire des régions fermées délimitées par les courbes suivantes (représenter graphiquement les régions).

a) $y = xe^x$, $y = 0$, $x = -2$ et $x = 1$

b) $y = \text{Arc} \tan x$, $y = 0$, $x = -1$ et $x = 1$

c) $y = x^2 \sin x$, $y = 0$, $x = 0$ et $x = 2\pi$.

10. Dans les intégrales suivantes, déterminer les valeurs de u et de dv qui nous permettraient d'intégrer par parties.

a) $\int (\text{polynôme}) \sin ax\, dx$

b) $\int (\text{polynôme}) \ln x\, dx$

c) $\int (\text{polynôme})\, e^{ax}\, dx$

d) $\int (\text{polynôme}) \text{Arc} \tan x\, dx$

4.2 INTÉGRATION DE FONCTIONS TRIGONOMÉTRIQUES

Objectif d'apprentissage

À la fin de la présente section, l'élève pourra intégrer certaines fonctions trigonométriques en utilisant des identités trigonométriques et des changements de variable.

Plus précisément, l'élève sera en mesure :

- de calculer des intégrales de la forme $\int \sin^m x \cos^n x\, dx$, lorsque m ou n est impair ;

- de calculer des intégrales de la forme $\int \sin^m x \cos^n x \, dx$, lorsque m et n sont pairs ;
- de calculer des intégrales de la forme $\int \sin ax \cos bx \, dx$, $\int \sin ax \sin bx \, dx$ et $\int \cos ax \cos bx \, dx$;
- de calculer des intégrales de la forme $\int \tan^n x \, dx$;
- de calculer des intégrales de la forme $\int \sec^n x \, dx$;
- de calculer des intégrales de la forme $\int \sec^n x \tan^m x \, dx$.

Voici une liste d'identités trigonométriques qui pourront être utiles lors du calcul de certaines intégrales de fonctions trigonométriques.

1) $\sin^2 A + \cos^2 A = 1$

2) $1 + \tan^2 A = \sec^2 A$

3) $1 + \cot^2 A = \csc^2 A$

4) $\sin^2 A = \dfrac{1 - \cos 2A}{2}$ (si $2A = B$, on obtient) $1 - \cos B = 2 \sin^2 \left(\dfrac{B}{2}\right)$

5) $\cos^2 A = \dfrac{1 + \cos 2A}{2}$ (si $2A = B$, on obtient) $1 + \cos B = 2 \cos^2 \left(\dfrac{B}{2}\right)$

6) $\sin A \cos A = \dfrac{1}{2} \sin 2A$

7) $\sin A \cos B = \dfrac{1}{2} [\sin (A - B) + \sin (A + B)]$

8) $\sin A \sin B = \dfrac{1}{2} [\cos (A - B) - \cos (A + B)]$

9) $\cos A \cos B = \dfrac{1}{2} [\cos (A - B) + \cos (A + B)]$

Intégrales de la forme $\int \sin^n x \, dx$ ou $\int \cos^n x \, dx$, où $n \in \{2, 3, 4, \ldots\}$

Pour résoudre des intégrales de ces formes, il est toujours possible d'utiliser les formules de réduction suivantes.

$$\int \sin^n x \, dx = \frac{-\sin^{n-1} x \cos x}{n} + \frac{n-1}{n} \int \sin^{n-2} x \, dx, \text{ où } n \in \{2, 3, 4, \ldots\}$$

$$\int \cos^n x \, dx = \frac{\cos^{n-1} x \sin x}{n} + \frac{n-1}{n} \int \cos^{n-2} x \, dx, \text{ où } n \in \{2, 3, 4, \ldots\}$$

Nous pouvons également utiliser différentes identités trigonométriques pour calculer ces intégrales.

Cas où n est un nombre impair

Pour résoudre des intégrales de cette forme, nous pouvons utiliser l'identité 1) $\sin^2 A + \cos^2 A = 1$ et procéder comme suit.

$$\begin{aligned}
\int \cos^n x \, dx &= \int \cos^{2m+1} x \, dx \qquad (n = 2m + 1, \text{ où } m \in \{1, 2, 3, \ldots\}) \\
&= \int \cos^{2m} x \cos x \, dx \\
&= \int (\cos^2 x)^m \cos x \, dx
\end{aligned}$$

$$= \int (1 - \sin^2 x)^m \cos x \, dx \quad \text{(identité 1)}$$
$$= \int (1 - u^2)^m \, du \qquad \text{(en posant } u = \sin x)$$

Il suffit d'élever à la puissance m et d'intégrer.

Exemple 1 Calculons $\int \sin^7 x \, dx$.

$$\int \sin^7 x \, dx = \int \sin^6 x \sin x \, dx$$
$$= \int (\sin^2 x)^3 \sin x \, dx$$
$$= \int (1 - \cos^2 x)^3 \sin x \, dx$$

En posant $\qquad u = \cos x,$

nous obtenons $du = \text{-}\sin x \, dx$.

Ainsi $\int (1 - \cos^2 x)^3 \sin x \, dx = \text{-}\int (1 - u^2)^3 \, du$

$$= \text{-}\int (1 - 3u^2 + 3u^4 - u^6) \, du$$
$$= \text{-}\left(u - u^3 + \frac{3u^5}{5} - \frac{u^7}{7} \right) + C$$

d'où $\int \sin^7 x \, dx = \text{-}\cos x + \cos^3 x - \dfrac{3 \cos^5 x}{5} + \dfrac{\cos^7 x}{7} + C$

Cas où n est un nombre pair

Pour résoudre des intégrales de cette forme, nous pouvons utiliser les identités trigonométriques :

$$4) \; \sin^2 A = \frac{1 - \cos 2A}{2} \quad \text{et} \quad 5) \; \cos^2 A = \frac{1 + \cos 2A}{2}$$

pour obtenir des fonctions trigonométriques à la puissance 1.

Exemple 2 Calculons $\int \sin^4 5x \, dx$.

$$\int \sin^4 5x \, dx = \int (\sin^2 5x)^2 \, dx$$

$$= \int \left(\frac{1 - \cos 10x}{2} \right)^2 dx \qquad \text{(identité 4)}$$

$$= \frac{1}{4} \int (1 - 2 \cos 10x + \cos^2 10x) \, dx$$

$$= \frac{1}{4} \left[\int 1 \, dx - 2 \int \cos 10x \, dx + \int \cos^2 10x \, dx \right]$$

$$= \frac{1}{4} \left[x - \frac{\sin 10x}{5} + \int \left(\frac{1 + \cos 20x}{2} \right) dx \right] \qquad \text{(identité 5)}$$

$$= \frac{1}{4} \left[x - \frac{\sin 10x}{5} + \frac{1}{2} \left(x + \frac{\sin 20x}{20} \right) \right] + C$$

$$= \frac{3x}{8} - \frac{\sin 10x}{20} + \frac{\sin 20x}{160} + C$$

Intégrales de la forme $\int \sin^m x \cos^n x \, dx$

Cas où m ou n est un nombre impair plus grand ou égal à 3

Pour résoudre des intégrales de cette forme, nous conservons une copie de la fonction trigonométrique affectée d'un exposant impair et nous transformons le nombre pair de copies restantes en utilisant l'identité 1) $\sin^2 A + \cos^2 A = 1$. Par la suite, nous effectuons le changement de variable en assignant à u l'autre fonction trigonométrique obtenue.

Exemple 1 Calculons $\int \sin^4 x \cos^5 x \, dx$.

$$\int \sin^4 x \cos^5 x \, dx = \int \sin^4 x \cos^4 x \cos x \, dx$$
$$= \int \sin^4 x \, (\cos^2 x)^2 \cos x \, dx$$
$$= \int \sin^4 x \, (1 - \sin^2 x)^2 \cos x \, dx$$

En posant $\quad u = \sin x,$

nous obtenons $du = \cos x \, dx$.

Ainsi $\int \sin^4 x \, (1 - \sin^2 x)^2 \cos x \, dx = \int u^4 (1 - u^2)^2 \, du$
$$= \int u^4 (1 - 2u^2 + u^4) \, du$$
$$= \int (u^4 - 2u^6 + u^8) \, du$$
$$= \frac{u^5}{5} - \frac{2u^7}{7} + \frac{u^9}{9} + C$$

d'où $\int \sin^4 x \cos^5 x \, dx = \dfrac{\sin^5 x}{5} - \dfrac{2 \sin^7 x}{7} + \dfrac{\sin^9 x}{9} + C$

Exemple 2 Calculons $\int \dfrac{\sin^3 2x}{\sqrt[5]{\cos 2x}} \, dx$.

$$\int \frac{\sin^3 2x}{\sqrt[5]{\cos 2x}} \, dx = \int (\cos 2x)^{\frac{-1}{5}} \sin^2 2x \sin 2x \, dx$$
$$= \int (\cos 2x)^{\frac{-1}{5}} (1 - \cos^2 2x) \sin 2x \, dx$$

En posant $\quad u = \cos 2x,$

nous obtenons $du = -2 \sin 2x \, dx$.

Ainsi $\int (\cos 2x)^{\frac{-1}{5}} (1 - \cos^2 2x) \sin 2x \, dx = \dfrac{-1}{2} \int u^{\frac{-1}{5}} (1 - u^2) \, du$
$$= \frac{-1}{2} \int (u^{\frac{-1}{5}} - u^{\frac{9}{5}}) \, du$$
$$= \frac{-1}{2} \left(\frac{5u^{\frac{4}{5}}}{4} - \frac{5u^{\frac{14}{5}}}{14} \right) + C$$

d'où $\int \dfrac{\sin^3 2x}{\sqrt[5]{\cos 2x}} \, dx = \dfrac{-1}{2} \left(\dfrac{5 \sqrt[5]{\cos^4 2x}}{4} - \dfrac{5 \sqrt[5]{\cos^{14} 2x}}{14} \right) + C$

Dans le cas où m et n sont tous les deux impairs et $m \neq n$, nous pouvons choisir de transformer l'une ou l'autre des fonctions ; par contre, les calculs sont plus simples en choisissant de transformer le facteur dont l'exposant est le moins élevé.

Exemple 3 Calculons $\int \sin^3 x \cos^5 x \, dx$.

$$\int \sin^3 x \cos^5 x \, dx = \int \sin x \sin^2 x \cos^5 x \, dx$$

$$= \int \sin x \, (1 - \cos^2 x) \cos^5 x \, dx$$

En posant $\qquad u = \cos x,$

nous obtenons $du = \text{-}\sin x \, dx$.

Ainsi $\int \sin x \, (1 - \cos^2 x) \cos^5 x \, dx = \text{-}\int (1 - u^2) \, u^5 \, du$

$$= \text{-}\int (u^5 - u^7) \, du$$

$$= \frac{\text{-}u^6}{6} + \frac{u^8}{8} + C$$

d'où $\int \sin^3 x \cos^5 x \, dx = \dfrac{\text{-}\cos^6 x}{6} + \dfrac{\cos^8 x}{8} + C$

Dans le cas où m et n sont tous les deux impairs et $m = n$, nous pouvons choisir de transformer l'une ou l'autre des fonctions.

Exemple 4 Calculons $\int \sin^3 \theta \cos^3 \theta \, d\theta$, notée I, de deux façons différentes.

$I = \int \sin \theta \sin^2 \theta \cos^3 \theta \, d\theta$

$\qquad = \int \sin \theta \, (1 - \cos^2 \theta) \cos^3 \theta \, d\theta.$

En posant $\qquad u = \cos \theta,$

nous obtenons $du = \text{-}\sin \theta \, d\theta.$

Ainsi $I = \text{-}\int (1 - u^2) \, u^3 \, du$

$\qquad = \text{-}\int (u^3 - u^5) \, du$

$\qquad = \dfrac{\text{-}u^4}{4} + \dfrac{u^6}{6} + C_1$

$\qquad = \dfrac{\text{-}\cos^4 \theta}{4} + \dfrac{\cos^6 \theta}{6} + C_1$

$I = \int \sin^3 \theta \cos^2 \theta \cos \theta \, d\theta$

$\qquad = \int \sin^3 \theta \, (1 - \sin^2 \theta) \cos \theta \, d\theta.$

En posant $\qquad u = \sin \theta,$

nous obtenons $du = \cos \theta \, d\theta.$

Ainsi $I = \int u^3 (1 - u^2) \, du$

$\qquad = \int (u^3 - u^5) \, du$

$\qquad = \dfrac{u^4}{4} - \dfrac{u^6}{6} + C_2$

$\qquad = \dfrac{\sin^4 \theta}{4} - \dfrac{\sin^6 \theta}{6} + C_2$

Les deux réponses sont égales, à une constante près (corollaire 2, chapitre 1, page 25).

Cas où m et n sont des nombres pairs et non négatifs

Pour résoudre des intégrales de cette forme, nous pouvons utiliser les identités trigonométriques :

$$4) \ \sin^2 A = \frac{1 - \cos 2A}{2}, \quad 5) \ \cos^2 A = \frac{1 + \cos 2A}{2} \quad \text{et} \quad 6) \ \sin A \cos A = \frac{1}{2} \sin 2A$$

Exemple 5 Calculons $\int \sin^2 x \cos^4 x \, dx$.

$$\int \sin^2 x \cos^4 x \, dx = \int (\sin x \cos x)^2 \cos^2 x \, dx$$

$$= \int \left(\frac{\sin 2x}{2} \right)^2 \cos^2 x \, dx \qquad \text{(identité 6)}$$

$$= \frac{1}{4} \int \sin^2 2x \left(\frac{1 + \cos 2x}{2} \right) dx \qquad \text{(identité 5)}$$

$$= \frac{1}{8} \left[\int \sin^2 2x\, dx + \int \sin^2 2x \cos 2x\, dx \right]$$

$$= \frac{1}{8} \left[\int \frac{1 - \cos 4x}{2}\, dx + \int \sin^2 2x \cos 2x\, dx \right] \qquad \text{(identité 4)}$$

$$= \frac{1}{8} \left[\frac{1}{2} \left(\int dx - \int \cos 4x\, dx \right) + \int \sin^2 2x \cos 2x\, dx \right]$$

$$= \frac{1}{8} \left[\frac{1}{2} \left(x - \frac{\sin 4x}{4} \right) + \frac{\sin^3 2x}{6} \right] + C$$

$$= \frac{x}{16} - \frac{\sin 4x}{64} + \frac{\sin^3 2x}{48} + C$$

Intégrales de la forme $\int \sin^n ax \cos^n bx\, dx$, $\int \sin^n ax \sin^n bx\, dx$ et $\int \cos^n ax \cos^n bx\, dx$, où $n \in \{1, 2, 3, \ldots\}$

Dans le cas particulier où $n = 1$, il est possible de résoudre cette intégrale en utilisant la méthode d'intégration par parties.

Nous pouvons également utiliser les identités trigonométriques :

7) $\sin A \cos B = \dfrac{1}{2} [\sin (A - B) + \sin (A + B)]$

8) $\sin A \sin B = \dfrac{1}{2} [\cos (A - B) - \cos (A + B)]$

9) $\cos A \cos B = \dfrac{1}{2} [\cos (A - B) + \cos (A + B)]$

pour résoudre des intégrales de ces formes, où $n \in \{1, 2, 3, \ldots\}$.

> **Exemple 1**
>
> a) Calculons $\int \sin 5x \sin 2x\, dx$.
>
> $$\int \sin 5x \sin 2x\, dx = \frac{1}{2} \int (\cos 3x - \cos 7x)\, dx \qquad \text{(identité 8)}$$
>
> $$= \frac{1}{2} \left(\frac{\sin 3x}{3} - \frac{\sin 7x}{7} \right) + C$$
>
> b) Calculons $\int \sin \left(\dfrac{x}{3} \right) \cos \left(\dfrac{x}{2} \right) dx$.
>
> $$\int \sin \left(\frac{x}{3} \right) \cos \left(\frac{x}{2} \right) dx = \frac{1}{2} \int \left(\sin \left(\frac{-x}{6} \right) + \sin \left(\frac{5x}{6} \right) \right) dx \quad \text{(identité 7)}$$
>
> $$= \frac{1}{2} \left(6 \cos \left(\frac{-x}{6} \right) - \frac{6}{5} \cos \left(\frac{5x}{6} \right) \right) + C$$

Certaines intégrales peuvent nécessiter l'utilisation de plusieurs identités.

Exemple 2 Calculons $\int \sin^2 3x \cos^2 2x \, dx$.

$$\int \sin^2 3x \cos^2 2x \, dx = \int (\sin 3x \cos 2x)^2 \, dx$$

$$= \int \left[\frac{1}{2} (\sin x + \sin 5x) \right]^2 dx \qquad \text{(identité 7)}$$

$$= \frac{1}{4} \int (\sin^2 x + 2 \sin x \sin 5x + \sin^2 5x) \, dx$$

$$= \frac{1}{4} \int \left[\frac{1 - \cos 2x}{2} + (\cos 4x - \cos 6x) + \frac{1 - \cos 10x}{2} \right] dx$$
$$\text{(identités 4 et 8)}$$

$$= \frac{1}{4} \left[\frac{x}{2} - \frac{\sin 2x}{4} + \frac{\sin 4x}{4} - \frac{\sin 6x}{6} + \frac{x}{2} - \frac{\sin 10x}{20} \right] + C$$

$$= \frac{x}{4} - \frac{\sin 2x}{16} + \frac{\sin 4x}{16} - \frac{\sin 6x}{24} - \frac{\sin 10x}{80} + C$$

Intégrales de la forme $\int \tan^n x \, dx$, où $n \in \{2, 3, 4, \dots\}$

Pour résoudre des intégrales de cette forme, il est toujours possible d'utiliser la formule de réduction suivante.

$$\int \tan^n x \, dx = \frac{\tan^{n-1} x}{n-1} - \int \tan^{n-2} x \, dx, \text{ où } n \in \{2, 3, 4, \dots\}$$

Nous pouvons également utiliser l'identité trigonométrique 2) $1 + \tan^2 A = \sec^2 A$ pour résoudre des intégrales de cette forme.

Exemple 1 Calculons $\int \tan^5 x \, dx$.

$$\int \tan^5 x \, dx = \int \tan^3 x \tan^2 x \, dx$$

$$= \int \tan^3 x (\sec^2 x - 1) \, dx \qquad \text{(identité 2)}$$

$$= \int \tan^3 x \sec^2 x \, dx - \int \tan^3 x \, dx$$

$$= \int \tan^3 x \sec^2 x \, dx - \int \tan x \tan^2 x \, dx$$

$$= \int \tan^3 x \sec^2 x \, dx - \int \tan x (\sec^2 x - 1) \, dx \qquad \text{(identité 2)}$$

$$= \int \tan^3 x \sec^2 x \, dx - \int \tan x \sec^2 x \, dx + \int \tan x \, dx$$

$$= \int \tan^3 x \sec^2 x \, dx - \int \tan x \sec^2 x \, dx + \ln |\sec x| + C_1$$
$$\text{(formule 14 b)}$$

En posant $u = \tan x$,

nous obtenons $du = \sec^2 x \, dx$.

Ainsi $\int \tan^3 x \sec^2 x \, dx = \int u^3 \, du = \frac{u^4}{4} + C_2 = \frac{\tan^4 x}{4} + C_2$

et $\int \tan x \sec^2 x \, dx = \int u \, du = \frac{u^2}{2} + C_3 = \frac{\tan^2 x}{2} + C_3$

d'où $\int \tan^5 x \, dx = \dfrac{\tan^4 x}{4} - \dfrac{\tan^2 x}{2} + \ln|\sec x| + C$

Intégrales de la forme $\int \sec^n x \, dx$, où $n \in \{3, 4, 5, ...\}$

Pour résoudre des intégrales de cette forme, il est toujours possible d'utiliser la formule de réduction suivante.

$$\int \sec^n x \, dx = \frac{\sec^{n-2} x \tan x}{n-1} + \frac{n-2}{n-1} \int \sec^{n-2} x \, dx, \text{ où } n \in \{3, 4, 5, ...\}$$

Dans le cas où n est pair, nous pouvons utiliser l'identité trigonométrique 2) $1 + \tan^2 A = \sec^2 A$ pour résoudre des intégrales de cette forme.

> **Exemple 1** Calculons $\int \sec^6 x \, dx$.
>
> $$\int \sec^6 x \, dx = \int (\sec^2 x)^2 \sec^2 x \, dx$$
> $$= \int (\tan^2 x + 1)^2 \sec^2 x \, dx \quad \text{(identité 2)}$$
>
> En posant $u = \tan x$,
>
> nous obtenons $du = \sec^2 x \, dx$.
>
> Ainsi $\int (\tan^2 x + 1)^2 \sec^2 x \, dx = \int (u^2 + 1)^2 \, du$
> $$= \int (u^4 + 2u^2 + 1) \, du$$
> $$= \frac{u^5}{5} + \frac{2u^3}{3} + u + C$$
>
> d'où $\int \sec^6 x \, dx = \dfrac{\tan^5 x}{5} + \dfrac{2\tan^3 x}{3} + \tan x + C$

Dans le cas où n est impair et $n \geq 3$, nous pouvons utiliser la formule d'intégration par parties ou la formule de réduction précédente.

Intégrales de la forme $\int \sec^n x \tan^m x \, dx$

Cas où n est un nombre pair

Pour intégrer des fonctions de cette forme, nous pouvons transformer, si nécessaire, la fonction initiale de façon à obtenir le facteur $\sec^2 x$, et utiliser l'identité 2 par la suite.

> **Exemple 1** Calculons $\int \tan^{\frac{1}{3}} x \sec^6 x \, dx$.
>
> $$\int \tan^{\frac{1}{3}} x \sec^6 x \, dx = \int \tan^{\frac{1}{3}} x \sec^4 x \sec^2 x \, dx$$
> $$= \int \tan^{\frac{1}{3}} x \, (1 + \tan^2 x)^2 \sec^2 x \, dx \quad \text{(identité 2)}$$
>
> En posant $u = \tan x$,
>
> nous obtenons $du = \sec^2 x \, dx$.

Ainsi $\int \tan^{\frac{1}{3}} x(1 + \tan^2 x)^2 \sec^2 x \, dx = \int u^{\frac{1}{3}} (1 + u^2)^2 \, du$

$$= \int (u^{\frac{1}{3}} + 2u^{\frac{7}{3}} + u^{\frac{13}{3}}) \, du$$

$$= \frac{3u^{\frac{4}{3}}}{4} + \frac{3u^{\frac{10}{3}}}{5} + \frac{3u^{\frac{16}{3}}}{16} + C$$

d'où $\int \tan^{\frac{1}{3}} x \sec^6 x \, dx = \dfrac{3 \tan^{\frac{4}{3}} x}{4} + \dfrac{3 \tan^{\frac{10}{3}} x}{5} + \dfrac{3 \tan^{\frac{16}{3}} x}{16} + C$

Cas où n et m sont des nombres impairs

Pour intégrer des fonctions de cette forme, nous pouvons transformer, si nécessaire, la fonction initiale de façon à obtenir le facteur $\sec x \tan x$, et utiliser l'identité 2 par la suite.

Exemple 2 Calculons $\int \sec^5 2x \tan^3 2x \, dx$.

$\int \sec^5 2x \tan^3 2x \, dx = \int \sec^4 2x \tan^2 2x \sec 2x \tan 2x \, dx$

$$= \int \sec^4 2x (\sec^2 2x - 1) \sec 2x \tan 2x \, dx \quad \text{(identité 2)}$$

En posant $u = \sec 2x \, dx$,

nous obtenons $du = 2 \sec 2x \tan 2x \, dx$.

Ainsi $\int \sec^4 2x (\sec^2 2x - 1) \sec 2x \tan 2x \, dx = \int u^4 (u^2 - 1) \frac{1}{2} \, du$

$$= \frac{1}{2} \int (u^6 - u^4) \, du = \frac{1}{2} \left(\frac{u^7}{7} - \frac{u^5}{5} \right) + C$$

d'où $\int \sec^5 2x \tan^3 2x \, dx = \dfrac{\sec^7 2x}{14} - \dfrac{\sec^5 2x}{10} + C$

Cas où n est un nombre impair et m est un nombre pair

Pour intégrer des fonctions de cette forme, nous pouvons utiliser l'identité 2 pour retrouver seulement des termes de la forme $\sec^k x$ pour ensuite utiliser la formule de réduction.

Exemple 3 Calculons $\int \sec x \tan^4 x \, dx$.

$\int \sec x \tan^4 x \, dx = \int \sec x (\sec^2 x - 1)^2 \, dx \quad \text{(identité 2)}$

$$= \int (\sec^5 x - 2 \sec^3 x + \sec x) \, dx$$

$$= \int \sec^5 x \, dx - 2 \int \sec^3 x \, dx + \int \sec x \, dx$$

Or $\int \sec^5 x \, dx = \dfrac{\sec^3 x \tan x}{4} + \dfrac{3}{4} \left[\dfrac{\sec x \tan x + \ln |\sec x + \tan x|}{2} \right] + C_1$

(formule de réduction, page 191)

$\int \sec^3 x \, dx = \dfrac{\sec x \tan x + \ln |\sec x + \tan x|}{2} + C_2$ (formule de réduction, page 191)

$\int \sec x \, dx = \ln |\sec x + \tan x| + C_3$

d'où $\int \sec x \tan^4 x \, dx = \dfrac{\sec^3 x \tan x}{4} - \dfrac{5 \sec x \tan x}{8} + \dfrac{3 \ln |\sec x + \tan x|}{8} + C$

4.2 Intégration de fonctions trigonométriques

192 CHAPITRE 4

Remarque Pour calculer des intégrales de la forme $\int \cot^n x\, dx$, $\int \csc^n x\, dx$ ou $\int \csc^n x \cot^m x\, dx$, nous utilisons l'identité 3) $1 + \cot^2 A = \csc^2 A$ et un processus analogue à celui utilisé pour calculer $\int \tan^n x\, dx$, $\int \sec^n x\, dx$ ou $\int \sec^n x \tan^m x\, dx$.

Autres formes d'intégrales de fonctions trigonométriques

Lorsque les intégrales à effectuer ont une forme différente de celles étudiées précédemment, nous pouvons transformer l'intégrande en fonction d'autres fonctions trigonométriques afin d'appliquer les méthodes d'intégration précédentes.

Exemple 1 Calculons $\int \sin^3 x \tan^2 x\, dx$.

$$\int \sin^3 x \tan^2 x\, dx = \int \frac{\sin^3 x \sin^2 x\, dx}{\cos^2 x} \quad \left(\text{car } \tan x = \frac{\sin x}{\cos x}\right)$$

$$= \int \frac{\sin^5 x}{\cos^2 x}\, dx$$

$$= \int \frac{(\sin^2 x)^2 \sin x}{\cos^2 x}\, dx$$

$$= \int \frac{(1 - \cos^2 x)^2 \sin x}{\cos^2 x}\, dx$$

En posant $u = \cos x$,

nous obtenons $du = -\sin x\, dx$.

Ainsi $\int \frac{(1 - \cos^2 x)^2 \sin x}{\cos^2 x}\, dx = -\int \frac{(1 - u^2)^2}{u^2}\, du$

$$= -\int (u^{-2} - 2 + u^2)\, du$$

$$= -\left(-u^{-1} - 2u + \frac{u^3}{3}\right) + C$$

d'où $\int \sin^3 x \tan^2 x\, dx = \dfrac{1}{\cos x} + 2\cos x - \dfrac{\cos^3 x}{3} + C$

Exercices 4.2

1. Calculer les intégrales suivantes.

a) $\int \sin^2 x \cos^3 x\, dx$

b) $\int \sin^3 5x \cos^2 5x\, dx$

c) $\int \sin^2 t \cos^2 t\, dt$

d) $\int \sin 5\theta \cos 2\theta\, d\theta$

e) $\int \cos^4 3x\, dx$

f) $\int \cos^3 x \sqrt{\sin x}\, dx$

g) $\int \cos\left(\frac{u}{2}\right) \cos\left(\frac{u}{4}\right) du$

h) $\int \sin^4 x \cos^2 x\, dx$

i) $\int \sin^5 2\theta \cos^3 2\theta\, d\theta$

2. Calculer les intégrales suivantes.

a) $\int \tan^3 2\theta\, d\theta$ d) $\int \tan^3 v \sec v\, dv$

b) $\int \tan^4 x\, dx$ e) $\int \sec^3 x \tan^2 x\, dx$

c) $\int \sec^4 x \tan^2 x\, dx$ f) $\int \sec^3 5x \tan^3 5x\, dx$

3. Calculer les intégrales suivantes.

a) $\int \cot^3 x \, dx$

b) $\int \cot^4 5x \, dx$

c) $\int \csc^4 t \, dt$

d) $\int \csc^3 x \cot^3 x \, dx$

e) $\int \csc^4 x \cot^3 x \, dx$

f) $\int \cot^2 x \csc x \, dx$

h) $\int (1 + \sin^2 x)(1 + \cos^2 x) \, dx$

i) $\int \sin^2 \theta \tan^3 \theta \, d\theta$

4. Calculer les intégrales suivantes.

a) $\int \tan 3t \sec^5 3t \, dt$

b) $\int \sec^4 2x \tan^5 2x \, dx$

c) $\int \sin \left(\dfrac{x}{2} \right) \cos \left(\dfrac{2x}{3} \right) dx$

d) $\int \dfrac{\cos^4 \theta}{\sin^6 \theta} \, d\theta$

e) $\int \dfrac{\cos^3 x}{\sqrt{\sin x}} \, dx$

f) $\int \cot^3 2x \csc^4 2x \, dx$

g) $\int \sec^7 x \, dx$

5. Calculer les intégrales définies suivantes.

a) $\int_0^{\frac{\pi}{4}} \cos^2 \theta \, d\theta$

b) $\int_{-\frac{\pi}{2}}^{\frac{\pi}{2}} \cos^3 x \sin^2 x \, dx$

c) $\int_0^{\frac{\pi}{4}} \sec^4 u \, du$

d) $\int_{\pi}^{2\pi} \cos^2 x \sin^3 x \, dx$

e) $\int_0^{2\pi} \sin 4x \cos 3x \, dx$

f) $\int_{\frac{\pi}{4}}^{\frac{\pi}{2}} \cot^4 x \csc^4 x \, dx$

O T **6.** Calculer l'aire de la région fermée délimitée par les courbes définies par $f(x) = \sin^2 x$, $g(x) = \cos^3 x$, $x = \dfrac{\pi}{2}$ et $x = \pi$, après avoir représenté la région.

4.3 INTÉGRATION PAR SUBSTITUTION TRIGONOMÉTRIQUE

Objectif d'apprentissage

À la fin de la présente section, l'élève pourra intégrer certaines fonctions à l'aide de substitutions trigonométriques.

Plus précisément, l'élève sera en mesure :

- de construire un triangle rectangle correspondant à une équation trigonométrique ;
- d'intégrer des fonctions contenant une expression de la forme $\sqrt{a^2 - x^2}$;
- d'intégrer des fonctions contenant une expression de la forme $\sqrt{a^2 + x^2}$;
- d'intégrer des fonctions contenant une expression de la forme $\sqrt{x^2 - a^2}$;
- d'intégrer des fonctions contenant des expressions de la forme $a^2 - b^2x^2$, $a^2 + b^2x^2$ ou $b^2x^2 - a^2$;
- d'intégrer des fonctions contenant une expression de la forme $ax^2 + bx + c$, $a \neq 0$;
- d'intégrer des fonctions en utilisant des substitutions diverses.

Certaines intégrales contenant des expressions de la forme $\sqrt{a^2 - x^2}$, $\sqrt{a^2 + x^2}$ ou $\sqrt{x^2 - a^2}$ peuvent être effectuées à l'aide de substitutions telles que $x = a \sin \theta$, $x = a \tan \theta$ ou $x = a \sec \theta$.

Ce type de substitution est appelé substitution trigonométrique.

Construction de triangles rectangles correspondant à une équation trigonométrique

Les réponses obtenues, en effectuant une substitution trigonométrique, doivent fréquemment être transformées en termes de la fonction utilisée dans la substitution trigonométrique.

La construction d'un triangle rectangle approprié et l'utilisation du théorème de Pythagore permettent d'effectuer facilement ces transformations.

Exemple 1 Construisons un triangle rectangle satisfaisant l'équation $\sin \theta = \dfrac{3}{5}$.

Nous savons que $\sin \theta = \dfrac{\text{côté opposé}}{\text{hypoténuse}}$.

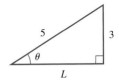

Nous pouvons donc construire un triangle rectangle dont le côté opposé à l'angle θ serait 3 et l'hypoténuse, 5.

Il est maintenant possible, à l'aide du théorème de Pythagore, de déterminer la longueur L du côté adjacent à l'angle θ. En effet, $L = \sqrt{25 - 9} = 4$.

À partir du triangle rectangle obtenu, nous pouvons déterminer l'expression correspondant aux autres fonctions trigonométriques.

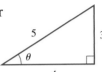

Ainsi $\tan \theta = \dfrac{3}{4}$, $\cos \theta = \dfrac{4}{5}$,

$\sec \theta = \dfrac{5}{4}$, $\csc \theta = \dfrac{5}{3}$ et $\cot \theta = \dfrac{4}{3}$.

Remarque Dans toutes nos constructions, $\theta \in \left]0, \dfrac{\pi}{2}\right[$.

Exemple 2 Exprimons $(\theta + \csc \theta)$ en fonction de x si $\sec \theta = \dfrac{3x}{2}$.

Construisons d'abord un triangle rectangle satisfaisant l'équation $\sec \theta = \dfrac{3x}{2}$.

Sachant que $\sec \theta = \dfrac{\text{hypoténuse}}{\text{côté adjacent}}$, nous pouvons construire

le triangle ci-contre où $L = \sqrt{9x^2 - 4}$.

D'où $(\theta + \csc \theta) = \text{Arc sec} \left(\dfrac{3x}{2}\right) + \dfrac{3x}{\sqrt{9x^2 - 4}}$.

Intégration de fonctions contenant une expression de la forme $\sqrt{a^2 - x^2}$

Pour résoudre des intégrales de fonctions contenant une expression de la forme $\sqrt{a^2 - x^2}$, nous voulons substituer à x^2 l'expression $a^2 \sin^2 \theta$. Pour ce faire, nous posons $x = a \sin \theta$, où $a > 0$ et $\theta \in \left[\dfrac{-\pi}{2}, \dfrac{\pi}{2}\right]$. Ainsi $a \cos \theta \geq 0$, ce qui nous permet de simplifier l'expression $\sqrt{a^2 - x^2}$ de la façon suivante:

$$\sqrt{a^2 - x^2} = \sqrt{a^2 - a^2 \sin^2 \theta} = \sqrt{a^2(1 - \sin^2 \theta)} = \sqrt{a^2 \cos^2 \theta} = a \cos \theta$$

Le tableau suivant contient <u>les éléments nécessaires</u> pour résoudre des intégrales contenant une expression de la forme $\sqrt{a^2 - x^2}$.

Forme	Substitution	Différentielle	Représentation
$\sqrt{a^2 - x^2}$	$x = a \sin \theta$ $\left(\sin \theta = \dfrac{x}{a}\right)$	$dx = a \cos \theta \, d\theta$	

Exemple 1 Calculons $\displaystyle\int \frac{x^2}{\sqrt{16 - x^2}} \, dx$.

Triangle correspondant

Pour obtenir $x^2 = 16 \sin^2 \theta$,

nous posons $x = 4 \sin \theta$ $\left(\sin \theta = \dfrac{x}{4}\right)$,

donc $dx = 4 \cos \theta \, d\theta$.

Ainsi $\displaystyle\int \frac{x^2}{\sqrt{16 - x^2}} \, dx = \int \frac{16 \sin^2 \theta \, 4 \cos \theta}{\sqrt{16 - 16 \sin^2 \theta}} \, d\theta$ (en substituant)

$$= 64 \int \frac{\sin^2 \theta \cos \theta}{\sqrt{16(1 - \sin^2 \theta)}} \, d\theta$$

$$= \frac{64}{4} \int \frac{\sin^2 \theta \cos \theta}{\cos \theta} \, d\theta$$

$$= 16 \int \sin^2 \theta \, d\theta$$

$$= 16 \int \frac{1 - \cos 2\theta}{2} \, d\theta \qquad \left(\text{car } \sin^2 \theta = \frac{1 - \cos 2\theta}{2}\right)$$

$$= 8 \left(\theta - \frac{\sin 2\theta}{2}\right) + C = 8\theta - 4 \sin 2\theta + C$$

$$= 8\theta - 8 \sin \theta \cos \theta + C \qquad (\sin 2\theta = 2 \sin \theta \cos \theta)$$

$$= 8 \text{ Arc} \sin \left(\frac{x}{4}\right) - \frac{x\sqrt{16 - x^2}}{2} + C$$

Exemple 2 Calculons $\displaystyle\int \frac{x^2}{(7 - x^2)^{\frac{3}{2}}} \, dx$.

Pour obtenir $x^2 = 7 \sin^2 \theta$,

Triangle correspondant

nous posons $x = \sqrt{7} \sin \theta$ $\left(\sin \theta = \dfrac{x}{\sqrt{7}}\right)$,

donc $dx = \sqrt{7} \cos \theta \, d\theta$.

Ainsi $\displaystyle\int \frac{x^2}{(7 - x^2)^{\frac{3}{2}}} \, dx = \int \frac{7 \sin^2 \theta \, \sqrt{7} \cos \theta}{(7 - 7 \sin^2 \theta)^{\frac{3}{2}}} \, d\theta$ (en substituant)

$$= 7\sqrt{7} \int \frac{\sin^2 \theta \cos \theta}{[7(1 - \sin^2 \theta)]^{\frac{3}{2}}} \, d\theta$$

$$= \frac{7\sqrt{7}}{7^{\frac{3}{2}}} \int \frac{\sin^2 \theta \cos \theta}{(\cos^2 \theta)^{\frac{3}{2}}} \, d\theta$$

$$= \int \frac{\sin^2 \theta \cos \theta}{\cos^3 \theta} \, d\theta$$

$$= \int \frac{\sin^2 \theta}{\cos^2 \theta} \, d\theta$$

$$= \int \tan^2 \theta \, d\theta$$

$$= \int (\sec^2 \theta - 1) \, d\theta$$

$$= \tan \theta - \theta + C$$

$$= \frac{x}{\sqrt{7 - x^2}} - \text{Arc} \sin \left(\frac{x}{\sqrt{7}} \right) + C$$

Exemple 3 Démontrons que l'aire A d'un cercle de rayon r, défini par $x^2 + y^2 = r^2$, est égale à πr^2 u².

Nous savons que l'aire totale est égale à quatre fois l'aire de la partie ombrée.

$$\text{Aire}_{\text{rect}} = (y - 0) \, \Delta x$$

$$\text{Aire}_{\text{partie ombrée}} = \int_0^r y \, dx$$

$$= \int_0^r \sqrt{r^2 - x^2} \, dx \quad (\text{car } y = \sqrt{r^2 - x^2})$$

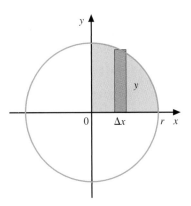

Pour obtenir $x^2 = r^2 \sin^2 \theta$,

nous posons $x = r \sin \theta \quad \left(\sin \theta = \dfrac{x}{r} \right)$,

donc $dx = r \cos \theta \, d\theta$.

Triangle correspondant

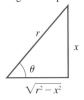

Ainsi $\displaystyle\int \sqrt{r^2 - x^2} \, dx = \int \sqrt{r^2 - r^2 \sin^2 \theta} \; r \cos \theta \, d\theta$

$$= r \int \sqrt{r^2(1 - \sin^2 \theta)} \cos \theta \, d\theta$$

$$= r^2 \int \cos \theta \cos \theta \, d\theta$$

$$= r^2 \int \cos^2 \theta \, d\theta$$

$$= r^2 \int \frac{1 + \cos 2\theta}{2} \, d\theta \qquad \left(\text{car } \cos^2 \theta = \frac{1 + \cos 2\theta}{2} \right)$$

$$= \frac{r^2}{2} \left[\theta + \frac{\sin 2\theta}{2} \right] + C$$

$$= \frac{r^2}{2} \left[\theta + \frac{2 \sin \theta \cos \theta}{2} \right] + C$$

$$= \frac{r^2}{2} \left[\theta + \sin \theta \cos \theta \right] + C$$

$$= \frac{r^2}{2}\left[\text{Arc sin}\left(\frac{x}{r}\right) + \frac{x}{r} \cdot \frac{\sqrt{r^2 - x^2}}{r}\right] + C$$

$$\text{Donc} \int_0^r \sqrt{r^2 - x^2}\, dx = \frac{r^2}{2}\left[\text{Arc sin}\left(\frac{x}{r}\right) + \frac{x\sqrt{r^2 - x^2}}{r^2}\right]\Big|_0^r$$

$$= \frac{r^2}{2}[\text{Arc sin } 1 + 0] - \frac{r^2}{2}[\text{Arc sin } 0 + 0] = \frac{\pi r^2}{4}$$

$$\text{D'où} \quad A = 4\left(\frac{\pi r^2}{4}\right) = \pi r^2, \text{c'est-à-dire } \pi r^2 \text{ u}^2$$

Intégration de fonctions contenant une expression de la forme $\sqrt{a^2 + x^2}$

Pour résoudre des intégrales de fonctions contenant une expression de la forme $\sqrt{a^2 + x^2}$, nous voulons substituer à x^2 l'expression $a^2 \tan^2 \theta$. Pour ce faire, nous posons $x = a \tan \theta$, où $a > 0$ et $\theta \in \left]\frac{-\pi}{2}, \frac{\pi}{2}\right[$. Ainsi $a \sec \theta > 0$, ce qui nous permet de simplifier l'expression $\sqrt{a^2 + x^2}$ de la façon suivante :

$$\sqrt{a^2 + x^2} = \sqrt{a^2 + a^2 \tan^2 \theta} = \sqrt{a^2(1 + \tan^2 \theta)} = \sqrt{a^2 \sec^2 \theta} = a \sec \theta$$

Le tableau suivant contient les éléments nécessaires pour résoudre des intégrales contenant une expression de la forme $\sqrt{a^2 + x^2}$.

Forme	Substitution	Différentielle	Représentation
$\sqrt{a^2 + x^2}$	$x = a \tan \theta$ $\left(\tan \theta = \frac{x}{a}\right)$	$dx = a \sec^2 \theta\, d\theta$	

Exemple 1 Calculons $\int \sqrt{x^2 + 1}\, dx$.

Pour obtenir $x^2 = \tan^2 \theta$,

nous posons $x = \tan \theta$ $\left(\tan \theta = \frac{x}{1}\right)$,

donc $dx = \sec^2 \theta\, d\theta$.

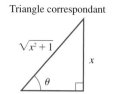
Triangle correspondant

Ainsi $\int \sqrt{x^2 + 1}\, dx = \int \sqrt{\tan^2 \theta + 1} \sec^2 \theta\, d\theta$ (en substituant)

$$= \int \sec \theta \sec^2 \theta\, d\theta = \int \sec^3 \theta\, d\theta$$

$$= \frac{1}{2}\left[\sec \theta \tan \theta + \ln |\sec \theta + \tan \theta|\right] + C \quad \text{(exemple 2, page 181)}$$

$$= \frac{1}{2}\left[\sqrt{x^2 + 1}\, x + \ln |\sqrt{x^2 + 1} + x|\right] + C$$

$$= \frac{x\sqrt{x^2 + 1} + \ln |\sqrt{x^2 + 1} + x|}{2} + C$$

Exemple 2 Calculons $\displaystyle\int \frac{4}{x\sqrt{5+x^2}}\,dx$.

Triangle correspondant

Pour obtenir $x^2 = 5\tan\theta$,

nous posons $\quad x = \sqrt{5}\tan\theta \quad \left(\tan\theta = \dfrac{x}{\sqrt{5}}\right)$,

donc $\quad\quad dx = \sqrt{5}\sec^2\theta\,d\theta$.

Ainsi $\displaystyle\int \frac{4}{x\sqrt{5+x^2}}\,dx = 4\int \frac{\sqrt{5}\sec^2\theta}{\sqrt{5}\tan\theta\,\sqrt{5+5\tan^2\theta}}\,d\theta \quad$ (en substituant)

$$= 4\int \frac{\sec^2\theta}{\tan\theta\,\sqrt{5(1+\tan^2\theta)}}\,d\theta$$

$$= \frac{4}{\sqrt{5}}\int \frac{\sec^2\theta}{\tan\theta\,\sec\theta}\,d\theta$$

$$= \frac{4}{\sqrt{5}}\int \csc\theta\,d\theta$$

$$= \frac{4}{\sqrt{5}}\ln|\csc\theta - \cot\theta| + C$$

$$= \frac{4}{\sqrt{5}}\ln\left|\frac{\sqrt{5+x^2}}{x} - \frac{\sqrt{5}}{x}\right| + C$$

$$= \frac{4}{\sqrt{5}}\ln\left|\frac{\sqrt{5+x^2}-\sqrt{5}}{x}\right| + C$$

Intégration de fonctions contenant une expression de la forme $\sqrt{x^2 - a^2}$

Pour résoudre des intégrales de fonctions contenant une expression de la forme $\sqrt{x^2-a^2}$, nous voulons substituer à x^2 l'expression $a^2\sec^2\theta$. Pour ce faire, nous posons $x = a\sec\theta$, où $a > 0$ et $\theta \in \left[0, \dfrac{\pi}{2}\right[\cup \left[\pi, \dfrac{3\pi}{2}\right[$.

Ainsi $a\tan\theta \geq 0$, ce qui nous permet de simplifier l'expression $\sqrt{x^2-a^2}$ de la façon suivante:

$$\sqrt{x^2-a^2} = \sqrt{a^2\sec^2\theta - a^2} = \sqrt{a^2(\sec^2\theta - 1)} = \sqrt{a^2\tan^2\theta} = a\tan\theta$$

Le tableau suivant contient les éléments nécessaires pour résoudre des intégrales contenant une expression de la forme $\sqrt{x^2-a^2}$.

Forme	Substitution	Différentielle	Représentation
$\sqrt{x^2-a^2}$	$x = a\sec\theta$ $\left(\sec\theta = \dfrac{x}{a}\right)$	$dx = a\sec\theta\tan\theta\,d\theta$	

Exemple 1 Calculons $\displaystyle\int \frac{3x^2 - 4}{\sqrt{x^2 - 9}}\, dx$.

Triangle correspondant

Pour obtenir $x^2 = 9\sec^2\theta$,

nous posons $x = 3\sec\theta$ $\left(\sec\theta = \dfrac{x}{3}\right)$,

donc $dx = 3\sec\theta\tan\theta\, d\theta$.

Ainsi $\displaystyle\int \frac{3x^2 - 4}{\sqrt{x^2 - 9}}\, dx = \int \frac{(3 \cdot 9\sec^2\theta - 4)}{\sqrt{9\sec^2\theta - 9}}\, 3\sec\theta\tan\theta\, d\theta$ (en substituant)

$$= 3\int \frac{(27\sec^2\theta - 4)\sec\theta\tan\theta}{\sqrt{9(\sec^2\theta - 1)}}\, d\theta$$

$$= \frac{3}{3}\int \frac{(27\sec^2\theta - 4)\sec\theta\tan\theta}{\tan\theta}\, d\theta = \int (27\sec^3\theta - 4\sec\theta)\, d\theta$$

$$= 27\int \sec^3\theta\, d\theta - 4\int \sec\theta\, d\theta$$

$$= 27\left(\frac{\sec\theta\tan\theta + \ln|\sec\theta + \tan\theta|}{2}\right) - 4\ln|\sec\theta + \tan\theta| + C$$

$$= \frac{27}{2}\sec\theta\tan\theta + \frac{19}{2}\ln|\sec\theta + \tan\theta| + C$$

d'où $\displaystyle\int \frac{3x^2 - 4}{\sqrt{x^2 - 9}}\, dx = \frac{3}{2}x\sqrt{x^2 - 9} + \frac{19}{2}\ln\left|\frac{x}{3} + \frac{\sqrt{x^2 - 9}}{3}\right| + C$

Cette dernière réponse peut être transformée comme suit.

$$\int \frac{3x^2 - 4}{\sqrt{x^2 - 9}}\, dx = \frac{3}{2}x\sqrt{x^2 - 9} + \frac{19}{2}\ln\left|\frac{x + \sqrt{x^2 - 9}}{3}\right| + C$$

$$= \frac{3}{2}x\sqrt{x^2 - 9} + \frac{19}{2}\left(\ln|x + \sqrt{x^2 - 9}| - \ln 3\right) + C$$

$$= \frac{3}{2}x\sqrt{x^2 - 9} + \frac{19}{2}\ln|x + \sqrt{x^2 - 9}| + C_1$$

Remarque Certaines intégrales contenant des expressions de la forme $a^2 - x^2$, $a^2 + x^2$ ou $x^2 - a^2$ peuvent également être calculées à l'aide de substitutions trigonométriques en respectant le domaine de définition de l'intégrande.

Exemple 2 Calculons $\displaystyle\int \frac{1}{9 - x^2}\, dx$, que nous notons I.

Lorsque $|x| < 3$, nous voulons

$x^2 = 9\sin^2\theta$, ainsi nous posons

$x = 3\sin\theta$

Triangle correspondant

$dx = 3\cos\theta\, d\theta$.

Ainsi,

$$I = \int \frac{3\cos\theta}{9 - 9\sin^2\theta}\, d\theta$$

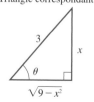

Lorsque $|x| > 3$, nous voulons

$x^2 = 9\sec^2\theta$, ainsi nous posons

$x = 3\sec\theta$

Triangle correspondant

$dx = 3\sec\theta\tan\theta\, d\theta$.

Ainsi,

$$I = \int \frac{3\sec\theta\tan\theta}{9 - 9\sec^2\theta}\, d\theta$$

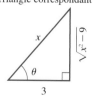

$$= 3 \int \frac{\cos \theta}{9(1 - \sin^2 \theta)} \, d\theta \qquad\qquad = 3 \int \frac{\sec \theta \tan \theta}{9(1 - \sec^2 \theta)} \, d\theta$$

$$= \frac{1}{3} \int \sec \theta \, d\theta \qquad\qquad = \frac{-1}{3} \int \csc \theta \, d\theta$$

$$= \frac{1}{3} \ln |\sec \theta + \tan \theta| + C \qquad\qquad = \frac{1}{3} \ln |\csc \theta + \cot \theta| + C$$

$$= \frac{1}{3} \ln \left| \frac{3}{\sqrt{9 - x^2}} + \frac{x}{\sqrt{9 - x^2}} \right| + C \qquad = \frac{1}{3} \ln \left| \frac{x}{\sqrt{x^2 - 9}} + \frac{3}{\sqrt{x^2 - 9}} \right| + C$$

$$= \frac{1}{6} \ln \left| \frac{3 + x}{3 - x} \right| + C \qquad\qquad = \frac{1}{6} \ln \left| \frac{3 + x}{x - 3} \right| + C$$

Nous constatons que les deux réponses obtenues sont égales. De façon générale, il suffira à l'avenir, pour trouver une primitive, d'utiliser une seule substitution trigonométrique et d'exprimer la réponse sans radicaux afin de respecter le domaine de définition de l'intégrande. Par contre, dans le calcul d'une intégrale définie où le changement de bornes serait demandé, le choix de la substitution trigonométrique dépend des bornes initiales.

Intégration de fonctions contenant une expression de la forme $a^2 - b^2x^2$, $a^2 + b^2x^2$ ou $b^2x^2 - a^2$

Le tableau suivant contient les éléments nécessaires pour résoudre des intégrales contenant une expression de la forme $a^2 - b^2x^2$, $a^2 + b^2x^2$ ou $b^2x^2 - a^2$.

Forme	Substitution	Différentielle	Représentation
$a^2 - b^2x^2$	Pour obtenir $b^2x^2 = a^2 \sin^2 \theta$, nous posons $x = \dfrac{a}{b} \sin \theta$ $\left(\sin \theta = \dfrac{bx}{a} \right)$	$dx = \dfrac{a}{b} \cos \theta \, d\theta$	
$a^2 + b^2x^2$	Pour obtenir $b^2x^2 = a^2 \tan^2 \theta$, nous posons $x = \dfrac{a}{b} \tan \theta$ $\left(\tan \theta = \dfrac{bx}{a} \right)$	$dx = \dfrac{a}{b} \sec^2 \theta \, d\theta$	
$b^2x^2 - a^2$	Pour obtenir $b^2x^2 = a^2 \sec^2 \theta$, nous posons $x = \dfrac{a}{b} \sec \theta$ $\left(\sec \theta = \dfrac{bx}{a} \right)$	$dx = \dfrac{a}{b} \sec \theta \tan \theta \, d\theta$	

Exemple 1 Calculons $\int \dfrac{1}{3 + 25x^2}\, dx$.

Pour obtenir $\quad 25x^2 = 3 \tan^2 \theta,$

nous posons $\quad 5x = \sqrt{3}\, \tan \theta.$

$$x = \frac{\sqrt{3}\, \tan \theta}{5} \quad \left(\tan \theta = \frac{5x}{\sqrt{3}}\right),$$

Triangle correspondant

donc $\quad dx = \dfrac{\sqrt{3}\, \sec^2 \theta}{5}\, d\theta.$

Ainsi $\displaystyle\int \dfrac{1}{3 + 25x^2}\, dx = \dfrac{\sqrt{3}}{5} \int \dfrac{\sec^2 \theta}{3 + 3 \tan^2 \theta}\, d\theta \quad$ (en substituant)

$$= \frac{\sqrt{3}}{15} \int 1\, d\theta$$

$$= \frac{\sqrt{3}}{15}\, \theta + C$$

$$= \frac{\sqrt{3}}{15}\, \text{Arc tan}\left(\frac{5x}{\sqrt{3}}\right) + C$$

Exemple 2 Calculons $\int \dfrac{\sqrt{4x^2 - 9}}{x}\, dx$.

Pour obtenir $\quad 4x^2 = 9 \sec^2 \theta,$

nous posons $\quad 2x = 3 \sec \theta.$

$$x = \frac{3}{2} \sec \theta \quad \left(\sec \theta = \frac{2x}{3}\right),$$

Triangle correspondant

donc $\quad dx = \dfrac{3}{2} \sec \theta \tan \theta\, d\theta.$

Ainsi $\displaystyle\int \dfrac{\sqrt{4x^2 - 9}}{x}\, dx = \dfrac{3}{2} \int \dfrac{\sqrt{9 \sec^2 \theta - 9}\, \sec \theta \tan \theta}{\dfrac{3}{2} \sec \theta}\, d\theta \quad$ (en substituant)

$$= \int \frac{\sqrt{9(\sec^2 \theta - 1)}\, \sec \theta \tan \theta}{\sec \theta}\, d\theta$$

$$= 3 \int \tan \theta \tan \theta\, d\theta$$

$$= 3 \int \tan^2 \theta\, d\theta$$

$$= 3 \int (\sec^2 \theta - 1)\, d\theta$$

$$= 3(\tan \theta - \theta) + C$$

$$= 3\left(\frac{\sqrt{4x^2 - 9}}{3} - \text{Arc sec}\left(\frac{2x}{3}\right)\right) + C$$

$$= \sqrt{4x^2 - 9} - 3\, \text{Arc sec}\left(\frac{2x}{3}\right) + C$$

Intégration de fonctions contenant une expression de la forme $ax^2 + bx + c$, où $a \neq 0$

Pour résoudre des intégrales de fonctions contenant une expression de la forme $ax^2 + bx + c$, où $a \neq 0$, nous pouvons compléter le carré de $ax^2 + bx + c$ pour ensuite utiliser une substitution trigonométrique.

Complétion de carré Compléter le carré de $ax^2 + bx + c$ consiste à transformer cette expression sous la forme $a(x - k)^2 + s$.

$$ax^2 + bx + c = a\left(x^2 + \frac{b}{a}x\right) + c$$

$$= a\left(x^2 + \frac{b}{a}x + \left(\frac{b}{2a}\right)^2 - \left(\frac{b}{2a}\right)^2\right) + c$$

$$= a\left(x^2 + \frac{b}{a}x + \frac{b^2}{4a^2}\right) + c - \frac{b^2}{4a}$$

$$= a\left(x + \frac{b}{2a}\right)^2 + \left(c - \frac{b^2}{4a}\right)$$

Exemple 1

a) Calculons $\displaystyle\int \frac{1}{\sqrt{x^2 - 4x + 13}}\, dx$.

Complétons d'abord le carré de $x^2 - 4x + 13$.

$$x^2 - 4x + 13 = 1(x^2 - 4x) + 13$$

$$= 1\left(x^2 - 4x + \left(\frac{-4}{2}\right)^2 - \left(\frac{-4}{2}\right)^2\right) + 13$$

$$= 1(x^2 - 4x + 4) + 13 - 4$$

$$= (x^2 - 4x + 4) + 9$$

$$= (x - 2)^2 + 9$$

Calculons maintenant $\displaystyle\int \frac{1}{\sqrt{x^2 - 4x + 13}}\, dx$.

$$\int \frac{1}{\sqrt{x^2 - 4x + 13}}\, dx = \int \frac{1}{\sqrt{(x - 2)^2 + 9}}\, dx$$

Pour obtenir $(x - 2)^2 = 9\tan^2 \theta$,

nous posons $(x - 2) = 3\tan \theta$ $\left(\tan \theta = \dfrac{x - 2}{3}\right)$

ainsi $x = 2 + 3\tan \theta$

donc $dx = 3\sec^2 \theta\, d\theta$.

Triangle correspondant

Ainsi $\displaystyle\int \frac{1}{\sqrt{(x - 2)^2 + 9}}\, dx = \int \frac{3\sec^2 \theta}{\sqrt{9\tan^2 \theta + 9}}\, d\theta$ (en substituant)

$$= \int \frac{3\sec^2 \theta}{3\sec \theta}\, d\theta$$

$$= \int \sec \theta\, d\theta$$

$$= \ln|\sec \theta + \tan \theta| + C$$

$$= \ln \left| \frac{\sqrt{u^2 + 9}}{3} + \frac{u}{3} \right| + C$$

$$= \ln \left| \frac{\sqrt{(x-2)^2 + 9}}{3} + \frac{x-2}{3} \right| + C \quad (\text{car } u = x - 2)$$

$$= \ln \left| \frac{\sqrt{x^2 - 4x + 13} + x - 2}{3} \right| + C$$

$$= \ln |\sqrt{x^2 - 4x + 13} + x - 2| - \ln 3 + C$$

$$= \ln |\sqrt{x^2 - 4x + 13} + x - 2| + C_1$$

b) Calculons l'aire A de la région ombrée ci-contre.

$$A = \int_{-5}^{15} \frac{1}{\sqrt{x^2 - 4x + 13}} \, dx$$

$$= (\ln |\sqrt{x^2 - 4x + 13} + x - 2|) \Big|_{-5}^{15}$$

$$= \ln |\sqrt{178} + 13| - \ln |\sqrt{58} - 7|$$

$$\approx 3{,}756 \ \text{u}^2$$

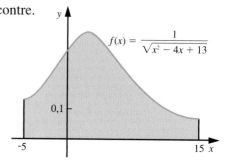

Exemple 2 Calculons $\int \frac{x+5}{\sqrt{6x - x^2}} \, dx$.

Complétons d'abord le carré de $6x - x^2$.

$$6x - x^2 = {-1}(x^2 - 6x)$$

$$= {-1}\left(x^2 - 6x + \left(\frac{-6}{2} \right)^2 - \left(\frac{-6}{2} \right)^2 \right)$$

$$= {-}(x^2 - 6x + 9) + 9$$

$$= 9 - (x - 3)^2$$

Calculons maintenant $\int \frac{x+5}{\sqrt{6x - x^2}} \, dx$.

$$\int \frac{x+5}{\sqrt{6x - x^2}} \, dx = \int \frac{x+5}{\sqrt{9 - (x-3)^2}} \, dx$$

Pour obtenir $(x - 3)^2 = 9 \sin^2 \theta$,

Triangle correspondant

nous posons $(x - 3) = 3 \sin \theta$ $\left(\sin \theta = \frac{x-3}{3} \right)$

ainsi $x = 3 + 3 \sin \theta$

donc $dx = 3 \cos \theta \, d\theta$.

Ainsi $\int \frac{x+5}{\sqrt{9 - (x-3)^2}} \, dx = \int \frac{[(3 + 3 \sin \theta) + 5] \, 3 \cos \theta}{\sqrt{9 - (3 \sin \theta)^2}} \, d\theta$ (en substituant)

$$= \int \frac{(8 + 3 \sin \theta) \, 3 \cos \theta}{\sqrt{9(1 - \sin^2 \theta)}} \, d\theta$$

$$= \int (8 + 3 \sin \theta) \, d\theta$$

$$= 8\theta - 3\cos\theta + C$$

$$= 8\operatorname{Arc}\sin\left(\frac{x-3}{3}\right) - \sqrt{9-(x-3)^2} + C$$

$$= 8\operatorname{Arc}\sin\left(\frac{x-3}{3}\right) - \sqrt{6x-x^2} + C$$

Exemple 3 Déterminons la substitution trigonométrique et la différentielle correspondante qui nous permettra d'intégrer $\int \sqrt{3x^2 + 7x - 1}\, dx$.

Complétons d'abord le carré de $3x^2 + 7x - 1$.

$$3x^2 + 7x - 1 = 3\left(x^2 + \frac{7}{3}x\right) - 1$$

$$= 3\left(x^2 + \frac{7}{3}x + \left(\frac{7}{6}\right)^2 - \left(\frac{7}{6}\right)^2\right) - 1$$

$$= 3\left(x^2 + \frac{7}{3}x + \left(\frac{7}{6}\right)^2 - \frac{49}{36}\right) - 1$$

$$= 3\left(x^2 + \frac{7}{3}x + \left(\frac{7}{6}\right)^2\right) - \frac{49}{12} - 1$$

$$= 3\left(x + \frac{7}{6}\right)^2 - \frac{61}{12}$$

Pour obtenir $3\left(x + \frac{7}{6}\right)^2 = \frac{61}{12}\sec^2\theta$

c'est-à-dire $\left(x + \frac{7}{6}\right)^2 = \frac{61}{36}\sec^2\theta$

nous posons $\left(x + \frac{7}{6}\right) = \sqrt{\frac{61}{36}}\sec\theta$

d'où $x = \frac{\sqrt{61}}{6}\sec\theta - \frac{7}{6}$

et $dx = \frac{\sqrt{61}}{6}\sec\theta\tan\theta\, d\theta$

Intégration de fonctions en utilisant des substitutions diverses

Exemple 1 Calculons $\int \dfrac{1}{\sqrt{2 + \sqrt{x}}}\, dx$.

Nous pouvons considérer l'expression sous radical comme une expression semblable à $a^2 + u^2$, où $a^2 = 2$ et $u^2 = \sqrt{x}$. Ainsi, pour obtenir $\sqrt{x} = 2\tan^2\theta$,

nous posons $x = 4\tan^4\theta$ $\left(\tan\theta = \dfrac{\sqrt[4]{x}}{\sqrt{2}}\right)$,

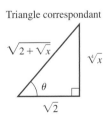

Triangle correspondant

donc $\qquad dx = 16 \tan^3 \theta \sec^2 \theta\, d\theta.$

Ainsi $\displaystyle\int \frac{1}{\sqrt{2+\sqrt{x}}}\, dx = 16\int \frac{\tan^3 \theta \sec^2 \theta}{\sqrt{2+2\tan^2\theta}}\, d\theta$ (en substituant)

$$= \frac{16}{\sqrt{2}}\int \tan^3 \theta \sec \theta\, d\theta$$

$$= 8\sqrt{2}\int \tan^2 \theta \tan \theta \sec \theta\, d\theta$$

$$= 8\sqrt{2}\int (\sec^2\theta - 1)\tan\theta \sec\theta\, d\theta$$

$$= 8\sqrt{2}\left[\frac{\sec^3\theta}{3} - \sec\theta\right] + C$$

$$= 8\sqrt{2}\left[\frac{1}{3}\left(\frac{\sqrt{2+\sqrt{x}}}{\sqrt{2}}\right)^3 - \frac{\sqrt{2+\sqrt{x}}}{\sqrt{2}}\right] + C$$

Pour intégrer certaines fonctions contenant $\sin x$ ou $\cos x$, la substitution suivante peut être utile.

Soit $\qquad u = \tan\left(\dfrac{x}{2}\right),$

alors $\qquad x = 2\,\mathrm{Arc}\tan u,$

donc $\qquad dx = \dfrac{2}{1+u^2}\, du.$

Triangle correspondant

De ce triangle, nous obtenons

$\sin\left(\dfrac{x}{2}\right) = \dfrac{u}{\sqrt{1+u^2}}$ et $\cos\left(\dfrac{x}{2}\right) = \dfrac{1}{\sqrt{1+u^2}}$ et, à l'aide des identités trigonométriques,

$\sin 2A = 2\sin A \cos A$ et $\cos 2A = \cos^2 A - \sin^2 A$, nous avons

$$\sin x = 2\sin\left(\frac{x}{2}\right)\cos\left(\frac{x}{2}\right) \qquad \cos x = \cos^2\left(\frac{x}{2}\right) - \sin^2\left(\frac{x}{2}\right)$$

$$= 2\frac{u}{\sqrt{1+u^2}}\frac{1}{\sqrt{1+u^2}} \qquad = \left(\frac{1}{\sqrt{1+u^2}}\right)^2 - \left(\frac{u}{\sqrt{1+u^2}}\right)^2$$

$$= \frac{2u}{1+u^2} \qquad\qquad = \frac{1-u^2}{1+u^2}$$

Le tableau suivant contient les éléments nécessaires pour résoudre des intégrales de fonctions contenant $\sin x$ ou $\cos x$.

$u = \tan\left(\dfrac{x}{2}\right)$	$x = 2\,\mathrm{Arc}\tan u$	$dx = \dfrac{2}{1+u^2}\, du$
$\sin x = \dfrac{2u}{1+u^2}$		$\cos x = \dfrac{1-u^2}{1+u^2}$

Exemple 2 Calculons $\displaystyle\int \frac{1}{1-\sin x}\, dx.$

En posant $u = \tan\left(\dfrac{x}{2}\right),$

à l'aide du tableau précédent, nous obtenons $\sin x = \dfrac{2u}{1+u^2}$ et $dx = \dfrac{2}{1+u^2}\,du$.

Ainsi,

$$\int \frac{1}{1-\sin x}\,dx = \int \frac{\dfrac{2}{1+u^2}}{1-\dfrac{2u}{1+u^2}}\,du \qquad \text{(en substituant)}$$

$$= \int \frac{\dfrac{2}{1+u^2}}{\dfrac{1+u^2-2u}{1+u^2}}\,du$$

$$= \int \frac{2}{(u-1)^2}\,du$$

$$= \frac{-2}{u-1}+C$$

$$= \frac{-2}{\tan\left(\dfrac{x}{2}\right)-1}+C \qquad \left(\text{car } u=\tan\left(\dfrac{x}{2}\right)\right)$$

Remarque L'intégrale précédente a déjà été calculée (exemple 2, page 78) en utilisant le conjugué de $(1-\sin x)$. Par contre, l'utilisation de la notion de conjugué ne nous permet pas de calculer l'intégrale suivante.

Exemple 3 Calculons $\displaystyle\int \frac{1}{5+\cos x}\,dx$.

En posant $u=\tan\left(\dfrac{x}{2}\right)$,

à l'aide du tableau de la page 206, nous obtenons $\cos x = \dfrac{1-u^2}{1+u^2}$ et $dx = \dfrac{2}{1+u^2}\,du$.

Ainsi,

$$\int \frac{1}{5+\cos x}\,dx = \int \frac{\dfrac{2}{1+u^2}}{5+\left(\dfrac{1-u^2}{1+u^2}\right)}\,du \qquad \text{(en substituant)}$$

$$= \int \frac{\dfrac{2}{1+u^2}}{\dfrac{5+5u^2+1-u^2}{1+u^2}}\,du$$

$$= \int \frac{1}{2u^2+3}\,du$$

$$= \frac{1}{3}\int \frac{1}{\dfrac{2u^2}{3}+1}\,du$$

$$= \frac{1}{3} \int \frac{1}{\left(\sqrt{\frac{2}{3}}u\right)^2 + 1} \, du$$

$$= \frac{1}{3} \sqrt{\frac{3}{2}} \operatorname{Arc\,tan}\left(\sqrt{\frac{2}{3}}u\right) + C$$

$$= \frac{1}{3} \sqrt{\frac{3}{2}} \operatorname{Arc\,tan}\left(\sqrt{\frac{2}{3}} \tan\left(\frac{x}{2}\right)\right) + C \quad \left(\operatorname{car} u = \tan\left(\frac{x}{2}\right)\right)$$

Exercices 4.3

1. a) Sachant que $\sin \theta = \dfrac{x}{5}$, où $\theta \in \left]0, \dfrac{\pi}{2}\right[$, repré-

senter le triangle correspondant et exprimer $\cos \theta$, $\tan \theta$, $\csc \theta$ et θ en fonction de x.

b) Sachant que $\sec \theta = \dfrac{3u}{\sqrt{7}}$, où $\theta \in \left]0, \dfrac{\pi}{2}\right[$, re-

présenter le triangle correspondant et exprimer $\sin \theta$, $\sin 2\theta$, $\cot \theta$ et θ en fonction de u.

2. Calculer les intégrales suivantes.

a) $\displaystyle\int \frac{1}{\sqrt{4-x^2}} \, dx$

b) $\displaystyle\int \frac{1}{1-x^2} \, dx$

c) $\displaystyle\int \frac{x^3}{\sqrt{9-x^2}} \, dx$

d) $\displaystyle\int \frac{1}{(16-x^2)^{\frac{3}{2}}} \, dx$

e) $\displaystyle\int_0^2 \sqrt{4-x^2} \, dx$

f) $\displaystyle\int \frac{\sqrt{9-\frac{x^2}{4}}}{x} \, dx$

3. Calculer les intégrales suivantes.

a) $\displaystyle\int \frac{1}{x\sqrt{x^2+1}} \, dx$

b) $\displaystyle\int \frac{1}{(x^2+36)^{\frac{3}{2}}} \, dx$

c) $\displaystyle\int \sqrt{4x^2+9} \, dx$

d) $\displaystyle\int_1^5 \frac{1}{x^2\sqrt{3+x^2}} \, dx$

e) $\displaystyle\int \frac{\sqrt{9x^2+1}}{x^4} \, dx$

f) $\displaystyle\int \frac{1}{x(9+x^2)^2} \, dx$

4. Calculer les intégrales suivantes.

a) $\displaystyle\int \frac{\sqrt{x^2-1}}{x} \, dx$

b) $\displaystyle\int \frac{x^2}{\sqrt{9x^2-1}} \, dx$

c) $\displaystyle\int \frac{\sqrt{9x^2-1}}{x^2} \, dx$

d) $\displaystyle\int \frac{1}{x^2\sqrt{5x^2-3}} \, dx$

e) $\displaystyle\int_{-6}^{-5} \frac{1}{(x^2-16)^{\frac{3}{2}}} \, dx$

f) $\displaystyle\int \sqrt{x^2-\frac{1}{4}} \, dx$

5. Écrire les expressions suivantes sous la forme $a(x-k)^2 + s$.

a) $x^2 + 4x + 1$

b) $x^2 - 5x + 7$

c) $x^2 - 8x$

d) $4x^2 + 12x + 11$

e) $2 - x^2 - 7x$

f) $10x - 3x^2$

6. Calculer les intégrales suivantes.

a) $\displaystyle\int \frac{1}{(3-x^2-2x)^{\frac{3}{2}}} \, dx$

b) $\displaystyle\int \frac{1}{\sqrt{4x^2+12x+25}} \, dx$

c) $\displaystyle\int \frac{x}{\sqrt{x^2-6x}} \, dx$

d) $\displaystyle\int_{-2}^2 \frac{1}{\sqrt{x^2+4x+13}} \, dx$

7. Calculer les intégrales suivantes.

a) $\displaystyle\int \frac{1}{\sqrt{1-\sqrt{x}}} \, dx$

b) $\displaystyle\int \frac{1}{x(\sqrt{x}-4)} \, dx$

c) $\displaystyle\int \frac{1}{x\sqrt{x+1}} \, dx$

d) $\displaystyle\int_0^{\frac{\pi}{2}} \frac{1}{1+\sin x+\cos x} \, dx$

e) $\displaystyle\int \frac{1}{\tan x+\sin x} \, dx$

f) $\displaystyle\int \frac{1}{1-2\sin x} \, dx$

8. Calculer les intégrales suivantes.

a) $\displaystyle\int \frac{1}{x^2\sqrt{4-9x^2}} \, dx$

b) $\displaystyle\int_2^4 \frac{6}{x^4\sqrt{x^2-1}} \, dx$

c) $\displaystyle\int \frac{1}{\sqrt{2x - x^2}}\, dx$

f) $\displaystyle\int \sqrt{18 + 4x^2 - 12x}\, dx$

d) $\displaystyle\int \frac{\sqrt{9 + x^2}}{x^3}\, dx$

g) $\displaystyle\int_{-1}^{1} \frac{x}{\sqrt{x^4 + 1}}\, dx$

e) $\displaystyle\int \frac{x^2}{\sqrt{36 - x^2}}\, dx$

h) $\displaystyle\int \frac{1}{2 + \cos x}\, dx$

9. Démontrer les formules suivantes et calculer l'intégrale demandée à l'aide de la formule.

a) $\displaystyle\int \frac{\sqrt{a^2 - x^2}}{x^2}\, dx = \frac{-\sqrt{a^2 - x^2}}{x} - \operatorname{Arc\,sin} \frac{x}{a} + C;$

$\displaystyle\int \frac{\sqrt{5 - x^2}}{7x^2}\, dx$

b) $\displaystyle\int \frac{\sqrt{x^2 + a^2}}{x}\, dx =$

$\displaystyle \sqrt{x^2 + a^2} - a \ln \left| \frac{a + \sqrt{x^2 + a^2}}{x} \right| + C;$

$\displaystyle\int \frac{\sqrt{x^2 + 4}}{x}\, dx$

c) $\displaystyle\int x^2 \sqrt{x^2 - a^2}\, dx = \frac{x}{8}(2x^2 - a^2)\sqrt{x^2 - a^2} -$

$\displaystyle \frac{a^4}{8} \ln |x + \sqrt{x^2 - a^2}| + C; \int_{3}^{5} x^2 \sqrt{x^2 - 9}\, dx$

10. Calculer l'aire des régions fermées suivantes et représenter graphiquement les régions.

a) $f(x) = \dfrac{1}{\sqrt{2x^2 - 1}}, x \in [1, \sqrt{2}]$

b) $f(x) = 5$ et $g(x) = \sqrt{x^2 + 16}$

c) $\dfrac{x^2}{4} + \dfrac{y^2}{9} = 1$

d) $f(x) = \sqrt{1 - \sqrt{x}}, x = 0$ et $y = 0$

11. Soit le cercle $x^2 + y^2 = r^2$ et la droite $x = a$, où $0 < a < r$.

a) Calculer l'aire de la région ombrée.

b) Calculer cette aire si $a = \dfrac{r}{2}$.

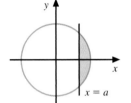

4.4 INTÉGRATION DE FONCTIONS RATIONNELLES PAR DÉCOMPOSITION EN UNE SOMME DE FRACTIONS PARTIELLES

Objectif d'apprentissage

À la fin de la présente section, l'élève pourra intégrer certaines fonctions rationnelles de la forme $\dfrac{f(x)}{g(x)}$, après les avoir décomposées en une somme de fractions partielles.

Plus précisément, l'élève sera en mesure :
- de décomposer en une somme de fractions partielles des fonctions rationnelles dont le degré du numérateur est plus petit que le degré du dénominateur ;
- de transformer, à l'aide d'un changement de variable, certaines fonctions de façon à obtenir une fonction rationnelle ;
- de résoudre l'équation logistique à l'aide de la décomposition en une somme de fractions partielles.

Nous avons déjà vu que, lorsque le degré du numérateur est plus grand ou égal au degré du dénominateur, nous pouvons effectuer la division avant d'intégrer.

> **Exemple** Calculons $\displaystyle\int \frac{3x^2 - 4x + 5}{x^2 + 1}\, dx$.
>
> Puisque le degré du numérateur est égal au degré du dénominateur, effectuons d'abord la division :
>
> $$\frac{3x^2 - 4x + 5}{x^2 + 1} = 3 + \frac{-4x + 2}{x^2 + 1}$$

$$\text{Ainsi } \int \frac{3x^2 - 4x + 5}{x^2 + 1}\, dx = \int \left[3 + \frac{-4x + 2}{x^2 + 1} \right] dx$$

$$= \int 3\, dx - 4 \int \frac{x}{x^2 + 1}\, dx + 2 \int \frac{dx}{x^2 + 1}$$

$$= 3x - 2 \ln (x^2 + 1) + 2 \text{ Arc tan } x + C$$

Nous verrons maintenant une méthode permettant d'intégrer des fonctions où le degré du numérateur est plus petit que le degré du dénominateur.

Cette méthode consiste à décomposer la fonction rationnelle en une somme de fractions partielles, puis à intégrer chaque terme obtenu à l'aide des méthodes déjà vues.

Décomposition en une somme de fractions partielles et intégration de fonctions rationnelles

En calculant $\dfrac{4}{x + 1} + \dfrac{5}{x}$, après avoir trouvé un dénominateur commun, nous obtenons

$$\frac{4}{(x + 1)} + \frac{5}{x} = \frac{4x + 5(x + 1)}{x(x + 1)} = \frac{9x + 5}{x(x + 1)} = \frac{9x + 5}{x^2 + x}.$$

La décomposition en une somme de fractions partielles est le cheminement inverse, c'est-à-dire que l'on part de $\dfrac{9x + 5}{x^2 + x}$ pour obtenir $\dfrac{4}{x + 1} + \dfrac{5}{x}$.

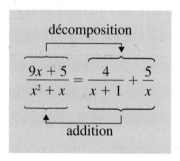

Remarque Ainsi, pour effectuer $\displaystyle\int \frac{9x + 5}{x^2 + x}\, dx$, il suffit d'effectuer $\displaystyle\int \left(\frac{4}{x + 1} + \frac{5}{x} \right) dx$ (voir exemple 3, page 211).

Avant d'intégrer une fonction rationnelle dont le degré du numérateur est inférieur au degré du dénominateur, nous pouvons décomposer la fonction rationnelle en une somme de fractions partielles.

Pour décomposer en une somme de fractions partielles, nous devons :

1. factoriser le dénominateur en facteurs irréductibles ;

2. réécrire le dénominateur en regroupant les facteurs identiques affectés de l'exposant approprié.

Exemple 1 Factorisons les expressions suivantes en facteurs irréductibles en regroupant les facteurs identiques affectés de l'exposant approprié.

a) $3x^3 - 11x^2 - 4x = x(3x^2 - 11x - 4) = x(3x + 1)(x - 4)$

b) $(4x^2 + 4x^3 + x^4)(5x^2 - 2x^3) = x^2(4 + 4x + x^2)x^2(5 - 2x)$

$$= x^2(2 + x)^2 x^2(5 - 2x)$$

$$= x^4(2 + x)^2(5 - 2x)$$

c) $x^5 - x^3 - x^2 + 1 = x^3(x^2 - 1) - (x^2 - 1)$

$$= (x^2 - 1)(x^3 - 1)$$

$$= (x - 1)(x + 1)(x - 1)(x^2 + x + 1)$$

$$= (x - 1)^2(x + 1)(x^2 + x + 1)$$

Ensuite, selon le résultat obtenu, nous devons procéder de la façon suivante.

1er cas Chaque facteur irréductible de degré 1, de la forme $(ax + b)^k$, au dénominateur, engendre k fractions partielles de la forme

$$\frac{A_1}{ax + b} + \frac{A_2}{(ax + b)^2} + \frac{A_3}{(ax + b)^3} + \ldots + \frac{A_k}{(ax + b)^k}, \text{ où } A_i \in \mathbb{R}.$$

Exemple 2 Décomposons les fonctions rationnelles suivantes en une somme de fractions partielles.

a) $\dfrac{5x - 2}{x(3x + 1)(x - 4)} = \dfrac{A}{x} + \dfrac{B}{3x + 1} + \dfrac{C}{x - 4}$ (ici, les facteurs irréductibles sont $x(3x + 1)$ et $(x - 4)$)

b) $\dfrac{x}{(2x + 3)^4} = \dfrac{A}{2x + 3} + \dfrac{B}{(2x + 3)^2} + \dfrac{C}{(2x + 3)^3} + \dfrac{D}{(2x + 3)^4}$

c) $\dfrac{9x^2}{(3x + 1)^2(1 - x)^3} = \dfrac{A}{(3x + 1)} + \dfrac{B}{(3x + 1)^2} + \dfrac{C}{(1 - x)} + \dfrac{D}{(1 - x)^2} + \dfrac{E}{(1 - x)^3}$

d) $\dfrac{5x - 1}{x^2(2 + x)^2(5x^2 - 2x^3)} = \dfrac{5x - 1}{x^4(2 + x)^2(5 - 2x)}$

$$= \dfrac{A}{x} + \dfrac{B}{x^2} + \dfrac{C}{x^3} + \dfrac{D}{x^4} + \dfrac{E}{(2 + x)} + \dfrac{F}{(2 + x)^2} + \dfrac{G}{(5 - 2x)}$$

Exemple 3 Calculons $\displaystyle\int \dfrac{9x + 5}{x^2 + x}\, dx$.

Étape 1

Décomposons $\dfrac{9x + 5}{x^2 + x}$ en une somme de fractions partielles.

$\dfrac{9x + 5}{x^2 + x} = \dfrac{9x + 5}{x(x + 1)}$ (en factorisant le dénominateur)

$$= \dfrac{A}{x} + \dfrac{B}{x + 1}$$ (où A et B sont des inconnues à déterminer)

Étape 2

Déterminons la valeur des inconnues A et B.

$$\frac{9x+5}{x^2+x} = \frac{A(x+1)+Bx}{x(x+1)} \quad \text{(en effectuant)}$$

$$= \frac{Ax+A+Bx}{x(x+1)}$$

$$= \frac{(A+B)\,x+A}{x(x+1)}$$

Ainsi $\dfrac{9x+5}{x^2+x} = \dfrac{(A+B)\,x+A}{x^2+x}$.

Puisque les dénominateurs sont identiques, les numérateurs le seront aussi.

Donc $9x+5 = (A+B)\,x+A, \ \forall\, x \in \mathbb{R}$.

Les coefficients des mêmes puissances de x devant être égaux, nous obtenons le système d'équations suivant :

① $A+B=9$ (coefficients de x)

② $\quad A=5$ (termes constants, c'est-à-dire coefficients de x^0)

En résolvant ce système, nous obtenons $A=5$ et $B=4$;

donc $\dfrac{9x+5}{x^2+x} = \dfrac{5}{x}+\dfrac{4}{x+1}$ (en remplaçant A et B par leurs valeurs respectives).

Étape 3

Calculons l'intégrale.

$$\int \frac{9x+5}{x^2+x}\,dx = \int \left(\frac{5}{x}+\frac{4}{x+1}\right) dx$$

$$= 5\int \frac{1}{x}\,dx + 4\int \frac{1}{x+1}\,dx = 5\ln|x| + 4\ln|x+1| + C$$

Exemple 4 Calculons $\displaystyle\int \frac{3-4x}{x^3-5x^2+6x}\,dx$.

Décomposons d'abord l'intégrande en une somme de fractions partielles et déterminons la valeur des constantes.

$$\frac{3-4x}{x^3-5x^2+6x} = \frac{3-4x}{x(x-3)\,(x-2)} \quad \text{(en factorisant le dénominateur)}$$

$$= \frac{A}{x}+\frac{B}{x-3}+\frac{C}{x-2}$$

$$= \frac{A(x-3)\,(x-2)+Bx(x-2)+Cx(x-3)}{x(x-3)\,(x-2)} \quad \text{(en effectuant)}$$

En égalant les numérateurs, nous obtenons
$$3-4x = A(x-3)\,(x-2)+Bx(x-2)+Cx(x-3), \ \forall\, x \in \mathbb{R}$$

Remplaçons successivement x, dans chacun des membres de l'équation précédente, par les valeurs qui annulent les facteurs du dénominateur. Ainsi,

si $x = 0$, nous obtenons $3 = 6A$, d'où $A = \dfrac{1}{2}$;

si $x = 2$, nous obtenons $-5 = -2C$, d'où $C = \dfrac{5}{2}$;

si $x = 3$, nous obtenons $-9 = 3B$, d'où $B = -3$.

Donc $\dfrac{3 - 4x}{x^3 - 5x^2 + 6x} = \dfrac{\frac{1}{2}}{x} + \dfrac{-3}{x - 3} + \dfrac{\frac{5}{2}}{x - 2}$.

Remarque Cette dernière méthode pour évaluer la valeur des inconnues peut être utilisée avantageusement lorsque chaque facteur au dénominateur est affecté de l'exposant 1.

Ainsi $\displaystyle\int \dfrac{3 - 4x}{x^3 - 5x^2 + 6x}\, dx = \int \left(\dfrac{1}{2x} - \dfrac{3}{x - 3} + \dfrac{5}{2(x - 2)} \right) dx$

$$= \dfrac{1}{2} \int \dfrac{1}{x}\, dx - 3 \int \dfrac{1}{x - 3}\, dx + \dfrac{5}{2} \int \dfrac{1}{x - 2}\, dx$$

$$= \dfrac{1}{2} \ln |x| - 3 \ln |x - 3| + \dfrac{5}{2} \ln |x - 2| + C$$

Exemple 5 Calculons $\displaystyle\int \dfrac{21x^3 - 8x^2 - 63x + 84}{4x^3 - 3x^4}\, dx$.

Décomposons d'abord l'intégrande en une somme de fractions partielles et déterminons la valeur des inconnues.

$$\dfrac{21x^3 - 8x^2 - 63x + 84}{4x^3 - 3x^4} = \dfrac{21x^3 - 8x^2 - 63x + 84}{x^3(4 - 3x)} \quad \text{(en factorisant le dénominateur)}$$

$$= \dfrac{A}{x} + \dfrac{B}{x^2} + \dfrac{C}{x^3} + \dfrac{D}{4 - 3x}$$

$$= \dfrac{Ax^2(4 - 3x) + Bx(4 - 3x) + C(4 - 3x) + Dx^3}{x^3(4 - 3x)}$$

$$= \dfrac{4Ax^2 - 3Ax^3 + 4Bx - 3Bx^2 + 4C - 3Cx + Dx^3}{x^3(4 - 3x)}$$

$$= \dfrac{(-3A + D)x^3 + (4A - 3B)x^2 + (4B - 3C)x + 4C}{x^3(4 - 3x)}$$

En égalant les numérateurs, nous obtenons $\forall\ x \in \mathbb{R}$

$$21x^3 - 8x^2 - 63x + 84 = (-3A + D)x^3 + (4A - 3B)x^2 + (4B - 3C)x + 4C$$

En égalant les coefficients des mêmes puissances de x, nous obtenons le système d'équations suivant :

① $-3A + D = 21$ (coefficients de x^3)

② $4A - 3B = -8$ (coefficients de x^2)

③ $4B - 3C = -63$ (coefficients de x)

④ $4C = 84$ (termes constants)

En résolvant ce système, nous trouvons : $A = -2$, $B = 0$, $C = 21$ et $D = 15$.

Donc, $\dfrac{21x^3 - 8x^2 - 63x + 84}{4x^3 - 3x^4} = \dfrac{-2}{x} + \dfrac{0}{x^2} + \dfrac{21}{x^3} + \dfrac{15}{4 - 3x}$.

Ainsi $\displaystyle\int \dfrac{21x^3 - 8x^2 - 63x + 84}{4x^3 - 3x^4} \, dx = \int \left(\dfrac{-2}{x} + \dfrac{21}{x^3} + \dfrac{15}{4 - 3x} \right) dx$

$= -2 \displaystyle\int \dfrac{1}{x} \, dx + 21 \int \dfrac{1}{x^3} \, dx + 15 \int \dfrac{1}{4 - 3x} \, dx$

$= -2 \ln |x| - \dfrac{21}{2x^2} - 5 \ln |4 - 3x| + C$

2e cas   Chaque facteur irréductible de degré 2, de la forme $(ax^2 + bx + c)^k$, au dénominateur, engendre k fractions partielles de la forme

$\dfrac{A_1 x + B_1}{ax^2 + bx + c} + \dfrac{A_2 x + B_2}{(ax^2 + bx + c)^2} + \dfrac{A_3 x + B_3}{(ax^2 + bx + c)^3} + \ldots + \dfrac{A_k x + B_k}{(ax^2 + bx + c)^k}$, où A_i et $B_i \in \mathbb{R}$

Exemple 6 Décomposons les fonctions rationnelles suivantes en une somme de fractions partielles.

a) $\dfrac{3x}{(x^2 + 1)(x^2 + x + 1)} = \dfrac{Ax + B}{x^2 + 1} + \dfrac{Cx + D}{x^2 + x + 1}$ (ici, les facteurs irréductibles sont $(x^2 + 1)$ et $(x^2 + x + 1)$)

b) $\dfrac{3x^4 + 2x}{(x^2 + 1)^3} = \dfrac{Ax + b}{x^2 + 1} + \dfrac{Cx + D}{(x^2 + 1)^2} + \dfrac{Ex + F}{(x^2 + 1)^3}$

c) $\dfrac{5 - x^2}{x^3 + 4x} = \dfrac{5 - x^2}{x(x^2 + 4)} = \dfrac{A}{x} + \dfrac{Bx + C}{x^2 + 4}$ (1er cas et 2e cas)

d) $\dfrac{3}{(x^2 + x - 2)(x^2 + x + 2)} = \dfrac{3}{(x + 2)(x - 1)(x^2 + x + 2)}$

$= \dfrac{A}{x + 2} + \dfrac{B}{x - 1} + \dfrac{Cx + D}{x^2 + x + 2}$ (1er cas et 2e cas)

e) $\dfrac{3 - 2x}{(x^2 - 1)^2 (x^2 - x + 1)^2} = \dfrac{3 - 2x}{(x - 1)^2 (x + 1)^2 (x^2 - x + 1)^2}$

$= \dfrac{A}{(x - 1)} + \dfrac{B}{(x - 1)^2} + \dfrac{C}{(x + 1)} + \dfrac{D}{(x + 1)^2} + \dfrac{Ex + F}{(x^2 - x + 1)} + \dfrac{Gx + H}{(x^2 - x + 1)^2}$

Voici un résumé des étapes à suivre pour intégrer une fonction rationnelle dont le degré du numérateur est inférieur au degré du dénominateur. Il ne faut pas oublier que si le degré du numérateur est supérieur ou égal au degré du dénominateur, il faut effectuer la division.

A. Pour décomposer en une somme de fractions partielles,

1. factoriser le dénominateur en facteurs irréductibles;

2. réécrire le dénominateur en regroupant les facteurs identiques affectés de l'exposant approprié;

3. effectuer la décomposition en une somme de fractions partielles en respectant les principes déterminés au 1er cas et au 2e cas.

B. Pour déterminer la valeur des inconnues A, B, C, D, …

1. mettre les fractions partielles au même dénominateur commun;

2. regrouper les termes de même degré;

3. égaler les numérateurs des deux membres de l'équation;

4. égaler les coefficients des mêmes puissances de x;

5. résoudre le système d'équations pour trouver A, B, C, D, …

C. Pour intégrer la fonction rationnelle,

1. remplacer A, B, C, D, … par leurs valeurs respectives;

2. intégrer chaque terme de la somme en utilisant des méthodes d'intégration vues précédemment: changement de variable, intégration par parties, substitutions trigonométriques, etc.

Exemple 7 Calculons $\int \dfrac{3x^4 - x^3 + 2x^2 - x + 2}{x(x^2 + 1)^2}\, dx$.

Décomposons d'abord l'intégrande en une somme de fractions partielles et déterminons la valeur de chaque inconnue.

$$\frac{3x^4 - x^3 + 2x^2 - x + 2}{x(x^2 + 1)^2} = \frac{A}{x} + \frac{Bx + C}{x^2 + 1} + \frac{Dx + E}{(x^2 + 1)^2}$$

$$= \frac{A(x^2 + 1)^2 + (Bx + C)\, x(x^2 + 1) + (Dx + E)\, x}{x(x^2 + 1)^2}$$

$$= \frac{A(x^4 + 2x^2 + 1) + (Bx + C)\,(x^3 + x) + Dx^2 + Ex}{x(x^2 + 1)^2}$$

$$= \frac{Ax^4 + 2Ax^2 + A + Bx^4 + Bx^2 + Cx^3 + Cx + Dx^2 + Ex}{x(x^2 + 1)^2}$$

$$= \frac{(A + B)\, x^4 + Cx^3 + (2A + B + D)\, x^2 + (C + E)\, x + A}{x(x^2 + 1)^2}$$

Donc $3x^4 - x^3 + 2x^2 - x + 2 = (A + B)\, x^4 + Cx^3 + (2A + B + D)\, x^2 + (C + E)\, x + A$

Nous obtenons le système d'équations suivant:

① $A + B = 3$ (coefficients de x^4)

② $C = -1$ (coefficients de x^3)

③ $2A + B + D = 2$ (coefficients de x^2)

④ $C + E = -1$ (coefficients de x)

⑤ $A = 2$ (termes constants)

En résolvant ce système, nous trouvons $A = 2$, $B = 1$, $C = -1$, $D = -3$ et $E = 0$,

donc $\dfrac{3x^4 - x^3 + 2x^2 - x + 2}{x(x^2 + 1)^2} = \dfrac{2}{x} + \dfrac{x - 1}{x^2 + 1} + \dfrac{-3x}{(x^2 + 1)^2}$.

$$\int \dfrac{3x^4 - x^3 + 2x^2 - x + 2}{x(x^2 + 1)^2} \, dx = \int \left[\dfrac{2}{x} + \dfrac{x - 1}{x^2 + 1} - \dfrac{3x}{(x^2 + 1)^2} \right] dx$$

$$= \int \dfrac{2}{x} \, dx + \int \dfrac{x}{x^2 + 1} \, dx - \int \dfrac{1}{x^2 + 1} \, dx - \int \dfrac{3x}{(x^2 + 1)^2} \, dx$$

$$= 2 \ln |x| + \dfrac{\ln |x^2 + 1|}{2} - \operatorname{Arc\,tan} x + \dfrac{3}{2(x^2 + 1)} + C$$

$$= \ln (x^2 \sqrt{x^2 + 1}) - \operatorname{Arc\,tan} x + \dfrac{3}{2(x^2 + 1)} + C$$

(propriétés des logarithmes)

Exemple 8 Calculons $\displaystyle\int \dfrac{3x^5 + 8x^3 + 8x - 1}{(x^2 + 1)^2} \, dx$.

Puisque le degré du numérateur est 5 et que le degré du dénominateur est 4, effectuons d'abord la division.

$$\dfrac{3x^5 + 8x^3 + 8x - 1}{x^4 + 2x^2 + 1} = 3x + \dfrac{2x^3 + 5x - 1}{(x^2 + 1)^2}$$

En décomposant $\dfrac{2x^3 + 5x - 1}{(x^2 + 1)^2}$, où le degré du numérateur est plus petit que le degré du dénominateur, nous obtenons

$$\dfrac{2x^3 + 5x - 1}{(x^2 + 1)^2} = \dfrac{Ax + B}{x^2 + 1} + \dfrac{Cx + D}{(x^2 + 1)^2} = \dfrac{(Ax + B)(x^2 + 1) + (Cx + D)}{(x^2 + 1)^2}$$

$$= \dfrac{Ax^3 + Bx^2 + (A + C)x + B + D}{(x^2 + 1)^2}$$

donc $2x^3 + 5x - 1 = Ax^3 + Bx^2 + (A + C)x + B + D$.

Nous obtenons le système d'équations suivant :

① $\quad A = 2 \quad$ (coefficients de x^3)

② $\quad B = 0 \quad$ (coefficients de x^2)

③ $A + C = 5 \quad$ (coefficients de x)

④ $B + D = -1 \quad$ (termes constants)

En résolvant ce système, nous trouvons $A = 2$, $B = 0$, $C = 3$ et $D = -1$,

donc $\quad \dfrac{2x^3 + 5x - 1}{(x^2 + 1)^2} = \dfrac{2x}{x^2 + 1} + \dfrac{3x - 1}{(x^2 + 1)^2}$

d'où $\quad \dfrac{3x^5 + 8x^3 + 8x - 1}{(x^2 + 1)^2} = 3x + \dfrac{2x}{x^2 + 1} + \dfrac{3x - 1}{(x^2 + 1)^2}$

Ainsi $\displaystyle\int \dfrac{3x^5 + 8x^3 + 8x - 1}{(x^2 + 1)^2} \, dx = \int \left[3x + \dfrac{2x}{x^2 + 1} + \dfrac{3x - 1}{(x^2 + 1)^2} \right] dx$

$$= \int 3x \, dx + \int \dfrac{2x}{x^2 + 1} \, dx + \int \dfrac{3x}{(x^2 + 1)^2} \, dx - \int \dfrac{1}{(x^2 + 1)^2} \, dx$$

$$= \frac{3x^2}{2} + \ln |x^2 + 1| - \frac{3}{2(x^2+1)} - \frac{1}{2} \text{Arc} \tan x - \frac{x}{2(x^2+1)} + C$$

La dernière intégrale a été résolue en posant $x = \tan \theta$.

Intégration de fonctions non rationnelles

Dans certains cas, il est possible d'utiliser un changement de variable de façon à obtenir une fonction rationnelle.

Exemple 1 Calculons $\displaystyle\int \frac{4}{1 + \sqrt{x}} \, dx$.

En posant $\qquad u = \sqrt{x}$,

nous obtenons $\qquad u^2 = x$,

donc $\qquad 2u \, du = dx$.

Ainsi
$$\int \frac{4}{1+\sqrt{x}} \, dx = 4 \int \frac{2u}{1+u} \, du$$

$$= 8 \int \frac{u}{u+1} \, du$$

$$= 8 \int \left[1 - \frac{1}{u+1}\right] du \qquad \text{(en divisant)}$$

$$= 8 \left[u - \ln |u+1|\right] + C$$

$$= 8 \left[\sqrt{x} - \ln |\sqrt{x}+1|\right] + C \quad (\text{car } u = \sqrt{x})$$

Exemple 2 Calculons $\displaystyle\int \frac{8 \cos x}{\sin^2 x + 2 \sin x - 3} \, dx$.

Puisqu'il n'est pas possible de décomposer directement $\dfrac{8 \cos x}{\sin^2 x + 2 \sin x - 3}$ en une somme de fractions partielles, on doit d'abord effectuer un changement de variables.

En posant $\qquad u = \sin x$,

nous obtenons $du = \cos x \, dx$.

Ainsi
$$\int \frac{8 \cos x}{\sin^2 x + 2 \sin x - 3} \, dx = \int \frac{8}{u^2 + 2u - 3} \, du$$

$$= \int \frac{8}{(u+3)(u-1)} \, du$$

En décomposant en fractions partielles, nous obtenons

$$\frac{8}{(u+3)(u-1)} = \frac{A}{u+3} + \frac{B}{u-1} = \frac{-2}{u+3} + \frac{2}{u-1}.$$

Ainsi
$$\int \frac{8}{(u+3)(u-1)} \, du = -2 \ln |u+3| + 2 \ln |u-1| + C$$

$$= 2 \ln \left|\frac{u-1}{u+3}\right| + C$$

d'où $\int \dfrac{8 \cos x}{\sin^2 x + 2 \sin x - 3} \, dx = 2 \ln \left| \dfrac{\sin x - 1}{\sin x + 3} \right| + C$ (car $u = \sin x$)

Applications et équation logistique

Calcul d'aire

Exemple 1 Soit $f(x) = \dfrac{3x^2 - 2x + 3}{x^3 + x}$. Calculons l'aire A entre la courbe de f

et l'axe des x si $x \in [1, 3]$.

```
> f:=x→(3*x^2−2*x+3)/(x^3+x);
            f:=x→ 3x² − 2x + 3
                    x³ + x
> with(plots):
> c2:=plot(f(x),x=1..3,filled=true,color=yellow):
> c1:=plot(f(x),x=0..4,y=0..3,color=red):
> display(c1,c2);
```

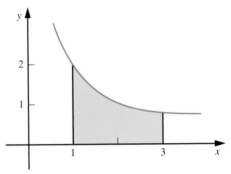

Puisque f est positive sur $[1, 3]$, nous avons

$$A = \int_1^3 \dfrac{3x^2 - 2x + 3}{x^3 + x} \, dx$$

Décomposons d'abord $\dfrac{3x^2 - 2x + 3}{x^3 + x}$ en une somme de fractions partielles.

$$\dfrac{3x^2 - 2x + 3}{x^3 + x} = \dfrac{3x^2 - 2x + 3}{x(x^2 + 1)}$$

$$= \dfrac{A}{x} + \dfrac{Bx + C}{x^2 + 1}$$

$$= \dfrac{A(x^2 + 1) + (Bx + C)x}{x(x^2 + 1)}$$

$$= \dfrac{(A + B)x^2 + Cx + A}{x(x^2 + 1)}$$

En égalant les numérateurs, nous obtenons

$$3x^2 - 2x + 3 = (A + B)x^2 + Cx + A$$

En égalant les coefficients des mêmes puissances de x, nous obtenons le système d'équations suivant :

① $A + B = 3$ (coefficients de x^2)

② $ C = \text{-}2$ (coefficients de x)

③ $ A = 3$ (termes constants)

En résolvant ce système, nous trouvons : $A = 3$, $B = 0$ et $C = \text{-}2$.

Donc $\dfrac{3x^2 - 2x + 3}{x^3 + x} = \dfrac{3}{x} + \dfrac{\text{-}2}{x^2 + 1}$.

Ainsi $A = \displaystyle\int_1^3 \dfrac{3x^2 - 2x + 3}{x^3 + x} \, dx$

$$= \int_1^3 \left(\dfrac{3}{x} - \dfrac{2}{x^2 + 1} \right) dx$$

$$= \left. (3 \ln |x| - 2 \operatorname{Arc} \tan x) \right|_1^3$$

$$= (3 \ln |3| - 2 \operatorname{Arc} \tan 3) - (3 \ln |1| - 2 \operatorname{Arc} \tan 1)$$

$$= 3 \ln 3 - 2 \operatorname{Arc} \tan 3 + \frac{\pi}{2}$$

$$\approx 2,37 \text{ u}^2$$

L'équation logistique

L'appellation de courbe *logistique* fut introduite par le mathématicien belge Pierre François Verhulst (1804-1849) dans un article intitulé «La loi d'accroissement de la population». Dans l'équation différentielle *logistique,* ce dernier terme, dont le choix est impropre, est supposé se référer à une solution de type logarithmique. Autrefois, le mot *logistique* avait le sens de «calcul». Ainsi, l'algébriste français François Viète (1540-1603) appelait «logistique spécieuse» le calcul sur les lettres (espèces), autrement dit l'algèbre symbolique. *Le Larousse* définit la logistique contemporaine comme «l'ensemble des méthodes et des moyens relatifs à l'organisation d'un service, d'une entreprise, etc.».

Définition

Une équation différentielle de la forme $\dfrac{dx}{dt} = kx(b - x)$, où k et b sont des constantes réelles, est appelée **équation logistique.**

La résolution d'une équation logistique nous amène à intégrer une fonction rationnelle.

Équation logistique

Exemple 2 Dans un village de 5000 habitants, le taux de croissance du nombre de personnes propageant une rumeur est à la fois proportionnel au nombre P de personnes connaissant la rumeur et au nombre de personnes ignorant la rumeur. Nous avons donc $\dfrac{dP}{dt} = kP(5000 - P)$, où t est en semaines. Si la constante de proportionnalité k est égale à 0,002 et qu'au départ 50 personnes propagent la rumeur, nous obtenons $\dfrac{dP}{dt} = 0,002P(5000 - P)$ (équation logistique).

a) Résolvons cette équation pour obtenir P en fonction de t.

$$\frac{dP}{P(5000 - P)} = 0,002 \, dt \quad \text{(en séparant les variables)}$$

$$\int \frac{1}{P(5000 - P)} \, dP = \int 0,002 \, dt$$

Or $\dfrac{1}{P(5000 - P)} = \dfrac{A}{P} + \dfrac{B}{5000 - P} = \dfrac{\frac{1}{5000}}{P} + \dfrac{\frac{1}{5000}}{5000 - P}$, donc

$$\int \left[\frac{1}{5000P} + \frac{1}{5000(5000 - P)} \right] dP = \int 0,002 \, dt$$

d'où $\dfrac{1}{5000} \ln |P| - \dfrac{1}{5000} \ln |5000 - P| = 0,002t + C$

$$\frac{1}{5000} \ln\left(\frac{P}{5000 - P}\right) = 0{,}002t + C \quad \left(\text{car } \frac{P}{5000 - P} > 0\right)$$

En remplaçant t par 0 et P par 50, nous obtenons

$$\frac{1}{5000} \ln\left(\frac{50}{4950}\right) = C, \text{ donc } C = \frac{1}{5000} \ln\left(\frac{1}{99}\right)$$

Ainsi $\dfrac{1}{5000} \ln\left(\dfrac{P}{5000 - P}\right) = 0{,}002t + \dfrac{1}{5000} \ln\left(\dfrac{1}{99}\right)$

$$\ln\left(\frac{P}{5000 - P}\right) = 10t + \ln\left(\frac{1}{99}\right)$$

$$\frac{P}{5000 - P} = \frac{1}{99} e^{10t}$$

Isolons P :

$$P = (5000 - P)\frac{1}{99} e^{10t}$$

$$P = \frac{5000}{99} e^{10t} - \frac{P}{99} e^{10t}$$

$$P + \frac{P}{99} e^{10t} = \frac{5000}{99} e^{10t}$$

$$P\left(1 + \frac{1}{99} e^{10t}\right) = \frac{5000}{99} e^{10t}$$

Ainsi, à chaque instant t, le nombre de personnes qui propagent la rumeur est donné par

$$P = \frac{5000\left(\dfrac{1}{99}\right) e^{10t}}{1 + \dfrac{1}{99} e^{10t}} = \frac{5000 e^{10t}}{99 + e^{10t}} = \frac{5000}{1 + 99 e^{-10t}}$$

Cette dernière forme est celle qu'on utilise habituellement.

b) Déterminons théoriquement le nombre de personnes qui, à long terme, connaîtront la nouvelle.

Évaluons $\lim\limits_{t \to +\infty} P(t)$.

$$\lim_{t \to +\infty} P(t) = \lim_{t \to +\infty} \frac{5000}{1 + 99 e^{-10t}}$$

$$= \frac{5000}{1 + 0}$$

$$= 5000$$

ce qui signifie que, théoriquement, il faut un temps infini pour que tous les habitants prennent connaissance de la rumeur. La droite $P = 5000$ est une asymptote horizontale.

c) Représentons graphiquement la fonction P ainsi que l'asymptote horizontale correspondante $P = 5000$.

```
> P:=t→5000/(1+99*exp(-10*t)):
> with(plots):
> c:=plot(P(t),t=0..1,y=0..5000):
> A:=plot(5000,t=0..1,linestyle=4,color=blue):
> p:=plot([[ ln 99 /10 ,2500]],style=point,
            symbol=circle,color=orange):
> display(c,p,A);
```

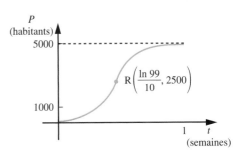

Le minimum est au point P(0, 50) et le point d'inflexion est $R\left(\dfrac{\ln 99}{10}, 2500\right)$.

Ce graphique a une *forme sigmoïde*.

De façon plus générale, nous pouvons résoudre, à l'aide de la décomposition en une somme de fractions partielles, des équations de la forme

$$\frac{dx}{dt} = k(a - x)(b - x), \text{ où } k, a \text{ et } b \text{ sont des constantes réelles.}$$

Exemple 3 Deux substances chimiques, S_1 et S_2, réagissent pour former une nouvelle substance S. Chaque gramme de cette nouvelle substance est composé de $\dfrac{3}{7}$ g de S_1 et de $\dfrac{4}{7}$ g de S_2. Si, au départ, nous avons 9 g de S_1 et 16 g de S_2 et si le taux de croissance de la quantité Q de la substance S est proportionnel au produit des quantités S_1 et S_2 non transformées,

a) déterminons Q en fonction de t si, après 10 minutes, la quantité Q est de 14 g.

$$\frac{dQ}{dt} = k_1\left(9 - \frac{3}{7}Q\right)\left(16 - \frac{4}{7}Q\right) = k_1\left(\frac{63 - 3Q}{7}\right)\left(\frac{112 - 4Q}{7}\right)$$

$$= \frac{12k_1}{49}(21 - Q)(28 - Q)$$

ainsi $\dfrac{dQ}{dt} = k(21 - Q)(28 - Q)$ $\qquad \left(\text{où } k = \dfrac{12k_1}{49}\right)$

donc $\qquad \dfrac{dQ}{(21 - Q)(28 - Q)} = k\, dt$

$$\int \frac{1}{(21 - Q)(28 - Q)}\, dQ = \int k\, dt$$

$$\int \left(\frac{1}{7(21 - Q)} - \frac{1}{7(28 - Q)}\right) dQ = \int k\, dt \quad \text{(en décomposant)}$$

$$\frac{-1}{7}\ln|21 - Q| + \frac{1}{7}\ln|28 - Q| = kt + C$$

$$\frac{1}{7}\ln\left(\frac{28 - Q}{21 - Q}\right) = kt + C \quad \left(\text{car } \frac{28 - Q}{21 - Q} > 0\right)$$

Nous savons que $Q = 0$ si $t = 0$.

Ainsi $C = \dfrac{1}{7} \ln \left(\dfrac{4}{3}\right)$.

L'équation devient

$$\frac{1}{7} \ln \left(\frac{28 - Q}{21 - Q}\right) = kt + \frac{1}{7} \ln \left(\frac{4}{3}\right).$$

De plus, nous savons que $Q = 14$ si $t = 10$.

Ainsi $\dfrac{1}{7} \ln \left(\dfrac{28 - 14}{21 - 14}\right) = k(10) + \dfrac{1}{7} \ln \left(\dfrac{4}{3}\right)$,

$$\text{donc } k = \frac{\ln\left(\dfrac{3}{2}\right)}{70}$$

$$\text{donc } \frac{1}{7} \ln\left(\frac{28 - Q}{21 - Q}\right) = \frac{\ln\left(\dfrac{3}{2}\right)}{70}t + \frac{1}{7}\ln\left(\frac{4}{3}\right) \quad \text{(équation 1)}$$

$$\text{d'où } Q = 21 \left(\frac{\left(\dfrac{3}{2}\right)^{\frac{t}{10}} - 1}{\left(\dfrac{3}{2}\right)^{\frac{t}{10}} - 0{,}75} \right) \qquad \text{(équation 2)}$$

b) Déterminons théoriquement la quantité maximale $Q_{\max}$ de la substance S.

$$Q_{\max} = \lim_{t \to +\infty} 21 \left(\frac{\left(\dfrac{3}{2}\right)^{\frac{t}{10}} - 1}{\left(\dfrac{3}{2}\right)^{\frac{t}{10}} - 0{,}75} \right) \quad \left(\text{indétermination de la forme } \frac{+\infty}{+\infty}\right)$$

$$= 21 \lim_{t \to +\infty} \frac{\left(\dfrac{3}{2}\right)^{\frac{t}{10}} \ln\left(\dfrac{3}{2}\right) \dfrac{1}{10}}{\left(\dfrac{3}{2}\right)^{\frac{t}{10}} \ln\left(\dfrac{3}{2}\right) \dfrac{1}{10}} \quad \text{(règle de L'Hospital)}$$

$$= 21, \text{ d'où } Q_{\max} = 21 \text{ g}$$

OUTIL TECHNOLOGIQUE

c) Représentons graphiquement la fonction Q ainsi que l'asymptote horizontale correspondante $Q = 21$.

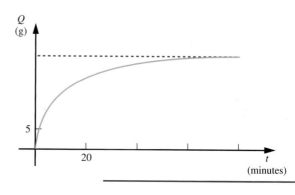

```
> Q:=t→21*((3/2)^(t/10)−1)/
  ((3/2)^(t/10)−0.75);
> with(plots):
> c:=plot(Q(t),t=0..80,y=0..25):
> A:=plot(21,t=0..80,
     linestyle=4,color=blue):
> display(c,A);
```

Exercices 4.4 ....

I. Décomposer en une somme de fractions partiel-les, sans trouver la valeur des inconnues.

a) $\dfrac{1}{x^2 + 2x - 3}$

f) $\dfrac{6}{x^3 + x}$

b) $\dfrac{5x^2}{x^2 - 3x - 4}$

g) $\dfrac{4}{x^4 + x}$

c) $\dfrac{3x^2 + 7x - 1}{3x^4 + 4x^3}$

h) $\dfrac{1}{(x^4 - 1)^2}$

d) $\dfrac{x^2 + 1}{x + 1}$

i) $\dfrac{3x - 4}{(x + 1)^3 (x^2 + x + 1)^2}$

e) $\dfrac{5}{x^3 - x}$

j) $\dfrac{8}{(x^3 - x)(x^2 - x)(x^3 + x)}$

e) $\displaystyle\int \dfrac{x^6 + x^2 + 8}{x(x^2 + 2)^3}\, dx$

f) $\displaystyle\int_{-1}^{1} \dfrac{2x^5 + 4x^3 + x^2 + 1}{(x^2 + 1)^2}\, dx$

g) $\displaystyle\int \dfrac{x^4 + 10x^2 + 30x + 25}{x^2(x^2 + 3x + 5)^2}\, dx$

h) $\displaystyle\int \dfrac{6x^2 + 7x + 19}{(x - 1)(x^2 + 2x + 5)}\, dx$

i) $\displaystyle\int \dfrac{3x^4 - x^3 + 2x^2 - x + 2}{x(x^2 + 1)^2}\, dx$

2. Calculer les intégrales suivantes.

a) $\displaystyle\int \dfrac{8x + 9}{(x - 2)(x + 3)}\, dx$

b) $\displaystyle\int \dfrac{x}{(x - 1)^2}\, dx$

c) $\displaystyle\int \dfrac{3(x + 2)(x - 1)}{x^2 - x - 2}\, dx$

d) $\displaystyle\int \dfrac{x^2 + 4x - 1}{x^3 - x}\, dx$

e) $\displaystyle\int_{1}^{2} \dfrac{5x^2 + 3x + 2}{x(x + 1)^2}\, dx$

f) $\displaystyle\int \dfrac{8x^3 + 36x^2 + 42x + 27}{x(2x + 3)^3}\, dx$

g) $\displaystyle\int_{2}^{4} \dfrac{4x^3 + x^2 + 2x + 1}{x^3(x + 1)^2}\, dx$

h) $\displaystyle\int \dfrac{8x^3 - 5x^2 - 11x + 14}{(x^2 - 1)(x^2 - 4)}\, dx$

i) $\displaystyle\int \dfrac{x^5 + 4}{x^3 + x^2}\, dx$

4. Calculer les intégrales suivantes en utilisant la substitution donnée.

a) $\displaystyle\int \dfrac{(2e^x + 1)e^x}{(e^x - 2)^2}\, dx \, ; u = e^x$

b) $\displaystyle\int \dfrac{2 + \sqrt{x}}{x + 1}\, dx \, ; u = \sqrt{x}$

c) $\displaystyle\int \dfrac{1}{x\sqrt{x + 1}}\, dx \, ; u = \sqrt{x + 1}$

5. Calculer les intégrales suivantes.

a) $\displaystyle\int \dfrac{\sec^2 \theta}{\tan^2 \theta - 4}\, d\theta$

b) $\displaystyle\int \dfrac{\cos x}{\sin^3 x - \sin^2 x}\, dx$

c) $\displaystyle\int \dfrac{(7 \ln^2 x - 5 \ln x + 3)}{(x \ln^3 x + x \ln x)}\, dx$

d) $\displaystyle\int \dfrac{5 \cos \theta}{\sin^2 \theta\,(1 + \sin^2 \theta)}\, d\theta$

3. Calculer les intégrales suivantes.

a) $\displaystyle\int \dfrac{7x^2 - 5x + 3}{x^3 + x}\, dx$

b) $\displaystyle\int \dfrac{-2x^3 + 5x^2 - 4x + 20}{x^2(x^2 - x + 5)}\, dx$

c) $\displaystyle\int_{0}^{1} \dfrac{7x^3 - x^2 + 17x - 3}{(x^2 + 3)(x^2 + 1)}\, dx$

d) $\displaystyle\int \dfrac{8x^5 + 20x^3 + 7x}{(2x^2 + 5)}\, dx$

6. Calculer l'aire des régions fermées suivantes (re-présenter graphiquement les régions).

a) $g(x) = \dfrac{x^2}{1 + x^2}, y = 0, x = \text{-}1 \text{ et } x = 1$

b) $f(t) = \dfrac{t}{t^2 + t - 12}, y = 0, t = \text{-}3 \text{ et } t = 2$

c) $y = \dfrac{4 - x}{x^2 - 4}, y = 0, x = 3 \text{ et } x = 4$

d) $f(x) = 1 + \dfrac{10x^4}{(x + 1)^3}, y = 0, x = 0 \text{ et } x = 1$

7. Un écologiste estime qu'un lac artificiel peut contenir un maximum de 2400 truites. Nous ensemençons ce lac avec 400 truites. Supposons qu'un modèle logistique de croissance s'applique à cette population avec une constante de proportionnalité égale à 0,000 15, où la variable t est en mois.

a) Écrire l'équation logistique correspondante.

b) Résoudre cette équation afin d'exprimer le nombre de truites en fonction du temps.

c) Déterminer le nombre de truites après 3 mois.

d) Après combien de mois la population sera-t-elle à 75 % de la capacité maximale ?

e) Tracer le graphique de l'équation trouvée en b).

8. Dans une réaction chimique, une substance R se transforme en une nouvelle substance S. Nous savons que le taux de variation de la nouvelle substance S est donné par l'équation différentielle suivante, $\dfrac{dQ}{dt} = k(1500 - Q)(500 + Q)$, où Q est la quantité en grammes de la substance S, et t est en minutes. Si, après 10 minutes, nous trouvons 1000 grammes de la substance S, alors qu'il y en avait 500 grammes au début,

a) exprimer Q en fonction de t ;

b) déterminer la quantité de la substance S après 20 minutes.

c) Après combien de temps trouverons-nous 1400 grammes de la substance S ?

d) Déterminer théoriquement la quantité maximale de la substance S.

e) Tracer le graphique de l'équation trouvée en a).

9. Dans une culture de bactéries, où le maximum peut être de 32 000 bactéries, le taux de croissance est à la fois proportionnel à la quantité P de bactéries présentes et à $32\,000 - P$. Si, au départ, il y avait 2000 bactéries et qu'après 6 heures leur nombre est de 8000,

a) donner l'équation logistique correspondant à cette situation ;

b) exprimer P en fonction de t.

c) Trouver le nombre de bactéries présentes après 10 heures.

d) Après combien de temps compterons-nous 80 % de la population maximale ?

e) Vérifier théoriquement que la population maximale est de 32 000.

f) Tracer le graphique de l'équation trouvée en b).

Réseau de concepts

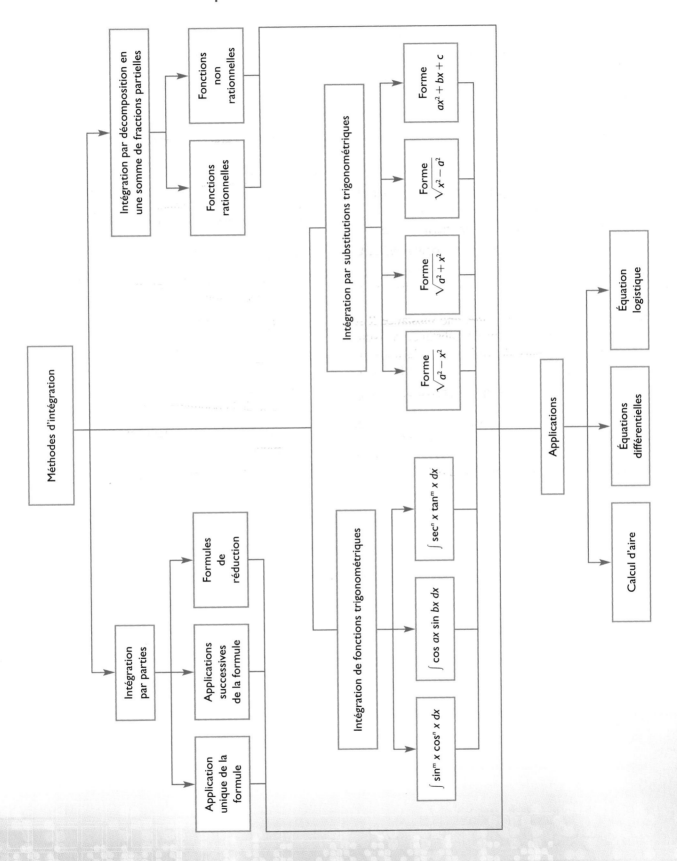

Liste de vérification des connaissances

Après l'étude de ce chapitre, je suis en mesure :	OUI	NON
1. d'utiliser la formule d'intégration par parties pour résoudre certaines intégrales où $\int v\,du$ est directement intégrable ;		
2. d'utiliser la formule d'intégration par parties pour résoudre certaines intégrales où $\int v\,du$ se calcule par changement de variable ou par artifices de calcul ;		
3. d'utiliser plusieurs fois la formule d'intégration par parties dans un même problème ;		
4. d'utiliser la formule d'intégration par parties pour résoudre certaines intégrales où nous obtenons une intégrale identique à l'intégrale initiale ;		
5. d'utiliser la formule d'intégration par parties pour obtenir des formules de réduction ;		
6. d'utiliser des formules de réduction pour effectuer des intégrales appropriées ;		
7. d'utiliser la formule d'intégration par parties pour calculer des intégrales définies ;		
8. de calculer des intégrales de la forme $\int \sin^m x \cos^n x\,dx$, lorsque m ou n est impair ;		
9. de calculer des intégrales de la forme $\int \sin^m x \cos^n x\,dx$, lorsque m et n sont pairs ;		
10. de calculer des intégrales de la forme $\int \sin ax \cos bx\,dx$, $\int \sin ax \sin bx\,dx$ et $\int \cos ax \cos bx\,dx$;		
11. de calculer des intégrales de la forme $\int \tan^n x\,dx$;		
12. de calculer des intégrales de la forme $\int \sec^n x\,dx$;		
13. de calculer des intégrales de la forme $\int \sec^n x \tan^m x\,dx$;		
14. de construire un triangle rectangle correspondant à une équation trigonométrique ;		
15. d'intégrer des fonctions contenant une expression de la forme $\sqrt{a^2-x^2}$;		
16. d'intégrer des fonctions contenant une expression de la forme $\sqrt{a^2+x^2}$;		
17. d'intégrer des fonctions contenant une expression de la forme $\sqrt{x^2-a^2}$;		
18. d'intégrer des fonctions contenant des expressions de la forme $a^2-b^2x^2$, $a^2+b^2x^2$ ou $b^2x^2-a^2$;		
19. d'intégrer des fonctions contenant une expression de la forme ax^2+bx+c, $a \neq 0$;		
20. d'intégrer des fonctions en utilisant des substitutions diverses ;		
21. de décomposer en une somme de fractions partielles des fonctions rationnelles dont le degré du numérateur est plus petit que le degré du dénominateur ;		
22. de transformer, à l'aide d'un changement de variable, certaines fonctions de façon à obtenir une fonction rationnelle ;		
23. de résoudre l'équation logistique à l'aide de la décomposition en une somme de fractions partielles.		

Si vous avez répondu **NON** à l'une de ces questions,
il serait préférable pour vous d'étudier de nouveau cette notion.

Exercices récapitulatifs

1. Calculer les intégrales suivantes.

a) $\int 5t \cos t \, dt$

b) $\int x^2 e^{\frac{-x}{3}} \, dx$

c) $\int x \operatorname{Arc} \sec x \, dx$

d) $\int \frac{\cos x}{e^x} \, dx$

e) $\int \frac{\ln^2 y}{y^2} \, dy$

f) $\int xe^x \cos x \, dx$

g) $\int_{\frac{-\pi}{2}}^{\frac{\pi}{2}} x \sin x \, dx$

2. Calculer les intégrales suivantes.

a) $\int (4 + \cos x)^2 \, dx$

b) $\int \left(\frac{\sec^2 \theta}{\tan \theta} + \frac{\sec \theta}{\tan^2 \theta} \right) d\theta$

c) $\int (1 - \sec^2 x)^2 \, dx$

d) $\int \sin^6 2t \, dt$

e) $\int \sec^3 x \tan^4 x \, dx$

f) $\int (\cos 3x \cos 2x)^2 \, dx$

g) $\int_0^{\frac{\pi}{4}} \tan^2 x \sec^4 x \, dx$

3. Calculer les intégrales suivantes.

a) $\int \frac{\sqrt{u^2 - 16}}{3u} \, du$

b) $\int \frac{1}{(1 - 2x^2)^{\frac{5}{2}}} \, dx$

c) $\int \frac{4}{(1 + 4x^2)^2} \, dx$

d) $\int \sqrt{(x+1)(x+5)} \, dx$

e) $\int \frac{1}{y\sqrt{1 - \frac{y}{4}}} \, dy$

f) $\int \frac{2 \sin \theta - 3 \cos \theta}{1 + \cos \theta} \, d\theta$

g) $\int \frac{1}{x\sqrt{\sqrt{x} - 4}} \, dx$

4. Calculer les intégrales suivantes.

a) $\int \frac{7t + 26}{(t - 2)(3t + 4)} \, dt$

b) $\int \frac{2x^4 + 2x^3 - 2x^2 - 3x - 2}{x^3 + x^2 - 2x} \, dx$

c) $\int \frac{6y^3 + y^2 - 63}{y^4 - 81} \, dy$

d) $\int \frac{10 + 2x^2 - 7x^3 + 9x}{x^3(2x + 5)} \, dx$

e) $\int \frac{3x^3 + 12x + 1}{(x^2 + 4)^2} \, dx$

f) $\int \frac{\sin \theta}{\cos^2 \theta - 7 \cos \theta + 12} \, d\theta$

g) $\int_0^1 \frac{3x^2 + 3x + 2}{(x + 1)(x^2 + 1)} \, dx$

5. Calculer les intégrales suivantes.

a) $\int \sin 3x \cos 2x \, dx$ en utilisant l'intégration par parties ; en utilisant l'identité trigonométrique appropriée

b) $\int \frac{x}{16 - x^2} \, dx$ de trois façons différentes

c) $\int \sin^5 3\theta \cos^5 3\theta \, d\theta$ de trois façons différentes

6. Calculer les intégrales suivantes.

a) $\int (5x^2 + 8) \ln x \, dx$

b) $\int \sin^3 (5\theta) \cos^4 (5\theta) \, d\theta$

c) $\int x^2 \sqrt{4 + x^2} \, dx$

d) $\int \frac{v \operatorname{Arc} \sec v}{\sqrt{v^2 - 1}} \, dv$

e) $\int \frac{5x^3 + 4x^2 + 11x + 4}{(x^2 + 1)^2} \, dx$

f) $\int \frac{x}{(x^2 + 2x + 10)^{\frac{3}{2}}} \, dx$

g) $\int e^t (\sin t + \cos t) \, dt$

h) $\int \frac{\sec^3 \sqrt{u} \tan^3 \sqrt{u}}{\sqrt{u}} \, du$

i) $\int \frac{x^3 + x}{(1 - x^2)^2} \, dx$

j) $\displaystyle\int \frac{x^4 + x^2 + 1}{x^5 + 4x^3}\,dx$

k) $\displaystyle\int \frac{x+1}{\sqrt{2x^2 - 6x + 4}}\,dx$

l) $\displaystyle\int \frac{2 - \sin\theta}{2 + \sin\theta}\,d\theta$

7. Calculer les intégrales suivantes.

a) $\displaystyle\int_2^3 \frac{x}{x^2 - 1}\,dx$

b) $\displaystyle\int_0^1 \frac{1}{x^3 + 3x^2 + 3x + 1}\,dx$

c) $\displaystyle\int (\text{Arc } \sin x)^2\,dx$

d) $\displaystyle\int \frac{\cos\theta}{\sin\theta\,\sqrt{1 + \sin^2\theta}}\,d\theta$

e) $\displaystyle\int_1^4 \frac{\ln t}{\sqrt{t}}\,dt$

f) $\displaystyle\int \frac{x^2 + 2x + 1}{(x^2 + 2x + 4)^{\frac{3}{2}}}\,dx$

g) $\displaystyle\int \frac{\sin x}{(1 + \sin x)^2}\,dx$

h) $\displaystyle\int_1^4 \frac{1}{2 + \sqrt{y}}\,dy$

i) $\displaystyle\int_0^1 \frac{2x^3 - 8x^2 + 9x + 1}{(x - 2)^2}\,dx$

j) $\displaystyle\int \frac{16x^4}{\sqrt{1 - x^2}}\,dx$

k) $\displaystyle\int \cos\sqrt{x}\,dx$

l) $\displaystyle\int_0^3 \frac{t}{\sqrt{t + 1}}\,dt$

8. a) Trouver une formule de réduction pour $\int x^n \cos x\,dx$ et pour $\int x^n \sin x\,dx$, où $n \in \{1, 2, 3, \ldots\}$; calculer $\int x^3 \sin x\,dx$ à l'aide des formules précédentes.

b) Trouver une formule de réduction pour $\int x^k (\ln x)^n\,dx$, où $k \neq \text{-}1$ et $n \in \{1, 2, 3, \ldots\}$.

c) Trouver une formule de réduction pour $\int \tan^n (ax)\,dx$, où $n \in \{2, 3, 4, \ldots\}$.

9. Calculer les intégrales suivantes, où $a \in \mathbb{R}$ et $b \in \mathbb{R}$.

a) $\displaystyle\int x^2 \sqrt{a^2 - x^2}\,dx$, et $a \neq 0$

b) $\displaystyle\int \frac{\sqrt{x^2 + a^2}}{x^2}\,dx$

c) $\displaystyle\int (x^2 - a^2)^{\frac{3}{2}}\,dx$

d) $\displaystyle\int e^{ax} \cos bx\,dx$

e) $\displaystyle\int ax \sin bx\,dx$, où $a \neq 0$ et $b \neq 0$

f) $\displaystyle\int \frac{x}{\sqrt{ax + b}}\,dx$, où $a \neq 0$

g) $\displaystyle\int \sin ax \cos bx\,dx$, où $a \neq \pm b$

O T **10.** Déterminer l'aire exacte des régions fermées suivantes (représenter graphiquement ces régions).

a) $y = (4 - x^2)\,e^x$ et $y = 0$

b) $y = 3 \sin^3 x$, $y = 0$, $x = 0$ et $x = 2\pi$

c) $y = \dfrac{2x}{\sqrt{x^4 + 1}}$, $y = 0$, $x = \text{-}1$ et $x = 2$

d) $y = \dfrac{x^3}{(x^2 + 4)^2}$, $y = 0$, $x = \text{-}2$ et $x = 2$

e) $y = e^x \sin x$, $y = 0$, $x = \text{-}\pi$ et $x = \pi$

f) $y = \dfrac{1 - x^2}{\sqrt{x^2 + 1}}$ et $y = 0$

g) $y = \dfrac{x^4(1 - x)^4}{1 + x^2}$, $y = 0$, $x = 0$ et $x = 1$

11. Soit une population P dont le taux d'accroissement est donné par $\dfrac{dP}{dt} = te^{\frac{t}{15}}$, où t est exprimé en mois. Si la population initiale est de 20 000 habitants,

a) exprimer la population P en fonction du temps ;

b) déterminer la population dans 1 an ; dans 2 ans.

12. Une maladie contagieuse se propage dans une ville de 75 000 habitants, à un rythme qui est à la fois proportionnel au nombre P de personnes atteintes et au nombre de personnes non atteintes. Supposons que 150 cas de maladie soient signalés au début de l'épidémie et qu'après 15 jours nous comptions 1500 cas.

a) Donner l'équation logistique correspondant à cette situation.

b) Exprimer P en fonction de t.

c) Trouver le nombre de cas de maladie après 30 jours.

d) Déterminer le temps qu'il faudra à la maladie pour frapper la moitié de la population.

13. D'après un politicologue, le taux de variation du pourcentage P de popularité d'une candidate à une élection est donné par $\dfrac{dP}{dt} = kP(1 - P)$.

Si, au départ, 20 % des électeurs sont en faveur de cette candidate et qu'un mois après ce nombre correspond à 30 %,

a) après combien de mois son pourcentage de popularité sera-t-il de 40 % ?

b) Si les élections ont lieu trois mois après le début de la campagne électorale, cette candidate peut-elle espérer remporter cette élection ?

14. Parmi les méthodes suivantes :
- changement de variable, C.V.
- intégration par parties, I.P.
- intégration par substitution trigonométrique, S.T.
- décomposition en une somme de fractions partielles, F.P.

déterminer celles qui permettraient de résoudre les intégrales suivantes (cochez les cases appropriées).

	C.V.	I.P.	S.T.	F.P.
a) $\displaystyle\int \dfrac{4x^2}{\sqrt{1 - x^2}}\,dx$	☐	☐	☐	☐
b) $\displaystyle\int \dfrac{4x}{\sqrt{1 - x^2}}\,dx$	☐	☐	☐	☐
c) $\displaystyle\int \dfrac{4}{\sqrt{1 - x^2}}\,dx$	☐	☐	☐	☐
d) $\displaystyle\int \dfrac{1}{\sqrt{x^2 - 6x + 8}}\,dx$	☐	☐	☐	☐
e) $\displaystyle\int \dfrac{x}{x^2 - 6x + 9}\,dx$	☐	☐	☐	☐
f) $\displaystyle\int \dfrac{1}{x^2 - 6x + 10}\,dx$	☐	☐	☐	☐

	C.V.	I.P.	S.T.	F.P.
g) $\displaystyle\int \dfrac{x}{1 - x^2}\,dx$	☐	☐	☐	☐
h) $\displaystyle\int \dfrac{x^2}{1 - x^2}\,dx$	☐	☐	☐	☐
i) $\displaystyle\int \dfrac{x^2}{(1 - 4x)^3}\,dx$	☐	☐	☐	☐
j) $\displaystyle\int \dfrac{1}{(1 - 4x)^3}\,dx$	☐	☐	☐	☐
k) $\displaystyle\int \dfrac{x^3}{(1 - 4x^2)^3}\,dx$	☐	☐	☐	☐
l) $\displaystyle\int \dfrac{1}{x \ln^2 x}\,dx$	☐	☐	☐	☐
m) $\displaystyle\int x \ln^2 x\,dx$	☐	☐	☐	☐
n) $\displaystyle\int x^3\, e^{x^2}\,dx$	☐	☐	☐	☐
o) $\displaystyle\int x\, e^{x^2}\,dx$	☐	☐	☐	☐
p) $\displaystyle\int \sin^2 3x\,dx$	☐	☐	☐	☐
q) $\displaystyle\int x^2 \sin x^3\,dx$	☐	☐	☐	☐
r) $\displaystyle\int x^2 \sin 3x\,dx$	☐	☐	☐	☐
s) $\displaystyle\int e^x \sin x\,dx$	☐	☐	☐	☐
t) $\displaystyle\int \cos^4 x \sin x\,dx$	☐	☐	☐	☐
u) $\displaystyle\int \cos 4x \sin x\,dx$	☐	☐	☐	☐
v) $\displaystyle\int \dfrac{\cos x}{\sin^2 x}\,dx$	☐	☐	☐	☐
w) $\displaystyle\int \tan 4x\,dx$	☐	☐	☐	☐
x) $\displaystyle\int \sec^2 \dfrac{x}{2}\,dx$	☐	☐	☐	☐
y) $\displaystyle\int \sec^3 \dfrac{x}{2}\,dx$	☐	☐	☐	☐

Problèmes de synthèse

1. Calculer les intégrales suivantes.

a) $\displaystyle\int x^5\, e^{x^3}\, dx$

b) $\displaystyle\int \frac{\text{Arc tan } \sqrt{x}}{\sqrt{x}}\, dx$

c) $\displaystyle\int \tan^3 \theta \sqrt{\sec \theta}\, d\theta$

d) $\displaystyle\int e^x \sqrt{1 + e^{2x}}\, dx$

e) $\displaystyle\int_0^{\frac{\pi}{2}} \frac{2 + \sin t}{1 + \cos t}\, dt$

f) $\displaystyle\int \frac{1}{e^y + e^{-y}}\, dy$

g) $\displaystyle\int \frac{e^x}{1 - e^{3x}}\, dx$

h) $\displaystyle\int_0^{\frac{\pi}{4}} \frac{\sin^4 \theta}{\cos^2 \theta}\, d\theta$

i) $\displaystyle\int \frac{8}{u^2 \sqrt{u - 4}}\, du$

j) $\displaystyle\int \sqrt{e^x - 1}\, dx$

2. Calculer chacune des intégrales suivantes de deux façons différentes.

a) $\displaystyle\int \frac{1}{\sqrt{x}\,(1 - \sqrt[3]{x})}\, dx$

b) $\displaystyle\int \frac{\cos x}{\sin x \sqrt{1 + \sin x}}\, dx$

3. a) Trouver une formule de réduction pour
$\displaystyle\int_0^{\frac{\pi}{2}} \sin^n x\, dx$, où $n \in \{2, 3, 4, \ldots\}$.

b) Évaluer $\displaystyle\int_0^{\frac{\pi}{2}} \sin^7 x\, dx$.

c) Évaluer $\displaystyle\int_0^{\frac{\pi}{2}} \sin^{20} x\, dx$.

4. Calculer l'aire de la région fermée délimitée par

a) $y = \dfrac{37x^2}{(x - 6)\,(x^2 + 1)}$ et $y = \dfrac{37}{x - 7}$;

b) $y = \ln x$, la tangente à cette courbe au point $(1, f(1))$ et $x = 2$;

c) $f(x) = \dfrac{\sqrt{x^2 - 1}}{x}$ et $g(x) = \dfrac{x}{\sqrt{x^2 - 1}}$,

où $x \in \left[\dfrac{2}{\sqrt{3}}, 2\right]$.

5. a) Calculer l'aire de la région fermée délimitée par $\dfrac{x^2}{a^2} + \dfrac{y^2}{b^2} = 1$.

b) Calculer l'aire entre les deux demi-ellipses suivantes.

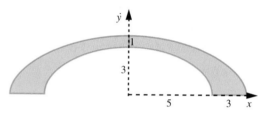

6. Calculer l'aire des régions ombrées suivantes.

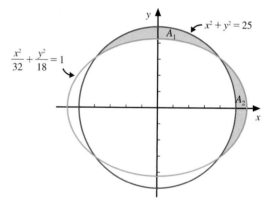

7. Soit $f(x) = kxe^x$, où $k > 0$.
Si $A_0^4 = 1$, calculer A_1^3.

8. Soit la fonction f, définie par $f(x) = \dfrac{x(x + 4)}{(x + 2)^2}$.

a) Calculer l'aire de la région fermée délimitée par la courbe de f et l'axe des x sur $[0, 2]$.

b) Déterminer la valeur c du théorème de la moyenne pour l'intégrale définie sur cet intervalle.

9. Déterminer le centre de gravité $C(\overline{x}, \overline{y})$ des surfaces planes délimitées par les courbes suivantes (représenter graphiquement la région et $C(\overline{x}, \overline{y})$).

a) $f(x) = 2 \sin 3x$, $y = 0$, $x = 0$, $x = \dfrac{\pi}{3}$

b) $f(x) = e^x$, $y = 0$, $x = 0$ et $x = 1$

c) $f(x) = e^x$, $x = 0$, $y = 1$ et $y = e$

d) $f(x) = \dfrac{x}{9 - x^2}$, $y = 0$, $x = 0$ et $x = 2$

e) $f(x) = 1 + \cos x$, $y = 0$, $x = 0$ et $x = 2\pi$

O T f) $f(x) = \sqrt{4 - x^2}$, $g(x) = \dfrac{-x\sqrt{4 - x^2}}{2}$

10. Une particule se déplaçant en ligne droite a une accélération de $a(t) = \sin^2\left(\dfrac{t}{2}\right)$, où t est en secondes et $a(t)$ est en m/s^2.

   a) Déterminer la fonction donnant la vitesse de cette particule, sachant que $v(0) = 0$.

   b) Déterminer la fonction donnant la position de cette particule, sachant que $x(0) = 2$.

   c) Quelle distance cette particule a-t-elle parcourue sur $\left[0 \text{ s}, \dfrac{\pi}{2} \text{ s}\right]$?

11. Soit un mobile dont la vitesse en fonction du temps est donnée par $v(t) = \dfrac{36}{(t + 1)(t + 3)}$, où t est en secondes et $v(t)$, en m/s.

   a) Déterminer la distance parcourue par ce mobile sur [0 s, 2 s] ; sur [2 s, 4 s].

   b) Déterminer l'accélération de ce mobile après 2 s.

12. Une compagnie estime que son revenu marginal est donné par $R_m(q) = 10^3(2q - qe^{-0,5q})$, où q est exprimé en milliers d'unités et $R_m(q)$, en dollars par milliers d'unités. Déterminer le revenu de cette compagnie si elle vend 6000 unités.

13. Soit l'équation logistique définie par
$$\dfrac{dy}{dt} = ky(N - y).$$

   a) Exprimer y en fonction de t.

   b) Tracer le graphique de cette fonction et donner les coordonnées du point d'inflexion.

14. Le taux de croissance d'une plante de 10 cm de hauteur est à la fois proportionnel à la hauteur h de cette plante et à $(60 - h)$.

Si, après trois jours d'observation, la plante mesure 12 cm de hauteur,

   a) exprimer h en fonction de t.

   b) Déterminer la hauteur de la plante après deux semaines.

   c) Après combien de jours la plante atteindra-t-elle la moitié de sa hauteur maximale ?

   d) Donner l'esquisse du graphique de la fonction h et indiquer les coordonnées du point d'inflexion.

   e) Quelle est la taille de la plante à l'instant où son taux de croissance est le plus rapide ?

15. Inconsciente de la consommation d'énergie, une personne laisse couler dans sa baignoire de l'eau à 48 °C. Trouvant l'eau trop chaude, elle décide d'attendre que la température de l'eau baisse. Sachant que la température de la pièce est de 22 °C, et qu'en 5 minutes la température de l'eau a diminué de 8 °C, déterminer le temps que cette personne devra attendre, après avoir laissé couler l'eau, si elle désire prendre son bain à 34 °C.

16. Deux éléments chimiques réagissent pour former un nouveau produit. Le taux de variation de la concentration C du nouveau produit est donné par $\dfrac{dC}{dt} = \dfrac{(7 - C)(1 - C)}{1200}$, où C représente la concentration au temps t et t est en minutes.

   a) Exprimer C en fonction de t.

   b) Déterminer la concentration après 10 minutes ; après 1 heure.

   c) En combien de temps la concentration passe-t-elle de 40 % à 60 % ?

17. Dans une région donnée de la province, le taux continu annuel de naissance d'une population P de lièvres est proportionnel au nombre de mâles fois le nombre de femelles, et le taux continu de mortalité est de 20 % par année. On estime que la population était de 5000 lièvres en 2000 et que 5 ln 2 années plus tard elle était de 4000 lièvres. En supposant que le nombre de mâles est identique au nombre de femelles,

a) déterminer l'équation différentielle correspondant à cette situation.

b) Résoudre cette équation différentielle en exprimant P en fonction du temps t.

c) Représenter graphiquement la courbe de P.

d) Déterminer en quelle année la population sera la moitié de la population initiale.

Applications de l'intégrale définie et intégrales impropres

Introduction

Nous avons déjà utilisé l'intégrale définie pour calculer l'aire de régions fermées. Dans ce chapitre, nous utiliserons le même outil pour calculer des volumes de solides de révolution, des volumes de solides de section connue, des longueurs de courbes et des aires de surfaces de révolution. Nous démontrerons en outre des formules de longueur, d'aire et de volume déjà connues.

Finalement, nous étendrons le concept d'intégrale définie à des fonctions continues sur des intervalles infinis et à des fonctions qui tendent vers ±∞ pour une ou plusieurs valeurs de l'intervalle d'intégration. Ce dernier type d'intégrales, appelées intégrales impropres, servira au chapitre suivant à déterminer la convergence ou la divergence de certaines séries.

En particulier, l'élève pourra résoudre le problème suivant.

La hauteur H d'un fil électrique reliant deux pylônes est donnée par l'équation

$H(x) = 500 \left(e^{\frac{x}{1000}} + e^{\frac{-x}{1000}} \right) - 980$, où $x \in [\text{-}100 \text{ m}, 100 \text{ m}]$.

a) Déterminer la hauteur minimale H_1 entre le fil et le sol, et la hauteur H_2 des pylônes.

b) Déterminer la longueur L de ce fil.

(Exercices récapitulatifs, n° 8, page 274.)

Le problème de la duplication du cube a hanté les mathématiciens de la Grèce antique. Ce problème remonterait à l'oracle de Délos qui voulait doubler le volume de l'autel d'Apollon afin que le dieu enraie une épidémie de peste. L'autel était un cube, et les seuls outils autorisés pour doubler ce cube étaient la règle et le compas. Plusieurs mathématiciens s'y cassèrent les dents. Aussi, en désespoir de cause, tentèrent-ils de le résoudre autrement. (Aujourd'hui, nous savons que ce problème ne peut être résolu avec ces seuls outils.) La solution la plus remarquable fut proposée par Archytas de Tarente (428-350 av. notre ère). Elle consistait à déterminer un point se trouvant à l'intersection de trois surfaces de révolution, un tore, un cylindre et un cône. Cette solution montre la puissance de la représentation spatiale d'Archytas. Elle nous indique aussi l'intérêt des mathématiciens grecs pour ces surfaces. La plus populaire des surfaces de révolution est sans contredit le cône, qui correspond à la rotation d'une droite autour d'un axe qui coupe cette droite. Ménechme (380-320 av. notre ère) aurait découvert les sections coniques alors qu'il s'attaquait lui aussi au problème de la duplication du cube. Il aurait trouvé qu'on pouvait dupliquer un cube en déterminant le point d'intersection soit d'une parabole et d'une hyperbole, soit de deux paraboles. Par la suite, l'étude des surfaces et des solides de révolution se détache du problème de la duplication du cube. Les coniques devinrent l'objet d'un intérêt croissant qui culmina dans le grand livre d'Apollonius de Perge (262-190 av. notre ère). Archimède (287-212 av. notre ère) étudia le volume et la surface du cône ainsi que des segments de paraboloïdes et d'hyperboloïdes.

Au XVIIᵉ siècle, on aborde les éléments qui constitueront le calcul différentiel et intégral, et l'étude de nouvelles courbes prend une importance accrue puisqu'elle éprouve les techniques en développement. Cet intérêt naît parfois de problèmes pratiques, parfois de considérations purement théoriques. Ainsi, Kepler, intrigué par la façon dont les marchands mesuraient la quantité de vin contenue dans un tonneau, rédige un traité sur la question. Un tonneau étant essentiellement un solide de révolution, il en vient à déterminer le volume de tels solides.

En 1643, Evangelista Torricelli (1608-1647) découvre un résultat tout à fait surprenant. Le volume du solide infiniment long formé par la rotation autour de l'axe des y de l'hyperbole $y = \dfrac{k^2}{x}$, de $y = a$ à $y = \infty$, est fini et est égal à la différence des volumes de deux cylindres déterminés. Quinze ans plus tard, Blaise Pascal (1623-1662), selon la légende, cherchant par la concentration à oublier un affreux mal de tête, détermine la surface et le volume d'une surface formée par la rotation de la cycloïde autour de la droite sur laquelle tourne le cercle qui la définit.

La détermination du volume de solides aux surfaces latérales courbes, bien que difficile, a toujours semblé possible, mais il en va différemment de la détermination de la longueur d'une ligne courbe, appelée alors la rectification d'une courbe. En 1637, dans sa *Géométrie* où il pose les bases de la géométrie analytique, Descartes (1596-1650) affirme formellement qu'il n'existe pas de méthode rigoureuse et exacte pour déterminer le rapport entre la longueur d'une ligne courbe et celle d'un segment de droite. Une vingtaine d'années plus tard, l'Anglais William Neile (1637-1670) réussit pourtant une première rectification, celle de la parabole semi-cubique $y^2 = x^3$. En quelques années, plusieurs courbes sont ainsi rectifiées, dont la cycloïde. En 1659, le Flamand Hendrick van Heuraet (1634-1660) découvre une méthode relativement générale pouvant facilement être transposée dans la formule utilisée aujourd'hui. Toutefois, cette formule implique que, pour trouver la longueur d'une courbe, il faut trouver l'aire sous une certaine autre courbe. Telle était la difficulté majeure de la méthode van Heuraet. Il a fallu attendre la découverte du théorème fondamental du calcul différentiel et intégral, une vingtaine d'années plus tard, pour rendre ce procédé vraiment efficace.

🔡 Test préliminaire

1. a) Soit le triangle équilatéral ci-contre. Exprimer h en fonction de c.

b) Soit le triangle isocèle ci-contre. Exprimer h en fonction de b et de c.

c)

volume $V =$

aire $A =$

d)

volume $V =$

aire totale $A =$

2. Compléter.

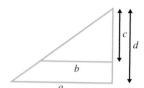

a) $\dfrac{a}{b} =$

b) $\dfrac{b}{c} =$

3. Donner la formule déterminant la distance d entre les points $A(x_1, y_1)$ et $B(x_2, y_2)$.

4. Compléter.

a)

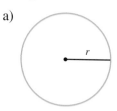

circonférence $C =$

aire $A =$

b)

volume $V =$

aire totale $A =$

5. Évaluer les limites suivantes.

a) $\lim\limits_{x \to -\infty} e^x$

d) $\lim\limits_{x \to +\infty} \ln x$

b) $\lim\limits_{x \to +\infty} e^x$

e) $\lim\limits_{x \to -\infty} \operatorname{Arc} \tan x$

c) $\lim\limits_{x \to 0^+} \ln x$

f) $\lim\limits_{x \to +\infty} \operatorname{Arc} \tan x$

6. Évaluer les limites suivantes à l'aide de la règle de L'Hospital.

a) $\lim\limits_{x \to 0} \dfrac{\sin x}{x}$

c) $\lim\limits_{x \to -\infty} x e^x$

b) $\lim\limits_{x \to +\infty} \dfrac{x}{e^x}$

d) $\lim\limits_{x \to 0^+} x \ln x$

7. Exprimer l'aire entre une courbe f, où f est non négative, et l'axe des x, $x = a$ et $x = b$, à l'aide

a) de la limite d'une somme de Riemann ;

b) de l'intégrale définie.

8. Calculer les intégrales suivantes.

a) $\displaystyle\int \sec^3 \theta \, d\theta$

b) $\displaystyle\int \cos^2 \theta \, d\theta$

5.1 VOLUME DE SOLIDES DE RÉVOLUTION

Objectif d'apprentissage

À la fin de cette section, l'élève pourra calculer des volumes de solides de révolution.

Plus précisément, l'élève sera en mesure :
- de représenter graphiquement une région donnée ainsi que le solide de révolution engendré par la rotation de cette région autour d'un axe donné ;
- de calculer le volume d'un solide de révolution en utilisant la méthode du disque ;
- de calculer le volume d'un solide de révolution en utilisant la méthode du tube, également appelée méthode de la coquille cylindrique.

Dans cette section, nous verrons comment l'intégrale définie nous permet d'évaluer le volume d'un solide de révolution engendré par la rotation d'une région plane autour d'une droite appelée *axe de révolution*.

Représentation graphique de solides de révolution

> **Exemple 1** En faisant tourner les régions ci-dessous autour de l'axe indiqué, nous obtenons les solides de révolution correspondants.

Régions   Solides de révolution correspondants

a)   Autour de l'axe des x

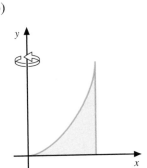
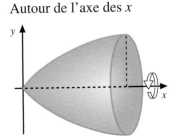

b)   Autour de l'axe des y

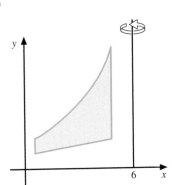
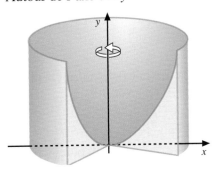

c)   Autour de $x = 6$

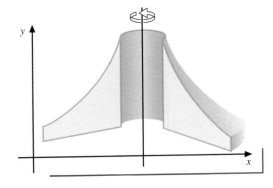

Méthode du disque

Soit le disque (cylindre) ci-contre de rayon R et d'épaisseur E ; alors le volume du disque, noté V_D, est donné par $V_D = \pi R^2 E$.

> **Exemple 1** Soit la région délimitée par la courbe $y = \sqrt{x}$ et l'axe des x, $x = 1$ et $x = 9$.
>
> Calculons le volume du solide de révolution engendré par la rotation de cette région autour de l'axe des x.

Étape 1   Représentons graphiquement la région délimitée par les équations et un élément de surface de la région.

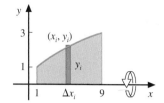

Étape 2   En faisant tourner cette région autour de l'axe des x, nous obtenons le solide de révolution dont nous voulons calculer le volume.

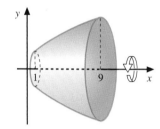

Étape 3   Représentons graphiquement le solide de révolution ainsi que le disque obtenu par la rotation de l'élément précédent, et calculons le volume V_D de l'élément.

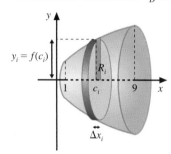

$$V_D = \pi R_i^2\, \Delta x_i \qquad (\text{car } E = \Delta x_i)$$
$$= \pi [y_i]^2\, \Delta x_i \qquad (\text{car } R_i = y_i)$$

Étape 4   Pour déterminer le volume réel V du solide, il faut faire la somme des volumes des disques et calculer la limite de cette somme lorsque $(\max \Delta x_i)$ tend vers zéro, ce qui donne une intégrale définie.

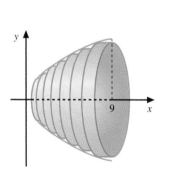

$$V = \lim_{(\max \Delta x_i) \to 0} \sum_{i=1}^{n} \pi [y_i]^2\, \Delta x_i$$

$$= \int_1^9 \pi y^2\, dx \qquad \begin{matrix}(\text{définition de}\\ \text{l'intégrale définie})\end{matrix}$$

$$= \pi \int_1^9 y^2\, dx$$

$$= \pi \int_1^9 (\sqrt{x})^2\, dx \qquad (\text{car } y = \sqrt{x})$$

$$= \pi \int_1^9 x\, dx = \pi \left.\frac{x^2}{2}\right|_1^9 = 40\pi, \text{ donc } 40\pi \text{ u}^3$$

Exemple 2   Calculons le volume du solide de révolution engendré par la rotation de la région délimitée par $y = \sqrt{x}$ et l'axe des y, $y = 1$ et $y = 3$, autour de l'axe des y.

Représentons graphiquement la région délimitée par les équations et un élément de surface de la région.

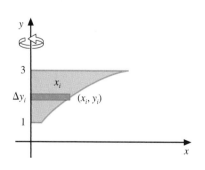

En représentant le solide de révolution engendré ainsi qu'un disque, nous obtenons

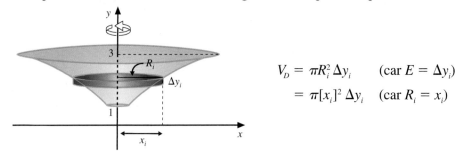

$$V_D = \pi R_i^2 \, \Delta y_i \qquad (\text{car } E = \Delta y_i)$$
$$= \pi [x_i]^2 \, \Delta y_i \quad (\text{car } R_i = x_i)$$

Déterminons le volume réel V du solide en faisant la somme des volumes des disques et en calculant la limite de cette somme lorsque $(\max \Delta x_i)$ tend vers zéro à l'aide de l'intégrale définie.

$$V = \lim_{(\max \Delta y_i) \to 0} \sum_{i=1}^{n} \pi [x_i]^2 \, \Delta y_i$$

$$= \int_{1}^{3} \pi x^2 \, dy \qquad (\text{définition de l'intégrale définie})$$

$$= \pi \int_{1}^{3} y^4 \, dy \qquad (\text{car } y = \sqrt{x})$$

$$= \pi \frac{y^5}{5} \bigg|_{1}^{3} = \frac{242\pi}{5}, \text{ donc } \frac{242\pi}{5} \text{ u}^3$$

Exemple 3 Calculons le volume du solide de révolution engendré par la rotation de la région délimitée par $y = x^2 - 6$, $y = 5$, $x = 1$ et $x = 3$, autour de $y = 5$.

Représentons graphiquement la région délimitée par les équations et un élément de surface de la région.

En représentant le solide de révolution engendré ainsi qu'un disque, nous obtenons

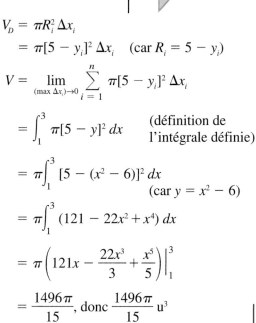

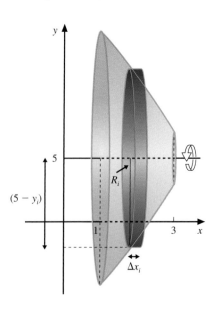

$$V_D = \pi R_i^2 \, \Delta x_i$$
$$= \pi [5 - y_i]^2 \, \Delta x_i \quad (\text{car } R_i = 5 - y_i)$$

$$V = \lim_{(\max \Delta x_i) \to 0} \sum_{i=1}^{n} \pi [5 - y_i]^2 \, \Delta x_i$$

$$= \int_{1}^{3} \pi [5 - y]^2 \, dx \qquad \begin{array}{l}(\text{définition de}\\ \text{l'intégrale définie})\end{array}$$

$$= \pi \int_{1}^{3} [5 - (x^2 - 6)]^2 \, dx$$
$$\qquad\qquad (\text{car } y = x^2 - 6)$$

$$= \pi \int_{1}^{3} (121 - 22x^2 + x^4) \, dx$$

$$= \pi \left(121x - \frac{22x^3}{3} + \frac{x^5}{5} \right) \bigg|_{1}^{3}$$

$$= \frac{1496\pi}{15}, \text{ donc } \frac{1496\pi}{15} \text{ u}^3$$

Il peut arriver que, pour calculer le volume d'un solide, il soit avantageux de décomposer le solide en plusieurs parties, de calculer le volume de chaque partie et de faire la somme ou la différence des résultats obtenus.

Exemple 4 Calculons le volume obtenu en faisant tourner autour de l'axe des x la région fermée délimitée par les courbes définies par $y_1 = x^2$ et $y_2 = \sqrt{8x}$.

Représentons graphiquement la région délimitée par les équations ainsi que le solide de révolution correspondant. Notons que, pour trouver les points d'intersection de ces deux courbes, il suffit de poser

$$y_1 = y_2, \text{ c'est-à-dire}$$

$$x^2 = \sqrt{8x}, \text{ et de résoudre cette équation.}$$

En élevant au carré, nous obtenons $\quad x^4 = 8x$

ainsi $\qquad\qquad\qquad\qquad x^4 - 8x = 0$

$$x(x^3 - 8) = 0 \qquad \text{(en factorisant)}$$

d'où $x = 0$ ou $x = 2$. Les points d'intersection sont donc $(0, 0)$ et $(2, 4)$.

Région délimitée par les équations

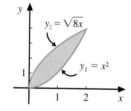

Solide de révolution

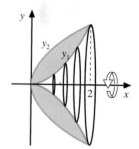

Le volume V cherché est obtenu en calculant la différence entre les volumes V_2 et V_1, où V_2 est le volume du solide engendré par la rotation autour de l'axe des x de la région délimitée par la courbe y_2, l'axe des x et $x = 2$, et V_1 est le volume du solide engendré par la rotation autour de l'axe des x de la région délimitée par la courbe y_1, l'axe des x et $x = 2$.

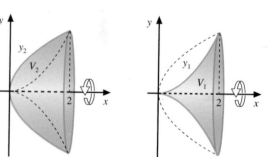

Ainsi $V = V_2 - V_1$

$$= \int_0^2 \pi(y_2)^2 \, dx - \int_0^2 \pi(y_1)^2 \, dx$$

$$= \int_0^2 \pi(\sqrt{8x})^2 \, dx - \int_0^2 \pi(x^2)^2 \, dx \quad (\text{car } y_2 = \sqrt{8x} \text{ et } y_1 = x^2)$$

$$= \pi \int_0^2 8x \, dx - \pi \int_0^2 x^4 \, dx$$

$$= \pi \, 4x^2 \Big|_0^2 - \pi \frac{x^5}{5} \Big|_0^2 = 16\pi - \frac{32}{5}\pi = \frac{48\pi}{5}, \text{ donc } \frac{48\pi}{5} \text{u}^3$$

Exemple 5 Calculons le volume du solide de révolution engendré par la rotation de la région délimitée par $y = x^2 + 2$, $y = 1$, $x = 1$ et $x = 3$, autour de $x = -1$.

En représentant la région délimitée et le solide de révolution, nous obtenons

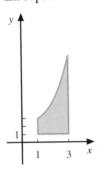

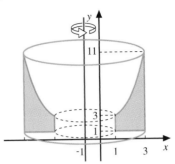

Nous pouvons constater que le volume V cherché peut être obtenu en calculant

$$V = V_1 - V_2 - V_3,$$

où V_1 est le volume du solide S_1 obtenu en faisant tourner la région délimitée par $x = -1$, $x = 3$, $y = 1$ et $y = 11$ autour de $x = -1$.

Dans ce cas, S_1 est un cylindre circulaire droit de rayon 4 et de hauteur 10.

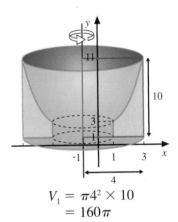

$$V_1 = \pi 4^2 \times 10$$
$$= 160\pi$$

V_2 est le volume du solide S_2 obtenu en faisant tourner la région délimitée par $x = 1$, $y = 1$, $y = 3$ et $x = -1$ autour de $x = -1$.

Dans ce cas, S_2 est un cylindre circulaire droit de rayon 2 et de hauteur 2.

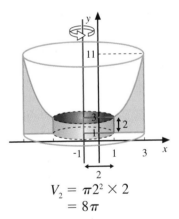

$$V_2 = \pi 2^2 \times 2$$
$$= 8\pi$$

V_3 est le volume du solide S_3 obtenu en faisant tourner la région délimitée par $y = x^2 + 2$, $y = 3$, $y = 11$ et $x = -1$, autour de $x = -1$.

$$V_3 = \int_3^{11} \pi[x - (-1)]^2 \, dy$$

$$= \pi \int_3^{11} [\sqrt{y - 2} + 1]^2 \, dy$$

$$(\text{car } y = x^2 + 2, \text{ donc } x = \sqrt{y - 2})$$

$$= \frac{248\pi}{3}$$

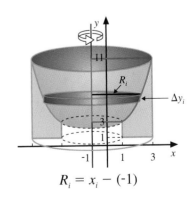

$$R_i = x_i - (-1)$$

Puisque $V = V_1 - V_2 - V_3$, nous avons

$$V = 160\pi - 8\pi - \frac{248\pi}{3} = \frac{208\pi}{3}, \text{ donc } \frac{208\pi}{3}\, u^3$$

Élaborons maintenant une méthode qui nous permettra de résoudre plus facilement le problème de l'exemple précédent.

Méthode du tube

Soit le tube ci-contre de rayon intérieur R_I, de rayon extérieur R_E et de hauteur H; alors le volume du tube, noté V_T, est donné par

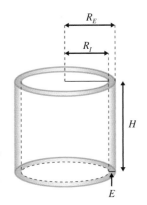

$$\begin{aligned}
V_T &= \pi R_E^2 H - \pi R_I^2 H \\
&= \pi H (R_E^2 - R_I^2) \\
&= \pi H (R_E + R_I)(R_E - R_I) \\
&= \pi H 2 \left(\frac{R_E + R_I}{2} \right)(R_E - R_I) \quad (R \text{ est la valeur moyenne du rayon,}\\
&\qquad\qquad\qquad\qquad\qquad\qquad\qquad E \text{ est l'épaisseur du tube)}\\
&= \pi H (2R) E \\
&= 2\pi R H E
\end{aligned}$$

Nous pouvons également calculer le volume du tube de la façon suivante. En coupant le tube précédent, nous obtenons approximativement le parallélépipède ci-contre dont le volume est $2\pi R H E$.

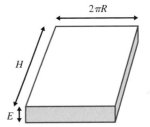

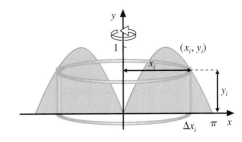

Exemple 1 Calculons le volume obtenu en faisant tourner autour de l'axe des y la région délimitée par $y = \sin x$, où $x \in [0, \pi]$.

Représentations graphiques

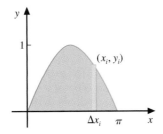

Région initiale   Région initiale avec un tube

$$\begin{aligned}
V_T &= 2\pi R_i H_i E_i \\
&= 2\pi (x_i - 0)(y_i - 0)\, \Delta x_i \\
&= 2\pi x_i y_i\, \Delta x_i
\end{aligned}$$

OUTIL TECHNOLOGIQUE

Partie du solide
de révolution

```
> a:=0:b:=Pi:c:=0:
> axe:=plot3d([0,s,c],s=a-.5..b+.5,t=0..0.2):
> C3:=plot3d([x*cos(t),x*sin(t),f(x)],
      x=a..b,t=0..2.6*Pi/2,color=yellow):
> display(axe,C3);
```

Partie du solide de révolution
avec un tube

```
> a:=0:b:=Pi:c:=0:
> axe:=plot3d([0,s,c],s=a-.5..b+.5,t=0..0.2):
> C3:=plot3d([x*cos(t),x*sin(t),f(x)],
      x=a..b,t=0..2.6*Pi/2,color=yellow):
> C4:=plot3d([2.2*cos(t),2.2*sin(t),y],
      y=0..f(2.2),t=0..2*Pi,color=green):
> display(axe,C3,C4);
```

Pour déterminer le volume réel V de notre solide, il faut faire la somme des volumes des tubes et calculer la limite de cette somme lorsque (max Δx_i) tend vers zéro, à l'aide de l'intégrale définie.

Solide de révolution

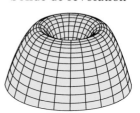

$$V = \lim_{(\max \Delta x_i) \to 0} \sum_{i=1}^{n} 2\pi x_i y_i \, \Delta x_i$$

$$= \int_0^\pi 2\pi x y \, dx \qquad \text{(définition de l'intégrale définie)}$$

$$= 2\pi \int_0^\pi x \sin x \, dx \qquad \text{(car } y = \sin x\text{)}$$

$$= 2\pi(-x \cos x + \sin x)\Big|_0^\pi \qquad \text{(intégration par parties)}$$

$$= 2\pi^2, \text{ donc } 2\pi^2 \text{ u}^3$$

Exemple 2 Calculons le volume obtenu en faisant tourner autour de $y = 6$ la région délimitée par $y = x^2$, $y = 4$ et $x \geq 1$.

Représentons graphiquement la région, un rectangle, un tube et le solide de révolution.

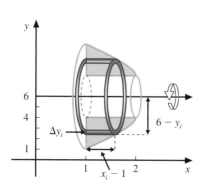

$$V_T = 2\pi R_i H_i E_i$$

$$= 2\pi(6 - y_i)(x_i - 1) \, \Delta y_i$$

$$V = \int_1^4 2\pi(6 - y)(x - 1) \, dy$$

$$= 2\pi \int_1^4 (6 - y)(\sqrt{y} - 1) \, dy$$
$$\qquad \qquad \text{(car } y = x^2, \text{ donc } x = \sqrt{y}\text{)}$$

$$= 2\pi \int_1^4 (6y^{\frac{1}{2}} - y^{\frac{3}{2}} - 6 + y) \, dy$$

$$= 2\pi \left(4y^{\frac{3}{2}} - \frac{2}{5}y^{\frac{5}{2}} - 6y + \frac{y^2}{2}\right)\Big|_1^4$$

$$= \frac{51\pi}{5}, \text{ donc } \frac{51\pi}{5} \text{ u}^3$$

Nous avons vu deux méthodes nous permettant de calculer le volume d'un solide de révolution : la *méthode du disque* et la *méthode du tube*.

Même si la majorité des problèmes peuvent être résolus en utilisant l'une ou l'autre des méthodes, l'élève aura avantage à choisir celle qui facilite le calcul du volume.

Il est conseillé de bien représenter graphiquement le solide de révolution afin de pouvoir déterminer la valeur des éléments R, H et E nécessaires selon le cas.

Méthode	Volume	À déterminer
Disque	$\pi R^2 E$	R, E
Tube	$2\pi RHE$	R, H, E

Exemple 3 Recalculons, à l'aide de la méthode du tube, le volume V du solide de révolution engendré par la rotation de la région délimitée par $y = x^2 + 2$, $y = 1$, $x = 1$ et $x = 3$, autour de $x = -1$ (voir l'exemple 5, page 240).

Représentons graphiquement la région, un rectangle, un tube et le solide de révolution.

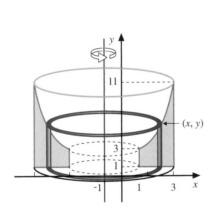

$$V_T = 2\pi RHE$$

$$= 2\pi(x - (-1))\,(y - 1)\,\Delta x$$

$$V = \int_1^3 2\pi(x + 1)\,(y - 1)\,dx$$

$$= 2\pi\int_1^3 (x + 1)\,(x^2 + 1)\,dx \quad (\text{car } y = x^2 + 2)$$

$$= 2\pi\int_1^3 (x^3 + x^2 + x + 1)\,dx$$

$$= 2\pi\left(\frac{x^4}{4} + \frac{x^3}{3} + \frac{x^2}{2} + x\right)\Bigg|_1^3$$

$$= \frac{208\pi}{3}, \text{ donc } \frac{208\pi}{3}\,u^3$$

Exemple 4 Démontrons que le volume V d'une sphère de rayon R est donné par $V = \dfrac{4\pi R^3}{3}$.

Une sphère de rayon R est obtenue en faisant tourner autour de l'axe des x le demi-cercle d'équation $y = \sqrt{R^2 - x^2}$.

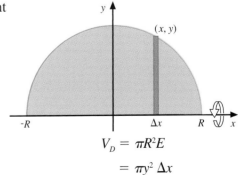

$$V_D = \pi R^2 E$$

$$= \pi y^2\,\Delta x$$

En utilisant la méthode du disque, nous obtenons

$$V = \int_{-R}^{R} \pi y^2 \, dx$$

$$= \int_{-R}^{R} \pi (\sqrt{R^2 - x^2})^2 \, dx \quad (\text{car } y = \sqrt{R^2 - x^2})$$

$$= \pi \int_{-R}^{R} (R^2 - x^2) \, dx$$

$$= \pi \left(R^2 x - \frac{x^3}{3} \right) \Big|_{-R}^{R}$$

$$= \pi \left[\left(R^3 - \frac{R^3}{3} \right) - \left(-R^3 + \frac{R^3}{3} \right) \right]$$

$$= \frac{4 \pi R^3}{3}$$

Sphère

```
> f:=x→(4−x^2)^(1/2);
            f:=x → √(4 − x²)
> with(plots):
> a:=-2:b:=2:c:=0:
> C1:=plot3d([(f(x))*cos(t),x,(f(x))*sin(t)],
          x=-3..3,t=0..2*Pi,color=yellow):
> display(C1,scaling=constrained);
```

Exemple 5 Calculons le volume d'un beigne dont le diamètre extérieur est de 6 cm et le diamètre du trou est de 2 cm.

Soit $(x - 2)^2 + y^2 = 1$ la région que l'on doit faire tourner autour de l'axe des y pour engendrer le beigne.

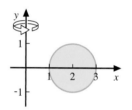

Représentation graphique

```
> with(plots):
> f:=x→(1−(x−2)^2)^(1/2);
            f:=x → √(1 − (x − 2)²)
> a:=0:b:=3:c:=0:
> C1:=plot3d([x*cos(t),x*sin(t),f(x)],x=a..b,t=0..2*Pi,color=yellow):
> C2:=plot3d([x*cos(t),x*sin(t),-f(x)],x=a..b,t=0..2*Pi,color=yellow):
> display(C1,C2);
```

Pour faciliter les calculs, nous trouverons le volume $V_{\frac{1}{2}}$ engendré par la région délimitée par $y = \sqrt{1 - (x - 2)^2}$, et nous multiplierons ensuite le résultat par 2 pour obtenir le volume total V.

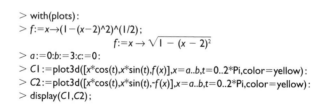

$$V_T = 2 \pi R H E$$
$$= 2 \pi x y \, \Delta x$$

```
> f:=x→(1−(x−2)^2)^(1/2);
            f:=x → √(1 − (x − 2)²)
> with(plots):
> a:=0:b:=3:c:=0:
> C3:=plot3d([x*cos(t),x*sin(t),f(x)],x=a..b,t=0..2.6*Pi/2,color=yellow):
> T:=plot3d([2.3*cos(t),2.3*sin(t),y],y=0..f(2.3),t=0..2*Pi,color=green):
> display(C3,T);
```

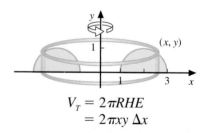

En utilisant la méthode du tube, nous obtenons

$$V_{\frac{1}{2}} = \int_1^3 2\pi xy\, dx$$

$$= 2\pi \int_1^3 x\sqrt{1-(x-2)^2}\, dx$$

Calculons $\int x\sqrt{1-(x-2)^2}\, dx$, en utilisant une substitution trigonométrique.

Pour obtenir $(x-2)^2 = \sin^2\theta$

nous posons $x-2 = \sin\theta$

$$x = 2 + \sin\theta$$

$$dx = \cos\theta\, d\theta$$

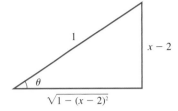

Ainsi $\int x\sqrt{1-(x-2)^2}\, dx = \int (2+\sin\theta)\sqrt{1-\sin^2\theta}\cos\theta\, d\theta$

$$= \int (2+\sin\theta)\cos^2\theta\, d\theta$$

$$= \int (2\cos^2\theta + \sin\theta\cos^2\theta)\, d\theta$$

$$= \theta + \frac{\sin(2\theta)}{2} - \frac{\cos^3\theta}{3} + C$$

$$= \text{Arc sin}(x-2) + (x-2)\sqrt{1-(x-2)^2} - \frac{(\sqrt{1-(x-2)^2})^3}{3} + C$$

Donc

$$V_{\frac{1}{2}} = 2\pi \int_1^3 x\sqrt{1-(x-2)^2}\, dx$$

$$= 2\pi\left[\text{Arc sin}(x-2) + (x-2)\sqrt{1-(x-2)^2} - \frac{(\sqrt{1-(x-2)^2})^3}{3}\right]\Big|_1^3$$

$$= 2\pi[\pi] = 2\pi^2$$

d'où $V = 2V_{\frac{1}{2}}$

$$= 4\pi^2,\ \text{donc } 4\pi^2\, \text{u}^3$$

Exercices 5.1

1. Déterminer, en utilisant la méthode du disque, le volume du solide de révolution engendré par la rotation de la région délimitée par les équations suivantes autour de l'axe de rotation donné. Représenter graphiquement les solides de a) et de b).

a) $y = x^2$, $y = 0$, $x = 0$ et $x = 3$; axe des x

b) $y = x^2$, $y = 9$ et $x \geq 0$; axe des y

c) $y = \sqrt{3-x^2}$, $x = 0$ et $y = 0$; axe des x

d) $y = x^3$, $y = 0$, $x = 0$ et $x = 2$; $x = 2$

e) $y = 1 - x^2$ et $y = -3$; $y = -3$

f) $x = y^2 - 10$ et $x = -1$; $x = -1$

2. Déterminer, en utilisant la méthode du tube, le volume du solide de révolution engendré par la rotation de la région délimitée par les équations suivantes autour de l'axe de rotation donné. Représenter graphiquement le solide de c).

a) $y = x^2$, $y = 0$, $x = 0$ et $x = 3$; axe des x

b) $y = x^2$, $y = 9$ et $x \geq 0$; axe des y

c) $y = (x - 1)^2$, $y = 0$, $x = 0$ et $x = 2$; axe des y

d) $y = e^{x^2}$, $y = -2$, $x = 0$ et $x = 1$; axe des y

e) $y = \dfrac{1}{1 + x^2}$, $y = 0$, $x = 0$ et $x = 1$; axe des y

f) $y = \dfrac{1}{1 + x^2}$, $y = 0$, $x = 0$ et $x = 1$; $x = 1$

3. Déterminer le volume du solide de révolution engendré par la rotation de la région délimitée par les équations suivantes autour de l'axe de rotation donné. Représenter graphiquement le solide de b).

a) $y = x^2$ et $y = -x^2 + 6x$; axe des x

b) $y = x^2$ et $y = -x^2 + 6x$; axe des y

c) $y = x$, $y = 4x^2 + 3$, $x = 1$ et $x = 4$; $x = 5$

d) $y = x$ et $y = x^2$; $y = -1$

4. Soit la région délimitée par $y = x^2$, $y = 4$ et $x \geq 0$. Utiliser la méthode du disque et la méthode du tube pour évaluer le volume du solide de révolution engendré par la rotation de la région autour de

a) l'axe des x f) $x = -2$

b) l'axe des y g) $y = -2$

c) $y = 4$ h) $x = 6$

d) $y = 5$ i) $y = 1$

e) $x = 2$ j) $x = 1$

5. Soit la région délimitée par $y = \dfrac{3x}{5}$, $y = 0$, $x = 0$ et $x = 10$, qu'on fait tourner autour de l'axe des x.

a) Identifier le solide de révolution obtenu.

b) Calculer, en utilisant la méthode du disque, le volume de ce solide.

6. Soit l'ellipse définie par l'équation $\dfrac{x^2}{9} + \dfrac{y^2}{4} = 1$. Déterminer le volume du solide obtenu en faisant tourner :

a) la partie de l'ellipse située en haut de l'axe des x autour de l'axe des x;

b) la partie de l'ellipse située à la droite de l'axe des y autour de l'axe des y.

7. Déterminer et représenter graphiquement le volume du solide obtenu en faisant tourner autour de l'axe des y la région délimitée par $x^2 + y^2 = 4$ et $x \geq 1$.

8. Un tee de golf a approximative-ment les dimensions du solide de révolution obtenu en faisant tourner, autour de l'axe  des x, la région fermée comprise entre $f(x)$, $g(x)$ et l'axe des x, où

$$f(x) = \begin{cases} 0{,}4x & \text{si} \quad 0 \leq x < 0{,}5 \\ 0{,}2 & \text{si} \quad 0{,}5 \leq x < 4 \\ 0{,}2(x^2 - 7x + 13) & \text{si} \quad 4 \leq x < 5 \\ 0{,}6 & \text{si} \quad 5 \leq x \leq 5{,}3 \end{cases}$$

et $g(x) = 2(x - 5)$ si $5 \leq x \leq 5{,}3$. Si x, $f(x)$ et $g(x)$ sont mesurées en centimètres, déterminer le volume du tee.

5.2 VOLUME DE SOLIDES DE SECTION CONNUE

Objectif d'apprentissage

À la fin de cette section, l'élève pourra calculer le volume de solides de section connue.

Plus précisément, l'élève sera en mesure :
• de calculer le volume d'un solide en utilisant la méthode du découpage en tranches.

Nous verrons dans cette section une méthode permettant de calculer le volume V d'un solide qui n'est pas obtenu par la révolution d'une région autour d'un axe.

Cette méthode consiste à découper le solide en tranches minces, appelées sections, d'épaisseur E, à l'aide de plans perpendiculaires à un axe, où toutes les sections du volume ont la même forme. Il suffit alors d'évaluer le volume ΔV_i de chaque section et de calculer la somme des volumes de toutes ces sections.

Ainsi, $\Delta V_i \approx$ (aire d'une section) • (épaisseur de la section);
en particulier pour des sections perpendiculaires...

... à l'axe des x, nous avons | ... à l'axe des y, nous avons

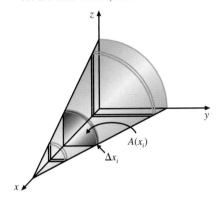

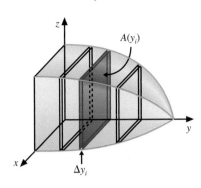

$$\Delta V_i \approx A(x_i)\, \Delta x_i$$

ainsi $V = \lim\limits_{(\max \Delta x_i) \to 0} \sum\limits_{i=1}^{n} A(x_i)\, \Delta x_i$

d'où, par définition de l'intégrale définie, nous avons

$$V = \int_a^b A(x)\, dx \text{ si } x \in [a, b]$$

$$\Delta V_i \approx A(y_i)\, \Delta y_i$$

ainsi $V = \lim\limits_{(\max \Delta y_i) \to 0} \sum\limits_{i=1}^{n} A(y_i)\, \Delta y_i$

d'où, par définition de l'intégrale définie, nous avons

$$V = \int_c^d A(y)\, dy \text{ si } y \in [c, d]$$

Exemple 1 Calculons le volume du solide dont la base est la région délimitée par $y = (x - 2)^2$, $y = 0$, $x = 0$ et $x = 2$, où chaque section plane perpendiculaire à l'axe des x est un demi-cercle dont le diamètre appartient à la base du solide.

Représentons graphiquement, dans $\mathbb{R}^2$, la base du solide, et dans $\mathbb{R}^3$, une section du solide ainsi que le solide.

Base du solide

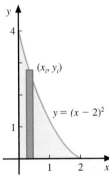

Section du solide

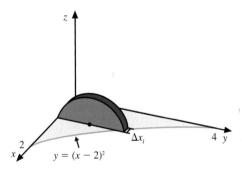

Volume de la section $\approx$ (aire du demi-cercle) • (épaisseur de la section)

$$\Delta V_i \approx \frac{1}{2}\pi \left(\frac{y_i}{2}\right)^2 \cdot \Delta x_i \quad \left(\text{car le rayon du demi-cercle est } \frac{y_i}{2}\right)$$

$$\approx \frac{\pi y_i^2}{8}\, \Delta x_i$$

Ainsi $V = \displaystyle\int_0^2 \dfrac{\pi y^2}{8}\,dx$

$= \dfrac{\pi}{8} \displaystyle\int_0^2 ((x-2)^2)^2\,dx \quad$ (car $y = (x-2)^2$)

$= \dfrac{\pi}{8} \dfrac{(x-2)^5}{5}\Big|_0^2$

$= \dfrac{4\pi}{5}$, donc $\dfrac{4\pi}{5}$ u^3

Solide

Exemple 2 Calculons le volume du solide dont la base est un cercle de rayon 3 et dont toute section plane perpendiculaire à l'axe des y est un triangle équilatéral.

Représentons graphiquement, dans $\mathbb{R}^2$, la base du solide, et dans $\mathbb{R}^3$, une section du solide de même que le solide.

Base du solide

Section du solide

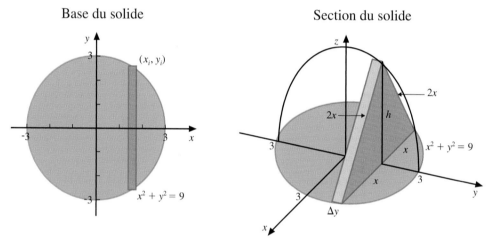

Volume de la section $\approx$ (aire du triangle) · (épaisseur de la section)

$\Delta V \approx \dfrac{2xh}{2} \cdot \Delta y \approx x\sqrt{3}x\,\Delta y \quad$ (car $h = \sqrt{3}x$, par Pythagore)

Ainsi $V = \displaystyle\int_{-3}^3 \sqrt{3}x^2\,dy$

$= \sqrt{3}\displaystyle\int_{-3}^3 (9 - y^2)\,dy \quad$ (car $x^2 + y^2 = 9$)

$= \sqrt{3}\left(9y - \dfrac{y^3}{3}\right)\Big|_{-3}^3$

$= 36\sqrt{3}$, donc $36\sqrt{3}$ u^3

Solide

Exemple 3 Une entaille est pratiquée à l'aide de deux plans dans un cylindre circulaire droit dont le rayon est de 9 cm. Le premier plan est parallèle à la base du cylindre et le second fait un angle de 30° avec la base. Les deux plans se coupent suivant une droite passant par le centre du cylindre. Calculons le volume de l'entaille.

Représentons le cylindre circulaire et l'entaille, une section de l'entaille et l'entaille.

Cylindre circulaire et l'entaille

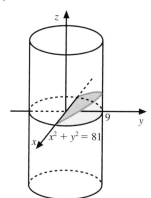

Section de l'entaille

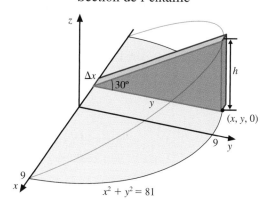

$$\Delta V \approx (\text{aire d'un triangle}) \cdot (\text{épaisseur de la section})$$

$$\approx \frac{y \cdot h}{2} \cdot \Delta x$$

$$\approx \frac{y \, y \tan 30°}{2} \cdot \Delta x \quad \left(\text{car} \tan 30° = \frac{h}{y}\right)$$

Ainsi $V = \displaystyle\int_{-9}^{9} \frac{y^2 \tan 30°}{2} \, dx$

$$= \frac{\tan 30°}{2} \int_{-9}^{9} (81 - x^2) \, dx$$

$$(\text{car } x^2 + y^2 = 81)$$

$$= 486 \tan 30°$$

$$\approx 280{,}6, \text{ donc environ } 280{,}6 \text{ cm}^3$$

Entaille

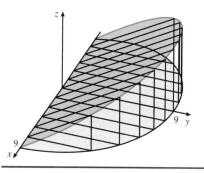

Nous procédons de façon analogue lorsque les sections sont perpendiculaires à l'axe des z.

Exemple 4 Calculons le volume d'une pyramide de hauteur 8 et de base carrée de côté 6.

Représentons la pyramide ainsi qu'une section.

Calculons le volume de la section.

$$\Delta V \approx (\text{aire d'une section}) \cdot (\text{épaisseur de la section})$$

$$\Delta V \approx (2x \cdot 2y) \cdot \Delta z$$

$$\approx 4x^2 \, \Delta z \qquad (\text{car } y = x)$$

d'où $V = \displaystyle\int_{0}^{8} 4x^2 \, dz$

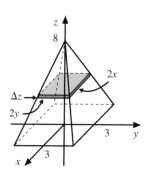

Trouvons la relation entre la variable x et la variable z, à l'aide des triangles semblables ci-contre.

Nous avons $\dfrac{x}{3} = \dfrac{8 - z}{8}$

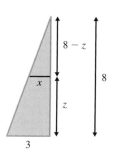

donc $x = \dfrac{3(8 - z)}{8}$

Ainsi $V = \displaystyle\int_0^8 4\left[\dfrac{3(8 - z)}{8}\right]^2 dz$

$= \left.\dfrac{-3(8 - z)^3}{16}\right|_0^8$

$= 96$, donc $96 \ u^3$

Exercices 5.2

1. La base d'un solide est la région fermée du plan XY délimitée par la courbe $y = x^2$, $y = 0$ et $x = 4$. Chaque section du solide, dans un plan perpendiculaire à l'axe des x, est un demi-cercle dont le diamètre appartient à la base du solide. Représenter graphiquement la base et une section du solide, et calculer son volume.

2. La base d'un solide est la région fermée du plan XY délimitée par la courbe $y = 2x$, l'axe des y et la droite $y = 6$. Chaque section du solide, dans un plan perpendiculaire à l'axe des y, est un carré dont l'un des côtés appartient à la base du solide. Représenter graphiquement la base, le solide et une section du solide, et calculer son volume.

3. La base d'un solide est la région fermée du plan XY délimitée par la courbe $y = x^2$, l'axe des x et la droite $x = 2$. Chaque section du solide est un carré dont un des côtés appartient à la base du solide. Calculer le volume du solide lorsque chaque section du solide est dans un plan perpendiculaire

a) à l'axe des x ;   b) à l'axe des y.

4. La base d'un solide est située dans le premier quadrant et est limitée par les axes et la droite d'équation $2x + 6y = 12$. Calculer le volume du solide si toute section plane, perpendiculaire à l'axe des x, est

a) un demi-cercle ;   b) un carré ;

c) un triangle dont la hauteur égale 3 fois la base.

5. La base d'un solide, située dans le premier quadrant, est limitée par les axes et par le cercle $x^2 + y^2 = 9$. Calculer le volume du solide si toute section plane, perpendiculaire à l'axe des y, est

a) un demi-cercle ;   b) un carré.

6. Un solide possède une base circulaire de rayon 4. Chaque section plane perpendiculaire à un diamètre fixe est un triangle rectangle isocèle. Calculer le volume du solide lorsque

a) un des côtés égaux est situé dans la base du solide ;

b) l'hypoténuse est située dans la base du solide.

7. La base d'un solide est la région fermée délimitée par $y_1 = x^2$ et $y_2 = 2x$. Chaque section plane perpendiculaire est un rectangle dont la hauteur est le double de la base qui est située dans la base du solide. Représenter graphiquement la base et une section du solide, et calculer son volume lorsque toute section plane est perpendiculaire

a) à l'axe des x ;   b) à l'axe des y.

8. a) Exprimer à l'aide d'une intégrale définie le volume d'une pyramide à base carrée dont le côté mesure a et dont la hauteur mesure h. Calculer ce volume.

b) La construction de la pyramide de Khéops a duré une vingtaine d'années.

Les égyptologues estiment que 10 000 hommes se sont succédé dans les carrières pour tailler, transporter et disposer les blocs de pierre. Si l'on ajoute à ce nombre les géomètres, les charpentiers, les forgerons, les cuisiniers, les porteurs d'eau et les autres ouvriers, on arrive au total surprenant de 25 000 personnes ayant travaillé à l'édification du plus grand tombeau royal du monde. Déterminer le volume de la pyramide de Khéops si sa hauteur est approximativement de 147 mètres et sa base, de 230 mètres.

9. La base d'un solide est la région fermée délimitée par le demi-cercle défini par l'équation $x^2 + y^2 = 9$, où $y \geq 0$, et l'axe des x. Chaque section du solide est un demi-cercle dont le diamètre appartient à la base du solide. Calculer le volume du solide lorsque chaque section du solide est dans un plan perpendiculaire

a) à l'axe des x;   b) à l'axe des y.

c) Identifier le solide obtenu en b).

10. Soit un solide tel que toute section plane perpendiculaire à l'axe des y est un cercle. Calculer

le volume de ce solide et identifier ce dernier, si possible, lorsque le diamètre de chaque cercle a ses extrémités situées

a) sur les droites $y = 3x - 3$ et $y = -3x + 21$ lorsque $y \in [0, 9]$;

b) sur le cercle $(x - 3)^2 + (y - 3)^2 = 9$.

11. Une entaille est pratiquée dans un cylindre de rayon R, à l'aide de deux plans qui se coupent suivant une droite passant par le centre du cylindre.

a) Calculer le volume de l'entaille si le premier plan est parallèle à la base du cylindre et le second plan fait un angle de $\alpha°$ avec la base.

b) Déterminer l'angle α nécessaire pour obtenir une entaille de volume égal à 2000 cm³ si le rayon du cylindre est de 15 cm.

5.3 LONGUEUR DE COURBES

Objectif d'apprentissage

À la fin de cette section, l'élève pourra calculer la longueur d'une courbe plane.

Plus précisément, l'élève sera en mesure :
- de démontrer des formules permettant de calculer la longueur de courbes planes ;
- d'utiliser les formules précédentes ;
- de calculer la longueur de courbes définies à l'aide d'équations paramétriques.

Une méthode utilisée par les Grecs pour estimer la longueur de la circonférence d'un cercle consistait à inscrire, dans le cercle, un polygone de n côtés et à calculer son périmètre. On peut établir que plus n est grand, plus le périmètre du polygone s'approche de la longueur de la circonférence du cercle.

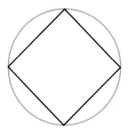  

Nous utilisons un processus analogue pour démontrer des formules permettant de calculer la longueur de courbes planes.

Longueur de courbes planes

THÉORÈME 5.1

Soit une fonction f, telle que f' est continue sur $[a, b]$. La longueur L de la courbe joignant les points $R(a, f(a))$ et $S(b, f(b))$ est donnée par

$$L = \int_a^b \sqrt{1 + (f'(x))^2}\, dx \quad \text{ou par} \quad L = \int_a^b \sqrt{1 + \left(\frac{dy}{dx}\right)^2}\, dx \quad \text{(notation de Leibniz)}$$

Preuve

Soit $P = \{x_0, x_1, x_2, ..., x_n\}$, une partition de $[a, b]$ et $P_i(x_i, y_i)$, les points correspondants sur la courbe de f.

La distance entre P_{i-1} et P_i est donnée par
$$\overline{P_{i-1}P_i} = \sqrt{(\Delta x_i)^2 + (\Delta y_i)^2}$$
et la longueur approximative ΔL_i de l'arc $P_{i-1}P_i$ est donnée par
$$\Delta L_i \approx \sqrt{(\Delta x_i)^2 + (\Delta y_i)^2}, \text{ où } \Delta y_i = f(x_i) - f(x_{i-1}).$$

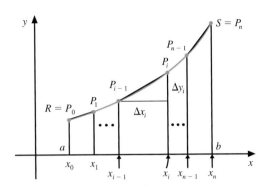

Étant donné que f est continue et dérivable sur $[a, b]$, f possède les mêmes propriétés sur chaque $[x_{i-1}, x_i]$; ainsi, par le théorème de Lagrange, il existe un nombre $c_i \in\ ]x_{i-1}, x_i[$ tel que
$$(f(x_i) - f(x_{i-1})) = f'(c_i)\,(x_i - x_{i-1}),$$

ainsi
$$\Delta y_i = f'(c_i)\,\Delta x_i$$

Donc $\Delta L_i \approx \sqrt{(\Delta x_i)^2 + (f'(c_i)\,\Delta x_i)^2}$

$$\approx \sqrt{[1 + (f'(c_i))^2]\,(\Delta x_i)^2}$$

$$\approx \sqrt{1 + (f'(c_i))^2}\ \Delta x_i$$

Ainsi $\quad L = \lim\limits_{(\max \Delta x_i) \to 0} \sum\limits_{i=1}^{n} \sqrt{1 + (f'(c_i))^2}\ \Delta x_i$

$$= \int_a^b \sqrt{1 + (f'(x))^2}\ dx \quad \text{(par définition de l'intégrale définie)}$$

$$= \int_a^b \sqrt{1 + \left(\frac{dy}{dx}\right)^2}\ dx$$

Exemple 1 Calculons la longueur L de la courbe d'équation $y = 1 + x^{\frac{3}{2}}$, où $x \in [0, 4]$.

En calculant $\dfrac{dy}{dx}$, nous obtenons $\dfrac{dy}{dx} = \dfrac{3x^{\frac{1}{2}}}{2}$. Cette fonction est continue sur $[0, 4]$.

Représentons graphiquement la courbe et calculons L.

$L = \displaystyle\int_0^4 \sqrt{1 + \left(\frac{dy}{dx}\right)^2}\ dx \quad$ (théorème 5.1)

$$= \int_0^4 \sqrt{1 + \left(\frac{3}{2}\,x^{\frac{1}{2}}\right)^2}\ dx$$

$$= \int_0^4 \sqrt{1 + \frac{9}{4}\,x}\ dx$$

$$= \frac{8}{27}\left(1 + \frac{9}{4}\,x\right)^{\frac{3}{2}}\Bigg|_0^4$$

$$\approx 9,07, \text{ donc environ } 9,07\text{ u}$$

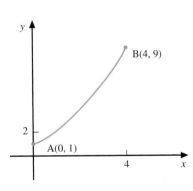

Dans certains cas, il peut être avantageux, ou même essentiel, en particulier lorsque $\dfrac{dy}{dx}$ n'est pas définie, d'exprimer x en fonction de y.

La longueur L de la courbe reliant les points $R(a, c)$ à $S(b, d)$ est alors donnée par

$$L = \int_c^d \sqrt{1 + \left(\frac{dx}{dy}\right)^2}\, dy, \text{ si } \frac{dx}{dy} \text{ est continue sur } [c, d]$$

Exemple 2 Calculons la longueur L de la courbe d'équation $y = 4x^{\frac{2}{3}}$ si $x \in [-1, 8]$.

En calculant $\dfrac{dy}{dx}$, nous obtenons $\dfrac{dy}{dx} = \dfrac{8}{3x^{\frac{1}{3}}}$. Cette fonction n'est pas définie en

$x = 0$, où $0 \in [-1, 8]$.

Dans ce cas, il faut exprimer x en fonction de y, ainsi $x = \pm\dfrac{y^{\frac{3}{2}}}{8}$.

Soit L_1 la longueur de la courbe de R à O et L_2, la longueur de la courbe de O à T.

Sur RO, $0 \le y \le 4$ et $x = \dfrac{-y^{\frac{3}{2}}}{8}$, d'où $\dfrac{dx}{dy} = \dfrac{-3y^{\frac{1}{2}}}{16}$.

Sur OT, $0 \le y \le 16$ et $x = \dfrac{y^{\frac{3}{2}}}{8}$, d'où $\dfrac{dx}{dy} = \dfrac{3y^{\frac{1}{2}}}{16}$.

Représentation graphique

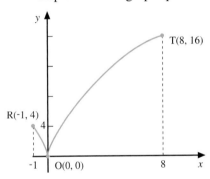

Ainsi la longueur L de la courbe est donnée par

$$L = L_1 + L_2$$

$$= \int_0^4 \sqrt{1 + \frac{9y}{256}}\, dy + \int_0^{16} \sqrt{1 + \frac{9y}{256}}\, dy$$

$$= \frac{512}{27}\left(1 + \frac{9y}{256}\right)^{\frac{3}{2}} \Bigg|_0^4 + \frac{512}{27}\left(1 + \frac{9y}{256}\right)^{\frac{3}{2}} \Bigg|_0^{16}$$

$$\approx 22{,}21, \text{ donc environ } 22{,}21 \text{ u}$$

Quand on saisit les deux extrémités d'une chaîne simple et qu'on la laisse pendre librement, elle décrit une courbe connue sous le nom de chaînette (ou caténaire). Son équation en coordonnées cartésiennes est de la forme

$$y = \frac{a\left(e^{\frac{x}{a}} + e^{\frac{-x}{a}}\right)}{2}$$ et l'arc de courbe correspondant est appelé chaînette.

On observe cette courbe dans la nature sous différentes formes : toile d'araignée tissée à la verticale, fils téléphoniques ou électriques entre deux poteaux, etc.

Exemple 3 Soit la chaînette définie par $y = \dfrac{5\left(e^{\frac{x}{5}} + e^{\frac{-x}{5}}\right)}{2}$, où $x \in [-5, 5]$.

a) Représentons graphiquement la chaînette donnée.

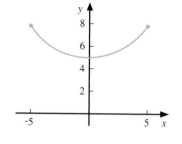

> f:=x→(5/2)*(exp(x/5)+exp(-x/5));

$$f:=x \to \frac{5}{2}e^{(1/5x)} + \frac{5}{2}e^{(-1/5x)}$$

> plot(f(x),x=-5..5,y=0..10,scaling=constrained);

b) Calculons la longueur L de cette chaînette.

$$L = \int_{-5}^{5} \sqrt{1 + \left(\frac{dy}{dx}\right)^2}\, dx \qquad \text{(théorème 5.1)}$$

$$= \int_{-5}^{5} \sqrt{1 + \left[\frac{5}{2}\left(\frac{1}{5}e^{\frac{x}{5}} - \frac{1}{5}e^{\frac{-x}{5}}\right)\right]^2}\, dx$$

$$= \int_{-5}^{5} \sqrt{1 + \frac{1}{4}\left(e^{\frac{x}{5}} - e^{\frac{-x}{5}}\right)^2}\, dx$$

$$= \int_{-5}^{5} \sqrt{1 + \frac{1}{4}\left(e^{\frac{2x}{5}} - 2 + e^{\frac{-2x}{5}}\right)}\, dx$$

$$= \int_{-5}^{5} \sqrt{\frac{e^{\frac{2x}{5}}}{4} + \frac{2}{4} + \frac{e^{\frac{-2x}{5}}}{4}}\, dx$$

$$= \int_{-5}^{5} \sqrt{\frac{1}{4}\left(e^{\frac{2x}{5}} + 2 + e^{\frac{-2x}{5}}\right)}\, dx$$

$$= \int_{-5}^{5} \frac{1}{2}\sqrt{\left(e^{\frac{x}{5}} + e^{\frac{-x}{5}}\right)^2}\, dx$$

$$= \frac{1}{2}\int_{-5}^{5} \left(e^{\frac{x}{5}} + e^{\frac{-x}{5}}\right) dx$$

$$= \frac{5}{2}\left(e^{\frac{x}{5}} - e^{\frac{-x}{5}}\right)\Big|_{-5}^{5} = 5\left(e - \frac{1}{e}\right), \text{ donc environ 11,75 u}$$

Équations paramétriques

Définition	Lorsque les coordonnées (x, y) d'un point $P(x, y)$ appartenant à une courbe sont exprimées en fonction d'une troisième variable, à l'aide d'équations de la forme $x = f(t)$ et $y = g(t)$, où $t \in [a, b]$, nous appelons ces équations les **équations paramétriques** de la courbe, et t est le **paramètre**.

Exemple 1 Représentons graphiquement la courbe définie par les équations paramétriques $x = 3t + 1$ et $y = 6t + 5$, où $t \in [-1, 2]$.

Complétons le tableau suivant en donnant à t des valeurs et en calculant la valeur correspondante pour x et y.

t	$x = 3t + 1$	$y = 6t + 5$
-1	-2	-1
0	1	5
$\dfrac{1}{3}$	2	7
1	4	11
2	7	17

Représentation graphique

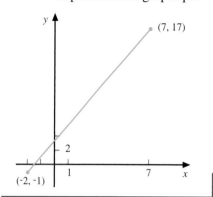

Remarque Il est possible dans certains cas de trouver une relation entre x et y en éliminant la variable t. Dans l'exemple précédent, en isolant t de l'équation $x = 3t + 1$,

nous trouvons $t = \dfrac{x - 1}{3}$; en remplaçant t par cette valeur dans l'équation $y = 6t + 5$,

nous trouvons $y = 6\left(\dfrac{x - 1}{3}\right) + 5$, ainsi $y = 2x + 3$, où $x \in$ [-2, 7].

Énonçons maintenant un théorème permettant de calculer la longueur L d'une courbe définie à l'aide des équations paramétriques $x = f(t)$ et $y = g(t)$, où $t \in [a, b]$.

THÉORÈME 5.2

Soit une courbe définie par $x = f(t)$ et $y = g(t)$, où f' et g' sont continues sur $[a, b]$. La longueur L de la courbe joignant les points $(f(a), g(a))$ et $(f(b), g(b))$ est donnée par

$$L = \int_a^b \sqrt{(f'(t))^2 + (g'(t))^2}\, dt \quad \text{ou par}$$

$$L = \int_a^b \sqrt{\left(\frac{dx}{dt}\right)^2 + \left(\frac{dy}{dt}\right)^2}\, dt \quad \text{(notation de Leibniz)}$$

Preuve

Soit $P = \{t_0, t_1, t_2, \ldots, t_n\}$ une partition de $[a, b]$.

De façon analogue à la démonstration précédente, nous avons $\Delta L_i \approx \sqrt{(\Delta x_i)^2 + (\Delta y_i)^2}$ et, en appliquant le théorème de Lagrange aux fonctions f et g sur $[t_{i-1}, t_i]$, nous obtenons

$$\Delta x_i = f'(c_i)\, \Delta t_i \text{ où } c_i \in\,]t_{i-1}, t_i[\quad \text{et} \quad \Delta y_i = g'(d_i)\, \Delta t_i \text{ où } d_i \in\,]t_{i-1}, t_i[$$

Donc $\Delta L_i \approx \sqrt{(f'(c_i)\, \Delta t_i)^2 + (g'(d_i)\, \Delta t_i)^2}$

$$\approx \sqrt{(f'(c_i))^2 + (g'(d_i))^2}\, \Delta t_i$$

Ainsi $L = \lim\limits_{(\max \Delta t_i) \to 0} \sum\limits_{i=1}^{n} \sqrt{(f'(c_i))^2 + (g'(d_i))^2}\, \Delta t_i$

$$= \int_a^b \sqrt{(f'(t))^2 + (g'(t))^2}\, dt \quad \text{(par définition de l'intégrale définie)}$$

$$= \int_a^b \sqrt{\left(\frac{dx}{dt}\right)^2 + \left(\frac{dy}{dt}\right)^2}\, dt$$

Exemple 2 Calculons, à l'aide de la formule précédente, la longueur L de la circonférence d'un cercle de rayon r.

L'équation de ce cercle est $x^2 + y^2 = r^2$.

Sachant que $\cos \theta = \dfrac{x}{r}$ et que $\sin \theta = \dfrac{y}{r}$,

nous obtenons les équations paramétriques suivantes :

> $x = r \cos \theta$ et $y = r \sin \theta$, où $\theta \in [0, 2\pi]$ est
> le paramètre.

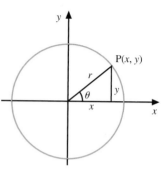

Par le théorème 5.2,

$$L = \int_0^{2\pi} \sqrt{\left(\frac{dx}{d\theta}\right)^2 + \left(\frac{dy}{d\theta}\right)^2} \, d\theta$$

$$= \int_0^{2\pi} \sqrt{(-r \sin \theta)^2 + (r \cos \theta)^2} \, d\theta \quad \left(\text{car } \frac{dx}{d\theta} = -r \sin \theta \text{ et } \frac{dy}{d\theta} = r \cos \theta\right)$$

$$= \int_0^{2\pi} \sqrt{r^2 (\sin^2 \theta + \cos^2 \theta)} \, d\theta$$

$$= \int_0^{2\pi} r \, d\theta$$

$$= r\theta \Big|_0^{2\pi} = 2\pi r, \text{ donc } 2\pi r \text{ u}$$

Exemple 3 Soit un point $M(x, y)$ sur la circonférence d'un cercle de rayon r qui roule sans glisser sur l'axe des x.

a) Représentons la trajectoire du point M, appelée cycloïde.

> « La roulette (la cycloïde)… ce n'est autre chose que le chemin que fait en l'air le clou d'une roue, quand elle roule de son mouvement ordinaire, depuis que ce clou commence à s'élever de terre, jusqu'à ce que le mouvement continu de la roue l'ait rapporté à terre, après un tour entier achevé : supposant que la roue soit un cercle parfait, le clou un point de sa circonférence, et la terre parfaitement plane. »
>
> Blaise Pascal

b) En supposant qu'au départ le point M est situé à l'origine, déterminons les équations paramétriques de la position du point M lorsque la circonférence a pivoté d'un angle t.

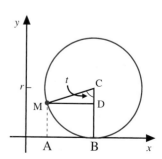

Pour $0 \leq t \leq 2\pi$, les longueurs $\overline{OB}$ et arc MB sont égales. Ainsi

$$x = \overline{OA} \qquad\qquad y = \overline{AM}$$
$$= \overline{OB} - \overline{AB} \qquad\qquad = \overline{BC} - \overline{CD}$$
$$= \text{arc MB} - \overline{AB} \qquad\qquad = r - r\cos t$$
$$= rt - r\sin t \qquad\qquad = r(1 - \cos t)$$
$$= r(t - \sin t)$$

d'où $x = r(t - \sin t)$ et $y = r(1 - \cos t)$ sont les équations paramétriques de la cycloïde et t est le paramètre.

Cycloïde, tracée avec $r = 2$

```
> with(plots):
> c1:=plot([2*(t−sin(t)),2*(1−cos(t)),t=0..2*Pi],
       scaling=constrained,color=orange):
> c2:=plot([2*cos(t),2+2*sin(t),t=0..2*Pi],color=blue):
> c3:=plot([9+2*cos(t),2+2*sin(t),t=0..2*Pi],color=blue):
> display(c1,c2,c3);
```

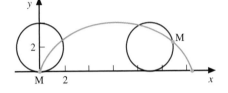

c) Calculons la longueur L d'une arche cycloïde, c'est-à-dire pour $t \in [0, 2\pi]$.

$$L = \int_0^{2\pi} \sqrt{\left(\frac{dx}{dt}\right)^2 + \left(\frac{dy}{dt}\right)^2}\, dt \qquad\qquad \text{(théorème 5.2)}$$

$$= \int_0^{2\pi} \sqrt{(r(1-\cos t))^2 + (r\sin t)^2}\, dt \qquad \left(\text{car } \frac{dx}{dt} = r(1-\cos t) \text{ et } \frac{dy}{dt} = r\sin t\right)$$

$$= \int_0^{2\pi} \sqrt{r^2(1 - 2\cos t + \cos^2 t) + r^2\sin^2 t}\, dt$$

$$= \int_0^{2\pi} r\sqrt{2 - 2\cos t}\, dt$$

$$= \int_0^{2\pi} r\sqrt{2}\,\sqrt{1 - \cos t}\, dt$$

$$= r\sqrt{2}\int_0^{2\pi} \sqrt{2\sin^2\left(\frac{t}{2}\right)}\, dt \qquad \left(\text{car } 1 - \cos t = 2\sin^2\left(\frac{t}{2}\right)\right)$$

$$= 2r\int_0^{2\pi} \sin\left(\frac{t}{2}\right) dt \qquad \left(\text{car } \sin\left(\frac{t}{2}\right) \geq 0,\ \forall\, t \in [0, 2\pi]\right)$$

$$= -4r\cos\left(\frac{t}{2}\right)\Big|_0^{2\pi}$$

$$= 8r, \text{ donc } 8r\, \text{u}$$

Exercices 5.3

1. Soit $y = x^3 + 1$, où $x \in [1, 2]$, et les équations paramétriques correspondantes $x = t^2 + 1$ et $y = t^6 + 3t^4 + 3t^2 + 2$, où $t \geq 0$. Déterminer l'intégrale définie (sans l'évaluer) donnant la longueur de l'arc de courbe en fonction

a) de la variable x;

b) de la variable y;

c) de la variable t.

2. Déterminer la longueur des courbes suivantes sur l'intervalle donné.

a) $y = \ln \cos x$, où $x \in \left[0, \dfrac{\pi}{4}\right]$

b) $9x^2 = 16y^3$, où $x \in [0, 4\sqrt{3}]$

c) $y = \dfrac{(x^2+2)^{\frac{3}{2}}}{3}$, où $x \in [-2, 4]$

d) $y = \ln x$, où $x \in [\sqrt{3}, \sqrt{15}]$

e) $x = \dfrac{y^4}{4} + \dfrac{1}{8y^2}$, où $y \in [1, 3]$.

3. Soit la courbe définie par l'équation $y^2 = x^3$. Tracer le graphique de cette courbe lorsque $-1 \le y \le 8$ et déterminer la longueur de cette courbe.

4. Représenter graphiquement la courbe définie par les équations paramétriques suivantes.

a) $x = t - 2, y = 5 - 2t; t \in [-1, 5[$

b) $x = t - 1, y = t^2 - 2t; t \in [-2, 3]$

c) $x = 3\cos t, y = 3\sin t; t \in [0, 2\pi]$

d) $x = 5\cos \theta, y = 3\sin \theta; \theta \in [0, 2\pi]$

O T 5. Représenter graphiquement les courbes suivantes sur l'intervalle donné et calculer leur longueur.

a) $x = 3t + 1, y = 1 - 4t; t \in [-2, 3]$

b) $x = \sin^2 t, y = \cos^2 t; t \in \left[0, \dfrac{\pi}{2}\right]$

c) $x = 3t, y = \dfrac{4t^{\frac{3}{2}}}{3}; t \in [0, 4]$

d) $x = \sin t - \cos t, y = \sin t + \cos t; t \in \left[0, \dfrac{\pi}{2}\right]$

6. Calculer la longueur de la courbe ci-contre, appelée *astroïde*, définie par $x = a\cos^3 t$ et $y = a\sin^3 t$.

7. D'un tertre de départ, plus haut de 11 mètres que le vert, un golfeur frappe une balle qui suit une trajectoire d'équation $y = 25 - 0{,}01x^2$ et dont la représentation est donnée dans le graphique ci-dessous. Calculer la longueur de la trajectoire de la balle.

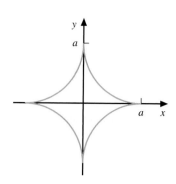

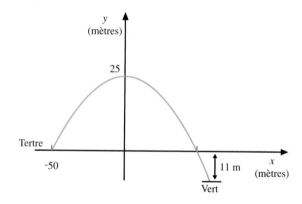

5.4 AIRE DE SURFACES DE RÉVOLUTION

Objectif d'apprentissage

À la fin de cette section, l'élève pourra calculer l'aire d'une surface de révolution engendrée par la rotation d'une courbe autour d'un axe.

Plus précisément, l'élève sera en mesure :
- de démontrer une formule permettant de calculer l'aire d'une surface de révolution ;
- d'utiliser la formule précédente ;
- de calculer l'aire d'une surface de révolution engendrée par la rotation d'une courbe définie à l'aide d'équations paramétriques.

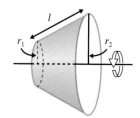

Aire d'un tronc de cône
Rappelons d'abord que, pour un tronc de cône de rayons r_1 et r_2 et d'apothème l, l'aire S de la surface latérale est donnée par $S = \pi(r_1 + r_2)l$.

Aire d'une surface de révolution

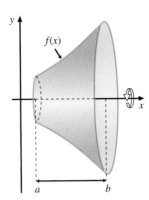

Nous voulons calculer l'aire S de la surface engendrée par la rotation de la courbe, définie par $y = f(x)$, où $x \in [a, b]$, autour de l'axe des x.

THÉORÈME 5.3

Soit une fonction f, telle que $f(x) \geq 0$ sur $[a, b]$ et telle que f' est continue sur $[a, b]$. L'aire S de la surface engendrée par la rotation de la courbe autour de l'axe des x est donnée par

$$S = \int_a^b 2\pi f(x) \sqrt{1 + (f'(x))^2}\, dx \quad \text{ou par}$$

$$S = \int_a^b 2\pi y \sqrt{1 + \left(\frac{dy}{dx}\right)^2}\, dx \quad \text{(notation de Leibniz)}$$

Preuve

Soit $P = \{x_0, x_1, \ldots, x_{i-1}, x_i, \ldots, x_n\}$, une partition de $[a, b]$ et ΔS_k, l'aire de la portion de surface de révolution engendrée par la rotation de la courbe comprise entre $x = x_{i-1}$ et $x = x_i$.

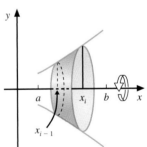

ΔS_i est approximativement égal à l'aire de la surface latérale d'un tronc de cône de rayons $r_1 = f(x_{i-1})_i$, $r_2 = f(x_i)$ et d'apothème $\Delta l_i = \sqrt{(\Delta x_i)^2 + (\Delta y_i)^2}$, où $\Delta x_i = x_i - x_{i-1}$ et $\Delta y_i = f(x_i) - f(x_{i-1})$,

donc $\Delta S_i \approx \pi[f(x_{i-1}) + f(x_i)] \sqrt{(\Delta x_i)^2 + (\Delta y_i)^2}$.

En appliquant le théorème de Lagrange, nous avons $\Delta y_i = f'(c_i)\, \Delta x_i$ où $c_i \in\,]x_{i-1}, x_i[$,

ainsi $\Delta S_i \approx \pi[f(x_{i-1}) + f(x_i)] \sqrt{1 + (f'(c_i))^2}\, \Delta x_i$.

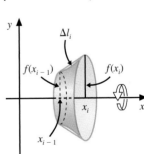

Ainsi $S = \lim\limits_{(\max \Delta x_i) \to 0} \sum\limits_{i=1}^{n} \pi[f(x_{i-1}) + f(x_i)] \sqrt{1 + (f'(c_i))^2}\, \Delta x_i$

$$= \int_a^b 2\pi f(x) \sqrt{1 + (f'(x))^2}\, dx \quad \text{(par définition de l'intégrale définie)}$$

$$= \int_a^b 2\pi y \sqrt{1 + \left(\frac{dy}{dx}\right)^2}\, dx$$

Remarque De façon générale, $S = \int_m^n 2\pi R \, dl$, où $dl = \sqrt{1 + \left(\dfrac{dy}{dx}\right)^2} \, dx$ ou $dl = \sqrt{1 + \left(\dfrac{dx}{dy}\right)^2} \, dy$

et R est la distance moyenne entre l'axe de rotation et l'élément d'arc de longueur approximativement égale à dl. Nous devons exprimer R et dl en fonction d'une seule variable et déterminer les bornes d'intégration m et n.

Exemple 1 Soit $y = x^3$, où $x \in [1, 2]$. Calculons l'aire de la surface de révolution engendrée par la rotation de cette courbe autour de l'axe des x. Représentons graphiquement la courbe et la surface de révolution.

$$S = \int_1^2 2\pi y \sqrt{1 + \left(\frac{dy}{dx}\right)^2} \, dx$$

$$\left(\text{car } R = y \text{ et } dl = \sqrt{1 + \left(\frac{dy}{dx}\right)^2} \, dx \right)$$

$$= 2\pi \int_1^2 x^3 \sqrt{1 + (3x^2)^2} \, dx \quad \left(\text{car } y = x^3 \text{ et } \frac{dy}{dx} = 3x^2 \right)$$

$$= \frac{\pi}{27} (1 + 9x^4)^{\frac{3}{2}} \Big|_1^2$$

$$\approx 199{,}48 \text{, donc environ } 199{,}48 \text{ u}^2$$

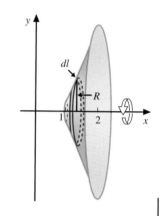

Exemple 2 Calculons l'aire de la surface engendrée par la rotation de $y = x^2$ autour de l'axe des y, où $1 \le x \le 3$. Représentons graphiquement la courbe et la surface de révolution.

$$S = \int_1^3 2\pi x \sqrt{1 + \left(\frac{dy}{dx}\right)^2} \, dx$$

$$\left(\text{car } R = x \text{ et } dl = \sqrt{1 + \left(\frac{dy}{dx}\right)^2} \, dx \right)$$

$$= 2\pi \int_1^3 x \sqrt{1 + 4x^2} \, dx \quad \left(\text{car } \frac{dy}{dx} = 2x \right)$$

$$= \frac{\pi}{6} (1 + 4x^2)^{\frac{3}{2}} \Big|_1^3$$

$$\approx 111{,}99 \text{, donc environ } 111{,}99 \text{ u}^2$$

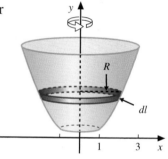

Exemple 3 Calculons l'aire de la surface engendrée par la rotation de $y = \sqrt{2x}$ autour de la droite $y = 5$ lorsque $1 \le x \le 8$. Représentons graphiquement la courbe et la surface de révolution.

$$S = \int_{\sqrt{2}}^4 2\pi (5 - y) \sqrt{1 + \left(\frac{dx}{dy}\right)^2} \, dy$$

$$\left(\text{car } R = 5 - y, \, dl = \sqrt{1 + \left(\frac{dx}{dy}\right)^2} \, dy \text{ et } \sqrt{2} \le y \le 4 \right)$$

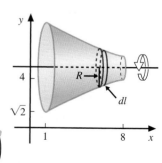

$$= 2\pi \int_{\sqrt{2}}^{4} (5 - y) \sqrt{1 + (y')^2} \, dy, \text{ en posant } y = \tan \theta \text{ nous obtenons}$$

$$= 2\pi \left[\frac{5y \sqrt{1 + y^2} + 5 \ln |y + \sqrt{1 + y^2}|}{2} - \frac{(1 + y^2)^{\frac{3}{2}}}{3} \right] \Bigg|_{\sqrt{2}}^{4}$$

$$\approx 99{,}6, \text{ donc environ } 99{,}6 \text{ u}^2$$

Remarque Il est parfois préférable d'exprimer les variables x et y à l'aide d'équations paramétriques lorsque nous voulons calculer l'aire d'une surface de révolution. Dans ce cas, lorsque t est le paramètre, l'équation

$$dl = \sqrt{(dx)^2 + (dy)^2} \text{ devient}$$

$$dl = \sqrt{\left(\frac{dx}{dt}\right)^2 + \left(\frac{dy}{dt}\right)^2} \, dt$$

Exemple 4 Calculons l'aire de la sphère de rayon r engendrée par la rotation autour de l'axe des x de la partie supérieure du cercle d'équation $x^2 + y^2 = r^2$.

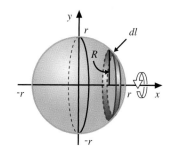

Représentons graphiquement la courbe et la surface de révolution.

En exprimant x et y à l'aide d'équations paramétriques, nous obtenons $x = r \cos t$ et $y = r \sin t$, où $0 \le t \le \pi$. Ainsi

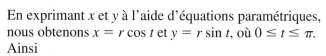

$$S = \int_0^{\pi} 2\pi y \sqrt{\left(\frac{dx}{dt}\right)^2 + \left(\frac{dy}{dt}\right)^2} \, dt \quad \left(\text{car } R = y \text{ et } dl = \sqrt{\left(\frac{dx}{dt}\right)^2 + \left(\frac{dy}{dt}\right)^2} \, dt\right)$$

$$= 2\pi \int_0^{\pi} r \sin t \sqrt{(-r \sin t)^2 + (r \cos t)^2} \, dt$$

$$= 2\pi r \int_0^{\pi} \sin t \sqrt{r^2 (\sin^2 t + \cos^2 t)} \, dt$$

$$= 2\pi r^2 \int_0^{\pi} \sin t \, dt$$

$$= 2\pi r^2 (-\cos t) \Big|_0^{\pi} = 4\pi r^2, \text{ donc } 4\pi r^2 \text{ u}^2$$

Exercices 5.4

1. Donner la formule permettant de calculer l'aire de la surface engendrée par la rotation de la courbe strictement croissante, définie par $y = f(x)$ ou par $x = g(y)$, joignant les points (a, c) et (b, d), autour de l'axe de rotation donné en fonction de la variable demandée, si f' et g' sont continues.

   a) Autour de l'axe des x en fonction de x

   b) Autour de l'axe des x en fonction de y

   c) Autour de l'axe des y en fonction de x

   d) Autour de l'axe des y en fonction de y

   e) Autour de $y = k_1$, $k_1 < c$ en fonction de x

   f) Autour de $x = k_2$, $k_2 > b$ en fonction de x

2. Calculer l'aire de la surface engendrée par la rotation de la courbe autour de l'axe donné sur l'intervalle indiqué.

   a) $y = 3x$ autour de l'axe des x, si $x \in [2, 5]$

   b) $y = 3x$ autour de l'axe des y, si $x \in [2, 5]$

c) $y = 3x$ autour de $y = 21$, si $x \in [2, 5]$

d) $y = x^{\frac{1}{3}}$ autour de l'axe des y, si $8 \le x \le 27$

e) $y = \dfrac{2x^{\frac{3}{2}}}{3} - \dfrac{x^{\frac{1}{2}}}{2}$ autour de l'axe des x, si $x \in [1, 3]$

f) $x = \sqrt{y}$ autour de l'axe des y, si $0 \le y \le 9$

3. Calculer l'aire de la surface engendrée par la rotation de la courbe autour de l'axe donné sur l'intervalle indiqué.

a) $x = 5 + \sin t$, $y = 3 + \cos t$ autour de l'axe des x, si $t \in [0, 2\pi]$.

b) $x = 5 + \sin t$, $y = 3 + \cos t$ autour de l'axe des y, si $t \in [0, 2\pi]$.

c) $x = 5 + \sin t$, $y = 3 + \cos t$ autour de $x = 7$, si $t \in [0, 2\pi]$.

d) $x = 3t$, $y = 2t^2 + 4$ autour de l'axe des y, si $t \in [0, 1]$.

4. Soit $y = 4x$, où $x \in [0, 3]$.

a) Représenter graphiquement la surface engendrée par la rotation de cette courbe autour de l'axe des y, identifier cette surface de révolution et calculer son aire.

b) Représenter graphiquement la surface engendrée par la rotation de cette courbe autour de l'axe des x, identifier cette surface de révolution et calculer son aire.

5. Démontrer, en utilisant la méthode de surface de révolution, que l'aire S de la surface latérale d'un cône de rayon r et de hauteur h est donnée par $S = \pi r l$, où $l = \sqrt{r^2 + h^2}$.

6. Calculer l'aire de la *calotte,* c'est-à-dire la surface engendrée par la rotation, autour de l'axe des x, de la portion supérieure du cercle d'équation $x^2 + y^2 = 4$ lorsque $x \in [1, 2]$. Représenter graphiquement.

7. Calculer l'aire de la surface engendrée par la partie supérieure de l'astroïde définie par $x = a \cos^3 t$ et $y = a \sin^3 t$ tournant autour de l'axe des x. Représenter graphiquement.

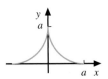

5.5 INTÉGRALES IMPROPRES

Objectif d'apprentissage

À la fin de cette section, l'élève pourra calculer des intégrales impropres.

Plus précisément, l'élève sera en mesure :
- de déterminer si une intégrale donnée est une intégrale impropre ;
- de calculer des intégrales impropres lorsque f tend vers l'infini pour une ou plusieurs valeurs de l'intervalle $[a, b]$;
- de calculer des intégrales impropres lorsque au moins une des bornes d'intégration est infinie ;
- d'utiliser le théorème du test de comparaison pour les intégrales impropres.

Jusqu'à maintenant, nous avons calculé des intégrales définies de la forme $\displaystyle\int_a^b f(x)\, dx$, pour des fonctions continues sur $[a, b]$.

Dans cette section, nous étendrons le concept d'intégrale définie à des fonctions qui tendent vers $\pm\infty$ pour une ou plusieurs valeurs de l'intervalle d'intégration et à des fonctions continues intégrées sur des intervalles infinis.

Définition	L'intégrale $\displaystyle\int_a^b f(x)\, dx$ est une **intégrale impropre** 1) si f tend vers $\pm\infty$ en une ou plusieurs valeurs de l'intervalle $[a, b]$ ou 2) si au moins une des bornes d'intégration est infinie.

Exemple 1

a) $\displaystyle\int_0^1 \frac{1}{x}\,dx$ est une intégrale impropre, car $\dfrac{1}{x}$ tend vers $+\infty$ lorsque $x \to 0^+$ et $0 \in [0, 1]$.

b) $\displaystyle\int_1^5 \frac{-1}{(x-2)^2}\,dx$ est une intégrale impropre, car $\dfrac{-1}{(x-2)^2}$ tend vers $-\infty$ lorsque $x \to 2$ et $2 \in [1, 5]$.

c) $\displaystyle\int_3^{+\infty} (5+x)^2\,dx$ est une intégrale impropre, car une des bornes d'intégration est infinie.

d) $\displaystyle\int_{-\infty}^{+\infty} \frac{1}{x^2+1}\,dx$ est une intégrale impropre, car les deux bornes d'intégration sont infinies.

Intégrales de fonctions tendant vers $\pm\infty$

1er cas

Définition

Lorsque f est continue sur $[a, b[$ et $\displaystyle\lim_{x \to b^-} f(x) = \pm\infty$, alors

$$\int_a^b f(x)\,dx = \lim_{t \to b^-} \int_a^t f(x)\,dx, \text{ si la limite existe.}$$

Exemple 1 Calculons $\displaystyle\int_0^1 \frac{1}{\sqrt{1-x^2}}\,dx$, qui correspond à l'aire de la région délimitée par la courbe de l'intégrande, l'axe des x, $x = 0$ et $x = 1$.

Puisque $\displaystyle\lim_{x \to 1^-} \frac{1}{\sqrt{1-x^2}} = +\infty$, alors

$$\int_0^1 \frac{1}{\sqrt{1-x^2}}\,dx = \lim_{t \to 1^-} \int_0^t \frac{1}{\sqrt{1-x^2}}\,dx \quad \text{(par définition)}$$

$$= \lim_{t \to 1^-} \left[\text{Arc sin } x \,\Big|_0^t \right] \quad \text{(en intégrant)}$$

$$= \lim_{t \to 1^-} [\text{Arc sin } t - \text{Arc sin } 0]$$

$$= \text{Arc sin } 1 \quad \text{(en évaluant la limite)}$$

$$= \frac{\pi}{2}$$

$f(x) = \dfrac{1}{\sqrt{1-x^2}}$

$(t \to 1^-)$

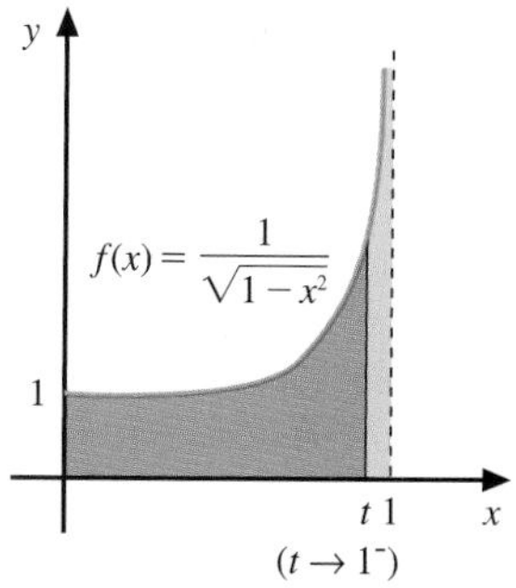

Ainsi, l'aire de la région ci-dessus est égale à $\dfrac{\pi}{2}$ u², même si la région n'est pas fermée.

Exemple 2 Calculons $\displaystyle\int_0^4 \frac{-1}{(4-x)^2}\,dx$.

Puisque $\displaystyle\lim_{t \to 4^-} \frac{-1}{(4-x)^2} = -\infty$, alors

$$\int_0^4 \frac{-1}{(4-x)^2}\,dx = \lim_{t\to 4^-} \int_0^t \frac{-1}{(4-x)^2}\,dx \qquad \text{(par définition)}$$

$$= \lim_{t\to 4^-} \left[\frac{-1}{4-x}\bigg|_0^t \right] \qquad \text{(en intégrant)}$$

$$= \lim_{t\to 4^-} \left[\frac{-1}{(4-t)} + \frac{1}{4} \right] = -\infty \qquad \text{(en évaluant la limite)}$$

Définition

1) L'intégrale impropre est **convergente** si la limite définissant cette intégrale existe et est finie.

2) L'intégrale impropre est **divergente** si la limite définissant cette intégrale n'existe pas ou est infinie.

Dans l'exemple 1 précédent, l'intégrale impropre est convergente et dans l'exemple 2, l'intégrale impropre est divergente.

2ᵉ cas

Définition

Lorsque f est continue sur $]a, b]$ et $\lim\limits_{x\to a^+} f(x) = \pm\infty$, alors

$$\int_a^b f(x)\,dx = \lim_{s\to a^+} \int_s^b f(x)\,dx, \text{ si la limite existe.}$$

Exemple 3 Calculons $\int_0^1 \frac{1}{x}\,dx$, qui correspond à l'aire de la région délimitée par la courbe de l'intégrande, l'axe des x, $x = 0$ et $x = 1$.

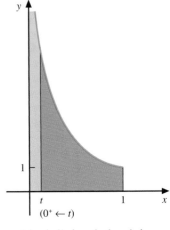

Puisque $\lim\limits_{x\to 0^+} \frac{1}{x} = +\infty$, alors

$$\int_0^1 \frac{1}{x}\,dx = \lim_{s\to 0^+} \int_s^1 \frac{1}{x}\,dx \qquad \text{(par définition)}$$

$$= \lim_{s\to 0^+} \left[\ln x \bigg|_s^1 \right]$$

$$= \lim_{s\to 0^+} [\ln 1 - \ln s]$$

$$= +\infty \qquad \text{(car } \lim_{s\to 0^+} \ln s = -\infty\text{)}$$

De plus, $\int_0^1 \frac{1}{x}\,dx$ est une intégrale divergente.

Ainsi, l'aire de la région ci-dessus est infinie.

3ᵉ cas

Définition

Lorsque f est continue sur $]a, b[$, $\lim\limits_{x\to a^+} f(x) = \pm\infty$ et $\lim\limits_{x\to b^-} f(x) = \pm\infty$, alors

$$\int_a^b f(x)\,dx = \lim_{s\to a^+} \int_s^c f(x)\,dx + \lim_{t\to b^-} \int_c^t f(x)\,dx, \text{ où } c \in\,]a, b[, \text{ si les limites existent.}$$

Remarque $\int_a^b f(x)\,dx$ est convergente si chacune des intégrales du membre de droite est convergente.

Si l'une des intégrales du membre de droite est divergente, alors $\int_a^b f(x)\,dx$ est divergente.

Exemple 4 Calculons $\int_0^2 \dfrac{5x-6}{x(x-2)}\,dx$ et déterminons si elle est convergente ou divergente.

Puisque $\lim\limits_{x\to 0^+}\dfrac{5x-6}{x(x-2)}=+\infty$ et $\lim\limits_{x\to 2^-}\dfrac{5x-6}{x(x-2)}=-\infty$, alors en choisissant $c=1$, où $1\in\,]0,2[$, nous avons

$$\int_0^2 \frac{5x-6}{x(x-2)}\,dx = \int_0^1 \frac{5x-6}{x(x-2)}\,dx + \int_1^2 \frac{5x-6}{x(x-2)}\,dx$$

$$= \lim_{s\to 0^+}\int_s^1 \frac{5x-6}{x(x-2)}\,dx + \lim_{t\to 2^-}\int_1^t \frac{5x-6}{x(x-2)}\,dx \qquad \text{(par définition)}$$

$$= \lim_{s\to 0^+}\int_s^1 \left[\frac{3}{x}+\frac{2}{x-2}\right]dx + \lim_{t\to 2^-}\int_1^t \left[\frac{3}{x}+\frac{2}{x-2}\right]dx \quad \text{(en décomposant)}$$

$$= \lim_{s\to 0^+}\left[(3\ln|x|+2\ln|x-2|)\Big|_s^1\right] + \lim_{t\to 2^-}\left[(3\ln|x|+2\ln|x-2|)\Big|_1^t\right]$$

$$= \lim_{s\to 0^+}[0-(3\ln s+2\ln|s-2|)] + \lim_{t\to 2^-}[(3\ln t+2\ln|t-2|)-0]$$

$$= [+\infty - 2\ln 2] + [3\ln 2 - \infty]$$

$$= +\infty - \infty$$

Puisque au moins une des intégrales du membre de droite est divergente, alors l'intégrale est divergente.

4ᵉ cas

Définition

Lorsque f est non continue en au moins une valeur $c\in\,]a,b[$ et $\lim\limits_{x\to c^-}f(x)=\pm\infty$ ou $\lim\limits_{x\to c^+}f(x)=\pm\infty$, alors

$$\int_a^b f(x)\,dx = \lim_{t\to c^-}\int_a^t f(x)\,dx + \lim_{s\to c^+}\int_s^b f(x)\,dx,\ \text{si les limites existent.}$$

Exemple 5 Calculons $\int_{-1}^8 \dfrac{1}{x^{\frac{1}{3}}}\,dx$ et déterminons si elle est convergente ou divergente.

Puisque $\lim\limits_{x\to 0^-}\dfrac{1}{x^{\frac{1}{3}}}=-\infty$ et $\lim\limits_{x\to 0^+}\dfrac{1}{x^{\frac{1}{3}}}=+\infty$, alors

$$\int_{-1}^8 \frac{1}{x^{\frac{1}{3}}}\,dx = \int_{-1}^0 \frac{1}{x^{\frac{1}{3}}}\,dx + \int_0^8 \frac{1}{x^{\frac{1}{3}}}\,dx$$

$$= \lim_{t\to 0^-}\int_{-1}^t \frac{1}{x^{\frac{1}{3}}}\,dx + \lim_{s\to 0^+}\int_s^8 \frac{1}{x^{\frac{1}{3}}}\,dx \quad \text{(par définition)}$$

$$= \lim_{t \to 0^-} \left[\frac{3x^{\frac{2}{3}}}{2} \Big|_{-1}^{t} \right] + \lim_{s \to 0^+} \left[\frac{3x^{\frac{2}{3}}}{2} \Big|_{s}^{8} \right]$$

$$= \lim_{t \to 0^-} \left[\frac{3t^{\frac{2}{3}}}{2} - \frac{3(-1)^{\frac{2}{3}}}{2} \right] + \lim_{s \to 0^+} \left[\frac{3(8)^{\frac{2}{3}}}{2} - \frac{3s^{\frac{2}{3}}}{2} \right]$$

$$= \left[0 - \frac{3}{2} \right] + [6 - 0] = \frac{9}{2}$$

d'où l'intégrale est convergente.

Intégrales de fonctions où au moins une des bornes d'intégration est infinie

1er cas

Définition

Lorsque la borne supérieure est $+\infty$, alors

$$\int_a^{+\infty} f(x)\, dx = \lim_{M \to +\infty} \int_a^{M} f(x)\, dx, \text{ si la limite existe.}$$

Exemple 1 Calculons $\displaystyle\int_1^{+\infty} \frac{1}{x}\, dx$, qui correspond à l'aire de la région délimitée par la courbe de l'intégrande, l'axe des x et $x \geq 1$.

$$\int_1^{+\infty} \frac{1}{x}\, dx = \lim_{M \to +\infty} \int_1^{M} \frac{1}{x}\, dx \quad \text{(par définition)}$$

$$= \lim_{M \to +\infty} \left[\ln |x| \, \Big|_1^{M} \right]$$

$$= \lim_{M \to +\infty} [\ln M - \ln 1] = +\infty$$

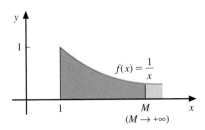

Ainsi, l'aire de la région ci-dessus est infinie.

Exemple 2 Calculons le volume V du solide de révolution engendré par la rotation de la région délimitée par $y = \dfrac{1}{x^2}$, l'axe des x et $x \geq 1$ autour de l'axe des x.

Représentons le volume de révolution.

$$V = \pi \int_1^{+\infty} y^2\, dx \qquad \text{(méthode du disque)}$$

$$= \pi \int_1^{+\infty} \frac{1}{x^4}\, dx \qquad \left(\text{car } y = \frac{1}{x^2} \right)$$

$$= \pi \lim_{M \to +\infty} \int_1^{M} \frac{1}{x^4}\, dx \quad \text{(par définition)}$$

$$= \pi \lim_{M \to +\infty} \left[\frac{-1}{3x^3} \, \Big|_1^{M} \right]$$

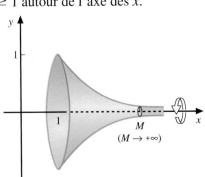

Ainsi, le volume ci-dessus est égal à $\dfrac{\pi}{3}$ u³.

$$= \pi \lim_{M \to +\infty} \left[\frac{-1}{3M^3} + \frac{1}{3} \right]$$

$$= \frac{\pi}{3}, \text{ donc } \frac{\pi}{3} \, u^3$$

2e cas

Définition

Lorsque la borne inférieure est -∞, alors

$$\int_{-\infty}^{b} f(x) \, dx = \lim_{N \to -\infty} \int_{N}^{b} f(x) \, dx, \text{ si la limite existe.}$$

Exemple 3 Calculons $\int_{-\infty}^{0} xe^x \, dx$ et déterminons si elle est convergente ou divergente.

$$\int_{-\infty}^{0} xe^x \, dx = \lim_{N \to -\infty} \int_{N}^{0} xe^x \, dx \qquad \text{(par définition)}$$

$$= \lim_{N \to -\infty} \left[(xe^x - e^x) \Big|_{N}^{0} \right] \qquad \text{(en intégrant par parties)}$$

$$= \lim_{N \to -\infty} [(0 - 1) - (Ne^N - e^N)]$$

$$= -1 - \lim_{N \to -\infty} (Ne^N - e^N)$$

$$= -1 - \lim_{N \to -\infty} Ne^N + \lim_{N \to -\infty} e^N$$

$$= -1 - \lim_{N \to -\infty} \frac{N}{e^{-N}} + 0 \qquad \left(\lim_{N \to -\infty} Ne^N \text{ est une indétermination de la forme } (-\infty \cdot 0) \right)$$

$$= -1 - \lim_{N \to -\infty} \frac{1}{-e^{-N}} \qquad \text{(règle de L'Hospital)}$$

$$= -1$$

d'où l'intégrale est convergente.

Exemple 4 Calculons $\int_{-\infty}^{\frac{\pi}{2}} \cos x \, dx$ et déterminons si elle est convergente ou divergente.

$$\int_{-\infty}^{\frac{\pi}{2}} \cos x \, dx = \lim_{N \to -\infty} \int_{N}^{\frac{\pi}{2}} \cos x \, dx \qquad \text{(par définition)}$$

$$= \lim_{N \to -\infty} \left[\sin x \Big|_{N}^{\frac{\pi}{2}} \right]$$

$$= \lim_{N \to -\infty} \left[\sin \frac{\pi}{2} - \sin N \right] = 1 - \lim_{N \to -\infty} \sin N$$

Puisque $\lim_{N \to -\infty} \sin N$ n'existe pas, l'intégrale impropre $\int_{-\infty}^{\frac{\pi}{2}} \cos x \, dx$ est divergente.

3ᵉ cas

Définition

Lorsque les deux bornes sont infinies, alors

$$\int_{-\infty}^{+\infty} f(x)\, dx = \lim_{N \to -\infty} \int_{N}^{c} f(x)\, dx + \lim_{M \to +\infty} \int_{c}^{M} f(x)\, dx, \text{ où } c \in \mathbb{R}, \text{ si les limites existent.}$$

Exemple 5 Calculons $\displaystyle\int_{-\infty}^{+\infty} e^x\, dx$ et déterminons si elle est convergente ou divergente.

$$\int_{-\infty}^{+\infty} e^x\, dx = \int_{-\infty}^{0} e^x\, dx + \int_{0}^{+\infty} e^x\, dx$$

$$= \lim_{N \to -\infty} \int_{N}^{0} e^x\, dx + \lim_{M \to +\infty} \int_{0}^{M} e^x\, dx \quad \text{(par définition)}$$

$$= \lim_{N \to -\infty} \left[e^x \Big|_{N}^{0} \right] + \lim_{M \to +\infty} \left[e^x \Big|_{0}^{M} \right]$$

$$= \lim_{N \to -\infty} [e^0 - e^N] + \lim_{M \to +\infty} [e^M - e^0]$$

$$= (1 - 0) + (+\infty - 1)$$

$$= +\infty$$

d'où l'intégrale est divergente.

Dans certaines intégrales impropres, nous retrouvons simultanément plusieurs des cas étudiés précédemment.

Exemple 6 Calculons $\displaystyle\int_{0}^{+\infty} \dfrac{1}{(x-1)^{\frac{1}{3}}}\, dx$.

Puisque $\displaystyle\lim_{x \to 1^-} \dfrac{1}{(x-1)^{\frac{1}{3}}} = -\infty$ et $\displaystyle\lim_{x \to 1^+} \dfrac{1}{(x-1)^{\frac{1}{3}}} = +\infty$, alors

$$\int_{0}^{+\infty} \dfrac{1}{(x-1)^{\frac{1}{3}}}\, dx = \int_{0}^{1} \dfrac{1}{(x-1)^{\frac{1}{3}}}\, dx + \int_{1}^{2} \dfrac{1}{(x-1)^{\frac{1}{3}}}\, dx + \int_{2}^{+\infty} \dfrac{1}{(x-1)^{\frac{1}{3}}}\, dx$$

$$= \lim_{s \to 1^-} \int_{0}^{s} \dfrac{1}{(x-1)^{\frac{1}{3}}}\, dx + \lim_{t \to 1^+} \int_{t}^{2} \dfrac{1}{(x-1)^{\frac{1}{3}}}\, dx + \lim_{M \to +\infty} \int_{2}^{M} \dfrac{1}{(x-1)^{\frac{1}{3}}}\, dx$$

$$= \lim_{s \to 1^-} \left[\dfrac{3}{2}(x-1)^{\frac{2}{3}} \Big|_{0}^{s} \right] + \lim_{t \to 1^+} \left[\dfrac{3}{2}(x-1)^{\frac{2}{3}} \Big|_{t}^{2} \right] + \lim_{M \to +\infty} \left[\dfrac{3}{2}(x-1)^{\frac{2}{3}} \Big|_{2}^{M} \right]$$

$$= \dfrac{-3}{2} + \dfrac{3}{2} + \infty$$

$$= +\infty$$

Test de comparaison pour les intégrales impropres

Énonçons maintenant un théorème que nous acceptons sans démonstration, mais que nous justifions graphiquement. Ce théorème permet de déterminer la convergence ou la divergence d'intégrales impropres où il est difficile, ou même impossible, de trouver une primitive.

THÉORÈME 5.4
TEST DE COMPARAISON

Soit f et g, deux fonctions continues sur $[a, +\infty$ telles que $0 \leq f(x) \leq g(x)$, $\forall \ x \in [a, +\infty$. Alors,

1) si $\displaystyle\int_{a}^{+\infty} g(x) \, dx$ est convergente, alors $\displaystyle\int_{a}^{+\infty} f(x) \, dx$ est convergente ;

2) si $\displaystyle\int_{a}^{+\infty} f(x) \, dx$ est divergente, alors $\displaystyle\int_{a}^{+\infty} g(x) \, dx$ est divergente.

Soit l'aire A_1 définie par $A_1 = \displaystyle\int_{a}^{+\infty} g(x) \, dx$

et l'aire A_2 définie par $A_2 = \displaystyle\int_{a}^{+\infty} f(x) \, dx$.

En comparant graphiquement A_1 et A_2, nous constatons que $A_2 \leq A_1$. Donc si A_1 est finie, alors A_2 est finie et si A_2 est infinie, alors A_1 est infinie.

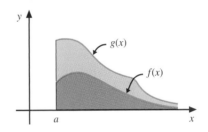

Exemple 1 Déterminons si $\displaystyle\int_{1}^{+\infty} e^{-x^2} \, dx$ est convergente ou divergente à l'aide du théorème du test de comparaison, puisqu'il est impossible de trouver une primitive de e^{-x^2}.

Puisque $-x^2 \leq -x$, $\forall \ x \in [1, +\infty$, alors $e^{-x^2} \leq e^{-x}$ (car e^x est une fonction croissante).

On peut vérifier à l'aide d'un outil technologique que la courbe de e^{-x^2} est située au-dessous de celle de e^{-x}, $\forall \ x \in \ ]1, +\infty$.

Calculons $\displaystyle\int_{1}^{+\infty} e^{-x} \, dx = \lim_{M \to +\infty} \int_{1}^{M} e^{-x} \, dx$

$$= \lim_{M \to +\infty} \left[-e^{-x} \Big|_{1}^{M} \right]$$

$$= \lim_{M \to +\infty} [-e^{-M} + e^{-1}]$$

$$= \frac{1}{e}$$

Ainsi, $\displaystyle\int_{1}^{+\infty} e^{-x} \, dx$ est convergente.

D'où $\displaystyle\int_{1}^{+\infty} e^{-x^2} \, dx$ est convergente. (théorème 5.4)

Exemple 2 Déterminons si $\displaystyle\int_2^{+\infty} \dfrac{1}{\sqrt[7]{x^7 - 1}}\, dx$ est convergente ou divergente à l'aide du théorème du test de comparaison.

Puisque $\sqrt[7]{x^7 - 1} \le x$, $\forall\ x \in [2, +\infty$, alors $\dfrac{1}{\sqrt[7]{x^7 - 1}} \ge \dfrac{1}{x}$.

On peut vérifier à l'aide d'un outil technologique que la courbe de $\dfrac{1}{\sqrt[7]{x^7 - 1}}$ est située au-dessus de celle de $\dfrac{1}{x}$, si $x \ge 2$.

Calculons $\displaystyle\int_2^{+\infty} \dfrac{1}{x}\, dx = \lim_{M \to +\infty} \int_2^M \dfrac{1}{x}\, dx$

$$= \lim_{M \to +\infty} \left[\ln |x|\ \Big|_2^M\right]$$

$$= \lim_{M \to +\infty} [\ln M - \ln 2]$$

$$= +\infty$$

Ainsi, $\displaystyle\int_2^{+\infty} \dfrac{1}{x}\, dx$ est divergente.

D'où $\displaystyle\int_2^{+\infty} \dfrac{1}{\sqrt[7]{x^7 - 1}}\, dx$ est divergente.   (théorème 5.4)

Exercices 5.5

1. Parmi les intégrales suivantes, trouver les intégrales impropres et exprimer celles-ci à l'aide de limites.

a) $\displaystyle\int_3^5 \dfrac{1}{x - 3}\, dx$

b) $\displaystyle\int_4^5 \dfrac{1}{t - 3}\, dt$

c) $\displaystyle\int_0^5 \dfrac{1}{v - 3}\, dv$

d) $\displaystyle\int_{-\frac{\pi}{2}}^0 \tan \theta\, d\theta$

e) $\displaystyle\int_{-\infty}^2 \dfrac{1}{\sqrt{x^2 + 1}}\, dx$

f) $\displaystyle\int_{-1}^1 \dfrac{e^x}{e^x - 1}\, dx$

g) $\displaystyle\int_0^1 \text{Arc tan } u\, du$

h) $\displaystyle\int_{-\infty}^{+\infty} \dfrac{1}{x}\, dx$

2. Calculer, si possible, les intégrales suivantes.

a) $\displaystyle\int_0^1 \dfrac{1}{x}\, dx$

b) $\displaystyle\int_{-\frac{1}{5}}^0 \dfrac{1}{x^2}\, dx$

c) $\displaystyle\int_0^4 \dfrac{1}{\sqrt{x}}\, dx$

d) $\displaystyle\int_0^1 \dfrac{1}{(u - 1)^5}\, du$

e) $\displaystyle\int_0^8 \dfrac{1}{\sqrt[3]{x - 8}}\, dx$

f) $\displaystyle\int_0^{\frac{\pi}{2}} \tan \theta\, d\theta$

3. Calculer, si possible, les intégrales suivantes et déterminer si elles sont convergentes (C) ou divergentes (D).

a) $\displaystyle\int_{-1}^2 \dfrac{7}{y^2}\, dy$

b) $\displaystyle\int_{-1}^1 \dfrac{x}{\sqrt{1 - x^2}}\, dx$

c) $\displaystyle\int_0^4 \dfrac{2x - 4}{(x^2 - 4x)}\, dx$

4. Calculer, si possible, les intégrales suivantes et déterminer si elles sont convergentes (C) ou divergentes (D).

a) $\displaystyle\int_1^{+\infty} \dfrac{1}{\sqrt{x}}\, dx$

b) $\displaystyle\int_1^{+\infty} \dfrac{4}{x^3}\, dx$

c) $\displaystyle\int_{-\infty}^0 e^{-x}\, dx$

d) $\displaystyle\int_0^{+\infty} \sin \theta\, d\theta$

e) $\displaystyle\int_1^{+\infty} \dfrac{1}{1 + u^2}\, du$

f) $\displaystyle\int_0^{+\infty} 3^x\, dx$

5. Calculer, si possible, les intégrales suivantes et déterminer si elles sont convergentes (C) ou divergentes (D).

a) $\displaystyle\int_{-\infty}^{+\infty} 2e^{-x}\,dx$

b) $\displaystyle\int_{-\infty}^{+\infty} xe^{-x^2}\,dx$

c) $\displaystyle\int_{-\infty}^{+\infty} x\,dx$

6. Calculer, si possible, les intégrales suivantes.

a) $\displaystyle\int_{0}^{+\infty} \frac{1}{x}\,dx$

b) $\displaystyle\int_{-\infty}^{0} \frac{1}{x^2}\,dx$

c) $\displaystyle\int_{1}^{+\infty} \frac{1}{x\sqrt{x^2-1}}\,dx$

7. Calculer, si possible, les intégrales impropres suivantes et déterminer si elles sont convergentes (C) ou divergentes (D).

a) $\displaystyle\int_{0}^{16} \frac{1}{(x-8)^{\frac{2}{3}}}\,dx$

e) $\displaystyle\int_{-\infty}^{+\infty} \frac{e^{\text{Arc tan }x}}{1+x^2}\,dx$

b) $\displaystyle\int_{-\infty}^{1} \frac{1}{\sqrt{5-x}}\,dx$

f) $\displaystyle\int_{0}^{1} \frac{e^{\sqrt{x}}}{\sqrt{x}}\,dx$

c) $\displaystyle\int_{3}^{+\infty} \frac{1}{x\ln x}\,dx$

g) $\displaystyle\int_{0}^{2} \left(\frac{1}{x^2}+\frac{1}{x-2}\right)dx$

d) $\displaystyle\int_{3}^{+\infty} \frac{1}{x\ln^2 x}\,dx$

h) $\displaystyle\int_{0}^{+\infty} 8xe^{-2x}\,dx$

8. Déterminer les valeurs de $p > 0$ pour lesquelles les intégrales suivantes sont convergentes et pour lesquelles elles sont divergentes.

a) $\displaystyle\int_{0}^{1} \frac{1}{x^p}\,dx$

b) $\displaystyle\int_{1}^{+\infty} \frac{1}{x^p}\,dx$

c) $\displaystyle\int_{0}^{+\infty} \frac{1}{x^p}\,dx$

9. Représenter graphiquement les régions suivantes et calculer l'aire de ces régions.

a) $y = \dfrac{1}{\sqrt{x}}$, $y = 0$ et $x \geq 1$

b) $y = \dfrac{1}{x^2}$, $y = 0$ et $x \geq 1$

c) $y = \dfrac{1}{1+x^2}$, $y = 0$ et $x \in \mathbb{R}$

d) $y = \dfrac{1}{\sqrt[3]{x-1}}$, $y = 0$, $x = 0$ et $x = 9$

10. Déterminer si les intégrales suivantes sont convergentes ou divergentes en utilisant le test de comparaison et les résultats appropriés de l'exercice précédent.

a) $\displaystyle\int_{1}^{+\infty} \frac{1}{x^4+1}\,dx$

b) $\displaystyle\int_{1}^{+\infty} \frac{1}{\sqrt{\sqrt{x}-0,5}}\,dx$

11. Soit la région délimitée par la courbe de f définie par $f(x) = \dfrac{1}{x^2}$, où $x \geq 1$, et l'axe des x. Déterminer le volume engendré par la rotation de la région précédente autour de

a) l'axe des x ;

b) l'axe des y.

12. Soit la région délimitée par la courbe de f définie par $f(x) = \dfrac{1}{x}$, où $x \geq 1$, et l'axe des x.

a) Calculer l'aire de la région donnée.

b) Calculer le volume engendré par la rotation de la région donnée autour de l'axe des x.

13. À la suite de l'explosion d'un réacteur nucléaire, un gaz se dégage dans l'air à un rythme défini par $\dfrac{dQ}{dt} = 0,15 \times 2^{\frac{-t}{37}}$, où t est en années et $\dfrac{dQ}{dt}$ est en m³/an. Déterminer la quantité totale de gaz accumulée durant la vie infinie de ce réacteur.

▦ Réseau de concepts

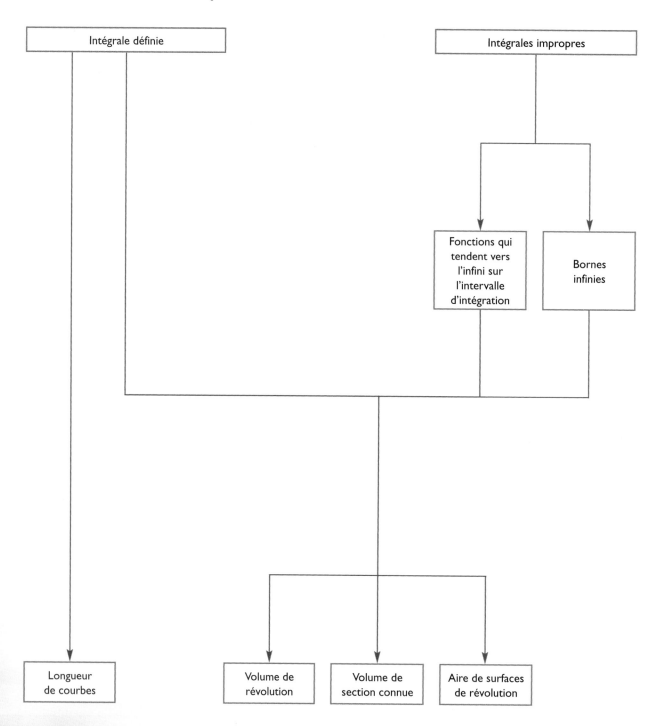

▦ Liste de vérification des connaissances

RÉPONDRE PAR **OUI** OU PAR **NON.**		
Après l'étude de ce chapitre, je suis en mesure :	**OUI**	**NON**
1. de représenter graphiquement une région donnée ainsi que le solide de révolution engendré par la rotation de cette région autour d'un axe donné ;		
2. de calculer le volume d'un solide de révolution en utilisant la méthode du disque ;		
3. de calculer le volume d'un solide de révolution en utilisant la méthode du tube, également appelée méthode de la coquille cylindrique ;		
4. de calculer le volume d'un solide en utilisant la méthode du découpage en tranches ;		
5. de démontrer des formules permettant de calculer la longueur de courbes planes ;		
6. d'utiliser les formules précédentes ;		
7. de calculer la longueur de courbes définies à l'aide d'équations paramétriques ;		
8. de démontrer une formule permettant de calculer l'aire d'une surface de révolution ;		
9. d'utiliser la formule précédente ;		
10. de calculer l'aire d'une surface de révolution engendrée par la rotation d'une courbe définie à l'aide d'équations paramétriques ;		
11. de déterminer si une intégrale donnée est une intégrale impropre ;		
12. de calculer des intégrales impropres lorsque f tend vers l'infini pour une ou plusieurs valeurs de l'intervalle $[a, b]$;		
13. de calculer des intégrales impropres lorsque au moins une des bornes d'intégration est infinie ;		
14. d'utiliser le théorème du test de comparaison pour les intégrales impropres.		
Si vous avez répondu **NON** à l'une de ces questions, il serait préférable pour vous d'étudier de nouveau cette notion.		

▚▚▚ Exercices récapitulatifs

1. Soit la région fermée délimitée par $y = x^2$, $y = 0$ et $x = 2$. Utiliser la méthode du disque et la méthode du tube pour évaluer le volume du solide de révolution engendré par la rotation de la région précédente autour de

a) l'axe des x;

b) l'axe des y;

c) $y = 4$;

d) $y = 5$;

e) $x = 2$;

f) $x = -2$;

g) $y = -2$;

h) $x = 6$.

2. Calculer le volume du solide de révolution engendré par la rotation de la région délimitée par les équations autour de l'axe de rotation donné. Représenter graphiquement b), c) et d).

a) $y = e^x$, $y = e^{-x}$, $x = 0$ et $x = 2$; axe des x

b) $y = \dfrac{1}{x^2 + 2}$, $y = \dfrac{1}{(x^2 + 2)^2}$, $x = 0$ et $x = 2$; axe des y

c) $y = \cos x$, $y = 0$ et $x \in [0, \pi]$; axe des x

d) $y = \cos x$, $y = 0$ et $x \in [0, \pi]$; axe des y

3. Soit l'ellipse définie par l'équation $\dfrac{x^2}{a^2} + \dfrac{y^2}{b^2} = 1$.

Déterminer le volume obtenu en faisant tourner

a) la région de l'ellipse située à la droite de l'axe des y autour de l'axe des y;

b) la région de l'ellipse située en haut de l'axe des x autour de l'axe des x.

4. a) Quelle région pouvons-nous faire tourner autour de l'axe des x pour engendrer une sphère de rayon R?

b) Exprimer le volume de la sphère à l'aide d'une intégrale définie et calculer ce volume.

c) Si un trou de rayon r est percé verticalement dans le centre d'une sphère de rayon R, déterminer le volume restant.

d) Si $r = \dfrac{R}{2}$, calculer le volume du solide obtenu.

e) Si $R = 2$ cm, déterminer r tel que le volume du trou soit égal au volume restant.

5. Calculer le volume des solides suivants.

a) Le solide possède une base circulaire de rayon 4. Chaque section plane, perpendiculaire à un diamètre fixe, est un triangle isocèle de hauteur 3.

b) La base du solide est la région délimitée par $y = e^x$, $y = x$, $x = 0$ et $x = 3$. Chaque section du solide, dans un plan perpendiculaire à l'axe des x, est un carré dont un des côtés appartient à la base.

6. a) Nous coupons une sphère de rayon R par un plan qui passe à une distance a du centre de la sphère. Calculer le volume des deux parties.

b) Soit un réservoir d'eau de forme sphérique dont le rayon est de 10 mètres. Calculer le volume d'eau dans le réservoir s'il contient 2 mètres d'eau de hauteur; s'il contient 13 mètres d'eau de hauteur.

c) Dans les deux cas, calculer la masse d'eau si la densité de l'eau est d'approximativement 1000 kg/m³.

d) Soit un réservoir d'eau formé de la partie inférieure d'une demi-sphère dont le rayon est de R mètres. Calculer le pourcentage d'espace occupé par l'eau lorsque nous trouvons $\dfrac{R}{2}$ mètres d'eau dans cette demi-sphère.

7. Déterminer la longueur des courbes suivantes sur l'intervalle donné, et pour a) déterminer la longueur du segment de droite reliant les extrémités de la courbe.

a) $y = x^2$; $x \in [0, 1]$

b) $(x + 1)^2 = 16y^3$; $y \in \left[0, \dfrac{2}{3}\right]$, où $x \geqslant -1$

c) $\sin x = e^y$; $x \in \left[\dfrac{\pi}{4}, \dfrac{\pi}{2}\right]$

d) $x = e^t \sin t$, $y = e^t \cos t$; $t \in \left[0, \dfrac{\pi}{2}\right]$

e) $x = 1 - 2t^2$, $y = 1 + t^3$; $t \in [0, 1]$

8. La hauteur H d'un fil électrique reliant deux pylônes est donnée par l'équation

$H(x) = 500 \left(e^{\frac{x}{1000}} + e^{\frac{-x}{1000}}\right) - 980$,

où $x \in [-100 \text{ m}, 100 \text{ m}]$.

a) Déterminer la hauteur minimale H_1 entre le fil et le sol, et la hauteur H_2 des pylônes.

b) Déterminer la longueur L de ce fil.

9. Nous voulons joindre les villes A et B. Deux chemins sont possibles: le premier, C_1, défini par l'arc de courbe d'équation $y = 4x^2$, et le second, C_2, défini par l'arc de courbe d'équation

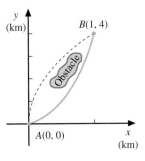

$y = 4x^{\frac{2}{3}}$. Déterminer l'économie réalisée en choisissant le chemin le plus court, si le coût de construction est de 1 000 000 \$/km.

10. Calculer l'aire de la surface engendrée par la rotation de la courbe autour de l'axe donné sur l'intervalle indiqué.

a) $y = x^2$, où $x \in [0, 3]$, autour de l'axe des x; autour de l'axe des y

b) $y = e^x + \dfrac{e^{-x}}{4}$, $x \in [0, 1]$ autour de l'axe des x; autour de l'axe des y

c) $x = \sin^2 t$, $y = \cos^2 t$, $t \in \left[0, \dfrac{\pi}{4}\right]$ autour de l'axe des x; autour de l'axe des y

11. Si un litre de peinture, au coût moyen de 6 \$ le litre, couvre une superficie d'environ 10 m², déterminer le

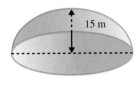

coût d'achat de la peinture nécessaire pour recouvrir la partie intérieure de la calotte ci-dessus provenant d'une sphère de rayon $r = 25$ m.

12. Calculer, si possible, les intégrales impropres suivantes et déterminer si elles sont convergentes (C) ou divergentes (D).

a) $\displaystyle\int_0^1 \dfrac{(1 + \sqrt{x})^5}{\sqrt{x}}\, dx$

e) $\displaystyle\int_{-1}^1 \dfrac{1}{\sqrt{1 - x^2}}\, dx$

b) $\displaystyle\int_{-\infty}^0 \dfrac{x^2}{x^2 + 1}\, dx$

f) $\displaystyle\int_{-\infty}^\infty \dfrac{x^2}{e^{x^3}}\, dx$

c) $\displaystyle\int_0^{+\infty} \dfrac{\sin\left(\dfrac{\pi}{x}\right)}{x^2}\, dx$

g) $\displaystyle\int_{-1}^1 \dfrac{|x|}{x}\, dx$

d) $\displaystyle\int_{-1}^8 \dfrac{1}{\sqrt[3]{x^5}}\, dx$

h) $\displaystyle\int_0^{+\infty} x \sin x\, dx$

13. Calculer l'aire des régions délimitées par

a) $y = \dfrac{1}{\sqrt{x}}$, $y = 0$, $x = 0$ et $x = 1$

b) $y = \dfrac{1}{x^2}$, $y = 0$, $x = 0$ et $x = 1$

c) $y = xe^{\frac{-x^2}{2}}$, $y = 0$ et $x \in \mathbb{R}$

d) $y = \dfrac{x}{\sqrt{4 - x^2}}$, $y = 0$, $x = -2$ et $x = 2$

14. Soit la fonction f définie par $y = e^{-x}$ où $x \geq 0$.

a) Calculer l'aire de la région délimitée par cette courbe et l'axe des x.

b) Calculer le volume engendré par la rotation de la région précédente autour de l'axe des x; autour de l'axe des y; autour de $y = 1$.

15. La base d'un solide est la région du plan XY délimitée par la courbe $y = \dfrac{1}{x^{\frac{2}{3}}}$, l'axe des x et $x \geq 1$.

Calculer le volume du solide si toute section plane perpendiculaire à l'axe des x est

a) un carré;

b) un rectangle dont la hauteur est égale à la racine carrée de la base.

16. Un puits de pétrole produit à un rythme défini par $\dfrac{dQ}{dt} = \dfrac{100t}{(t^2 + 2)^2}$, où t est en années et $\dfrac{dQ}{dt}$ est en millions de barils par an. Si nous émettons l'hypothèse que ce rythme puisse être conservé, déterminer la production totale de ce puits.

Problèmes de synthèse

1. Calculer les intégrales suivantes et déterminer, dans le cas des intégrales impropres, si elles sont convergentes (C) ou divergentes D.

a) $\displaystyle\int_0^1 x^2 \ln x \, dx$

b) $\displaystyle\int_0^{+\infty} e^x \sin x \, dx$

c) $\displaystyle\int_{-\infty}^0 e^x \cos x \, dx$

d) $\displaystyle\int_0^{+\infty} \frac{1}{1 + e^x} \, dx$

e) $\displaystyle\int_0^{\frac{\pi}{2}} \frac{1}{1 - \sin x} \, dx$

f) $\displaystyle\int_0^1 \frac{x^{\frac{2}{5}} + 1}{x^{\frac{2}{5}} - 4} \, dx$

g) $\displaystyle\int_1^2 \frac{x - 2}{\sqrt{x - 1}} \, dx$

h) $\displaystyle\int_{\frac{\pi}{4}}^{\frac{\pi}{2}} \frac{1}{\sin\theta \cos\theta \sqrt{\tan^2\theta - 1}} \, d\theta$

2. Soit la région délimitée par $y = \sin x$, $y = \cos x$ et $x \in \left[0, \dfrac{\pi}{4}\right]$.

a) Calculer l'aire entre ces deux courbes.

b) Calculer le volume du solide de révolution engendré par la rotation de la région autour de l'axe des x; autour de l'axe des y.

c) La région précédente est la base d'un solide où chaque section est un carré dont un des côtés appartient à la base du solide. Calculer le volume du solide lorsque chaque section est dans un plan perpendiculaire à l'axe des x; à l'axe des y.

3. a) Quelle région pouvons-nous faire tourner autour de l'axe des x pour engendrer un cône de rayon r et de hauteur h?

b) Exprimer le volume du cône à l'aide d'une intégrale définie et calculer ce volume.

c) Calculer le volume d'un tronc de cône de hauteur h, de petit rayon r et de

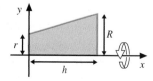

grand rayon R obtenu par la rotation de la région ci-dessus autour de l'axe des x.

4. a) Déterminer le volume V et l'aire A d'un tore, qui est un solide de révolution engendré par la rotation du cercle d'équation $(x - a)^2 + y^2 = r^2$, également défini par les équations paramétriques $x = a + r\cos t$ et $y = r\sin t$, autour de l'axe des y, où $a > r$. Représenter graphiquement.

b) Comparer le volume V_1 d'un tore engendré par un cercle de rayon 2 avec $a = 3$ et le volume V_2 d'un tore engendré par un cercle de rayon 1 avec $a = 10$.

c) Déterminer la valeur de a dans l'équation d'un tore engendré par un cercle de rayon 1 qui aurait le même volume que le tore précédent de volume V_1.

5. L'un des réservoirs d'un camion de lait a la forme d'un cylindre d'une longueur de 12 m et d'un diamètre de 2 m.

Déterminer le nombre de litres contenus dans le réservoir s'il est rempli de 1,5 m de lait, sachant que 1000 L de lait occupent un volume de 1 m³.

6. Trouver le volume commun de deux cylindres de rayon 4, dont les axes se coupent à angle droit.

7. La hauteur d'un fil téléphonique reliant un poteau à une maison est donnée par l'équation

$$y = \frac{a\left(e^{\frac{x}{a}} + e^{\frac{-x}{a}}\right)}{2}.$$

À l'aide de la représentation ci-dessous, déterminer la valeur de a et calculer la longueur L du fil.

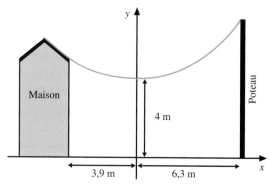

8. Une route doit traverser une rivière par un pont perpendiculaire à cette dernière. Pour accéder au pont, nous utilisons la courbe définie sur le graphique ci-dessous, où l'arc AB a l'allure de la courbe $y = x^3$ sur [-1, 0] et l'arc CD a l'allure de la courbe $y = x^3$ sur [0, 1].

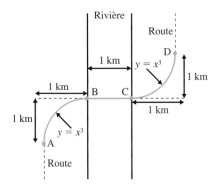

a) Calculer la longueur approximative L_1 de l'arc de courbe reliant C à D, à l'aide de la méthode de Simpson, avec $n = 4$, ainsi que la longueur approximative L de l'arc de courbe reliant A à D.

b) Quelle longueur aurait la route si nous pouvions joindre A et D en ligne droite ?

9. On fait tourner un cercle de rayon 1 à l'extérieur de la circonférence d'un cercle de rayon 4.

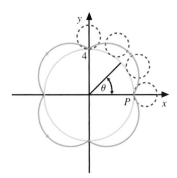

La position du point P du petit cercle est donnée par

$x = 5 \cos \theta - \cos 5\theta$

$y = 5 \sin \theta - \sin 5\theta$

Déterminer la longueur L totale parcourue par le point P si le petit cercle fait un tour complet autour du grand cercle.

10. Soit la région fermée délimitée par $y = \sin x$ et $y = 0$, où $x \in [0, 2\pi]$.

a) Calculer l'aire de cette région.

b) Calculer le volume du solide de révolution engendré par la rotation de cette région autour de l'axe des x.

c) Calculer l'aire de la surface engendrée par la rotation de l'arc de la courbe autour de l'axe des x.

d) Calculer la longueur totale approximative L de la courbe, à l'aide de la méthode des trapèzes, avec $n = 4$ sur $[0, \pi]$.

11. Soit la région délimitée par $y = \dfrac{1}{x^2 + 1}$, $y = 0$ et $x \in [0, {}^+\infty$. Calculer le volume du solide de révolution engendré par la rotation de cette région autour de l'axe des x; autour de l'axe des y.

12. Soit la région délimitée par la courbe de f définie par $f(x) = \dfrac{1}{x^p}$, où $x \geq 1$, et l'axe des x. Déterminer la valeur de p pour que le volume du solide de révolution engendré par la rotation de cette région autour de

a) l'axe des x soit fini; calculer ce volume;

b) l'axe des y soit fini; calculer ce volume.

13. Après avoir représenté les courbes suivantes, déterminer l'intégrale définie donnant la longueur de l'arc de courbe et évaluer la longueur de l'arc si :

a) $y = x^3 + x$, où $x \in [0, 2]$

b) $y = xe^x$, où $x \in [-1, 1]$

c) $y = \sin x$, où $x \in [0, \pi]$

d) $x = 4 \cos 2\theta$, $y = 3 \sin 4\theta$, où $\theta \in \left[0, \dfrac{\pi}{4}\right]$

14. Soit la région R délimitée par $y = x^{\frac{3}{2}}$, $y = 0$, $x = 1$ et $x = 4$.

a) Calculer l'aire et le périmètre de cette région.

b) Calculer le volume du solide de révolution obtenu en faisant tourner cette région autour de l'axe des x; autour de l'axe des y.

c) Calculer le volume du solide dont la base est la région R, où chaque section plane du solide est un carré perpendiculaire à l'axe des x; à l'axe des y.

15. Soit le triangle dont les sommets sont les points A(2, 1), B(8, 1) et C(5, 7). Déterminer le volume du solide obtenu en faisant tourner cette région autour

a) de l'axe des x; de l'axe des y;

b) de $x = 5$; de $y = 1$.

16. Les économistes estiment que le capital P qu'il faut investir aujourd'hui pour s'assurer perpétuellement d'une somme annuelle $f(t)$ est donné par $P = \displaystyle\int_0^{+\infty} f(t)\, e^{-it}\, dt$, où i est le taux d'intérêt composé continuellement. Déterminer la somme à investir aujourd'hui, à un taux d'intérêt $i = 10\,\%$, pour s'assurer

a) d'une somme constante de 1000 \$/an;

b) d'une somme variable de $1000(1{,}06)^t$ \$/an, en tenant compte de l'inflation.

17. Les dimensions d'une piscine de forme elliptique sont les suivantes.

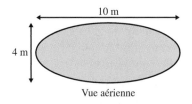

Vue aérienne

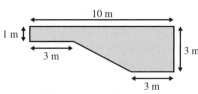

Coupe transversale au centre

Déterminer la capacité maximale, en litres, de cette piscine.

18. Soit un mobile dont l'accélération est donnée par $a(t) = \dfrac{-20}{t^3}$ pour $t \geq 1$, où $a(t)$ est en m/s².

Sachant que la vitesse du mobile après 1 s est de 10 m/s, calculer la distance maximale que le mobile peut parcourir.

19. a) Un réservoir sphérique, de rayon R mètres, contient du liquide dont la profondeur est de h mètres, où $h \leq R$. Exprimer le volume du liquide en fonction de R et de h.

b) Nous remplissons d'eau un réservoir de cette forme, dont le rayon est de 10 mètres, au rythme constant de 0,05 m³/s. Après combien de temps le réservoir contiendra-t-il 5 m d'eau? Après combien de temps contiendra-t-il $\dfrac{2000\pi}{3}$ m³ d'eau?

c) Déterminer à quelle vitesse le niveau d'eau monte lorsque la profondeur de l'eau est de 1 m; 9 m.

20. Un verre d'eau a approximativement les dimensions du solide de révolution engendré par la rotation de la courbe d'équation $y = \dfrac{4x^2}{3}$, où $x \in [0, 3]$ et x est en cm, autour de l'axe des y. Nous vidons, à l'aide d'une paille, le verre à un rythme de 3 cm³/s.

a) Déterminer le volume maximal d'eau que peut contenir ce verre.

b) Exprimer le volume d'eau contenu dans le verre en fonction du temps; en fonction de la hauteur de l'eau contenue dans le verre.

c) Exprimer, en fonction de la hauteur, la vitesse de décroissance de la hauteur de l'eau contenue dans le verre.

d) Calculer cette vitesse lorsque la hauteur de l'eau dans le verre est de 6 cm; lorsque le verre contient la moitié du volume maximal; après 50 s.

e) Après combien de temps le verre sera-t-il vide?

21. Soit la fonction f définie par

$$f(x) = \begin{cases} cxe^{-3x} & \text{si} \quad x \geq 0 \\ 0 & \text{si} \quad x < 0. \end{cases}$$

a) Déterminer la valeur de c telle que $\displaystyle\int_{-\infty}^{+\infty} f(x)\, dx = 1$.

b) En utilisant le résultat trouvé en a), calculer $\displaystyle\int_0^2 f(x)\, dx$, $\displaystyle\int_2^{+\infty} f(x)\, dx$ et $\displaystyle\int_{-\infty}^{+\infty} x f(x)\, dx$.

22. Démontrer que $\displaystyle\int_0^{+\infty} x^n\, e^{-x}\, dx = n!$, où $n \in \{1, 2, 3, \ldots\}$.

6

Suites et séries

Introduction

Dans ce chapitre, nous étudierons d'abord des fonctions, appelées suites, dont le domaine de définition est un sous-ensemble des entiers. Nous déterminerons la convergence ou la divergence de suites en évaluant la limite appropriée.

Ensuite, nous effectuerons la somme infinie des termes de ces suites, ce que nous appelons séries. Nous déterminerons, à l'aide de différents critères, la convergence ou la divergence de séries.

Finalement, nous développerons certaines fonctions en série de Taylor et en série de Maclaurin. Ces développements nous permettent en particulier de calculer des intégrales définies de fonctions dont la primitive n'est pas connue.

En particulier, l'élève pourra résoudre le problème suivant.

Certaines personnes atteintes d'une maladie doivent prendre une dose quotidienne de 20 mg d'un certain médicament. Si, chaque jour, l'organisme élimine 25 % du médicament présent,

a) déterminer la quantité de médicament présente dans l'organisme après 10 jours ;

b) déterminer la quantité maximale de médicament présente dans l'organisme d'une personne qui doit prendre ce médicament le reste de ses jours.

(Exercices 6.2, n° 15, page 310.)

ès la Grèce antique, les paradoxes de Zénon d'Élée (495-430) mirent en évidence les difficultés inhérentes à la manipulation des suites ou des séries infinies qui fascinèrent toujours les philosophes et les mathématiciens. Par exemple, le paradoxe de la dichotomie: pour atteindre un mur, un marcheur devra d'abord parcourir la moitié de la distance le séparant du mur. Puis, il parcourra la moitié de la distance restante (le quart de la distance initiale). Puis, encore la moitié de la distance restante (le huitième de la distance initiale), etc. Le marcheur aura donc à parcourir un nombre infini d'étapes et, intuitivement, il semble qu'il n'atteindra jamais le mur. Cette réponse repose sur la difficulté de concevoir l'effet d'une infinité d'étapes. La question revient à se demander: «Peut-on parcourir une infinité d'étapes dans un temps fini?» Par contre, si on ne se préoccupe pas du temps, on peut dire que le marcheur parcourra au total une distance égale à ce que nous écrivons maintenant $\dfrac{d}{2} + \dfrac{d}{2^2} + \dfrac{d}{2^3} + \dfrac{d}{2^4} + \dots$, où d est la distance initiale qui le sépare du mur. Cette série infinie est-elle bien égale à d, comme l'expérience nous le suggère?

Vérifier avec le théorème 6.12.

Aux XIIe et XIIIe siècles, les questions relatives à l'infini refirent surface dans les nouvelles universités dès la redécouverte de la philosophie d'Aristote. Certains abordèrent ces questions philosophiquement, d'autres mathématiquement. Nicole Oresme (1323-1382), de l'Université de Paris, montra que la série harmonique $1 + \dfrac{1}{2} + \dfrac{1}{3} + \dfrac{1}{4} + \dots$ n'a pas une somme finie. Mais il ajouta: «Si un certain temps avait été ainsi divisé en parties proportionnelles [division successive par 2]; qu'en la première partie de ce temps, un certain mobile se mût avec une certaine vitesse; qu'en la seconde, il se mût deux fois plus vite, en la troisième trois fois plus vite, et ainsi de suite, la vitesse croissant toujours de même, la vitesse totale [moyenne] serait précisément quadruple de la vitesse de la première partie; de sorte qu'en l'heure entière, ce mobile parcourrait un chemin exactement quadruple de celui qu'il a parcouru pendant la première partie de cette heure.» Oresme avait donc déterminé la valeur d'une série infinie.

Pouvez-vous vérifier qu'Oresme avait raison?

Savoir si une somme infinie de termes à valeurs numériques a une valeur finie déterminée peut tromper même les meilleurs mathématiciens. Leibniz s'y fit prendre lorsqu'il affirma que $1 - 1 + 1 - 1 + 1 - \dots = \dfrac{1}{2}$.

Selon lui, $\dfrac{1}{2}$ est la moyenne entre la somme 0 d'un nombre pair de termes et la somme 1 d'un nombre impair de termes. Leibniz peut se consoler, il est en bonne compagnie. Cauchy, malgré toute la rigueur appliquée à son travail de fondement du calcul différentiel et intégral, fit lui aussi une erreur relative aux séries infinies. Ainsi, il affirma qu'une série infinie convergente dont chacun des termes est une fonction continue en x est aussi une fonction continue en x. Intuitivement, ce résultat semble juste. Mais le Norvégien Niels Henrik Abel (1802-1829), à 24 ans seulement, montra clairement par un exemple que l'intuition est erronée: $f(x) = \displaystyle\sum_{n=0}^{\infty} \dfrac{\sin(2n+1)x}{2n+1}$ est une série convergente, pour toute valeur de x, de fonctions continues, mais elle a un point de discontinuité à $x = \pi$. Dès lors, Abel avait raison d'affirmer que: «La théorie des séries infinies, jusqu'à présent (1826), est très mal établie. On fait toutes sortes d'opérations sur les séries infinies, comme si elles étaient finies, mais est-ce permis? Jamais! Où est-il démontré que l'on obtient la dérivée d'une série infinie en prenant la dérivée de chaque terme? Citons des exemples où cela est faux:

$$\frac{x}{2} = \sin x - \frac{1}{2}\sin 2x + \frac{1}{3}\sin 3x - \dots$$

En prenant les dérivées, on a:

$$\frac{1}{2} = \cos x - \cos 2x + \cos 3x - \dots$$

Résultat faux, car cette série est divergente.»

Il faudra encore une quarantaine d'années de travail pour venir à bout de ces questions.

▦ Test préliminaire

1. Donner la définition.

a) $n!$

b) $0!$

2. Évaluer.

a) $3!$ b) $50!$ c) $\dfrac{150!}{148!}$

3. Simplifier.

a) $\dfrac{n!}{n}$ c) $\dfrac{3^{n+1}(n-1)!}{3^{n}(n+1)!}$

b) $\dfrac{(n+1)!}{n!}$ d) $\dfrac{(2k)!}{(2k+2)!}$

4. Déterminer, sous forme d'intervalle, les valeurs qui satisfont les inégalités suivantes.

a) $|x| < 2$

b) $|x-4| \leq 7$

c) $|3x-2| < 14$

d) $\left|\dfrac{1}{x}\right| \leq 5$

5. Déterminer la valeur minimale qu'il faut donner à n pour que

a) $\left(\dfrac{1}{3}\right)^{n} < 0,01$;   c) $\dfrac{1}{3^{n}(n-1)!} < 0,0001$;

b) $(0,6)^{n} < 0,001$;   d) $\dfrac{(0,01)^{n}}{(2n)!} < 10^{-6}$.

6. Compléter.

a) Si $f'(x) > 0$ sur $]a, b[$, alors $f\ldots$

b) Si $f'(x) < 0$ sur $]a, b[$, alors $f\ldots$

7. Évaluer en utilisant la règle de L'Hospital.

a) $\lim\limits_{x \to 0} \dfrac{\sin x}{x}$ c) $\lim\limits_{n \to +\infty} \left(1+\dfrac{1}{n}\right)^{n}$

b) $\lim\limits_{k \to +\infty} \dfrac{\ln k}{\sqrt{k}}$ d) $\lim\limits_{n \to +\infty} \sqrt[n]{n}$

8. Déterminer la formule de sommation correspondant à chacune des sommes suivantes.

a) $1+2+3+\ldots+n$ b) $\displaystyle\sum_{i=1}^{n} i^{2}$

6.1 SUITES

Objectif d'apprentissage

À la fin de cette section, l'élève pourra résoudre certains problèmes mettant en jeu des suites.

Plus précisément, l'élève sera en mesure :
- de donner la définition d'une suite et d'utiliser la notation appropriée ;
- de déterminer le terme général d'une suite ;
- de représenter graphiquement une suite ;
- de déterminer la convergence ou la divergence d'une suite ;
- de déterminer si une suite est bornée ;
- de déterminer la croissance ou la décroissance d'une suite.

Jusqu'à maintenant, nous avons surtout étudié des fonctions de $\mathbb{R}$ dans $\mathbb{R}$.

Dans cette section, notre étude portera sur les fonctions de E dans $\mathbb{R}$, où E est un ensemble d'entiers non négatifs.

Définitions et notations

Définition	Une **suite** est une fonction dont le domaine de définition est un ensemble contenant tous les entiers plus grands ou égaux à un entier non négatif m donné et dont l'image est un sous-ensemble de $\mathbb{R}$.

Exemple 1 Déterminons le domaine et l'image des suites suivantes.

a) $f(n) = \dfrac{2}{3^n}$, où $n \geq 4$.

$$\text{dom } f = \{4, 5, 6, \ldots, n, \ldots\} \text{ et im } f = \left\{\dfrac{2}{3^4}, \dfrac{2}{3^5}, \dfrac{2}{3^6}, \ldots, \dfrac{2}{3^n}, \ldots\right\}$$

Nous pouvons définir la suite précédente en utilisant la notation $\left\{\dfrac{2}{3^n}\right\}_{n \geq 4}$.

b) $\{(-1)^n(2n + 1)\}_{n \geq 0}$.

Dans ce cas, $f(n) = (-1)^n (2n + 1)$, où $n \geq 0$. Ainsi,

$$\text{dom } f = \{0, 1, 2, 3, \ldots, n, \ldots\} \text{ et im } f = \{1, -3, 5, -7, \ldots, (-1)^n(2n + 1), \ldots\}$$

Remarque Par convention, lorsque la valeur initiale du domaine de la suite n'est pas donnée, cette valeur initiale est 1. Il est à noter que les définitions et théorèmes sur les suites sont énoncés avec la convention précédente. Toutefois, ces définitions et théorèmes demeurent valables pour un domaine quelconque d'entiers non négatifs.

Exemple 2 Déterminons le domaine et l'image de la suite $\left\{\dfrac{3}{n}\right\}$.

Le domaine est $\{1, 2, 3, 4, \ldots, n, \ldots\}$ et l'image est $\left\{3, \dfrac{3}{2}, 1, \dfrac{3}{4}, \dfrac{3}{5}, \dfrac{1}{2}, \ldots, \dfrac{3}{n}, \ldots\right\}$.

Définition

De façon générale, nous notons $\{a_n\}$ la suite dont les termes sont $a_1, a_2, a_3, \ldots, a_n, \ldots$,

où a_1 correspond au premier terme de la suite,

a_2 correspond au deuxième terme de la suite,

$\vdots$

a_n correspond au n^e terme de la suite

et a_n est appelé **terme général** de la suite ; nous écrivons

$$\{a_n\} = \{a_1, a_2, \ldots, a_n, \ldots\}.$$

Exemple 3 Soit la suite $\{n!\}$. Déterminons les cinq premiers termes de cette suite.

En posant $n = 1$, nous trouvons $a_1 = 1! = 1$

en posant $n = 2$, nous trouvons $a_2 = 2! = 2$

en posant $n = 3$, nous trouvons $a_3 = 3! = 6$

en posant $n = 4$, nous trouvons $a_4 = 4! = 24$

en posant $n = 5$, nous trouvons $a_5 = 5! = 120$

Ainsi, $\{n!\} = \{1, 2, 6, 24, 120, \ldots, n!, \ldots\}$.

Il peut être utile de connaître les premiers termes de certaines suites afin de nous faciliter la tâche lorsque nous aurons à trouver le terme général d'une suite. Par exemple :

$$\{n\} = \{1, 2, 3, 4, 5, \ldots\} \qquad \{2^n\} = \{2, 4, 8, 16, 32, \ldots\}$$
$$\{3n\} = \{3, 6, 9, 12, 15, \ldots\} \qquad \{3^n\} = \{3, 9, 27, 81, 243, \ldots\}$$
$$\{n^2\} = \{1, 4, 9, 16, 25, \ldots\} \qquad \{(-1)^n\} = \{-1, 1, -1, 1, -1, \ldots\}$$
$$\{n^3\} = \{1, 8, 27, 64, 125, \ldots\} \qquad \{n!\} = \{1, 2, 6, 24, 120, \ldots\}$$

Exemple 4

a) Déterminons le terme général de la suite $\left\{\dfrac{1}{2}, \dfrac{2}{5}, \dfrac{3}{10}, \dfrac{4}{17}, \ldots\right\}$.

En observant cette suite, nous constatons que :

le numérateur de chaque terme correspond aux termes de la suite $\{n\}$;

le dénominateur correspond aux termes de la suite $\{n^2\}$ auxquels 1 est ajouté.

Nous pouvons déduire que $a_n = \dfrac{n}{n^2 + 1}$ vérifie les termes de la suite pour

$n = 1, 2, 3, 4, \ldots$

b) Déterminons le terme général de la suite $\left\{\dfrac{1}{2}, \dfrac{-1}{4}, \dfrac{1}{8}, \dfrac{-1}{16}, \dfrac{1}{32}, \ldots\right\}$.

En observant cette suite, nous constatons que :

le numérateur prend successivement les valeurs 1 et -1 ;

le dénominateur est une puissance de 2.

D'où $a_n = \dfrac{(-1)^{n+1}}{2^n}$ vérifie les termes de la suite pour $n = 1, 2, 3, 4, 5, \ldots$

c) Déterminons le terme général de la suite $\left\{\dfrac{3}{4}, \dfrac{8}{11}, \dfrac{13}{30}, \dfrac{18}{67}, \ldots\right\}$.

En observant cette suite, nous constatons que :

le numérateur augmente de 5 à chaque terme, ainsi la forme générale du numérateur est $5n + C$. Puisque, pour $n = 1$, nous avons $5(1) + C = 3$, donc $C = -2$, ainsi le numérateur est de la forme $5n - 2$;

le dénominateur correspond aux termes de la suite $\{n^3\}$ auxquels 3 est ajouté.

D'où $a_n = \dfrac{5n - 2}{n^3 + 3}$ vérifie les termes de la suite pour $n = 1, 2, 3, 4, \ldots$

Définition

Une suite est définie par **récurrence** lorsque la valeur du premier terme ou des premiers termes est donnée et que le terme général est défini en fonction du terme précédent ou des termes précédents.

Exemple 5 Calculons les cinq premiers termes de la suite $\{a_n\}$ définie par $a_1 = 5$ et $a_n = 1 + \dfrac{1}{a_{n-1}}$, si $n \geq 2$.

Pour trouver a_2, a_3, a_4, a_5, il faut utiliser l'égalité $a_n = 1 + \dfrac{1}{a_{n-1}}$, où $n = 2$, 3, 4 et 5.

L'égalité précédente se traduit de la façon suivante :

$$\text{chaque terme} = 1 + \frac{1}{\text{terme précédent}}, \text{ pour } n \geq 2.$$

Ainsi $a_2 = 1 + \dfrac{1}{a_1} = 1 + \dfrac{1}{5} = \dfrac{6}{5}$; $\qquad a_3 = 1 + \dfrac{1}{a_2} = 1 + \dfrac{1}{\left(\dfrac{6}{5}\right)} = \dfrac{11}{6}$;

$a_4 = 1 + \dfrac{1}{a_3} = 1 + \dfrac{1}{\left(\dfrac{11}{6}\right)} = \dfrac{17}{11}$; $\qquad a_5 = 1 + \dfrac{1}{a_4} = 1 + \dfrac{1}{\left(\dfrac{17}{11}\right)} = \dfrac{28}{17}$;

d'où les cinq premiers termes de la suite sont : $5, \dfrac{6}{5}, \dfrac{11}{6}, \dfrac{17}{11}, \dfrac{28}{17}$.

(BETTMANN/CORBIS/MAGMAPHOTO.COM)

Leonardo Fibonacci,
mathématicien italien

Leonardo Fibonacci (v. 1175, v. 1240) introduisit la suite qui porte son nom dans son *Liber abaci*, écrit vers 1202. Voici l'énoncé : « Un homme place une paire de lapins dans un enclos fermé. Combien de paires de lapins y aura-t-il au bout d'une année, si l'on suppose que chaque mois, chaque paire de lapins engendre un nouvelle paire de lapins qui, elle-même, pourra se reproduire à partir du second mois ? » Aujourd'hui, les mathématiques traitant la suite de Fibonacci font l'objet de tellement de recherches qu'une revue, *Fibonacci Quarterly*, leur est spécifiquement consacrée.

Exemple 6 Calculons les premiers termes de la suite de Fibonacci, définie par $a_1 = 1$, $a_2 = 1$ et $a_n = a_{n-2} + a_{n-1}$, si $n \geq 3$.

Puisque, pour $n \geq 3$, chaque terme est la somme des deux termes précédents, nous avons

$$a_3 = a_1 + a_2 = 1 + 1 = 2$$
$$a_4 = a_2 + a_3 = 1 + 2 = 3$$
$$a_5 = a_3 + a_4 = 2 + 3 = 5$$

Ainsi, la suite de Fibonacci est $\{1, 1, 2, 3, 5, 8, 13, 21, \ldots\}$.

Représentations graphiques d'une suite

Nous pouvons représenter graphiquement une suite de deux façons différentes :

– dans le plan cartésien, en situant les points (n, a_n), où n appartient au domaine de définition de la suite ;

– sur la droite réelle, en situant les valeurs a_1, a_2, a_3, ... des termes de la suite $\{a_n\}$.

Exemple 1 Soit la suite $\left\{\dfrac{1}{n}\right\}$.

a) Représentons graphiquement dans le plan cartésien la suite $\left\{\dfrac{1}{n}\right\}$ ainsi que la

fonction $f(x) = \dfrac{1}{x}$, où $x \geq 1$.

En donnant successivement à n les valeurs 1, 2, 3, ..., nous obtenons les points $(1, 1)$, $\left(2, \dfrac{1}{2}\right)$, $\left(3, \dfrac{1}{3}\right)$, ...

D'où nous obtenons le graphique suivant.

Nous pouvons constater que le graphique de la suite $\left\{\dfrac{1}{n}\right\}$ est un sous-ensemble du graphique de la fonction f définie par $f(x) = \dfrac{1}{x}$.

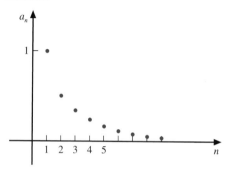

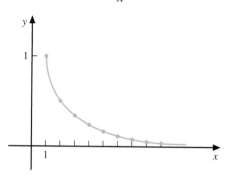

b) Représentons graphiquement sur la droite réelle la suite $\left\{\dfrac{1}{n}\right\}$.

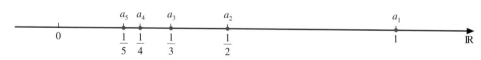

Énonçons maintenant un théorème que nous acceptons sans démonstration.

THÉORÈME 6.1

Soit une suite $\{a_n\}$ et une fonction f, telles que $a_n = f(n)$ si $n \geq m$, où $m \in \mathbb{N}$.

Si $\lim\limits_{x \to +\infty} f(x)$ existe, alors $\lim\limits_{n \to +\infty} a_n = \lim\limits_{x \to +\infty} f(x)$.

Ainsi, le comportement à l'infini d'une suite $\{a_n\}$ où $a_n = f(n)$ est semblable à celui de la fonction à l'infini lorsque $\lim\limits_{x \to +\infty} f(x)$ existe.

En appliquant le théorème 6.1 à la suite $\left\{\dfrac{1}{n}\right\}$ de l'exemple 1, nous avons $\lim\limits_{n \to +\infty} \dfrac{1}{n} = \lim\limits_{x \to +\infty} \dfrac{1}{x}$.

Puisque $\lim\limits_{x \to +\infty} \dfrac{1}{x} = 0$, alors $\lim\limits_{n \to +\infty} \dfrac{1}{n} = 0$.

Convergence et divergence d'une suite

Définition

1) Une suite $\{a_n\}$ **converge** vers le nombre L si

$$\lim_{n\to+\infty} a_n = L, \text{ où } L \in \mathbb{R}.$$

Dans ce cas, nous disons que la suite est **convergente.**

2) Une suite $\{a_n\}$ **diverge** si

$$\lim_{n\to+\infty} a_n = +\infty \text{ ou } \lim_{n\to+\infty} a_n = -\infty \text{ ou } \lim_{n\to+\infty} a_n \text{ n'existe pas.}$$

Dans ce cas, nous disons que la suite est **divergente.**

Exemple 1 Déterminons si la suite $\left\{\dfrac{1}{n}\right\}$ est convergente ou divergente.

Puisque $\lim_{n\to+\infty} \dfrac{1}{n} = 0$ (voir l'exemple 1 précédent), la suite $\left\{\dfrac{1}{n}\right\}$ converge vers 0.

D'où la suite $\left\{\dfrac{1}{n}\right\}$ est convergente.

Exemple 2

a) Déterminons si la suite $\left\{\dfrac{n-1}{n}\right\}$ est convergente ou divergente.

$\lim_{n\to+\infty} \dfrac{n-1}{n}$ est une indétermination de la forme $\dfrac{+\infty}{+\infty}$.

$$\lim_{n\to+\infty} \frac{n-1}{n} = \lim_{n\to+\infty} \frac{n\left(1 - \dfrac{1}{n}\right)}{n}$$

$$= \lim_{n\to+\infty} \left(1 - \frac{1}{n}\right)$$

$$= 1$$

D'où la suite $\left\{\dfrac{n-1}{n}\right\}$ converge vers 1.

Nous pouvons également lever l'indétermination précédente comme suit :

$$\lim_{n\to+\infty} \frac{n-1}{n} = \lim_{x\to+\infty} \frac{x-1}{x} \quad \left(\text{théorème 6.1, en posant } f(x) = \frac{x-1}{x}\right)$$

$$= \lim_{x\to+\infty} \frac{1}{1} \quad \left(\begin{array}{l}\text{en appliquant la règle de L'Hospital} \\ \text{à une indétermination de la forme } \dfrac{+\infty}{+\infty}\end{array}\right)$$

$$= 1$$

b) Représentons graphiquement la suite $\left\{\dfrac{n-1}{n}\right\}$.

Représentation graphique
dans le plan cartésien

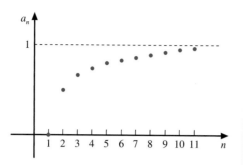

Représentation graphique
sur la droite réelle

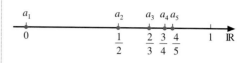

Dans le plan cartésien, on remarque que la droite horizontale $y = 1$ est une asymptote à l'ensemble des points de la suite $\left\{\dfrac{n-1}{n}\right\}$.

Sur la droite réelle, on remarque que la distance entre le point $x = 1$ et les points de la suite $\left\{\dfrac{n-1}{n}\right\}$ tend vers 0 lorsque $n \to +\infty$.

Exemple 3 Soit la suite $\left\{\dfrac{2^n}{5n}\right\}$.

a) Donnons les premiers termes de la suite : $\left\{\dfrac{2}{5}, \dfrac{2}{5}, \dfrac{8}{15}, \dfrac{4}{5}, \dfrac{32}{25}, \dfrac{32}{15}, \dfrac{128}{35}, \dfrac{32}{5}, \ldots\right\}$.

b) Déterminons si la suite converge ou si elle diverge.

$\displaystyle\lim_{n \to +\infty} \dfrac{2^n}{5n}$ est une indétermination de la forme $\dfrac{+\infty}{+\infty}$.

Ainsi, $\displaystyle\lim_{n \to +\infty} \dfrac{2^n}{5n} = \lim_{x \to +\infty} \dfrac{2^x}{5x}$ $\quad\left(\text{théorème 6.1, en posant } f(x) = \dfrac{2^x}{5x}\right)$

$\qquad = \displaystyle\lim_{n \to +\infty} \dfrac{2^x \ln 2}{5}$ $\quad$ (en appliquant la règle de L'Hospital)

$\qquad = +\infty$

D'où la suite $\left\{\dfrac{2^n}{5n}\right\}$ diverge.

Représentation graphique
dans le plan cartésien

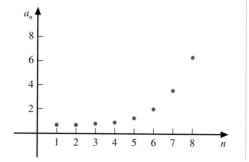

Représentation graphique
sur la droite réelle

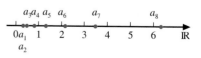

Exemple 4 Déterminons si la suite $\{(-1)^n\}$ est convergente ou divergente.

Puisque $\displaystyle\lim_{n\to+\infty} (-1)^n = \begin{cases} 1 & \text{si} \quad n \text{ est pair} \\ -1 & \text{si} \quad n \text{ est impair,} \end{cases}$

alors $\displaystyle\lim_{n\to+\infty} (-1)^n$ n'existe pas.

Puisque la limite n'existe pas, alors la suite est divergente.

Représentation graphique dans le plan cartésien	Représentation graphique sur la droite réelle
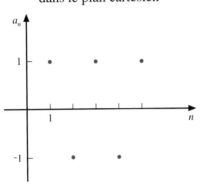	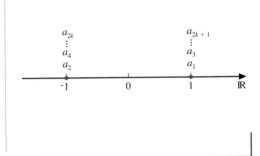

Énonçons maintenant un théorème sur les limites de suites. Ce théorème est analogue au théorème sur les limites de fonctions (théorème 3, G. Charron et P. Parent, *Calcul différentiel, 5ᵉ édition*, Laval, Groupe Beauchemin, éditeur, 2002, p. 46).

THÉORÈME 6.2

Soit $\{a_n\}$ et $\{b_n\}$ deux suites.

Si $\displaystyle\lim_{n\to+\infty} a_n = L$ et $\displaystyle\lim_{n\to+\infty} b_n = M$, où $L \in \mathbb{R}$ et $M \in \mathbb{R}$, alors

a) Limite d'une somme (différence) de suites :
$$\lim_{n\to+\infty} (a_n \pm b_n) = \lim_{n\to+\infty} a_n \pm \lim_{n\to+\infty} b_n = L \pm M$$

b) Limite du produit d'une suite par une constante :
$$\lim_{n\to+\infty} (k\,b_n) = k \lim_{n\to+\infty} b_n = kM, \text{ où } k \in \mathbb{R}$$

c) Limite d'un produit de suites :
$$\lim_{n\to+\infty} (a_n b_n) = \left(\lim_{n\to+\infty} a_n\right)\left(\lim_{n\to+\infty} b_n\right) = LM$$

d) Limite d'un quotient de suites :
$$\lim_{n\to+\infty} \frac{a_n}{b_n} = \frac{\displaystyle\lim_{n\to+\infty} a_n}{\displaystyle\lim_{n\to+\infty} b_n} = \frac{L}{M}, \text{ si } b_n \neq 0 \text{ pour tout } n \text{ et } M \neq 0$$

Exemple 5 Soit les suites $\{a_n\}$, $\{b_n\}$ et $\{c_n\}$ telles que $\displaystyle\lim_{n\to+\infty} a_n = 5$, $\displaystyle\lim_{n\to+\infty} b_n = \frac{-4}{7}$ et $\displaystyle\lim_{n\to+\infty} c_n = 0$. Déterminons si les suites suivantes convergent ou si elles divergent.

a) $\{a_n b_n\}$

Puisque $\lim\limits_{n \to +\infty} (a_n b_n) = \left(\lim\limits_{n \to +\infty} a_n\right)\left(\lim\limits_{n \to +\infty} b_n\right)$ (théorème 6.2 c)

$$= 5\left(\frac{-4}{7}\right) = \frac{-20}{7},$$

alors $\{a_n b_n\}$ converge vers $\dfrac{-20}{7}$.

b) $\left\{\dfrac{2a_n + 3c_n}{b_n}\right\}$

Puisque $\lim\limits_{n \to +\infty} \left(\dfrac{2a_n + 3c_n}{b_n}\right) = 2\,\dfrac{\lim\limits_{n \to +\infty} a_n}{\lim\limits_{n \to +\infty} b_n} + 3\,\dfrac{\lim\limits_{n \to +\infty} c_n}{\lim\limits_{n \to +\infty} b_n}$ (théorème 6.2 a), b) et d))

$$= 2\left(\frac{5}{\frac{-4}{7}}\right) + 3\left(\frac{0}{\frac{-4}{7}}\right)$$

$$= \frac{-35}{2},$$

alors $\left\{\dfrac{2a_n + 3c_n}{b_n}\right\}$ converge vers $\dfrac{-35}{2}$.

THÉORÈME 6.3
THÉORÈME SANDWICH POUR LES SUITES

Soit $\{a_n\}$, $\{b_n\}$ et $\{c_n\}$, des suites telles que $a_n \leq c_n \leq b_n$, pour tout $n \geq m$, où $m \in \mathbb{N}$.

Si $\lim\limits_{n \to +\infty} a_n = L$ et $\lim\limits_{n \to +\infty} b_n = L$, alors $\lim\limits_{n \to +\infty} c_n = L$.

Exemple 6 Déterminons si la suite $\left\{\dfrac{(-1)^n}{n}\right\}$ converge ou si elle diverge.

Soit les suites $\{a_n\} = \left\{\dfrac{-1}{n}\right\}$ et $\{b_n\} = \left\{\dfrac{1}{n}\right\}$.

Puisque $\underbrace{\dfrac{-1}{n}}_{a_n} \leq \underbrace{\dfrac{(-1)^n}{n}}_{c_n} \leq \underbrace{\dfrac{1}{n}}_{b_n}$ et que $\lim\limits_{n \to +\infty} \dfrac{-1}{n} = 0$ et $\lim\limits_{n \to +\infty} \dfrac{1}{n} = 0$,

alors $\lim\limits_{n \to +\infty} \dfrac{(-1)^n}{n} = 0$ (théorème 6.3)

D'où la suite $\left\{\dfrac{(-1)^n}{n}\right\}$ converge vers 0.

Exemple 7 Déterminons si la suite $\left\{\dfrac{3^n}{n!}\right\}$ converge ou si elle diverge.

En développant $\dfrac{3^n}{n!}$, nous obtenons

$$\dfrac{3^n}{n!} = \dfrac{3}{n}\left(\dfrac{3}{n-1}\right)\left(\dfrac{3}{n-2}\right)\cdots\left(\dfrac{3}{4}\right)\left(\dfrac{3}{3}\right)\left(\dfrac{3}{2}\right)3$$

$$\leq \dfrac{3}{n}\cdot 1 \cdot 1 \cdot \ldots 1 \cdot 1 \cdot \dfrac{3}{2}\cdot 3 \qquad \text{(pour } n \geq 4\text{)}$$

$$\leq \dfrac{27}{2n}$$

Puisque, pour $n \geq 4$, $0 \leq \underset{a_n}{\underbrace{\dfrac{3^n}{n!}}}\ \underset{c_n}{} \leq \underset{b_n}{\dfrac{27}{2n}}$ et que $\displaystyle\lim_{n\to+\infty} 0 = 0$ et $\displaystyle\lim_{n\to+\infty} \dfrac{27}{2n} = 0$,

alors $\displaystyle\lim_{n\to+\infty} \dfrac{3^n}{n!} = 0$ (théorème 6.3)

D'où la suite $\left\{\dfrac{3^n}{n!}\right\}$ converge vers 0.

Suites bornées et suites monotones

> **Définition**
>
> La suite $\{a_n\}$, où $n \in \mathbb{N}$, est
>
> 1) **bornée supérieurement** s'il existe un nombre $M \in \mathbb{R}$, tel que $a_n \leq M$, $\forall\, n \in \mathbb{N}$; nous dirons que M est un **majorant** ;
>
> 2) **bornée inférieurement** s'il existe un nombre $m \in \mathbb{R}$, tel que $m \leq a_n$, $\forall\, n \in \mathbb{N}$; nous dirons que m est un **minorant** ;
>
> 3) **bornée** si elle est bornée supérieurement et inférieurement.

> **Définition**
>
> 1) Nous appelons **borne supérieure**, notée B, le plus petit des majorants.
>
> 2) Nous appelons **borne inférieure**, notée b, le plus grand des minorants.

Exemple 1 Soit la suite $\left\{\dfrac{2n+1}{n}\right\}$.

a) Déterminons si la suite est bornée.

En énumérant les termes de cette suite, nous obtenons :

$$\left\{3, \dfrac{5}{2}, \dfrac{7}{3}, \dfrac{9}{4}, \dfrac{11}{5}, \ldots, \dfrac{2n+1}{n}, \ldots\right\}$$

Il est facile de vérifier que $2 \leq \dfrac{2n+1}{n} \leq 3$, $\forall\, n \geq 1$, car $\dfrac{2n+1}{n} = 2 + \dfrac{1}{n}$.

Donc, la suite est bornée supérieurement par 3 et par tout nombre supérieur à 3.

Ainsi $M_1 = 3$, $M_2 = 3{,}5$, $M_3 = 7$ sont des majorants de la suite.

De plus, la suite est bornée inférieurement par 2 et par tout nombre inférieur à 2.

Ainsi $m_1 = 2$, $m_2 = 1{,}25$, $m_3 = \text{-}10$ sont des minorants de la suite.

D'où la suite est bornée, car elle est bornée supérieurement et inférieurement.

b) Déterminons la borne supérieure B et la borne inférieure b.

Puisque $f(n) = 2 + \dfrac{1}{n}$, nous avons $f(x) = 2 + \dfrac{1}{x}$.

Ainsi $f'(x) = \dfrac{\text{-}1}{x^2} < 0$, $\forall\, x \geq 1$, donc la suite $\left\{ \dfrac{2n+1}{n} \right\}$ est décroissante $\forall\, n \in \mathbb{N}$.

De plus, $a_1 = 3$, donc $B = 3$ et $\lim\limits_{n \to +\infty} \left(2 + \dfrac{1}{n} \right) = 2$, donc $b = 2$.

c) Représentons graphiquement la suite, quelques majorants et quelques minorants ainsi que la borne supérieure B et la borne inférieure b.

Représentation graphique   Représentation graphique
dans le plan cartésien   sur la droite réelle

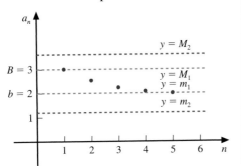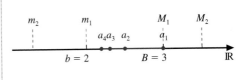

Exemple 2 Déterminons si la suite $\{n + 1\}$ est bornée.

En énumérant les termes de cette suite, nous obtenons :

$$\{2, 3, 4, 5, \ldots, n + 1, \ldots\}$$

Il est facile de vérifier que

$$2 \leq (n + 1), \forall\, n \geq 1$$

Donc, la suite est bornée inférieurement (la borne inférieure $b = 2$), mais elle n'est pas bornée supérieurement, car $\lim\limits_{n \to +\infty} (n + 1) = +\infty$.

D'où la suite est non bornée.

Exemple 3 Déterminons si la suite $\{(\text{-}1)^{n+1} n\}$ est bornée.

En énumérant les termes de cette suite, nous obtenons :

$$\{1, \text{-}2, 3, \text{-}4, 5, \ldots, (\text{-}1)^{n+1} n, \ldots\}$$

Représentation
graphique dans le
plan cartésien
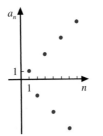

Représentation graphique
sur la droite réelle
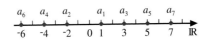

Puisque, pour n pair, $\lim\limits_{n \to +\infty} (-1)^{n+1}\, n = -\infty$ et que, pour n impair, $\lim\limits_{n \to +\infty} (-1)^{n+1}\, n = +\infty$,

alors cette suite n'est bornée ni supérieurement ni inférieurement,
d'où la suite est non bornée.

THÉORÈME 6.4

Soit une suite $\{a_n\}$.

1) Si la suite $\{a_n\}$ converge, alors la suite est bornée.

2) Si la suite $\{a_n\}$ est non bornée, alors la suite diverge.

Remarque Les parties 1) et 2) du théorème 6.4 sont équivalentes.

Définition

Une suite $\{a_n\}$, où $n \in \mathbb{N}$, est

1) croissante si $a_n \leq a_{n+1}$, $\forall\, n \in \mathbb{N}$;

2) décroissante si $a_n \geq a_{n+1}$, $\forall\, n \in \mathbb{N}$;

3) monotone si elle est croissante ou décroissante.

Exemple 4 Déterminons si la suite $\left\{\dfrac{1}{n^2}\right\}$ est croissante ou décroissante.

Puisque $a_n = \dfrac{1}{n^2}$, nous avons $a_{n+1} = \dfrac{1}{(n+1)^2}$.

Ainsi $\dfrac{1}{n^2} > \dfrac{1}{(n+1)^2}$ \qquad (car $n^2 < (n+1)^2$, $\forall\, n \in \mathbb{N}$).

Donc, la suite $\left\{\dfrac{1}{n^2}\right\}$ est décroissante.

Dans certains cas, il est possible d'utiliser la dérivée de la fonction $f(x)$, où $x \in [1, +\infty$, pour déterminer la croissance ou la décroissance de la suite $\{a_n\}$ où $a_n = f(n)$.

Ainsi, dans l'exemple précédent, $f(x) = \dfrac{1}{x^2}$ et $f'(x) = \dfrac{-2}{x^3} < 0$, $\forall\, x \in [1, +\infty$.

La fonction étant décroissante, nous déduisons que la suite est décroissante.

THÉORÈME 6.5

Si la suite $\{a_n\}$ est monotone et bornée, alors la suite $\{a_n\}$ converge.

En particulier :

1) si la suite $\{a_n\}$ est croissante et bornée supérieurement, alors la suite converge vers la borne supérieure B ;

2) si la suite $\{a_n\}$ est décroissante et bornée inférieurement, alors la suite converge vers la borne inférieure b.

Exemple 5

a) Déterminons, sans évaluer la limite, si la suite $\left\{\dfrac{3n}{4n+1}\right\}$ est convergente ou divergente.

Cette suite est croissante, car en considérant la fonction

$$f(x) = \frac{3x}{4x+1}, \text{ nous trouvons } f'(x) = \frac{3}{(4x+1)^2} > 0, \forall\, x \in [1, {}^{+\infty}.$$

Cette suite est bornée supérieurement, car $\dfrac{3n}{4n+1} \le \dfrac{4n}{4n+1} \le \dfrac{4n}{4n} = 1.$

Donc, cette suite est convergente.

Remarque La valeur 1 trouvée est un majorant et non nécessairement la borne supérieure.

b) Déterminons la borne supérieure B.

$$B = \lim_{n\to+\infty}\left(\frac{3n}{4n+1}\right) = \lim_{n\to+\infty}\frac{n(3)}{n\left(4+\dfrac{1}{n}\right)} = \lim_{n\to+\infty}\frac{3}{4+\dfrac{1}{n}} = \frac{3}{4}$$

Exercices 6.1

1. Énumérer les cinq premiers termes des suites suivantes.

a) $\{2n-1\}_{n\ge 5}$

b) $\{2^n - 1\}$

c) $\left\{\dfrac{(-1)^n}{n}\right\}$

d) $\left\{\dfrac{n+1}{3^n}\right\}_{n\ge 3}$

e) $\{5\}$

f) $\left\{\dfrac{(-1)^{n+1}}{n!}\right\}$

g) $\{\sin n\pi\}$

h) $\left\{\dfrac{(-2)^n + 8}{5 - n^2}\right\}$

2. Énumérer les cinq premiers termes des suites suivantes.

a) $a_1 = 5$ et $a_{n+1} = \dfrac{1}{a_n}$ pour $n \ge 1$

b) $a_1 = 1$ et $a_n = 2a_{n-1} + 5$ pour $n \ge 2$

c) $a_1 = 2$, $a_2 = 3$ et $a_{n+2} = 2a_n + a_{n+1}$ pour $n \ge 1$

d) $a_1 = 4$ et $a_{n+1} - a_n = \dfrac{-a_n}{2}$ pour $n \ge 1$

3. Déterminer le terme général a_n d'une suite $\{a_n\}$ dont les cinq premiers termes sont les suivants.

a) $\{1, 4, 9, 16, 25, \ldots\}$

b) $\{0, 7, 26, 63, 124, \ldots\}$

c) $\{4, 4, 4, 4, 4, \ldots\}$

d) $\{4, -4, 4, -4, 4, \ldots\}$

e) $\{1, 3, 5, 7, 9, \ldots\}$

f) $\left\{\dfrac{1}{4}, \dfrac{1}{6}, \dfrac{1}{8}, \dfrac{1}{10}, \dfrac{1}{12}, \ldots\right\}$

g) $\left\{1, \dfrac{-1}{3}, \dfrac{1}{9}, \dfrac{-1}{27}, \dfrac{1}{81}, \ldots\right\}$

h) $\left\{2, \dfrac{5}{2}, \dfrac{8}{3}, \dfrac{11}{4}, \dfrac{14}{5}, \ldots\right\}$

i) $\{1, 2, 6, 24, 120, \ldots\}$

j) $\left\{\dfrac{1}{2}, \dfrac{1}{3}, \dfrac{1}{7}, \dfrac{1}{25}, \dfrac{1}{121}, \ldots\right\}$

k) $\left\{-2, \dfrac{3}{4}, \dfrac{8}{9}, \dfrac{13}{16}, \dfrac{18}{25}, \ldots\right\}$

l) $\left\{\dfrac{-2}{3}, \dfrac{4}{5}, \dfrac{-6}{7}, \dfrac{8}{9}, \dfrac{-10}{11}, \ldots\right\}$

4. Représenter graphiquement les suites suivantes.

a) $\left\{\dfrac{1}{\sqrt{n}}\right\}$

b) $\left\{2 + \dfrac{(-1)^n}{n}\right\}$

c) $\{(-1)^{n+1} 2^n\}$

d) $a_1 = 1$, $a_2 = 1$ et $a_{n+2} = a_n + a_{n+1}$ pour $n \ge 1$

5. Calculer $\lim\limits_{n \to +\infty} a_n$ des suites suivantes et déterminer si elles divergent (D) ou convergent (C).

a) $\left\{\dfrac{1}{\sqrt{n}}\right\}$

b) $\left\{5 - \dfrac{(-1)^n}{\sqrt{n}}\right\}$

c) $\left\{\dfrac{3n^2 - 2n + 1}{4 - 5n^2}\right\}$

d) $\left\{\dfrac{(-1)^n \, n^2}{n^2 + 1}\right\}$

e) $\left\{\dfrac{5n^3}{n^2 + 1}\right\}$

f) $\{\sin n\}$

g) $\left\{\sin \dfrac{1}{n}\right\}$

h) $\{ne^{-n}\}$

i) $\{e^{\frac{1}{n}}\}$

j) $\{n \ln n\}$

k) $\left\{\dfrac{n - 1}{n!}\right\}$

l) $\left\{\dfrac{n! - 1}{n!}\right\}$

m) $\{\cos n\pi\}$

n) $\left\{\cos \dfrac{\pi}{n}\right\}$

o) $\{1, 2, 3, 1, 2, 3, \dots\}$

6. a) Évaluer, si possible, $\lim\limits_{n \to +\infty} \sin(n\pi)$, où $n \in \mathbb{N}$ et $\lim\limits_{x \to +\infty} \sin(\pi x)$.

b) Répondre par vrai ou par faux en justifiant votre réponse.

Le comportement de la suite $\{a_n\}$, où $a_n = f(n)$ à l'infini, est toujours semblable au comportement de la fonction $f(x)$ à l'infini.

7. a) Évaluer $\lim\limits_{n \to +\infty} r^n$ selon les différentes valeurs de r.

b) Évaluer les limites suivantes :

$$\lim_{n \to +\infty} \left(\dfrac{9}{10}\right)^n; \quad \lim_{n \to +\infty} \dfrac{5^n}{4^n}; \quad \lim_{n \to +\infty} \left(5 - \left(\dfrac{-4}{3}\right)^n\right)$$

8. Trouver le terme général a_n des suites suivantes et déterminer, en évaluant la limite, si ces suites convergent ou divergent.

a) $\left\{\dfrac{1}{3}, \dfrac{8}{9}, 1, \dfrac{64}{81}, \dfrac{125}{243}, \dots\right\}$

b) $\left\{\dfrac{3}{2}, \dfrac{5}{4}, \dfrac{9}{8}, \dfrac{17}{16}, \dfrac{33}{32}, \dots\right\}$

c) $\left\{1, \dfrac{3}{2}, \dfrac{7}{3}, \dfrac{15}{4}, \dfrac{31}{5}, \dots\right\}$

d) $\left\{\dfrac{1}{3}, \dfrac{-1}{2}, \dfrac{3}{5}, \dfrac{-2}{3}, \dfrac{5}{7}, \dots\right\}$

e) $a_1 = 1$ et $a_n = \left(\dfrac{-1}{3}\right) a_{n-1}$ pour $n \geq 2$

f) $a_1 = 1$ et $a_{n+1} = na_n$ pour $n \geq 1$

9. Évaluer $\lim\limits_{n \to +\infty} \dfrac{\sin n}{n}$ en utilisant le théorème sandwich.

10. Déterminer si les suites suivantes sont bornées, bornées supérieurement ou bornées inférieurement ; dans chaque cas, trouver la borne inférieure b et (ou) la borne supérieure B.

a) $\left\{1 + \dfrac{3}{n}\right\}$

b) $\left\{\dfrac{n^2 + 1}{n}\right\}_{n \geq 3}$

c) $\{(-1)^n \, n^2\}$

d) $\{3 - n\}_{n \geq 5}$

e) $\{e^{\frac{1}{n}}\}$

f) $\{\cos n\pi\}$

11. Déterminer si les suites suivantes sont croissantes ; décroissantes ; ni croissantes ni décroissantes ; monotones.

a) $\left\{\dfrac{-1}{n + 1}\right\}$

b) $\left\{\dfrac{(-1)^n}{n}\right\}$

c) $\left\{\dfrac{n + 1}{n}\right\}$

d) $\{(2n - 9)^2\}_{n \geq 4}$

e) $\{\sin n\pi\}$

f) $\left\{\dfrac{2^n}{n!}\right\}$

12. Répondre par vrai (V) ou par faux (F) et donner un contre-exemple lorsque c'est faux.

a) Toute suite bornée converge.

b) Toute suite convergente est bornée.

c) Toute suite croissante est bornée.

d) Toute suite croissante est bornée inférieurement.

e) Toute suite décroissante bornée converge.

f) Toute suite non bornée est divergente.

13. Déterminer a_1 pour que la suite $\{a_n\}$, définie par la relation de récurrence $5a_{n+1} = 3a_n + 7$, où $n \geq 1$, soit constante.

14. Soit une culture de bactéries contenant initialement 500 bactéries. Chaque bactérie produit deux bactéries à l'heure. Si aucune bactérie ne meurt et que toutes produisent pendant 12 heures,

a) déterminer la fonction donnant le nombre de bactéries présentes en fonction du temps.

b) Après combien de temps le nombre de bactéries sera-t-il égal à 29 524 500 ?

a) $\{3n - 2\}$

c) $\left\{\dfrac{n - 1}{4^n}\right\}$

15. Pour chacune des suites suivantes, déterminer a_{n+1} et calculer $\dfrac{a_{n+1}}{a_n}$.

b) $\left\{\dfrac{3}{n!}\right\}$

d) $\left\{\dfrac{(-3)^{n+2}}{(2n)!}\right\}$

6.2 SÉRIES INFINIES

Objectifs d'apprentissage

À la fin de cette section, l'élève pourra donner la définition d'une série et déterminer la convergence de certaines séries.

Plus précisément, l'élève sera en mesure :
- de donner les définitions de somme partielle, de série convergente et de série divergente ;
- de déterminer la convergence ou la divergence d'une série en utilisant les sommes partielles ;
- de démontrer et d'appliquer quelques théorèmes sur les séries ;
- de reconnaître une série harmonique et de démontrer qu'elle diverge ;
- de reconnaître une série arithmétique et de calculer des sommes partielles ;
- de reconnaître une série géométrique, de déterminer si elle converge ou diverge et de calculer sa somme dans certains cas.

Certains problèmes mathématiques exigent de faire la somme d'un nombre infini de termes.

Par exemple, au chapitre 2, nous avons évalué l'aire de régions fermées en calculant une somme infinie d'aires de rectangles, à l'aide de la limite.

Dans cette section, nous allons étudier l'addition d'un nombre infini de termes, notée

$$\sum_{i=1}^{+\infty} a_i = a_1 + a_2 + a_3 + \ldots + a_n + \ldots$$

Cette somme d'un nombre infini de termes peut être soit finie, soit infinie, ou peut ne pas être définie.

Remarque Il ne faut pas confondre suite et série. Par exemple,

la suite $\{2^n\} = \{2, 2^2, 2^3, 2^4, \ldots, 2^n, \ldots\}$ et la série $\displaystyle\sum_{n=1}^{+\infty} 2^n = 2 + 2^2 + 2^3 + 2^4 + \ldots + 2^n + \ldots$

Convergence et divergence d'une série

Définition	Soit une suite $\{a_n\}$. La somme infinie $\displaystyle\sum_{i=1}^{+\infty} a_i = a_1 + a_2 + a_3 + \ldots + a_n + \ldots$ est appelée **série infinie** (ou **série**).

Dans la définition précédente, chaque a_i est appelé terme de la série.

Avant de donner une définition théorique de la convergence et de la divergence d'une série, nous présenterons trois exemples où, d'une façon intuitive, nous pouvons déterminer le résultat de la somme d'un nombre infini de termes. Nous déterminerons de façon formelle la convergence ou la divergence de ces trois séries dans les exemples 5, 6 et 7 suivants.

Exemple 1 Évaluons $\displaystyle\sum_{i=1}^{+\infty} i$.

En énumérant les termes de cette somme, nous trouvons

$$\sum_{i=1}^{+\infty} i = 1 + 2 + 3 + 4 + 5 + \ldots + n + \ldots$$

Nous pouvons constater qu'en additionnant les termes du membre de droite nous obtenons $+\infty$, ainsi $\displaystyle\sum_{i=1}^{\infty} i = +\infty$.

Puisque la somme des termes est infinie, nous dirons que la série est divergente.

Exemple 2 Évaluons $\displaystyle\sum_{i=1}^{+\infty} \frac{1}{2^i}$.

En énumérant les termes de cette somme, nous trouvons

$$\sum_{i=1}^{+\infty} \frac{1}{2^i} = \frac{1}{2} + \frac{1}{4} + \frac{1}{8} + \frac{1}{16} + \ldots + \frac{1}{2^n} + \ldots$$

Nous pouvons considérer la somme des termes du membre de droite comme équivalente à l'aire d'un carré de côté de longueur 1, subdivisé comme dans la représentation ci-contre.

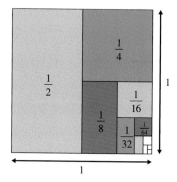

Puisque l'aire du carré est égale à 1 u², alors $\displaystyle\sum_{i=1}^{+\infty} \frac{1}{2^i} = 1$.

Puisque la somme des termes est finie, nous dirons que la série est convergente.

Exemple 3 Évaluons $\displaystyle\sum_{i=1}^{+\infty} (\text{-}1)^i$.

En énumérant les termes de cette somme, nous trouvons

$$\sum_{i=1}^{+\infty} (\text{-}1)^i = \text{-}1 + 1 - 1 + 1 - 1 + \ldots$$

Nous pouvons constater qu'en additionnant les termes du membre de droite nous obtenons -1 lorsque le nombre de termes additionnés est impair, et 0 lorsque ce nombre de termes est pair. Dans ce cas, la somme n'est pas définie.

Ainsi, $\displaystyle\sum_{i=1}^{+\infty} (\text{-}1)^i$ n'est pas définie.

Puisque la somme des termes n'est pas définie, nous dirons que la série est divergente.

D'une façon générale, nous aurons à faire une étude plus approfondie afin de déterminer la convergence ou la divergence d'une série infinie.

Définition

Soit la série $\displaystyle\sum_{i=1}^{+\infty} a_i = a_1 + a_2 + a_3 + \ldots + a_n + \ldots$

La somme des n premiers termes d'une série, notée S_n, est appelée **somme partielle** et est définie comme suit :

$$S_n = a_1 + a_2 + a_3 + \ldots + a_{n-1} + a_n, \text{ c'est-à-dire } S_n = \sum_{i=1}^{n} a_i.$$

De la définition précédente, nous avons

$$S_1 = a_1$$
$$S_2 = a_1 + a_2$$
$$S_3 = a_1 + a_2 + a_3$$
$$\vdots$$
$$S_{n-1} = a_1 + a_2 + a_3 + \ldots + a_{n-1}$$
$$S_n = a_1 + a_2 + a_3 + \ldots + a_{n-1} + a_n$$

Nous pouvons donc écrire

$$\sum_{i=1}^{+\infty} a_i = \lim_{n \to +\infty} \sum_{i=1}^{n} a_i$$
$$= \lim_{n \to +\infty} S_n$$

De plus, puisque

$$S_n = \underbrace{a_1 + a_2 + a_3 + \ldots + a_{n-1}}_{S_{n-1}} + a_n, \text{ nous avons}$$

$$S_n = S_{n-1} + a_n$$

d'où $\quad a_n = S_n - S_{n-1}.$

Cette dernière égalité peut être utilisée pour déterminer les termes a_i d'une série dont nous connaissons S_n.

Exemple 4 Soit $S_n = \dfrac{n^2(n+1)^2}{4}$.

Déterminons le terme général a_n de cette série.

Nous avons $\quad a_1 = S_1 = 1$

$$a_2 = S_2 - S_1 = 9 - 1 = 8$$

De façon générale,

$$a_n = S_n - S_{n-1}$$
$$= \frac{n^2(n+1)^2}{4} - \frac{(n-1)^2 n^2}{4}$$
$$= \frac{n^2}{4}[(n+1)^2 - (n-1)^2] = n^3, \text{ d'où le terme général est } n^3.$$

Définition

1) La série $\displaystyle\sum_{i=1}^{+\infty} a_i$ **converge** si la suite $\{S_n\}$ des sommes partielles converge,

c'est-à-dire si $\displaystyle\lim_{n\to+\infty} S_n = S$, où $S \in \mathbb{R}$.

Dans ce cas, nous disons que la série est **convergente.**

2) La série $\displaystyle\sum_{i=1}^{+\infty} a_i$ **diverge** si la suite $\{S_n\}$ des sommes partielles diverge,

c'est-à-dire si $\displaystyle\lim_{n\to+\infty} S_n = \pm\infty$ ou si cette limite n'existe pas.

Dans ce cas, nous disons que la série est **divergente.**

Dans la définition précédente, le nombre réel S est appelé somme de la série.

Ainsi, si $\displaystyle\lim_{n\to+\infty} S_n = S$, alors $\displaystyle\sum_{i=1}^{+\infty} a_i = S$ $\quad\}$ série convergente

si $\displaystyle\lim_{n\to+\infty} S_n = +\infty$, alors $\displaystyle\sum_{i=1}^{+\infty} a_i = +\infty$,

si $\displaystyle\lim_{n\to+\infty} S_n = -\infty$, alors $\displaystyle\sum_{i=1}^{+\infty} a_i = -\infty$ et $\quad\}$ série divergente

si $\displaystyle\lim_{n\to+\infty} S_n$ n'existe pas, alors $\displaystyle\sum_{i=1}^{+\infty} a_i$ n'est pas définie.

Déterminons maintenant de façon formelle, à l'aide des définitions précédentes, la convergence ou la divergence des séries des exemples 1, 2 et 3 précédents.

Exemple 5 Démontrons, en utilisant la définition appropriée, que $\displaystyle\sum_{i=1}^{+\infty} i$ diverge.

Puisque $\displaystyle\sum_{i=1}^{+\infty} i = 1 + 2 + 3 + \ldots + n + \ldots$, alors

$S_1 = 1$

$S_2 = 1 + 2 = 3$

$S_3 = 1 + 2 + 3 = 6$

$\vdots$

$S_n = 1 + 2 + 3 + \ldots + n = \dfrac{n(n+1)}{2}$ (voir la formule 1, page 114)

Ainsi $\displaystyle\sum_{i=1}^{+\infty} i = \lim_{n\to+\infty} \sum_{i=1}^{n} i$

$= \displaystyle\lim_{n\to+\infty} S_n$

$= \displaystyle\lim_{n\to+\infty} \dfrac{n(n+1)}{2}$ $\quad\left(\text{car } S_n = \dfrac{n(n+1)}{2}\right)$

$= +\infty$

Donc $\sum\limits_{i=1}^{+\infty} i = +\infty$, d'où la série diverge.

Exemple 6 Démontrons, en utilisant la définition appropriée, que $\sum\limits_{i=1}^{+\infty} \dfrac{1}{2^i}$ converge.

Puisque $\sum\limits_{i=1}^{+\infty} \dfrac{1}{2^i} = \dfrac{1}{2} + \dfrac{1}{4} + \dfrac{1}{8} + \ldots + \dfrac{1}{2^n} + \ldots$, alors

$$S_1 = \frac{1}{2}$$

$$S_2 = \frac{1}{2} + \frac{1}{4} = \frac{3}{4}$$

$$S_3 = \frac{1}{2} + \frac{1}{4} + \frac{1}{8} = \frac{7}{8}$$

$$S_4 = \frac{1}{2} + \frac{1}{4} + \frac{1}{8} + \frac{1}{16} = \frac{15}{16}$$

$$\vdots$$

$$S_n = \frac{1}{2} + \frac{1}{4} + \frac{1}{8} + \frac{1}{16} + \ldots + \frac{1}{2^n} = \frac{2^n - 1}{2^n}.$$

Ainsi $\sum\limits_{i=1}^{+\infty} \dfrac{1}{2^i} = \lim\limits_{n\to+\infty} \sum\limits_{i=1}^{n} \dfrac{1}{2^i}$

$$= \lim_{n\to+\infty} S_n$$

$$= \lim_{n\to+\infty} \frac{2^n - 1}{2^n} \quad \left(\text{car } S_n = \frac{2^n - 1}{2^n}\right)$$

$$= \lim_{x\to+\infty} \frac{2^x - 1}{2^x} \quad \text{(théorème 6.1)}$$

$$= \lim_{n\to+\infty} \frac{2^x \ln 2}{2^x \ln 2} \quad \text{(en appliquant la règle de L'Hospital)}$$

$$= 1$$

Donc $\sum\limits_{i=1}^{+\infty} \dfrac{1}{2^i} = 1$, d'où la série converge.

Exemple 7 Démontrons, en utilisant la définition appropriée, que $\sum\limits_{i=1}^{+\infty} (-1)^i$ est divergente.

Puisque $\sum\limits_{i=1}^{+\infty} (-1)^i = -1 + 1 - 1 + \ldots + (-1)^n + \ldots$, alors

$$S_1 = -1$$

$$S_2 = 0$$

$$S_3 = -1$$

$$S_4 = 0$$

$$\vdots$$

$$S_n = \begin{cases} -1, & \text{si} \quad n \text{ est impair,} \\ 0, & \text{si} \quad n \text{ est pair.} \end{cases}$$

Ainsi $\displaystyle\sum_{i=1}^{+\infty} (-1)^i = \lim_{n \to +\infty} \sum_{i=1}^{n} (-1)^i$

$$= \lim_{n \to +\infty} S_n$$

Or cette limite n'existe pas, car $S_n = \begin{cases} -1, & \text{si} \quad n \text{ est impair,} \\ 0, & \text{si} \quad n \text{ est pair.} \end{cases}$

Donc $\displaystyle\sum_{i=1}^{+\infty} (-1)^i$ n'est pas définie, d'où la série diverge.

Énonçons maintenant quelques théorèmes sur la convergence de séries.

THÉORÈME 6.6

Si $\displaystyle\sum_{i=1}^{+\infty} a_i$ et $\displaystyle\sum_{i=1}^{+\infty} b_i$ convergent, alors $\displaystyle\sum_{i=1}^{+\infty} (a_i \pm b_i)$ converge également et

$$\sum_{i=1}^{+\infty} (a_i \pm b_i) = \sum_{i=1}^{+\infty} a_i \pm \sum_{i=1}^{+\infty} b_i.$$

Preuve

Soit $\displaystyle\sum_{i=1}^{+\infty} a_i = S$ et $\displaystyle\sum_{i=1}^{+\infty} b_i = T$.

$$\sum_{i=1}^{+\infty} (a_i \pm b_i) = \lim_{n \to +\infty} \sum_{i=1}^{n} (a_i \pm b_i)$$

$$= \lim_{n \to +\infty} \left(\sum_{i=1}^{n} a_i \pm \sum_{i=1}^{n} b_i \right)$$

$$= \lim_{n \to +\infty} (S_n \pm T_n) \qquad \left(\text{car } S_n = \sum_{i=1}^{n} a_i \text{ et } T_n = \sum_{i=1}^{n} b_i \right)$$

$$= \lim_{n \to +\infty} S_n \pm \lim_{n \to +\infty} T_n = S \pm T = \sum_{i=1}^{+\infty} a_i \pm \sum_{i=1}^{+\infty} b_i$$

THÉORÈME 6.7

Si $\displaystyle\sum_{i=1}^{+\infty} a_i$ converge, alors $\displaystyle\sum_{i=1}^{+\infty} ca_i$ converge également, $\forall\, c \in \mathbb{R}$ et

$$\sum_{i=1}^{+\infty} ca_i = c \sum_{i=1}^{+\infty} a_i.$$

La démonstration est laissée à l'élève.

THÉORÈME 6.8

Si $\displaystyle\sum_{i=1}^{+\infty} a_i$ diverge, alors $\displaystyle\sum_{i=1}^{+\infty} ca_i$ diverge également, $\forall\, c \in \mathbb{R}$ et $c \neq 0$.

De plus, lorsque $\displaystyle\sum_{i=1}^{+\infty} a_i = \pm\infty$, alors $\displaystyle\sum_{i=1}^{+\infty} ca_i = c\sum_{i=1}^{+\infty} a_i$, $\forall\, c \in \mathbb{R}$ et $c \neq 0$.

La démonstration est laissée à l'élève.

THÉORÈME 6.9

Si nous ajoutons ou retranchons un nombre fini de termes à une série $\displaystyle\sum_{i=1}^{+\infty} a_i$, alors la série obtenue converge si $\displaystyle\sum_{i=1}^{+\infty} a_i$ converge et elle diverge si $\displaystyle\sum_{i=1}^{+\infty} a_i$ diverge.

La démonstration est laissée à l'élève.

Série harmonique

Définition

La série $\displaystyle\sum_{i=1}^{+\infty} \frac{1}{i} = 1 + \frac{1}{2} + \frac{1}{3} + \frac{1}{4} + \ldots + \frac{1}{n} + \ldots$ est appelée **série harmonique.**

THÉORÈME 6.10

La série harmonique $\displaystyle\sum_{i=1}^{+\infty} \frac{1}{i}$ est divergente et $\displaystyle\sum_{i=1}^{+\infty} \frac{1}{i} = +\infty$.

Preuve

Démontrons que la suite des sommes partielles est divergente.

$$S_{2^n} = 1 + \frac{1}{2} + \frac{1}{3} + \frac{1}{4} + \frac{1}{5} + \frac{1}{6} + \ldots + \frac{1}{2^n}$$

$$S_{2^n} = 1 + \frac{1}{2} + \left(\frac{1}{3} + \frac{1}{4}\right) + \left(\frac{1}{5} + \frac{1}{6} + \frac{1}{7} + \frac{1}{8}\right) + \left(\frac{1}{9} + \ldots + \frac{1}{16}\right) + \ldots + \left(\frac{1}{2^{n-1}+1} + \ldots + \frac{1}{2^n}\right)$$

$$S_{2^n} \geq 1 + \frac{1}{2} + \underbrace{\left(\frac{1}{4} + \frac{1}{4}\right)} + \underbrace{\left(\frac{1}{8} + \frac{1}{8} + \frac{1}{8} + \frac{1}{8}\right)} + \underbrace{\left(\frac{1}{16} + \ldots + \frac{1}{16}\right)} + \ldots + \underbrace{\left(\frac{1}{2^n} + \ldots + \frac{1}{2^n}\right)}$$

$$S_{2^n} \geq \underbrace{1 + \frac{1}{2} + \frac{1}{2} + \frac{1}{2} + \frac{1}{2} + \ldots + \frac{1}{2}}_{n \text{ termes}}$$

Ainsi, $S_{2^n} \geq 1 + n\left(\dfrac{1}{2}\right)$.

Puisque $\lim\limits_{n \to +\infty} \left[1 + n \left(\dfrac{1}{2} \right) \right] = +\infty$, alors $\lim\limits_{n \to +\infty} S_{2^n} = +\infty$.

Ainsi, la suite $\{S_n\}$ des sommes partielles diverge également vers $+\infty$, d'où la série harmonique est divergente, et $\displaystyle\sum_{i=1}^{+\infty} \dfrac{1}{i} = +\infty$.

Exemple 1 Démontrons que $\displaystyle\sum_{i=1}^{+\infty} \dfrac{2}{i}$ diverge.

$$\sum_{i=1}^{+\infty} \dfrac{2}{i} = \sum_{i=1}^{+\infty} 2\left(\dfrac{1}{i} \right)$$

$$= 2 \sum_{i=1}^{+\infty} \dfrac{1}{i} \qquad \text{(théorème 6.8)}$$

$$= +\infty \qquad \text{(théorème 6.10)}$$

D'où $\displaystyle\sum_{i=1}^{+\infty} \dfrac{2}{i}$ diverge.

Exemple 2 Démontrons que $\displaystyle\sum_{n=100}^{+\infty} \dfrac{-1}{5n}$ diverge.

$$\sum_{n=100}^{+\infty} \dfrac{-1}{5n} = \sum_{n=100}^{+\infty} \left(\dfrac{-1}{5} \right) \dfrac{1}{n}$$

$$= \dfrac{-1}{5} \sum_{n=100}^{+\infty} \dfrac{1}{n} \qquad \text{(théorème 6.8)}$$

$$= -\infty \qquad \text{(théorèmes 6.9 et 6.10)}$$

D'où $\displaystyle\sum_{n=100}^{+\infty} \dfrac{-1}{5n}$ diverge.

Série arithmétique

Définition	Une série de la forme $$\sum_{i=1}^{+\infty} (a + (i-1)\,d) = a + (a+d) + (a+2d) + \ldots + (a+(n-1)\,d) + \ldots$$ est appelée **série arithmétique** de premier terme a et de **raison** d, où $a \in \mathbb{R}$ et $d \in \mathbb{R}$.

Dans une série arithmétique de premier terme a, chacun des autres termes de la série est obtenu en additionnant au terme précédent la raison d.

Exemple 1 La série $-5 - 3 - 1 + 1 + 3 + 5 + \ldots$ est une série arithmétique de premier terme $a = -5$ et de raison $d = 2$.

> **Exemple 2** Soit la série arithmétique de premier terme $a = 197$ et de raison $d = -3$.
>
> a) Déterminons les premiers termes et le terme général de la série.
>
> $$a_1 + 197$$
> $$a_2 = 197 + (-3) = 194$$
> $$a_3 = 197 + 2(-3) = 191$$
> $$\vdots$$
> $$a_n = 197 + (n-1)(-3)$$
>
> D'où nous obtenons
>
> $$\sum_{i=1}^{+\infty} (197 + (i-1)(-3)) = 197 + 194 + 191 + 188 + \ldots + (197 + (n-1)(-3)) + \ldots$$
>
> b) Déterminons le 51e terme a_{51} et le 127e terme a_{127} de la série.
>
> $$a_{51} = 197 + (51-1)(-3), \qquad \text{d'où } a_{51} = 47$$
> $$a_{127} = 197 + (127-1)(-3), \qquad \text{d'où } a_{127} = -181$$

THÉORÈME 6.11
SÉRIE
ARITHMÉTIQUE

Soit la série arithmétique $\displaystyle\sum_{i=1}^{+\infty} (a + (i-1)\, d)$

1) La somme partielle S_n des n premiers termes de la série est donnée par :

$$S_n = \frac{n}{2}\left(2a + (n-1)\, d\right)$$

2) La série diverge pour tout $d \in \mathbb{R}$ (sauf si $a = 0$ et $d = 0$).

Preuve

1) $S_n = a + (a+d) + (a+2d) + \ldots + a + (n-1)\, d \quad$ (par définition)

$$= \underbrace{(a + a + \ldots + a)}_{n \text{ termes}} + d + 2d + \ldots + (n-1)\, d$$

$$= na + d(1 + 2 + 3 + \ldots + (n-1))$$

$$= na + d\left(\frac{n(n-1)}{2}\right) \qquad \text{(formule 1, chapitre 3)}$$

d'où $S_n = \dfrac{n}{2}(2a + (n-1)\, d)$.

2) La démonstration est laissée à l'élève.

> **Exemple 3** Soit la série arithmétique
>
> $$329 + (329 + d) + (329 + 2d) + \ldots$$
>
> a) Évaluons la somme partielle A où $A = 329 + 316 + 303 + \ldots + (-113)$.
>
> Déterminons d'abord la raison d.
>
> $$d = 316 - 329 = -13$$

Déterminons ensuite le nombre n de termes de la somme à calculer.

Puisque $a + (n - 1)\, d = \text{-}113$

nous avons $329 + (n - 1)(\text{-}13) = \text{-}113$

$$n = 35$$

Ainsi $A = S_{35} = \dfrac{35}{2}\left(2(329) + (35 - 1)(\text{-}13)\right) = 3780$

b) Calculons S_{70}.

$$S_{70} = \dfrac{70}{2}\left(2(329) + (70 - 1)(\text{-}13)\right) = \text{-}8365$$

Série géométrique

Définition

Une série de la forme $\displaystyle\sum_{i=1}^{+\infty} ar^{i-1} = a + ar + ar^2 + ar^3 + \ldots + ar^{n-1} + \ldots,$ où $a \neq 0,$ est appelée **série géométrique** de premier terme a et de **raison** r, où $a \in \mathbb{R}$ et $r \in \mathbb{R}$.

Dans une série géométrique de premier terme a, chacun des autres termes de la série est obtenu en multipliant le terme précédent par la raison r.

Exemple 1 La série $2 + \dfrac{2}{3} + \dfrac{2}{9} + \dfrac{2}{27} + \ldots$ est une série géométrique de premier terme $a = 2$ et de raison $r = \dfrac{1}{3}$. Cette série peut s'écrire sous la forme $\displaystyle\sum_{i=1}^{+\infty} 2\left(\dfrac{1}{3}\right)^{i-1}$.

Exemple 2 Déterminons les premiers termes et le terme général de la série géométrique dont le premier terme est 4 et la raison est $\dfrac{\text{-}3}{5}$.

$$a_1 = 4$$

$$a_2 = a_1\left(\dfrac{\text{-}3}{5}\right) = 4\left(\dfrac{\text{-}3}{5}\right)$$

$$a_3 = a_2\left(\dfrac{\text{-}3}{5}\right) = 4\left(\dfrac{\text{-}3}{5}\right)\left(\dfrac{\text{-}3}{5}\right) = 4\left(\dfrac{\text{-}3}{5}\right)^2$$

$$a_4 = a_3\left(\dfrac{\text{-}3}{5}\right) = 4\left(\dfrac{\text{-}3}{5}\right)^2\left(\dfrac{\text{-}3}{5}\right) = 4\left(\dfrac{\text{-}3}{5}\right)^3$$

$$\vdots$$

$$a_n = 4\left(\dfrac{\text{-}3}{5}\right)^{n-1}$$

d'où nous obtenons la série géométrique

$$\sum_{i=1}^{+\infty} 4\left(\dfrac{\text{-}3}{5}\right)^{i-1} = 4 - \dfrac{12}{5} + \dfrac{36}{25} - \dfrac{108}{125} + \ldots + 4\left(\dfrac{\text{-}3}{5}\right)^{n-1} + \ldots$$

Remarque Pour déterminer si une série $\displaystyle\sum_{i=1}^{+\infty} a_i$ est une série géométrique, il suffit de vérifier si le rapport $\dfrac{a_{n+1}}{a_n}$ de deux termes consécutifs quelconques est constant pour tout n. Lorsque le rapport est constant, nous avons $\dfrac{a_{n+1}}{a_n} = r$, où r est la raison de la série géométrique.

Exemple 3 Vérifions si les séries suivantes sont des séries géométriques et, le cas échéant, trouvons la raison r et le premier terme a.

a) $\displaystyle\sum_{i=1}^{+\infty} \dfrac{3^i}{5^{i+1}}$

Pour déterminer si cette série est géométrique, il suffit de vérifier si $\dfrac{a_{n+1}}{a_n}$ est constant pour tout n.

$$\dfrac{a_{n+1}}{a_n} = \dfrac{\dfrac{3^{n+1}}{5^{n+2}}}{\dfrac{3^n}{5^{n+1}}} = \dfrac{3}{5}, \text{ pour tout } n.$$

Ainsi, cette série est géométrique de raison $r = \dfrac{3}{5}$ et de premier terme $a = \dfrac{3}{25}$.

b) $\displaystyle\sum_{k=1}^{+\infty} \dfrac{k}{3^k}$

Nous avons $\dfrac{a_{n+1}}{a_n} = \dfrac{\dfrac{n+1}{3^{n+1}}}{\dfrac{n}{3^n}} = \dfrac{n+1}{3n}.$

Puisque le rapport dépend de n, il n'est pas constant.

Donc cette série n'est pas une série géométrique.

Lemme

Soit la série géométrique $\displaystyle\sum_{i=1}^{+\infty} ar^{i-1}$, où $r \neq 1$.

La somme partielle S_n des n premiers termes de la série est donnée par :

$$S_n = \dfrac{a(1-r^n)}{(1-r)}$$

Preuve

Puisque $\qquad S_n = a + ar + ar^2 + \ldots + ar^{n-1}$ $\qquad$ (par définition)

nous avons $\qquad rS_n = ar + ar^2 + ar^3 + \ldots + ar^{n-1} + ar^n.$

En soustrayant les deux membres des égalités précédentes, nous obtenons

$$S_n - rS_n = a - ar^n$$
$$S_n(1-r) = a(1-r^n)$$

D'où, puisque $r \neq 1$, la somme partielle S_n des n premiers termes de la série est donnée par

$$S_n = \frac{a(1 - r^n)}{1 - r}$$

THÉORÈME 6.12 **SÉRIE** **GÉOMÉTRIQUE**	La série géométrique $\displaystyle\sum_{i=1}^{+\infty} ar^{i-1}$ 1) converge si $|r| < 1$ et dans ce cas $\displaystyle\sum_{i=1}^{+\infty} ar^{i-1} = \frac{a}{1 - r}$; 2) diverge si $|r| \geq 1$.

Preuve

Pour déterminer la convergence ou la divergence de cette série, nous devons évaluer $\displaystyle\lim_{n \to +\infty} S_n$.

Ainsi, si $r \neq 1$, $\displaystyle\lim_{n \to +\infty} S_n = \lim_{n \to +\infty} \frac{a(1 - r^n)}{(1 - r)}$ $\left(\text{car } S_n = \frac{a(1 - r^n)}{(1 - r)}\right)$

$$\lim_{n \to +\infty} S_n = \frac{a}{1 - r} \lim_{n \to +\infty} (1 - r^n)$$

donc $\displaystyle\lim_{n \to +\infty} S_n = \frac{a}{1 - r}\left(1 - \lim_{n \to +\infty} r^n\right)$

1) Si $|r| < 1$, alors $\displaystyle\lim_{n \to +\infty} r^n = 0$, donc $\displaystyle\lim_{n \to +\infty} S_n = \frac{a}{1 - r}$,

d'où la série $\displaystyle\sum_{i=1}^{+\infty} ar^{i-1}$ converge et $\displaystyle\sum_{i=1}^{+\infty} ar^{i-1} = \frac{a}{1 - r}$.

2) Si $|r| \geq 1$, alors nous avons trois cas à étudier.

a) Cas où $r \leq -1$

$\displaystyle\lim_{n \to +\infty} r^n$ n'existe pas, donc $\displaystyle\lim_{n \to +\infty} S_n$ n'existe pas.

b) Cas où $r > 1$

$\displaystyle\lim_{n \to +\infty} r^n = +\infty$, donc $\displaystyle\lim_{n \to +\infty} S_n = \begin{cases} +\infty & \text{si} \quad a > 0 \\ -\infty & \text{si} \quad a < 0. \end{cases}$

c) Cas où $r = 1$

Dans ce cas $S_n = a + a + a + \ldots + a = na$, donc $\displaystyle\lim_{n \to +\infty} S_n = \begin{cases} +\infty & \text{si} \quad a > 0 \\ -\infty & \text{si} \quad a < 0, \end{cases}$

d'où la série $\displaystyle\sum_{i=1}^{+\infty} ar^{i-1}$ diverge pour $|r| \geq 1$.

Ainsi, pour une série géométrique de premier terme a et de raison r, nous avons le tableau suivant selon les différentes valeurs de r.

$-1 < r < 1$	Série convergente	$S = \dfrac{a}{1-r}$
$r \geq 1$	Série divergente	$S = +\infty$, si $a > 0$ $S = -\infty$, si $a < 0$
$r \leq -1$	Série divergente	S est non définie.

Exemple 4 Déterminons si la série géométrique $\displaystyle\sum_{i=1}^{+\infty} \frac{1}{2^i}$ est convergente ou divergente et déterminons, si possible, la somme de cette série.

Nous avons $a = \dfrac{1}{2}$ et $r = \dfrac{1}{2}$.

Puisque $|r| < 1$, cette série converge et la somme est donnée par $\dfrac{a}{1-r}$

(théorème 6.12)

Ainsi $\displaystyle\sum_{i=1}^{+\infty} \frac{1}{2^i} = \dfrac{\frac{1}{2}}{1 - \frac{1}{2}} = 1$ 　　(voir l'exemple 2, page 296 et l'exemple 6, page 299)

Exemple 5 Calculons la somme S de la série géométrique suivante.

$5 - \dfrac{10}{3} + \dfrac{20}{9} - \dfrac{40}{27} + \dfrac{80}{81} - \dfrac{160}{243} + \ldots$

Nous avons $a = 5$ et $r = \dfrac{-2}{3}$.

Puisque $|r| < 1$, cette série converge et

$5 - \dfrac{10}{3} + \dfrac{20}{9} - \dfrac{40}{27} + \ldots = \dfrac{5}{1 - \left(\dfrac{-2}{3}\right)}$ 　　(théorème 6.12)

d'où 　　　　　　　$S = 3$

Exemple 6 Soit la série géométrique $\displaystyle\sum_{k=1}^{+\infty} \frac{3^k}{2}$, où $a = \dfrac{3}{2}$ et $r = 3$.

Puisque $|r| \geq 1$, cette série diverge.

Ainsi $\displaystyle\sum_{k=1}^{+\infty} \frac{3^k}{2} = +\infty$ 　　(car $a > 0$, $r > 1$)

Par contre, même si elle diverge, il est possible d'évaluer la somme d'un nombre fini de termes de cette série en utilisant la formule trouvée pour S_n.

Calculons, par exemple, la somme S_{10} des 10 premiers termes de cette série.

De $S_n = \dfrac{a(1 - r^n)}{1-r}$, nous obtenons

$$S_{10} = \frac{\frac{3}{2}(1-3^{10})}{1-3} \qquad \left(\text{car } a = \frac{3}{2} \text{ et } r = 3\right)$$

$$= 44\ 286$$

Exemple 7 Transformons le nombre périodique $0,\overline{37}$ sous la forme rationnelle.

$$0,\overline{37} = 0,37\ 3737\ldots$$

$$= 0,37 + 0,0037 + 0,000\ 037 + \ldots$$

$$= \frac{37}{100} + \frac{37}{10\ 000} + \frac{37}{1\ 000\ 000} + \ldots$$

$$= \frac{37}{10^2} + \frac{37}{10^4} + \frac{37}{10^6} + \ldots$$

Ainsi $0,\overline{37}$ correspond à une série géométrique où $a = \dfrac{37}{100}$ et $r = \dfrac{1}{100}$

donc $0,\overline{37} = \dfrac{\dfrac{37}{100}}{1 - \dfrac{1}{100}}$ (théorème 6.12)

d'où $0,\overline{37} = \dfrac{37}{99}$

Exemple 8 Supposons qu'une balle de plastique soit lâchée, sans vitesse initiale, d'une hauteur de 3 mètres au-dessus d'un sol horizontal. À chaque rebond, elle atteint les $\dfrac{4}{7}$ de la hauteur précédente. Exprimons théoriquement, à l'aide d'une série, la distance totale D parcourue par cette balle.

$$D = 3 + \underbrace{\left[\frac{4}{7}(3) + \frac{4}{7}(3)\right]}_{1^{\text{er}} \text{ rebond}} + \underbrace{\left[\frac{4}{7}\left(\frac{4}{7}(3)\right) + \frac{4}{7}\left(\frac{4}{7}(3)\right)\right]}_{2^{\text{e}} \text{ rebond}} + \ldots$$

$$= 3 + 2\left(\frac{4}{7}\right)(3) + 2\left(\frac{4}{7}\right)^2(3) + 2\left(\frac{4}{7}\right)^3(3) + \ldots$$

$$= 3 + 6\sum_{k=1}^{+\infty}\left(\frac{4}{7}\right)^k$$

Or, $\displaystyle\sum_{k=1}^{+\infty}\left(\frac{4}{7}\right)^k$ est une série géométrique où $a = \dfrac{4}{7}$ et $r = \dfrac{4}{7}$; puisque $|r| < 1$,

nous avons $\displaystyle\sum_{k=1}^{+\infty}\left(\frac{4}{7}\right)^k = \dfrac{\dfrac{4}{7}}{1 - \dfrac{4}{7}} = \dfrac{4}{3}$ (théorème 6.12)

d'où $D = 3 + \left(6 \times \dfrac{4}{3}\right) = 11$, donc 11 mètres

Exercices 6.2

I. Pour chacune des séries suivantes, trouver une expression pour S_n et évaluer $\lim\limits_{n\to+\infty} S_n$; déterminer si la suite $\{S_n\}$ converge ou diverge et donner, si possible, la somme de la série.

a) $\displaystyle\sum_{i=1}^{+\infty} \frac{1}{10}$

b) $\displaystyle\sum_{i=1}^{+\infty} \frac{1}{i(i+1)}$

c) $\displaystyle\sum_{k=1}^{+\infty} k^2$

d) $\displaystyle\sum_{j=1}^{+\infty} (-1)^j$

e) $0,3 + 0,03 + 0,003 + \ldots$

f) $\displaystyle\sum_{k=1}^{+\infty} \left(\frac{1}{k+1} - \frac{1}{k+2}\right)$

2. En utilisant les résultats suivants:

$$\sum_{n=1}^{+\infty} \frac{1}{n^2} = \frac{\pi^2}{6}, \sum_{n=1}^{+\infty} \frac{1}{n} = +\infty,$$

$$\sum_{n=1}^{+\infty} \frac{(-1)^{n+1}}{n} = \ln 2 \text{ et } \sum_{n=0}^{+\infty} \frac{1}{n!} = e,$$

déterminer si les séries suivantes convergent (C) ou divergent (D) et donner, si possible, leur somme.

a) $\displaystyle\sum_{n=1}^{+\infty} \left(\frac{1}{n^2} + \frac{(-1)^{n+1}}{n}\right)$

b) $\displaystyle\sum_{n=0}^{+\infty} \frac{1}{5n!}$

c) $\displaystyle\sum_{n=4}^{+\infty} \frac{1}{n^2}$

d) $\displaystyle\sum_{n=1}^{+\infty} \frac{1-n}{n^2}$

e) $\displaystyle\sum_{n=3}^{+\infty} \frac{5}{n!}$

f) $\displaystyle\sum_{n=2}^{+\infty} \frac{2(-1)^{n+1}}{n}$

3. Donner un exemple dans lequel $\displaystyle\sum_{n=1}^{+\infty} a_n$ et $\displaystyle\sum_{n=1}^{+\infty} b_n$ divergent mais où $\displaystyle\sum_{n=1}^{+\infty} (a_n + b_n)$ converge.

4. Démontrer que les séries suivantes divergent en les exprimant en fonction de la série harmonique.

a) $\displaystyle\sum_{n=1}^{+\infty} \frac{5}{n}$

b) $\frac{1}{100} + \frac{1}{200} + \frac{1}{300} + \frac{1}{400} + \ldots$

c) $\frac{1}{100} + \frac{1}{101} + \frac{1}{102} + \frac{1}{103} + \ldots$

d) $\displaystyle\sum_{n=1000}^{+\infty} \frac{-1}{4n}$

5. Soit la série arithmétique de premier terme $a = -29$ et de raison $d = 4$.

a) Déterminer les cinq premiers termes de la série.

b) Déterminer a_{51}.

c) Calculer S_{51}.

d) Déterminer n tel que $S_n = 51$.

6. Soit la série arithmétique telle que $a_7 = 7$ et $S_{20} = -70$. Déterminer le premier terme a et la raison d de la série.

7. Déterminer les quatre premiers termes des séries géométriques suivantes et exprimer ces séries en utilisant le symbole de sommation.

a) $a = 2$ et $r = \frac{1}{3}$

b) $a = 2$ et $r = \frac{-2}{3}$

c) $a = 1$ et $r = -1$

d) Le troisième terme est $\frac{36}{25}$ et $r = \frac{3}{5}$

e) $a = -1$ et $r = -x$

8. Déterminer si les séries suivantes sont des séries géométriques; si oui, donner la valeur de a et la valeur de r.

a) $1 + \frac{1}{2} + \frac{1}{4} + \frac{1}{8} + \frac{1}{16} + \frac{1}{32} + \ldots$

b) $1 + \frac{1}{3} + \frac{1}{9} + \frac{1}{27} + \frac{1}{80} + \frac{1}{240} + \ldots$

c) $1 - 4 + 16 - 64 + 256 - 1024 + \ldots$

d) $5 + 10 + 5 + 10 + 5 + \ldots$

e) $\frac{1}{3} - \frac{1}{3\sqrt{3}} + \frac{1}{9} - \frac{1}{9\sqrt{3}} + \frac{1}{27} - \ldots$

f) $x - x^3 + x^5 - x^7 + x^9 - \ldots$

g) $\displaystyle\sum_{i=4}^{+\infty} \frac{i}{10^i}$

h) $\displaystyle\sum_{n=0}^{+\infty} \frac{9}{10^n}$

i) $\displaystyle\sum_{k=2}^{+\infty} \frac{2^{k+3}}{(-5)^k}$

j) $\displaystyle\sum_{n=1}^{+\infty} \frac{2^n}{n!}$

9. Pour chacune des séries géométriques suivantes, déterminer la valeur de a et la valeur de r, déterminer si elle converge ou diverge et donner, si possible, la somme de la série.

a) $\displaystyle\sum_{n=0}^{+\infty} \frac{3}{2^n}$

g) $\displaystyle\sum_{k=3}^{+\infty} -2\left(\frac{5}{4}\right)^k$

b) $\displaystyle\sum_{j=1}^{+\infty} \frac{3^j}{5^{j-1}}$

h) $\displaystyle\sum_{n=0}^{+\infty} \frac{1}{2(3^n)}$

c) $\displaystyle\sum_{n=0}^{+\infty} \left(\frac{\pi}{3}\right)^n$

i) $\displaystyle\sum_{j=3}^{+\infty} \left(\frac{-2}{3}\right)^j$

d) $\displaystyle\sum_{n=0}^{+\infty} (-2)^n$

j) $\displaystyle\sum_{n=4}^{+\infty} \frac{3}{(-2)^n}$

e) $\displaystyle\sum_{j=1}^{+\infty} \left(\frac{5}{7}\right)^j$

k) $\displaystyle\sum_{n=1}^{+\infty} \frac{3^{n+2}}{4^{n-1}}$

f) $\displaystyle\sum_{j=1}^{+\infty} \left(\frac{7}{5}\right)^j$

l) $\displaystyle\sum_{k=0}^{+\infty} \frac{(-5)^k}{2^{k+3}}$

10. Transformer les nombres périodiques suivants sous la forme rationnelle.

a) $0,\overline{183}$

c) $0,0\overline{60}$

b) $5,4\overline{27}$

d) $0,\overline{9}$

11. Calculer, si possible, la somme des séries suivantes.

a) $\displaystyle\sum_{k=1}^{+\infty} \left[\left(\frac{1}{3}\right)^k + \left(\frac{2}{3}\right)^k\right]$

c) $\displaystyle\sum_{k=1}^{+\infty} \left(\frac{1+2^k}{5^k}\right)$

b) $\displaystyle\sum_{n=2}^{+\infty} \left(\frac{1}{2^n} + \frac{1}{n}\right)$

12. Déterminer pour quelles valeurs de x les séries géométriques suivantes convergent et déterminer pour ces valeurs de x la somme S de ces séries en fonction de x.

a) $\displaystyle\sum_{n=0}^{+\infty} x^n$

b) $\displaystyle\sum_{n=0}^{+\infty} (-x)^n$

c) $\displaystyle\sum_{n=1}^{+\infty} \left(\frac{1}{x}\right)^n$

d) $1 - x^2 + x^4 - x^6 + x^8 - x^{10} + \ldots$

13. Calculer les sommes partielles et les sommes des séries suivantes.

a) $\displaystyle\sum_{k=1}^{25} 2^k$; $\displaystyle\sum_{k=1}^{+\infty} 2^k$

b) $\displaystyle\sum_{n=0}^{999} \left(\frac{1001}{1000}\right)^n$; $\displaystyle\sum_{n=0}^{+\infty} \left(\frac{1001}{1000}\right)^n$

c) $\dfrac{16}{9} + \dfrac{32}{27} + \dfrac{64}{81} + \dfrac{128}{243} + \ldots + \dfrac{16\,384}{531\,441}$;

$\dfrac{16}{9} + \dfrac{32}{27} + \dfrac{64}{81} + \ldots$

14. Une balle de plastique est lâchée, sans vitesse initiale, d'une hauteur de 4 mètres. À chaque rebond, elle atteint les $\dfrac{2}{3}$ de la hauteur précédente.

a) Exprimer h_n, la hauteur (en mètres) atteinte par la balle après son n^e rebond, en fonction de n et de sa hauteur initiale.

b) Quelle est la hauteur atteinte par la balle au 5e rebond ?

c) À partir de quel rebond la balle remonte-t-elle à une hauteur inférieure à 3 centimètres ?

d) Calculer théoriquement la distance totale parcourue par cette balle.

15. Certaines personnes atteintes d'une maladie doivent prendre une dose quotidienne de 20 mg d'un certain médicament. Si, chaque jour, l'organisme élimine 25 % du médicament présent,

a) déterminer la quantité de médicament présente dans l'organisme après 10 jours ;

b) déterminer la quantité maximale de médicament présente dans l'organisme d'une personne qui doit prendre ce médicament le reste de ses jours.

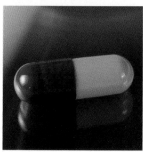

6.3 SÉRIES À TERMES POSITIFS

Objectif d'apprentissage

À la fin de la présente section, l'élève pourra déterminer, à l'aide d'un critère approprié, si une série à termes positifs converge ou diverge.

Plus précisément, l'élève sera en mesure :
- d'utiliser le critère du terme général pour déterminer si une série diverge ;
- d'utiliser le critère de l'intégrale pour déterminer si une série à termes positifs converge ou diverge ;
- d'utiliser le critère de la série de Riemann pour déterminer si une série de Riemann (série-p) converge ou diverge ;
- d'utiliser le critère de comparaison pour déterminer si une série à termes positifs converge ou diverge ;
- d'utiliser le critère de comparaison à l'aide d'une limite pour déterminer si une série à termes positifs converge ou diverge ;
- d'utiliser le critère des polynômes pour déterminer si une série à termes positifs converge ou diverge ;
- d'utiliser le critère de d'Alembert (critère du rapport) pour déterminer si une série à termes positifs converge ou diverge ;
- d'utiliser le critère de Cauchy (critère de la racine n^e) pour déterminer si une série à termes positifs converge ou diverge.

Nous étudierons dans cette section des séries autres que des séries harmoniques, arithmétiques et géométriques. Même s'il n'est pas toujours possible d'évaluer la somme d'une série, nous établirons des critères de convergence permettant de déterminer si des séries à termes positifs convergent ou divergent.

Dans un premier temps, nous donnerons une condition nécessaire à la convergence d'une série quelconque.

Critère du terme général

THÉORÈME 6.13 **CRITÈRE DU TERME GÉNÉRAL**	Soit une série $\displaystyle\sum_{i=1}^{+\infty} a_i$ quelconque. 1) Si $\displaystyle\sum_{i=1}^{+\infty} a_i$ converge, alors $\displaystyle\lim_{n\to+\infty} a_n = 0$. 2) Si $\displaystyle\lim_{n\to+\infty} a_n \neq 0$, alors $\displaystyle\sum_{i=1}^{+\infty} a_i$ diverge.

Preuve

1) Puisque $\displaystyle\sum_{i=1}^{+\infty} a_i$ converge, alors $\displaystyle\lim_{n\to+\infty} S_n = S$ (par définition de la convergence d'une série)

Or $a_n = (a_1 + a_2 + a_3 + \ldots + a_n) - (a_1 + a_2 + a_3 + \ldots + a_{n-1})$

$\qquad = S_n - S_{n-1}$ (par définition de S_n et de S_{n-1})

Ainsi $\displaystyle\lim_{n\to+\infty} a_n = \lim_{n\to+\infty} (S_n - S_{n-1})$

$\qquad\qquad = \displaystyle\lim_{n\to+\infty} S_n - \lim_{n\to+\infty} S_{n-1}$

$\qquad\qquad = S - S$ $\left(\text{car } \displaystyle\lim_{n\to+\infty} S_{n-1} = S\right)$

$\qquad\qquad = 0$

d'où $\lim\limits_{n \to +\infty} a_n = 0$.

La partie 2) est équivalente à la partie 1).

Remarque La condition $\left(\lim\limits_{n \to +\infty} a_n = 0 \right)$ est nécessaire, mais non suffisante, pour qu'une série converge, ce qui signifie que

i) si $\lim\limits_{n \to +\infty} a_n = 0$, alors nous ne pouvons rien conclure sur la convergence ou la divergence de la série ;

ii) si $\lim\limits_{n \to +\infty} a_n \neq 0$, alors la série diverge.

Exemple 1

a) Soit la série harmonique $\sum\limits_{i=1}^{+\infty} \dfrac{1}{i} = 1 + \dfrac{1}{2} + \dfrac{1}{3} + \ldots + \dfrac{1}{n} + \ldots$

Nous avons $\lim\limits_{n \to +\infty} \dfrac{1}{n} = 0$ et nous savons que cette série est divergente

(théorème 6.10).

b) Soit la série géométrique $\sum\limits_{i=1}^{+\infty} \dfrac{1}{2^i} = \dfrac{1}{2} + \dfrac{1}{4} + \dfrac{1}{8} + \dfrac{1}{16} + \ldots + \dfrac{1}{2^n} + \ldots$

Nous avons $\lim\limits_{n \to +\infty} \dfrac{1}{2^n} = 0$ et nous savons que cette série est convergente,

car $r = \dfrac{1}{2}$ (théorème 6.12).

Critère du terme général

Exemple 2 Déterminons, à l'aide du critère du terme général, si les séries suivantes divergent ou peuvent converger.

a) $\sum\limits_{i=1}^{+\infty} \dfrac{2i}{3i+4}$

Calculons $\lim\limits_{n \to +\infty} \dfrac{2n}{3n+4}$.

$$\lim\limits_{n \to +\infty} \dfrac{2n}{3n+4} = \lim\limits_{n \to +\infty} \dfrac{2n}{n\left(3 + \dfrac{4}{n}\right)} = \lim\limits_{n \to +\infty} \dfrac{2}{3 + \dfrac{4}{n}} = \dfrac{2}{3}$$

Puisque $\lim\limits_{n \to +\infty} \dfrac{2n}{3n+4} \neq 0$, la série $\sum\limits_{i=1}^{+\infty} \dfrac{2i}{3i+4}$ diverge   (théorème 6.13).

b) $\sum\limits_{k=1}^{+\infty} \dfrac{1}{k^2}$

Calculons $\lim\limits_{n \to +\infty} \dfrac{1}{n^2}$.

$$\lim\limits_{n \to +\infty} \dfrac{1}{n^2} = 0$$

Puisque $\lim\limits_{n \to +\infty} \dfrac{1}{n^2} = 0$, nous ne pouvons rien conclure sur la convergence ou la divergence de la série.

Étudions maintenant quelques critères permettant de déterminer si des séries à termes positifs convergent ou divergent.

Critère de l'intégrale

Théorème 6.14
Critère de l'intégrale

Soit $\displaystyle\sum_{k=1}^{+\infty} a_k$, où $a_k > 0$, et f, une fonction positive, continue et décroissante sur $[1, +\infty$, telle que $f(k) = a_k$ pour tout $k \geq 1$.

1) Si $\displaystyle\int_1^{+\infty} f(x)\, dx$ converge, alors $\displaystyle\sum_{k=1}^{+\infty} a_k$ converge.

2) Si $\displaystyle\int_1^{+\infty} f(x)\, dx$ diverge, alors $\displaystyle\sum_{k=1}^{+\infty} a_k$ diverge.

Preuve

1) Si $\displaystyle\int_1^{+\infty} f(x)\, dx$ converge, alors $\displaystyle\int_1^{+\infty} f(x)\, dx = A$.

Nous avons

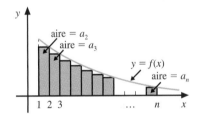

$$S_n = a_1 + a_2 + a_3 + \ldots + a_n$$
$$= a_1 + f(2) + f(3) + \ldots + f(n) \quad (\text{car } f(k) = a_k)$$
$$= a_1 + [f(2) \cdot 1 + f(3) \cdot 1 + \ldots + f(n) \cdot 1]$$
$$\leq a_1 + \int_1^n f(x)\, dx \qquad (\text{voir le graphique ci-contre})$$
$$\leq a_1 + \int_1^{+\infty} f(x)\, dx = a_1 + A$$

Ainsi, la suite $\{S_n\}$ est bornée supérieurement.

De plus, puisque $S_{n+1} = S_n + a_{n+1}$ (où $a_{n+1} > 0$), alors

$S_{n+1} > S_n$, ainsi la suite $\{S_n\}$ est croissante.

Donc, par le théorème 6.5, la suite $\{S_n\}$ est convergente,

d'où $\displaystyle\sum_{k=1}^{+\infty} a_k$ converge (par définition).

2) Si $\displaystyle\int_1^{+\infty} f(x)\, dx$ diverge, alors $\displaystyle\int_1^{+\infty} f(x)\, dx = +\infty$.

Nous avons

$$S_n = a_1 + a_2 + a_3 + \ldots + a_n$$
$$= f(1) + f(2) + f(3) + \ldots + f(n)$$

$$= f(1) \cdot 1 + f(2) \cdot 1 + f(3) \cdot 1 + \ldots + f(n) \cdot 1$$

$$\geq \int_1^n f(x)\, dx \text{ (voir le graphique ci-contre)}$$

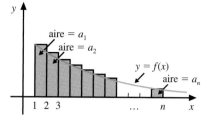

Alors $\lim\limits_{n \to +\infty} S_n \geq \lim\limits_{n \to +\infty} \int_1^n f(x)\, dx = +\infty,$

ainsi $\{S_n\}$ est une suite divergente, d'où $\sum\limits_{k=1}^{+\infty} a_k$ diverge   (par définition).

Remarque Ce critère nous permet de déterminer la convergence d'une série, mais il ne nous permet pas d'évaluer la valeur exacte de la somme.

COROLLAIRE Soit $\sum\limits_{k=1}^{+\infty} a_k$, où $a_k > 0$, et f, une fonction positive, continue et décroissante sur $[1, +\infty$, telle que $f(k) = a_k$ pour tout $k \geq 1$.

Si $\int_1^{+\infty} f(x)\, dx$ converge, alors $a_1 \leq \sum\limits_{k=1}^{+\infty} a_k \leq a_1 + \int_1^{+\infty} f(x)\, dx$.

Preuve

Dans la preuve du critère de l'intégrale, nous avions l'inégalité suivante :

$$S_n \leq a_1 + \int_1^n f(x)\, dx$$

De plus, il est évident que $a_1 \leq S_n$.

Ainsi $a_1 \leq S_n \leq a_1 + \int_1^n f(x)\, dx$

donc $\lim\limits_{n \to +\infty} a_1 \leq \lim\limits_{n \to +\infty} \sum\limits_{k=1}^{n} a_k \leq \lim\limits_{n \to +\infty} \left[a_1 + \int_1^n f(x)\, dx \right]$

d'où $a_1 \leq \sum\limits_{k=1}^{+\infty} a_k \leq a_1 + \int_1^{+\infty} f(x)\, dx$.

Exemple 1

Critère de l'intégrale a) Déterminons si $\sum\limits_{k=1}^{+\infty} \dfrac{1}{k^2}$ converge ou diverge à l'aide du critère de l'intégrale.

Soit $f(x) = \dfrac{1}{x^2}$ sur $[1, +\infty$.

Cette fonction est positive et continue sur $[1, +\infty$, et elle est décroissante sur $[1, +\infty$, car $f'(x) = \dfrac{-2}{x^3} < 0$, $\forall\, x \in [1, +\infty$.

De plus, $\int_1^{+\infty} \dfrac{1}{x^2}\, dx = \lim\limits_{M \to +\infty} \int_1^M \dfrac{1}{x^2}\, dx = \lim\limits_{M \to +\infty} \dfrac{-1}{x}\Big|_1^M = \lim\limits_{M \to +\infty} \left[\dfrac{-1}{M} + 1 \right] = 1.$

Donc, $\int_1^{+\infty} \dfrac{1}{x^2}\, dx$ converge, d'où $\displaystyle\sum_{k=1}^{+\infty} \dfrac{1}{k^2}$ converge.

b) Déterminons à l'aide du corollaire les valeurs de b et de c telles que

$$b \leq \sum_{k=1}^{+\infty} \dfrac{1}{k^2} \leq c.$$

$$a_1 \leq \sum_{k=1}^{+\infty} a_k \leq a_1 + \int_1^{+\infty} f(x)\, dx, \text{ où } f(k) = a_k \quad \text{(corollaire)}$$

$$1 \leq \sum_{k=1}^{+\infty} \dfrac{1}{k^2} \leq 1 + \int_1^{+\infty} \dfrac{1}{x^2}\, dx \quad \text{(car } a_1 = 1\text{)}$$

$$1 \leq \sum_{k=1}^{+\infty} \dfrac{1}{k^2} \leq 1 + 1 \qquad \left(\text{car } \int_1^{+\infty} \dfrac{1}{x^2}\, dx = 1 \text{ (voir a)}\right)$$

Ainsi $1 \leq \displaystyle\sum_{k=1}^{+\infty} \dfrac{1}{k^2} \leq 2$, d'où $b = 1$ et $c = 2$.

OUTIL TECHNOLOGIQUE c) Évaluons $\displaystyle\sum_{k=1}^{+\infty} \dfrac{1}{k^2}$ à l'aide de Maple.

> Sum(1/k^2,k=1..infinity)=sum(1/k^2,k=1..infinity);

$$\sum_{k=1}^{\infty} \dfrac{1}{k^2} = \dfrac{1}{6}\, \pi^2$$

Cette valeur est comprise entre 1 et 2 ; en effet, $\dfrac{1}{6}\, \pi^2 = 1{,}6449\ldots$

Nous pouvons également utiliser le critère de l'intégrale pour déterminer la convergence ou la divergence d'une série de la forme $\displaystyle\sum_{k=n}^{+\infty} a_k$ en évaluant $\int_n^{+\infty} f(x)\, dx$, où $f(k) = a_k$ pour tout $k \geq n$.

Critère de l'intégrale

Exemple 2 Déterminons si $\displaystyle\sum_{k=4}^{+\infty} \dfrac{k}{3k^2 - 2}$ converge ou diverge, à l'aide du critère de l'intégrale.

Soit $f(x) = \dfrac{x}{3x^2 - 2}$ sur $[4, +\infty$.

Cette fonction est positive et continue sur $[4, +\infty$, et elle est décroissante sur $[4, +\infty$, car $f'(x) = \dfrac{-(3x^2 + 2)}{(3x^2 - 2)^2} < 0$.

De plus, $\displaystyle\int_4^{+\infty} \dfrac{x}{3x^2 - 2}\, dx = \lim_{M \to +\infty} \int_4^M \dfrac{x}{3x^2 - 2}\, dx$

$$= \lim_{M \to +\infty} \dfrac{\ln |3x^2 - 2|}{6} \Big|_4^M$$

$$= \lim_{M \to +\infty} \left[\dfrac{\ln |3M^2 - 2|}{6} - \dfrac{\ln 46}{6} \right] = +\infty$$

Donc, $\displaystyle\int_4^{+\infty} \dfrac{x}{3x^2 - 2}\, dx$ diverge, d'où $\displaystyle\sum_{k=4}^{+\infty} \dfrac{k}{3k^2 - 2}$ diverge.

Séries de Riemann

Leonhard Euler (1707-1783) se rendit célèbre en déterminant la valeur de la série $\sum_{n=1}^{\infty} \dfrac{1}{n^p}$, pour $p = 2, 4, 6, 8, 10, 12$. En 1737, il montra un résultat très surprenant : cette série, pour un p donné, est égale au produit infini des facteurs $(1 - q^p)^{-1}$, où q prend successivement la valeur de tous les nombres premiers. En 1859, à l'Académie de Berlin, Bernhard Riemann présenta ses recherches dans lesquelles il utilisait cette série pour estimer le nombre de nombres premiers inférieurs à un nombre donné. L'importance des résultats obtenus fait que la série étudiée par Euler est désormais associée au nom de Riemann.

Georg Friedrich
Bernhard Riemann

Définition

Une série de la forme $\displaystyle\sum_{n=1}^{+\infty} \dfrac{1}{n^p} = 1 + \dfrac{1}{2^p} + \dfrac{1}{3^p} + \dfrac{1}{4^p} + \ldots + \dfrac{1}{n^p} + \ldots$, où $p \in \mathbb{R}$, est appelée **série de Riemann** ou **série-p.**

Exemple 1 La série $1 + \dfrac{1}{2^3} + \dfrac{1}{3^3} + \dfrac{1}{4^3} + \ldots + \dfrac{1}{n^3} + \ldots$ est une série de Riemann, où $p = 3$.

En utilisant le critère de l'intégrale, nous pouvons démontrer le théorème suivant.

**THÉORÈME 6.15
SÉRIE DE
RIEMANN**

Soit une série de Riemann, $\displaystyle\sum_{n=1}^{+\infty} \dfrac{1}{n^p}$, où $p \in \mathbb{R}$.

1) Si $p \leq 1$, alors $\displaystyle\sum_{n=1}^{+\infty} \dfrac{1}{n^p}$ diverge.

2) Si $p > 1$, alors $\displaystyle\sum_{n=1}^{+\infty} \dfrac{1}{n^p}$ converge.

Preuve

Cas où $p = 1$.

Lorsque $p = 1$, la série de Riemann s'écrit $\displaystyle\sum_{n=1}^{+\infty} \dfrac{1}{n^1} = 1 + \dfrac{1}{2} + \dfrac{1}{3} + \dfrac{1}{4} + \ldots$

Ainsi nous obtenons la série harmonique qui diverge.

Cas où $p = 0$.

$$\lim_{n \to +\infty} \dfrac{1}{n^0} = \lim_{n \to +\infty} \dfrac{1}{1} = 1$$

Puisque $\displaystyle\lim_{n \to +\infty} \dfrac{1}{n^0} \neq 0$, la série $\displaystyle\sum_{n=1}^{+\infty} \dfrac{1}{n^0}$ diverge   (théorème 6.13).

Cas où $p < 0$

$$\lim_{n \to +\infty} \frac{1}{n^p} = +\infty$$

Puisque $\lim\limits_{n \to +\infty} \frac{1}{n^p} \neq 0$, la série $\sum\limits_{n=1}^{+\infty} \frac{1}{n^p}$ diverge   (théorème 6.13).

Cas où $p > 0$ et $p \neq 1$

Utilisons le critère de l'intégrale avec $f(x) = \frac{1}{x^p}$ sur $[1, +\infty$.

Cette fonction est positive et continue sur $[1, +\infty$ et elle est décroissante sur $[1, +\infty$ car
$f'(x) = \frac{-p}{x^{p+1}} < 0, \forall\, x \in [1, +\infty$.

De plus, $\displaystyle\int_1^{+\infty} \frac{1}{x^p}\, dx = \lim_{M \to +\infty} \int_1^M \frac{1}{x^p}\, dx$

$$= \lim_{M \to +\infty} \frac{x^{-p+1}}{-p+1}\bigg|_1^M = \lim_{M \to +\infty} \left[\frac{M^{-p+1}}{-p+1} - \frac{1}{-p+1} \right]$$

Ainsi $\displaystyle\int_1^{+\infty} \frac{1}{x^p}\, dx = \begin{cases} +\infty & \text{si } 0 < p < 1 \\ \dfrac{1}{p-1} & \text{si } p > 1 \end{cases}$

Donc, $\displaystyle\int_1^{+\infty} \frac{1}{x^p}\, dx$ diverge si $0 < p < 1$ et converge si $p > 1$, d'où $\sum\limits_{n=1}^{+\infty} \frac{1}{n^p}$ diverge si $0 < p < 1$ et

converge si $p > 1$. Ainsi nous pouvons conclure que

1) si $p \leq 1$, alors $\sum\limits_{n=1}^{+\infty} \frac{1}{n^p}$ diverge ;

2) si $p > 1$, alors $\sum\limits_{n=1}^{+\infty} \frac{1}{n^p}$ converge.

Série de Riemann **Exemple 2** Déterminons la convergence ou la divergence des séries suivantes.

a) $\displaystyle\sum_{k=1}^{+\infty} \frac{1}{k^2} = 1 + \frac{1}{2^2} + \frac{1}{3^2} + \frac{1}{4^2} + \ldots + \frac{1}{n^2} + \ldots$

Puisque cette série est une série de Riemann, où $p = 2$, cette série est convergente, car $p > 1$.

b) $\displaystyle\sum_{j=5}^{+\infty} \frac{1}{\sqrt{j}} = \frac{1}{\sqrt{5}} + \frac{1}{\sqrt{6}} + \frac{1}{\sqrt{7}} + \ldots + \frac{1}{\sqrt{n}} + \ldots$

Puisque $\sum\limits_{j=5}^{+\infty} \frac{1}{\sqrt{j}}$ a été obtenue en retranchant les quatre premiers termes de la

série de Riemann $\sum\limits_{j=1}^{+\infty} \frac{1}{j^{\frac{1}{2}}}$, où $p = \frac{1}{2}$, et que cette série est divergente, car $p \leq 1$,

alors $\sum\limits_{j=5}^{+\infty} \frac{1}{\sqrt{j}}$ est divergente   (théorème 6.9).

Critère de comparaison

THÉORÈME 6.16
CRITÈRE DE COMPARAISON

Soit les séries $\displaystyle\sum_{k=1}^{+\infty} a_k$ et $\displaystyle\sum_{k=1}^{+\infty} b_k$ telles que $0 < a_k \leq b_k$ pour tout $k \geq 1$.

1) Si $\displaystyle\sum_{k=1}^{+\infty} b_k$ converge, alors $\displaystyle\sum_{k=1}^{+\infty} a_k$ converge.

2) Si $\displaystyle\sum_{k=1}^{+\infty} a_k$ diverge, alors $\displaystyle\sum_{k=1}^{+\infty} b_k$ diverge.

Preuve

Soit $S_n = a_1 + a_2 + \ldots + a_n$ et $T_n = b_1 + b_2 + \ldots + b_n$, $S_n \leq T_n$ (car $a_k \leq b_k$ pour tout k).

1) Si $\displaystyle\sum_{k=1}^{+\infty} b_k$ converge, alors $\displaystyle\lim_{n\to+\infty} T_n = T$,

ainsi $S_n \leq T_n \leq T$.

De plus, $\{S_n\}$ est une suite croissante (car $a_k \geq 0$) bornée supérieurement, donc elle converge,

c'est-à-dire $\displaystyle\lim_{n\to+\infty} S_n = S$, d'où $\displaystyle\sum_{k=1}^{+\infty} a_k$ converge   (théorème 6.5).

2) Si $\displaystyle\sum_{k=1}^{+\infty} a_k$ diverge, alors $\displaystyle\lim_{n\to+\infty} S_n = +\infty$,

ainsi $\displaystyle\lim_{n\to+\infty} T_n \geq \lim_{n\to+\infty} S_n = +\infty$.

Puisque $\{T_n\}$ est une suite divergente, alors $\displaystyle\sum_{k=1}^{+\infty} b_k$ diverge   (par définition).

Pour utiliser efficacement le critère de comparaison, il faut comparer la série donnée à une autre série dont on connaît la convergence ou la divergence.

Critère de comparaison

Exemple 1 Déterminons, à l'aide du critère de comparaison, si les séries suivantes convergent ou divergent.

a) $\displaystyle\sum_{n=1}^{+\infty} \frac{1}{5n^2 + 3n}$

Puisque $\dfrac{1}{5n^2 + 3n} \leq \dfrac{1}{n^2}$ pour $n \geq 1$ et que $\displaystyle\sum_{n=1}^{+\infty} \frac{1}{n^2}$ converge (série de Riemann

où $p = 2$), alors $\displaystyle\sum_{n=1}^{+\infty} \frac{1}{5n^2 + 3n}$ converge.

b) $\displaystyle\sum_{n=2}^{+\infty} \frac{1}{\sqrt{n} - 1}$

Puisque $\dfrac{1}{\sqrt{n}-1} \geq \dfrac{1}{n}$ pour $n \geq 2$ et que $\displaystyle\sum_{n=2}^{+\infty} \dfrac{1}{n}$ diverge (série harmonique avec

le premier terme enlevé), alors $\displaystyle\sum_{n=2}^{+\infty} \dfrac{1}{\sqrt{n}-1}$ diverge.

Critère de comparaison

Exemple 2 Déterminons, à l'aide du critère de comparaison, si $\displaystyle\sum_{n=4}^{+\infty} \dfrac{n-3}{n^2+7}$ converge ou diverge.

Il est facile de vérifier que $\dfrac{n-3}{n^2+7} \leq \dfrac{1}{n}$ pour $n \geq 4$ (car $n^2 - 3n \leq n^2 + 7$, $\forall\, n \geq 4$).

Cependant, cette comparaison est inutile, car $\displaystyle\sum_{n=4}^{+\infty} \dfrac{1}{n}$ diverge.

Par contre, $n - 3 \geq \dfrac{n}{4}$ et $n^2 + 7 \leq 2n^2$ pour $n \geq 4$,

ainsi $\dfrac{n-3}{n^2+7} \geq \dfrac{\dfrac{n}{4}}{2n^2} = \dfrac{1}{8n}$

$\dfrac{n-3}{n^2+7} \geq \dfrac{1}{8n}$, pour $n \geq 4$

Puisque $\displaystyle\sum_{n=4}^{+\infty} \dfrac{1}{8n}$ diverge, alors $\displaystyle\sum_{n=4}^{+\infty} \dfrac{n-3}{n^2+7}$ diverge.

Dans l'exemple précédent, nous constatons qu'il est parfois difficile de trouver une série pour laquelle le critère de comparaison s'applique.

Dans de telles situations, le critère suivant peut s'avérer utile.

Critère de comparaison à l'aide d'une limite

THÉORÈME 6.17 CRITÈRE DE COMPARAISON À L'AIDE D'UNE LIMITE

Soit les séries $\displaystyle\sum_{k=1}^{+\infty} a_k$ et $\displaystyle\sum_{k=1}^{+\infty} b_k$ telles que $a_k > 0$ et $b_k > 0$ pour tout $k \geq 1$ et

soit $L = \displaystyle\lim_{n \to +\infty} \dfrac{a_n}{b_n}$, où $L \in \mathbb{R}$.

1) Si $L > 0$ et $\displaystyle\sum_{k=1}^{+\infty} b_k$ converge, alors $\displaystyle\sum_{k=1}^{+\infty} a_k$ converge;

2) Si $L > 0$ et $\displaystyle\sum_{k=1}^{+\infty} b_k$ diverge, alors $\displaystyle\sum_{k=1}^{+\infty} a_k$ diverge.

Pour utiliser efficacement le critère de comparaison à l'aide d'une limite, il faut trouver une autre série dont le terme général est comparable et dont on connaît la convergence ou la divergence.

Critère de comparaison à l'aide d'une limite

Exemple 1 Utilisons le critère de comparaison à l'aide d'une limite pour déterminer si la série $\sum\limits_{n=4}^{+\infty} \dfrac{n-3}{n^2+7}$ de l'exemple 2 précédent converge ou diverge.

Nous constatons que la plus grande puissance de n au numérateur est 1 et la plus grande puissance de n au dénominateur est 2. Ainsi on pourrait choisir comme terme comparable

$$b_n = \frac{n}{n^2} = \frac{1}{n}$$

et nous savons que $\sum\limits_{n=4}^{+\infty} \dfrac{1}{n}$ diverge   (série harmonique)

Calculons L.

$$L = \lim_{n \to +\infty} \frac{\dfrac{n-3}{n^2+7}}{\dfrac{1}{n}}$$

$$= \lim_{n \to +\infty} \frac{n^2 - 3n}{n^2 + 7}$$

$$= \lim_{n \to +\infty} \frac{n^2\left(1 - \dfrac{3}{n}\right)}{n^2\left(1 + \dfrac{7}{n^2}\right)}$$

$$= \lim_{n \to +\infty} \frac{\left(1 - \dfrac{3}{n}\right)}{\left(1 + \dfrac{7}{n^2}\right)}$$

$$= 1$$

Puisque $L \in \mathbb{R}$ et $L > 0$ et puisque $\sum\limits_{n=4}^{+\infty} \dfrac{1}{n}$ diverge, alors $\sum\limits_{n=4}^{+\infty} \dfrac{n-3}{n^2+7}$ diverge.

Critère de comparaison à l'aide d'une limite

Exemple 2 Déterminons si les séries suivantes convergent ou divergent à l'aide du critère de comparaison à l'aide d'une limite.

a) $\sum\limits_{k=1}^{+\infty} \dfrac{2\sqrt{k} + 7}{(k+1)^2}$

Soit $b_k = \dfrac{k^{\frac{1}{2}}}{k^2} = \dfrac{1}{k^{\frac{3}{2}}}$.

Ainsi, nous allons comparer à la série-p $\sum\limits_{k=1}^{+\infty} \dfrac{1}{k^{\frac{3}{2}}}$, où $p = \dfrac{3}{2}$

(série convergente car $p > 1$)

Calculons L.

$$L = \lim_{k \to +\infty} \frac{\dfrac{2\sqrt{k} + 7}{(k+1)^2}}{\dfrac{1}{k^{\frac{3}{2}}}}$$

$$= \lim_{k \to +\infty} \frac{2k^2 + 7k^{\frac{3}{2}}}{k^2 + 2k + 1}$$

$$= \lim_{k \to +\infty} \frac{k^2\left(2 + \dfrac{7}{k^{\frac{1}{2}}}\right)}{k^2\left(1 + \dfrac{2}{k} + \dfrac{1}{k^2}\right)}$$

$$= \lim_{k \to +\infty} \frac{\left(2 + \dfrac{7}{k^{\frac{1}{2}}}\right)}{\left(1 + \dfrac{2}{k} + \dfrac{1}{k^2}\right)} = 2$$

Puisque $L \in \mathbb{R}$ et $L > 0$ et puisque $\displaystyle\sum_{k=1}^{+\infty} \frac{1}{k^{\frac{3}{2}}}$ converge,

alors $\displaystyle\sum_{k=1}^{+\infty} \frac{2\sqrt{k} + 7}{(k+1)^2}$ converge.

b) $\displaystyle\sum_{i=1}^{+\infty} \frac{3^i}{5^i - 4}$

Soit $b_i = \dfrac{3^i}{5^i} = \left(\dfrac{3}{5}\right)^i$.

Ainsi, nous allons comparer à la série géométrique $\displaystyle\sum_{i=1}^{+\infty} \left(\frac{3}{5}\right)^i$ qui converge car $r = \dfrac{3}{5}$.

Calculons L.

$$L = \lim_{i \to +\infty} \frac{\dfrac{3^i}{5^i - 4}}{\dfrac{3^i}{5^i}}$$

$$= \lim_{i \to +\infty} \frac{5^i}{5^i - 4} \quad \left(\text{indétermination de la forme } \frac{+\infty}{+\infty}\right)$$

$$= \lim_{x \to +\infty} \frac{5^x}{5^x - 4} \quad (\text{théorème 6.1})$$

$$= \lim_{x \to +\infty} \frac{5^x \ln 5}{5^x \ln 5} \quad (\text{règle de L'Hospital})$$

$$= 1$$

Puisque $L \in \mathbb{R}$ et $L > 0$ et puisque $\displaystyle\sum_{i=1}^{+\infty} \left(\frac{3}{5}\right)^i$ converge, alors $\displaystyle\sum_{i=1}^{+\infty} \frac{3^i}{5^i - 4}$ converge.

Critère des polynômes

Nous acceptons le théorème suivant sans démonstration.

THÉORÈME 6.18 **CRITÈRE DES** **POLYNÔMES**	Soit la série $\displaystyle\sum_{k=1}^{+\infty} a_k$, où $a_k > 0$ et $a_k = \dfrac{P(k)}{Q(k)}$, $P(k)$ et $Q(k)$ étant respectivement deux polynômes de degrés p et q, et soit $d = (q - p)$. 1) Si $d \le 1$, alors $\displaystyle\sum_{k=1}^{+\infty} a_k$ diverge. 2) Si $d > 1$, alors $\displaystyle\sum_{k=1}^{+\infty} a_k$ converge.

Critère des polynômes

Exemple 1 En utilisant le critère des polynômes pour la série $\displaystyle\sum_{n=4}^{+\infty} \dfrac{n-3}{n^2+7}$ de l'exemple 1 précédent, nous obtenons $d = 2 - 1 = 1$.

Puisque $d \le 1$, alors $\displaystyle\sum_{n=4}^{+\infty} \dfrac{n-3}{n^2+7}$ diverge.

Critère des polynômes

Exemple 2 Déterminons si $\displaystyle\sum_{n=1}^{+\infty} \dfrac{n}{n^3+1}$ converge ou diverge, à l'aide du critère des polynômes.

Puisque le degré p du numérateur est 1 et le degré q du dénominateur est 3, nous avons $d = (3 - 1) = 2$. Puisque $d > 1$, alors $\displaystyle\sum_{n=1}^{+\infty} \dfrac{n}{n^3+1}$ converge.

Critère de d'Alembert (critère du rapport)

(JEAN-LOUP CHARMET)

Jean Le Rond d'Alembert,
mathématicien français

Dès 1750, Jean Le Rond d'Alembert (1717-1783) est étroitement associé à l'*Encyclopédie ou Dictionnaire raisonné des sciences, des arts et des métiers*, l'une des entreprises intellectuelles les plus importantes du XVIIIe siècle, le Siècle des lumières. Vers les années 1760, dans ses *Opuscules mathématiques*, il énonce le critère de convergence connu aujourd'hui sous le nom de critère de d'Alembert. Il est aussi le précurseur de Cauchy, car, contrairement à Euler et aux mathématiciens de son époque, il conçoit la dérivée d'une fonction comme étant la limite du quotient de la variation de la fonction et de la variation de la variable.

Nous acceptons le théorème suivant sans démonstration.

THÉORÈME 6.19 *CRITÈRE DE* *D'ALEMBERT*	Soit la série $\displaystyle\sum_{k=1}^{+\infty} a_k$, où $a_k > 0$, et soit $R = \displaystyle\lim_{n \to +\infty} \dfrac{a_{n+1}}{a_n}$. 1) Si $R < 1$, alors $\displaystyle\sum_{k=1}^{+\infty} a_k$ converge. 2) Si $R > 1$, alors $\displaystyle\sum_{k=1}^{+\infty} a_k$ diverge. 3) Si $R = 1$, alors nous ne pouvons rien conclure.

Critère de
d'Alembert

Exemple 1 Déterminons si $\displaystyle\sum_{k=1}^{+\infty} \dfrac{1}{k!}$ converge ou diverge, à l'aide du critère de d'Alembert.

Calculons R.

$$R = \lim_{n \to +\infty} \frac{a_{n+1}}{a_n} = \lim_{n \to +\infty} \frac{\dfrac{1}{(n+1)!}}{\dfrac{1}{n!}}$$

$$= \lim_{n \to +\infty} \frac{n!}{(n+1)!}$$

$$= \lim_{n \to +\infty} \frac{1}{n+1} \qquad \text{(en simplifiant)}$$

$$= 0$$

Puisque $R < 1$, alors $\displaystyle\sum_{k=1}^{+\infty} \dfrac{1}{k!}$ converge.

Critère de
d'Alembert

Exemple 2 Déterminons si $\displaystyle\sum_{i=1}^{+\infty} \dfrac{3^{i+2}}{2i+1}$ converge ou diverge, à l'aide du critère de d'Alembert.

$$R = \lim_{n \to +\infty} \frac{a_{n+1}}{a_n} = \lim_{n \to +\infty} \frac{\dfrac{3^{(n+1)+2}}{2(n+1)+1}}{\dfrac{3^{n+2}}{2n+1}}$$

$$= \lim_{n \to +\infty} \frac{3^{n+3}}{2n+3} \cdot \frac{2n+1}{3^{n+2}}$$

$$= \lim_{n \to +\infty} \frac{3(2n+1)}{(2n+3)} \qquad \text{(en simplifiant)}$$

$$= 3$$

Puisque $R > 1$, alors $\displaystyle\sum_{i=1}^{+\infty} \dfrac{3^{i+2}}{2i+1}$ diverge.

Critère de
d'Alembert

Exemple 3 Déterminons si $\sum\limits_{n=1}^{+\infty} \dfrac{n^2}{n^3-4}$ converge ou diverge.

$$R = \lim_{n\to+\infty} \frac{a_{n+1}}{a_n} = \lim_{n\to+\infty} \frac{\dfrac{(n+1)^2}{(n+1)^3-4}}{\dfrac{n^2}{n^3-4}} = \lim_{n\to+\infty} \frac{(n+1)^2\,(n^3-4)}{[(n+1)^3-4]\,n^2} = 1$$

Puisque $R = 1$, nous ne pouvons rien conclure sur la convergence ou la divergence de cette série en utilisant le critère de d'Alembert.

Par contre, en utilisant le critère des polynômes, nous avons $p = 2$ et $q = 3$, donc $d = 3 - 2 = 1$. Puisque $d \leq 1$, alors $\sum\limits_{n=1}^{+\infty} \dfrac{n^2}{n^3-4}$ diverge.

Remarque Le critère de d'Alembert nous permet souvent de déterminer la convergence ou la divergence d'une série lorsque nous retrouvons dans le terme général de la série une expression de la forme $n!$ ou a^n.

Critère de Cauchy (critère de la racine n^e)

Augustin Cauchy (1789-1857) a fait une erreur en répondant à la question : une somme infinie de termes à valeurs numériques a-t-elle une valeur finie déterminée ? Cependant, dès 1820, nous lui devons la mise en ordre des idées relatives à la convergence des séries. Avant lui, des mathématiciens d'aussi grande envergure qu'Euler et Joseph Fourier (1768-1830) se préoccupaient relativement peu de ces questions. Il leur suffisait de déterminer le processus de construction des séries qu'ils manipulaient habituellement pour se sentir suffisamment sûrs d'eux pour les utiliser par la suite dans des raisonnements.

Louis-Augustin Cauchy,
mathématicien français

Nous acceptons le théorème suivant sans démonstration.

THÉORÈME 6.20
CRITÈRE DE
CAUCHY

Soit la série $\sum\limits_{k=1}^{+\infty} a_k$, où $a_k > 0$, et soit $R = \lim\limits_{n\to+\infty} \sqrt[n]{a_n}$.

1) Si $R < 1$, alors $\sum\limits_{k=1}^{+\infty} a_k$ converge.

2) Si $R > 1$, alors $\sum\limits_{k=1}^{+\infty} a_k$ diverge.

3) Si $R = 1$, alors nous ne pouvons rien conclure.

Critère de Cauchy

Exemple 1 Déterminons si $\sum\limits_{n=2}^{+\infty} \dfrac{1}{(\ln n)^n}$ converge ou diverge, à l'aide du critère de Cauchy.

Calculons R.

$$R = \lim_{n \to +\infty} \sqrt[n]{a_n} = \lim_{n \to +\infty} \left(\frac{1}{(\ln n)^n} \right)^{\frac{1}{n}} = \lim_{n \to +\infty} \frac{1}{\ln n} = 0$$

Puisque $R < 1$, alors $\displaystyle\sum_{n=2}^{+\infty} \frac{1}{(\ln n)^n}$ converge.

Critère de Cauchy

Exemple 2 Déterminons si $\displaystyle\sum_{n=1}^{+\infty} \frac{5^n}{n}$ converge ou diverge, à l'aide du critère de Cauchy.

$$R = \lim_{n \to +\infty} \sqrt[n]{a_n} = \lim_{n \to +\infty} \sqrt[n]{\frac{5^n}{n}}$$

$$= \lim_{n \to +\infty} \frac{5}{\sqrt[n]{n}}$$

$$= 5 \qquad \left(\text{car } \lim_{x \to +\infty} \sqrt[x]{x} = 1, \text{ résultat obtenu à l'aide} \right.$$
$$\left. \text{de la règle de L'Hospital} \right)$$

Puisque $R > 1$, alors $\displaystyle\sum_{n=1}^{+\infty} \frac{5^n}{n}$ diverge.

Remarque Le critère de Cauchy nous permet souvent de déterminer la convergence ou la divergence d'une série lorsque nous retrouvons dans le terme général de la série une expression de la forme $(f(n))^n$.

Il est parfois difficile de choisir un test adéquat pour déterminer la convergence ou la divergence d'une série. Le tableau suivant présente une démarche possible pour déterminer la convergence ou la divergence d'une série à termes positifs.

1. Utiliser le critère du terme général.

2. Vérifier si c'est une série
   a) de Riemann ; si c'est le cas, utiliser le critère de la série de Riemann ;
   b) dont le terme général est un quotient de polynômes ; si c'est le cas, utiliser le critère des polynômes ;
   c) géométrique ; si c'est le cas, utiliser le critère de la série géométrique.

3. Dans le cas où aucun des critères précédents ne s'applique,
   a) si le terme général est facile à intégrer, utiliser le critère de l'intégrale ;
   b) si le terme général contient des factorielles ou des puissances, utiliser le critère de d'Alembert ;
   c) si le terme général contient des puissances, utiliser le critère de Cauchy.

4. Dans le cas où le terme général est comparable au terme général d'une série dont on connaît la convergence ou la divergence,
   a) utiliser le critère de comparaison à l'aide d'une limite ;
   b) utiliser le critère de comparaison.

Nous conseillons à l'élève de compléter le tableau (exercices 6.3, n° 1) qui résume les calculs à effectuer selon le critère utilisé ainsi que la conclusion correspondante.

Exercices 6.3

1. Compléter le tableau suivant.

	Calculs à effectuer	Conclusion
Critère du terme général		
Série géométrique		
Critère de l'intégrale		
Série de Riemann		
Critère de comparaison		
Critère de comparaison à l'aide d'une limite		
Critère des polynômes		
Critère de d'Alembert		
Critère de Cauchy		

2. Déterminer, à l'aide du critère du terme général, si les séries suivantes divergent ou peuvent converger.

a) $\displaystyle\sum_{n=1}^{+\infty} \frac{3n+4}{n}$

b) $\displaystyle\sum_{n=10}^{+\infty} \left(1+\frac{1}{n^2}\right)$

c) $\displaystyle\sum_{n=1}^{+\infty} \frac{n+1}{n^2}$

d) $1 + 1 + \dfrac{1}{2} + \dfrac{1}{6} + \dfrac{1}{24} + \dfrac{1}{120} + \ldots$

e) $\dfrac{1}{105} + \dfrac{2}{205} + \dfrac{3}{305} + \dfrac{4}{405} + \ldots$

f) $\dfrac{5}{\ln 2} + \dfrac{7}{\ln 3} + \dfrac{9}{\ln 4} + \dfrac{11}{\ln 5} + \ldots$

3. Déterminer, à l'aide du critère de l'intégrale, si les séries suivantes convergent ou divergent.

a) $\displaystyle\sum_{n=1}^{+\infty} \frac{1}{\sqrt{n}}$

b) $\displaystyle\sum_{k=4}^{+\infty} \frac{7}{k-3}$

c) $\displaystyle\sum_{n=3}^{+\infty} \frac{1}{(5n+1)^{\frac{3}{2}}}$

d) $\dfrac{1}{2} + \dfrac{1}{5} + \dfrac{1}{10} + \dfrac{1}{17} + \ldots$

e) $\dfrac{2}{3} + \dfrac{3}{8} + \dfrac{4}{15} + \dfrac{5}{24} + \ldots$

4. Pour les séries convergentes de l'exercice 3, déterminer les valeurs de b et de c, du corollaire du critère de l'intégrale, telles que

$$b \leq \sum_{k=i}^{+\infty} a_k \leq c.$$

5. Déterminer si les séries de Riemann suivantes convergent ou divergent.

a) $1 + \dfrac{1}{\sqrt[3]{2}} + \dfrac{1}{\sqrt[3]{3}} + \dfrac{1}{\sqrt[3]{4}} + \ldots$

b) $1 + \dfrac{1}{8} + \dfrac{1}{27} + \dfrac{1}{64} + \ldots$

6. Soit les séries $\displaystyle\sum_{k=1}^{+\infty} a_k$ et $\displaystyle\sum_{k=1}^{+\infty} b_k$ telles que $0 < a_k \leq b_k$ pour tout $k \geq 1$. Compléter les énoncés par une des expressions suivantes : converge ; diverge ; peut converger ou peut diverger, ainsi nous ne pouvons rien conclure.

a) Si $\displaystyle\sum_{k=1}^{+\infty} b_k = S$, alors $\displaystyle\sum_{k=1}^{+\infty} a_k \ldots$

b) Si $\displaystyle\sum_{k=1}^{+\infty} b_k = +\infty$, alors $\displaystyle\sum_{k=1}^{+\infty} a_k \ldots$

c) Si $\displaystyle\sum_{k=1}^{+\infty} a_k = S$, alors $\displaystyle\sum_{k=1}^{+\infty} b_k \ldots$

d) Si $\displaystyle\sum_{k=1}^{+\infty} a_k = +\infty$, alors $\displaystyle\sum_{k=1}^{+\infty} b_k \ldots$

7. Déterminer, à l'aide du critère de comparaison, si les séries suivantes convergent ou divergent.

a) $\displaystyle\sum_{n=1}^{+\infty} \frac{1}{n^2+5}$

b) $\displaystyle\sum_{k=1}^{+\infty} \frac{5k+4}{5k^2-1}$

c) $\displaystyle\sum_{n=1}^{+\infty} \frac{1}{3^n+n}$

d) $2 + \dfrac{2}{3} + \dfrac{2}{7} + \dfrac{2}{15} + \dfrac{2}{31} + \ldots$

8. Déterminer, à l'aide du critère de comparaison à l'aide d'une limite, si les séries suivantes convergent ou divergent.

a) $\displaystyle\sum_{k=1}^{+\infty} \frac{1}{4^k - 3}$

b) $\displaystyle\sum_{n=1}^{+\infty} \sin\left(\frac{1}{3n}\right)$

c) $\displaystyle\sum_{k=8}^{+\infty} \frac{7}{k\sqrt{k^3 + 1}}$

e) $\displaystyle\sum_{n=1}^{+\infty} \frac{\text{Arc tan } n}{n^2 + 1}$

f) $\displaystyle\sum_{n=1}^{+\infty} \frac{1}{7\sqrt{n} - 1}$

g) $\displaystyle\sum_{n=2}^{+\infty} \frac{n}{\ln n}$

h) $\displaystyle\sum_{n=3}^{+\infty} \frac{\sqrt{n}}{\sqrt{n^2 + 5}}$

i) $\displaystyle\sum_{n=3}^{+\infty} \frac{\sqrt{n}}{n^2 + 5}$

j) $\displaystyle\sum_{n=4}^{+\infty} \frac{e^{\sqrt{n}}}{\sqrt{n}}$

k) $\displaystyle\sum_{k=1}^{+\infty} \frac{k^3}{3^{k+1}}$

l) $\displaystyle\sum_{k=1}^{+\infty} \frac{1}{\left(\frac{1}{3}\right)^k + 5^k}$

9. Déterminer, à l'aide du critère des polynômes, si les séries suivantes convergent ou divergent.

a) $\displaystyle\sum_{n=1}^{+\infty} \frac{1}{n^2 + 5}$

b) $\displaystyle\sum_{n=1}^{+\infty} \frac{3n^5 + 1}{(n^2 + 1)^3}$

c) $\displaystyle\sum_{n=3}^{+\infty} \frac{5n^4 + 3n^3}{(n^2 - 1)(n^2 + 1)}$

d) $2 + \dfrac{5}{8} + \dfrac{8}{27} + \dfrac{11}{64} + \ldots$

10. Déterminer, à l'aide du critère de d'Alembert, si les séries suivantes convergent ou divergent. Dans le cas où le critère de d'Alembert ne nous permettrait pas de tirer une conclusion, utiliser un autre critère.

a) $\displaystyle\sum_{n=1}^{+\infty} \frac{3^n}{n!}$

b) $\displaystyle\sum_{n=0}^{+\infty} \frac{1}{n^2 + 1}$

c) $\displaystyle\sum_{n=1}^{+\infty} \frac{4^n}{2n + 3}$

d) $\displaystyle\sum_{n=4}^{+\infty} \frac{n}{e^n}$

e) $\displaystyle\sum_{n=1}^{+\infty} \frac{n!}{e^n}$

f) $\displaystyle\sum_{n=1}^{+\infty} \frac{n^n}{n!}$

11. Déterminer, à l'aide du critère de Cauchy, si les séries suivantes convergent ou divergent. Dans le cas où le critère de Cauchy ne nous permettrait pas de tirer une conclusion, utiliser un autre critère.

a) $\displaystyle\sum_{k=1}^{+\infty} \frac{2^k}{k^k}$

b) $\displaystyle\sum_{k=5}^{+\infty} \frac{e^k}{k^3}$

c) $\displaystyle\sum_{n=1}^{+\infty} \frac{1}{n^2}$

d) $\displaystyle\sum_{n=1}^{+\infty} \left(\frac{2n^2 + 5}{3n^2}\right)^n$

12. Déterminer, en indiquant le critère utilisé, si les séries suivantes convergent (C) ou divergent (D).

a) $\displaystyle\sum_{n=1}^{+\infty} \frac{1}{(n+1)^2}$

b) $\displaystyle\sum_{n=3}^{+\infty} \frac{(n+7)}{n!}$

c) $\displaystyle\sum_{n=1}^{+\infty} \left(\frac{n}{2n + 7}\right)^n$

d) $\displaystyle\sum_{k=1}^{+\infty} \frac{2^k}{7k}$

13. Déterminer si les séries suivantes convergent (C) ou divergent (D).

a) $\displaystyle\sum_{k=1}^{+\infty} ke^{-k}$

b) $\displaystyle\sum_{n=1}^{+\infty} \frac{1}{n^n}$

c) $\displaystyle\sum_{k=1}^{+\infty} \sin^2\left(\frac{k\pi}{2}\right)$

d) $\displaystyle\sum_{n=8}^{+\infty} \frac{1}{2\sqrt[3]{n} - 1}$

e) $\displaystyle\sum_{n=1}^{+\infty} \frac{2n + 1}{n(1 + n^2)}$

f) $\displaystyle\sum_{k=2}^{+\infty} \frac{1}{k\sqrt{\ln k}}$

g) $\displaystyle\sum_{k=2}^{+\infty} \frac{1}{k\ln^3 k}$

h) $\displaystyle\sum_{n=0}^{+\infty} \frac{e^n}{n!}$

i) $\displaystyle\sum_{n=1}^{+\infty} \sin\left(\frac{1}{n^2}\right)$

j) $\displaystyle\sum_{n=1}^{+\infty} \left(\frac{3n}{1 + n^2}\right)^n$

14. Exprimer les séries suivantes sous la forme de sommation et déterminer si elles convergent (C) ou divergent (D).

a) $\dfrac{1}{3^2} + \dfrac{1}{6^2} + \dfrac{1}{9^2} + \dfrac{1}{12^2} + \dfrac{1}{15^2} + \ldots$

b) $\dfrac{1}{e} + \dfrac{2}{e^4} + \dfrac{3}{e^9} + \dfrac{4}{e^{16}} + \dfrac{5}{e^{25}} + \ldots$

c) $\dfrac{1}{3} + \dfrac{2}{5} + \dfrac{3}{7} + \dfrac{4}{9} + \dfrac{5}{11} + \ldots$

d) $\dfrac{1}{2} + \dfrac{2}{5} + \dfrac{3}{10} + \dfrac{4}{17} + \dfrac{5}{26} + \ldots$

e) $\dfrac{3}{4} + \dfrac{9}{8} + \dfrac{27}{12} + \dfrac{81}{16} + \dfrac{243}{20} + \ldots$

6.4 SÉRIES ALTERNÉES, CONVERGENCE ABSOLUE ET CONVERGENCE CONDITIONNELLE

Objectifs d'apprentissage

À la fin de la présente section, l'élève pourra déterminer si une série alternée converge et également déterminer si elle converge absolument.

Plus précisément, l'élève sera en mesure :
- de déterminer si une série alternée converge ou diverge ;
- d'évaluer approximativement la somme d'une série alternée convergente ;
- de déterminer si une série est absolument convergente ou conditionnellement convergente.

Dans cette section, nous étudierons des séries alternées, c'est-à-dire des séries où les termes sont alternativement positifs et négatifs.

Nous énoncerons d'abord un critère permettant de déterminer si une série alternée converge ou diverge, et nous déterminerons ensuite si une série alternée converge absolument ou conditionnellement.

Séries alternées

Définition	Une **série alternée** est une série de la forme $$\sum_{k=1}^{+\infty} (-1)^k a_k \text{ ou de la forme } \sum_{k=1}^{+\infty} (-1)^{k+1} a_k, \text{ où } a_k > 0.$$

Exemple I La série $\displaystyle\sum_{i=1}^{+\infty} (-1)^i \frac{1}{i} = -1 + \frac{1}{2} - \frac{1}{3} + \ldots + \frac{(-1)^n}{n} + \ldots$ est une série alternée. Cette série est appelée série harmonique alternée.

(BETTMANN/CORBIS/MAGMAPHOTO.COM)

Gottfried Wilhelm
Leibniz,
mathématicien allemand

En 1703, dans une correspondance avec le mathématicien italien Guido Grandi (1671-1742), Gottfried Wilhelm Leibniz présente son critère de convergence pour les séries alternées. Il propose aussi $\frac{1}{2}$ pour la valeur de la somme de la série infinie $1 - 1 + 1 - 1 + \ldots$

Il est sûr de lui, car on a symboliquement $1 = (1 + x)(1 - x + x^2 - x^3 + \ldots)$ et donc $\frac{1}{1+x} = 1 - x + x^2 - x^3 + \ldots$ Dès lors, en posant $x = 1$, on semble bien avoir $\frac{1}{2} = 1 - 1 + 1 - 1 + \ldots$ Pourtant, cette dernière série ne satisfait pas le critère de convergence de Leibniz. Comme quoi le symbolisme entraîne parfois le meilleur mathématicien vers des sables mouvants. Grandi en avait tiré pour sa part que $0 = \frac{1}{2} = 1$, d'où il pouvait conclure que l'univers avait été créé à partir du néant.

Nous acceptons le critère suivant sans démonstration.

<table>
<tr>
<td>

Théorème 6.21

Critère de la série alternée ou Critère de Leibniz

</td>
<td>

Soit les séries alternées $\displaystyle\sum_{k=1}^{+\infty} (-1)^k a_k$ et $\displaystyle\sum_{k=1}^{+\infty} (-1)^{k+1} a_k$, où $a_k > 0$.

1) Si la suite $\{a_k\}$ est décroissante à partir d'un certain indice et

2) si $\displaystyle\lim_{k \to +\infty} a_k = 0$,

alors les séries $\displaystyle\sum_{k=1}^{+\infty} (-1)^k a_k$ et $\displaystyle\sum_{k=1}^{+\infty} (-1)^{k+1} a_k$ convergent.

</td>
</tr>
</table>

Nous allons démontrer qu'une série alternée de la forme $\displaystyle\sum_{k=1}^{+\infty} (-1)^{k+1} a_k$ converge lorsque la suite $\{a_k\}$ est décroissante pour tout k et lorsque $\displaystyle\lim_{k \to +\infty} a_k = 0$.

La preuve pour une série alternée de la forme $\displaystyle\sum_{k=1}^{+\infty} (-1)^k a_k$ est analogue.

Preuve

Considérons la suite des sommes partielles $\{S_{2n}\}$ d'un nombre pair de termes.

$$S_2 = a_1 - a_2$$
$$S_4 = a_1 - a_2 + a_3 - a_4$$
$$S_6 = a_1 - a_2 + a_3 - a_4 + a_5 - a_6$$
$$\vdots$$
$$S_{2n} = a_1 - a_2 + a_3 - a_4 + \ldots + a_{2n-1} - a_{2n}$$

En regroupant les termes de la façon suivante :

$$S_2 = (a_1 - a_2)$$
$$S_4 = (a_1 - a_2) + (a_3 - a_4)$$
$$S_6 = (a_1 - a_2) + (a_3 - a_4) + (a_5 - a_6)$$
$$\vdots$$
$$S_{2n} = (a_1 - a_2) + (a_3 - a_4) + \ldots + (a_{2n-1} - a_{2n})$$
$$S_{2n+2} = (a_1 - a_2) + (a_3 - a_4) + \ldots + (a_{2n-1} - a_{2n}) + (a_{2n+1} - a_{2n+2})$$

Puisque $\quad a_1 > a_2 > a_3 > a_4 > \ldots > 0$

nous avons $(a_1 - a_2) > 0$, $(a_3 - a_4) > 0$, ..., $(a_{2n-1} - a_{2n}) > 0$, $(a_{2n+1} - a_{2n+2}) > 0$

Ainsi $S_2 < S_4 < S_6 < \ldots < S_{2n} < S_{2n+2}$

Donc $\{S_{2n}\}$ est croissante.

De plus $S_2 = a_1 - a_2 < a_1$ $\qquad\qquad$ (car $a_2 > 0$)

$\qquad S_4 = a_1 - (a_2 - a_3) - a_4 < a_1$ $\qquad$ (car $(a_2 - a_3) > 0$ et $a_4 > 0$)

$\qquad S_6 = a_1 - (a_2 - a_3) - (a_4 - a_5) - a_6 < a_1$

$\qquad \vdots$

$\qquad S_{2n} = a_1 - (a_2 - a_3) - (a_4 - a_5) - \ldots - (a_{2n-2} - a_{2n-1}) - a_{2n} < a_1$

Donc $\{S_{2n}\}$ est bornée supérieurement.

Par le théorème 6.5, la suite $\{S_{2n}\}$ converge,

ainsi $\qquad \lim_{n \to +\infty} S_{2n} = S$

De plus, puisque $S_{2n+1} = S_{2n} + a_{2n+1}$

$$\lim_{n \to +\infty} S_{2n+1} = \lim_{n \to +\infty} (S_{2n} + a_{2n+1})$$

$$= \lim_{n \to +\infty} S_{2n} + \lim_{n \to +\infty} a_{2n+1} \quad \text{(théorème 6.2 a)}$$

$$= S + 0$$

$$= S$$

Comme les suites des sommes partielles paires $\{S_{2n}\}$ et impaires $\{S_{2n+1}\}$ convergent vers S,

nous avons $\lim_{n \to +\infty} S_n = S$, d'où la série alternée $\sum_{k=1}^{+\infty} (-1)^{k+1} a_k$ converge vers S.

Représentons graphiquement, sur la droite réelle, les sommes partielles S_1, S_2, S_3, ..., d'une série alternée de la forme $\sum_{k=1}^{+\infty} (-1)^{k+1} a_k$, où $\{a_k\}$ est décroissante pour tout k et $\lim_{k \to +\infty} a_k = 0$.

De plus $|S - S_1| < a_2$

$\qquad |S - S_2| < a_3$

$\qquad \vdots$

$\qquad |S - S_n| < a_{n+1}$

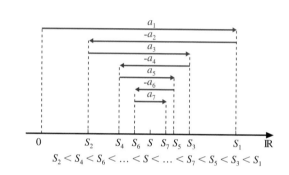

$$S_2 < S_4 < S_6 < \dots < S < \dots < S_7 < S_5 < S_3 < S_1$$

Critère de la série alternée

Exemple 2 Déterminons si la série harmonique alternée $\sum_{k=1}^{+\infty} \dfrac{(-1)^{k+1}}{k}$ converge ou diverge, à l'aide du critère de la série alternée.

1) La suite $\left\{\dfrac{1}{k}\right\}$ est décroissante, car en posant $f(x) = \dfrac{1}{x}$, nous obtenons

$\qquad f'(x) = \dfrac{-1}{x^2} < 0$ pour tout $x \geq 1$.

2) $\lim_{k \to +\infty} \dfrac{1}{k} = 0$.

D'où $\sum_{k=1}^{+\infty} \dfrac{(-1)^{k+1}}{k}$ converge $\qquad$ (théorème 6.21)

Critère de la série alternée

Exemple 3 Déterminons si $\sum_{n=1}^{+\infty} \dfrac{(-1)^n (n+4)}{n}$ converge ou diverge, à l'aide du critère de la série alternée.

1) La suite $\left\{\dfrac{n+4}{n}\right\}$ est décroissante, car en posant $f(x) = \dfrac{x+4}{x}$, nous obtenons

$$f'(x) = \frac{-4}{x^2} < 0 \text{ pour tout } x \geq 1.$$

2) $\displaystyle\lim_{n \to +\infty} \frac{n+4}{n} = 1 \neq 0.$

D'où $\displaystyle\sum_{n=1}^{+\infty} \frac{(-1)^n (n+4)}{n}$ diverge   (théorème 6.13)

Nous énonçons maintenant un théorème qui nous permet de calculer approximativement la somme S d'une série alternée convergente.

Théorème 6.22

Soit $S = \displaystyle\sum_{k=1}^{+\infty} (-1)^{k+1} a_k$, la somme des termes d'une série alternée convergente, où $a_k > 0$.

Si $a_1 \geq a_2 \geq a_3 \geq \ldots \geq a_n \geq \ldots$ et $\displaystyle\lim_{n \to +\infty} a_n = 0$, alors $|S - S_n| \leq a_{n+1}$.

Ce théorème signifie qu'en calculant approximativement S à l'aide de S_n, où $S_n = \displaystyle\sum_{k=1}^{n} (-1)^{k+1} a_k$, l'erreur E maximale commise est inférieure ou égale au premier terme non utilisé dans la somme partielle, c'est-à-dire $E \leq a_{n+1}$.

Exemple 4 Soit la série convergente $\displaystyle\sum_{k=1}^{+\infty} \frac{(-1)^{k+1}}{k}$ (voir l'exemple 2 précédent).

a) Évaluons approximativement S, la somme de cette série, à l'aide de S_4 et déterminons l'erreur maximale E commise.

Soit $S = \underbrace{1 - \frac{1}{2} + \frac{1}{3} - \frac{1}{4}}_{S_4} + \underbrace{\frac{1}{5}}_{a_5} - \frac{1}{6} + \frac{1}{7} - \frac{1}{8} + \ldots$

donc $S_4 = 0{,}58\overline{3}$

Ainsi $|S - S_4| \leq a_5$ (théorème 6.22)

$|S - 0{,}58\overline{3}| \leq \frac{1}{5}$

$0{,}58\overline{3} - 0{,}2 \leq S \leq 0{,}58\overline{3} + 0{,}2$

donc $S = 0{,}58\overline{3} \pm 0{,}2$

D'où $S \approx 0{,}58\overline{3}$ et $E \leq 0{,}2$, c'est-à-dire $0{,}38\overline{3} \leq S \leq 0{,}78\overline{3}$.

b) Évaluons approximativement S, la somme de cette série, à l'aide de S_7 et déterminons l'erreur maximale E commise.

Soit $S = \underbrace{1 - \frac{1}{2} + \frac{1}{3} - \frac{1}{4} + \frac{1}{5} - \frac{1}{6} + \frac{1}{7}}_{S_7} - \underbrace{\frac{1}{8}}_{a_8} + \frac{1}{9} - \ldots$

$$\text{donc } S \approx 1 - \frac{1}{2} + \frac{1}{3} - \frac{1}{4} + \frac{1}{5} - \frac{1}{6} + \frac{1}{7} \text{ et } E \leq \frac{1}{8}$$

d'où $S \approx 0{,}7595$ et $E \leq 0{,}125$, c'est-à-dire $0{,}634\ldots \leq S \leq 0{,}884\ldots$

Remarque Il est facile de constater que l'approximation est meilleure lorsque le nombre de termes utilisés augmente.

c) Déterminons, pour la série précédente, la valeur de n permettant d'évaluer approximativement S avec $E < 0{,}05$ et évaluons approximativement S.

Puisque $E \leq a_{n+1} = \dfrac{1}{n+1}$, il suffit de déterminer n tel que $\dfrac{1}{n+1} < 0{,}05$.

En résolvant l'inéquation précédente, nous obtenons $n > 19$, donc $n = 20$ est suffisant.

Ainsi $S \approx 1 - \dfrac{1}{2} + \dfrac{1}{3} - \dfrac{1}{4} + \ldots + \dfrac{1}{19} - \dfrac{1}{20}$ et $E \leq \dfrac{1}{21} < 0{,}05$

d'où $S \approx 0{,}6688$, c'est-à-dire $0{,}618\ldots < S < 0{,}718\ldots$

Convergence absolue et convergence conditionnelle

Définition	Une série $\displaystyle\sum_{k=1}^{+\infty} a_k$, où $a_k \in \mathbb{R}$, est **absolument convergente** si $\displaystyle\sum_{k=1}^{+\infty} |a_k|$ converge.

Exemple 1 Déterminons si la série $\displaystyle\sum_{k=1}^{+\infty} \frac{(-1)^{k+1}}{k^2} = 1 - \frac{1}{4} + \frac{1}{9} - \frac{1}{16} + \frac{1}{25} - \frac{1}{36} + \ldots$ est absolument convergente.

Il faut vérifier si $\displaystyle\sum_{k=1}^{+\infty} \left| \frac{(-1)^{k+1}}{k^2} \right|$ converge.

Puisque $\displaystyle\sum_{k=1}^{+\infty} \left| \frac{(-1)^{k+1}}{k^2} \right| = \sum_{k=1}^{+\infty} \frac{1}{k^2}$, qui est une série-$p$, où $p = 2$, cette série est convergente, car $p > 1$,

d'où $\displaystyle\sum_{k=1}^{+\infty} \frac{(-1)^{k+1}}{k^2}$ est absolument convergente.

Remarque Pour déterminer si une série est absolument convergente, il suffit d'utiliser un des critères étudiés auparavant pour les séries à termes positifs. Par exemple, pour le critère de d'Alembert, nous devons évaluer $\displaystyle\lim_{n \to +\infty} \left| \frac{a_{n+1}}{a_n} \right|$ et, à partir du résultat obtenu, déterminer si la série $\displaystyle\sum_{k=1}^{+\infty} |a_k|$ converge ou diverge.

Ce critère est appelé critère généralisé de d'Alembert (théorème 6.24).

Critère généralisé de d'Alembert

Exemple 2 Déterminons si la série $\displaystyle\sum_{k=1}^{+\infty} \frac{(-1)^k\, 2^k}{k!}$ est absolument convergente.

Soit $R = \displaystyle\lim_{n \to +\infty} \left| \frac{a_{n+1}}{a_n} \right|$

$\displaystyle = \lim_{n \to +\infty} \left| \frac{\dfrac{(-1)^{n+1}\, 2^{n+1}}{(n+1)!}}{\dfrac{(-1)^n\, 2^n}{n!}} \right|$

$\displaystyle = \lim_{n \to +\infty} \frac{2^{n+1}\, n!}{(n+1)!\, 2^n}$

$\displaystyle = \lim_{n \to +\infty} \frac{2}{n+1}$

$= 0$

Puisque $R < 1$, alors $\displaystyle\sum_{k=1}^{+\infty} \frac{(-1)^k\, 2^k}{k!}$ est absolument convergente.

THÉORÈME 6.23 Si $\displaystyle\sum_{k=1}^{+\infty} |a_k|$ converge, alors $\displaystyle\sum_{k=1}^{+\infty} a_k$ converge.

Ce théorème signifie que toute série absolument convergente est convergente.

Ce théorème s'applique autant aux séries alternées qu'aux séries dont les termes ne sont pas tous positifs.

Exemple 3 La série absolument convergente $\displaystyle\sum_{k=1}^{+\infty} \frac{(-1)^k\, 2^k}{k!}$

(voir l'exemple 2 précédent) est également convergente (théorème 6.23).

Exemple 4 Démontrons que $\displaystyle\sum_{n=1}^{+\infty} \frac{\sin n}{n^5}$ converge.

Puisque $\left| \dfrac{\sin n}{n^5} \right| \le \dfrac{1}{n^5}$ (car $|\sin n| \le 1$)

et que $\displaystyle\sum_{n=1}^{+\infty} \frac{1}{n^5}$ converge   (série de Riemann, où $p = 5$)

alors $\displaystyle\sum_{n=1}^{+\infty} \left| \frac{\sin n}{n^5} \right|$ converge   (critère de comparaison)

d'où $\displaystyle\sum_{n=1}^{+\infty} \frac{\sin n}{n^5}$ converge   (théorème 6.23)

Par contre, la réciproque du théorème 6.23 est fausse.

> **Exemple 5** Nous avons déjà démontré (exemple 2, page 330) que la série harmonique alternée $\sum_{n=1}^{+\infty} \dfrac{(-1)^{n+1}}{n}$ converge. Par contre, $\sum_{n=1}^{+\infty} \left| \dfrac{(-1)^{n+1}}{n} \right| = \sum_{n=1}^{+\infty} \dfrac{1}{n}$ est la série harmonique qui est une série divergente.

Définition

Une série $\sum_{k=1}^{+\infty} a_k$ est **conditionnellement convergente** si

1) $\sum_{k=1}^{+\infty} a_k$ converge et

2) $\sum_{k=1}^{+\infty} |a_k|$ diverge.

> **Exemple 6** Déterminons si la série $\sum_{n=1}^{+\infty} \dfrac{(-1)^{n+1}}{n}$ est conditionnellement convergente.
>
> 1) $\sum_{n=1}^{+\infty} \dfrac{(-1)^{n+1}}{n}$ converge   (exemple 2, page 330) et
>
> 2) $\sum_{n=1}^{+\infty} \left| \dfrac{(-1)^{n+1}}{n} \right|$ diverge   (série harmonique),
>
> alors $\sum_{n=1}^{+\infty} \dfrac{(-1)^{n+1}}{n}$ est conditionnellement convergente.

Le tableau suivant présente une démarche possible pour déterminer la convergence ou la divergence d'une série alternée.

1. Utiliser le critère du terme général.

2. Vérifier si c'est une série géométrique ; si c'est le cas, utiliser le critère de la série géométrique.

3. Si ce n'est pas une série géométrique, utiliser le critère de la série alternée.

Exercices 6.4

I. Déterminer si les séries alternées suivantes convergent ou divergent.

a) $\displaystyle\sum_{k=1}^{+\infty} \dfrac{(-1)^k}{k^2}$

b) $\displaystyle\sum_{n=1}^{+\infty} \dfrac{(-1)^{n+1}(3n^2+4)}{n^2}$

c) $\displaystyle\sum_{k=1}^{+\infty} \dfrac{(-1)^k(3+k^2)}{k^3}$

d) $\displaystyle\sum_{n=1}^{+\infty} \dfrac{\cos n\pi}{3n+1}$

e) $1 - \dfrac{1}{\sqrt{2}} + \dfrac{1}{\sqrt{3}} - \dfrac{1}{\sqrt{4}} + \dfrac{1}{\sqrt{5}} - \dfrac{1}{\sqrt{6}} + \ldots$

f) $\dfrac{-1}{5} + \dfrac{2}{25} - \dfrac{6}{125} + \dfrac{24}{625} - \dfrac{120}{3125} + \ldots$

2. Déterminer, parmi les séries de l'exercice précédent, celles qui sont absolument convergentes et celles qui sont conditionnellement convergentes.

3. Utiliser le théorème 6.22 pour évaluer approximativement la somme S des séries suivantes pour le n donné et calculer l'erreur E maximale commise.

a) $\displaystyle\sum_{k=1}^{+\infty} \frac{(-1)^{k+1}}{\sqrt{k}}$, où $n = 5$

b) $\displaystyle\sum_{k=1}^{+\infty} \frac{(-1)^{k}}{k^3}$, où $n = 4$

c) $\displaystyle\sum_{k=1}^{+\infty} \frac{(-1)^{k-1}}{(k-1)!}$, où $n = 6$

4. Déterminer, pour les séries suivantes, la valeur de n permettant d'évaluer approximativement S avec le E donné et évaluer approximativement S.

a) $\displaystyle\sum_{k=1}^{+\infty} \frac{(-1)^{k+1}}{k!}$, avec $E < 0{,}001$

b) $\displaystyle\sum_{k=1}^{+\infty} \frac{(-1)^{k}}{k^k}$, avec $E < 0{,}0001$

c) $0{,}1 - \dfrac{(0{,}1)^3}{3!} + \dfrac{(0{,}1)^5}{5!} - \dfrac{(0{,}1)^7}{7!} + \dfrac{(0{,}1)^9}{9!} - \ldots$, avec $E < 10^{-6}$

5. Soit la série convergente suivante :

$$\sum_{k=1}^{+\infty} \frac{(-1)^{k+1}}{k^2} = \frac{\pi^2}{12}$$

a) Évaluer approximativement la somme S pour la série précédente lorsque $n = 9$; calculer l'erreur E maximale commise et vérifier que $\left| \dfrac{\pi^2}{12} - S \right| \leq E$.

b) Déterminer la valeur de n permettant d'évaluer approximativement S avec $E < 0{,}000\,15$.

6.5 SÉRIES DE PUISSANCES

Objectif d'apprentissage

À la fin de cette section, l'élève pourra déterminer les valeurs pour lesquelles une série de puissances converge ou diverge.

Plus précisément, l'élève sera en mesure :
- de reconnaître une série de puissances ;
- de déterminer l'intervalle de convergence d'une série de puissances ;
- de déterminer le rayon de convergence d'une série de puissances ;
- de calculer la dérivée d'une série de puissances convergente ;
- de calculer la primitive d'une série de puissances convergente.

Dans les sections précédentes, nous avons étudié des séries de nombres réels. Dans cette section, nous étudierons des séries dont les termes sont des polynômes.

Convergence et divergence de séries de puissances

Définition	Une série de la forme $$\sum_{k=0}^{+\infty} c_k(x-a)^k = c_0 + c_1(x-a) + c_2(x-a)^2 + c_3(x-a)^3 + \ldots + c_n(x-a)^n + \ldots,$$ où $c_k \in \mathbb{R}$, $a \in \mathbb{R}$ et x est une variable réelle, est appelée **série de puissances en** $(x-a)$.

Dans le cas particulier où $a = 0$, nous avons la définition suivante.

Définition

Une série de la forme

$$\sum_{k=0}^{+\infty} c_k x^k = c_0 + c_1 x + c_2 x^2 + c_3 x^3 + \ldots + c_n x^n + \ldots, \text{ où } c_k \in \mathbb{R} \text{ et } x \text{ est une variable}$$

réelle, est appelée **série de puissances en x** ou **série entière.**

Remarque En général, nous pouvons considérer une série de puissances comme un polynôme de degré infini.

Exemple 1 La série

$$\sum_{k=0}^{+\infty} (k+1)(x-2)^k = 1 + 2(x-2) + 3(x-2)^2 + \ldots + (n+1)(x-2)^n + \ldots$$

est une série de puissances en $(x-2)$.

Exemple 2 La série $\displaystyle\sum_{k=0}^{+\infty} x^k = 1 + x + x^2 + x^3 + \ldots + x^n + \ldots$ est une série de puissances en x, ou série entière.

Une série de puissances peut converger ou diverger, selon la valeur de la variable.

Exemple 3 Soit la série de puissances $\displaystyle\sum_{n=0}^{+\infty} x^n$.

En donnant à x la valeur $\dfrac{1}{2}$, nous obtenons la série $\displaystyle\sum_{n=0}^{+\infty} \left(\dfrac{1}{2}\right)^n$ qui est convergente

$\left(\text{série géométrique où } |r| = \dfrac{1}{2} < 1\right)$.

En donnant à x la valeur 3, nous obtenons la série $\displaystyle\sum_{n=0}^{+\infty} 3^n$ qui est divergente

(série géométrique où $|r| = 3 > 1$).

Définition

Soit $b \in \mathbb{R}$. La série de puissances $\displaystyle\sum_{k=0}^{+\infty} c_k(x-a)^k$

1) converge pour $x = b$ si la série de nombres réels $\displaystyle\sum_{k=0}^{+\infty} c_k(b-a)^k$ converge;

2) diverge pour $x = b$ si la série de nombres réels $\displaystyle\sum_{k=0}^{+\infty} c_k(b-a)^k$ diverge.

Définition	L'ensemble de toutes les valeurs de x pour lesquelles la série de puissances $\sum_{k=0}^{+\infty} c_k(x-a)^k$ converge s'appelle l'**intervalle de convergence** de cette série.

Il est facile de vérifier qu'une série de puissances de la forme $\sum_{k=0}^{+\infty} c_k(x-a)^k$ converge pour au moins la valeur $x = a$, de même qu'une série de puissances de la forme $\sum_{k=0}^{+\infty} c_k x^k$ converge pour au moins la valeur $x = 0$.

Pour déterminer l'intervalle de convergence d'une série de puissances, nous utiliserons le critère généralisé de d'Alembert ou le critère généralisé de Cauchy, car les critères de d'Alembert et de Cauchy sont valables uniquement pour des séries à termes positifs.

Nous acceptons les théorèmes suivants sans démonstration.

THÉORÈME 6.24 **CRITÈRE GÉNÉRALISÉ DE D'ALEMBERT**	Soit la série $\sum_{k=1}^{+\infty} u_k$, où $u_k \neq 0$, et soit $R = \lim_{n \to +\infty} \left\| \dfrac{u_{n+1}}{u_n} \right\|$. 1) Si $R < 1$, alors $\sum_{k=1}^{+\infty} u_k$ converge absolument ; donc $\sum_{k=1}^{+\infty} u_k$ converge. 2) Si $R > 1$, alors $\sum_{k=1}^{+\infty} u_k$ diverge. 3) Si $R = 1$, alors nous ne pouvons rien conclure.

THÉORÈME 6.25 **CRITÈRE GÉNÉRALISÉ DE CAUCHY**	Soit la série $\sum_{k=1}^{+\infty} u_k$ et soit $R = \lim_{n \to +\infty} \sqrt[n]{|u_n|}$. 1) Si $R < 1$, alors $\sum_{k=1}^{+\infty} u_k$ converge absolument ; donc $\sum_{k=1}^{+\infty} u_k$ converge. 2) Si $R > 1$, alors $\sum_{k=1}^{+\infty} u_k$ diverge. 3) Si $R = 1$, alors nous ne pouvons rien conclure.

Exemple 4 Déterminons l'intervalle de convergence de la série de puissances $\sum_{k=0}^{+\infty} \dfrac{x^k}{(k+1)}$.

Si $x = 0$, alors $\sum_{k=0}^{+\infty} \dfrac{x^k}{(k+1)} = \sum_{k=0}^{+\infty} \dfrac{0^k}{k+1} = 0 + 0 + 0 + \ldots = 0$, d'où la série converge.

Si $x \neq 0$, appliquons le critère généralisé de d'Alembert.

$$R = \lim_{n \to +\infty} \left| \frac{u_{n+1}}{u_n} \right| = \lim_{n \to +\infty} \left| \frac{\dfrac{x^{n+1}}{n+2}}{\dfrac{x^n}{n+1}} \right|$$

$$= \lim_{n \to +\infty} \left| \frac{x(n+1)}{(n+2)} \right|$$

$$= |x| \lim_{n \to +\infty} \left(\frac{n+1}{n+2} \right)$$

$$= |x| \, (1) \qquad \left(\text{car } \lim_{n \to \infty} \left(\frac{n+1}{n+2} \right) = 1 \right)$$

$$= |x|$$

Lorsque $R < 1$, c'est-à-dire $|x| < 1$, la série converge.

Lorsque $R > 1$, c'est-à-dire $|x| > 1$, la série diverge.

Lorsque $R = 1$, c'est-à-dire $|x| = 1$, nous ne pouvons rien conclure.

Nous devons alors étudier le cas où $|x| = 1$, c'est-à-dire $x = 1$ ou $x = -1$.

Si $x = 1$, alors $\displaystyle\sum_{k=0}^{+\infty} \frac{x^k}{(k+1)} = \sum_{k=0}^{+\infty} \frac{1}{k+1} = 1 + \frac{1}{2} + \frac{1}{3} + \frac{1}{4} + \dots$ est une série divergente (série harmonique).

Si $x = -1$, alors $\displaystyle\sum_{k=0}^{+\infty} \frac{x^k}{(k+1)} = \sum_{k=0}^{+\infty} \frac{(-1)^k}{k+1} = 1 - \frac{1}{2} + \frac{1}{3} - \frac{1}{4} + \dots$ est une série convergente (car cette série vérifie les deux conditions pour qu'une série alternée converge).

Donc la série converge pour $|x| < 1$ et pour $x = -1$, c'est-à-dire pour $x \in [-1, 1[$.

D'où $[-1, 1[$ est l'intervalle de convergence de la série de puissances.

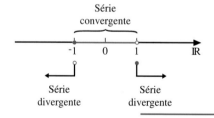

Définition

Soit une série de puissances de la forme $\displaystyle\sum_{k=0}^{+\infty} c_k(x-a)^k$. Le **rayon de convergence** r est défini comme suit :

1) Si la série converge seulement pour $x = a$, alors $r = 0$.

2) Si la série converge absolument pour tout x tel que $|x - a| < r$, et si la série diverge pour tout x tel que $|x - a| > r$, alors le nombre r est le rayon de convergence.

3) Si la série converge absolument pour tout $x \in \mathbb{R}$, alors $r = +\infty$.

Pour toute série de puissances, nous avons un des cas suivants.

1ᵉʳ cas : Elle converge pour une seule valeur, alors $r = 0$.

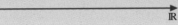

2ᵉ cas : Elle converge sur un intervalle d'une des formes suivantes : $]m, n[$, $]m, n]$, $[m, n[$ ou $[m, n]$, alors $r = \dfrac{n - m}{2}$.

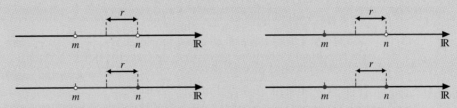

3ᵉ cas : Elle converge pour toutes les valeurs de x, alors nous posons $r = +\infty$.

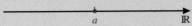

Exemple 5 Déterminons le rayon de convergence de la série de puissances $\displaystyle\sum_{k=0}^{+\infty} \dfrac{x^k}{(k+1)}$ (exemple 4 précédent).

Méthode 1

Puisque la série converge pour $|x| < 1$, c'est-à-dire $|x - 0| < 1$, et qu'elle diverge pour $|x| > 1$, c'est-à-dire $|x - 0| > 1$, le rayon de convergence r de cette série est 1, d'où $r = 1$.

Méthode 2

Puisque l'intervalle de convergence est $[-1, 1[$,

alors $r = \dfrac{1 - (-1)}{2} = 1$.

Exemple 6 Déterminons l'intervalle de convergence et le rayon de convergence de la série de puissances $\displaystyle\sum_{k=1}^{+\infty} k!(x-2)^k$.

Si $x = 2$, alors $\displaystyle\sum_{k=1}^{+\infty} k!(x-2)^k = \sum_{k=1}^{+\infty} k!(0)^k = 0 + 0 + 0 + \ldots = 0$, d'où la série converge.

Si $x \neq 2$, appliquons le critère généralisé de d'Alembert.

$$
\begin{aligned}
R &= \lim_{n \to +\infty} \left| \frac{u_{n+1}}{u_n} \right| = \lim_{n \to +\infty} \left| \frac{(n+1)!\,(x-2)^{n+1}}{n!\,(x-2)^n} \right| \\
&= \lim_{n \to +\infty} |(n+1)\,(x-2)| \\
&= |x-2| \lim_{n \to +\infty} (n+1) \\
&= +\infty \qquad (\text{car } x - 2 \neq 0 \text{ et } \lim_{n \to +\infty} (n+1) = +\infty)
\end{aligned}
$$

Puisque $R > 1$, la série de puissances $\displaystyle\sum_{k=1}^{+\infty} k!(x-2)^k$ diverge pour toutes les valeurs de x différentes de 2.

Donc la série converge seulement pour $x = 2$, d'où le rayon de convergence est $r = 0$.

Exemple 7 Déterminons l'intervalle de convergence et le rayon de convergence de la série de puissances $\displaystyle\sum_{k=3}^{+\infty} \dfrac{x^k}{(\ln k)^k}$.

En appliquant le critère généralisé de Cauchy, nous obtenons

$$R = \lim_{n \to +\infty} \sqrt[n]{|u_n|} = \lim_{n \to +\infty} \left| \dfrac{x^n}{(\ln n)^n} \right|^{\frac{1}{n}}$$

$$= \lim_{n \to +\infty} \dfrac{|x|}{\ln n}$$

$$= |x| \lim_{n \to +\infty} \left(\dfrac{1}{\ln n} \right)$$

$$= 0 \qquad \left(\text{car } \lim_{n \to +\infty} \left(\dfrac{1}{\ln n} \right) = 0 \right)$$

Puisque $R < 1$, la série de puissances $\displaystyle\sum_{k=3}^{+\infty} \dfrac{x^k}{(\ln k)^k}$ converge pour toutes les valeurs de x.

D'où l'intervalle de convergence de cette série est $-\infty, +\infty$ et le rayon de convergence est $r = +\infty$.

Exemple 8 Déterminons l'intervalle de convergence et le rayon de convergence de $\displaystyle\sum_{k=5}^{+\infty} \dfrac{(x-1)^{2k}}{9^k}$.

En appliquant le critère généralisé de Cauchy, nous obtenons

$$R = \lim_{n \to +\infty} \sqrt[n]{|u_n|} = \lim_{n \to +\infty} \left| \dfrac{(x-1)^{2n}}{9^n} \right|^{\frac{1}{n}}$$

$$= \lim_{n \to +\infty} \dfrac{|(x-1)^2|}{9}$$

$$= \dfrac{(x-1)^2}{9}$$

Lorsque $R < 1$, c'est-à-dire $\dfrac{(x-1)^2}{9} < 1$, on a $-2 < x < 4$, et la série converge.

Lorsque $R > 1$, c'est-à-dire $\dfrac{(x-1)^2}{9} > 1$, on a $x < -2$ ou $x > 4$, et la série diverge.

Lorsque $R = 1$, c'est-à-dire $\dfrac{(x-1)^2}{9} = 1$, nous ne pouvons rien conclure.

Nous devons alors étudier le cas où $\dfrac{(x-1)^2}{9} = 1$, c'est-à-dire $x = -2$ ou $x = 4$.

Si $x = -2$, $\displaystyle\sum_{k=5}^{+\infty} \frac{(x-1)^{2k}}{9^k} = \sum_{k=5}^{+\infty} \frac{(-3)^{2k}}{9^k} = 1 + 1 + 1 + 1 + \dots$ est une série divergente.

Si $x = 4$, $\displaystyle\sum_{k=5}^{+\infty} \frac{(x-1)^{2k}}{9^k} = \sum_{k=5}^{+\infty} \frac{3^{2k}}{9^k} = 1 + 1 + 1 + 1 + \dots$ est une série divergente.

D'où l'intervalle de convergence de la série de puissances est $]-2, 4[$, et le rayon de convergence est $r = \dfrac{4 - (-2)}{2} = 3$.

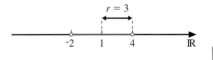

Exemple 9 Déterminons l'intervalle de convergence et le rayon de convergence de $\displaystyle\sum_{k=1}^{+\infty} \frac{(3x+4)^k}{k\,7^k}$.

Si $x = \dfrac{-4}{3}$, la série converge.

Si $x \neq \dfrac{-4}{3}$, appliquons le critère généralisé de d'Alembert.

$$
R = \lim_{n \to +\infty} \left| \frac{u_{n+1}}{u_n} \right| = \lim_{n \to +\infty} \left| \frac{\dfrac{(3x+4)^{n+1}}{(n+1)\,7^{n+1}}}{\dfrac{(3x+4)^n}{n\,7^n}} \right|
$$

$$
= \lim_{n \to +\infty} \left| \frac{(3x+4)n}{7(n+1)} \right|
$$

$$
= \frac{|3x+4|}{7} \lim_{n \to +\infty} \left(\frac{n}{n+1} \right)
$$

$$
= \frac{|3x+4|}{7} \qquad \left(\text{car } \lim_{n \to +\infty} \left(\frac{n}{n+1} \right) = 1 \right)
$$

Lorsque $R < 1$, c'est-à-dire $\dfrac{|3x+4|}{7} < 1$, la série converge.

Lorsque $R > 1$, c'est-à-dire $\dfrac{|3x+4|}{7} > 1$, la série diverge.

Lorsque $R = 1$, c'est-à-dire $\dfrac{|3x+4|}{7} = 1$, nous ne pouvons rien conclure.

Nous devons alors étudier le cas où $\dfrac{|3x+4|}{7} = 1$, c'est-à-dire $x = \dfrac{-11}{3}$ ou $x = 1$.

Si $x = \dfrac{-11}{3}$, $\displaystyle\sum_{k=1}^{+\infty} \frac{(3x+4)^k}{k\,7^k} = \sum_{k=1}^{+\infty} \frac{(-1)^k}{k} = -1 + \frac{1}{2} - \frac{1}{3} + \frac{1}{4} - \dots$ est une série convergente.

Si $x = 1$, $\displaystyle\sum_{k=1}^{+\infty} \frac{(3x+4)^k}{k\,7^k} = \sum_{k=1}^{+\infty} \frac{1}{k} = 1 + \frac{1}{2} + \frac{1}{3} + \frac{1}{4} + \dots$ est une série divergente.

D'où l'intervalle de convergence de la série

de puissances est $\left[\dfrac{-11}{3}, 1\right[$, et le rayon de

convergence est $r = \dfrac{1 - \left(\dfrac{-11}{3}\right)}{2} = \dfrac{7}{3}$.

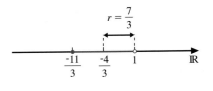

Dérivation et intégration de séries de puissances

Énonçons d'abord un théorème, que nous acceptons sans démonstration, qui nous permet d'obtenir la dérivée d'une série de puissances en dérivant celle-ci terme à terme.

THÉORÈME 6.26
DÉRIVATION DE SÉRIES DE PUISSANCES

Soit la série de puissances $\displaystyle\sum_{k=0}^{+\infty} c_k(x-a)^k$ dont le rayon de convergence est r, où $r \neq 0$.

Si pour $|x - a| < r$, nous définissons

$$f(x) = \sum_{k=0}^{+\infty} c_k(x-a)^k = c_0 + c_1(x-a) + c_2(x-a)^2 + \ldots + c_n(x-a)^n + \ldots, \text{ alors}$$

1) f est différentiable pour x tel que $|x - a| < r$ et

2) $f'(x) = c_1 + 2c_2(x-a) + 3c_3(x-a)^2 + \ldots + nc_n(x-a)^{n-1} + \ldots$

$$= \sum_{k=1}^{+\infty} kc_k(x-a)^{k-1}.$$

Exemple 1 Soit la série $\displaystyle\sum_{k=0}^{+\infty} \dfrac{x^k}{k!}$.

Déterminons le rayon r de convergence de cette série et appliquons le théorème 6.26 précédent.

Si $x = 0$, la série converge.

Si $x \neq 0$, appliquons le critère généralisé de d'Alembert.

$$R = \lim_{n \to +\infty} \left| \frac{u_{n+1}}{u_n} \right| = \lim_{n \to +\infty} \left| \frac{\dfrac{x^{n+1}}{(n+1)!}}{\dfrac{x^n}{n!}} \right| = |x| \lim_{n \to +\infty} \left(\frac{1}{n+1} \right) = 0$$

Puisque $R < 1$, la série converge pour toutes les valeurs de x, alors $r = +\infty$.

Puisque $f(x) = 1 + x + \dfrac{x^2}{2!} + \dfrac{x^3}{3!} + \dfrac{x^4}{4!} + \ldots + \dfrac{x^n}{n!} + \ldots$, pour $x \in \mathbb{R}$,

alors en dérivant terme à terme, nous obtenons

$$f'(x) = 0 + 1 + \frac{2x}{2!} + \frac{3x^2}{3!} + \frac{4x^3}{4!} + \ldots + \frac{nx^{n-1}}{n!} + \ldots \quad \text{(théorème 6.26)}$$

$$= 1 + x + \frac{x^2}{2!} + \frac{x^3}{3!} + \ldots + \frac{x^{n-1}}{(n-1)!} + \frac{x^n}{n!} + \ldots, \text{ pour } x \in \mathbb{R}.$$

Dans l'exemple précédent, nous remarquons que $f'(x) = f(x)$, $\forall\, x \in \mathbb{R}$.

Déterminons la fonction f qui satisfait l'équation différentielle précédente.

Puisque $\dfrac{dy}{dx} = y$ \qquad (où $y = f(x)$)

$$\dfrac{dy}{y} = dx$$

alors $\ln |y| = x + C_1$ \qquad (en résolvant l'équation différentielle)

ainsi \qquad $y = Ce^x$, où $C > 0$ \qquad (car $C = e^{C_1}$)

Puisque $f(0) = 1$, alors $C = 1$, d'où $f(x) = e^x$.

Nous pouvons donc exprimer la fonction e^x comme une série de puissances de la façon suivante :

$$e^x = 1 + x + \frac{x^2}{2!} + \frac{x^3}{3!} + \ldots + \frac{x^n}{n!} + \ldots = \sum_{k=0}^{+\infty} \frac{x^k}{k!}, \ \forall\, x \in \mathbb{R}.$$

Énonçons maintenant un théorème, que nous acceptons sans démonstration, qui nous permet d'obtenir l'intégrale d'une série de puissances en intégrant celle-ci terme à terme.

THÉORÈME 6.27
INTÉGRATION DE SÉRIES DE PUISSANCES

Soit la série de puissances $\displaystyle\sum_{k=0}^{+\infty} c_k(x - a)^k$ dont le rayon de convergence $r \neq 0$.

Si pour $|x - a| < r$, nous définissons

$$f(x) = \sum_{k=0}^{+\infty} c_k(x - a)^k = c_0 + c_1(x - a) + c_2(x - a)^2 + \ldots + c_n(x - a)^n + \ldots, \text{ alors}$$

1) f est intégrable pour x tel que $|x - a| < r$ \qquad et

2) la primitive $F(x)$ est donnée par

$$F(x) = c_0(x - a) + \frac{c_1(x - a)^2}{2} + \frac{c_2(x - a)^3}{3} + \ldots + \frac{c_n(x - a)^{n+1}}{n+1} + \ldots + C$$

$$= \sum_{k=0}^{+\infty} \frac{c_k(x - a)^{k+1}}{k+1} + C.$$

Exemple 2 Soit la série $\displaystyle\sum_{k=0}^{+\infty} (-x)^k$.

a) Déterminons le rayon r de convergence de cette série.

$$\text{Soit } \sum_{k=0}^{+\infty} (-x)^k = 1 - x + x^2 - x^3 + \ldots + (-x)^n + \ldots$$

Cette série de puissances est une série géométrique de raison $-x$ qui converge pour $|-x| < 1$, c'est-à-dire $|x| < 1$, d'où le rayon de convergence est 1.

b) Déterminons la somme de cette série pour $|x| < 1$.

Puisque cette série est géométrique de raison $-x$, nous avons par le théorème 6.12

$$1 - x + x^2 - x^3 + \ldots + (-x)^n + \ldots = \frac{1}{1 - (-x)} \quad \text{(pour } |x| < 1\text{)}$$

$$= \frac{1}{1 + x}$$

c) Appliquons le théorème 6.27 à la série et déterminons l'intervalle de convergence de la nouvelle série obtenue.

Soit $\dfrac{1}{1 + x} = 1 - x + x^2 - x^3 + \ldots + (-x)^n + \ldots$ pour $|x| < 1$ (voir b)

En intégrant terme à terme, nous obtenons, pour $|x| < 1$,

$$\ln(1 + x) = x - \frac{x^2}{2} + \frac{x^3}{3} - \frac{x^4}{4} + \ldots + \frac{(-1)^n x^{n+1}}{n+1} + \ldots + C \quad \text{(théorème 6.27)}$$

En posant $x = 0$, nous obtenons $\ln 1 = 0 + C$, d'où $C = 0$.

Cette série converge pour $|x| < 1$.

Étudions le cas où $|x| = 1$ c'est-à-dire $x = -1$ ou $x = 1$.

Si $x = -1$, alors

$$\sum_{k=0}^{+\infty} \frac{(-1)^k x^{k+1}}{k+1} = \sum_{k=0}^{+\infty} \frac{(-1)^k (-1)^{k+1}}{k+1} = -1 - \frac{1}{2} - \frac{1}{3} - \frac{1}{4} - \ldots, \text{ d'où la série diverge}$$

(série harmonique négative)

Si $x = 1$, alors

$$\sum_{k=0}^{+\infty} \frac{(-1)^k x^{k+1}}{k+1} = \sum_{k=0}^{+\infty} \frac{(-1)^k (1)^{k+1}}{k+1} = 1 - \frac{1}{2} + \frac{1}{3} - \frac{1}{4} + \ldots, \text{ d'où la série converge}$$

(série harmonique alternée, exemple 2, page 330)

Donc, l'intervalle de convergence de la nouvelle série est $]\text{-}1, 1]$.

Ainsi

$$\ln(1 + x) = x - \frac{x^2}{2} + \frac{x^3}{3} - \frac{x^4}{4} + \ldots + \frac{(-1)^n x^{n+1}}{n+1} + \ldots \text{ pour } x \in \,]\text{-}1, 1]$$

$$= \sum_{k=0}^{+\infty} \frac{(-1)^k x^{k+1}}{k+1} \text{ pour } x \in \,]\text{-}1, 1].$$

Exercices 6.5

1. Déterminer, en utilisant le critère généralisé de d'Alembert, l'intervalle I de convergence et le rayon r de convergence des séries de puissances suivantes. (Représenter graphiquement I et r.)

a) $\displaystyle\sum_{k=0}^{+\infty} \frac{x^k}{2^k}$

b) $\displaystyle\sum_{k=1}^{+\infty} \frac{(-x)^k}{k^2}$

c) $\displaystyle\sum_{k=0}^{+\infty} k!(x+5)^k$

d) $\displaystyle\sum_{k=0}^{+\infty} \frac{(3x+4)^k}{k!}$

2. Déterminer, en utilisant le critère généralisé de Cauchy, l'intervalle I de convergence et le rayon r de convergence des séries de puissances suivantes. (Représenter graphiquement I et r.)

a) $\displaystyle\sum_{k=0}^{+\infty} \frac{(x-4)^k}{3^k}$
c) $\displaystyle\sum_{k=3}^{+\infty} \frac{(2x)^k}{k^k}$

b) $\displaystyle\sum_{k=1}^{+\infty} 3^k(x-5)^k$
d) $\displaystyle\sum_{k=1}^{+\infty} \frac{(2x-3)^k}{k^3}$

3. Déterminer l'intervalle I de convergence des séries entières suivantes.

a) $\displaystyle\sum_{k=0}^{+\infty} (kx)^k$
c) $\displaystyle\sum_{k=1}^{+\infty} \frac{x^k}{k}$

b) $\displaystyle\sum_{k=0}^{+\infty} kx^k$
d) $\displaystyle\sum_{k=5}^{+\infty} \left(\frac{x}{k}\right)^k$

4. Soit $f(x) = \displaystyle\sum_{k=0}^{+\infty} \frac{(-1)^k x^{2k}}{(2k)!}$.

a) Écrire les premiers termes de cette série.

b) Déterminer le rayon de convergence de cette série.

c) Calculer $f'(x)$ et déterminer son rayon de convergence.

d) Si $F(0) = 0$, calculer $F(x)$, la primitive de $f(x)$, et déterminer son rayon de convergence.

e) Évaluer $f'(x) + F(x)$.

5. Pour une série entière de la forme $\displaystyle\sum_{k=0}^{+\infty} c_k x^k$, déterminer, selon la valeur donnée r du rayon de convergence, les intervalles de convergence possibles de la série.

a) $r = 0$
c) $r = r_0$, où $r_0 \neq 0$

b) $r = 1$
d) $r = +\infty$

6. Soit la série de puissances $f(x) = \displaystyle\sum_{k=0}^{+\infty} x^k$.

a) Déterminer l'intervalle I de convergence et le rayon r de convergence de cette série.

b) Exprimer la somme $f(x)$ de cette série à l'aide d'une fonction rationnelle.

c) À partir de b), trouver la série correspondant à la fonction $\ln(1-x)$ ainsi que l'intervalle I de convergence de cette série.

d) Donner l'équation obtenue en remplaçant x par -1 dans les deux membres de l'équation trouvée en c).

e) Évaluer approximativement $\ln 2$ en utilisant les cinq premiers termes de la série et déterminer l'erreur maximale commise.

f) Trouver la série correspondant à la fonction $\dfrac{1}{(1-x)^2}$ ainsi que l'intervalle I de convergence de cette série.

7. Soit $g(x) = x - \dfrac{x^3}{3!} + \dfrac{x^5}{5!} - \dfrac{x^7}{7!} + \dfrac{x^9}{9!} - \dots$ et

$f(x) = 1 - \dfrac{x^2}{2!} + \dfrac{x^4}{4!} - \dfrac{x^6}{6!} + \dfrac{x^8}{8!} - \dots$

a) Évaluer $g(0)$ et $f(0)$.

b) Déterminer $g'(x)$ et $f'(x)$ en fonction de $f(x)$ et $g(x)$.

c) Déterminer $g''(x)$ et $f''(x)$ en fonction de $f(x)$ et $g(x)$.

d) Trouver deux fonctions trigonométriques qui satisfont a), b) et c).

8. Déterminer l'intervalle de convergence et le rayon de convergence des séries de puissances suivantes.

a) $\displaystyle\sum_{k=0}^{+\infty} \frac{(x+5)^k}{2^k}$
e) $\displaystyle\sum_{k=4}^{+\infty} (3x)^k$

b) $\displaystyle\sum_{k=0}^{+\infty} \frac{(x-1)^k}{3^k}$
f) $\displaystyle\sum_{k=5}^{+\infty} \frac{(3x)^{k-5}}{k}$

c) $\displaystyle\sum_{k=0}^{+\infty} \frac{(-x)^k}{k!}$
g) $\displaystyle\sum_{k=0}^{+\infty} \frac{(x-1)^k}{k^3+2}$

d) $\displaystyle\sum_{k=1}^{+\infty} \frac{x^k}{\sqrt{k}}$
h) $\displaystyle\sum_{k=0}^{+\infty} \frac{kx^k}{k^2+1}$

6.6 SÉRIES DE TAYLOR ET DE MACLAURIN

Objectif d'apprentissage

À la fin de cette section, l'élève pourra développer certaines fonctions en série de puissances.

Plus précisément, l'élève sera en mesure :
- de déterminer les coefficients des termes d'une série de puissances représentant une fonction f ;
- de connaître les définitions d'une série de Taylor et d'une série de Maclaurin ;

- de développer certaines fonctions en série de Taylor et en série de Maclaurin à l'aide des définitions précédentes ;
- de calculer des approximations à l'aide des séries de Taylor ou de Maclaurin ;
- de développer certaines fonctions en série de Taylor ou de Maclaurin à l'aide de substitutions ou de calculs mathématiques ;
- d'évaluer approximativement des intégrales définies à l'aide des séries de Taylor ou de Maclaurin.

Dans la section précédente, nous avons exprimé e^x et $\ln(1 + x)$ comme une série de puissances et nous avons obtenu les résultats suivants.

$$e^x = 1 + x + \frac{x^2}{2!} + \frac{x^3}{3!} + \ldots + \frac{x^n}{n!} + \ldots = \sum_{k=0}^{+\infty} \frac{x^k}{k!}, \forall\, x \in \mathbb{R}$$

(exemple 1, page 342)

$$\ln(1 + x) = x - \frac{x^2}{2} + \frac{x^3}{3} - \frac{x^4}{4} + \ldots + \frac{(-1)^n x^{n+1}}{n+1} + \ldots = \sum_{k=0}^{+\infty} \frac{(-1)^k x^{k+1}}{k+1}, \text{ pour } x \in\,]\text{-}1, 1]$$

(exemple 2, page 343)

Nous verrons dans cette section des méthodes permettant de développer d'autres fonctions indéfiniment dérivables en série de puissances, ainsi que quelques-unes des utilités d'un tel développement.

Développement en séries de Taylor et de Maclaurin

Brook Taylor,
mathématicien anglais

Brook Taylor (1685-1731) publia en 1715 son *Methodus incrementorum directa et inversa* dans lequel il montre comment développer une fonction en une série infinie. Dans ce livre, Taylor expose pour la première fois la méthode d'intégration par parties. Le terme « série de Taylor » ne fut toutefois utilisé qu'en 1786 par le mathématicien suisse Simon Lhuilier.

(BETTMANN/CORBIS/MAGMAPHOTO.COM)

Colin Maclaurin,
mathématicien anglais

En 1742, Colin Maclaurin (1698-1746) publie *Treatise of Fluxions* introduisant la série qui porte son nom. Pour la première fois, est énoncé le critère de l'intégrale de la convergence d'une série à termes positifs, en réponse aux critiques virulentes du révérend Berkeley, à l'adresse de Newton.

THÉORÈME 6.28

Si f est une fonction indéfiniment dérivable, telle que $f(x) = \sum_{k=0}^{+\infty} c_k(x - a)^k$, dont le rayon de convergence est r, où $r \neq 0$, alors les coefficients c_k des termes de la série de puissances sont

$$c_k = \frac{f^{(k)}(a)}{k!} \text{ pour } k = 0, 1, 2, \ldots$$

Preuve

Écrivons la fonction f et calculons ses premières dérivées.

$$f(x) = c_0 + c_1(x - a) + c_2(x - a)^2 + c_3(x - a)^3 + c_4(x - a)^4 + \ldots \quad (1)$$

$$f'(x) = c_1 + 2c_2(x - a) + 3c_3(x - a)^2 + 4c_4(x - a)^3 + \ldots \quad (2)$$

$$f''(x) = 2c_2 + 3 \cdot 2c_3(x - a) + 4 \cdot 3c_4(x - a)^2 + 5 \cdot 4c_5(x - a)^3 + \ldots \quad (3)$$

$$f'''(x) = 3 \cdot 2c_3 + 4 \cdot 3 \cdot 2c_4(x - a) + 5 \cdot 4 \cdot 3c_5(x - a)^2 + \dots \qquad (4)$$

$$f^{(4)}(x) = 4!c_4 + 5 \cdot 4 \cdot 3 \cdot 2c_5(x - a) + 6 \cdot 5 \cdot 4 \cdot 3c_6(x - a)^2 + \dots \qquad (5)$$

et ainsi de suite. En remplaçant x par a dans les équations précédentes, nous obtenons

de (1) $\quad f(a) = c_0, \quad$ d'où $c_0 = f(a) = \dfrac{f^{(0)}(a)}{0!}$

de (2) $\quad f'(a) = c_1, \quad$ d'où $c_1 = f'(a) = \dfrac{f^{(1)}(a)}{1!}$

de (3) $\quad f''(a) = 2c_2, \quad$ d'où $c_2 = \dfrac{f''(a)}{2} = \dfrac{f^{(2)}(a)}{2!}$

de (4) $\quad f'''(a) = 3 \cdot 2c_3,$ d'où $c_3 = \dfrac{f'''(a)}{3!} = \dfrac{f^{(3)}(a)}{3!}$

de (5) $\quad f^{(4)}(a) = 4!c_4, \quad$ d'où $c_4 = \dfrac{f^{(4)}(a)}{4!}$

$$\vdots \qquad\qquad \vdots$$

$$f^{(k)}(a) = k!c_k, \quad \text{d'où } c_k = \dfrac{f^{(k)}(a)}{k!}$$

Nous venons de démontrer que $c_k = \dfrac{f^{(k)}(a)}{k!}$, ainsi

$$f(x) = \sum_{k=0}^{+\infty} c_k(x - a)^k$$

$$= c_0(x - a)^0 + c_1(x - a)^1 + c_2(x - a)^2 + c_3(x - a)^3 + \dots$$

$$= f(a) + f'(a)(x - a) + \frac{f^{(2)}(a)}{2!}(x - a)^2 + \frac{f^{(3)}(a)}{3!}(x - a)^3 + \dots$$

$$= \sum_{k=0}^{+\infty} \frac{f^{(k)}(a)}{k!}(x - a)^k$$

Définition

Soit f une fonction indéfiniment dérivable en $x = a$. Le développement en **série de Taylor** de la fonction f, autour de a, est donné par

$$f(x) = \sum_{k=0}^{+\infty} \frac{f^{(k)}(a)}{k!}(x - a)^k$$

$$= f(a) + f'(a)(x - a) + \frac{f''(a)}{2}(x - a)^2 + \dots + \frac{f^{(n)}(a)}{n!}(x - a)^n + \dots,$$

pour tout x dans l'intervalle de convergence.

Dans le cas particulier où $a = 0$, nous obtenons la définition suivante.

Soit f une fonction indéfiniment dérivable en $x = 0$. Le développement en **série de Maclaurin** de la fonction f, autour de 0, est donné par

$$f(x) = \sum_{k=0}^{+\infty} \frac{f^{(k)}(0)}{k!} x^k$$

$$= f(0) + f'(0)\, x + \frac{f''(0)}{2!}\, x^2 + \frac{f'''(0)}{3!}\, x^3 + \ldots + \frac{f^{(n)}(0)}{n!}\, x^n + \ldots,$$

pour tout x dans l'intervalle de convergence.

Pour chaque fonction f et chaque valeur a, le développement en série de Taylor, ou en série de Maclaurin ($a = 0$), est unique.

Exemple 1

a) Développons la fonction f définie par $f(x) = e^x$ en série de Maclaurin.

Pour développer une fonction en série de Maclaurin, nous devons évaluer $f(0)$, $f'(0), f''(0), f^{(3)}(0), \ldots, f^{(n)}(0), \ldots$

$$f(x) = e^x, \text{ d'où } \quad f(0) = 1$$

$$f'(x) = e^x, \text{ d'où } \quad f'(0) = 1$$

$$f''(x) = e^x, \text{ d'où } \quad f''(0) = 1$$

$$\vdots \qquad\qquad \vdots$$

$$f^{(n)}(x) = e^x, \text{ d'où } f^{(n)}(0) = 1$$

Puisque, par définition,

$$f(x) = f(0) + f'(0)x + \frac{f''(0)}{2!}\, x^2 + \frac{f'''(0)}{3!}\, x^3 + \ldots + \frac{f^{(n)}(0)}{n!}\, x^n + \ldots,$$

en substituant les valeurs obtenues, nous obtenons

$$e^x = 1 + x + \frac{x^2}{2!} + \frac{x^3}{3!} + \frac{x^4}{4!} + \ldots + \frac{x^n}{n!} + \ldots$$

pour tout $x \in \mathbb{R}$, car ce résultat est identique au développement donné à l'exemple 1, page 343, où nous avons démontré que le rayon de convergence de cette série est $+\infty$.

b) Représentons graphiquement $f(x) = e^x$ ainsi que $P_0(x) = 1$, $P_1(x) = 1 + x$, $P_2(x) = 1 + x + \frac{x^2}{2!}$ et $P_3(x) = 1 + x + \frac{x^2}{2!} + \frac{x^3}{3!}$, quelques polynômes correspondant aux premiers termes du développement précédent.

OUTIL TECHNOLOGIQUE

```
> f:=x→exp(x);
                f:= exp
> P0:=x→1;
                P0:=1
> plot([f(x),P0(x)],x=-2..2,color=[orange,blue]);
```

```
> P1:=x→1+x;
                P1:=x → 1 + x
> plot([f(x),P1(x)],x=-2..2,color=[orange,blue]);
```

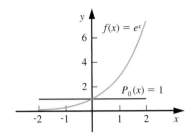

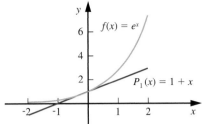

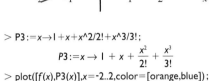

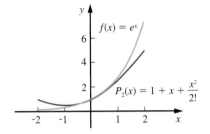

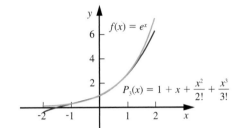

Nous constatons que plus le degré du polynôme $P_n(x)$ est élevé, plus le graphique de ce polynôme est semblable à celui de $f(x)$. De plus, pour des valeurs près de 0, les polynômes $P_n(x)$ peuvent être utilisés pour évaluer approximativement la fonction $f(x)$ en ces valeurs.

c) Calculons $P_0(x)$, $P_1(x)$, $P_2(x)$, $P_3(x)$ et $f(x)$, où $f(x) = e^x$, pour des valeurs de x voisines de 0.

x	$P_0(x)$	$P_1(x)$	$P_2(x)$	$P_3(x)$	e^x
-1	1	0	0,5	$0,\overline{3}$	0,367 8…
0	1	1	1	1	1
0,2	1	1,2	1,22	$1,221\overline{3}$	1,221 4…
1	1	2	2,5	$2,\overline{6}$	2,718 2…
2	1	3	5	$6,\overline{3}$	7,389 0…

Exemple 2

a) Développons la fonction f définie par $f(x) = \ln x$ en série de Taylor, autour de $a = 1$.

Nous devons d'abord évaluer $f(1), f'(1), f''(1), f^{(3)}(1), \ldots f^{(n)}(1), \ldots$

$$f(x) = \ln x, \qquad \text{d'où} \quad f(1) = 0$$

$$f'(x) = \frac{1}{x}, \qquad \text{d'où} \quad f'(1) = 1$$

$$f''(x) = \frac{-1}{x^2}, \qquad \text{d'où} \quad f''(1) = -1$$

$$f^{(3)}(x) = \frac{2}{x^3}, \qquad \text{d'où} \, f^{(3)}(1) = 2$$

$$f^{(4)}(x) = \frac{-3!}{x^4}, \qquad \text{d'où } f^{(4)}(1) = -3!$$

$$f^{(5)}(x) = \frac{4!}{x^5}, \qquad \text{d'où } f^{(5)}(1) = 4!$$

$$\vdots \qquad\qquad\qquad \vdots$$

$$f^{(n)}(x) = \frac{(-1)^{n-1}(n-1)!}{x^n}, \text{ d'où } f^{(n)}(1) = (-1)^{n-1}(n-1)!$$

Puisque, par définition,

$$f(x) = f(1) + f'(1)(x-1) + \frac{f''(1)}{2!}(x-1)^2 + \frac{f^{(3)}(1)}{3!}(x-1)^3 + \ldots + \frac{f^{(n)}(1)}{n!}(x-1)^n + \ldots,$$

en substituant les valeurs obtenues, nous obtenons

$$\ln x = 0 + 1(x-1) - \frac{1}{2!}(x-1)^2 + \frac{2}{3!}(x-1)^3 - \ldots + \frac{(-1)^n(n-1)!}{n!}(x-1)^n + \ldots,$$

d'où

$$\ln x = (x-1) - \frac{(x-1)^2}{2} + \frac{(x-1)^3}{3} - \frac{(x-1)^4}{4} + \ldots + \frac{(-1)^{n-1}}{n}(x-1)^n + \ldots$$

b) Déterminons l'intervalle de convergence de cette série ainsi que son rayon de convergence.

Si $x = 1$, la série converge

Si $x \neq 1$, appliquons le critère généralisé de d'Alembert.

$$R = \lim_{n \to +\infty} \left| \frac{u_{n+1}}{u_n} \right| = \lim_{n \to +\infty} \left| \frac{\dfrac{(-1)^n(x-1)^{n+1}}{n+1}}{\dfrac{(-1)^{n-1}(x-1)^n}{n}} \right|$$

$$= \lim_{n \to +\infty} \left| \frac{(-1)(x-1)\,n}{(n+1)} \right|$$

$$= |x-1| \lim_{n \to +\infty} \frac{n}{n+1}$$

$$= |x-1| \qquad \left(\text{car } \lim_{n \to +\infty} \frac{n}{n+1} = 1 \right)$$

Lorsque $R < 1$, c'est-à-dire $|x-1| < 1$, la série converge.

Ainsi pour $0 < x < 2$, la série converge.

Lorsque $R > 1$, c'est-à-dire $|x-1| > 1$, la série diverge.

Ainsi pour $x < 0$ ou $x > 2$, la série diverge.

Lorsque $R = 1$, c'est-à-dire $|x-1| = 1$, nous ne pouvons rien conclure.

Nous devons alors étudier le cas où $|x-1| = 1$, c'est-à-dire $x = 0$ ou $x = 2$.

Si $x = 0$, nous obtenons la série $-1 - \dfrac{1}{2} - \dfrac{1}{3} - \dfrac{1}{4} - \ldots$ qui est divergente

(série harmonique négative).

Si $x = 2$, nous obtenons la série $1 - \dfrac{1}{2} + \dfrac{1}{3} - \dfrac{1}{4} + \ldots$ qui est convergente

(série harmonique alternée).

D'où l'intervalle de convergence de cette série est $]0, 2]$ et $r = 1$.

Exemple 3

a) Développons la fonction f définie par $f(x) = \cos x$ en série de Maclaurin.

$$f(x) = \cos x, \qquad \text{d'où} \qquad f(0) = 1$$

$$f'(x) = -\sin x, \qquad \text{d'où} \qquad f'(0) = 0$$

$$f''(x) = -\cos x, \qquad \text{d'où} \qquad f''(0) = -1$$

$$f^{(3)}(x) = \sin x, \qquad \text{d'où} \qquad f^{(3)}(0) = 0$$

$$f^{(4)}(x) = \cos x, \qquad \text{d'où} \qquad f^{(4)}(0) = 1$$

$$\vdots \qquad\qquad\qquad \vdots$$

$$f^{(2k)}(x) = (-1)^k \cos x, \quad \text{d'où} \quad f^{(2k)}(0) = (-1)^k$$

$$f^{(2k+1)}(x) = (-1)^{k+1} \sin x, \text{ d'où } f^{(2k+1)}(0) = 0$$

d'où

$$\cos x = 1 - \frac{x^2}{2!} + \frac{x^4}{4!} - \frac{x^6}{6!} + \ldots + \frac{(-1)^n}{(2n)!} x^{2n} + \ldots$$

En utilisant le critère généralisé de d'Alembert, nous pouvons démontrer que cette série converge pour tout $x \in \mathbb{R}$, et $r = {}^+\infty$.

b) Représentons graphiquement $f(x) = \cos x$ ainsi que quelques polynômes correspondant aux premiers termes du développement précédent.

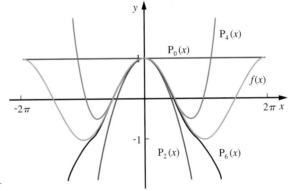

```
> f:=x→cos(x);
                    f:= cos
> P0:=x→1;
                    P0:= 1
> P2:=x→1−x^2/2!;
                    P2:= x → 1 − x²/2!
> P4:=x→1−x^2/2!+x^4/4!;
                    P4:= x → 1 − x²/2! + x⁴/4!
> P6:=x→1−x^2/2!+x^4/4!−x^6/6!;
                    P6:=x → 1 − x²/2! + x⁴/4! − x⁶/6!
> plot([f(x),P0(x),P2(x),P4(x),P6(x)],x=-2*Pi..2*Pi,y=-2..2,color=[orange,blue,green,red,black]);
```

Approximation à l'aide des séries de Taylor ou de Maclaurin

Exemple 1 Calculons approximativement la valeur du nombre e en utilisant le développement en série de Maclaurin obtenu précédemment, pour la fonction $f(x) = e^x$.

$$e^x = 1 + x + \frac{x^2}{2!} + \frac{x^3}{3!} + \frac{x^4}{4!} + \ldots + \frac{x^n}{n!} + \ldots, \ \forall \, x \in \mathbb{R}.$$

En remplaçant x par 1 dans cette équation, nous obtenons

$$e = 1 + 1 + \frac{1}{2!} + \frac{1}{3!} + \frac{1}{4!} + \ldots + \frac{1}{n!} + \ldots$$

Pour déterminer approximativement la valeur de e, il suffit de calculer la somme des premiers termes du développement. Plus le nombre de termes utilisés est grand, meilleure est l'approximation.

En additionnant trois termes, $\quad e \approx 1 + 1 + \frac{1}{2!} = 2,5.$

En additionnant quatre termes, $e \approx 1 + 1 + \frac{1}{2!} + \frac{1}{3!} = 2,\overline{6}.$

En additionnant cinq termes, $\quad e \approx 2,708\overline{3}.$

En additionnant huit termes, $\quad e \approx 2,718\ 254.$

Remarque Dans cet exemple, le calcul de l'erreur commise dépasse le niveau du cours. Cependant, lorsque, dans le calcul approximatif d'une valeur, nous utilisons une série alternée, nous pouvons calculer l'erreur à l'aide du théorème 6.22.

Exemple 2 Calculons approximativement la valeur de cos 0,8 en utilisant le développement en série de Maclaurin obtenu précédemment, pour la fonction $f(x) = \cos x$.

$$\cos x = 1 - \frac{x^2}{2!} + \frac{x^4}{4!} - \frac{x^6}{6!} + \frac{x^8}{8!} - \ldots + \frac{(-1)^n x^{2n}}{(2n)!} + \ldots, \forall\, x \in \mathbb{R}.$$

En remplaçant x par 0,8 dans cette équation, nous obtenons

$$\cos 0,8 = 1 - \frac{(0,8)^2}{2!} + \frac{(0,8)^4}{4!} - \frac{(0,8)^6}{6!} + \frac{(0,8)^8}{8!} - \ldots + \frac{(-1)^n (0,8)^{2n}}{(2n)!} + \ldots$$

En additionnant 3 termes, nous obtenons

$$\cos 0,8 \approx 1 - \frac{(0,8)^2}{2!} + \frac{(0,8)^4}{4!}, \text{ avec } E \leq \frac{(0,8)^6}{6!} \quad \text{(théorème 6.22)}$$

d'où $\cos 0,8 \approx 0,697$, avec $E \leq 0,000\ 364\ldots$

Exemple 3 Calculons approximativement, avec une erreur maximale de 0,001, la valeur de ln 1,5, en utilisant le développement en série de Taylor obtenu, page 350, pour la fonction $f(x) = \ln x$ autour de $a = 1$.

$$\ln x = (x - 1) - \frac{(x-1)^2}{2} + \frac{(x-1)^3}{3} - \ldots + \frac{(-1)^{n-1}(x-1)^n}{n} + \ldots, \forall\, x \in\,]0, 2].$$

En remplaçant x par 1,5 dans cette équation, nous obtenons

$$\ln 1,5 = 0,5 - \frac{(0,5)^2}{2} + \frac{(0,5)^3}{3} - \ldots + \frac{(-1)^{n-1}(0,5)^n}{n} + \ldots$$

Nous voulons déterminer n pour que $E < 0,001$. Ainsi

$$E \leq a_{n+1} = \frac{(0,5)^{n+1}}{n+1}.$$

Il suffit de déterminer n tel que $\dfrac{(0,5)^{n+1}}{n+1} < 0,001$.

Il est facile de vérifier que $n = 7$ est suffisant, ainsi

$$\ln 1,5 \approx 0,5 - \frac{(0,5)^2}{2} + \frac{(0,5)^3}{3} - \ldots + \frac{(0,5)^7}{7}, \text{ avec } E < 0,001,$$

d'où $\ln 1,5 \approx 0,4058$ avec $E < 0,001$.

Développement de fonctions en série à l'aide de substitutions ou de calculs mathématiques

Puisque le développement d'une fonction en série de Taylor est unique, il est parfois avantageux d'utiliser un développement connu pour en obtenir un nouveau.

Exemple 1 Développons $\cos x^3$ en série de Maclaurin.

Sachant que $\cos x = 1 - \frac{x^2}{2!} + \frac{x^4}{4!} - \frac{x^6}{6!} + \ldots, \forall\, x \in \mathbb{R}$,

remplaçons x par x^3 dans le développement en série de $\cos x$.

$$\cos x^3 = 1 - \frac{(x^3)^2}{2!} + \frac{(x^3)^4}{4!} - \frac{(x^3)^6}{6!} + \ldots, \forall\, x \in \mathbb{R}$$

d'où $\quad \cos x^3 = 1 - \frac{x^6}{2!} + \frac{x^{12}}{4!} - \frac{x^{18}}{6!} + \ldots, \forall\, x \in \mathbb{R}.$

Remarque Nous aurions obtenu le même résultat en développant, à partir de la définition, $f(x) = \cos x^3$ en série de Maclaurin. Cependant, cette méthode aurait exigé des calculs plus compliqués, en particulier pour obtenir $f'(x), f''(x), f'''(x), \ldots, f^{(n)}(x)$. Il en est de même pour les exemples suivants.

Exemple 2 Développons $f(x) = x \cos x$ en série de Maclaurin.

Sachant que $\cos x = 1 - \frac{x^2}{2!} + \frac{x^4}{4!} - \frac{x^6}{6!} + \ldots, \forall\, x \in \mathbb{R}$,

multiplions par x le développement en série de $\cos x$.

$$x \cos x = x\left(1 - \frac{x^2}{2!} + \frac{x^4}{4!} - \frac{x^6}{6!} + \ldots\right), \forall\, x \in \mathbb{R}$$

d'où $\quad x \cos x = x - \frac{x^3}{2!} + \frac{x^5}{4!} - \frac{x^7}{6!} + \ldots, \forall\, x \in \mathbb{R}.$

Exemple 3 Développons $\cos^2 x$ en série de Maclaurin en élevant au carré le développement de $\cos x$.

Sachant que $\cos x = 1 - \frac{x^2}{2!} + \frac{x^4}{4!} - \frac{x^6}{6!} + \frac{x^8}{8!} - \ldots, \forall\, x \in \mathbb{R}$, nous obtenons

$$\cos^2 x = \left(1 - \frac{x^2}{2!} + \frac{x^4}{4!} - \frac{x^6}{6!} + \frac{x^8}{8!} - \ldots\right)^2$$

$$= \left(1 - \frac{x^2}{2!} + \frac{x^4}{4!} - \frac{x^6}{6!} + \frac{x^8}{8!} - \ldots\right)\left(1 - \frac{x^2}{2!} + \frac{x^4}{4!} - \frac{x^6}{6!} + \frac{x^8}{8!} - \ldots\right)$$

$$= 1\left(1 - \frac{x^2}{2!} + \frac{x^4}{4!} - \cdots\right) - \frac{x^2}{2!}\left(1 - \frac{x^2}{2!} + \frac{x^4}{4!} - \cdots\right) +$$

$$\frac{x^4}{4!}\left(1 - \frac{x^2}{2!} + \frac{x^4}{4!} - \cdots\right) - \cdots$$

$$= 1 - \frac{x^2}{2!} + \frac{x^4}{4!} - \frac{x^6}{6!} + \frac{x^8}{8!} - \cdots$$

$$- \frac{x^2}{2!} + \frac{x^4}{2!2!} - \frac{x^6}{2!4!} + \frac{x^8}{2!6!} - \cdots$$

$$\frac{x^4}{4!} - \frac{x^6}{4!2!} + \frac{x^8}{4!4!} - \cdots$$

$$- \frac{x^6}{6!} + \frac{x^8}{6!2!} - \cdots$$

$$\frac{x^8}{8!} - \cdots$$

$$\vdots$$

d'où $\cos^2 x = 1 - \dfrac{2x^2}{2!} + \dfrac{8x^4}{4!} - \dfrac{32x^6}{6!} + \dfrac{128x^8}{8!} - \cdots, \forall\, x \in \mathbb{R}.$

OUTIL TECHNOLOGIQUE

Remarque En utilisant la commande « Taylor » de Maple, nous obtenons le développement suivant.

```
> (cos(x))^2=taylor((cos(x))^2,x=0,13);
```

$$\cos(x)^2 = 1 - x^2 + \frac{1}{3}x^4 - \frac{2}{45}x^6 + \frac{1}{315}x^8 - \frac{2}{14\,175}x^{10} + \frac{2}{467\,775}x^{12} + O(x^{14})$$

Exemple 4

a) Construisons une série géométrique dont le premier terme $a = 1$ et de raison $r = -x^2$.

Si $|r| = |-x^2| < 1$, c'est-à-dire $-1 < x < 1$, la série géométrique converge et nous avons

$$1 - x^2 + x^4 - x^6 + \cdots + (-x^2)^n + \cdots = \frac{1}{1 - (-x^2)} \qquad \text{(théorème 6.12)}$$

$$= \frac{1}{1 + x^2}$$

Ainsi, le développement de $f(x) = \dfrac{1}{1 + x^2}$, en série de Maclaurin, est donné par

$$\frac{1}{1 + x^2} = 1 - x^2 + x^4 - x^6 + \cdots + (-1)^n x^{2n} + \cdots = \sum_{k=0}^{+\infty} (-1)^k x^{2k},$$

pour $x \in\ ]-1, 1[$, et dont le rayon de convergence est 1.

b) Puisque $\displaystyle\int \frac{1}{1 + x^2}\, dx = \text{Arc tan } x + C$, utilisons le résultat obtenu en a) pour obtenir le développement en série de Maclaurin de $g(x) = \text{Arc tan } x$.

En intégrant les deux membres de l'équation obtenue, nous obtenons

$$\int \frac{1}{1 + x^2}\, dx = \int [1 - x^2 + x^4 - x^6 + \cdots]\, dx \qquad \text{(théorème 6.27)}$$

$$\text{Arc tan } x = x - \frac{x^3}{3} + \frac{x^5}{5} - \frac{x^7}{7} + \ldots + C.$$

Puisque Arc tan $0 = 0$, nous obtenons $C = 0$.

L'élève peut vérifier qu'en $x = -1$ et $x = 1$, nous obtenons deux séries convergentes,

d'où $\quad$ $$\text{Arc tan } x = x - \frac{x^3}{3} + \frac{x^5}{5} - \frac{x^7}{7} + \ldots + \frac{(-1)^n x^{2n+1}}{2n+1} + \ldots, \text{ pour } x \in [-1, 1].$$

c) Remplaçons x par 1 dans le développement précédent, de façon à obtenir π sous forme de sommation.

En remplaçant x par 1, nous obtenons

$$\text{Arc tan } 1 = 1 - \frac{1^3}{3} + \frac{1^5}{5} - \frac{1^7}{7} + \ldots + \frac{(-1)^n \, 1^{2n+1}}{2n+1} + \ldots$$

$$\frac{\pi}{4} = 1 - \frac{1}{3} + \frac{1}{5} - \frac{1}{7} + \ldots + \frac{(-1)^n}{2n+1} + \ldots$$

Ainsi $\quad$ $$\pi = 4\left(1 - \frac{1}{3} + \frac{1}{5} - \frac{1}{7} + \ldots + \frac{(-1)^n}{2n+1} + \ldots \right)$$

d'où $\quad$ $$\pi = 4 \sum_{n=0}^{+\infty} \frac{(-1)^n}{2n+1}$$

OUTIL TECHNOLOGIQUE

d) Évaluons approximativement la valeur de π en calculant quelques sommes partielles ainsi que l'erreur maximale commise pour chaque somme partielle.

```
> 4*Sum((-1)^n/(2*n+1),n=0..10)=evalf(4*sum((-1)^n/(2*n+1),n=0..10));E10:=1/23=evalf(1/23);
```
$$4\left(\sum_{n=0}^{10} \frac{(-1)^n}{2n+1} \right) = 3.232315809$$
$$E10 := \frac{1}{23} = .04347826087$$

```
> 4*Sum((-1)^n/(2*n+1),n=0..50)=evalf(4*sum((-1)^n/(2*n+1),n=0..50));E50:=1/103=evalf(1/103);
```
$$4\left(\sum_{n=0}^{50} \frac{(-1)^n}{2n+1} \right) = 3.161198613$$
$$E50 := \frac{1}{103} = .009708737864$$

```
> 4*Sum((-1)^n/(2*n+1),n=0..100)=evalf(4*sum((-1)^n/(2*n+1),n=0..100));E100:=1/203=evalf(1/203);
```
$$4\left(\sum_{n=0}^{100} \frac{(-1)^n}{2n+1} \right) = 3.151493401$$
$$E100 := \frac{1}{203} = .004926108374$$

```
> 4*Sum((-1)^n/(2*n+1),n=0..500)=evalf(4*sum((-1)^n/(2*n+1),n=0..500));E500:=1/1003=evalf(1/1003);
```
$$4\left(\sum_{n=0}^{500} \frac{(-1)^n}{2n+1} \right) = 3.143588660$$
$$E500 := \frac{1}{1003} = .0009970089731$$

```
> 4*Sum((-1)^n/(2*n+1),n=0..1000)=evalf(4*sum((-1)^n/(2*n+1),n=0..1000));E1000:=1/2003=evalf(1/2003);
```
$$4\left(\sum_{n=0}^{1000} \frac{(-1)^n}{2n+1} \right) = 3.142591654$$
$$E1000 := \frac{1}{2003} = .0004992511233$$

```
> 4*Sum((-1)^n/(2*n+1),n=0..10000)=evalf(4*sum((-1)^n/(2*n+1),n=0..10000));
E10000:=1/20003=evalf(1/20003);
```
$$4\left(\sum_{n=0}^{10000} \frac{(-1)^n}{2n+1} \right) = 3.141692644$$
$$E10000 := \frac{1}{20003} = .00004999250112$$

À l'aide des calculs précédents, il est facile de constater que la série converge très lentement, c'est-à-dire qu'il faut évaluer la somme de beaucoup de termes pour avoir une bonne approximation de π.

Approximation d'intégrales définies à l'aide de séries de Taylor ou de Maclaurin

Une fonction telle que e^{-x^2} n'a pas de primitive. Par contre, en utilisant le développement en série de cette fonction, nous pouvons évaluer approximativement une intégrale définie de la forme $\displaystyle\int_a^b e^{-x^2}\, dx$.

> **Exemple 1** Calculons approximativement l'aire A_0^1 de la région délimitée par la courbe $f(x) = e^{-x^2}$ et l'axe des x sur $[0, 1]$.
>
> Développons d'abord e^{-x^2} en remplaçant x par $-x^2$ dans le développement de e^x.
>
> Représentation graphique
>
>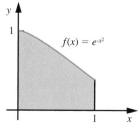
>
> Sachant que $\quad e^x = 1 + x + \dfrac{x^2}{2!} + \dfrac{x^3}{3!} + \dfrac{x^4}{4!} + \dots \; \forall\, x \in \mathbb{R}$,
>
> nous obtenons $e^{-x^2} = 1 - x^2 + \dfrac{x^4}{2!} - \dfrac{x^6}{3!} + \dfrac{x^8}{4!} - \dots, \; \forall\, x \in \mathbb{R}$.
>
> Ainsi $\quad \displaystyle\int_0^1 e^{-x^2}\, dx = \int_0^1 \left[1 - x^2 + \dfrac{x^4}{2!} - \dfrac{x^6}{3!} + \dfrac{x^8}{4!} - \dots \right] dx$
>
> $\qquad\qquad = \left[x - \dfrac{x^3}{3} + \dfrac{x^5}{5 \cdot 2!} - \dfrac{x^7}{7 \cdot 3!} + \dfrac{x^9}{9 \cdot 4!} - \dots \right]\Big|_0^1$
>
> $\qquad\qquad = 1 - \dfrac{1}{3} + \dfrac{1}{5 \cdot 2!} - \dfrac{1}{7 \cdot 3!} + \dfrac{1}{9 \cdot 4!} - \dfrac{1}{11 \cdot 5!} + \dots$
>
> En utilisant les cinq premiers termes du développement, nous obtenons $A_0^1 \approx 0{,}747$.
>
> L'erreur maximale commise est $E < \dfrac{1}{11 \cdot 5!}$ $\quad$ (théorème 6.22)
>
> c'est-à-dire $E < 0{,}000\ 758$.

Exercices 6.6

1. Développer les fonctions suivantes en série de Maclaurin à partir de la définition et déterminer l'intervalle de convergence.

  a) $f(x) = \sin x$ $\qquad$ c) $f(x) = \cos 2x$

  b) $f(x) = e^{3x}$

2. Développer les fonctions suivantes en série de Taylor autour de la valeur a donnée à partir de la définition, et déterminer l'intervalle de convergence et le rayon r de convergence.

  a) $f(x) = \sin x,\ a = \pi$

  b) $f(x) = \sin x,\ a = \dfrac{\pi}{2}$

  c) $f(x) = \dfrac{1}{x},\ a = -1$

  d) $f(x) = \cos x,\ a = \pi$

  e) $f(x) = \cos x,\ a = \dfrac{\pi}{3}$

3. Développer les fonctions suivantes en série de Maclaurin, et déterminer l'intervalle de convergence et le rayon r de convergence.

a) $f(x) = \ln(1 + x)$

b) $f(x) = \ln(1 - x)$

c) $f(x) = \ln\left(\dfrac{1 + x}{1 - x}\right)$

4. Développer les fonctions suivantes en série de Maclaurin en utilisant un développement connu et déterminer l'intervalle de convergence.

a) $f(x) = e^{-x}$

b) $f(x) = \cos x^2$

c) $f(x) = x \sin x$

d) $f(x) = \sin 2x$

e) $f(x) = \sqrt{x}\, e^{\sqrt{x}}$

f) $f(x) = \dfrac{e^x - 1}{x}$

5. Écrire les huit premiers termes du développement en série de Maclaurin des fonctions suivantes.

a) $f(x) = \sec x$

b) $f(x) = e^x \cos x$

c) $f(x) = \sin^2 x$

6. Évaluer approximativement les valeurs suivantes et déterminer, si possible, l'erreur maximale commise.

a) $\sin(0,2)$ en utilisant les trois premiers termes non nuls du développement en série de Maclaurin de $f(x) = \sin x$.

b) $\sqrt{e}$ en utilisant les quatre premiers termes du développement en série de Maclaurin de $f(x) = e^x$.

c) $(1,02)^5$ en utilisant les six premiers termes du développement en série de Taylor autour de $a = 1$ de $f(x) = x^5$.

7. a) Développer en série de Maclaurin

$f(x) = \dfrac{1}{1 - x}$ et déterminer l'intervalle de convergence et le rayon de convergence.

b) Utiliser le développement obtenu en a) pour déterminer le développement de $\ln(1 - x)$ en série de Maclaurin.

c) Évaluer approximativement $\ln 1,4$ en utilisant les quatre premiers termes du développement en série de Maclaurin de $f(x) = \ln(1 - x)$; évaluer également l'erreur maximale commise.

d) Déterminer le nombre de termes à utiliser pour que l'erreur maximale commise en évaluant approximativement $\ln 1,4$ soit inférieure à $0{,}0001$.

8. a) Développer la fonction g, définie par

$g(x) = \dfrac{\sin x}{x}$, en série de Maclaurin en utilisant le développement de $f(x) = \sin x$.

b) Démontrer que $\lim\limits_{x \to 0} \dfrac{\sin x}{x} = 1$ en utilisant le développement en série de Maclaurin de la fonction $f(x) = \dfrac{\sin x}{x}$.

c) À l'aide du résultat obtenu en a), calculer approximativement $\displaystyle\int_0^1 \dfrac{\sin x}{x}\, dx$ en utilisant les trois premiers termes non nuls et évaluer l'erreur maximale commise.

9. Soit $f(x) = \sin x^2$, où $x \in \left[0, \dfrac{\pi}{4}\right]$.

Calculer approximativement l'aire de la région fermée entre la courbe de f et l'axe des x sur $\left[0, \dfrac{\pi}{4}\right]$, avec une erreur maximale $E = 10^{-5}$.

▦ Réseau de concepts

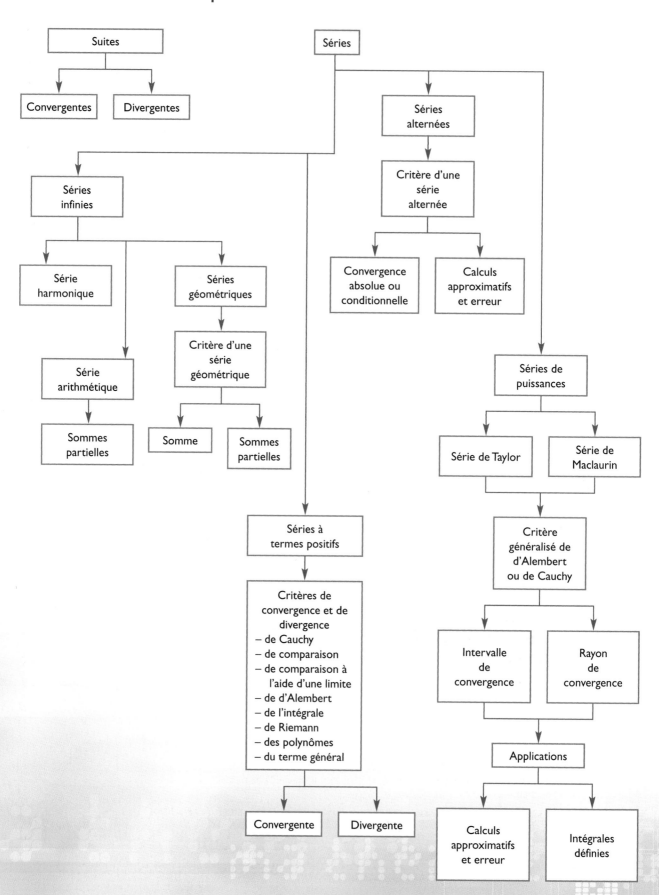

▦ Liste de vérification des connaissances

RÉPONDRE PAR **OUI** OU PAR **NON.**		
Après l'étude de ce chapitre, je suis en mesure :	OUI	NON
1. de donner la définition d'une suite et d'utiliser la notation appropriée ;		
2. de déterminer le terme général d'une suite ;		
3. de représenter graphiquement une suite ;		
4. de déterminer la convergence ou la divergence d'une suite ;		
5. de déterminer si une suite est bornée ;		
6. de déterminer la croissance ou la décroissance d'une suite ;		
7. de donner les définitions de somme partielle, de série convergente et de série divergente ;		
8. de déterminer la convergence ou la divergence d'une série en utilisant les sommes partielles ;		
9. de démontrer et d'appliquer quelques théorèmes sur les séries ;		
10. de reconnaître une série harmonique et de démontrer qu'elle diverge ;		
11. de reconnaître une série arithmétique et de calculer des sommes partielles ;		
12. de reconnaître une série géométrique, de déterminer si elle converge ou diverge et de calculer sa somme dans certains cas ;		
13. d'utiliser le critère du terme général pour déterminer si une série diverge ;		
14. d'utiliser le critère de l'intégrale pour déterminer si une série à termes positifs converge ou diverge ;		
15. d'utiliser le critère de la série de Riemann pour déterminer si une série de Riemann (série-p) converge ou diverge ;		
16. d'utiliser le critère de comparaison pour déterminer si une série à termes positifs converge ou diverge ;		
17. d'utiliser le critère de comparaison à l'aide d'une limite pour déterminer si une série à termes positifs converge ou diverge ;		
18. d'utiliser le critère des polynômes pour déterminer si une série à termes positifs converge ou diverge ;		
19. d'utiliser le critère de d'Alembert (critère du rapport) pour déterminer si une série à termes positifs converge ou diverge ;		
20. d'utiliser le critère de Cauchy (critère de la racine n^e) pour déterminer si une série à termes positifs converge ou diverge ;		
21. de déterminer si une série alternée converge ou diverge ;		
22. d'évaluer approximativement la somme d'une série alternée convergente ;		
23. de déterminer si une série est absolument convergente ou conditionnellement convergente ;		
24. de reconnaître une série de puissances ;		
25. de déterminer l'intervalle de convergence d'une série de puissances ;		
26. de déterminer le rayon de convergence d'une série de puissances ;		
27. de calculer la dérivée d'une série de puissances convergente ;		
28. de calculer la primitive d'une série de puissances convergente ;		
29. de déterminer les coefficients des termes d'une série de puissances représentant une fonction f ;		
30. de connaître les définitions d'une série de Taylor et d'une série de Maclaurin ;		
31. de développer certaines fonctions en série de Taylor et en série de Maclaurin à l'aide des définitions précédentes ;		
32. de calculer des approximations à l'aide des séries de Taylor ou de Maclaurin ;		
33. de développer certaines fonctions en série de Taylor ou de Maclaurin à l'aide de substitutions ou de calculs mathématiques ;		
34. d'évaluer approximativement des intégrales définies à l'aide des séries de Taylor ou de Maclaurin.		

Si vous avez répondu **NON** à l'une de ces questions,
il serait préférable pour vous d'étudier de nouveau cette notion.

▓ Exercices récapitulatifs

1. Énumérer les cinq premiers termes des suites suivantes.

a) $\left\{ 2 - \dfrac{n}{(-2)^n} \right\}_{n \geq 0}$

b) $\left\{ \sin \dfrac{n\pi}{2} \right\}$

c) $a_1 = 1$ et $a_n = \dfrac{n}{1 + a_{n-1}}$ pour $n \geq 2$

d) $a_1 = -2$ et $a_{n+1} = a_n + n! \, (-1)^{n+1}$ pour $n \geq 1$

2. Soit la suite $\{a_n\}$ définie par

$a_1 = 3$ et $a_{n+1} = \dfrac{1}{2}a_n + 5$, pour $n \geq 1$, et la suite

$\{b_n\}$ définie par $b_n = a_n - 10$, pour $n \geq 1$.

a) Exprimer b_{n+1} en fonction de b_n.

b) Exprimer b_n et a_n en fonction de n.

3. Pour chacune des suites suivantes, évaluer $\lim\limits_{n \to +\infty} a_n$
et répondre par vrai (V) ou par faux (F) aux renseignements suivants. La suite est :
bornée supérieurement (B.S.); bornée inférieurement (B.I); bornée (B.); croissante (Cr.);
décroissante (Déc.); convergente (Conv.); divergente (Div.).

a) $\{2\}$

b) $\left\{ \dfrac{n^2}{n+1} \right\}$

c) $\{(-1)^n\}$

d) $\left\{ \dfrac{(-1)^n}{n} \right\}$

e) $\{n(-1)^n\}$

f) $\left\{ \dfrac{3}{n} - \dfrac{n}{3} \right\}$

g) $\left\{ n + \dfrac{1}{n} \right\}$

h) $\left\{ \dfrac{8n}{4n+1} \right\}$

4. Déterminer le terme général a_n de la suite $\{a_n\}$ et évaluer $\lim\limits_{n \to +\infty} a_n$.

a) $\left\{ 2, 1, \dfrac{8}{9}, 1, \dfrac{32}{25}, \dots \right\}$

b) $\left\{ \dfrac{1}{2}, \dfrac{4}{7}, \dfrac{3}{5}, \dfrac{8}{13}, \dfrac{5}{8}, \dots \right\}$

c) $\left\{ 1, 4, -3, \dfrac{16}{5}, \dfrac{-25}{7}, \dots \right\}$

5. Pour chacune des séries suivantes, trouver une expression pour S_n, déterminer si la série converge (C) ou diverge (D) et donner, si possible, la somme de la série.

a) $\displaystyle\sum_{i=1}^{+\infty} 2$

b) $\displaystyle\sum_{k=1}^{+\infty} \dfrac{2}{(2k-1)(2k+1)}$

c) $\displaystyle\sum_{n=1}^{+\infty} (n^3 - (n+1)^3)$

d) $\displaystyle\sum_{k=1}^{+\infty} \left(\dfrac{1}{k} - \dfrac{1}{k+2} \right)$

c) $\displaystyle\sum_{n=1}^{+\infty} (n^3 - (n+1)^3)$

d) $\displaystyle\sum_{k=1}^{+\infty} \left(\dfrac{1}{k} - \dfrac{1}{k+2} \right)$

6. a) Déterminer le 50e terme a_{50} d'une série arithmétique où $a = 45$ et $d = 3$, et calculer S_{50}.

b) Déterminer a et d si $a_{41} = 80$ et $a_{51} = 2a_{41}$.

c) Évaluer S si
$S = 258 + 251 + 244 + \dots - 288 - 295$.

d) Si l'on insère m nombres entre -27 et 63 de façon à obtenir une série arithmétique, déterminer la raison d en fonction de m.

e) Une série arithmétique de 1525 termes a une raison de 0,01. Si la somme des termes de la série est 945,5, déterminer le premier terme a de cette série.

7. Déterminer si les séries suivantes sont des séries géométriques; si oui, donner la valeur de a et de r. Calculer, si possible, la somme S de chacune des séries.

a) $1 + \dfrac{2}{7} + \dfrac{4}{49} + \dfrac{8}{343} + \dfrac{16}{2401} + \dots$

b) $e - e^3 + e^5 - e^7 + e^9 - e^{11} + \dots$

c) $\dfrac{1}{2} + \dfrac{1}{4} + \dfrac{1}{6} + \dfrac{1}{8} + \dfrac{1}{10} + \dots$

d) $\pi + \dfrac{\pi}{2} + \dfrac{\pi}{4} + \dfrac{\pi}{8} + \dfrac{\pi}{16} + \dots$

e) $\displaystyle\sum_{n=1}^{+\infty} \sin n\pi$ g) $\displaystyle\sum_{n=1}^{+\infty} \left(\dfrac{-e}{\pi}\right)^n$

f) $\displaystyle\sum_{n=1}^{+\infty} \cos n\pi$ h) $\displaystyle\sum_{n=100}^{+\infty} \dfrac{-1}{53n}$

8. Calculer, si possible, les sommes suivantes.

a) $1 - \dfrac{1}{\sqrt{2}} + \dfrac{1}{2} - \dfrac{2}{\sqrt{2}} + \dfrac{1}{4} - \ldots$

b) $\displaystyle\sum_{k=0}^{+\infty} \left[\dfrac{2}{5^k} - \dfrac{3}{(-2)^{k+1}}\right]$

c) $\displaystyle\sum_{n=1}^{20} \left(\dfrac{5}{6}\right)^n$; $\displaystyle\sum_{n=1}^{40} \left(\dfrac{5}{6}\right)^n$; $\displaystyle\sum_{n=1}^{+\infty} \left(\dfrac{5}{6}\right)^n$

d) $\displaystyle\sum_{k=1}^{25} (-2)^k$; $\displaystyle\sum_{k=1}^{26} (-2)^k$; $\displaystyle\sum_{k=1}^{+\infty} (-2)^k$

e) $\displaystyle\sum_{n=0}^{10} \left(\dfrac{-2}{3}\right)^{n+1}$; $\displaystyle\sum_{n=0}^{11} \left(\dfrac{-2}{3}\right)^{n+1}$; $\displaystyle\sum_{n=0}^{+\infty} \left(\dfrac{-2}{3}\right)^{n+1}$

f) $\displaystyle\sum_{n=1}^{10} \left[\dfrac{1}{2^{n-1}} - \dfrac{2}{n(n+1)}\right]$;

   $\displaystyle\sum_{n=1}^{+\infty} \left[\dfrac{1}{2^{n-1}} - \dfrac{2}{n(n+1)}\right]$

9. Calculer la somme des séries suivantes.

a) $\dfrac{1}{2} - \dfrac{1}{3} + \dfrac{1}{4} - \dfrac{1}{9} + \dfrac{1}{8} - \dfrac{1}{27} + \ldots$

b) $\dfrac{1}{2} + \dfrac{1}{4} - \dfrac{1}{8} - \dfrac{1}{16} + \dfrac{1}{32} + \dfrac{1}{64} - \dfrac{1}{128} - \ldots$

c) $5 - 3 - \dfrac{5}{3} - \dfrac{3}{5} + \dfrac{5}{9} - \dfrac{3}{25} - \dfrac{5}{27} - \dfrac{3}{125} + \dfrac{5}{81} - \ldots$

d) Une série telle que $a_1 = 1$, et pour $n \geq 1$,

   $a_{2n} = 2\,a_{2n-1}$ et $a_{2n+1} = \dfrac{a_{2n}}{3}$.

10. Soit un mobile partant du point R(1, 2) et se déplaçant indéfiniment selon le trajet suivant.

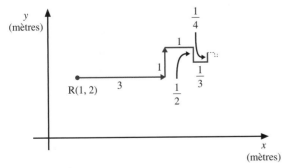

a) Déterminer le point P(a, b) d'arrivée.

b) Déterminer théoriquement la distance D parcourue par ce mobile.

11. Déterminer si les séries suivantes convergent (C) ou divergent (D).

a) $\displaystyle\sum_{n=1}^{+\infty} \dfrac{5}{n+3}$

b) $\displaystyle\sum_{n=0}^{+\infty} \dfrac{1}{2^n+1}$

c) $\displaystyle\sum_{k=2}^{+\infty} \dfrac{1}{k \ln k}$

d) $\displaystyle\sum_{k=2}^{+\infty} \dfrac{1}{(\ln k)^k}$

e) $\displaystyle\sum_{n=1}^{+\infty} \dfrac{n\,(\ln n)^n}{n^2+1}$

f) $\displaystyle\sum_{k=2}^{+\infty} \dfrac{(-1)^k}{k \ln k}$

g) $\displaystyle\sum_{n=1}^{+\infty} \dfrac{3}{n\sqrt{n}}$

h) $\displaystyle\sum_{n=4}^{+\infty} \dfrac{3}{n+\sqrt{n}}$

i) $\displaystyle\sum_{k=1}^{+\infty} \left(\dfrac{4k^2}{4+k^2}\right)^k$

j) $\displaystyle\sum_{n=1}^{+\infty} \dfrac{(-1)^n \cos n\pi}{n}$

k) $\displaystyle\sum_{n=1}^{+\infty} \dfrac{n!(n+1)!}{(2n)!}$

l) $\displaystyle\sum_{k=1}^{+\infty} \dfrac{(3k)^k}{(2k+1)^k}$

12. Déterminer si les séries suivantes convergent (C) ou divergent (D). Dans le cas des séries géométriques, calculer, si possible, la somme S.

a) $\displaystyle\sum_{n=1}^{+\infty} \dfrac{3n}{4n^2+1}$ d) $\displaystyle\sum_{n=0}^{+\infty} \dfrac{n!\,2^n}{5^n}$

b) $\displaystyle\sum_{n=1}^{+\infty} \dfrac{(-1)^n\,3n}{4n^2+1}$ e) $\displaystyle\sum_{n=1}^{+\infty} \dfrac{n\,2^n}{5^n}$

c) $\displaystyle\sum_{n=2}^{+\infty} \dfrac{5^{n+4}}{4^n}$ f) $\displaystyle\sum_{n=1}^{+\infty} \dfrac{(-5)^n}{8^{n-1}}$

g) $\displaystyle\sum_{n=1}^{+\infty} \left(1 + \frac{1}{n}\right)^n$ 　　 j) $\displaystyle\sum_{n=1}^{+\infty} \frac{4^n + 5^n}{9^n}$

h) $\displaystyle\sum_{n=1}^{+\infty} \frac{e^{-\sqrt{n}}}{\sqrt{n}}$ 　　 k) $\displaystyle\sum_{n=1}^{+\infty} n^2 \left(\frac{99}{100}\right)^n$

i) $\displaystyle\sum_{n=7}^{+\infty} \frac{8}{n^2 \,(4 + \ln n)}$ 　　 l) $\displaystyle\sum_{k=1}^{+\infty} \frac{(-\pi)^{2k}}{(\sqrt{98})^k}$

13. Déterminer si les séries suivantes sont convergentes (C), absolument convergentes (A C), conditionnellement convergentes (C C) ou divergentes (D).

a) $\displaystyle\sum_{n=1}^{+\infty} \frac{(-1)^n}{5n}$ 　　 d) $\displaystyle\sum_{n=3}^{+\infty} \frac{n(-4)^{n+2}}{5^n}$

b) $\displaystyle\sum_{n=1}^{+\infty} \frac{(-1)^{n+1}}{(2n)^2}$ 　　 e) $\displaystyle\sum_{n=1}^{+\infty} \frac{n!}{(-3)^n}$

c) $\displaystyle\sum_{n=1}^{+\infty} \frac{(-1)^n \, n}{n+1}$ 　　 f) $\displaystyle\sum_{k=2}^{+\infty} \frac{(-1)^k \ln k}{k}$

14. Évaluer approximativement la somme S des séries suivantes pour le n donné et calculer l'erreur E maximale commise.

a) $\displaystyle\sum_{k=1}^{+\infty} \frac{(-1)^k \sqrt{k}}{k+2}$, où $n = 5$

b) $\displaystyle\sum_{k=1}^{+\infty} \frac{\cos k\pi}{k^3}$, où $n = 4$

15. Déterminer, pour la série $\displaystyle\sum_{k=1}^{+\infty} \frac{\cos k\pi}{k^3}$, la valeur de n permettant d'évaluer approximativement S avec $E < 10^{-6}$.

16. Déterminer l'intervalle de convergence et le rayon de convergence des séries de puissances suivantes.

a) $\displaystyle\sum_{k=1}^{+\infty} \frac{(-4)^k (x+2)^k}{k}$ 　　 e) $\displaystyle\sum_{k=0}^{+\infty} \frac{k!(x-3)^k}{(2k)!}$

b) $\displaystyle\sum_{k=1}^{+\infty} \frac{(2x-7)^k}{k(k+1)}$ 　　 f) $\displaystyle\sum_{k=0}^{+\infty} \frac{(3x-4)^k}{5^k}$

c) $\displaystyle\sum_{k=2}^{+\infty} (\ln k)\, x^k$ 　　 g) $\displaystyle\sum_{k=0}^{+\infty} \left(\frac{k}{7}\right)^k (x-5)^k$

d) $\displaystyle\sum_{k=2}^{+\infty} \frac{(\ln k)\, x^k}{k^3}$ 　　 h) $\displaystyle\sum_{k=1}^{+\infty} \frac{(k-1)\, x^k}{k^{2k}}$

17. Développer les fonctions suivantes en série de Maclaurin à partir de la définition, déterminer l'intervalle de convergence, le rayon de convergence et représenter sur un même système d'axes f ainsi que les polynômes indiqués.

a) $f(x) = \dfrac{1}{1+x}$; P_0, P_1, P_2, P_3 et P_4

b) $f(x) = e^{-x}$; P_0, P_1, P_2, P_3 et P_4 sur $[-1, 1]$

c) $f(x) = \sin(-3x)$; P_1, P_3, P_5 et P_7 sur $[0, \pi]$

d) $f(x) = \ln(1 - 2x)$; P_1, P_2, P_3 et P_4

18. Donner le développement en série de Taylor autour de la valeur a donnée des fonctions suivantes et déterminer l'intervalle de convergence.

a) $f(x) = \sin x$, $a = \dfrac{\pi}{6}$

b) $f(x) = e^x$, $a = 1$

c) $f(x) = \dfrac{x-2}{x+2}$, $a = 2$

d) $f(x) = \sin 2x$, $a = \pi$

19. Soit $f(x) = \cos x$.

a) Donner le développement en série de Taylor de f autour de $a = \dfrac{\pi}{2}$.

b) Représenter sur un même système d'axes f et P_3 sur $[0, \pi]$.

c) Évaluer approximativement $\cos\left(\dfrac{\pi}{2} - 0,5\right)$ et $\cos 0$ en utilisant les deux premiers termes non nuls du développement précédent et déterminer l'erreur maximale commise dans chacun des cas.

20. Écrire les premiers termes du développement en série de Maclaurin des fonctions suivantes en utilisant un développement connu.

a) $f(x) = \tan x$

b) $f(x) = \sin x \cos x$

c) $f(x) = e^x \sin x$

d) $f(x) = \dfrac{\ln(1+x)}{x}$

21. Calculer approximativement les intégrales suivantes avec une erreur maximale E donnée.

a) $\displaystyle\int_0^{\frac{1}{2}} \frac{dx}{1+x^4}$, $E = 10^{-5}$

b) $\displaystyle\int_{0,1}^{0,1} \cos \sqrt{x}\, dx$, $E = 10^{-6}$

22. En supposant que chaque consommateur ou chaque société d'un pays remet en circulation 80 % de chaque dollar entrant en sa possession, déterminer combien de dollars supplémentaires seront dépensés si le gouvernement injecte 6 000 000 $ dans la population afin de stimuler l'économie.

23. Achille pourchasse une tortue se trouvant à une distance de 1 kilomètre; il court 100 fois plus vite que la tortue. Pendant qu'Achille parcourt les 1000 mètres le séparant de la tortue, celle-ci franchit donc 10 mètres; pendant qu'il parcourt ces 10 mètres, la tortue franchit 0,1 mètre, et ainsi de suite. Achille ne rejoindra jamais la tortue puisque, au moment où il atteint l'endroit où était la tortue, celle-ci s'est de nouveau déplacée (paradoxe de Zénon).

a) Résoudre ce paradoxe en évaluant, à l'aide de séries, les distances d_A et d_t parcourues par chacun.

b) Déterminer le nombre de mètres parcourus par la tortue avant qu'Achille ne la rejoigne.

c) Si Achille court à une vitesse de 15 kilomètres à l'heure, déterminer le temps qu'il prendra pour rejoindre la tortue.

24. Démontrer, à l'aide du critère de l'intégrale, que la série de Riemann diverge pour $0 < p \leq 1$ et converge pour $p > 1$.

Problèmes de synthèse

1. Déterminer, en évaluant la limite, si les suites suivantes convergent ou divergent.

a) $\left\{ n \sin \dfrac{\pi}{n} \right\}$

b) $\{ \sqrt[n]{2n} \}$

c) $\{ \sqrt{n+1} - \sqrt{n} \}$

d) $\left\{ \dfrac{1+2+3+\dots+n}{n} \right\}$

e) $\left\{ \left(\dfrac{n+3}{n} \right)^n \right\}$

2. Soit la suite $\{|a_n|\}$ décroissante telle que $a_1 a_2 = \dfrac{9}{2}$, $a_1 + a_2 = \dfrac{9}{2}$ et $a_n = \dfrac{a_{n-1}}{-2}$, pour $n \geq 3$. Déterminer les cinq premiers termes de cette suite.

3. Soit la suite $\{a_n\}$ telle que

$$a_n = \frac{1}{\sqrt{5}} \left(\frac{1+\sqrt{5}}{2} \right)^n - \frac{1}{\sqrt{5}} \left(\frac{1-\sqrt{5}}{2} \right)^n \text{ où } a_n$$

correspond au nombre de paires de lapins après n mois (voir Fibonacci, page 284).

a) Déterminer a_1, a_2, a_3, a_8 et a_{12}.

b) Démontrer que a_n est le terme général de la suite de Fibonacci.

4. Pour chacune des séries suivantes, trouver une expression pour S_n, déterminer si la série converge (C) ou diverge (D) et donner, si possible, la somme S de la série.

a) $\displaystyle\sum_{j=1}^{+\infty} (-j)^3$

b) $\displaystyle\sum_{n=1}^{+\infty} (-1)^n\, 2n$

c) $3 + 4 + 1 + \dfrac{1}{2} + \dfrac{1}{4} + \dfrac{1}{8} + \dots$

d) $\displaystyle\sum_{n=1}^{+\infty} \left[\dfrac{1}{n+2} - \dfrac{1}{n+3} \right]$

5. a) Le deuxième terme d'une série arithmétique est 192 et la somme des cinq premiers termes est 920. Trouver le nombre n de termes tel que $S_n = 2072$.

b) Le 9e terme d'une série arithmétique est 7. De plus, nous avons $S_7 = 7 S_{11}$. Déterminer le premier terme et la raison de cette série.

6. Déterminer si les séries suivantes convergent (C) ou divergent (D).

a) $\displaystyle\sum_{n=1}^{+\infty} \dfrac{n!}{n^n}$

b) $\displaystyle\sum_{n=1}^{+\infty} \dfrac{8}{4 + \ln n}$

c) $\displaystyle\sum_{n=0}^{+\infty} \dfrac{(2n)!}{(n!)^2}$

d) $\displaystyle\sum_{n=0}^{+\infty} \dfrac{(2n)!}{(n^2)!}$

e) $\displaystyle\sum_{k=2}^{+\infty} \dfrac{\ln k}{k^2}$

f) $\displaystyle\sum_{n=1}^{+\infty} \left(\dfrac{n}{n+1} \right)^{n^2}$

g) $\displaystyle\sum_{k=1}^{+\infty} \frac{\text{Arc tan } \sqrt{k}}{\sqrt{k}\,(k+1)}$

h) $\displaystyle\sum_{k=1}^{+\infty} \frac{k+\dfrac{3}{k}}{\sqrt{k^5 + \ln k}}$

i) $\displaystyle\sum_{n=1}^{+\infty} \frac{n^{2n}}{(2n)!}$

j) $\displaystyle\sum_{n=1}^{+\infty} \frac{n^n}{(n!)^2}$

k) $\displaystyle\sum_{k=4}^{+\infty} \frac{1}{k\sqrt[k]{k}}$

l) $\displaystyle\sum_{k=1}^{+\infty} \frac{1}{1+(-1)^k 2k}$

7. Déterminer l'intervalle de convergence et le rayon de convergence des séries de puissances suivantes.

a) $\displaystyle\sum_{k=1}^{+\infty} \frac{[1+(-1)^{k+1}]\,x^k}{k^2}$

b) $\displaystyle\sum_{k=0}^{+\infty} \frac{(ax-b)^k}{c^k}$ où $a > 0$ et $c > 0$

8. Déterminer le rayon de convergence des séries de puissances suivantes.

a) $\displaystyle\sum_{k=1}^{+\infty} \frac{k^k x^k}{k!}$ b) $\displaystyle\sum_{k=1}^{+\infty} \frac{k!\,x^k}{k^k}$

9. Déterminer pour quelles valeurs de x les séries de fonctions suivantes convergent.

a) $\displaystyle\sum_{k=1}^{+\infty} \frac{1}{kx^k}$

b) $\displaystyle\sum_{k=1}^{+\infty} \frac{1}{k^2(3x+7)}$

c) $\displaystyle\sum_{k=0}^{+\infty} \frac{1}{k!\,x^k}$

d) $\displaystyle\sum_{k=1}^{+\infty} \frac{k^k}{x^k}$

10. Soit les séries $\displaystyle\sum_{k=1}^{+\infty} \frac{2}{k^5}$ et $\displaystyle\sum_{k=1}^{+\infty} ke^{-k^2}$.

a) Vérifier à l'aide du critère de l'intégrale que les séries convergent.

b) Déterminer les valeurs b et c du corollaire du critère de l'intégrale, telles que

$$b \le \sum_{k=1}^{+\infty} a_k \le c.$$

O T c) Trouver la valeur exacte des séries.

11. Déterminer pour quelles valeurs de p

$\displaystyle\sum_{k=2}^{+\infty} \frac{1}{k(\ln k)^p}$ converge.

12. Soit r, le rayon de convergence de la série de puissances $\displaystyle\sum_{k=0}^{+\infty} c_k x^k$. Déterminer le rayon de convergence R de la série de puissances $\displaystyle\sum_{k=0}^{+\infty} c_k x^{mk}$, où $m > 0$.

13. Soit $f(x) = \sqrt{x}$.

a) Évaluer approximativement $\sqrt{4{,}3}$ à l'aide de la différentielle.

b) Écrire les cinq premiers termes du développement de la fonction f, en série de Taylor, autour de 4.

c) Évaluer approximativement $\sqrt{4{,}3}$ en utilisant les quatre premiers termes du développement précédent et déterminer l'erreur maximale commise.

14. Soit $f(x) = e^{-x^4}$, où $x \in \left[0, \dfrac{1}{2}\right]$. Calculer approximativement, à l'aide des trois premiers termes du développement approprié, le volume du solide de révolution engendré par la rotation de la région précédente autour de l'axe donné et déterminer l'erreur maximale commise.

a) Autour de l'axe des x.

b) Autour de l'axe des y.

15. Une rente perpétuelle est une suite de versements, échelonnés de façon régulière, commençant à une date déterminée et continuant sans fin. La valeur actuelle A d'une rente perpétuelle est donnée par $A = \displaystyle\sum_{k=0}^{+\infty} V(1+i)^{-k}$, où V est le montant du versement périodique et i, le taux d'intérêt par période de capitalisation. Déterminer la valeur actuelle d'une rente perpétuelle de 100 $ versée mensuellement si le taux d'intérêt est de 1 %, capitalisé mensuellement.

16. Soit une suite f telle que $f(0) = 100$ et

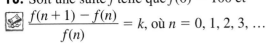

$$\frac{f(n+1) - f(n)}{f(n)} = k, \text{ où } n = 0, 1, 2, 3, \dots$$

Nous appelons la valeur réelle k le taux de croissance de f, et la valeur $f(n)$ l'indice de f pour la valeur n.

a) Exprimer $f(n+1)$ en fonction de $f(n)$ et de k. Déterminer $f(1)$, $f(2)$ et $f(3)$.

b) Exprimer $f(n)$ en fonction de k et de n.

c) Dans deux pays, A et B, nous considérons la suite S des salaires et la suite P des prix. Ces deux suites obéissent à une loi de la même forme que la suite f précédente, mais avec des taux de croissance différents. $S(n)$ et $P(n)$ sont respectivement l'indice des salaires et l'indice des prix au 31 décembre d'une année où $n = 0, 1, 2, 3, \dots$ avec $S(0) = P(0) = 100$. À l'aide du tableau suivant,

	Pays A	Pays B
Taux de croissance des salaires	0,05	0,08
Taux de croissance des prix	0,04	0,09

calculer, pour chacun des deux pays, l'indice des salaires au 31 décembre de la 6ᵉ année.

d) En combien d'années les salaires auront-ils doublé ?

e) Le rapport $\dfrac{S(n)}{P(n)}$ détermine le pouvoir d'achat d'un travailleur au 31 décembre de l'année n. Calculer le pouvoir d'achat d'un travailleur au 31 décembre dans les deux pays, lorsque $n = 0$; $n = 3$; $n = 6$.

17. Les 5ᵉ, 7ᵉ et 12ᵉ termes d'une série arithmétique sont des termes consécutifs d'une série géométrique. Déterminer la raison de cette série géométrique.

18. Soit une série géométrique, telle que $a_1 + a_2 = 60$ et $a_1 + a_2 + a_3 + a_4 + \dots + a_n + \dots = 64$. Déterminer a_1 et r.

19. Soit a_1, a_2, a_3, a_4, a_5, les cinq premiers termes d'une série géométrique de raison r, où $S = a_1 + a_5$ et $s = a_2 + a_4$. Si nous posons $a_3 = k$, où $k > 0$,

a) démontrer que $s^2 = kS + 2k^2$.

b) Déterminer r et a_1 si $s = \dfrac{26}{3}$ et $S = \dfrac{97}{9}$.

20. Gilles et Pierre lancent à tour de rôle un dé régulier à six faces. Le jeu se termine lorsqu'un joueur obtient un 6. Déterminer la probabilité que Pierre gagne si

a) Pierre commence à jouer ;

b) Gilles commence à jouer.

21. Soit un carré dont la longueur des côtés est égale à 1 mètre. Sur chaque côté, nous construisons un carré dont le nouveau côté mesure le tiers du côté initial. Sur chaque nouveau côté, nous construisons un nouveau carré dont la longueur est le tiers du côté précédent, et ainsi de suite.

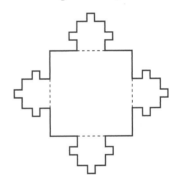

a) Déterminer l'aire totale A de la région obtenue.

b) Déterminer la longueur totale L de la courbe qui entoure cette région.

c) Déterminer l'aire A_{10} de la région et la longueur L_{10} de la courbe après dix étapes.

22. Soit le nombre i défini par $i^2 = -1$ et les fonctions *sinus hyperbolique* et *cosinus hyperbolique* respectivement définies comme suit :

$$\sinh x = \frac{e^x - e^{-x}}{2} \text{ et } \cosh x = \frac{e^x + e^{-x}}{2}.$$

a) Développer en série de Maclaurin les fonctions $\sinh x$ et $\cosh x$ et déterminer l'intervalle de convergence de chacune.

b) Démontrer que $\sin(ix) = i \sinh x$.

c) Démontrer que $\cos(ix) = \cosh x$.

23. Soit le nombre i défini par $i^2 = -1$.

   a) Utiliser les développements en série de e^{ix}, $\sin x$ et $\cos x$ pour exprimer e^{ix} en fonction de $\sin x$, de $\cos x$ et de i.

   b) Déterminer la valeur de $e^{i\pi}$.

24. Démontrer que le développement en série entière, où $r > 0$, d'une fonction f est unique sur son intervalle de convergence, si la fonction est indéfiniment dérivable.

25. a) Démontrer que la suite
$$a_n = 1 + \frac{1}{2} + \frac{1}{3} + \dots + \frac{1}{n} - \ln n$$
est convergente.

 b) La suite $\{a_n\}$ précédente converge vers une constante appelée constante d'Euler. Déterminer approximativement cette constante.

 26. Soit $f(x) = x \cos x$.

   a) Représenter graphiquement la courbe de f.

   b) Calculer les aires A_1, A_2, A_3 et A_4 si
$$A_1 = A\frac{\frac{3\pi}{2}}{\frac{\pi}{2}} \; ; A_2 = A\frac{\frac{5\pi}{2}}{\frac{3\pi}{2}} \; ;$$
$$A_3 = A\frac{\frac{7\pi}{2}}{\frac{5\pi}{2}} \; ; A_4 = A\frac{\frac{9\pi}{2}}{\frac{7\pi}{2}}$$

   c) Trouver l'aire A entre la courbe de f et l'axe des x, si $x \in \left[\dfrac{\pi}{2}, \dfrac{51\pi}{2} \right]$.

   d) Déterminer une expression de l'aire totale A_t entre la courbe de f et l'axe des x si $x \in \left[\dfrac{\pi}{2}, \dfrac{(2n+1)\pi}{2} \right]$, où $n \in \{1, 2, 3, \dots\}$.

Chapitre 1

Test préliminaire (page 3)

1. a) 1 b) $\sec^2 x$ c) $\csc^2 x$

2. a) $\dfrac{\sin \theta}{\cos \theta}$ b) $\dfrac{\cos \theta}{\sin \theta}$ c) $\dfrac{1}{\cos \theta}$ d) $\dfrac{1}{\sin \theta}$

3. a) 0 b) 1

c) $\log_b M + \log_b N$ $(M, N \in \mathbb{R}^+)$

d) $\log_b M - \log_b N$ $(M, N \in \mathbb{R}^+)$

e) $N \log_b M$ $(M \in \mathbb{R}^+, N \in \mathbb{R})$

f) N g) $\dfrac{\ln x}{\ln b}$ h) M i) 1 j) $\ln B$

4. a), d)

5. a) f et h b) r c) g et r

6. a) $\operatorname{dom} f = \mathbb{R}\setminus\{-3, 1\}$ b) $\lim\limits_{x\to-\infty} f(x) = 1$ et $\lim\limits_{x\to+\infty} f(x) = -2$

ima $f = {-\infty, 3]}$

c) $\lim\limits_{x\to(-2)^-} f(x) = -1$ et $\lim\limits_{x\to(-2)^+} f(x) = -\infty$

d) $\lim\limits_{x\to10} f(x) = 1$ e) -3, -2, 1 et 10

f) -3, -2, 0, 1, 3, 6 et 10

7. a) $\lim\limits_{x\to3} \dfrac{x^2-9}{4x-12}$ est une indétermination de la forme $\dfrac{0}{0}$.

$$\lim_{x\to3} \frac{x^2-9}{4x-12} = \lim_{x\to3} \frac{(x-3)(x+3)}{4(x-3)} \quad \text{(en factorisant)}$$

$$= \lim_{x\to3} \frac{(x+3)}{4} \quad \text{(en simplifiant)}$$

$$= \frac{3}{2} \quad \text{(en évaluant la limite)}$$

b) $\lim\limits_{x\to+\infty} \dfrac{5x^2+7x-1}{x^2-4}$ est une indétermination de la forme $\dfrac{+\infty}{+\infty}$.

$$\lim_{x\to+\infty} \frac{5x^2+7x-1}{x^2-4} = \lim_{x\to+\infty} \frac{x^2\left(5+\dfrac{7}{x}-\dfrac{1}{x^2}\right)}{x^2\left(1-\dfrac{4}{x^2}\right)} \quad \text{(en factorisant)}$$

$$= \lim_{x\to+\infty} \frac{\left(5+\dfrac{7}{x}-\dfrac{1}{x^2}\right)}{\left(1-\dfrac{4}{x^2}\right)} \quad \text{(en simplifiant)}$$

$$= 5 \quad \text{(en évaluant la limite)}$$

c) $\lim\limits_{x\to1} \dfrac{x^3-1}{\dfrac{1}{x}-1}$ est une indétermination de la forme $\dfrac{0}{0}$.

$$\lim_{x\to1} \frac{x^3-1}{\dfrac{1}{x}-1} = \lim_{x\to1} \frac{(x-1)(x^2+x+1)}{\dfrac{1-x}{x}} \quad \text{(en effectuant)}$$

$$= \lim_{x\to1} \frac{x(x-1)(x^2+x+1)}{(1-x)}$$

$$= \lim_{x\to1} -x(x^2+x+1) \quad \text{(en simplifiant)}$$

$$= -3 \quad \text{(en évaluant la limite)}$$

d) $\lim\limits_{x\to9} \dfrac{3-\sqrt{x}}{x-9}$ est une indétermination de la forme $\dfrac{0}{0}$.

$$\lim_{x\to9} \frac{3-\sqrt{x}}{x-9} = \lim_{x\to9} \left[\frac{3-\sqrt{x}}{x-9} \times \frac{3+\sqrt{x}}{3+\sqrt{x}}\right] \text{(conjugué)}$$

$$= \lim_{x\to9} \frac{9-x}{(x-9)(3+\sqrt{x})} \quad \text{(en effectuant)}$$

$$= \lim_{x\to9} \frac{-1}{3+\sqrt{x}} \quad \text{(en simplifiant)}$$

$$= \frac{-1}{6} \quad \text{(en évaluant la limite)}$$

8. Sachant que l'équation d'une droite passant par $P(a, f(a))$ et $Q(b, f(b))$ est donnée par

$$\frac{y-f(a)}{x-a} = \frac{f(b)-f(a)}{b-a}, \text{ nous avons}$$

$$y = f(a) + \frac{f(b)-f(a)}{b-a}(x-a)$$

9. a) 30° c) 63,4...° e) 30°

b) 90° d) 135° f) 14,4...°

10. a) Non définie c) -1,47... rad e) Non définie

b) $\dfrac{2\pi}{3}$ rad d) $\dfrac{\pi}{2}$ rad f) $\dfrac{\pi}{2}$ rad

11. a) 0 c) $+\infty$ e) $+\infty$

b) 1 d) $-\infty$ f) $-\infty$

12. a) 1 c) 0 e) $+\infty$ g) $-\infty$

b) $+\infty$ d) 0 f) 0 h) $+\infty$

Exercices

Exercices 1.1 (page 14)

1. a) $f'(x) = 20x^3 - \dfrac{5}{\sqrt{x}} - \dfrac{6}{x^3}$

b) $f'(t) = -42(1-7t)^5$

c) $g'(x) = 5(x-2)^4(7x+3) + (x-2)^5 \, 7$

$= (x-2)^4(42x+1)$

d) $y' = \dfrac{2x(4-x^2)-(x^2-3)(-2x)}{(4-x^2)^2} = \dfrac{2x}{(4-x^2)^2}$

e) $v'(t) = 15t^2\sqrt{4-t} + 5t^3\dfrac{(-1)}{2\sqrt{4-t}} = \dfrac{5t^2(24-7t)}{2\sqrt{4-t}}$

f) $f'(x) = \dfrac{1}{2\sqrt{\dfrac{1+3x}{1-3x}}}\left[\dfrac{3(1-3x)-(-3)(1+3x)}{(1-3x)^2}\right]$

$= \sqrt{\dfrac{1-3x}{1+3x}}\dfrac{3}{(1-3x)^2} = \dfrac{3}{\sqrt{(1+3x)(1-3x)^3}}$

g) $H'(u) = 18[(u^2 - 5)^8 + u^7]^{17} [8(u^2 - 5)^7 \, 2u + 7u^6]$

h) $f'(x) = \dfrac{2ax(a + x^2)^3 - ax^2 \, 3(a + x^2)^2 \, 2x}{(a + x^2)^6}$

$= \dfrac{2ax(a - 2x^2)}{(a + x^2)^4}$

2. a) $x'(\theta) = \dfrac{\cos \sqrt{\theta}}{2 \sqrt{\theta}} - \dfrac{\sin \theta}{2 \sqrt{\cos \theta}}$

b) $g'(u) = 16u \tan^3 (2u^2 - 1) \sec^2 (2u^2 - 1)$

c) $v'(t) = \dfrac{-1}{t^2} \csc \left(\dfrac{t-1}{t} \right) \cot \left(\dfrac{t-1}{t} \right)$

d) $y' = 2 \cos 2x \cos (x^2 - 3x) - (2x - 3) \sin 2x \sin (x^2 - 3x)$

e) $f'(x) = \dfrac{5 \sec (5x - 4) \tan (5x - 4)}{3 \sqrt[3]{\sec^2 (5x - 4)}}$

$= \dfrac{5}{3} \sqrt[3]{\sec (5x - 4)} \tan (5x - 4)$

f) $g'(x) = \text{-}\csc^2 (x^3 + \sin x^2) [3x^2 + 2x \cos x^2]$

3. a) $\dfrac{dy}{dx} = \dfrac{-4}{(e^x - e^{-x})^2}$

b) $\dfrac{dy}{dx} = \dfrac{3}{x \ln 3} + 4x^3 \, 3^{x^4} \ln 3$

c) $\dfrac{dy}{dx} = -\sin x \, e^{\cos x} \ln \sec x + e^{\cos x} \tan x$

d) $\dfrac{dy}{dx} = \dfrac{\cos (\ln x)}{x} - 1$

e) $\dfrac{dy}{dx} = \dfrac{\sec x \tan x + \sec^2 x}{\sec x + \tan x} = \sec x$

f) $\dfrac{dy}{dx} = \dfrac{1}{x \ln x}$

4. a) $f'(x) = \dfrac{3x^2 - 3}{\sqrt{1 - (x^3 - 3x)^2}}$

b) $g'(x) = \dfrac{-2(1 + x^2)}{(1 - x^2)^2 \sqrt{1 - \left(\dfrac{2x}{1 - x^2} \right)^2}}$

c) $x'(\theta) = \dfrac{\cos \theta}{1 + (\sin \theta)^2}$

d) $H'(x) = \dfrac{-2}{(2x - 1) \sqrt{(2x - 1)^2 - 1}} + \dfrac{4}{x \sqrt{x^8 - 1}}$

e) $f'(x) = \dfrac{3(\text{Arc sec } x)^2 \text{ Arc cot } (x^2 - 1)}{x \sqrt{x^2 - 1}} - \dfrac{2x(\text{Arc sec } x)^3}{1 + (x^2 - 1)^2}$

f) $v'(t) = \dfrac{3(\text{Arc sin } t)^2}{\sqrt{1 - t^2}} + \dfrac{3t^2}{\sqrt{1 - t^6}}$

5. a) Il faut d'abord trouver où la courbe f coupe l'axe des x, c'est-à-dire résoudre :
$$f(x) = 0$$
$$x^3 - x^2 - 6x = 0$$
$x(x + 2) (x - 3) = 0$, d'où $x = \text{-}2$, $x = 0$ ou $x = 3$.
Sachant que $f'(x) = 3x^2 - 2x - 6$, nous savons que
$m_{\tan L_1} = f'(\text{-}2) = 10$.
Soit (x, y) un point de L_1,
alors $\dfrac{y - f(\text{-}2)}{x - (\text{-}2)} = f'(\text{-}2)$

$\dfrac{y - 0}{x + 2} = 10$
d'où $\qquad y = 10x + 20$

b) $\qquad m_{\tan L_2} = f'(a) = 7{,}75.$
Il faut résoudre $3a^2 - 2a - 6 = 7{,}75$,
$$3a^2 - 2a - 13{,}75 = 0;$$
donc $\qquad a = 2{,}5 \quad \left(a = \dfrac{\text{-}11}{6} \text{ à rejeter} \right)$
d'où le point cherché est $P(2{,}5, f(2, 5))$,
c'est-à-dire $P(2{,}5, \text{-}5{,}625)$.

6. a) $(4x^2 + 9y^2)' = (36)'$
$8x + 18yy' = 0$, d'où $y' = \dfrac{\text{-}4x}{9y}$

b) $(3x^2y - 4xy^2)' = (9x + 5y)'$
$6xy + 3x^2y' - 4y^2 - 8xyy' = 9 + 5y'$
$3x^2y' - 8xyy' - 5y' = 9 - 6xy + 4y^2$
$y'(3x^2 - 8xy - 5) = 9 - 6xy + 4y^2$,
d'où $\qquad y' = \dfrac{9 - 6xy + 4y^2}{3x^2 - 8xy - 5}$

c) $(e^{\tan x} + \sec e^y)' = (3x)'$
$e^{\tan x} \sec^2 x + \sec e^y \tan e^y e^y y' = 3$,
d'où $\qquad y' = \dfrac{3 - e^{\tan x} \sec^2 x}{e^y \sec e^y \tan e^y}$

d) $(\sqrt{x^2 + y^2})' = (5x + 1)'$
$\dfrac{2x + 2yy'}{2\sqrt{x^2 + y^2}} = 5$, d'où $y' = \dfrac{5\sqrt{x^2 + y^2} - x}{y}$

e) $(y \cos x)' = (7x^2 - 3x \cos y)'$
$y' \cos x - y \sin x = 14x - 3 \cos y + 3x \sin y \, y'$
$y' \cos x - 3x \sin y \, y' = 14x - 3 \cos y + y \sin x$
$y' (\cos x - 3x \sin y) = 14x - 3 \cos y + y \sin x$,
d'où $\qquad y' = \dfrac{14x - 3 \cos y + y \sin x}{\cos x - 3x \sin y}$

f) $(\ln (x^2 + y^3))' = (ye^x)'$
$\dfrac{2x + 3y^2y'}{x^2 + y^3} = y'e^x + ye^x$
$2x + 3y^2y' = y'e^x(x^2 + y^3) + ye^x(x^2 + y^3)$
$3y^2y' - y'e^x(x^2 + y^3) = ye^x(x^2 + y^3) - 2x$
$y'(3y^2 - x^2e^x - y^3e^x) = x^2ye^x + y^4e^x - 2x$,
d'où $\qquad y' = \dfrac{x^2ye^x + y^4e^x - 2x}{3y^2 - x^2e^x - y^3e^x}$

7. a) $\left(\dfrac{x}{y} \right)' = \left(\dfrac{y^2}{x} \right)'$
$\dfrac{y - y'x}{y^2} = \dfrac{2yy'x - y^2}{x^2}$
$x^2y - x^3y' = 2xy^3y' - y^4$
$x^2y + y^4 = (2xy^3 + x^3)y'$, d'où $y' = \dfrac{x^2y + y^4}{2xy^3 + x^3}$

b) Nous obtenons, en transformant,
$x^2 = y^3$ (pour $x \neq 0$ et $y \neq 0$)
Ainsi $y = x^{\frac{2}{3}}$
d'où $y' = \dfrac{2}{3x^{\frac{1}{3}}}$

c) $\dfrac{x^2y + y^4}{2xy^3 + x^3} = \dfrac{x^2x^{\frac{2}{3}} + \left(x^{\frac{2}{3}} \right)^4}{2x\left(x^{\frac{2}{3}} \right)^3 + x^3} \quad \left(\text{car } y = x^{\frac{2}{3}} \right)$

$= \dfrac{2x^{\frac{8}{3}}}{3x^3} = \dfrac{2}{3x^{\frac{1}{3}}}$

8. a) $y' = \dfrac{-\cos x}{\sin y}$; $y'\big|_{\left(\frac{\pi}{6},\frac{\pi}{3}\right)} = -1$

b) $y' = \dfrac{2e^{2x-y} - 2x}{e^{2x-y}}$; $y'\big|_{(2,4)} = -2$

c) $y' = \dfrac{y}{x + y(x+y)^2}$ ou $y' = \dfrac{1-y^2}{2xy + 3y^2 + 1}$;
$y'\big|_{\left(\frac{-10}{3},\,2\right)} = 9$

9. a) $y' = \dfrac{2x+1}{1-2y}$. Si $x = 0$, alors $y = 1$ ou $y = 0$.
D'où $y'\big|_{(0,1)} = -1$ et $y'\big|_{(0,0)} = 1$.

b) $y' = \dfrac{5y - 2xy^2}{5x}$ ou $y' = \dfrac{5 - 2xy}{4 + x^2}$
Si $y = 1$, alors $x = 1$ ou $x = 4$.
D'où $y'\big|_{(1,1)} = \dfrac{3}{5}$ et $y'\big|_{(4,1)} = \dfrac{-3}{20}$.

c) > with(plots):
> c:=implicitplot(x^2+4=5*x/y,x=0..5,y=0..2):
> c1:=implicitplot(y=1,x=0..5,y=0..2,color=blue):
> p:=plot([[1,1],[4,1]],
   style=point,symbol=circle,color=black):
> display(c,p,c1);

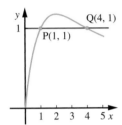

10. a) $y'' = \dfrac{-(6xy + 6x^2y' + 6y^2y' + 6xy(y')^2)}{x^3 + 3xy^2}$ et $y''\big|_{(1,1)} = 0$

b) $y'' = \dfrac{x(y')^2 \sin y - 2y' \cos y}{x \cos y}$ et $y''\big|_{(3,0)} = \dfrac{2}{9}$

c) $y'' = 2y + (2x-1)y'$ et $y''\big|_{(1,e)} = 3e$

d) > with(plots):
> c:=implicitplot(ln(y*exp(x))=x^2+1,x=0..2,y=0..5):
> p:=plot([[1,exp(1)]],
   style=point,symbol=circle,color=black):
> display(c,p);

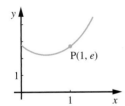

11. a) $\ln y = \ln x^{\sin x}$
$\ln y = \sin x \ln x$
$\dfrac{y'}{y} = \cos x \ln x + \dfrac{\sin x}{x}$,
d'où $y' = x^{\sin x}\left(\cos x \ln x + \dfrac{\sin x}{x}\right)$.

b) $((3x+1)^{(1-2x)})' = (e^{(1-2x)\ln(3x+1)})'$
$= e^{(1-2x)\ln(3x+1)}\left(-2\ln(3x+1) + \dfrac{3(1-2x)}{3x+1}\right)$
$= (3x+1)^{(1-2x)}\left(-2\ln(3x+1) + \dfrac{3(1-2x)}{3x+1}\right)$

12. a) $f'(x) = (2x)^{3x}(3\ln 2x + 3) = 3(2x)^{3x}(1 + \ln 2x)$

b) $v'(\theta) = (\sin\theta)^{\cos\theta}\left(-\sin\theta \ln(\sin\theta) + \dfrac{\cos^2\theta}{\sin\theta}\right)$

c) $\dfrac{dy}{dx} = (\tan x^2)^{\pi x^3}\left(3\pi x^2 \ln(\tan x^2) + \pi x^3 \dfrac{\sec^2 x^2}{\tan x^2}(2x)\right)$
$= \pi x^2 (\tan x^2)^{\pi x^3}\left(3\ln(\tan x^2) + \dfrac{2x^2 \sec^2 x^2}{\tan x^2}\right)$

d) $g'(x) = \dfrac{2x^{\ln x}\ln x}{x} = 2x^{(\ln x - 1)}\ln x$

e) $x'(t) = (\ln t)^t\left(\ln(\ln t) + \dfrac{1}{\ln t}\right)$

f) $y' = (x)^{e^x}\left(e^x \ln x + \dfrac{e^x}{x}\right) = e^x(x)^{e^x}\left(\dfrac{1}{x} + \ln x\right)$

13. a) $y = \ln(3 - 2x) + \ln(5 + 4x^2)$
$y' = \dfrac{-2}{3-2x} + \dfrac{8x}{5 + 4x^2}$

b) $y = \ln(x^2 - 4x) - \ln(3x + 1)$
$y' = \dfrac{2x-4}{x^2 - 4x} - \dfrac{3}{3x+1}$

c) $y = \ln(x^2 + 4) + 3\ln(5 - x) - \ln(2x - 1) - \ln(x^3 + 1)$
$y' = \dfrac{2x}{x^2 + 4} - \dfrac{3}{5-x} - \dfrac{2}{2x-1} - \dfrac{3x^2}{x^3 + 1}$

14. a) $\dfrac{dy}{dx} = \sqrt{x}\ \sqrt[3]{1-x}\ \sqrt[5]{4 + 5x}\left(\dfrac{1}{2x} - \dfrac{1}{3(1-x)} + \dfrac{1}{(4+5x)}\right)$

b) $\dfrac{dy}{dx} = \dfrac{-1}{3}\sqrt[3]{\dfrac{1-x^4}{5x^2 + 5}}\left(\dfrac{4x^3}{1-x^4} + \dfrac{2x}{x^2 + 1}\right)$

c) $\dfrac{dy}{dx} = \dfrac{(x^3 + 5x)^7 \sin x}{\sqrt{x}}\left(\dfrac{7(3x^2 + 5)}{(x^3 + 5x)} + \cot x - \dfrac{1}{2x}\right)$

15. a) Puisque $y' = (x^{3x})' + ((\cos x)^x)'$,
posons $u = x^{3x}$, ainsi $\ln u = 3x \ln x$,
donc $\qquad\qquad u' = x^{3x}(3\ln x + 3)$
et $v = (\cos x)^x$, ainsi $\ln v = x \ln \cos x$
donc $\qquad\qquad v' = (\cos x)^x(\ln\cos x - x\tan x)$,
d'où $y' = x^{3x}(3\ln x + 3) + (\cos x)^x(\ln\cos x - x\tan x)$.

b) Puisque $y' = 4((\sec x)^x)'$,
posons $u = (\sec x)^x$, ainsi $\ln u = x\ln\sec x$,
donc $u' = (\sec x)^x(\ln\sec x + x\tan x)$,
d'où $y' = 4(\sec x)^x(\ln\sec x + x\tan x)$.

c) Puisque $\qquad\qquad x^y = y^x$,
$\qquad\qquad y\ln x = x\ln y$
$\qquad y'\ln x + \dfrac{y}{x} = \ln y + \dfrac{xy'}{y}$,
d'où $\qquad\qquad y' = \dfrac{xy\ln y - y^2}{xy\ln x - x^2}$.

d) Puisque $y = x^{(x^x)}$, alors $\ln y = x^x \ln x$,
ainsi $\dfrac{y'}{y} = (x^x)'\ln x + x^x(\ln x)'$
$= x^x(1 + \ln x)\ln x + \dfrac{x^x}{x}$
d'où $y' = x^{(x^x)}\left(x^x(1 + \ln x)\ln x + \dfrac{x^x}{x}\right)$.

16. $\dfrac{dy}{dx} = f(x)^{g(x)}\left(g'(x)\ln f(x) + g(x)\dfrac{f'(x)}{f(x)}\right)$

Exercices 1.2 *(page 27)*

1. a) f est continue sur $[2, 5]$; $f(2) = 6$ et $f(5) = 2,25$.
   Puisque $f(2) > 4 > f(5)$, alors $\exists\, c \in\,]2, 5[$ tel que $f(c) = 4$.

   b) f est continue sur $[0, 1]$; $f(0) = -1$ et $f(1) = 2$.
   Puisque $f(0) < 0 < f(1)$, alors $\exists\, c \in\,]0, 1[$ tel que $f(c) = 0$.

2. a) Vérifions d'abord les hypothèses du théorème de Rolle :
   1) f est continue sur $[-5, 2]$, car f est une fonction polynomiale ;
   2) f est dérivable sur $]-5, 2[$, car $f'(x) = 2x + 3$ est définie sur $]-5, 2[$;
   3) $f(-5) = 6$ et $f(2) = 6$, d'où $f(-5) = f(2)$.
   Alors $\exists\, c \in\,]-5, 2[$ tel que $f'(c) = 0$.
   Déterminons la valeur de c.
   $$f'(x) = 2x + 3$$
   Ainsi $f'(c) = 2c + 3$
   $$2c + 3 = 0 \qquad (\text{car } f'(c) = 0)$$
   d'où $\qquad c = -1,5$.

   b) g n'est pas dérivable sur $]-1, 1[$
   car $g'(x) = \dfrac{2}{3\sqrt[3]{x}}$ n'est pas définie en $x = 0 \in\,]-1, 1[$.

   c) Puisque $f(x) = \dfrac{x(x-3)}{(x+7)(x-1)}$,
   f est discontinue en $x = 1$, où $1 \in [0, 3]$.

   d) Vérifions d'abord les hypothèses du théorème de Rolle :
   1) f est continue sur $[0, 2]$, car $(x^2 - 2x + 2)$ ne s'annule jamais ;
   2) f est dérivable sur $]0, 2[$, car $f'(x) = \dfrac{4(x-1)}{(x^2 - 2x + 2)^2}$ est définie sur $]0, 2[$;
   3) $f(0) = 0$ et $f(2) = 0$, d'où $f(0) = f(2)$.
   Alors $\exists\, c \in\,]0, 2[$ tel que $f'(c) = 0$.
   Déterminons la valeur de c.
   $$f'(x) = \frac{4(x-1)}{(x^2 - 2x + 2)^2}$$
   $$f'(c) = \frac{4(c-1)}{(c^2 - 2c + 2)^2}$$
   $$\frac{4(c-1)}{(c^2 - 2c + 2)^2} = 0 \qquad (\text{car } f'(c) = 0)$$
   d'où $\qquad c = 1$.

   e) Après avoir vérifié les hypothèses, nous trouvons $c = 3$.
   f) f est non dérivable en $x = 1$, où $1 \in\,]0, 2[$.
   g) Après avoir vérifié les hypothèses,
   $$c_1 = 1 - \frac{\sqrt{3}}{3} \text{ et } c_2 = 1 + \frac{\sqrt{3}}{3}.$$
   h) Après avoir vérifié les hypothèses, $c = 2$, car $2 \in\,]0, 2\sqrt{3}[$.

3. a) Vérifions d'abord les hypothèses du théorème sur l'unicité d'un zéro.
   1) f est continue sur $[-2, -1]$;
   2) f est dérivable sur $]-2, -1[$, car $f'(x) = 3 - 3x^2$ est définie sur $]-2, -1[$;
   3) $f(-2) > 0$ et $f(-1) < 0$;
   4) $f'(x) = 3 - 3x^2 \neq 0$ si $x \in\,]-2, -1[$.
   Alors il existe un et un seul $c \in\,]-2, -1[$ tel que $f(c) = 0$.
   Nous obtenons $c \approx -1,879\ 385$.

   b) Vérifions d'abord les hypothèses du théorème sur l'unicité d'un zéro.
   1) g est continue sur $[-2, 2]$;
   2) g est dérivable sur $]-2, 2[$,

car $g'(x) = \dfrac{5x^4 + 1}{1 + (x^5 + x + 3)^2}$ est définie sur $]-2, 2[$;
   3) $g(-2) < 0$ et $g(2) > 0$;
   4) $g'(x) = \dfrac{5x^4 + 1}{1 + (x^5 + x + 3)^2} \neq 0,\, \forall x \in\,]-2, 2[$.
   Alors il existe un et un seul $c \in\,]-2, 2[$ tel que $g(c) = 0$.
   Nous obtenons $c \approx -1,132\ 998$.

4. a) Vérifions d'abord les hypothèses du théorème de Lagrange :
   1) f est continue sur $[1, 4]$, car f est une fonction polynomiale ;
   2) f est dérivable sur $]1, 4[$, car $f'(x) = 6x + 4$ est définie sur $]1, 4[$.
   Alors $\exists\, c \in\,]1, 4[$ tel que $f'(c) = \dfrac{f(4) - f(1)}{4 - 1}$.
   Déterminons cette valeur de c.
   $$6c + 4 = \frac{61 - 4}{3}, \text{ d'où } c = 2,5.$$

   b) Après avoir vérifié les hypothèses, $c = -1$.
   c) Après avoir vérifié les hypothèses, $c = 2$.
   d) f est non continue en $t = 0 \in [-1, 4]$.
   e) Après avoir vérifié les hypothèses, $c = 1$.
   f) f est non dérivable en $x = 1 \in\,]-2, 2[$.
   g) Après avoir vérifié les hypothèses, $c = \dfrac{e^2 - 1}{2}$.
   h) Après avoir vérifié les hypothèses, $c = \dfrac{\pi}{2}$.

5.
$$\frac{f(e) - f(1)}{e - 1} = f'(c)$$
Ainsi $\dfrac{\ln e - \ln 1}{e - 1} = \dfrac{1}{c}$
donc $\qquad c = e - 1$
d'où les coordonnées du point sont $(e - 1, \ln(e - 1))$.

6. a) Soit $f(x) = \tan x$ sur $[0, x]$ où $x \in\, \left]0, \dfrac{\pi}{2}\right[$.
   Vérifions les hypothèses du théorème de Lagrange :
   1) f est continue sur $[0, x]$, car f est continue sur $\left[0, \dfrac{\pi}{2}\right[$;
   2) f est dérivable sur $]0, x[$, car $f'(x) = \sec^2 x$ est définie sur $\left]0, \dfrac{\pi}{2}\right[$.
   Alors $\exists\, c \in\,]0, x[$ tel que $\dfrac{f(x) - f(0)}{x - 0} = f'(c)$,
   donc $\dfrac{\tan x - \tan 0}{x - 0} = \sec^2 c$
   $$\frac{\tan x}{x} > 1 \left(\text{car } \sec^2 c > 1 \text{ sur } \left]0, \frac{\pi}{2}\right[\right),$$
   d'où $\qquad \tan x > x,\, \forall x \in\, \left]0, \dfrac{\pi}{2}\right[$.

   b) Dans le cas où $x = 0$, nous avons $e^0 = 1$ et $1 + 0 = 1$, ainsi $e^x \geq 1 + x$.
   Dans le cas où $x > 0$, appliquons le théorème de Lagrange à $f(x) = e^x$ sur $[0, x]$ où $x \in\,]0, +\infty[$.
   Les hypothèses du théorème de Lagrange étant vérifiées,
   $\exists\, c \in\,]0, x[$ tel que $\dfrac{e^x - 1}{x - 0} = e^c$
   $$\frac{e^x - 1}{x} > 1 \qquad (\text{car } e^c > 1 \text{ sur }]0, +\infty[)$$
   d'où $\qquad e^x \geq (1 + x),\, \forall x \in [0, +\infty[$.

c) Soit $f(x) = \text{Arc tan } x$ sur $[0, x]$ où $x \in]0, +\infty$.

Les hypothèses du théorème de Lagrange étant vérifiées,
$\exists\, c \in]0, x[$ tel que

$$\frac{\text{Arc tan } x - \text{Arc tan } 0}{x - 0} = \frac{1}{1 + c^2}$$

$$\frac{\text{Arc tan } x}{x} < 1 \quad \left(\text{car } \frac{1}{1 + c^2} < 1 \text{ sur }]0, +\infty\right),$$

d'où $\quad \text{Arc tan } x < x, \forall\, x \in]0, +\infty$.

d) $f(x) = (1 + x)^n - 1 - nx$ sur $[0, x]$, où $x \in]0, +\infty$.

Les hypothèses du théorème de Lagrange étant vérifiées,
$\exists\, c \in]0, x[$ tel que

$$\frac{(1 + x)^n - 1 - nx - 0}{x - 0} = n(1 + c)^{n-1} - n$$

$$\frac{(1 + x)^n - 1 - nx}{x} > 0 \quad (\text{car } (1 + c)^{n-1} > 1),$$

d'où $(1 + x)^n > (1 + nx), \forall\, x \in]0, +\infty$.

7. a) $f(x) = 7$ sur $[-2, 3]$, d'après le corollaire 1.

b) $f(x) = \dfrac{\pi}{2}$ sur $]0, 1]$, d'après le corollaire 1.

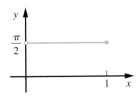

8. a) $f'(\theta) = -4 \cos \theta \sin \theta$ et

$g'(\theta) = -2 \sin (2\theta)$

$\qquad\qquad = -2 (2 \sin \theta \cos \theta) \quad$ (identité trigonométrique)

$\qquad\qquad = -4 \sin \theta \cos \theta$

Ainsi $f'(\theta) = g'(\theta), \forall\, \theta \in \mathbb{R}$

D'après le corollaire 2, $f(\theta) = g(\theta) + C$

$\qquad\qquad 2 \cos^2 \theta = \cos (2\theta) + C$.

En remplaçant θ par 0, nous obtenons

$\qquad\qquad 2 \cos^2 0 = \cos 0 + C$

$\qquad\qquad\qquad 2 = 1 + C$

d'où $\qquad\qquad\qquad C = 1$.

b) $f'(x) = \dfrac{3 \sec x \tan x + 3 \sec^2 x}{3 \sec x + 3 \tan x} = \sec x$ et

$g'(x) = -\left(\dfrac{5 \sec x \tan x - 5 \sec^2 x}{5 \sec x + 5 \tan x}\right) = \sec x$

Ainsi $f'(x) = g'(x), \forall\, x \in \left]0, \dfrac{\pi}{2}\right[$.

D'après le corollaire 2, $f(x) = g(x) + C$

$\quad \ln (3 \sec x + 3 \tan x) = -\ln (5 \sec x - 5 \tan x) + C$.

En remplaçant x par 0, nous obtenons

$\quad \ln (3 \sec 0 + 3 \tan 0) = -\ln (5 \sec 0 - 5 \tan 0) + C$

$\qquad\qquad\qquad \ln 3 = -\ln 5 + C$

Donc $C = \ln 3 + \ln 5$,

d'où $\ C = \ln 15$.

9. a) Vérifions d'abord les hypothèses du théorème de Cauchy:
1) f et g sont continues sur $[0, 3]$, car f et g sont des fonctions polynomiales;
2) f et g sont dérivables sur $]0, 3[$, car $f'(x) = 1$ et $g'(x) = 2x + 4$ sont définies sur $]0, 3[$;

3) $g'(x) \ne 0$ sur $]0, 3[\quad$ (car $g'(x) = 0$ si
$\qquad\qquad\qquad\qquad x = -2 \notin]0, 3[$).

Alors $\exists\, c \in]0, 3[$ tel que $\dfrac{f(3) - f(0)}{g(3) - g(0)} = \dfrac{f'(c)}{g'(c)}$

$\dfrac{4 - 1}{22 - 1} = \dfrac{1}{2x + 4}$, donc $x = \dfrac{3}{2}$, d'où $c = 1{,}5$.

b) Après avoir vérifié les hypothèses, $c = \dfrac{\pi}{4}$.

10. a) Appliquons le théorème de Lagrange à $f(x) = \sin x$ sur $[a, b]$;

puisque la fonction satisfait les hypothèses,
alors $\exists\, c \in]a, b[$ tel que

$$\frac{\sin b - \sin a}{b - a} = \cos c,$$

d'où $\quad \dfrac{|\sin b - \sin a|}{|b - a|} = |\cos c|$

$\qquad\dfrac{|\sin b - \sin a|}{|b - a|} \le 1 \quad (\text{car } |\cos c| \le 1)$.

Donc $\quad |\sin b - \sin a| \le |b - a|$.

b) Même procédé qu'en a) en posant

$$f(x) = \tan x \text{ sur } [a, b], \text{ où } a, b \in \left]\dfrac{-\pi}{2}, \dfrac{\pi}{2}\right[.$$

11. Dans les cas où la proposition est fausse, la justification est laissée à l'élève.
   a) Vrai, car si f est constante alors $f'(x) = 0$
   b) Faux
   c) Faux
   d) Vrai, d'après le corollaire 1
   e) Vrai, d'après le théorème de la valeur intermédiaire
   f) Faux
   g) Vrai (voir le graphique ci-dessous)

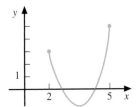

   h) Faux
   i) Faux

12. a) 1) f est continue sur $[-2, 4]$, car f est une fonction polynomiale.
   2) f est dérivable sur $]-2, 4[$, car
   $f'(x) = 5x^4 - 20x^3 + 9x^2 + 20x - 14$ est définie sur $]-2, 4[$.

   alors $\exists\, c \in]-2, 4[$ tel que $\dfrac{f(4) - f(-2)}{4 - (-2)} = f'(c)$.

b) $\dfrac{y - f(4)}{x - 4} = \dfrac{f(4) - f(-2)}{4 - (-2)}$

$\dfrac{y - 57}{x - 4} = 18$, d'où $y = 18x - 15$

$>$ f:=x→x^5−5*x^4+3*x^3+10*x^2−14*x+17;

$\qquad\qquad f:=x→x^5 - 5x^4 + 3x^3 + 10x^2 - 14x + 17$

$>$ s:=x→18*x−15;

$\qquad\qquad\qquad s:=x→18x - 15$

$>$ plot([f(x),s(x)],x=−3..5,y=−70..70,color=[green,blue]);

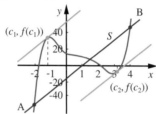

c)
```
> fl :=diff(f(x),x);
        fl := 5x⁴ − 20x³ + 9x² + 20x − 14
> cl :=fsolve(fl(x)=18,x,x=-2..0);
        cl :=-1.184348424
> c2:=fsolve(fl(x)=18,x,x=2..4);
        c2:=3.255061288
```
d'où $c_1 \approx -1{,}18$ et $c_2 \approx 3{,}26$.

d)
```
> with(plots):
> with(student):
> tl :=showtangent(f(x),x=cl,x=-3..5,y=-70..70):
> t2:=showtangent(f(x),x=c2,x=-3..5,y=-70..70):
> s:=plot(s(x),x=-3..5,color=blue):
> display(tl,t2,s);
```

Exercices 1.3 (page 41)

1. a) Ind. forme $0 \cdot (-\infty)$.

b) $-\infty$

c) Ind. forme $\dfrac{+\infty}{+\infty}$

d) $-\infty$

e) Ind. forme $(+\infty)^0$

f) Ind. forme $1^{+\infty}$

g) 0

h) Ind. forme $\dfrac{0}{0}$

i) Ind. forme 0^0

j) 1

k) $+\infty$

l) Ind. forme $(+\infty - \infty)$

2. Faux, car $\lim\limits_{x\to 4} \dfrac{x^2-16}{\sqrt{x}-4} = 0$.

Cette limite n'étant pas indéterminée, nous ne pouvons pas utiliser la règle de L'Hospital.

3. a) $\lim\limits_{x\to 1} \dfrac{x^2+4x-5}{4x-3-x^2}$ $\left(\text{indétermination de la forme } \dfrac{0}{0}\right)$

$\lim\limits_{x\to 1} \dfrac{x^2+4x-5}{4x-3-x^2} = \lim\limits_{x\to 1} \dfrac{2x+4}{4-2x} = 3$

b) $\lim\limits_{x\to 0^+} \dfrac{\tan x}{x^2}$ $\left(\text{indétermination de la forme } \dfrac{0}{0}\right)$

$\lim\limits_{x\to 0^+} \dfrac{\tan x}{x^2} = \lim\limits_{x\to 0^+} \dfrac{\sec^2 x}{2x} = +\infty$

c) $\lim\limits_{\theta\to 0} \dfrac{\ln (\cos \theta)}{\sin 2\theta}$ $\left(\text{indétermination de la forme } \dfrac{0}{0}\right)$

$\lim\limits_{\theta\to 0} \dfrac{\ln (\cos \theta)}{\sin (2\theta)} = \lim\limits_{\theta\to 0} \dfrac{-\sin \theta}{2 \cos \theta \cos 2\theta} = 0$

d) $\lim\limits_{x\to 0} \dfrac{8^x - 5^x}{x}$ $\left(\text{indétermination de la forme } \dfrac{0}{0}\right)$

$\lim\limits_{x\to 0} \dfrac{8^x - 5^x}{5x} = \lim\limits_{x\to 0} \dfrac{8^x \ln 8 - 5^x \ln 5}{5} = \dfrac{\ln\left(\dfrac{8}{5}\right)}{5}$

e) $\lim\limits_{x\to 0} \dfrac{e^x - e^{-x} - 2x}{x - \sin x}$ $\left(\text{indétermination de la forme } \dfrac{0}{0}\right)$

$\lim\limits_{x\to 0} \dfrac{e^x - e^{-x} - 2x}{x - \sin x} = \lim\limits_{x\to 0} \dfrac{e^x + e^{-x} - 2}{1 - \cos x}$ $\left(\text{ind. } \dfrac{0}{0}\right)$

$= \lim\limits_{x\to 0} \dfrac{e^x - e^{-x}}{\sin x}$ $\left(\text{ind. } \dfrac{0}{0}\right)$

$= \lim\limits_{x\to 0} \dfrac{e^x + e^{-x}}{\cos x} = 2$

f) $\lim\limits_{x\to +\infty} \dfrac{e^{\frac{1}{3x}} - 1}{\dfrac{4}{x}}$ $\left(\text{indétermination de la forme } \dfrac{0}{0}\right)$

$\lim\limits_{x\to +\infty} \dfrac{e^{\frac{1}{3x}} - 1}{\dfrac{4}{x}} = \lim\limits_{x\to +\infty} \dfrac{e^{\frac{1}{3x}}\left(\dfrac{-1}{3x^2}\right)}{\left(\dfrac{-4}{x^2}\right)}$

$= \dfrac{1}{12} \lim\limits_{x\to +\infty} e^{\frac{1}{3x}}$ (en simplifiant)

$= \dfrac{1}{12}$

4. a) $\lim\limits_{x\to +\infty} \dfrac{5x^2 + 7x - 1}{7x^3 + 3x - 7}$ $\left(\text{indétermination de la forme } \dfrac{+\infty}{+\infty}\right)$

$\lim\limits_{x\to +\infty} \dfrac{5x^2 + 7x - 1}{7x^3 + 3x - 7} = \lim\limits_{x\to +\infty} \dfrac{10x + 7}{21x^2 + 3}$ $\left(\text{ind. } \dfrac{+\infty}{+\infty}\right)$

$= \lim\limits_{x\to +\infty} \dfrac{10}{42x} = 0$

b) $\lim\limits_{x\to +\infty} \dfrac{\ln x^2}{\ln (1 + x)}$ $\left(\text{indétermination de la forme } \dfrac{+\infty}{+\infty}\right)$

$\lim\limits_{x\to +\infty} \dfrac{\ln x^2}{\ln (1 + x)} = \lim\limits_{x\to +\infty} \dfrac{\dfrac{2}{x}}{\dfrac{1}{1+x}}$

$= \lim\limits_{x\to +\infty} \dfrac{2(1+x)}{x}$ $\left(\text{ind. } \dfrac{+\infty}{+\infty}\right)$

$= \lim\limits_{x\to +\infty} \dfrac{2}{1} = 2$

c) $\lim\limits_{t\to +\infty} \dfrac{7t + \ln 5t}{9t + \ln 3t}$ $\left(\text{indétermination de la forme } \dfrac{+\infty}{+\infty}\right)$

$\lim\limits_{t\to +\infty} \dfrac{7t + \ln 5t}{9t + \ln 3t} = \lim\limits_{t\to +\infty} \dfrac{7 + \dfrac{1}{t}}{9 + \dfrac{1}{t}} = \dfrac{7}{9}$

d) $\lim\limits_{x\to 0^+} \dfrac{\ln x}{x^{-\frac{1}{2}}}$ $\left(\text{indétermination de la forme } \dfrac{-\infty}{+\infty}\right)$

$\lim\limits_{x\to 0^+} \dfrac{\ln x}{x^{-\frac{1}{2}}} = \lim\limits_{x\to 0^+} \dfrac{\dfrac{1}{x}}{\dfrac{-1}{2}x^{-\frac{3}{2}}}$

$= \lim\limits_{x\to 0^+} -2\sqrt{x}$ (en simplifiant)

$= 0$

e) $\lim\limits_{x\to 0^+} \dfrac{\ln x}{e^{\frac{1}{x}}}$ $\left(\text{indétermination de la forme } \dfrac{-\infty}{+\infty}\right)$

$\lim\limits_{x\to 0^+} \dfrac{\ln x}{e^{\frac{1}{x}}} = \lim\limits_{x\to 0^+} \dfrac{\dfrac{1}{x}}{e^{\frac{1}{x}}\left(\dfrac{-1}{x^2}\right)}$

$$= \lim_{x \to 0^+} \frac{-x}{e^{\frac{1}{x}}} \quad \text{(en simplifiant)}$$

$$= 0$$

f) $\lim\limits_{\theta \to \left(\frac{\pi}{4}\right)^+} \dfrac{\tan 2\theta}{1 + \sec 2\theta}$ $\left(\text{indétermination de la forme } \dfrac{-\infty}{-\infty}\right)$

$$\lim_{\theta \to \left(\frac{\pi}{4}\right)^+} \frac{\tan 2\theta}{1 + \sec 2\theta} = \lim_{\theta \to \left(\frac{\pi}{4}\right)^+} \frac{2 \sec^2 2\theta}{2 \sec 2\theta \tan 2\theta}$$

$$= \lim_{\theta \to \left(\frac{\pi}{4}\right)^+} \frac{\sec 2\theta}{\tan 2\theta} \quad \text{(en simplifiant)}$$

$$= \lim_{\theta \to \left(\frac{\pi}{4}\right)^+} \frac{1}{\sin 2\theta} \quad \text{(en transformant)}$$

$$= 1$$

5. a) $\lim\limits_{x \to +\infty} (xe^{-x})$ (indétermination de la forme $0 \cdot (+\infty)$)

$$\lim_{x \to +\infty} (xe^{-x}) = \lim_{x \to +\infty} \frac{x}{e^x} \quad \left(\text{ind. } \frac{+\infty}{+\infty}\right)$$

$$= \lim_{x \to +\infty} \frac{1}{e^x} = 0$$

b) $\lim\limits_{x \to 0^+} (x \ln x)$ (indétermination de la forme $0 \cdot (-\infty)$)

$$\lim_{x \to 0^+} (x \ln x) = \lim_{x \to 0^+} \frac{\ln x}{\frac{1}{x}} \quad \left(\text{ind. } \frac{-\infty}{+\infty}\right)$$

$$= \lim_{x \to 0^+} \frac{\frac{1}{x}}{\frac{-1}{x^2}}$$

$$= \lim_{x \to 0^+} (-x) \quad \text{(en simplifiant)}$$

$$= 0$$

c) $\lim\limits_{x \to +\infty} \left(4x \sin \dfrac{1}{5x}\right)$ (indétermination de la forme $0 \cdot (+\infty)$)

$$\lim_{x \to +\infty} \left(4x \sin \frac{1}{5x}\right) = \lim_{x \to +\infty} \frac{4 \sin \frac{1}{5x}}{\frac{1}{x}} \quad \left(\text{ind. } \frac{0}{0}\right)$$

$$= \lim_{x \to +\infty} \frac{4 \cos \frac{1}{5x} \left(\frac{-1}{5x^2}\right)}{\frac{-1}{x^2}}$$

$$= \lim_{x \to +\infty} \frac{4}{5} \cos \frac{1}{5x} \quad \text{(en simplifiant)}$$

$$= \frac{4}{5}$$

d) $\lim\limits_{s \to 2^+} \left[\dfrac{1}{s - 2} + \dfrac{4}{4 - s^2}\right]$ (ind. de la forme $(+\infty - \infty)$)

$$\lim_{s \to 2^+} \left[\frac{1}{s - 2} + \frac{4}{4 - s^2}\right] = \lim_{s \to 2^+} \frac{-2 - s + 4}{4 - s^2} \quad \left(\text{ind. } \frac{0}{0}\right)$$

$$= \lim_{s \to 2^+} \frac{-1}{-2s} = \frac{1}{4}$$

e) $\lim\limits_{x \to 1^+} \left[\dfrac{1}{1 - x} - \dfrac{1}{\ln (2 - x)}\right]$ (ind. de la forme $(-\infty + \infty)$)

$$\lim_{x \to 1^+} \left[\frac{1}{1 - x} - \frac{1}{\ln (2 - x)}\right]$$

$$= \lim_{x \to 1^+} \frac{\ln (2 - x) - (1 - x)}{(1 - x) \ln (2 - x)} \quad \left(\text{ind. } \frac{0}{0}\right)$$

$$= \lim_{x \to 1^+} \frac{\frac{-1}{2 - x} + 1}{-\ln (2 - x) - \frac{(1 - x)}{2 - x}} \quad \left(\text{ind. } \frac{0}{0}\right)$$

$$= \lim_{x \to 1^+} \frac{(1 - x)}{(x - 2) \ln (2 - x) + (x - 1)} \quad \text{(en transformant)}$$

$$= \lim_{x \to 1^+} \frac{-1}{\ln (2 - x) + 1 + 1} = \frac{-1}{2}$$

f) $\lim\limits_{x \to 0^+} \left[\dfrac{1}{\text{Arc tan } x} - \dfrac{1}{x}\right]$ (ind. de la forme $(+\infty - \infty)$)

$$\lim_{x \to 0^+} \left[\frac{1}{\text{Arc tan } x} - \frac{1}{x}\right]$$

$$= \lim_{x \to 0^+} \frac{x - \text{Arc tan } x}{x \text{ Arc tan } x} \quad \left(\text{ind. } \frac{0}{0}\right)$$

$$= \lim_{x \to 0^+} \frac{1 - \frac{1}{1 + x^2}}{\text{Arc tan } x + \frac{x}{1 + x^2}}$$

$$= \lim_{x \to 0^+} \frac{x^2}{(1 + x^2) \text{ Arc tan } x + x} \quad \left(\text{ind. } \frac{0}{0}\right)$$

$$= \lim_{x \to 0^+} \frac{2x}{2x \text{ Arc tan } x + 1 + 1} = 0$$

6. a) $\lim\limits_{x \to 0^+} x^{\sin x}$ (indétermination de la forme 0^0)

si $A = \lim\limits_{x \to 0^+} x^{\sin x}$, alors $\ln A = \lim\limits_{x \to 0^+} \ln x^{\sin x}$

$$\ln A = \lim_{x \to 0^+} \sin x \ln x \quad \text{(ind. } 0 \cdot (-\infty))$$

$$= \lim_{x \to 0^+} \frac{\ln x}{\csc x} \quad \left(\text{ind. } \frac{-\infty}{+\infty}\right)$$

$$= \lim_{x \to 0^+} \frac{\frac{1}{x}}{-\csc x \cot x}$$

$$= \lim_{x \to 0^+} \frac{-\sin^2 x}{x \cos x} \quad \left(\text{ind. } \frac{0}{0}\right)$$

$$= \lim_{x \to 0^+} \frac{-2 \sin x \cos x}{\cos x - x \sin x}$$

$$= 0, \text{ d'où } A = e^0 = 1$$

b) $\lim\limits_{x \to 1^-} \left[\ln \left(\dfrac{1}{1 - x}\right)\right]^{1 - x}$ (indétermination de la forme $(+\infty)^0$)

si $A = \lim\limits_{x \to 1^-} \left[\ln \left(\dfrac{1}{1 - x}\right)\right]^{1 - x}$, alors

$$\ln A = \lim_{x \to 1^-} \ln \left[\ln \left(\frac{1}{1 - x}\right)\right]^{1 - x}$$

$$= \lim_{x \to 1^-} (1 - x) \cdot \ln \left[\ln \left(\frac{1}{1 - x}\right)\right] \quad \text{(ind. } 0 \cdot (+\infty))$$

$$= \lim_{x \to 1^-} \frac{\ln \left[\ln \left(\frac{1}{1 - x}\right)\right]}{\frac{1}{1 - x}} \quad \left(\text{ind. } \frac{+\infty}{+\infty}\right)$$

$$= \lim_{x \to 1^-} \frac{\frac{1}{\ln \left(\frac{1}{1 - x}\right)} \cdot \frac{1}{\left(\frac{1}{1 - x}\right)} \cdot \frac{1}{(1 - x)^2}}{\frac{1}{(1 - x)^2}}$$

$$= \lim_{x \to 1^-} \frac{(1-x)}{\ln\left(\dfrac{1}{1-x}\right)} \quad \text{(en simplifiant)}$$

$$= 0, \text{ d'où } A = e^0 = 1$$

c) $\displaystyle\lim_{x \to +\infty} \left(1 + \frac{4}{x^2}\right)^{x^2}$ (indétermination de la forme $1^{+\infty}$)

si $A = \displaystyle\lim_{x \to +\infty} \left(1 + \frac{4}{x^2}\right)^{x^2}$, alors $\ln A = \displaystyle\lim_{x \to +\infty} \ln\left(1 + \frac{4}{x^2}\right)^{x^2}$

$\ln A = \displaystyle\lim_{x \to +\infty} x^2 \ln\left(1 + \frac{4}{x^2}\right)$ (ind. $0 \cdot (+\infty)$)

$$= \lim_{x \to +\infty} \frac{\ln\left(1 + \dfrac{4}{x^2}\right)}{\dfrac{1}{x^2}} \quad \left(\text{ind. } \frac{0}{0}\right)$$

$$= \lim_{x \to +\infty} \frac{\dfrac{1}{\left(1 + \dfrac{4}{x^2}\right)}\left(\dfrac{-8}{x^3}\right)}{\left(\dfrac{-2}{x^3}\right)}$$

$$= \lim_{x \to +\infty} \frac{4}{1 + \dfrac{4}{x^2}} \quad \text{(en simplifiant)}$$

$$= 4, \text{ d'où } A = e^4$$

d) $\displaystyle\lim_{x \to 5^+} (x-5)^{\ln(x-4)}$ (indétermination de la forme 0^0)

si $A = \displaystyle\lim_{x \to 5^+} (x-5)^{\ln(x-4)}$, alors $\ln A = \displaystyle\lim_{x \to 5^+} \ln(x-5)^{\ln(x-4)}$

$\ln A = \displaystyle\lim_{x \to 5^+} \ln(x-4) \cdot \ln(x-5)$ (ind. $0 \cdot (-\infty)$)

$$= \lim_{x \to 5^+} \frac{\ln(x-5)}{\dfrac{1}{\ln(x-4)}} \quad \left(\text{ind. } \frac{-\infty}{+\infty}\right)$$

$$= \lim_{x \to 5^+} \frac{\dfrac{1}{x-5}}{\dfrac{-1}{(\ln(x-4))^2}\dfrac{1}{(x-4)}}$$

$$= \lim_{x \to 5^+} \frac{-(x-4)(\ln(x-4))^2}{(x-5)} \quad \left(\text{ind. } \frac{0}{0}\right)$$

$$= \lim_{x \to 5^+} \frac{-(\ln(x-4))^2 - 2\ln(x-4)}{1}$$

$$= 0, \text{ d'où } A = e^0 = 1$$

e) $\displaystyle\lim_{x \to +\infty} \left(1 - \frac{5}{x}\right)^{3x}$ (indétermination de la forme $1^{+\infty}$)

si $A = \displaystyle\lim_{x \to +\infty} \left(1 - \frac{5}{x}\right)^{3x}$, alors $\ln A = \displaystyle\lim_{x \to +\infty} \ln\left(1 - \frac{5}{x}\right)^{3x}$

$\ln A = \displaystyle\lim_{x \to +\infty} 3x \ln\left(1 - \frac{5}{x}\right)$ (ind. $0 \cdot (+\infty)$)

$$= \lim_{x \to +\infty} \frac{3\ln\left(1 - \dfrac{5}{x}\right)}{\dfrac{1}{x}} \quad \left(\text{ind. } \frac{0}{0}\right)$$

$$= \lim_{x \to +\infty} \frac{\dfrac{3}{\left(1 - \dfrac{5}{x}\right)} \cdot \dfrac{5}{x^2}}{\dfrac{-1}{x^2}}$$

$$= \lim_{x \to +\infty} \frac{-15}{\left(1 - \dfrac{5}{x}\right)} \quad \text{(en simplifiant)}$$

$$= -15, \text{ d'où } A = e^{-15}$$

f) $\displaystyle\lim_{x \to 0^+} \left(1 + \frac{5}{x}\right)^{3x}$ (indétermination de la forme $(+\infty)^0$)

si $A = \displaystyle\lim_{x \to 0^+} \left(1 + \frac{5}{x}\right)^{3x}$, alors $\ln A = \displaystyle\lim_{x \to 0^+} \ln\left(1 + \frac{5}{x}\right)^{3x}$

$\ln A = \displaystyle\lim_{x \to 0^+} 3x \ln\left(1 + \frac{5}{x}\right)$ (ind. $0 \cdot (+\infty)$)

$$= \lim_{x \to 0^+} \frac{3\ln\left(1 + \dfrac{5}{x}\right)}{\dfrac{1}{x}} \quad \left(\text{ind. } \frac{+\infty}{+\infty}\right)$$

$$= \lim_{x \to 0^+} \frac{\dfrac{3}{\left(1 + \dfrac{5}{x}\right)} \cdot \dfrac{-5}{x^2}}{\dfrac{-1}{x^2}}$$

$$= \lim_{x \to 0^+} \frac{15}{\left(1 + \dfrac{5}{x}\right)} \quad \text{(en simplifiant)}$$

$$= 0, \text{ d'où } A = e^0 = 1$$

7. a) Nous avons une indétermination de la forme $\dfrac{+\infty}{+\infty}$. Par la règle de L'Hospital,

$$\lim_{x \to +\infty} \frac{\sqrt{x^2 + 1}}{x} = \lim_{x \to +\infty} \frac{x}{\sqrt{x^2 + 1}} \quad \left(\text{ind. } \frac{+\infty}{+\infty}\right)$$

$$= \lim_{x \to +\infty} \frac{\sqrt{x^2 + 1}}{x} \quad \begin{array}{l}\text{(règle de}\\ \text{L'Hospital),}\end{array}$$

nous obtenons l'expression initiale; donc la règle de L'Hospital ne nous permet pas de lever l'indétermination. Par simplification,

$$\lim_{x \to +\infty} \frac{\sqrt{x^2 + 1}}{x} = \lim_{x \to +\infty} \frac{x\sqrt{1 + \dfrac{1}{x^2}}}{x}$$

$$= \lim_{x \to +\infty} \sqrt{1 + \frac{1}{x^2}} = 1$$

b) Nous avons une indétermination de la forme $\dfrac{0}{0}$. Par la règle de L'Hospital,

$$\lim_{x \to 0} \frac{3e^{2x} - 3e^{-2x}}{2e^{2x} - 2e^{-x}} = \lim_{x \to 0} \frac{6e^{2x} + 6e^{-2x}}{4e^{2x} + 2e^{-x}} = 2.$$

c) Nous avons une indétermination de la forme $\dfrac{+\infty}{+\infty}$. Par la règle de L'Hospital,

$$\lim_{x \to +\infty} \frac{3e^{2x} - 3e^{-2x}}{2e^{2x} - 2e^{-x}} = \lim_{x \to +\infty} \frac{6e^{2x} + 6e^{-2x}}{4e^{2x} + 2e^{-x}} \quad \left(\text{ind. } \frac{+\infty}{+\infty}\right)$$

$$= \lim_{x \to +\infty} \frac{12e^{2x} - 12e^{-2x}}{8e^{2x} - 2e^{-x}} \quad \left(\text{ind. } \frac{+\infty}{+\infty}\right);$$

en continuant à appliquer la règle de L'Hospital, nous obtiendrons toujours des indéterminations de la forme

$$\frac{+\infty}{+\infty}.$$

Par simplification,

$$\lim_{x \to +\infty} \frac{3e^{2x} - 3e^{-2x}}{2e^{2x} - 2e^{-x}} = \lim_{x \to +\infty} \frac{e^{2x}(3 - 3e^{-4x})}{e^{2x}(2 - 2e^{-3x})}$$

$$= \lim_{x \to +\infty} \frac{(3 - 3e^{-4x})}{(2 - 2e^{-3x})} = \frac{3}{2}.$$

8. a) 0 d) e g) 4 j) 1

b) $+\infty$ e) 0 h) e^2 k) $\dfrac{-1}{3}$

c) $\dfrac{5}{4}$ f) $\dfrac{15}{2}$ i) e^{18}

▦ Exercices récapitulatifs (page 45)

1. a) $\dfrac{dy}{dx} = \dfrac{15x^2y^4 - 8x^3y^{\frac{7}{2}}}{7x^4y^{\frac{5}{2}} - 20x^3y^3} = \dfrac{y(15\sqrt{y} - 8x)}{x(7x - 20\sqrt{y})}$

b) $\dfrac{d\varphi}{d\theta} = \dfrac{-\varphi^2 \sin(\theta\varphi^2)}{1 + 2\theta\varphi \sin(\theta\varphi^2)}$

c) $\dfrac{dy}{dx}\Big|_{(0,0)} = \dfrac{-5}{2}$

d) $\dfrac{d^2y}{dx^2}\Big|_{(3,1)} = 4$ et $\dfrac{d^2y}{dx^2}\Big|_{(3,5)} = -4$

2. a) La tangente est horizontale aux points A(3, -1) et B(3, 9) ;
la tangente est verticale aux points C(-2, 4) et D(8, 4).

b) Laissée à l'élève.

3. a) $\dfrac{dy}{dx} = (\sin x^2)^{\cos 3x}(-3 \sin 3x \ln(\sin x^2) + 2x \cos 3x \cot x^2)$

b) $\dfrac{dy}{dx} = \dfrac{10^{x^2} \cos 3x}{\sqrt{x}}\left(2x \ln 10 - 3 \tan 3x - \dfrac{1}{2x}\right)$

c) $\dfrac{dy}{dx} = \dfrac{(\ln x)^{\ln x}}{x}(1 + \ln(\ln x))$

d) $\dfrac{dy}{dx} = \dfrac{-1}{(1 - x)(1 + \ln y)}$

e) $\dfrac{dy}{dx} = \dfrac{1}{5}\sqrt[5]{\dfrac{(1 - x^4)e^x}{(5x^2 - 2x + 1)}}\left(\dfrac{-4x^3}{1 - x^4} + 1 - \dfrac{10x - 2}{5x^2 - 2x + 1}\right)$

f) $\dfrac{dy}{dx} = \left(\dfrac{1 - x}{x}\right)^{x-1}\left(\dfrac{1}{x} + \ln\left(\dfrac{1 - x}{x}\right)\right)$

4. a) $D_1 : y = 6(1 + \ln 2)x - 6 \ln 2$

b) $D_2 : y = \dfrac{-x}{6(1 + \ln 2)} + \dfrac{37 + 36 \ln 2}{6(1 + \ln 2)}$

c) Laissée à l'élève.

5. a) $[2, 3]$ b) $[1, 2], [2, 3], [3, 4]$ et $[4, 5]$

6. a) Non   b) Laissée à l'élève.

7. Lorsque les hypothèses sont vérifiées (travail laissé à l'élève), nous donnons uniquement la valeur c.

a) $c = \dfrac{2 + \sqrt{19}}{3}$

b) g est non dérivable en $x = 3$, où $3 \in {]1, 5[}$

c) $c = 1$

d) f est non continue en 0, où $0 \in [-1, 1]$

e) $c = 1$

f) $h(1) \neq h(9)$

8. Lorsque les hypothèses sont vérifiées (travail laissé à l'élève), nous donnons uniquement la valeur c.

a) $c = -1$; laissée à l'élève.

b) f est non dérivable en $x = 1$, où $1 \in {]-2, 2[}$

c) $c = \dfrac{8\sqrt{3}}{9}$

d) $c_1 = -\sqrt{\dfrac{4}{\pi} - 1} \approx -0,52$ et $c_2 = \sqrt{\dfrac{4}{\pi} - 1} \approx 0,52$

e) f est non continue en $x = 0$, où $0 \in [-1, 1]$.

f) $c = \dfrac{369 - \sqrt{53\,217}}{32} \approx 4,32$

9. a) $c_1 = 4$ b) $c_2 = \dfrac{8\sqrt{3}}{3}$ c) $c = \dfrac{16}{3}$

10. Laissées à l'élève.

a) $C = \dfrac{\pi}{4}$ b) $C = 0$ c) $C = -(\ln 2)^2$

11. a) Appliquons le théorème de Lagrange à
$f(x) = \text{Arc} \sin x$ sur $[0, x]$, où $x \in {]0, 1[}$.
Le reste de la démonstration de a), ainsi que les démonstrations de b), c) et d), sont laissés à l'élève.

12. a) 0 d) $e^{\frac{-2}{\pi}}$ g) 2 j) $+\infty$

b) 1 e) -2 h) -1 k) 2

c) $+\infty$ f) $\dfrac{1}{2}$ i) $\dfrac{-1}{4}$ l) $\sqrt{e}$

13. a) e ; laissée à l'élève.

b) e ; laissée à l'élève.

c) 1 ; 0 ; 1 ; laissée à l'élève.

14. a) 3 e) $\dfrac{a}{2}$

b) $-\infty$ f) $\dfrac{-1}{2}$

c) e^4 g) $\dfrac{3}{5}$

d) $\dfrac{1}{\sqrt{2}}$

15. Laissée à l'élève.

16. a) Laissée à l'élève.   b) Laissée à l'élève.

1. a) Laissée à l'élève.   c) 3
   b) Laissée à l'élève.   d) Laissée à l'élève.

2. a) $\dfrac{dy}{dx} = \dfrac{\dfrac{2x}{(x^2+1)\ln(x^2+1)} - \dfrac{\sin y}{x}}{\cos y \ln x}$

   b) $\dfrac{dy}{dx} = 2x^{2x}(1 + \ln x) + 5(3x+1)^{5x}\left(\ln(3x+1) + \dfrac{3x}{3x+1}\right)$

   c) $\dfrac{dy}{dx} = x^{\sin x}(\cos x)^x\left(\cos x \ln x + \dfrac{\sin x}{x} + \ln \cos x - x \tan x\right)$

3. a) $y = 2x - 2\,;\, y = \dfrac{-x}{2} + \dfrac{1}{2}$
   b) Laissée à l'élève.

4. a) $A\left(\sqrt{\dfrac{3}{8}}, \sqrt{\dfrac{1}{8}}\right), B\left(\sqrt{\dfrac{3}{8}}, -\sqrt{\dfrac{1}{8}}\right), C\left(-\sqrt{\dfrac{3}{8}}, \sqrt{\dfrac{1}{8}}\right)$
   et $D\left(-\sqrt{\dfrac{3}{8}}, -\sqrt{\dfrac{1}{8}}\right)$
   b) E(1, 0) et F(-1, 0)
   c) Laissée à l'élève.

5. a) Laissé à l'élève.   b) Laissée à l'élève.

6. Laissé à l'élève.

7. a) Laissée à l'élève.
   b) Laissée à l'élève.
   c) $x_0 \approx 0{,}4797$; laissée à l'élève.

8. a) $t \approx 0{,}85$ s ou $t \approx 3{,}15$ s.
   b) $t = 2$ s, d'où $v_{max} = 12$ m/s.
   c) Laissée à l'élève.

9. a) $\dfrac{c-a}{b-c} = \dfrac{m}{n}$ b) $c = 8$

10. Laissées à l'élève.

11. Laissées à l'élève.

12. a) 21   b) 1   c) $\dfrac{1}{2}$ d) e^2 e) 0   f) 3

13. a) 400 truites   c) Laissées à l'élève.
   b) 2400 truites

14. Laissées à l'élève.
   a) A. V. : aucune ; A. H. : $y = e$.
   b) A. V. : $x = 0$ et $x = 1$; A. H. : $y = 2$.
   c) A. V. : $x = 0$; A. H. $y = 0$ lorsque $x \to {}^{+}\infty$
   et $y = -1$ lorsque $x \to {}^{-}\infty$.

15. a) P(-1, -5)   b) 32   c) Laissée à l'élève.

16. Laissées à l'élève.

17. Laissées à l'élève.

18. Laissée à l'élève.

19. Laissée à l'élève.

Chapitre 2

■ Test préliminaire *(page 51)*

1. a) $A = 6c^2\,;\, V = c^3$
   b) $A = 2\pi r^2 + 2\pi rh\,;\, V = \pi r^2 h$
   c) $A = 4\pi r^2\,;\, V = \dfrac{4\pi r^3}{3}$
   d) $A = \pi r\sqrt{r^2 + h^2} + \pi r^2\,;\, V = \dfrac{\pi r^2 h}{3}$

2. a) $\sin(A + B) = \sin A \cos B + \cos A \sin B$
   b) $\sin(A - B) = \sin A \cos B - \cos A \sin B$
   c) $\cos(A + B) = \cos A \cos B - \sin A \sin B$
   d) $\cos(A - B) = \cos A \cos B + \sin A \sin B$
   e) $\cos^2\theta + \sin^2\theta = 1$
   f) $1 + \tan^2\theta = \sec^2\theta$
   g) $1 + \cot^2\theta = \csc^2\theta$

3. a) $\sin 2\theta = 2\sin\theta\cos\theta$ d) $\cos 2\theta = 1 - 2\sin^2\theta$
   b) $\cos 2\theta = \cos^2\theta - \sin^2\theta$ e) $\sin^2\theta = \dfrac{1 - \cos 2\theta}{2}$
   c) $\cos 2\theta = 2\cos^2\theta - 1$ f) $\cos^2\theta = \dfrac{1 + \cos 2\theta}{2}$

4. a) $(1 - \cos\theta)(1 + \cos\theta) = 1 - \cos^2\theta = \sin^2\theta$
   b) $(1 + \sec t)(1 - \sec t) = 1 - \sec^2 t = -\tan^2 t$

5. a) $N = e^{5t}$ c) $N = 100e^{-4t}$
   b) $N = e^{5t+3} = e^3 e^{5t}$ d) $N = 100e^{-4t}$

6. a) $e^{\frac{\ln\left(\frac{25}{12}\right)x}{2}} = \left(\dfrac{25}{12}\right)^{\frac{x}{2}}$ b) $e^{\frac{-\ln\left(\frac{3}{4}\right)x}{5}} = \left(\dfrac{4}{3}\right)^{\frac{x}{5}}$

7. a) $2x - 3 + \dfrac{-5x+6}{x^2-1}$ b) $3x^3 - 9x^2 + 27x - 74 + \dfrac{227}{x+3}$

▒ Exercices

Exercices 2.1 *(page 56)*

1.

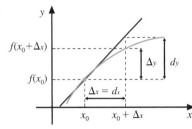

2. a) $dy = (4x^3 - 3)\, dx$

   b) $dy = \dfrac{\theta \cos \theta - \sin \theta}{\theta^2}\, d\theta$

   c) $dx = \dfrac{3t^2}{1 + (t^3 - 1)^2}\, dt$

   d) $dy = \left[e^u \operatorname{Arc\,sin} u^2 + \dfrac{2\,u\,e^u}{\sqrt{1 - u^4}} \right] du$

   e) $ds = \dfrac{8}{z \ln z \sqrt{(\ln z)^2 - 1}}\, dz$

   f) $dv = \left(5^t \ln 5 + \dfrac{4t^3}{(t^4 + 1) \ln 10} \right) dt$

3. a) $d(Ku) = (Ku)'\, dx$ (par définition)
$$= Ku'\, dx$$
$$= K\, du \qquad \text{(par définition)}$$
   b) $d(u + v) = (u + v)'\, dx$ (par définition)
$$= (u' + v')\, dx \qquad \text{(dérivée d'une somme)}$$
$$= u'\, dx + v'\, dx$$
$$= du + dv \qquad \text{(par définition)}$$

4. a) $du = 8x^7\, dx$, d'où $\dfrac{du}{8} = x^7\, dx$.

   b) $du = (12x^2 - 6x)\, dx$, d'où $(6x^2 - 3x)\, dx = \dfrac{du}{2}$.

   c) $du = \dfrac{-42}{x^7}\, dx$, d'où $\dfrac{21\, dx}{x^7} = \dfrac{-du}{2}$.

   d) $du = e^{\tan \theta} \sec^2 \theta\, d\theta$,

   d'où $\sec^2 \theta\, d\theta = \dfrac{du}{e^{\tan \theta}}$

5. a) $e^u\, du$

   b) du

   c) $\dfrac{u^5}{4}\, du$

   d) $\dfrac{1}{2\sqrt{1 - u^2}}\, du$

   e) $\dfrac{u}{4}\, du$

   f) $\dfrac{u}{4}\, du$

6. a) $\Delta y = f(4,41) - f(4)$ $dy = f'(x_0)\, dx$
$$= \sqrt{4,41} - \sqrt{4} \qquad\qquad = \dfrac{1}{2\sqrt{x_0}}\, dx$$
$$= 2,1 - 2 \qquad\qquad\quad = \dfrac{1}{2\sqrt{4}}\, (0,41)$$
$$= 0,1 \qquad\qquad\qquad = 0,1025$$
   b) $\Delta y = g(-2,5) - g(-2) = 0,1$

$dy = g'(-2)\,(-0,5) = 0,125 \left(\text{car } g'(-2) = \dfrac{-1}{4} \right)$

7. a) 1. Soit $f(x) = \sqrt[5]{x}$.
   2. Choisissons $x_0 = 32$ et $dx = -0,5$.

3. $f'(x) = \dfrac{1}{5\sqrt[5]{x^4}}$, d'où $dy = \dfrac{1}{5\sqrt[5]{(32)^4}}\,(-0,5)$
$$= -0,006\,25.$$
   4. $\sqrt[5]{31,5} \approx \sqrt[5]{32} + dy$, d'où $\sqrt[5]{31,5} \approx 1,993\,75$.

   b) 1. Soit $f(x) = \ln x$.
   2. Choisissons $x_0 = 1$ et $dx = 0,1$.

   3. $f'(x) = \dfrac{1}{x}$, d'où $dy = 1\,(0,1) = 0,1$.

   4. $\ln(1,1) \approx \ln 1 + dy$, d'où $\ln(1, 1) \approx 0,1$.

   c) 1. Soit $f(x) = x^8$.
   2. Choisissons $x_0 = 2$ et $dx = -0,02$.
   3. $f'(x) = 8x^7$, d'où $dy = 8(2)^7\,(-0,02) = -20,48$.
   4. $(1,98)^8 \approx 2^8 + dy$, d'où $(1,98)^8 \approx 235,52$.

8. Soit $A(r) = \pi r^2$, $r_0 = 100$ et $dr = 0,5$.
$dA = 2\pi r\, dr$, d'où $dA = 100\pi$ ($r_0 = 100$ et $dr = 0,5$).
Puisque l'augmentation de l'aire $\Delta A \approx dA$, nous avons
$\Delta A \approx 100\pi$ cm².

9. Nous avons $V(r) = \dfrac{4\pi r^3}{3}$, $r_0 = 3,25$ et $dr = \pm 0,025$.

   a) $E_a \approx |dV|$
$$\approx |4\pi r^2\, dr|$$
   En remplaçant r par 3,25 et dr par $\pm 0,025$, nous
   obtenons
$$E_a \approx |4\pi (3,25)^2 (\pm 0,025)| \approx 1,056\pi$$
   d'où $E_a \approx 3,318$ cm³.

   b) $E_r = \left| \dfrac{E_a}{V} \right|$
$$\approx \dfrac{1,056\pi}{45,771\pi}$$
$$\left(\text{car } E_a \approx 1,056\pi \text{ et } V = \dfrac{4\pi (3,25)^3}{3} \right)$$
   d'où $E_r \approx 0,023$, c'est-à-dire 2,3 %.

   c) $E_r = \left| \dfrac{E_a}{V} \right| \approx 0,01$

$$= \left| \dfrac{4\pi r^2\, dr}{\dfrac{4\pi r^3}{3}} \right| \approx 0,01$$

$$= \dfrac{3\,|dr|}{r} \approx 0,01$$

$$= \dfrac{3\,|dr|}{3,25} \approx 0,01 \quad \text{(car } r = 3,25\text{)}$$

$$|dr| \approx 0,010\,8\overline{3}$$
   d'où $dr \approx \pm 0,010$ cm.

10. Soit $V(x) = x^3$ et $\Delta V = \pm 3$. Sachant que $\Delta V \approx dV$, il faut
   trouver dx.
$$dV \approx \pm 3$$
$$3x^2\, dx \approx \pm 3 \quad \text{(car } V'(x) = 3x^2\text{)}$$
$$3(5)^2\, dx \approx \pm 3 \quad \text{(car } x = 5, \text{ puisque } V = 125\text{)}$$
   ainsi $dx \approx \pm 0,04$.
   Les arêtes doivent être mesurées avec une marge d'erreur
   maximale de $\pm 0,04$ cm.

Exercices 2.2 *(page 63)*

1. a) Non, car $F'(x) = e^x - e^{-x} \neq f(x)$.
   b) Oui, car $F'(\theta) = 10 \sec^2 5\theta \tan 5\theta = f(\theta)$.

c) Non, car $F'(t) = \dfrac{2}{\sqrt{1-4t^2}} \neq f(t)$.

d) Oui, car $F'(x) = 2\tan x \sec^2 x = f(x)$.

2. a) $F'(x) = 3x^2$, d'où $\int 3x^2\, dx = x^3 + C$

b) $F'(x) = \dfrac{1}{1+x^2}$, d'où $\int \dfrac{1}{1+x^2}\, dx = \text{Arc tan } x + C$

c) $F'(x) = \dfrac{e^{\sqrt{x}}}{2\sqrt{x}}$, d'où $\int \dfrac{e^{\sqrt{x}}}{2\sqrt{x}}\, dx = e^{\sqrt{x}} + C$

d) $F'(x) = \dfrac{2x}{x^2+1}$, d'où $\int \dfrac{2x}{x^2+1}\, dx = \ln(x^2+1) + C$

3. a) $\dfrac{x^{-6}}{-6} + C = \dfrac{-1}{6x^6} + C$ e) $\theta + C$

b) $\dfrac{v^{\frac{4}{3}}}{\frac{4}{3}} + C = \dfrac{3}{4}\sqrt[3]{v^4} + C$ f) $\dfrac{y^2}{2} + y + C$

c) $\dfrac{u^{\frac{1}{2}}}{\frac{1}{2}} + C = 2\sqrt{u} + C$ g) $\ln|x| + C$

d) $\dfrac{x^4}{4} - \dfrac{2\sqrt{x^3}}{3} - \dfrac{2}{\sqrt{x}} + C$ h) $\dfrac{x^5}{5} + \dfrac{4^x}{\ln 4} + C$

4. a) $-3\cos\theta - \tan\theta + C$
b) $x^3 - e^x - 5\,\text{Arc sin }x + C$
c) $4\sec u - 8\,\text{Arc tan }u + 6\cot u + C$
d) $\dfrac{x^6}{6} - \dfrac{5^x}{\ln 5} + 5\ln|x| - \dfrac{x^2}{10} + C$
e) $\dfrac{5\sin u}{3} + \dfrac{\text{Arc sec }u}{7} + C$
f) $\dfrac{14\sqrt{t}}{5} + 2\csc t - \dfrac{1}{3t} + C$

5. a) $\int(11x - 6 - 4x^2)\, dx = \dfrac{11x^2}{2} - 6x - \dfrac{4x^3}{3} + C$

b) $\int\left(4 - \dfrac{5}{x} - \dfrac{1}{x^3}\right)dx = 4x - 5\ln|x| + \dfrac{1}{2x^2} + C$

c) $\int\left(u^2 + 2 + \dfrac{1}{u^2}\right)du = \dfrac{u^3}{3} + 2u - \dfrac{1}{u} + C$

d) $\int\left(\dfrac{1}{2} - \dfrac{2}{x}\right)dx = \dfrac{1}{2}x - 2\ln|x| + C$

e) $\int\left(\dfrac{4}{x} - \dfrac{7}{x\sqrt{x^2-1}}\right)dx = 4\ln|x| - 7\,\text{Arc sec }x + C$

f) $\int(v+2)\, dv = \dfrac{v^2}{2} + 2v + C$

g) $\int(x^{\frac{3}{2}} - 3x^{\frac{1}{2}} - 4x^{-\frac{1}{2}})\, dx = \dfrac{2}{5}\sqrt{x^5} - 2\sqrt{x^3} - 8\sqrt{x} + C$

h) $\int(t^2 + 1)\, dt = \dfrac{t^3}{3} + t + C$

i) $\int(x^7 - 3x^5 + 3x^3 - x)\, dx = \dfrac{x^8}{8} - \dfrac{x^6}{2} + \dfrac{3x^4}{4} - \dfrac{x^2}{2} + C$

6. a) $\int 1\, d\theta = \theta + C$
b) $\int \sin\varphi\, d\varphi = -\cos\varphi + C$
c) $\int \dfrac{3}{\cos^2 x}\, dx = \int 3\sec^2 x\, dx = 3\tan x + C$
d) $\int \sec t \tan t\, dt = \sec t + C$
e) $\int(1 + \csc x \cot x)\, dx = x - \csc x + C$
f) $\int(\csc^2 u - 1)\, du = -\cot u - u + C$

Exercices 2.3 (page 75)

1. a) $u = 3 + 2x$; $\dfrac{(3+2x)^{\frac{3}{2}}}{3} + C$

b) $u = 5 - 8t$; $\dfrac{-3(5-8t)^{\frac{4}{3}}}{32} + C$

c) $u = 5 - 3x^2$; $\dfrac{-(5-3x^2)^6}{9} + C$

d) $\dfrac{x^5}{5} - 2x^2 + C$

e) $u = 1 - r^2$; $-3\sqrt{1-r^2} + C$

f) $u = 3t^4 + 12t^2$; $\dfrac{(3t^4 + 12t^2)^3}{6} + C$

g) $u = 4x - 3$; $\dfrac{\ln|4x-3|}{4} + C$

h) $u = 4x - 3$; $\dfrac{-1}{4(4x-3)} + C$

i) $u = h^3 + 8$; $4\ln|h^3 + 8| + C$

j) $\dfrac{h^2}{24} - \dfrac{2}{3h} + C$

k) $v = 4 - \sqrt{u}$; $\dfrac{-(4-\sqrt{u})^8}{4} + C$

l) $u = \sqrt{x} + 5$; $2\ln|\sqrt{x} + 5| + C$

2. a) $u = 3\theta$; $\dfrac{5\sin 3\theta}{3} + C$

b) $u = 1 - 3x^2$; $\dfrac{\cos(1-3x^2)}{6} + C$

c) Si $u = \sin x$; $\dfrac{\sin^2 x}{2} + C$

   Si $u = \cos x$; $\dfrac{-\cos^2 x}{2} + C$

d) $u = \tan 4\theta$; $\dfrac{-3}{8\tan^2 4\theta} + C$

e) $u = \sec t$; $\dfrac{\sec^3 t}{3} + C$

f) $u = 1 - 40x$; $\dfrac{\cot(1-40x)}{10} + C$

g) $u = 3 + 5\cot\varphi$; $\dfrac{-\ln|3 + 5\cot\varphi|}{5} + C$

h) $u = (3 - \sqrt{x})$; $-2\tan(3-\sqrt{x}) + C$

i) $u = \dfrac{1}{t}$; $-\sec\left(\dfrac{1}{t}\right) + C$

j) $u = \dfrac{x}{2}$; $-2\csc\left(\dfrac{x}{2}\right) + C$

k) $u = \cos 2x$; $\dfrac{-\cos^5 2x}{10} + C$

l) $u = \sin\left(\dfrac{\theta}{5}\right)$; $\dfrac{25\sin^7\left(\frac{\theta}{5}\right)}{7} + C$

3. a) $u = \sin\theta$; $e^{\sin\theta} + C$

b) $u = 5e^x + 1$; $\dfrac{(5e^x+1)^4}{20} + C$

c) $u = 1 - e^{-4x}$; $\dfrac{\ln|1 - e^{-4x}|}{4} + C$

d) $u = -x$; $-e^{-x} + C$

e) $u = \ln t$; $\dfrac{2(\ln t)^{\frac{3}{2}}}{9} + C$

f) $u = e^x + \sin x$; $\ln |e^x + \sin x| + C$

g) $u = \tan 3\theta$; $\dfrac{10^{\tan 3\theta}}{3 \ln 10} + C$

h) $u = \text{Arc sin } x$; $e^{\text{Arc sin } x} + C$

i) $u = \cos 8\varphi$; $\dfrac{-3^{\cos 8\varphi}}{8 \ln 3} + C$

j) $u = 1 + e^x$; $\ln(1 + e^x) + C$

k) $v = e^u$; $\text{Arc tan } e^u + C$

l) $u = 5^x$; $\dfrac{\text{Arc sin } 5^x}{\ln 5} + C$

4. a) $u = (5\theta + 1)$; $\dfrac{-\ln |\cos (5\theta + 1)|}{5} + C$ ou $\dfrac{\ln |\sec (5\theta + 1)|}{5} + C$

b) $u = \dfrac{1 - t}{3}$; $3 \ln \left| \csc \left(\dfrac{1-t}{3} \right) + \cot \left(\dfrac{1-t}{3} \right) \right| + C$

ou $-3 \ln \left| \csc \left(\dfrac{1-t}{3} \right) - \cot \left(\dfrac{1-t}{3} \right) \right| + C$

c) $u = 3e^x$; $\dfrac{4 \ln |\sec (3e^x) + \tan (3e^x)|}{3} + C$

5. a) $\dfrac{6x^2 - 11x + 5}{3x - 4} = 2x - 1 + \dfrac{1}{3x - 4}$;

$x^2 - x + \dfrac{1}{3} \ln |3x - 4| + C$

b) $\dfrac{2x^3 - 3x^2 + x + 1}{x^2 + 1} = 2x - 3 + \dfrac{-x + 4}{x^2 + 1}$

$= 2x - 3 - \dfrac{x}{x^2 + 1} + \dfrac{4}{x^2 + 1}$;

$x^2 - 3x - \dfrac{\ln (x^2 + 1)}{2} + 4 \text{ Arc tan } x + C$

c) $\displaystyle\int \dfrac{1}{1 + \cos 3\theta} \, d\theta = \int \dfrac{(1 - \cos 3\theta)}{(1 + \cos 3\theta)(1 - \cos 3\theta)} \, d\theta$

$= \displaystyle\int \dfrac{1 - \cos 3\theta}{1 - \cos^2 3\theta} \, d\theta$

$= \displaystyle\int \dfrac{1 - \cos 3\theta}{\sin^2 3\theta} \, d\theta$

$= \displaystyle\int \left(\dfrac{1}{\sin^2 3\theta} - \dfrac{\cos 3\theta}{\sin^2 3\theta} \right) d\theta$

$= \displaystyle\int \csc^2 3\theta \, d\theta - \int \csc 3\theta \cot 3\theta \, d\theta$

$= \dfrac{-\cot 3\theta}{3} + \dfrac{\csc 3\theta}{3} + C$

d) $\displaystyle\int \dfrac{\cos^3 t}{1 - \sin t} \, dt = \int \dfrac{\cos^3 t \, (1 + \sin t)}{(1 - \sin t)(1 + \sin t)} \, dt$

$= \displaystyle\int \dfrac{\cos^3 t \, (1 + \sin t)}{\cos^2 t} \, dt$

$= \displaystyle\int \cos t \, (1 + \sin t) \, dt$

$= \displaystyle\int \cos t \, dt + \int \sin t \cos t \, dt$

$= \sin t + \dfrac{\sin^2 t}{2} + C$

e) $\sin^2 3\theta = \dfrac{1 - \cos 6\theta}{2}$; $\dfrac{\theta}{2} - \dfrac{\sin 6\theta}{12} + C$

f) $u = 2x - 1$, d'où $x = \dfrac{u + 1}{2}$;

$\dfrac{1}{4} \left[\dfrac{2(2x-1)^{\frac{5}{2}}}{5} + \dfrac{2(2x-1)^{\frac{3}{2}}}{3} \right] + C$

$= \dfrac{\sqrt{(2x - 1)^5}}{10} + \dfrac{\sqrt{(2x - 1)^3}}{6} + C$

g) $u = x^5 + 1$, $du = 5x^4 \, dx$ et $x^5 = u - 1$;

$\dfrac{1}{5} \left[\dfrac{(x^5 + 1)^{22}}{22} - \dfrac{(x^5 + 1)^{21}}{21} \right] + C$

h) $\displaystyle\int \dfrac{1}{25t^2 + 100} \, dt = \dfrac{1}{100} \int \dfrac{1}{\dfrac{t^2}{4} + 1} \, dt$

$= \dfrac{1}{100} \displaystyle\int \dfrac{1}{\left(\dfrac{t}{2} \right)^2 + 1} \, dt$

$= \dfrac{1}{50} \text{ Arc tan } \left(\dfrac{t}{2} \right) + C$

6. a) $u = x^2 + 2x - 1$; $\dfrac{1}{2} \ln |x^2 + 2x - 1| + C$

b) $\dfrac{x^2 + 2x - 1}{x + 1} = x + 1 - \dfrac{2}{x + 1}$; $\dfrac{x^2}{2} + x - 2 \ln |x + 1| + C$

c) $\dfrac{x + 1}{x^2 - x - 2} = \dfrac{x + 1}{(x - 2)(x + 1)} = \dfrac{1}{x - 2}$; $\ln |x - 2| + C$

d) $u = 1 - e^{2x}$; $-\sqrt{1 - e^{2x}} + C$

e) $u = e^x$; $\text{Arc sin } (e^x) + C$

f) $\displaystyle\int \dfrac{4}{\sqrt{e^{2x} - 1}} \, dx = 4 \int \dfrac{e^x}{e^x \sqrt{(e^x)^2 - 1}} \, dx$;

$u = e^x$; $4 \text{ Arc sec } (e^x) + C$

g) $u = 1 + e^x$, d'où $e^x = u - 1$; $\ln (1 + e^x) + \dfrac{1}{1 + e^x} + C$

h) $u = 1 + \sqrt{x}$; $2 \ln (1 + \sqrt{x}) + C$

i) $u = \sqrt{x}$; $2 \text{ Arc tan } \sqrt{x} + C$

7. a) $\displaystyle\int \dfrac{1}{\sqrt{a^2 - u^2}} \, du = \dfrac{1}{a} \int \dfrac{1}{\sqrt{1 - \left(\dfrac{u}{a} \right)^2}} \, du$

Posons $v = \dfrac{u}{a}$, alors $dv = \dfrac{1}{a} \, du$

d'où $\dfrac{1}{a} \displaystyle\int \dfrac{1}{\sqrt{1 - \left(\dfrac{u}{a} \right)^2}} \, du = \int \dfrac{1}{\sqrt{1 - v^2}} \, dv$

$= \text{Arc sin } v + C$

$= \text{Arc sin } \left(\dfrac{u}{a} \right) + C$

b) $v = a^2 - u^2$; $-\sqrt{a^2 - u^2} + C$

c) $\displaystyle\int \dfrac{1}{a^2 + u^2} \, du = \dfrac{1}{a^2} \int \dfrac{1}{1 + \left(\dfrac{u}{a} \right)^2} \, du$

Posons $v = \dfrac{u}{a}$, alors $dv = \dfrac{1}{a} \, du$

d'où $\dfrac{1}{a^2} \displaystyle\int \dfrac{1}{1 + \left(\dfrac{u}{a} \right)^2} \, du = \dfrac{1}{a} \int \dfrac{1}{1 + v^2} \, dv$

$= \dfrac{1}{a} \text{ Arc tan } v + C$

$= \dfrac{1}{a} \text{ Arc tan } \left(\dfrac{u}{a} \right) + C$

d) $v = a^2 + u^2$; $\dfrac{1}{2} \ln (a^2 + u^2) + C$

e) $\displaystyle\int \dfrac{1}{u \sqrt{u^2 - a^2}} \, du = \dfrac{1}{a} \int \dfrac{1}{u \sqrt{\left(\dfrac{u}{a} \right)^2 - 1}} \, du$

Posons $v = \dfrac{u}{a}$, alors $dv = \dfrac{1}{a} \, du$ et $u = av$

2

d'où $\dfrac{1}{a} \displaystyle\int \dfrac{1}{u\sqrt{\left(\dfrac{u}{a}\right)^2 - 1}}\, du = \dfrac{1}{a} \displaystyle\int \dfrac{1}{v\sqrt{v^2 - 1}}\, dv$

$$= \dfrac{1}{a} \text{ Arc sec } v + C$$

$$= \dfrac{1}{a} \text{ Arc sec } \left(\dfrac{u}{a}\right) + C$$

8. a) $\text{Arc sin}\left(\dfrac{x}{3}\right) + C$

b) $\dfrac{1}{\sqrt{2}} \text{ Arc tan}\left(\dfrac{x}{\sqrt{2}}\right) + C$

c) $\dfrac{\sqrt{7}}{4} \text{ Arc sec}\left(\dfrac{x}{\sqrt{7}}\right) + C$

d) $\dfrac{1}{6} \text{ Arc tan}\left(\dfrac{3x}{2}\right) + C$

e) $\dfrac{3}{2} \ln (5 + x^2) + C$

f) $\dfrac{5}{21} \sqrt{8 - 3x^2} + C$

Exercices 2.4 *(page 82)*

1. a) $y = e^x + \sin x$, $y' = e^x + \cos x$ et $y'' = e^x - \sin x$,
d'où $y'' + y = e^x + \sin x + e^x - \sin x = 2e^x$.

b) $y = \sqrt{C + x^2}$ et $y' = \dfrac{x}{\sqrt{C + x^2}}$

d'où $\dfrac{dy}{dx} = \dfrac{x}{\sqrt{C + x^2}} = \dfrac{x}{y}$.

c) $y = xe^{-x}$ et $y' = e^{-x} - xe^{-x}$
d'où $xy' = x(e^{-x} - xe^{-x})$
$= xe^{-x}(1 - x)$
$= y(1 - x)$

d) $y = \sin x$, $y' = \cos x$ et $y'' = -\sin x$

d'où $\dfrac{d^2y}{dx^2} = -y$.

2. a) Puisque $dy = -2\, dx$
alors $\displaystyle\int dy = \int -2\, dx$
d'où $y = -2x + C$

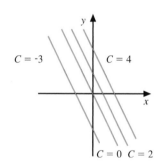

$C = -3$ $\qquad$ $C = 4$

$C = 0$ $\quad C = 2$

b) Puisque $2x\, dx = -8y\, dy$
alors $\displaystyle\int 2x\, dx = \int (-8y)\, dy$
ainsi $x^2 = -4y^2 + C$
d'où $x^2 + 4y^2 = C$
> with(plots):
> C1:=implicitplot(x^2+4*y^2=
   5,x=-6..6,y=-6..6,
   color=red):
> C2:=implicitplot
   (x^2+4*y^2=
   12,x=-6..6,y=-6..6,color=blue):
> C3:=implicitplot(x^2+4*y^2=
   30,x=-6..6,y=-6..6,color=green):
> display(C1,C2,C3,scaling=constrained);

c) Puisque $\dfrac{dy}{y} = \dfrac{dx}{3}$

alors $\displaystyle\int \dfrac{1}{y}\, dy = \int \dfrac{1}{3}\, dx$

ainsi $\ln y = \dfrac{x}{3} + C_1$

$y = e^{\frac{x}{3} + C_1}$

$y = e^{\frac{x}{3}}\, e^{C_1}$

d'où $y = Ce^{\frac{x}{3}}$ $\quad (C = e^{C_1})$

> with(plots):
> C1:=plot(exp(x/3),x=-6..6,
   y=0..8,color=red):
> C2:=plot(2*exp(x/3),x=-6..6,
   y=0..8,color=blue):
> C3:=plot(3*exp(x/3),x=-6..6,
   y=0..8,color=green):
> display(C1,C2,C3,
   scaling=constrained);

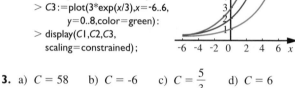

3. a) $C = 58$ $\quad$ b) $C = -6$ $\quad$ c) $C = \dfrac{5}{3}$ $\quad$ d) $C = 6$

4. a) $f(x) = \dfrac{x^4}{4} - x^2 + 4x + \dfrac{3}{4}$

b) $x = -4{,}9t^2 + 12t + 10$ $\qquad$ f) $v = \left(\dfrac{\sqrt{t^3}}{3} + \dfrac{1}{3}\right)^2$

c) $y = \sqrt[3]{x^3 - 9}$ $\qquad$ g) $Q = 22e^{-5t}$

d) $y = \dfrac{4}{e}\, e^{\frac{-1}{x}}$ $\qquad$ h) $y = \dfrac{1}{\dfrac{1}{x} - 2}$

e) $y = \dfrac{-1}{x^2 - \dfrac{37}{4}}$ $\qquad$ i) $y = \dfrac{-1}{\sqrt[3]{3 \sin \theta - \dfrac{19}{2}}}$

5. a) $f'(x) = 3x + C_1$
Puisque $f'(2) = 5$, nous trouvons $C_1 = -1$
ainsi $f'(x) = 3x - 1$

$$f(x) = \dfrac{3x^2}{2} - x + C$$

Puisque $f(-2) = 3$, nous trouvons $C = -5$

d'où $f(x) = \dfrac{3x^2}{2} - x - 5$

b) $f'(x) = 2x^2 + 3$ (pente de la tangente donnée par $f'(x)$)

$$f(x) = \dfrac{2x^3}{3} + 3x + C$$

Puisque $f(3) = -2$, nous trouvons $C = -29$

d'où $f(x) = \dfrac{2x^3}{3} + 3x - 29$

c) $f'(x) = \dfrac{1}{x} + C_1$

Puisque $f'(1) = 3$, nous trouvons $C_1 = 2$

ainsi $f'(x) = \dfrac{1}{x} + 2$

$f(x) = \ln |x| + 2x + C$

Puisque $f(1) = 6$, nous trouvons $C = 4$

d'où $f(x) = \ln |x| + 2x + 4$

6. a) $\dfrac{dy}{dx} = y^2$

$\dfrac{dy}{y^2} = dx$

$$\frac{-1}{y} = x + C$$

d'où $y = \dfrac{-1}{x + C}$

b) i) $y_1 = \dfrac{-1}{x - 2}$ ii) $y_2 = \dfrac{-1}{x - 1}$ iii) $y_3 = \dfrac{-1}{x + 1}$

c) > with(plots):
> C1:=plot(-1/(x−2),x=-5..5,y=-5..5,
   color=red, discont=true):
> C2:=plot(-1/(x−1),x=-5..5,
   color=blue,discont=true):
> C3:=plot(-1/(x+1),x=-5..5,
   color=green,discont=true):
> x1:=plot([2,y,y=-80..80],
   linestyle=4,color=black):
> x2:=plot([1,y,y=-80..80],
   linestyle=4,color=black):
> x3:=plot([-1,y,y=-80..80],linestyle=4,color=black):
> display(C1,C2,C3,x1,x2,x3);

7. a) $m_1 = f'(x) = 2x$

ainsi, la pente m_2 de la famille de courbes cherchée est donnée par

$$m_2 = \frac{-1}{2x} \qquad (\text{car } m_1 \cdot m_2 = -1)$$

ainsi $\dfrac{dy}{dx} = \dfrac{-1}{2x}$

$$dy = \frac{-1}{2x}\, dx$$

d'où $\quad y = \dfrac{-1}{2} \ln x + C \quad (\text{car } x > 0)$

b) i) $f(1) = 5$, d'où $f_1(x) = x^2 + 4$

$g(1) = 5$, d'où $g_1(x) = \dfrac{-1}{2} \ln x + 5$

ii) $f(2) = 3$, d'où $f_2(x) = x^2 - 1$

$g(2) = 3$, d'où $g_2(x) = \dfrac{-1}{2} \ln x + 3 + \dfrac{1}{2} \ln 2$

c) > with(plots):
> f1:=plot(x^2+4,x=0..4,y=-2..8,
   color=red):
> g1:=plot((-ln(x)/2)+5,x=0..4,y=-2..8,
   color=magenta):
> f2:=plot(x^2−1,x=0..4,y=-2..8,
   color=blue):
> g2:=plot((-ln(x)/2)+3+ln(2)/2,x=0..4,
   y=-2..8,color=green):
> display(f1,g1,f2,g2,
   scaling=constrained);

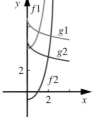

Exercices 2.5 *(page 96)*

1. a) $\dfrac{dv}{dt} = -2$

$$\int dv = \int -2\, dt$$

$$v = -2t + C$$

Puisque $v = 15$ lorsque $t = 0$,
nous obtenons $v = -2t + 15$.

b) $\dfrac{dx}{dt} = -2t + 15$

$$\int dx = \int (-2t + 15)\, dt$$

$$x = -t^2 + 15t + C$$

Puisque $x = 0$ lorsque $t = 0$,
nous obtenons $x = -t^2 + 15t$.

c) En posant $v = 0$, nous trouvons $t = 7{,}5$ s,
ainsi $d = x(7{,}5) - x(0) = 56{,}25$ m.

2. a) $\dfrac{dv}{dt} = -9{,}8$

$$\int dv = -\int 9{,}8\, dt$$

$$v = -9{,}8t + C$$

Puisque $v = 0$ lorsque $t = 0$,
nous obtenons $v = -9{,}8t$.

b) $\dfrac{dx}{dt} = -9{,}8t$

$$\int dx = -\int 9{,}8t\, dt$$

$$x = -4{,}9t^2 + C$$

Puisque $x = 1225$ lorsque $t = 0$,
nous obtenons $x = -4{,}9t^2 + 1225$.

c) En posant $x = 0$, nous trouvons $t \approx 15{,}81$ s.

d) En posant $t = 15{,}81$ dans $v = -9{,}8t$, nous obtenons
$v \approx -154{,}94$.

Donc, la vitesse de l'objet, à l'instant où il touche le sol,
est d'environ 155 m/s.

3. a) $\dfrac{dv}{dt} = \dfrac{-1296}{(0{,}1t + 12)^3}$

$$\int dv = \int \frac{-1296}{(0{,}1t + 12)^3}\, dt$$

$$v = \frac{6480}{(0{,}1t + 12)^2} + C$$

Puisque $v = 25$ lorsque $t = 0$,

nous obtenons $v = \dfrac{6480}{(0{,}1t + 12)^2} - 20$.

En posant $v = 0$, nous trouvons $t = 60$ s.

b) $\dfrac{dx}{dt} = \dfrac{6480}{(0{,}1t + 12)^2} - 20$

$$\int dx = \int \left(\frac{6480}{(0{,}1t + 12)^2} - 20 \right) dt$$

$$x = \frac{-64\,800}{(0{,}1t + 12)} - 20t + C$$

Distance parcourue $= x(60) - x(0) = 600$ m.

> a:=t→-1296/(0.1*t+12)^3;

$$a := t \to -1296\, \frac{1}{(.1t + 12)^3}$$

> plot(a(t),t=0..60,
   y=-1..0);

> v:=t→(6480/(0.1*t+12)^2)−20;

$$v := t \to 6480\, \frac{1}{(.1t + 12)^2} - 20$$

> plot(v(t),t=0..60,y=0..30,color=blue);

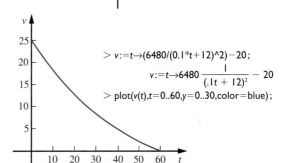

```
> x:=t→(-64800/(0.1*t+12))−20*t+5400;
```
$$x := t \to \text{-}64800 \, \frac{1}{.1t + 12} - 20t + 5400$$
```
> plot(x(t),t=0..60,y=0..700,color=green);
```

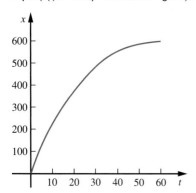

```
> x1:=fsolve(exp(0.007*t)=2);
                    x1:=99.02102579
> x2:=fsolve(exp(0.018*t)=2);
                    x2:=38.50817670
> x11:=plot([fsolve(exp(0.018*t)=2),t,t=0..2],linestyle=4,
        color=black):
> x22:=plot([fsolve(exp(0.007*t)=2),t,t=0..2],linestyle=4,
        color=black):
> display(P1,P2,y,x11,x22);
```

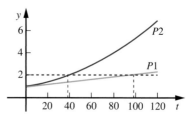

4. a) $\dfrac{dP}{dt} = 0{,}012\,P$

  b) $\displaystyle\int \frac{1}{P}\,dP = \int 0{,}012\,dt$

  $\ln |P| = 0{,}012t + C$
  $\ln P = 0{,}012t + C$ (car $P > 0$)
  En remplaçant t par 0 (en 2000) et P par 60 000,
  nous obtenons $\ln P = 0{,}012t + \ln 60\,000$ (1)
  ainsi $P = 60\,000e^{0,012t}$ (2)

  c) En posant $t = 15$ dans (2), $P \approx 71\,833$ habitants.

  d) En posant $P = 80\,000$ dans (1), $t \approx 24$ ans ;
  donc, durant l'année 2024.

5. a) $\dfrac{dN}{dt} = KN$

  b) $\displaystyle\int \frac{1}{N}\,dN = \int K\,dt$

  $\ln N = Kt + C$
  Puisque $N = 10\,000$ lorsque $t = 0$,
  nous obtenons $\ln N = Kt + \ln 10\,000$.
  Puisque $N = 14\,000$ lorsque $t = 2$,

  nous obtenons $\ln N = \dfrac{\ln (1{,}4)}{2}\,t + \ln 10\,000$ (1)

  d'où $N = 10\,000e^{\frac{\ln (1,4)}{2}t}$ (2)

  et $N = 10\,000\,(1{,}4)^{\frac{t}{2}}$ (3)

  c) En posant $t = 5$, dans (2) $N \approx 23\,191$ bactéries.

  d) En posant $N = 20\,000$ dans (1), $t \approx 4{,}12$ heures.

6. a) $\dfrac{dP}{dt} = (4{,}2\,\% - 3{,}5\,\%)P$

  b) $\displaystyle\int \frac{1}{P}\,dP = \int 0{,}007\,dt$

  $\ln P = 0{,}007t + C$
  En posant $P = P_0$ lorsque $t = 0$,
  nous obtenons $\ln P = 0{,}007t + \ln P_0$ (1)
  d'où $P = P_0e^{0,007t}$ (2)

  c) En posant $P = 2P_0$ dans (2), $t \approx 99$ années.

  d) En posant $P = 2P_0$ dans $\ln P = 0{,}018t + \ln P_0$
  nous obtenons $t \approx 38{,}5$ années.

  e) Le graphique est tracé avec $P_0 = 1$.
```
> with(plots):
> P1:=plot(exp(0.007*t),t=0..120,color=orange):
> P2:=plot(exp(0.018*t),t=0..120,color=blue):
> y:=plot(2,t=0..120,color=blue,linestyle=4):
```

7. a) $\dfrac{dP}{dt} = (2{,}8\,\% - 1{,}5\,\%)P - 1000$

  $\dfrac{dP}{dt} = 0{,}013P - 1000$

  b) $\dfrac{dP}{0{,}013P - 1000} = dt$

  $\displaystyle\int \frac{1}{0{,}013P - 1000}\,dP = \int dt$

  $\dfrac{1}{0{,}013} \ln |0{,}013P - 1000| = t + C$

  Puisque $P = 25\,000$ lorsque $t = 0$, nous obtenons

  $\dfrac{1}{0{,}013} \ln |\text{-}675| = C$

  ainsi $\dfrac{1}{0{,}013} \ln |0{,}013P - 1000| = t + \dfrac{1}{0{,}013} \ln 675$

  $\ln |0{,}013P - 1000| = 0{,}013t + \ln 675$
  Puisque $(0{,}013P - 1000) < 0$, nous obtenons
  $\ln (1000 - 0{,}013P) = 0{,}013t + \ln 675$ (1)

  d'où $P = \dfrac{1000 - 675e^{0,013t}}{0{,}013}$ (2)

  c) En posant $t = 10$ dans (2), $P \approx 17\,792$ habitants.

  d) En posant $P = 10\,000$ dans (1), $t \approx 19{,}5$ années,
  d'où vers le milieu de l'an 2019.

  e) En posant $P = 0$ dans (1), $t \approx 30{,}2$ années,
  d'où au début de l'an 2030.

  f)
```
> with(plots):
> P:=t→(1000−675*exp(0.013*t))/0.013;
        P:=t→76923.07692 − 51923.07692e^(.013t)
> t1:=solve(P(t)=0,t);
                    t1:= 30.23404524
> plot(P(t),t=0..t1);
```

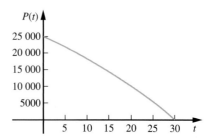

8. a) $\dfrac{dQ}{dt} = KQ$

b)
$$\int \frac{1}{Q}\, dQ = \int K\, dt$$
$$\ln Q = Kt + C$$

En posant $Q = Q_0$ lorsque $t = 0$,
nous obtenons $\ln Q = Kt + \ln Q_0$.

Puisque $Q = \dfrac{Q_0}{2}$ lorsque $t = 5600$,

nous obtenons $\ln Q = \dfrac{\ln\left(\frac{1}{2}\right)}{5600} t + \ln Q_0$ \hfill (1)

d'où $\qquad Q = Q_0 e^{\frac{\ln\left(\frac{1}{2}\right)}{5600} t}$ \hfill (2)

et $\qquad Q = Q_0\left(\dfrac{1}{2}\right)^{\frac{t}{5600}}$ \hfill (3)

c) En posant $t = 10\,000$ dans (2), $Q \approx 0{,}29 Q_0$.

d) En posant $Q = 0{,}10 Q_0$ dans (1), nous obtenons
$t \approx 18\,603$ années.

e) Le graphique est tracé avec $Q_0 = 1$.

```
> Q:=t→(1/2)^(t/5600);
```
$$Q := t \to \left(\frac{1}{2}\right)^{(1/5600\ t)}$$
```
> t1:=plot([5600,y,y=-10..0.5],linestyle=4,color=black):
> Q1:=plot(Q(t),t=0..20000,y=0..1,color=red):
> y1:=plot(0.5,t=0..5600,y=0..1,color=blue):
> with(plots):
> display(t1,Q1,y1);
```

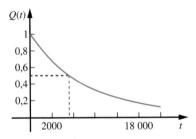

9. a)
$$\frac{dT}{dt} = K\,(T - 20)$$
$$\int \frac{1}{T - 20}\, dT = \int K\, dt$$
$$\ln |T - 20| = Kt + C$$

En posant $T = 65$ lorsque $t = 0$,
nous obtenons $\ln |T - 20| = Kt + \ln 45$.
Puisque $T = 30$ lorsque $t = 10$,

nous obtenons $\ln |T - 20| = \dfrac{\ln\left(\frac{2}{9}\right)}{10} t + \ln 45$ \hfill (1)

d'où $\qquad T = 20 + 45 e^{\frac{\ln\left(\frac{2}{9}\right) t}{10}}$ \hfill (2)

et $\qquad T = 20 + 45\left(\dfrac{2}{9}\right)^{\frac{t}{10}}$ \hfill (3)

b) En posant $T = 45$ dans (1), $t \approx 3{,}9$ minutes.

c) En posant $T = 50$ dans (1), nous trouvons $t_1 \approx 2{,}7$ et
en posant $T = 35$ dans (1), nous trouvons $t_2 \approx 7{,}3$,
d'où $t = t_2 - t_1 \approx 4{,}6$ minutes.

d) En posant $t = 40$ dans (2), $T \approx 20{,}11\,°\text{C}$.

e) $T_{\min} = \lim\limits_{t \to +\infty} \left[20 + 45\left(\dfrac{2}{9}\right)^{\frac{t}{10}} \right] = 20\,°\text{C}$.

f)
```
> with(plots):
> T:=t→20+45*(2/9)^(t/10);
```
$$T := t \to 20 + 45\left(\frac{2}{9}\right)^{(1/10t)}$$
```
> plot([T(t),20],t=0..40,y=0..70,color=[red,blue],
    linestyle=[1,4]);
```

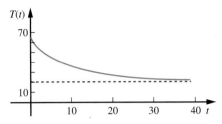

10. a) Soit Q la quantité de la substance A présente à chaque
instant.

Nous ajoutons $\dfrac{200\ \text{litres}}{\text{min}} \times 0{,}015\ \dfrac{\text{kg}}{\text{litres}} = 3\ \text{kg/min}$ et

chaque minute, la quantité de la substance A qui se

vide est $\dfrac{200\ \text{litres}}{\text{min}} \times \dfrac{Q}{4000}\ \dfrac{\text{kg}}{\text{litres}} = \dfrac{Q}{20}\ \text{kg/min}$,

ainsi $\dfrac{dQ}{dt} = \left(3 - \dfrac{Q}{20}\right)$.

b)
$$\frac{dQ}{dt} = \frac{60 - Q}{20}$$
$$\frac{dQ}{60 - Q} = \frac{dt}{20}$$
$$\int \frac{1}{60 - Q}\, dQ = \int \frac{1}{20}\, dt$$
$$-\ln |60 - Q| = \frac{1}{20} t + C$$

En posant $Q = 160$ lorsque $t = 0$,

nous obtenons $\ln |60 - Q| = \dfrac{-1}{20} t + \ln 100$.

Puisque $Q > 60$ \quad (car $4000 \times 0{,}015 = 60$),

nous obtenons $\ln (Q - 60) = \dfrac{-1}{20} t + \ln 100$ \hfill (1)

d'où $\qquad Q = 60 + 100 e^{\frac{-t}{20}}$ \hfill (2)

c) En posant $Q = 100$ dans (1), $t \approx 18{,}3$ min.

d) En posant $t = 60$ dans (2), $Q \approx 65$ kg.

e) $Q_{\min} = \lim\limits_{t \to +\infty} (60 + 100 e^{\frac{-t}{20}}) = 60$ kg.

f)
```
> Q:=t→60+100*exp(-t/20);
```
$$Q := t \to 60 + 100 e^{(-1/20t)}$$
```
> plot([Q(t),60],t=0..60,y=0..180,color=[red,blue],
    linestyle=[1,4]);
```

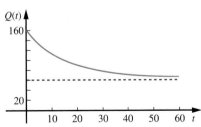

11. a) Soit Q, la quantité de sel dissous dans l'eau.
$$\frac{dQ}{dt} = \frac{-Q}{1000 + t}$$

b)
$$\int \frac{1}{Q}\, dQ = -\int \frac{1}{1000 + t}\, dt$$

$$\ln |Q| = -\ln |1000 + t| + C$$
$$\ln Q = -\ln (1000 + t) + C$$
$$Q = Ce^{-\ln (1000 + t)}$$
$$Q = \frac{C}{1000 + t}$$

Puisque $Q = 50$ lorsque $t = 0$,

nous obtenons $Q = \dfrac{50\,000}{1000 + t}$.

c) En posant $Q = 20$, $t = 1500$, donc 1500 minutes, c'est-à-dire 25 heures.

d) La quantité de sel est de 20 kg et la quantité du mélange, de 2500 L, d'où la concentration de sel dans le mélange est 0,008 kg/L.

e) Le réservoir est rempli lorsque $t = 4000$ min, d'où $Q = 10$ kg.

12. a) Puisque $r = 5$, $V = 25\pi h$,

d'où $h = \dfrac{V}{25\pi}$

$$\frac{dV}{dt} = kh$$

d'où $\dfrac{dV}{dt} = \dfrac{kV}{25\pi}$

b)
$$\int \frac{1}{V}\, dV = \int \frac{k}{25\pi}\, dt$$
$$\ln |V| = \frac{k}{25\pi}\, t + C$$
$$\ln V = \frac{k}{25\pi}\, t + C$$

Puisque $V = 300\pi$ lorsque $t = 0$,

nous obtenons $\ln V = \dfrac{k}{25\pi}\, t + \ln 300\pi$.

Puisque $V = 0{,}8 \times 300\pi = 240\pi$ lorsque $t = 5$,

nous obtenons $k = 5\pi \ln 0{,}8$.

Ainsi $\ln V = \dfrac{\ln (0{,}8)}{5}\, t + \ln 300\pi$ (1)

d'où $V = 300\pi e^{\frac{\ln (0{,}8)}{5}\, t}$ (2)

et $V = 300\pi (0{,}8)^{\frac{t}{5}}$ (3)

c) En posant $t = 8$ dans (2), $V \approx 210\pi$ m³.

d) En posant $V = 0{,}4 \times 300\pi = 120\pi$, $t \approx 20{,}53$ heures.

e) En posant $t = 24$ dans (2), $V \approx 102{,}8\pi$.
De $V = \pi r^2 h$, nous trouvons $h \approx 4{,}11$ mètres.

13. a) $\dfrac{dQ}{dt} = \dfrac{-50}{1 + t}$

b)
$$\int dQ = \int \frac{-50}{1 + t}\, dt$$
$$Q = -50 \ln |1 + t| + C$$
$$Q = -50 \ln (1 + t) + C$$

Puisque $Q = 100$ lorsque $t = 0$,

nous obtenons $Q = -50 \ln (1 + t) + 100$.

c) Lorsque $t = 2$, $Q \approx 45$ ml.

d) Lorsque $t = 4$, $Q \approx 19{,}5$; l'organisme a donc éliminé $100 - 19{,}5$, donc environ 80,5 ml.

e) En posant $Q = 0$, nous obtenons $t \approx 6{,}39$ heures.

f) Laissée à l'élève.

14. a)
$$\frac{dV}{dt} = 100t - 2500$$
$$\int dV = \int (100t - 2500)\, dt$$
$$V = 50t^2 - 2500t + C$$

Puisque $V = 31\,250$ lorsque $t = 0$,

nous obtenons $V = 50t^2 - 2500t + 31\,250$.

Lorsque $t = 3$, $V = 24\,200$ \$.

b) En posant $V = 22\,050$, nous obtenons $t = 4$ ans.

15. a)
$$\frac{dF}{dq} = 5q^2 + 3q$$
$$\int dF = \int (5q^2 + 3q)\, dq$$
$$F = \frac{5q^3}{3} + \frac{3q^2}{2} + C$$

Puisque $F = 3096$ lorsque $q = 0$,

nous obtenons $F = \dfrac{5q^3}{3} + \dfrac{3q^2}{2} + 3096$.

b) En posant $q = 12$, nous obtenons $F = 6192$ \$.

16. a) $\dfrac{dA}{dt} = 0{,}1A$

b)
$$\int \frac{1}{A}\, dA = \int 0{,}1\, dt$$
$$\ln |A| = 0{,}1t + C$$
$$\ln A = 0{,}1t + C$$

Puisque $A = 8243{,}61$ lorsque $t = 5$,

nous obtenons $\ln A = 0{,}1t + \ln 8243{,}61 - 0{,}5$ (1)

d'où $A = 8243{,}61 e^{(0{,}1t - 0{,}5)}$ (2)

c) En posant $t = 0$ dans (2), $A \approx 5000$ \$.

d) En posant $A = 20\,000$ dans (1), $t \approx 13{,}86$ ans.

17. a) $\dfrac{dA}{dt} = jA$

b)
$$\int \frac{1}{A}\, dA = \int j\, dt$$
$$\ln |A| = jt + C$$
$$\ln A = jt + C$$

En posant $A = A_0$ lorsque $t = 0$,

nous obtenons $\ln A = jt + \ln A_0$ (1)

d'où $A = A_0 e^{jt}$ (2)

c) En posant $A = 2A_0$ dans (1),
si $j = 0{,}04$, nous obtenons $t \approx 17{,}3$ années;
si $j = 0{,}08$, nous obtenons $t \approx 8{,}7$ années.

d) En posant $j = 0{,}05$ et $t = 7$ dans (2), $A \approx 1{,}4\, A_0$;
en posant $j = 0{,}07$ et $t = 5$ dans (2), $A \approx 1{,}4\, A_0$.

▦ Exercices récapitulatifs (page 101)

1. a) Environ 8,063

  b) Environ $\left(1 - \dfrac{\pi}{90}\right)$

2. a) $dV = 1{,}92$ cm³; $\Delta V = 1{,}922\,401$ cm³

  b) $dA = 0{,}96$ cm²; $\Delta A = 0{,}9606$ cm²

3. a) $E_a \approx 0{,}858\pi$ cm²

  b) $E_r \approx 0{,}28\,\%$

  c) $E_r \approx \dfrac{2dh}{h}$

4. Laissées à l'élève.

5. a) $\dfrac{5\sqrt[5]{x^8}}{8} + 8\sqrt{x} + \dfrac{21}{2\sqrt[3]{x^2}} + C$

b) $\dfrac{7}{3}\ln|u| + \dfrac{4}{5u} - \dfrac{2}{7}\operatorname{Arc\,sin} u + C$

c) $\dfrac{3}{5}\operatorname{Arc\,tan} t - \dfrac{10^t}{\ln 10} + C$

d) $\tan\theta - \sec\theta + C$

e) $x - 4\sqrt{x} + \ln|x| + C$

f) $x - 5\operatorname{Arc\,tan} x + C$

g) $x - 3\ln|x| + C$

h) $\tan\theta - \cot\theta + C$

6. a) $\dfrac{-2}{27}(5 - x^3)^9 + C$

b) $\dfrac{\sin^4 2\theta}{8} + C$

c) $\dfrac{-3\cos x^2}{2} + C$

d) $2\ln(u^2 + 1) + C$

e) $\dfrac{3}{5}\tan(x^5 + 5x) + C$

f) $\dfrac{-e^{\frac{1}{x}}}{3} + C$

g) $\ln|\operatorname{Arc\,tan} x| + C$

h) $\dfrac{3}{4}\sec^4\left(\dfrac{t}{3}\right) + C$

i) $\dfrac{e^{\sin 3x}}{3} + C$

j) $\dfrac{2}{\left(1 + \dfrac{1}{v^2}\right)^2} + C$

k) $\dfrac{-\cot^3 4\theta}{12} + C$

l) $2\sqrt{e^x - \cos x} + C$

7. Laissées à l'élève.

8. a) $\dfrac{\ln|\sec(3x+4) + \tan(3x+4)|}{3} + C$

b) $\tan(\tan\theta) + C$

c) $\dfrac{\ln|\sec 3x^2|}{2} + C$

d) $\dfrac{\tan(5t+1)}{5} - t + C$

e) $2\tan 5\theta + \dfrac{6\sec 5\theta}{5} - 9\theta + C$

f) $\sec x - \ln|\sec x + \tan x| + \sin x + C$

g) $\dfrac{-1}{2\sin^2\varphi} + C_1$ ou $\dfrac{-1}{2\tan^2\varphi} + C_2$

h) $\dfrac{1}{2}(x - \sin x) + C$

i) $t + \sin^2 t + C$

j) $2\ln|\csc(1 - 4x) + \cot(1 - 4x)| + C$

k) $2\sqrt{\sin t} + C$

l) $-\ln|1 + \cos\theta| + C$

9. a) $\dfrac{4}{3}x^{\frac{3}{2}} + 14\sqrt{x} - 5\ln|x| + 2e^{\sqrt{x}} + C$

b) $\dfrac{-1}{(t+1)} + C$

c) $\dfrac{\sin^5(e^x)}{5} + C$

d) $\dfrac{1}{2}\ln(2 + e^{2x}) - e^{-2x} + x + C$

e) $2u + \ln|3u + 1| + C$

f) $\dfrac{2}{3}\csc^{\frac{3}{2}}(1 - x) + C$

g) $\dfrac{\tan^4\theta}{4} + \dfrac{\sec^3\theta}{3} + C$

h) $-3\cot 2x + 3\csc 2x + C_1$ ou $3\tan x + C_2$

i) $\operatorname{Arc\,sin}\left(\dfrac{y\sqrt{7}}{7}\right) + C$

j) $\operatorname{Arc\,sec}(\ln t) + C$

k) $-8\sqrt{1 - x^2} + 4\operatorname{Arc\,sin} x^2 + C$

l) $\dfrac{3x^5}{5} + \dfrac{(x^3 + 1)^{13}}{13} + C$

m) $\dfrac{1}{6}\operatorname{Arc\,tan}\left(\dfrac{2e^x}{3}\right) + C$

n) $\dfrac{-(1 - x^2)^{\frac{3}{2}}}{3} + \dfrac{(1 - x^2)^{\frac{5}{2}}}{5} + C$

10. a) $y - \sqrt{x^2 - 7}$

b) $s = 4t$

c) $x = \operatorname{Arc\,tan}(-\cos t)$

d) $y = \ln\left(\dfrac{e^{2x} + e^8}{2}\right)$

e) $y = \dfrac{-3}{5}e^{\frac{-5x^2}{2}} + \dfrac{3}{5}$

11. a) $f(x) = e^x + e^{-x} - \cos x + x + 1$

b) $g(x) = 2x^3 - 4x^2 + 3x + 1$

c) $h(x) = x^3 - 6x + 5$

12. a) $y = k\,e^{\frac{x^2}{2}}$, où $k \neq 0$

b) $y = \dfrac{1}{e}\,e^{\frac{x^2}{2}}$; $y = -\sqrt{e}\,e^{\frac{x^2}{2}}$

13. a) $(x - 4)^2 + y^2 = C$

Chaque courbe est un cercle centré au point A(4, 0) et de rayon $\sqrt{C}$.

b) $y = D(x - 4)$

c) Laissée à l'élève.

d) $(x - 4)^2 + y^2 = 7$ et $y = \dfrac{\sqrt{3}}{2}(x - 4)$

14. a) $v = -9,8t + 24,5$

b) $x = -4,9t^2 + 24,5t + 245$

c) 2,5 s

d) Environ 275,63 m

e) 73,5 m/s

15. $\left[8 + 25\ln\left(\dfrac{19}{11}\right)\right]$ mètres $\approx 21,66$ mètres

16. Environ 6,58 %

17. a) Environ 98 bélougas

b) Vers le milieu de l'année 2010

c) Vers le début de l'année 2043

18. Environ 17,33 jours

19. a) Environ 0,85 Q_0, où Q_0 est la quantité initiale

b) Environ 0,73 Q_0

c) Environ 12,6 heures

d) Environ 83,7 heures

20. Environ 259 ans ; environ 0,78 %

21. a) $V \approx \dfrac{90\,(1,5)^{\sqrt{t}}}{\ln(1,5)} + 1778,03$; environ 2578,12 $

b) Environ 6 ans

22. a) Environ 15 841 \$ d) Environ 9608 \$

     b) Environ 12 ans   e) Environ 8595 \$

     c) 6,57 %

23. a) $P = 8000 + 38\,000e^{0,03t}$

     b) Environ 77 240 habitants

     c) Environ 26,44 années

24. a) $N = 500\,000 - 450\,000e^{\frac{\ln\left(\frac{14}{15}\right)t}{2}}$

     ou

     $N = 500\,000 - 450\,000\left(\dfrac{14}{15}\right)^{\frac{t}{2}}$

     b) Environ 303 368 bactéries

     c) Environ 63,7 heures

     d) Laissée à l'élève.

25. Entre 15 h 49 et 15 h 50

26. a) Environ 4,09 minutes

     b) Environ 75,7 °C

     c) Laissée à l'élève.

27. Environ 0,40 atm

28. a) $Q = 100e^{\frac{-t}{30}}$

     b) Environ 13,53 kilogrammes

     c) Environ 3 heures et 48 minutes

29. a) $\dfrac{dQ}{dt} = 4 - \dfrac{Q}{35}$

     b) $Q = 140 - 140e^{\frac{-t}{35}}$

     c) Environ 69,5 kilogrammes

     d) Environ 24,26 minutes

     e) Laissée à l'élève.

30. a) $h = \left(8 - \dfrac{4t}{5}\right)^2$ (en centimètres)

     b) 5 minutes

▨ Problèmes de synthèse (page 105)

1. Laissées à l'élève.

2. $y = \dfrac{256e}{(\pi^2 + 16)^2}(x^2 + 1)^2\, e^{\text{Arc tan } x}$

3. a) $y_1 = \sqrt[5]{\dfrac{5x^3}{3} + C_1}$

     b) $y_2 = \dfrac{1}{\sqrt[3]{C_2 - \dfrac{3}{x}}}$

     c) $y_1 = \sqrt[5]{\dfrac{5x^3}{3} - 13}$ et $y_2 = \dfrac{1}{\sqrt[3]{\dfrac{9}{8} - \dfrac{3}{x}}}$

     d) Laissée à l'élève.

4. a) Environ 31,83 secondes

     b) Environ 48,988 mètres

     c) Un temps infini $(t \to +\infty)$

     d) $v = \dfrac{10\,000}{10\,000 + \pi^2 t^2}$ (en m/s); $a = \dfrac{-20\,000\pi^2 t}{(10\,000 + \pi^2 t^2)^2}$ (en m/s²)

5. a) $T = \dfrac{1}{\sqrt[3]{\left(\dfrac{1}{(282)^3} - \dfrac{1}{(293)^3}\right)\dfrac{t}{2} + \dfrac{1}{(293)^3}}}$

     b) Environ 264,14 K

6. Environ 117,73 ml

7. Environ 81,5 km/h

8. 12 secondes; $5,\overline{5}$ m/s²

9. 4 secondes; 6,25 m/s²

10. a) $A \approx 1338,23$ \$ e) $A = 1000\,e^{(0,06)5} \approx 1349,86$ \$

      b) $A \approx 1343,92$ \$ f) $A \approx 1349,86$ \$

      c) $A \approx 1348,85$ \$ g) Ils sont identiques.

      d) $A \approx 1349,82$ \$

11. a) $i = e^j - 1$ b) $i \approx 7,52 \%$

12. a) 4,096 cm³   b) 15 minutes

13. $T = A + (T_0 - A)\,e^{Kt}$

14. Lyne, car la température de son café est à environ 75,11 °C, alors que le café de Johanne est à environ 75,03 °C.

15. a) $V = 6(1 - e^{\frac{-t}{150}})$, exprimé en m³

     b) Environ 49,3 minutes

     c) Laissée à l'élève.

16. $T = \dfrac{2\pi}{\sqrt{g}}\sqrt{L}$

17. Vers 5 h 46

18. a) $dp = \left[\dfrac{2a}{v^3} - \dfrac{nRT}{(v - b)^2}\right]dv$

     b) $dp = \dfrac{nR}{(v - b)}\,dT$

     c) $dT = \dfrac{1}{nR}\left[p + \dfrac{a}{v^2} - \dfrac{2a}{v^3}(v - b)\right]dv$

19. a) $v = v_0 + u_0 \ln\left(\dfrac{m_0}{m}\right)$ b) $m \to 0$

20. $I = \dfrac{E}{R}\left(1 - e^{\frac{-Rt}{L}}\right)$

21. a) $\dfrac{dC}{dt} = n_1 C - m_1 C - pCL = (n_1 - m_1 - pL)\,C$

     $\dfrac{dL}{dt} = hLC - m_2 L = (hC - m_2)\,L$

     b) $K = (C^{-m_2}\,e^{hC})\,(L^{(m_1 - n_1)}\,e^{pL})$

     c) $C = \dfrac{m_2}{h}$ et $L = \dfrac{n_1 - m_1}{p}$

     d) Laissée à l'élève.

Chapitre 3

Test préliminaire *(page 111)*

1. $\lim\limits_{h \to 0} \dfrac{A(x + h) - A(x)}{h} = A'(x)$

2. a) 6

b) $\dfrac{3}{8}$

3. a) ... il existe au moins un nombre $c \in \,]a, b[$ tel que $f(c) = K$.

b) ... il existe au moins un nombre $c \in \,]a, b[$ tel que

$f'(c) = \dfrac{f(b) - f(a)}{b - a}$

c) ... $\forall \, x \in [a, b], f(x) = g(x) + C$, où C est une constante réelle.

4. a) $\dfrac{45}{4} \, u^2$

b) $f\left(\dfrac{1}{4}\right)\dfrac{3}{4} + f(1)\,\dfrac{1}{2} + f\left(\dfrac{3}{2}\right)\dfrac{1}{4} + f(2)\,1 + f\left(\dfrac{5}{2}\right)\dfrac{1}{2} = \dfrac{359}{64} \, u^2$

5. Soit $\quad f(x) = ax^2 + bx + c$

Puisque $f(0) = 7$, nous avons $c = 7$

donc $\quad f(x) = ax^2 + bx + 7$

Puisque $\quad f(1) = 6$, nous avons $\quad a + b + 7 = 6$

et puisque $f(-2) = 21$, nous avons $4a - 2b + 7 = 21$

En résolvant le système $a + b = -1$

$\qquad\qquad\qquad\qquad\qquad 4a - 2b = 14$

nous obtenons $a = 2$ et $b = -3$

D'où $f(x) = 2x^2 - 3x + 7$

Exercices

Exercices 3.1 (page 117)

1. a) $\dfrac{3}{10} + \dfrac{4}{17} + \dfrac{5}{26} + \dfrac{6}{37} + \dfrac{7}{50} + \dfrac{8}{65} + \dfrac{9}{82}$

b) $31 + 107 + 255 + 499$

c) $2^3 + 2^4 + 2^5 + \ldots + 2^{56} + 2^{57}$

d) $-1 + \dfrac{1}{3} + \dfrac{3}{5} + \ldots + \dfrac{57}{59} + \dfrac{59}{61}$

e) $8 - 9 + 10 - 11 + 12$

f) $\left[-2 - \dfrac{1}{2}\right] + \left[4 - \dfrac{1}{4}\right] + \left[-8 - \dfrac{1}{8}\right] + \left[16 - \dfrac{1}{16}\right]$

2. a) $\sum\limits_{k=1}^{7} k^2$

b) $\sum\limits_{k=0}^{5} 2^k$

c) $\sum\limits_{k=1}^{4} 5$

d) $\sum\limits_{k=2}^{25} k^3$

e) $\sum\limits_{k=1}^{10} \dfrac{(-1)^k k^2}{k+1}$

f) $\sum\limits_{k=1}^{8} (-1)^{k+1}(2k - 1)$

3. a) $\dfrac{100 \times 101}{2} = 5050 \quad$ (formule 1, où $k = 100$)

b) $\dfrac{100 \times 101 \times 201}{6} = 338\,350 \quad$ (formule 2, où $k = 100$)

c) $6 \times 42 = 252$

d) $\dfrac{30^2 \times 31^2}{4} = 216\,225 \quad$ (formule 3, où $k = 30$)

e) $\sum\limits_{i=1}^{90} i - \sum\limits_{i=1}^{9} i = 4095 - 45 = 4050$

f) $\dfrac{1}{(45)^3} \sum\limits_{i=1}^{44} i^2 = \dfrac{1}{(45)^3}(29\,370) = \dfrac{1958}{6075}$

g) $\underbrace{(3 + 3 + \ldots + 3)}_{99 \text{ termes}} + \dfrac{1}{10}(1 + 2 + 3 + \ldots + 99) = 297 + 495 = 792$

h) $\sum\limits_{i=1}^{20} \dfrac{3i - 5}{2} = \dfrac{3}{2}\sum\limits_{i=1}^{20} i - \sum\limits_{i=1}^{20} \dfrac{5}{2} \quad$ (théorèmes 3.1 et 3.2)

$\qquad\qquad = \dfrac{3}{2}(210) - \dfrac{5}{2}(20) = 265$

i) $\sum\limits_{i=1}^{25} (4i^2 - 12i + 9) = 4\sum\limits_{i=1}^{25} i^2 - 12\sum\limits_{i=1}^{25} i + \sum\limits_{i=1}^{25} 9$

$\qquad\qquad\qquad\qquad\qquad\qquad$ (théorèmes 3.1 et 3.2)

$\qquad\qquad\qquad\qquad = 4(5525) - 12(325) + 9(25)$

$\qquad\qquad\qquad\qquad = 18\,425$

j) $\sum\limits_{i=1}^{15} (i^3 - 120i) = \sum\limits_{i=1}^{15} i^3 - 120\sum\limits_{i=1}^{15} i$

$\qquad\qquad\qquad\qquad\qquad\qquad$ (théorèmes 3.1 et 3.2)

$\qquad\qquad\qquad = 14\,400 - 120(120)$

$\qquad\qquad\qquad = 0$

4. a) $\dfrac{(n-1)n}{2} \quad$ (formule 1, où $k = n - 1$)

b) $\sum\limits_{i=1}^{n-1} \dfrac{3i^2}{5n} = \dfrac{3}{5n}\sum\limits_{i=1}^{n-1} i^2 \quad$ (théorème 3.2)

$\qquad = \dfrac{3}{5n}\left(\dfrac{(n-1)\,n\,(2n-1)}{6}\right) \quad$ (formule 2, où $k = n - 1$)

$\qquad = \dfrac{(n-1)(2n-1)}{10}$

c) $\sum\limits_{i=1}^{n} (5i^3 + 6) = 5\sum\limits_{i=1}^{n} i^3 + \sum\limits_{i=1}^{n} 6 \quad$ (théorèmes 3.1 et 3.2)

$\qquad = 5\dfrac{n^2(n+1)^2}{4} + 6n \quad$ (formule 3, où $k = n$)

d) $\sum\limits_{i=1}^{n-1} (6i^2 - 2i) = 6\sum\limits_{i=1}^{n-1} i^2 - 2\sum\limits_{i=1}^{n-1} i$

$\qquad\qquad\qquad\qquad$ (théorèmes 3.1 et 3.2)

$\qquad = 6\dfrac{(n-1)\,n(2n-1)}{6} - \dfrac{2(n-1)\,n}{2}$

$\qquad\qquad\qquad\qquad$ (formules 1 et 2)

$\qquad = 2n\,(n-1)^2$

5. a) $N(n) = 2n - 1$

b) En effectuant $\dfrac{200 \text{ cm}}{4 \text{ cm}}$, nous obtenons 50 rangées,

d'où $T = \sum\limits_{n=1}^{50} (2n - 1)$

c) $T = \sum\limits_{n=1}^{50} (2n-1)$

$\quad = 2\left(\sum\limits_{n=1}^{50} n\right) - \sum\limits_{n=1}^{50} 1$

$\quad = 2\,\dfrac{(50)(51)}{2} - 50$

$\quad = 2500$

d'où $T = 2500$ cubes.

6. 1ʳᵉ façon

$\sum\limits_{i=1}^{k} [i^2 - (i-1)^2] = \sum\limits_{i=1}^{k} [i^2 - (i^2 - 2i + 1)]$

$\qquad\qquad\qquad\quad = \sum\limits_{i=1}^{k} [2i - 1]$

$\qquad\qquad\qquad\quad = \sum\limits_{i=1}^{k} 2i - \sum\limits_{i=1}^{k} 1 \quad$ (théorème 3.1)

$\qquad\qquad\qquad\quad = 2\left(\sum\limits_{i=1}^{k} i\right) - k \quad$ (théorème 3.2)

2ᵉ façon

$\sum\limits_{i=1}^{k} [i^2 - (i-1)^2] = [1^2 - 0^2] + [2^2 - 1^2] + [3^2 - 2^2] + \ldots +$
$\qquad\qquad\qquad\qquad\quad [(k-1)^2 - (k-2)^2] + [k^2 - (k-1)^2]$

$\qquad\qquad\qquad\quad = k^2 \quad$ (en simplifiant)

En comparant les résultats obtenus, nous avons

$2\left(\sum\limits_{i=1}^{k} i\right) - k = k^2$

$2\left(\sum\limits_{i=1}^{k} i\right) = k^2 + k$

$\sum\limits_{i=1}^{k} i = \dfrac{k^2 + k}{2} = \dfrac{k(k+1)}{2}$

Exercices 3.2 (page 126)

1. a) $\Delta x = \dfrac{(1-0)}{5} = \dfrac{1}{5}$

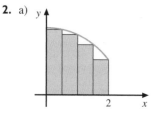

b) $\Delta x = \dfrac{(7-2)}{51} = \dfrac{5}{51}$

$$2 \quad \left(2 + \frac{5}{51}\right)\left(2 + \frac{10}{51}\right) \quad \ldots \quad \left(2 + \frac{250}{51}\right) \quad 7$$

c) $\Delta x = \dfrac{\frac{3}{2} - (\text{-}2)}{10} = \dfrac{7}{20}$

$$\text{-}3 \quad \frac{\text{-}53}{20} \quad \frac{\text{-}46}{20} \quad \ldots \quad \frac{23}{20} \quad 2$$

d) $\Delta x = \dfrac{b-a}{35}$

2. a)

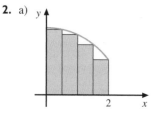

$s_4 = f\left(\dfrac{1}{2}\right)\dfrac{1}{2} + f(1)\dfrac{1}{2} + f\left(\dfrac{3}{2}\right)\dfrac{1}{2} + f(2)\dfrac{1}{2}$

$\quad = \dfrac{1}{2}\left[f\left(\dfrac{1}{2}\right) + f(1) + f\left(\dfrac{3}{2}\right) + f(2)\right]$

$\quad = \dfrac{1}{2}\left[\left(9 - \dfrac{1}{4}\right) + (9-1) + \left(9 - \dfrac{9}{4}\right) + (9-4)\right]$

$\quad = \dfrac{57}{4} = 14,25 \text{ u}^2$

b)

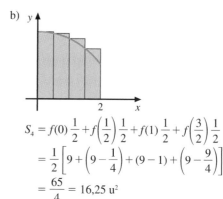

$S_4 = f(0)\dfrac{1}{2} + f\left(\dfrac{1}{2}\right)\dfrac{1}{2} + f(1)\dfrac{1}{2} + f\left(\dfrac{3}{2}\right)\dfrac{1}{2}$

$\quad = \dfrac{1}{2}\left[9 + \left(9 - \dfrac{1}{4}\right) + (9-1) + \left(9 - \dfrac{9}{4}\right)\right]$

$\quad = \dfrac{65}{4} = 16,25 \text{ u}^2$

c)

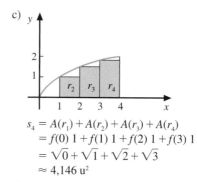

$s_4 = A(r_1) + A(r_2) + A(r_3) + A(r_4)$
$\quad = f(0)\,1 + f(1)\,1 + f(2)\,1 + f(3)\,1$
$\quad = \sqrt{0} + \sqrt{1} + \sqrt{2} + \sqrt{3}$
$\quad \approx 4,146 \text{ u}^2$

d)

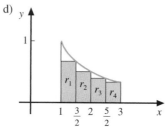

$s_4 = A(r_1) + A(r_2) + A(r_3) + A(r_4)$

$\quad = f\left(\dfrac{3}{2}\right)\dfrac{1}{2} + f(2)\dfrac{1}{2} + f\left(\dfrac{5}{2}\right)\dfrac{1}{2} + f(3)\dfrac{1}{2}$

$\quad = \dfrac{1}{2}\left[\dfrac{1}{\frac{3}{2}} + \dfrac{1}{2} + \dfrac{1}{\frac{5}{2}} + \dfrac{1}{3}\right] = \dfrac{57}{60} = 0,95 \text{ u}^2$

e)

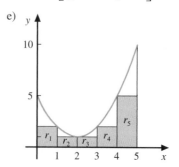

$$s_5 = A(r_1) + A(r_2) + A(r_3) + A(r_4) + A(r_5)$$
$$= f(1)\,1 + f(2)\,1 + f(2)\,1 + f(3)\,1 + f(4)\,1$$
$$= 2 + 1 + 1 + 2 + 5$$
$$= 11\ \text{u}^2$$

f)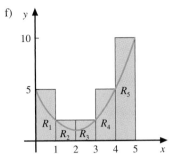

$$S_5 = A(R_1) + A(R_2) + A(R_3) + A(R_4) + A(R_5)$$
$$= f(0)\,1 + f(1)\,1 + f(3)\,1 + f(4)\,1 + f(5)\,1$$
$$= 5 + 2 + 2 + 5 + 10$$
$$= 24\ \text{u}^2$$

3. a)

$$s_n = f(0)\frac{1}{n} + f\left(\frac{1}{n}\right)\frac{1}{n} + f\left(\frac{2}{n}\right)\frac{1}{n} + \ldots + f\left(\frac{n-1}{n}\right)\frac{1}{n}$$
$$= \frac{1}{n}\left\{ f(0) + f\left(\frac{1}{n}\right) + f\left(\frac{2}{n}\right) + \ldots + f\left(\frac{n-1}{n}\right)\right\}$$
$$= \frac{1}{n}\left\{ 1 + \left[\left(\frac{1}{n}\right)^2 + 3\left(\frac{1}{n}\right) + 1\right] + \left[\left(\frac{2}{n}\right)^2 + 3\left(\frac{2}{n}\right) + 1\right] + \right.$$
$$\left. \ldots + \left[\left(\frac{n-1}{n}\right)^2 + 3\left(\frac{n-1}{n}\right) + 1\right]\right\}$$
$$= \frac{1}{n}\left\{ \underbrace{(1+1+1+\ldots+1)}_{n\ \text{termes}} + \frac{1}{n^2}(1^2 + 2^2 + \ldots + (n-1)^2) + \right.$$
$$\left. \frac{3}{n}(1 + 2 + \ldots + (n-1))\right\}$$
$$= \frac{1}{n}\left\{ n + \frac{1}{n^2}\frac{(n-1)\,n\,(2n-1)}{6} + \frac{3}{n}\frac{(n-1)\,n}{2}\right\}$$
(formules 2 et 1)
$$= \frac{17n^2 - 12n + 1}{6n^2}$$
$$= \frac{17}{6} - \frac{2}{n} + \frac{1}{6n^2}$$

b) $$S_n = f\left(\frac{1}{n}\right)\frac{1}{n} + f\left(\frac{2}{n}\right)\frac{1}{n} + f\left(\frac{3}{n}\right)\frac{1}{n} + \ldots + f(1)\frac{1}{n}$$
$$= \frac{1}{n}\left\{ f\left(\frac{1}{n}\right) + f\left(\frac{2}{n}\right) + f\left(\frac{3}{n}\right) + \ldots + f\left(\frac{n}{n}\right)\right\}$$
$$= \frac{1}{n}\left\{ \left[\left(\frac{1}{n}\right)^2 + 3\left(\frac{1}{n}\right) + 1\right] + \left[\left(\frac{2}{n}\right)^2 + 3\left(\frac{2}{n}\right) + 1\right] + \right.$$
$$\left. \ldots + \left[\left(\frac{n}{n}\right)^2 + 3\left(\frac{n}{n}\right) + 1\right]\right\}$$
$$= \frac{1}{n}\left\{ \underbrace{(1 + \ldots + 1)}_{n\ \text{termes}} + \frac{1}{n^2}(1^2 + 2^2 + \ldots + n^2) + \right.$$
$$\left. \frac{3}{n}(1 + 2 + \ldots + n)\right\}$$

$$= \frac{1}{n}\left\{ n + \frac{1}{n^2}\frac{n(n+1)\,(2n+1)}{6} + \frac{3}{n}\frac{n(n+1)}{2}\right\}$$
(formules 2 et 1)
$$= \frac{17n^2 + 12n + 1}{6n^2}$$
$$= \frac{17}{6} + \frac{2}{n} + \frac{1}{6n^2}$$

c) $$\lim_{n\to+\infty}(S_n - s_n) = \lim_{n\to+\infty}\frac{4}{n} = 0$$

d) $$s = \lim_{n\to+\infty} s_n$$
$$= \lim_{n\to+\infty}\left(\frac{17}{6} - \frac{2}{n} + \frac{1}{6n^2}\right)$$
$$= \frac{17}{6}\ \text{u}^2$$
$$S = \lim_{n\to+\infty} S_n = \frac{17}{6}\ \text{u}^2$$

e) $$A_0^1 = \frac{17}{6}\ \text{u}^2$$

4. a) Laissée à l'élève.

b) Laissée à l'élève.

c) $s = \lim\limits_{n\to+\infty} s_n = \dfrac{7}{3}$ et $S = \lim\limits_{n\to+\infty} S_n = \dfrac{7}{3}$; puisque $s = S$,

nous avons $A_1^2 = \dfrac{7}{3}\ \text{u}^2$.

5. a) $> f{:=}x\to\sin(x)$;
$$f := \sin$$
$> \text{with(student)}:$
$> \text{leftbox}(f(x),x{=}0..\text{Pi}/2,3)$;

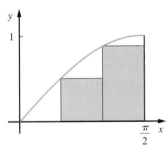

$> sn{:=}n\to\text{evalf(leftsum}(f(x),x{=}0..\text{Pi}/2,n))$:
$> sn(3)$;
$$.7152492291$$
$> \text{leftbox}(f(x),x{=}0..\text{Pi}/2,10)$;

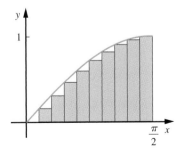

$> sn(10)$;
$$.9194031700$$
b) $> sn(100)$;
$$.9921254565$$

c) > rightbox($f(x)$,x=0..Pi/2,3);

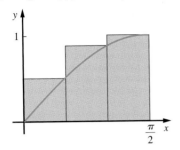

> Sn:=n→evalf(rightsum($f(x)$,x=0..Pi/2,n)):
> Sn(3);

                       1.238848005

> rightbox($f(x)$,x=0..Pi/2,10);

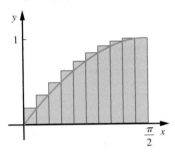

> Sn(10);

                       1.076482803

d) > Sn(100);

                       1.007833420

e) > s:=limit(sn(n),n=infinity);

                 s:=.9999999999

> S:=limit(Sn(n),n=infinity);

                 S:=.9999999999

f) D'où $A_0^{\frac{\pi}{2}} = 1$

Exercices 3.3 (page 132)

1. a) $SR_6 = 2 \times 14 + 6 \times 11 + 5 \times 15 + 3 \times 22 + 4 \times 8 + 7 \times 20 = 407$
   b) $SR_5 = (-4)2 + (-6)2 + (-5)3 + (-4)1 + (-2)2 = -43$
   c) $SR_6 = -2,5 - 1,5 - 0,5 + 0,5 + 1,5 + 2,5 = 0$

2. a) $SR = f(0)\,0,6 + f(0,6)\,0,2 + f(0,8)\,0,4 + f(1,2)\,0,5 + f(1,7)\,0,3 = -0,985$
   b) $SR = f(0,6)\,0,6 + f(0,8)\,0,2 + f(1,2)\,0,4 + f(1,7)\,0,5 + f(2)\,0,3 = 1,965$
   c) $SR = f(0,3)\,0,6 + f(0,7)\,0,2 + f(1)\,0,4 + f(1,45)\,0,5 + f(1,85)\,0,3 = 0,63$

3. a) Soit P une partition quelconque de $[a, b]$.

$$\int_a^b c\,dx = \lim_{(\max \Delta x_i) \to 0} \sum_{i=1}^n c\,\Delta x_i \quad (f(x) = c)$$

$$= \lim_{(\max \Delta x_i) \to 0} c \sum_{i=1}^n \Delta x_i$$

$$= \lim_{(\max \Delta x_i) \to 0} c(b - a) \quad \left(\sum_{i=1}^n \Delta x_i = b - a\right)$$

$$= c(b - a)$$

   b) $\displaystyle\int_{-1}^4 \frac{1}{2}\,dx = \frac{1}{2}(4 - (-1)) = \frac{5}{2}$

   c) $\displaystyle\int_{-10}^{-1} (-3)\,dx = -3(-1 - (-10)) = -27$

4. a) $\displaystyle SR_n = \sum_{i=1}^n f(c_i)\,\Delta x_i$, où $c_i = \dfrac{x_{i-1} + x_i}{2}$

$$= f(c_1)\,\Delta x_1 + f(c_2)\,\Delta x_2 + \ldots + f(c_n)\,\Delta x_n$$

$$= \left(\frac{x_1 + x_0}{2}\right)(x_1 - x_0) + \left(\frac{x_2 + x_1}{2}\right)(x_2 - x_1) + \ldots$$

$$+ \left(\frac{x_n - x_{n-1}}{2}\right)(x_n - x_{n-1})$$

$$= \frac{1}{2}[x_1^2 - x_0^2 + x_2^2 - x_1^2 + \ldots + x_n^2 - x_{n-1}^2]$$

$$= \frac{1}{2}[x_n^2 - x_0^2]$$

$$= \frac{b^2 - a^2}{2} \quad (x_0 = a \text{ et } x_n = b)$$

   b) $\displaystyle\int_a^b x\,dx = \lim_{(\max \Delta x_i) \to 0} \frac{b^2 - a^2}{2} = \frac{b^2 - a^2}{2}$

   c) $\displaystyle\int_2^9 x\,dx = \frac{9^2 - 2^2}{2} = \frac{77}{2}$

   d) $\displaystyle\int_{-4}^1 x\,dx = \frac{1^2 - (-4)^2}{2} = \frac{-15}{2}$

   e) $\displaystyle\int_{-3}^3 x\,dx = \frac{3^2 - (-3)^2}{2} = 0$

   f) L'intégrale définie correspond à l'aire comprise entre la courbe $f(x) = x$, l'axe des x, la droite $x = a$ et la droite $x = b$.

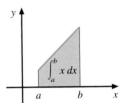

5. a) $\displaystyle\int_3^9 f(x)\,dx = \int_3^5 f(x)\,dx + \int_5^9 f(x)\,dx = -6 + 8 = 2$

   b) $\displaystyle\int_9^3 f(x)\,dx = -\int_3^9 f(x)\,dx = -2$

   c) $\displaystyle\int_0^9 f(x)\,dx = \int_0^3 f(x)\,dx + \int_3^5 f(x)\,dx + \int_5^9 f(x)\,dx = 5 + (-6) + 8 = 7$

6. a) $\displaystyle\int_2^5 [f(x) + g(x)]\,dx = \int_2^5 f(x)\,dx + \int_2^5 g(x)\,dx = 4 + 3 = 7$

   b) $\displaystyle\int_2^2 8f(x)\,dx = 0 \quad$ (par définition)

   c) $\displaystyle\int_2^5 [5g(x) - 2f(x)]\,dx = 5\int_2^5 g(x)\,dx - 2\int_2^5 f(x)\,dx = 5(3) - 2(4) = 7$

Exercices 3.4 (page 139)

1. a) $\left.\left(x - \dfrac{2}{3}x^{\frac{3}{2}}\right)\right|_1^4 = \left(\dfrac{-4}{3}\right) - \dfrac{1}{3} = \dfrac{-5}{3}$

   b) $\left.(-2 \cos \theta)\right|_{\frac{-\pi}{2}}^{\frac{\pi}{2}} = \left(-2 \cos \dfrac{\pi}{2}\right) - \left(-2 \cos \dfrac{-\pi}{2}\right) = 0 - 0 = 0$

   c) $\left.(3 \ln |t|)\right|_1^e = 3 \ln e - 3 \ln 1 = 3$

   d) $\left.\text{Arc tan } x\right|_{-1}^1 = \text{Arc tan } 1 - \text{Arc tan } (-1) = \dfrac{\pi}{4} - \left(\dfrac{-\pi}{4}\right) = \dfrac{\pi}{2}$

   e) $\left.\sec u\right|_{\frac{-\pi}{3}}^0 = \sec 0 - \sec\left(\dfrac{-\pi}{3}\right) = -1$

   f) $\left.\left(2e^x + \dfrac{x}{2}\right)\right|_{-1}^2 = (2e^2 + 1) - \left(2e^{-1} - \dfrac{1}{2}\right) = 2e^2 - \dfrac{2}{e} + \dfrac{3}{2}$

   g) $\left.\left(\dfrac{x^4}{4} + \dfrac{3^x}{\ln 3}\right)\right|_0^2 = \left(4 + \dfrac{9}{\ln 3}\right) - \dfrac{1}{\ln 3} = 4 + \dfrac{8}{\ln 3}$

   h) $\left.\tan \theta\right|_{\frac{-\pi}{5}}^{\frac{\pi}{5}} = \tan\left(\dfrac{\pi}{5}\right) - \tan\left(\dfrac{-\pi}{5}\right) \approx 1,453\ldots$

i) $(-2 \operatorname{Arc} \sin x) \Big|_0^{\frac{1}{2}} = -2 \operatorname{Arc} \sin\left(\frac{1}{2}\right) - (-2 \operatorname{Arc} \sin 0) = \frac{-\pi}{3}$

j) $\left(\frac{-1}{x^2} - 6x^{\frac{2}{3}}\right)\Big|_1^8 = \left(\frac{-1}{64} - 24\right) - (-1 - 6) = \frac{-1089}{64}$

2. a) Première méthode (sans changer les bornes):

$u = 3 + 5x; \int \frac{1}{3+5x}\, dx = \frac{1}{5} \ln |3+5x| + C;$

$\int_2^4 \frac{1}{3+5x}\, dx = \frac{1}{5} \ln (3+5x) \Big|_2^4 = \frac{1}{5} \ln 23 - \frac{1}{5} \ln 13$

$\qquad\qquad\qquad\qquad = \frac{1}{5} \ln \frac{23}{13}$

Deuxième méthode (en changeant les bornes):
$u = 3 + 5x$; si $x = 2$, alors $u = 13$ et si $x = 4$, alors $u = 23$

$\int_2^4 \frac{1}{3+5x}\, dx = \int_{13}^{23} \frac{1}{5u}\, du = \frac{1}{5} \ln |u| \ \Big|_{13}^{23} = \frac{1}{5} \ln \frac{23}{13}$

b) Première méthode (sans changer les bornes):

$u = \tan 3\theta; \int \tan^2 3\theta \sec^2 3\theta\, d\theta = \frac{\tan^3 3\theta}{9} + C;$

$\int_0^{\frac{\pi}{12}} \tan^2 3\theta \sec^2 3\theta\, d\theta = \frac{\tan^3 3\theta}{9} \Big|_0^{\frac{\pi}{12}}$

$\qquad\qquad = \frac{\tan^3\left(\frac{\pi}{4}\right)}{9} - \frac{\tan^3 (0)}{9} = \frac{1}{9}$

Deuxième méthode (en changeant les bornes):

$u = \tan 3\theta$; si $\theta = 0$, alors $u = \tan 0 = 0$ et si $\theta = \frac{\pi}{12}$,

alors $u = \tan\left(\frac{\pi}{4}\right) = 1$

$\int_0^{\frac{\pi}{12}} \tan^2 3\theta \sec^2 3\theta\, d\theta = \int_0^1 \frac{u^2}{3}\, du = \frac{u^3}{9}\Big|_0^1 = \frac{1}{9}$

3. a) $\frac{-78}{7}$ **g)** $u = \ln x; \ln 4$

b) $u = x^3 - 1; \dfrac{32}{15}$ **h)** $u = \sin \varphi; \dfrac{\pi}{2}$

c) $u = 2t; 0$ **i)** $u = 2 + \sin \theta; 0$

d) $24 + \ln 3$ **j)** $u = 1 + \sqrt{x}; \dfrac{7}{144}$

e) $u = \tan \theta; 1 - \dfrac{\sqrt{3}}{3}$ **k)** $u = \operatorname{Arc} \sin x; \dfrac{\pi^2}{9}$

f) $\ln(1 + \sqrt{2})$ **l)** $u = \tan 3\theta; \dfrac{e-1}{3}$

4. a) $F(x) = \sin x - 1; F'(x) = \cos x$

b) $F(x) = \dfrac{e^{2x}}{2} - \dfrac{e^2}{2}; F'(x) = e^{2x}$

c) $F(x) = \ln x; F'(x) = \dfrac{1}{x}$

d) $F(x) = -x^3 + 2x^2 - 5x + 52; F'(x) = -3x^2 + 4x - 5$

5. a) $F'(x) = \sec^3 x$
   b) $F'(x) = -\ln x$

c) $\dfrac{d}{dx}\left[\displaystyle\int_1^x \dfrac{d}{dt}\,(te^t)\, dt\right] = \dfrac{d}{dx}\left[\displaystyle\int_1^x (e^t + te^t)\, dt\right]$

$\qquad\qquad = e^x + xe^x$

6. a) $\exists\, c \in [2, 8]$ tel que

$\int_2^8 f(x)\, dx = f(c)(8 - 2)$

$\int_2^8 x^3\, dx = c^3\,(6)$

$\dfrac{x^4}{4}\Big|_2^8 = 6c^3$

$1020 = 6c^3$

d'où $\quad c = \sqrt[3]{170}$

c) $\exists\, c \in [-8, 1]$ tel que

$\int_{-8}^1 x^{\frac{1}{3}}\, dx = \sqrt[3]{c}\,(1 - (-8))$

$\dfrac{3}{4}x^{\frac{4}{3}}\Big|_{-8}^1 = 9\sqrt[3]{c}$

$\dfrac{3}{4} - 12 = 9\sqrt[3]{c}$

$\dfrac{-45}{36} = \sqrt[3]{c}$

d'où $\quad c = \dfrac{-125}{64}$

b) $\exists\, c \in [2, 6]$ tel que

$\int_2^6 \dfrac{1}{x}\, dx = \dfrac{1}{c}\,(6 - 2)$

$\ln |x| \ \Big|_2^6 = \dfrac{4}{c}$

$\ln 6 - \ln 2 = \dfrac{4}{c}$

d'où $\quad c = \dfrac{4}{\ln 3}$

7. a) Soit $F(x)$ une primitive de $f(x)$, alors

$\int_a^a f(x)\, dx = F(x)\ \Big|_a^a \qquad$ (théorème fondamental du calcul)

$\qquad\qquad = F(a) - F(a)$

$\qquad\qquad = 0$

b) Soit $F(x)$ une primitive de $f(x)$, alors

$\int_a^c f(x)\, dx + \int_c^b f(x)\, dx = [F(c) - F(a)] + [F(b) - F(c)]$

$\qquad\qquad\qquad$ (théorème fondamental du calcul)

$\qquad\qquad = F(b) - F(a)$

$\qquad\qquad = \int_a^b f(x)\, dx \qquad$ (théorème fondamental du calcul)

c) Soit $F(x)$ une primitive de $f(x)$, alors $kF(x)$ est une primitive de $kf(x)$,

d'où $\displaystyle\int_a^b kf(x)\, dx = (kF(x))\ \Big|_a^b \qquad$ (théorème fondamental du calcul)

$\qquad\qquad = kF(b) - kF(a)$

$\qquad\qquad = k\,[F(b) - F(a)]$

$\qquad\qquad = k\left[F(x)\ \Big|_a^b\right]$

$\qquad\qquad = k\displaystyle\int_a^b f(x)\, dx \qquad$ (théorème fondamental du calcul)

8. a) Puisque $|x - 3| = \begin{cases} x - 3 & \text{si} & x \geq 3 \\ 3 - x & \text{si} & x < 3 \end{cases}$

$\qquad\qquad\qquad\qquad$ (par définition)

alors $\displaystyle\int_{-1}^5 |x - 3|\, dx = \int_{-1}^3 |x - 3|\, dx + \int_3^5 |x - 3|\, dx$

$\qquad\qquad = \int_{-1}^3 (3 - x)\, dx + \int_3^5 (x - 3)\, dx$

$\qquad\qquad = \left(3x - \frac{x^2}{2}\right)\Big|_{-1}^3 + \left(\frac{x^2}{2} - 3x\right)\Big|_3^5$

$\qquad\qquad = \left[\frac{9}{2} - \left(\frac{-7}{2}\right)\right] + \left[\frac{-5}{2} - \left(\frac{-9}{2}\right)\right] = 10$

b) Puisque $|1 - x^2| = \begin{cases} 1 - x^2 & \text{si} & -1 \leqslant x \leqslant 1 \\ x^2 - 1 & \text{si} & x < -1 \text{ ou } x > 1 \end{cases}$

alors $\int_{-2}^{3} |1 - x^2| \, dx = \int_{-2}^{-1} (x^2 - 1) \, dx + \int_{-1}^{1} (1 - x^2) \, dx$

$$+ \int_{1}^{3} (x^2 - 1) \, dx$$

$$= \left(\frac{x^3}{3} - x \right)\Big|_{-2}^{-1} + \left(x - \frac{x^3}{3} \right)\Big|_{-1}^{1}$$

$$+ \left(\frac{x^3}{3} - x \right)\Big|_{1}^{3}$$

$$= \frac{4}{3} + \frac{4}{3} + \frac{20}{3}$$

$$= \frac{28}{3}$$

Exercices 3.5 (page 154)

1. a)

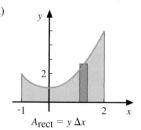

$A_{\text{rect}} = y \, \Delta x$

$A_{-1}^{2} = \int_{-1}^{2} (x^2 + 1) \, dx$

$$= \left(\frac{x^3}{3} + x \right)\Big|_{-1}^{2}$$

$$= 6 \text{ u}^2$$

b)

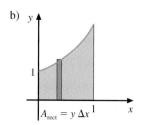

$A_{\text{rect}} = y \, \Delta x$

$A_{0}^{1} = \int_{0}^{1} e^x \, dx = e^x \Big|_{0}^{1}$

$$= (e - 1) \approx 1,718 \text{ u}^2$$

c)

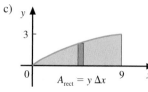

$A_{\text{rect}} = y \, \Delta x$

$A_{0}^{9} = \int_{0}^{9} \sqrt{x} \, dx$

$$= \frac{2}{3} x^{\frac{3}{2}} \Big|_{0}^{9} = 18 \text{ u}^2$$

d)

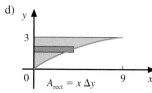

$A_{\text{rect}} = x \, \Delta y$

$A_{0}^{3} = \int_{0}^{3} y^2 \, dy$

$$= \frac{y^3}{3} \Big|_{0}^{3} = 9 \text{ u}^2$$

e)

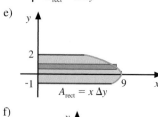

$A_{\text{rect}} = x \, \Delta y$

$A_{-1}^{2} = \int_{-1}^{2} (9 - y^2) \, dy$

$$= \left(9y - \frac{y^3}{3} \right)\Big|_{-1}^{2}$$

$$= 24 \text{ u}^2$$

f)

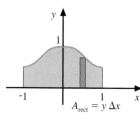

$A_{\text{rect}} = y \, \Delta x$

$A_{-1}^{1} = \int_{-1}^{1} \frac{1}{1 + x^2} \, dx$

$$= \text{Arc tan } x \Big|_{-1}^{1}$$

$$= \frac{\pi}{2} \text{ u}^2$$

2. a) $f(x) = 0$ si $x = 0$ ou $x = 6$.

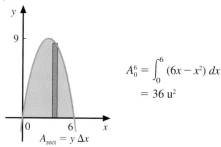

$A_{0}^{6} = \int_{0}^{6} (6x - x^2) \, dx$

$$= 36 \text{ u}^2$$

$A_{\text{rect}} = y \, \Delta x$

b) $f(x) = 0$ si $x = 0, 2$ ou 4.

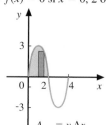

$A_{\text{rect}} = y \, \Delta x$

$A_{0}^{2} = \int_{0}^{2} (x^3 - 6x^2 + 8x) \, dx$

$$= 4 \text{ u}^2$$

c) $f(x) = 0$ si $x = \dfrac{-\pi}{2}$ ou $x = \dfrac{\pi}{2}$.

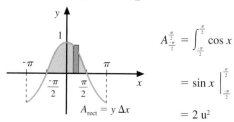

$A_{\text{rect}} = y \, \Delta x$

$A_{-\frac{\pi}{2}}^{\frac{\pi}{2}} = \int_{-\frac{\pi}{2}}^{\frac{\pi}{2}} \cos x \, dx$

$$= \sin x \Big|_{-\frac{\pi}{2}}^{\frac{\pi}{2}}$$

$$= 2 \text{ u}^2$$

3. a) $x = 0$ si $y = -1$ ou $y = 3$.

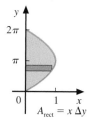

$A_{\text{rect}} = (0 - x) \, \Delta y$

$A_{-1}^{3} = \int_{-1}^{3} -(y^2 - 2y - 3) \, dy = \frac{32}{3} \text{ u}^2$

b) $x = 0$ si $y = 0$ ou $y = 2\pi$.

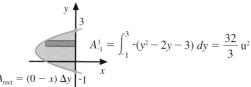

$A_{\text{rect}} = x \, \Delta y$

$A_{0}^{2\pi} = \int_{0}^{2\pi} \sin\left(\frac{y}{2} \right) \, dy$

$$= -2 \cos\left(\frac{y}{2} \right)\Big|_{0}^{2\pi} = 4 \text{ u}^2$$

4. $A = \int_{a}^{c} (f(x) - g(x)) \, dx + \int_{c}^{d} (g(x) - f(x)) \, dx +$

$$\int_{d}^{e} (f(x) - g(x)) \, dx + \int_{e}^{b} (f(x) - g(x)) \, dx$$

5. a) $f(x) = g(x)$ si $x = -1$ ou $x = 4$.

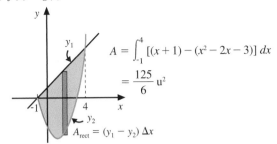

$A = \int_{-1}^{4} [(x+1) - (x^2 - 2x - 3)]\, dx$

$= \dfrac{125}{6}\ \text{u}^2$

$A_{\text{rect}} = (y_1 - y_2)\, \Delta x$

b) $x_1 = x_2$ si $y = 4$ ou $y = -2$.

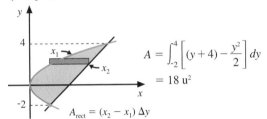

$A = \int_{-2}^{4} \left[(y+4) - \dfrac{y^2}{2} \right] dy$

$= 18\ \text{u}^2$

$A_{\text{rect}} = (x_2 - x_1)\, \Delta y$

c) $y_1 = y_2$ si $x = -3$ ou $x = 3$.

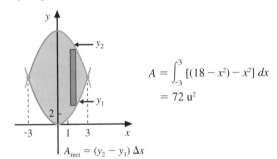

$A = \int_{-3}^{3} [(18 - x^2) - x^2]\, dx$

$= 72\ \text{u}^2$

$A_{\text{rect}} = (y_2 - y_1)\, \Delta x$

d) $x_1 = x_2$ si $y = -1$ ou $y = 1$.

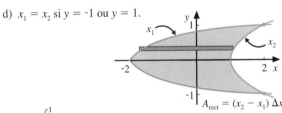

$A = \int_{-1}^{1} [(y^2 + 1) - (4y^2 - 2)]\, dy = 4\ \text{u}^2$

$A_{\text{rect}} = (x_2 - x_1)\, \Delta x$

e) $y_1 = y_2$ si $x = 0$, 2 ou 4.

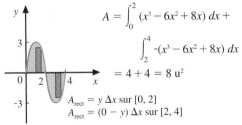

$A = \int_{0}^{2} (x^3 - 6x^2 + 8x)\, dx +$

$\int_{2}^{4} -(x^3 - 6x^2 + 8x)\, dx$

$= 4 + 4 = 8\ \text{u}^2$

$A_{\text{rect}} = y\, \Delta x$ sur [0, 2]
$A_{\text{rect}} = (0 - y)\, \Delta x$ sur [2, 4]

f) $x_1 = x_2$ si $y = -2$, $y = 0$ ou $y = 2$.

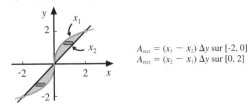

$A_{\text{rect}} = (x_1 - x_2)\, \Delta y$ sur [-2, 0]
$A_{\text{rect}} = (x_2 - x_1)\, \Delta y$ sur [0, 2]

$A = \int_{-2}^{0} \left(\dfrac{y^3}{4} - y \right) dy + \int_{0}^{2} \left(y - \dfrac{y^3}{4} \right) dy$

$= 1 + 1 = 2\ \text{u}^2$

6. a) $x_1 = x_2$ si $y = -1$ ou $y = 2$.

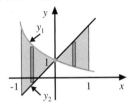

$A_{\text{rect}} = (x_2 - x_1)\, \Delta y$ sur [-3, -1]
$A_{\text{rect}} = (x_1 - x_2)\, \Delta y$ sur [-1, 2]
$A_{\text{rect}} = (x_2 - x_1)\, \Delta y$ sur [2, 3]

$A = \int_{-3}^{-1} (y^2 - y - 2)\, dy + \int_{-1}^{2} (y - y^2 + 2)\, dy + \int_{2}^{3} (y^2 - y - 2)\, dy$

$= \dfrac{26}{3} + \dfrac{9}{2} + \dfrac{11}{6} = 15\ \text{u}^2$

b) $f(x) = g(x)$ si $x = 0$.

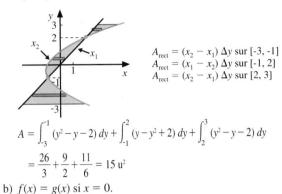

$A_{\text{rect}} = (y_1 - y_2)\, \Delta x$ sur [-1, 0]
$A_{\text{rect}} = (y_2 - y_1)\, \Delta x$ sur [0, 1]

$A = \int_{-1}^{0} [e^{-x} - (1 + 2x)]\, dx + \int_{0}^{1} [(1 + 2x) - e^{-x}]\, dx$

$= (e - 1) + \left(1 + \dfrac{1}{e} \right)$

$= \left(e + \dfrac{1}{e} \right) \text{u}^2$

c) $y_1 = y_2$ si $x = 1$, car $-1 \notin [0, 2]$.

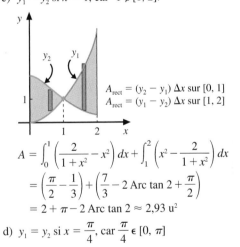

$A_{\text{rect}} = (y_2 - y_1)\, \Delta x$ sur [0, 1]
$A_{\text{rect}} = (y_1 - y_2)\, \Delta x$ sur [1, 2]

$A = \int_{0}^{1} \left(\dfrac{2}{1 + x^2} - x^2 \right) dx + \int_{1}^{2} \left(x^2 - \dfrac{2}{1 + x^2} \right) dx$

$= \left(\dfrac{\pi}{2} - \dfrac{1}{3} \right) + \left(\dfrac{7}{3} - 2\,\text{Arc tan}\,2 + \dfrac{\pi}{2} \right)$

$= 2 + \pi - 2\,\text{Arc tan}\,2 \approx 2{,}93\ \text{u}^2$

d) $y_1 = y_2$ si $x = \dfrac{\pi}{4}$, car $\dfrac{\pi}{4} \in [0, \pi]$

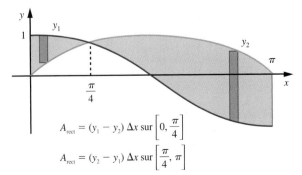

$A_{\text{rect}} = (y_1 - y_2)\, \Delta x$ sur $\left[0, \dfrac{\pi}{4} \right]$

$A_{\text{rect}} = (y_2 - y_1)\, \Delta x$ sur $\left[\dfrac{\pi}{4}, \pi \right]$

3

$$A = \int_0^{\frac{\pi}{4}} (\cos x - \sin x)\, dx + \int_{\frac{\pi}{4}}^{\pi} (\sin x - \cos x)\, dx$$

$$= (\sin x + \cos x)\Big|_0^{\frac{\pi}{4}} + (\text{-}\cos x - \sin x)\Big|_{\frac{\pi}{4}}^{\pi}$$

$$= \left(\sin \frac{\pi}{4} + \cos \frac{\pi}{4}\right) - (\sin 0 + \cos 0)$$

$$+ (\text{-}\cos \pi - \sin \pi) - \left(\text{-}\cos \frac{\pi}{4} - \sin \frac{\pi}{4}\right)$$

$$= \left(\frac{\sqrt{2}}{2} + \frac{\sqrt{2}}{2}\right) - (1) + (1) - \left(\frac{\text{-}\sqrt{2}}{2} - \frac{\sqrt{2}}{2}\right)$$

$$= 2\sqrt{2}\ \text{u}^2$$

7. a) $y_1 = y_2$ si $x = 1$.

$A_{\text{rect}} = y_1\, \Delta x$ sur $[0, 1]$

$A_{\text{rect}} = y_2\, \Delta x$ sur $[1, e]$

$$A = \int_0^1 x^2\, dx + \int_1^e \frac{1}{x}\, dx$$

$$= \frac{x^3}{3}\Big|_0^1 + \ln|x|\ \Big|_1^e = \frac{4}{3}\ \text{u}^2$$

b) $y_1 = y_2$ si $x = 4$; $y_1 = 0$ si $x = 0$; $y_2 = 0$ si $x = 8$.

$A_{\text{rect}} = y_1\, \Delta x$ sur $[0, 4]$

$A_{\text{rect}} = y_2\, \Delta x$ sur $[4, 8]$

$$A = \int_0^4 \sqrt{x}\, dx + \int_4^8 \sqrt{8 - x}\, dx$$

$$= \frac{2}{3} x^{\frac{3}{2}}\Big|_0^4 + \left(\frac{\text{-}2}{3}(8 - x)^{\frac{3}{2}}\Big|_4^8\right) = \frac{16}{3} + \frac{16}{3} = \frac{32}{3}\ \text{u}^2$$

c) $A_{\text{rect}} = (y_2 - y_1)\, \Delta x$

$$A = \int_0^4 (\sqrt{8 - x} - \sqrt{x})\, dx = \frac{32}{3}(\sqrt{2} - 1)\ \text{u}^2$$

d) Pour A_1, $A_{\text{rect}} = y\, \Delta x$,

$$A_1 = \int_1^2 \frac{1}{x^2}\, dx = \frac{\text{-}1}{x}\Big|_1^2 = \frac{1}{2}\ \text{u}^2$$

Pour A_2, $A_{\text{rect}} = x\, \Delta y$,

$$A_2 = \int_1^2 \frac{1}{\sqrt{y}}\, dy = 2\sqrt{y}\ \Big|_1^2 = 2(\sqrt{2} - 1)\ \text{u}^2$$

8. $A_4 = \displaystyle\int_0^1 x^3\, dx = \frac{x^4}{4}\Big|_0^1 = \frac{1}{4}$;

$A_3 = $ aire du triangle $- A_4 = \dfrac{1}{2} - \dfrac{1}{4} = \dfrac{1}{4}$;

$A_2 = \displaystyle\int_0^1 \sqrt[3]{x}\, dx - $ aire du triangle

$$= \frac{3}{4} x^{\frac{4}{3}}\ \Big|_0^1 - \frac{1}{2} = \frac{3}{4} - \frac{1}{2} = \frac{1}{4};$$

$A_1 = $ aire du carré $- (A_2 + A_3 + A_4) = 1 - \dfrac{3}{4} = \dfrac{1}{4}$.

9. $A_1 = $ aire du triangle $= \dfrac{a \cdot a^2}{2} = \dfrac{a^3}{2}$;

$A_2 = $ aire du triangle inférieur $- \displaystyle\int_0^a x^2\, dx$

$$= \frac{a^3}{2} - \frac{x^3}{3}\Big|_0^a = \frac{a^3}{2} - \frac{a^3}{3} = \frac{a^3}{6},$$

d'où $A_1 = 3A_2$, pour tout $a > 0$.

10. a) $\displaystyle\int_1^4 \frac{1}{t}\, dt = \ln 4$

ln 4 correspond à l'aire de la région fermée délimitée par $y = \dfrac{1}{t}$, $y = 0$, $t = 1$ et $t = 4$.

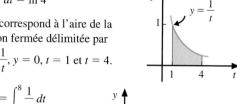

b) $\ln 8 = \displaystyle\int_1^8 \frac{1}{t}\, dt$

ln 8 correspond à l'aire de la région fermée délimitée par $y = \dfrac{1}{t}$, $y = 0$, $t = 1$ et $t = 8$.

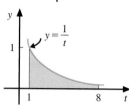

c) $\ln \dfrac{1}{2} = \displaystyle\int_1^{\frac{1}{2}} \frac{1}{t}\, dt = \text{-}\int_{\frac{1}{2}}^1 \frac{1}{t}\, dt$

$\ln \dfrac{1}{2}$ correspond à l'opposé de l'aire de la région fermée délimitée par $y = \dfrac{1}{t}$, $y = 0$, $t = \dfrac{1}{2}$ et $t = 1$.

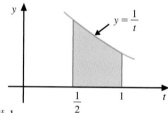

d) $\ln x = \displaystyle\int_1^x \frac{1}{t}\, dt$

11. Puisque $\dfrac{dC}{dq} = C_m$

$$\frac{dC}{dq} = 5 + e^{\frac{\text{-}q}{100}}$$

$$dC = \left(5 + e^{\frac{\text{-}q}{100}}\right) dq$$

$$C(100) - C(50) = \int_{50}^{100} \left(5 + e^{\frac{\text{-}q}{100}}\right) dq$$

$$= \left(5q - 100 e^{\frac{\text{-}q}{100}}\right)\Big|_{50}^{100} \approx 273{,}87\ \$$$

12. a) Puisque $\dfrac{dR}{dt} = 200(45 - 2t - t^2)$

$$dR = 200(45 - 2t - t^2)\, dt$$

ainsi $R(3) - R(0) = \displaystyle\int_0^3 200(45 - 2t - t^2)\, dt$

$$= \left(200\left(45t - t^2 - \frac{t^3}{3}\right)\right)\Big|_0^3$$

$$= 23\,400$$

Donc $R(3) = 23\,400\,\$$ (car $R(0) = 0$)

d'où le revenu total pour les 3 premières années est de 23 400 $.

b) Puisque $\dfrac{dC}{dt} = 200(5 + t)$

$$dC = 200\,(5 + t)\, dt$$

ainsi $C(3) - C(0) = \displaystyle\int_0^3 200(5 + t)\, dt$

$$= \left(200\left(5t + \frac{t^2}{2}\right)\right)\Big|_0^3 = 3900$$

Donc $C(3) = 3900 + C(0)$

$\qquad = 3900 + 5000$ (car $C(0) = 5000$)

d'où le coût total pour les 3 premières années est de 8900 \$.

c) Le profil P est donné par $P(t) = R(t) - C(t)$

d'où $P(3) = R(3) - C(3) = 14\ 500$ \$

d) $\dfrac{dR}{dt} = \dfrac{dC}{dt}$

$200(45 - 2t - t^2) = 200(5 + t)$

$t^2 + 3t - 40 = 0$

donc $\qquad t = 5$ ($t = \text{-}8$ à rejeter)

$P(5) = R(5) - C(5)$

$\qquad = \left[\displaystyle\int_0^5 200(45 - 2t - t^2)\,dt + R(0)\right] -$

$\qquad\qquad \left[\displaystyle\int_0^5 200(5 + t)\,dt + C(0)\right]$

$\qquad \approx [31\ 667 + 0] - [7500 + 5000]$

$\qquad \approx 19\ 167$

d'où le profit maximal est d'environ 19 167 \$.

e) Le profit maximal correspond à l'aire de la région
comprise entre les courbes
sur $[0, 5]$.

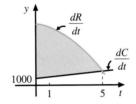

13. a) $\dfrac{dQ}{dt} = 35 + \dfrac{1}{\sqrt{t}}$

$dQ = \left(35 + \dfrac{1}{\sqrt{t}}\right) dt$

$Q(60) - Q(0) = \displaystyle\int_0^{60} \left(35 + \dfrac{1}{\sqrt{t}}\right) dt$

$\qquad\qquad\qquad = (35t + 2\sqrt{t}) \Big|_0^{60}$

$\qquad\qquad\qquad \approx 2115,5$

$Q(60) \approx 2115,5 + Q(0)$

$\qquad \approx 2115,5 + 500$ (car $Q(0) = 500$)

d'où $Q(60) \approx 2615,5$ litres

b) Nous cherchons b tel que

$Q(b) - Q(0) = 5000 - 500$

$\displaystyle\int_0^b \left(35 + \dfrac{1}{\sqrt{t}}\right) dt = 4500$

$(35t + 2\sqrt{t}) \Big|_0^b = 4500$

$35b + 2\sqrt{b} = 4500$

En posant $x = \sqrt{b}$, où $b > 0$, nous obtenons

$35x^2 + 2x - 4500 = 0$

donc $x = 11,31\ldots$ ($x = \text{-}11,36\ldots$ est à rejeter)

Ainsi $b = (11,31\ldots)^2$, d'où environ 128 minutes.

14. a) $v(3) - v(0) = \displaystyle\int_0^3 9,8\,dt = 29,4$ m/s;

$v(5) - v(3) = \displaystyle\int_3^5 9,8\,dt = 19,6$ m/s.

b) $x(2) - x(0) = \displaystyle\int_0^2 9,8t\,dt = 19,6$ m;

$x(5) - x(2) = \displaystyle\int_2^5 9,8t\,dt = 102,9$ m.

15. Puisque $F = ma$ (Loi de Newton),
nous avons $F(x) = 10(0,3x + 1)$

Ainsi $W = \displaystyle\int_0^6 F(x)\,dx$

$\qquad = \displaystyle\int_0^6 10(0,3x + 1)\,dx$

$\qquad = 10\left(\dfrac{0,3x^2}{2} + x\right)\Big|_0^6$

$\qquad = 114$, donc 114 J

16. $M_x = \displaystyle\int_1^3 \dfrac{1}{2} y\, y\, dx$

$\qquad = \dfrac{1}{2} \displaystyle\int_1^3 \left(\dfrac{1}{x^2}\right)^2 dx$

$\qquad = \dfrac{\text{-}1}{6x^3}\Big|_1^3 = \dfrac{13}{81}$

$M_y = \displaystyle\int_1^3 x\, y\, dx$

$\qquad = \displaystyle\int_1^3 x\left(\dfrac{1}{x^2}\right) dx = \ln |x|\, \Big|_1^3 = \ln 3$

$A = \displaystyle\int_1^3 \dfrac{1}{x^2}\, dx = \dfrac{\text{-}1}{x}\Big|_1^3 = \dfrac{2}{3}$

Ainsi $\bar{x} = \dfrac{M_y}{A} = \dfrac{\ln 3}{\dfrac{2}{3}} = \dfrac{3\ln 3}{2} \approx 1,648$

et $\quad \bar{y} = \dfrac{M_x}{A} = \dfrac{\dfrac{13}{81}}{\dfrac{2}{3}} = \dfrac{13}{54} \approx 0,241$

d'où $C\left(\dfrac{3\ln 3}{2}, \dfrac{13}{54}\right)$ est le centre de gravité.

Exercices 3.6 (page 163)

1. a) Puisque $n = 6$, $\dfrac{b-a}{n} = \dfrac{2-0}{6} = \dfrac{1}{3}$,

alors $\quad P = \left\{0, \dfrac{1}{3}, \dfrac{2}{3}, 1, \dfrac{4}{3}, \dfrac{5}{3}, 2\right\}$.

$\displaystyle\int_0^2 x^3\, dx \approx \dfrac{1}{6}\left[f(0) + 2f\left(\dfrac{1}{3}\right) + 2f\left(\dfrac{2}{3}\right) + 2f(1) + 2f\left(\dfrac{4}{3}\right) + 2f\left(\dfrac{5}{3}\right) + f(2)\right]$

$\qquad \approx \dfrac{1}{6}\left[0 + 2\left(\dfrac{1}{3}\right)^3 + 2\left(\dfrac{2}{3}\right)^3 + 2(1)^3 + 2\left(\dfrac{4}{3}\right)^3 + 2\left(\dfrac{5}{3}\right)^3 + 2^3\right]$

$\qquad \approx 4,\overline{1}$

b) En calculant $f''(x)$, nous obtenons $f''(x) = 6x$.

Puisque $|6x| \le 12$, $\forall\, x \in [0, 2]$ et que $f''(2) = 12$, alors $M = 12$.

$|E| \le \dfrac{(b-a)^3 M}{12n^2}$

$|E| \le \dfrac{(2)^3\, 12}{12\,(6)^2}$

d'où $|E| \le 0,\overline{2}$.

c) $\displaystyle\int_0^2 x^3\, dx = \dfrac{x^4}{4}\Big|_0^2 = 4$,

d'où $|E| = |4,\overline{1} - 4| = 0,\overline{1}$.

2. a) $P = \left\{0, \dfrac{1}{2}, 1, \dfrac{3}{2}, 2, \dfrac{5}{2}, 3, \dfrac{7}{2}, 4\right\}$;

$\displaystyle\int_0^4 \sqrt{x^3+1}\, dx \approx \dfrac{(4-0)}{2(8)}\left[f(0) + 2f\left(\dfrac{1}{2}\right) + 2f(1) + 2f\left(\dfrac{3}{2}\right) + \ldots + 2f\left(\dfrac{7}{2}\right) + f(4)\right]$

$$\approx \frac{1}{4}\left[1+2\sqrt{\frac{1}{8}+1}+2\sqrt{2}+2\sqrt{\frac{27}{8}+1}+2(3)+\right.$$
$$\left.2\sqrt{\frac{125}{8}+1}+2\sqrt{28}+2\sqrt{\frac{343}{8}+1}+\sqrt{65}\right]$$
$$\approx 14{,}045$$

b) $P=\left\{0,\dfrac{1}{5},\dfrac{2}{5},\dfrac{3}{5},\dfrac{4}{5},1\right\}$;

$$\int_0^1 \sin x^2\, dx$$
$$\approx \frac{(1-0)}{2\,(5)}\left[f(0)+2f\left(\frac{1}{5}\right)+2f\left(\frac{2}{5}\right)+2f\left(\frac{3}{5}\right)+2f\left(\frac{4}{5}\right)+f(1)\right]$$
$$\approx \frac{1}{10}\left[0+2\sin\left(\frac{1}{25}\right)+2\sin\left(\frac{4}{25}\right)+2\sin\left(\frac{9}{25}\right)+2\sin\left(\frac{16}{25}\right)+\sin(1)\right]$$
$$\approx 0{,}314$$

3. a) $P=\left\{1,\dfrac{3}{2},2,\dfrac{5}{2},3\right\}$;

$$\int_1^3 \ln x^2\, dx \approx \frac{(3-1)}{2\,(4)}\left[f(1)+2f\left(\frac{3}{2}\right)+2f(2)+2f\left(\frac{5}{2}\right)+f(3)\right]$$
$$\approx \frac{1}{4}\left[\ln 1+2\ln\left(\frac{9}{4}\right)+2\ln(4)+2\ln\left(\frac{25}{4}\right)+\ln 9\right]$$
$$\approx 2{,}564\,209$$

b) En calculant $f''(x)$, nous obtenons $f''(x)=\dfrac{-2}{x^2}$.

Puisque $\left|\dfrac{-2}{x^2}\right|\leq 2,\ \forall\, x\in[1,3]$ et que $|f''(1)|=2$,

alors $M=2$.

$|E|\leq \dfrac{(3-1)^3\,2}{12\,(4)^2}$, d'où $|E|\leq 0{,}08\overline{3}$.

c) Puisque $|E|\leq \dfrac{(b-a)^3\,M}{12n^2}$, il suffit de trouver la valeur

de n telle que

$\dfrac{(b-a)^3\,M}{12n^2}\leq 0{,}01$, c'est-à-dire $\dfrac{(3-1)^3\,2}{12n^2}\leq 0{,}01$

(car $M=2$)

$$n^2\geq 133{,}\overline{3}$$
$$n\geq 11{,}5\ldots,$$
d'où $\quad n=12$ suffit.

d) De façon analogue, nous trouvons que $n=37$ suffit.

4. a) Puisque $n=6,\ P=\left\{1,\dfrac{3}{2},2,\dfrac{5}{2},3,\dfrac{7}{2},4\right\}$.

$$\int_1^4 (2x^3+x)\, dx$$
$$\approx \frac{(4-1)}{3\,(6)}\left[f(1)+4f\left(\frac{3}{2}\right)+2f(2)+4f\left(\frac{5}{2}\right)+2f(3)+4f\left(\frac{7}{2}\right)+f(4)\right]$$
$$\approx \frac{1}{6}\left[3+4\,(8{,}25)+2\,(18)+4\,(33{,}75)+2\,(57)+4\,(89{,}25)+132\right]$$
$$\approx 135$$

b) En calculant $f^{(4)}(x)$, nous obtenons $f^{(4)}(x)=0$.
Puisque M est la valeur maximale de $f^{(4)}(x)$ sur $[1,4]$,
nous savons que $M=0$
$$|E|\leq \frac{(b-a)^5\,M}{180n^4}$$
$$|E|\leq 0,$$
d'où $E=0$.
Donc, en utilisant la méthode de Simpson, nous obtenons
la valeur exacte, car $E=0$.

c) $\displaystyle\int_1^4 (2x^3+x)\, dx=\left(\dfrac{x^4}{2}+\dfrac{x^2}{2}\right)\Big|_1^4=135$

5. a) $P=\{-1,0,1,2,3,4,5\}$;

$$\int_{-1}^5 \sqrt{x^4+1}\, dx$$
$$\approx \frac{(5-(-1))}{3\,(6)}\left[f(-1)+4f(0)+2f(1)+4f(2)+2f(3)+4f(4)+f(5)\right]$$
$$\approx \frac{1}{3}\left[\sqrt{2}+4+2\sqrt{2}+4\sqrt{17}+2\sqrt{82}+4\sqrt{257}+\sqrt{626}\right]$$
$$\approx 43{,}997$$

b) $P=\left\{-2,\dfrac{-3}{2},-1,\dfrac{-1}{2},0\right\}$;

$$\int_{-2}^0 \frac{1}{e^{x^2}}\, dx \approx \frac{(0-(-2))}{3\,(4)}\left[f(-2)+4f\left(\frac{-3}{2}\right)+2f(-1)+4f\left(\frac{-1}{2}\right)+f(0)\right]$$
$$\approx \frac{1}{6}\left[\frac{1}{e^4}+\frac{4}{e^{\frac{9}{4}}}+\frac{2}{e}+\frac{4}{e^{\frac{1}{4}}}+1\right]\approx 0{,}882$$

6. a) $P=\left\{1,\dfrac{9}{4},\dfrac{7}{2},\dfrac{19}{4},6\right\}$;

$$\int_1^6 \ln x\, dx \approx \frac{(6-1)}{3\,(4)}\left[f(1)+4f\left(\frac{9}{4}\right)+2f\left(\frac{7}{2}\right)+4f\left(\frac{19}{4}\right)+f(6)\right]$$
$$\approx \frac{5}{12}\left[\ln 1+4\ln\left(\frac{9}{4}\right)+2\ln\left(\frac{7}{2}\right)+4\ln\left(\frac{19}{4}\right)+\ln 6\right]$$
$$\approx 5{,}738\,994$$

b) En calculant $f^{(4)}(x)$, nous obtenons $f^{(4)}(x)=\dfrac{-6}{x^4}$.

Puisque $\left|\dfrac{-6}{x^4}\right|\leq 6,\ \forall\, x\in[1,6]$ et que $|f^{(4)}(1)|=6$,

alors $M=6$.
$$|E|\leq \frac{(b-a)^5\,M}{180n^4}$$
$$|E|\leq \frac{(5)^5\,6}{180\,(4)^4},$$
d'où $|E|\leq 0{,}406\,9\ldots$

c) Puisque $|E|\leq \dfrac{(b-a)^5\,M}{180n^4}$, il suffit de trouver la valeur

de n telle que

$\dfrac{(b-a)^5\,M}{180n^4}\leq 0{,}1$, c'est-à-dire

$$\frac{5^5\,6}{180n^4}\leq 0{,}1 \quad (\text{car } M=6)$$
$$n^4\geq 1041{,}\overline{6}$$
$$n\geq 5{,}6\ldots,$$
d'où $\quad n=6$ suffit.

d) De façon analogue,
$$\frac{5^5\,6}{180n^4}\leq 0{,}01,\ \text{c'est-à-dire}$$
$$n^4\geq 10\,416{,}\overline{6}$$
$$n\geq 10{,}1\ldots$$
d'où $n=12$ suffit, puisque n doit être un nombre pair.

7. a) $P=\{1,2,3,4,5\}$;

$$\int_1^5 \frac{1}{\sqrt{4x+5}}\, dx \approx \frac{(5-1)}{2\,(4)}\left[f(1)+2f(2)+2f(3)+2f(4)+f(5)\right]$$
$$\approx \frac{1}{2}\left[\frac{1}{3}+\frac{2}{\sqrt{13}}+\frac{2}{\sqrt{17}}+\frac{2}{\sqrt{21}}+\frac{1}{5}\right]$$
$$\approx 1{,}004\,770$$

b) $P=\{1,2,3,4,5\}$;

$$\int_1^5 \frac{1}{\sqrt{4x+5}}\, dx \approx \frac{(5-1)}{3\,(4)}\left[f(1)+4f(2)+2f(3)+4f(4)+f(5)\right]$$

3

$$\approx \frac{1}{3}\left[\frac{1}{3}+\frac{4}{\sqrt{13}}+\frac{2}{\sqrt{17}}+\frac{4}{\sqrt{21}}+\frac{1}{5}\right]$$
$$\approx 1,000\ 226$$

c) $\displaystyle\int_{1}^{5}\frac{1}{\sqrt{4x+5}}\,dx=\frac{\sqrt{4x+5}}{2}\Big|_{1}^{5}=1$

8. > f:=→sin(3*x−sin(x));
$$f:= x \rightarrow \sin(3\,x-\sin(x))$$
> with(plots):
> y:=plot(f(x),x=0..Pi,color=red):
> a:=plot(f(x),x=0..Pi,filled=true,color=yellow):
> display(a,y);

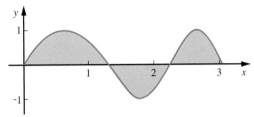

> x1:=fsolve(f(x)=0,x=1..1.5);
$$x1:= 1.374103644$$
> x2:=fsolve(f(x)=0,x=2..2.5);
$$x2:= 2.335032211$$
> A1:=Int(f(x),x=0..x1)=int(f(x),x=0..x1);
$$A1:=\int_{0}^{1.374103644}\sin(3x-\sin(x))\,dx=.8781296970$$
> A2:=Int(-f(x),x=x1..x2)=int(-f(x),x=x1..x2);
$$A2:=\int_{1.374103644}^{2.335032211}-\sin(3x-\sin(x))\,dx=.6083749625$$
> A3:=Int(f(x),x=x2..Pi)=int(f(x),x=x2..Pi);
$$A3:=\int_{2.335032211}^{\pi}\sin(3x-\sin(x))\,dx=.5118904270$$
> A:=evalf(A1+A2+A3);
$$A:= 1.998395087$$

9. > f:=x→x^3−x^2−2*x;
$$f:= x \rightarrow x^3-x^2-2x$$
> g:=x→2*sin(x^2)−1;
$$g:= x \rightarrow 2\sin(x^2)-1$$
> with(plots):
> c1:=plot({f(x),g(x)},x=-1.3..2,color=[red,blue]):
> c2:=plot([max(min(f(x),g(x)),0),min(max(f(x),g(x)),0),f(x),g(x)],
    x=x1..x3,filled=true,color=[white,yellow,yellow]):
> display(c1,c2);

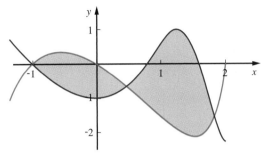

> x1:=fsolve(f(x)=g(x),x=-1.5..-0.8);
$$x1:= -.8591868484$$
> x2:=fsolve(f(x)=g(x),x=0..1);
$$x2:= .3435272551$$
> x3:=fsolve(f(x)=g(x),x=1.5..2);
$$x3:= 1.783162011$$
> A1:=Int(f(x)−g(x),x=x1..x2)=int(f(x)−g(x),x=x1..x2);
$$A1:=\int_{-.8591868484}^{.3435272551}x^3-x^2-2x-2\sin(x^2)+1\,dx=1.031560621$$
> A2:=Int(g(x)−f(x),x=x2..x3)=int(g(x)−f(x),x=x2..x3);
$$A2:=\int_{.3435272551}^{1.783162011}2\sin(x^2)-1-x^3+x^2+2x\,dx=2.7366628739$$
> A:=int(f(x)−g(x),x=x1..x2)+int(g(x)−f(x),x=x2..x3);
$$A:= 3.768189360$$

▦ Exercices récapitulatifs (page 166)

1. a) 25 500 500   b) 10 050   c) 78 540

2. Laissée à l'élève.

3. a) 204   b) 17 576 et 123 201

4. a) $s_n=\dfrac{14}{3}-\dfrac{5}{2n}+\dfrac{5}{6n^2}$; $S_n=\dfrac{14}{3}+\dfrac{5}{2n}+\dfrac{5}{6n^2}$;
$s = S = \dfrac{14}{3}$; $A_0^1=\dfrac{14}{3}$ u^2

b) $s_n=\dfrac{9}{2}-\dfrac{1}{n}+\dfrac{1}{2n^2}$; $S_n=\dfrac{9}{2}+\dfrac{1}{n}+\dfrac{1}{2n^2}$;
$s = S = \dfrac{9}{2}$; $A_0^1=\dfrac{9}{2}$ u^2

c) $s_n=60-\dfrac{81}{2n}+\dfrac{9}{2n^2}$; $S_n=60+\dfrac{81}{2n}+\dfrac{9}{2n^2}$;
$s = S = 60$; $A_1^4=60$ u^2

5. a) $a=0, b=7$ d) $a=5, b=4$
b) $a=7, b=4$ e) $a=\pi, b=4\pi$
c) $a=-2, b=7$ f) $a=2, b=4$

6. a) $\dfrac{20}{3}$ b) $10+\ln 2$

c) $\dfrac{42}{5}$ g) $2+\dfrac{3\pi}{4}$

d) $\dfrac{4\pi r^3}{3}$ h) -1

e) $\ln\left(\dfrac{2}{5}\right)$ i) $\dfrac{3e}{2}+\dfrac{2}{e+1}-\dfrac{1}{2}$

f) $\dfrac{39}{2}$ j) $\dfrac{255}{32\ln 4}+\dfrac{1-e^2}{e}$

7. a) $e-\sqrt{e}$ d) $\dfrac{-15}{2}$ g) $\ln 3$ i) $\dfrac{-\pi^2}{2}$

b) $2\ln 2$ e) 0 h) $\dfrac{\pi}{8}-\dfrac{1}{4}$ j) 0

c) $\dfrac{\pi}{12}+\dfrac{1}{4}$ f) $\dfrac{9}{34}$

8. a) $\dfrac{97}{4}$ u^2 d) $\dfrac{64}{3}$ u^2 g) $(4-3\ln 3)$ u^2

b) $\dfrac{1}{2}$ u^2 e) $\dfrac{64}{3}$ u^2 h) $\dfrac{1}{2}$ u^2

c) $\dfrac{29}{6}$ u^2 f) $\dfrac{1}{2}$ u^2 i) $\dfrac{32}{3}$ u^2

j) $\dfrac{3-\sqrt{2}}{2}\,u^2$ k) $\left(\dfrac{\pi}{2}-1\right)u^2$ l) $\left(\dfrac{\pi^3}{12}-\pi-2\right)u^2$

9. a) $\dfrac{3}{20}\,u^2$ f) $\dfrac{9}{8}\,u^2$

b) $\dfrac{2}{\pi}\,u^2$ g) $(3-\sqrt{5})\,u^2$

c) $\dfrac{e+1}{2}\,u^2$ h) $\dfrac{\ln 2}{2}\,u^2$

d) $\left(18+\dfrac{63}{8\ln 2}\right)u^2$ i) $(2\pi+2)\,u^2$

e) $\dfrac{8^5}{15}\,u^2$ j) $\dfrac{16}{3}\,u^2$

10. a) $k=\dfrac{3}{35}$ b) $k=\dfrac{9}{196}$ c) $k=e$ d) $k=\dfrac{4}{17}$

11. a) $\dfrac{44}{3}\,u^2$ b) $\dfrac{23}{3}\,u^2$ c) $\dfrac{17}{2}\,u^2$

12. $A_1=\dfrac{8}{3}\,u^2,\ A_2=\dfrac{16}{3}\,u^2$ et $A_3=\dfrac{5}{6}\,u^2$

13. a) Laissée à l'élève.
b) Chaque aire est de 2 u^2.
c) Laissée à l'élève.

14. a)

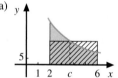

$c\approx 3{,}79$

b)

$c=\ln\left(\dfrac{e^2-1}{2}\right)\approx 1{,}16$

c) Laissée à l'élève.

$c=\ln\left(\dfrac{\ln\left(\dfrac{3}{2}\right)}{\ln\left(\dfrac{4}{3}\right)}\right)\approx 0{,}343$

15. $c_1=\dfrac{6-\sqrt{21}}{3}$ et $c_2=\dfrac{6+\sqrt{21}}{3}$

16. a) $2{,}019\ 8\dots$ c) $7{,}471\ 7\dots$
b) $2{,}446\ 3\dots$ d) $1527{,}2221\dots$

17. a) $0{,}697\ 0\dots$ c) $n=13$ suffit
b) $|E|\leqslant 0{,}010\ 4\dots$ d) $\ln 2=0{,}693\ 1\dots$

18. a) $2{,}004\ 5$ c) $n=8$ suffit
b) $|E|\leqslant 0{,}006\ 6\dots$ d) 2

19. $25{,}4\ ^\circ C$

20. a) $S_6=121$ mètres ; laissée à l'élève.
b) $A_0^6=102$ mètres ; laissée à l'élève.

21. a) $2850\,\$$ b) $9450\,\$$ c) $7350\,\$$

22. a) $s_{10}=352{,}5$ tm et $S_{10}=452{,}5$ tm
b) Méthode des trapèzes : $402{,}5$ tm ;
méthode de Simpson : 400 tm
c) 400 tm

23. a) Laissée à l'élève.
$A=\dfrac{52}{3}$
b) $C\left(\dfrac{363}{65},\dfrac{15}{13}\right)$

24. Laissée à l'élève.
a) $C\left(\dfrac{5}{\ln 6},\dfrac{5}{2\ln 6}\right)$ b) $C\left(\dfrac{62}{15},\dfrac{-8}{3}\right)$

25. a) Laissée à l'élève. b) Laissée à l'élève.

26. Laissée à l'élève.

▦ Problèmes de synthèse (page 169)

1. a) $a=0,\ b=-1$ et $c=12$ b) $220\ 825$

2. a) $\Delta x_k=\dfrac{(2k-1)}{n^2};\ f(x_k)=\dfrac{k}{n}$ c) $\dfrac{2}{3}$
b) $\dfrac{4n^3+3n^2-n}{6n^3}$ d) Laissée à l'élève.

3. a) -2 c) $\dfrac{2}{9}(1+7\sqrt{7})$ e) $\dfrac{886}{15}$
b) $\dfrac{80}{9}+\ln 9$ d) $\dfrac{\pi}{4}+\sqrt{2}-2$

4. a) $\dfrac{49}{3}\,u^2$ d) $(e^3-1)\,u^2$ g) $\left(1-\dfrac{\pi}{6}\right)u^2$
b) $3{,}5\,u^2$ e) $\left(\dfrac{\pi}{2}-1\right)u^2$ h) $\dfrac{2\pi}{3}\,u^2$
c) $\dfrac{1}{12}\,u^2$ f) $\left(\dfrac{2}{\pi}-\dfrac{1}{3}\right)u^2$

5. a) $\dfrac{7}{6}\,u^2$ c) $\dfrac{32}{3}\,u^2$ e) 2π
b) $(e-2{,}5)\,u^2$ d) $\left(\dfrac{17}{4}+\ln 18\right)u^2$

6. $m=4{,}2$

7. a) $\dfrac{2099}{32}\,u^2$ b) $\dfrac{999}{32}\,u^2$

8. a) $P\left(\sqrt[3]{\dfrac{1}{4}},\dfrac{1}{4}\right)$ b) $Q\left(\dfrac{1}{2},\dfrac{1}{8}\right)$ c) $R(1,1)$

9. a) $P\left(\dfrac{1}{2},\dfrac{1}{4}\right)$ b) $Q\left(\dfrac{2\sqrt{3}}{3},\dfrac{8\sqrt{3}}{9}\right)$

10. a) $\dfrac{A_1}{A_2}=1$ b) $\dfrac{b^3}{4}\,u^2$ c) $\dfrac{b^2}{4\sqrt{1+b^2}}$

11. Laissée à l'élève.

12. Laissées à l'élève.

13. 6033,33 $

14. Demande excédentaire : 18 000 $
Offre excédentaire : 9000 $

15. a) $P(t) = 5,7e^{0,02\,t}$
b) Environ 7,01 milliards

16. 14,7 m/s

17. $W = \dfrac{G\,m_1\,m_2\,(c_2 - c_1)}{(c_1 - a)\,(c_2 - a)}$

18. a) 12,735 7…   c) 12,334 3…
b) 11,982 8…   d) $4\pi = 12{,}566\,3\ldots$

19. Laissées à l'élève.

20. Laissées à l'élève.

21. Laissée à l'élève.

22. a) $C\left(0, \dfrac{4}{\pi}\right)$ b) $C\left(\dfrac{4}{\pi}, \dfrac{4}{\pi}\right)$ c) $C\left(\dfrac{5}{2}, \dfrac{3}{2}\right)$

23. a) Laissée à l'élève.
b) $C_1\left(\dfrac{-53}{35}, \dfrac{-1972}{245}\right)$ et $C_2\left(\dfrac{17}{25}, \dfrac{-92}{175}\right)$

Chapitre 4

Test préliminaire *(page 175)*

1. a) $\sin(A + B) = \sin A \cos B + \cos A \sin B$
b) $\sin(A - B) = \sin A \cos B - \cos A \sin B$
c) $\cos(A + B) = \cos A \cos B - \sin A \sin B$
d) $\cos(A - B) = \cos A \cos B + \sin A \sin B$
e) $1 - \sin^2 \theta = \cos^2 \theta$
f) $1 + \tan^2 \theta = \sec^2 \theta$
g) $\sec^2 \theta - 1 = \tan^2 \theta$

2. a) $\theta = \text{Arc} \sin x$ c) $\theta = \text{Arc} \sec\left(\dfrac{4x}{5}\right)$
b) $\theta = \text{Arc} \tan\left(\dfrac{x}{2}\right)$

3. a) $\sin \theta = \dfrac{b}{c}$ d) $\sec \theta = \dfrac{c}{a}$
b) $\cos \theta = \dfrac{a}{c}$ e) $\csc \theta = \dfrac{c}{b}$
c) $\tan \theta = \dfrac{b}{a}$ f) $\cot \theta = \dfrac{a}{b}$

4. a) $\cos^2 \theta = \dfrac{1 + \cos 2\theta}{2}$ b) $\sin^2 \theta = \dfrac{1 - \cos 2\theta}{2}$

5. $\sin 2\theta = 2 \sin \theta \cos \theta$

6. a) $C = 3$ b) $C = 13$ c) $C = -5$

7. a) $x^2 - 5x = x(x - 5)$
b) $x^3 + x^2 - 20x = x(x + 5)(x - 4)$
c) $x^4 - 9x^2 = x^2(x - 3)(x + 3)$
d) $x^3 - 8 = (x - 2)(x^2 + 2x + 4)$
e) $x^3 + a^3 = (x + a)(x^2 - ax + a^2)$

8. a) $\dfrac{(A + B + C)\,x^2 + (B - C)x - A}{x(x - 1)(x + 1)}$
b) $\dfrac{(3A + C)\,x^3 + (3B + D)\,x^2 + 4Ax + 4B}{x^2(3x^2 + 4)}$
c) $\dfrac{(A + C)x^3 + (B + D)x^2 + (A + 3C)x + (B + 3D)}{(x^2 + 1)(x^2 + 3)}$

9. a) $2x + 4 + \dfrac{-5}{x^2 + x + 1}$ b) $x^3 - x + \dfrac{-4x + 2}{(x - 1)^2}$

10. a) $x = 2, y = -1$ et $z = 0$

b) $A = 2, B = 0$ et $C = \dfrac{-1}{3}$

11. a) $2e^{\frac{x}{2}} + C$ d) $\ln|\sec x + \tan x| + C$
b) $\dfrac{\sin 2\theta}{2} + C$ e) $-\ln|\cos u| + C$
c) $-3 \cos\left(\dfrac{x}{3}\right) + C$ f) $\ln|\csc x - \cot x| + C$

Exercices 4.1 *(page 184)*

1. a) $u = x,\ dv = e^{3x}\,dx;\ \dfrac{xe^{3x}}{3} - \dfrac{e^{3x}}{9} + C$
b) $u = \dfrac{t}{3},\ dv = \sin 2t\,dt;\ \dfrac{-t \cos 2t}{6} + \dfrac{\sin 2t}{12} + C$
c) $u = \ln 8x,\ dv = dx;\ x \ln 8x - x + C$
d) $u = 3\theta,\ dv = \cos\left(\dfrac{\theta}{5}\right)d\theta;\ 15\theta \sin\left(\dfrac{\theta}{5}\right) + 75 \cos\left(\dfrac{\theta}{5}\right) + C$
e) $u = \ln x,\ dv = \sqrt{x}\,dx;\ \dfrac{2}{3}x^{\frac{3}{2}} \ln x - \dfrac{4}{9}x^{\frac{3}{2}} + C$
f) $u = x,\ dv = \sqrt{1 + 4x}\,dx;\ \dfrac{x(1 + 4x)^{\frac{3}{2}}}{6} - \dfrac{(1 + 4x)^{\frac{5}{2}}}{60} + C$

2. a) $u = x,\ dv = \sec^2 6x\,dx;\ \dfrac{x \tan 6x}{6} + \dfrac{1}{36} \ln|\cos 6x| + C$
b) $u = \text{Arc} \sin 5x,\ dv = dx;\ x \,\text{Arc} \sin 5x + \dfrac{\sqrt{1 - 25x^2}}{5} + C$
c) $u = t,\ dv = \sec t \tan t\,dt;$
$t \sec t - \ln|\sec t + \tan t| + C$
d) $u = \text{Arc} \cos x^3,\ dv = x^2\,dx;$
$\dfrac{x^3}{3}\, \text{Arc} \cos x^3 - \dfrac{\sqrt{1 - x^6}}{3} + C$
e) $u = x^2,\ dv = xe^{x^2}\,dx;\ \dfrac{x^2 e^{x^2}}{2} - \dfrac{e^{x^2}}{2} + C$
f) $u = \text{Arc} \tan y,\ dv = y^2\,dy;$
$\dfrac{y^3}{3}\, \text{Arc} \tan y - \dfrac{y^2}{6} + \dfrac{1}{6} \ln(y^2 + 1) + C$

3. a) $u = x^2,\ dv = \sin x\,dx;\ u = x,\ dv = \cos x\,dx;$
$-x^2 \cos x + 2x \sin x + 2 \cos x + C$

b) $u = x^2$, $dv = e^{4x}\,dx$; $u = x$, $dv = e^{4x}\,dx$;
$$\frac{x^2 e^{4x}}{4} - \frac{x e^{4x}}{8} + \frac{e^{4x}}{32} + C$$

c) $u = \ln^2 x$, $dv = x^2\,dx$; $u = \ln x$, $dv = x^2\,dx$;
$$\frac{x^3 \ln^2 x}{3} - \frac{2x^3 \ln x}{9} + \frac{2x^3}{27} + C$$

d) $u = (x^2 - 5x)$, $dv = e^{-3x}\,dx$; $u = (2x - 5)$, $dv = e^{-3x}\,dx$;
$$\frac{-(x^2 - 5x)e^{-3x}}{3} - \frac{(2x - 5)e^{-3x}}{9} - \frac{2e^{-3x}}{27} + C$$

4. a)

u	$\oplus (2x^2 - 3x + 4)$	$\ominus (4x - 3)$	$\oplus 4$	0
dv	e^{7x}	$\dfrac{e^{7x}}{7}$	$\dfrac{e^{7x}}{49}$	$\dfrac{e^{7x}}{343}$

$$I = \frac{(2x^2 - 3x + 4)e^{7x}}{7} - \frac{(4x - 3)e^{7x}}{49} + \frac{4e^{7x}}{343} + C$$

b)

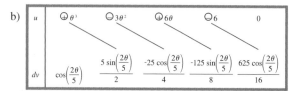

u	$\oplus \theta^3$	$\ominus 3\theta^2$	$\oplus 6\theta$	$\ominus 6$	0
dv	$\cos\left(\dfrac{2\theta}{5}\right)$	$\dfrac{5\sin\left(\frac{2\theta}{5}\right)}{2}$	$\dfrac{-25\cos\left(\frac{2\theta}{5}\right)}{4}$	$\dfrac{-125\sin\left(\frac{2\theta}{5}\right)}{8}$	$\dfrac{625\cos\left(\frac{2\theta}{5}\right)}{16}$

$$I = \frac{5\theta^3 \sin\left(\frac{2\theta}{5}\right)}{2} + \frac{75\theta^2 \cos\left(\frac{2\theta}{5}\right)}{4} - \frac{375\theta \sin\left(\frac{2\theta}{5}\right)}{4}$$
$$- \frac{1875 \cos\left(\frac{2\theta}{5}\right)}{8} + C$$

5. a) $u = e^x$, $dv = \sin x\,dx$; $u = e^x$, $dv = \cos x\,dx$;
$$\frac{e^x \sin x - e^x \cos x}{2} + C = \frac{e^x(\sin x - \cos x)}{2} + C$$

b) $u = e^{-x}$, $dv = \cos 2x\,dx$; $u = e^{-x}$, $dv = \sin 2x\,dx$;
$$\frac{e^{-x}(2 \sin 2x - \cos 2x)}{5} + C$$

c) $u = \cos\theta$, $dv = \cos\theta\,d\theta$; $\sin^2\theta = 1 - \cos^2\theta$;
$$\frac{\sin\theta \cos\theta + \theta}{2} + C$$

d) $u = \cos(\ln x)$, $dv = dx$; $u = \sin(\ln x)$, $dv = dx$;
$$\frac{x \cos(\ln x) + x \sin(\ln x)}{2} + C$$

e) $u = \sin 3t$, $dv = \cos 4t\,dt$; $u = \cos 3t$, $dv = \sin 4t\,dt$;
$$\frac{16}{7}\left(\frac{\sin 3t \sin 4t}{4} + \frac{3 \cos 3t \cos 4t}{16}\right) + C$$

f) $u = \csc x$, $dv = \csc^2 x\,dx$; $\cot^2 x = \csc^2 x - 1$;
$$\frac{-\csc x \cot x + \ln|\csc x - \cot x|}{2} + C$$

6. a) $x \log x - \dfrac{x}{\ln 10} + C$

b) $\dfrac{x^2 \ln^2 x}{2} - \dfrac{x^2 \ln x}{2} + \dfrac{x^2}{4} + C$

c) $\dfrac{x^3 \ln x}{3} - \dfrac{x^3}{9} + C$

d) $\dfrac{-x^3 \cos 2x}{2} + \dfrac{3x^2 \sin 2x}{4} + \dfrac{3x \cos 2x}{4} - \dfrac{3 \sin 2x}{8} + C$

e) $\dfrac{\cos\theta \sin 4\theta - 4 \sin\theta \cos 4\theta}{15} + C$

f) $2y\sqrt{1 + y} - \dfrac{4}{3}(1 + y)^{\frac{3}{2}} + C$

7. a) Il faut poser $u = (\ln x)^n$ et $dv = dx$;
$$\int \ln^3 x\,dx = x(\ln x)^3 - 3x(\ln x)^2 + 6x(\ln x) - 6x + C$$

b) Il faut poser $u = \cos^{n-1} x$ et $dv = \cos x\,dx$, et remplacer $\sin^2 x$ par $(1 - \cos^2 x)$ dans la nouvelle intégrale;
$$\int \cos^4 x\,dx = \frac{\cos^3 x \sin x}{4} + \frac{3 \cos x \sin x}{8} + \frac{3x}{8} + C;$$
$$\int \cos^5 x\,dx = \frac{\cos^4 x \sin x}{5} + \frac{4 \cos^2 x \sin x}{15} + \frac{8 \sin x}{15} + C$$

c) Il faut poser $u = \sec^{n-2} x$ et $dv = \sec^2 x\,dx$, et remplacer $\tan^2 x$ par $(\sec^2 x - 1)$ dans la nouvelle intégrale;
$$\int \sec^4 x\,dx = \frac{\sec^2 x \tan x}{3} + \frac{2}{3}\tan x + C;$$
$$\int \sec^5 x\,dx = \frac{\sec^3 x \tan x}{4} + \frac{3 \sec x \tan x}{8} + \frac{3 \ln|\sec x + \tan x|}{8} + C$$

d)
$$\int \tan^n x\,dx = \int \tan^{n-2} x \tan^2 x\,dx$$
$$= \int \tan^{n-2} x (\sec^2 x - 1)\,dx$$
$$= \int \tan^{n-2} x \sec^2 x\,dx - \int \tan^{n-2} x\,dx$$
$$= \frac{\tan^{n-1} x}{n-1} - \int \tan^{n-2} x\,dx$$
$$\int \tan^4 x\,dx = \frac{\tan^3 x}{3} - \tan x + x + C;$$
$$\int \tan^7 x\,dx = \frac{\tan^6 x}{6} - \frac{\tan^4 x}{4} + \frac{\tan^2 x}{2} - \ln|\sec x| + C$$

8. a) $\left(\dfrac{x e^{3x}}{3} - \dfrac{e^{3x}}{9}\right)\Big|_{-1}^{0} = \dfrac{4 - e^3}{9e^3}$

b) $\left(\dfrac{x^2 \ln x}{2} - \dfrac{x^2}{4}\right)\Big|_{1}^{e} = \dfrac{e^2}{4} + \dfrac{1}{4}$

c) $\left(\dfrac{\cos^4 x \sin x}{5} + \dfrac{4 \cos^2 x \sin x}{15} + \dfrac{8 \sin x}{15}\right)\Big|_{0}^{\pi} = 0$

d) $(x \operatorname{Arc\,sin} x + \sqrt{1 - x^2})\Big|_{0}^{0,5} = \dfrac{\pi}{12} + \dfrac{\sqrt{3}}{2} - 1$

9. Les représentations graphiques sont laissées à l'élève.

a) $A = \displaystyle\int_{-2}^{0}(-xe^x)\,dx + \int_{0}^{1} xe^x\,dx = \left(2 - \dfrac{3}{e^2}\right) u^2$

b) $A = \displaystyle\int_{-1}^{0}(-\operatorname{Arc\,tan} x)\,dx + \int_{0}^{1} \operatorname{Arc\,tan} x\,dx$
$$= \left(\frac{\pi}{2} - \ln 2\right) u^2$$

c) $A = \displaystyle\int_{0}^{\pi} x^2 \sin x\,dx + \int_{\pi}^{2\pi}(-x^2 \sin x)\,dx$
$$= (6\pi^2 - 8)\, u^2$$

10. a) $u = $ polynôme et $dv = \sin ax\,dx$
b) $u = \ln x$ et $dv = (\text{polynôme})\,dx$
c) $u = $ polynôme et $dv = e^{ax}\,dx$
d) $u = \operatorname{Arc\,tan} x$ et $dv = (\text{polynôme})\,dx$

Exercices 4.2 (page 193)

1. a) $\displaystyle\int \sin^2 x \cos^2 x \cos x\,dx = \int \sin^2 x(1 - \sin^2 x) \cos x\,dx$
$$= \int \sin^2 x \cos x\,dx - \int \sin^4 x \cos x\,dx$$
$$= \frac{\sin^3 x}{3} - \frac{\sin^5 x}{5} + C$$

b) $\int \sin^2 5x \cos^2 5x \sin 5x \, dx = \int (1 - \cos^2 5x) \cos^2 5x \sin 5x \, dx$

$$= \int \cos^2 5x \sin 5x \, dx - \int \cos^4 5x \sin 5x \, dx$$

$$= \frac{-\cos^3 5x}{15} + \frac{\cos^5 5x}{25} + C$$

c) $\int (\sin t \cos t)^2 \, dt = \int \left(\frac{\sin 2t}{2} \right)^2 dt$

$$= \frac{1}{4} \int \sin^2 2t \, dt$$

$$= \frac{1}{4} \int \frac{1 - \cos 4t}{2} \, dt$$

$$= \frac{t}{8} - \frac{\sin 4t}{32} + C$$

d) $\int \frac{1}{2} (\sin 3\theta + \sin 7\theta) \, d\theta = \frac{-\cos 3\theta}{6} - \frac{\cos 7\theta}{14} + C$

e) $\int (\cos^2 3x)^2 \, dx = \int \left(\frac{1 + \cos 6x}{2} \right)^2 dx$

$$= \frac{1}{4} \int (1 + 2\cos 6x + \cos^2 6x) \, dx$$

$$= \frac{1}{4} \int \left(1 + 2\cos 6x + \frac{1 + \cos 12x}{2} \right) dx$$

$$= \frac{3x}{8} + \frac{\sin 6x}{12} + \frac{\sin 12x}{96} + C$$

f) $\int \cos^2 x \sqrt{\sin x} \cos x \, dx = \int (1 - \sin^2 x) \sqrt{\sin x} \cos x \, dx$

$$= \frac{2}{3} \sin^{\frac{3}{2}} x - \frac{2}{7} \sin^{\frac{7}{2}} x + C$$

$$= \frac{2}{3} \sqrt{\sin^3 x} - \frac{2}{7} \sqrt{\sin^7 x} + C$$

g) $\int \frac{1}{2} \left(\cos \left(\frac{u}{4} \right) + \cos \left(\frac{3u}{4} \right) \right) du = 2 \sin \left(\frac{u}{4} \right) + \frac{2}{3} \sin \left(\frac{3u}{4} \right) + C$

h) $\int (\sin x \cos x)^2 \sin^2 x \, dx = \int \left(\frac{1}{2} \sin 2x \right) \sin^2 x \, dx$

$$= \frac{1}{4} \int \sin^2 2x \left(\frac{1 - \cos 2x}{2} \right) dx$$

$$= \frac{1}{8} \left[\int \sin^2 2x \, dx - \int \sin^2 2x \cos 2x \, dx \right]$$

$$= \frac{1}{8} \left[\int \frac{1 - \cos 4x}{2} \, dx - \int \sin^2 2x \cos 2x \, dx \right]$$

$$= \frac{x}{16} - \frac{\sin 4x}{64} - \frac{\sin^3 2x}{48} + C$$

i) $\int \sin^5 2\theta \cos^2 2\theta \cos 2\theta \, d\theta$

$$= \int \sin^5 2\theta \, (1 - \sin^2 2\theta) \cos 2\theta \, d\theta$$

$$= \int \sin^5 2\theta \cos 2\theta \, d\theta - \int \sin^7 2\theta \cos 2\theta \, d\theta$$

$$= \frac{\sin^6 2\theta}{12} - \frac{\sin^8 2\theta}{16} + C$$

2. a) $\int \tan 2\theta \tan^2 2\theta \, d\theta = \int \tan 2\theta \, (\sec^2 2\theta - 1) \, d\theta$

$$= \int \tan 2\theta \sec^2 2\theta \, d\theta - \int \tan 2\theta \, d\theta$$

$$= \frac{\tan^2 2\theta}{4} + \frac{\ln |\cos 2\theta|}{2} + C$$

b) $\int \tan^2 x \tan^2 x \, dx = \int \tan^2 x \, (\sec^2 x - 1) \, dx$

$$= \int (\tan^2 x \sec^2 x - \tan^2 x) \, dx$$

$$= \int (\tan^2 x \sec^2 x - (\sec^2 x - 1)) \, dx$$

$$= \int \tan^2 x \sec^2 x \, dx - \int \sec^2 x \, dx + \int dx$$

$$= \frac{\tan^3 x}{3} - \tan x + x + C$$

c) $\int \sec^2 x \tan^2 x \sec^2 x \, dx = \int (\tan^2 x + 1) \tan^2 x \sec^2 x \, dx$

$$= \int \tan^4 x \sec^2 x \, dx + \int \tan^2 x \sec^2 x \, dx$$

$$= \frac{\tan^5 x}{5} + \frac{\tan^3 x}{3} + C$$

d) $\int \tan^2 v \sec v \tan v \, dv = \int (\sec^2 v - 1) \sec v \tan v \, dv$

$$= \int \sec^2 v \sec v \tan v \, dv - \int \sec v \tan v \, dv$$

$$= \frac{\sec^3 v}{3} - \sec v + C$$

e) $\int \sec^3 x (\sec^2 x - 1) \, dx = \int \sec^5 x \, dx - \int \sec^3 x \, dx$

$$= \frac{\sec^3 x \tan x}{4} - \frac{\sec x \tan x}{8} - \frac{\ln |\sec x + \tan x|}{8} + C$$

f) $\int \sec^2 5x \tan^2 5x \sec 5x \tan 5x \, dx = \int \sec^2 5x \, (\sec^2 5x - 1) \sec 5x \tan 5x \, dx$

$$= \int \sec^4 5x \sec 5x \tan 5x \, dx - \int \sec^2 5x \sec 5x \tan 5x \, dx$$

$$= \frac{\sec^5 5x}{25} - \frac{\sec^3 5x}{15} + C$$

3. a) $\int \cot x \cot^2 x \, dx = \int \cot x \, (\csc^2 x - 1) \, dx$

$$= \frac{-\cot^2 x}{2} - \ln |\sin x| + C$$

b) $\int \cot^2 5x \cot^2 5x \, dx = \int \cot^2 5x \, (\csc^2 5x - 1) \, dx$

$$= \int (\cot^2 5x \csc^2 5x - \cot^2 5x) \, dx$$

$$= \int (\cot^2 5x \csc^2 5x - \csc^2 5x + 1) \, dx$$

$$= \frac{-\cot^3 5x}{15} + \frac{\cot 5x}{5} + x + C$$

c) $\int \csc^2 t \csc^2 t \, dt = \int (\cot^2 t + 1) \csc^2 t \, dt$

$$= \frac{-\cot^3 t}{3} - \cot t + C$$

d) $\int \cot^2 x \csc^2 x \csc x \cot x \, dx$

$$= \int (\csc^2 x - 1) \csc^2 x \csc x \cot x \, dx$$

$$= \frac{-\csc^5 x}{5} + \frac{\csc^3 x}{3} + C$$

e) $\int \csc^2 x \csc^2 x \cot^3 x \, dx = \int \csc^2 x \, (1 + \cot^2 x) \cot^3 x \, dx$

$$= \frac{-\cot^4 x}{4} - \frac{\cot^6 x}{6} + C$$

f) $\int (\csc^2 x - 1) \csc x \, dx = \int (\csc^3 x - \csc x) \, dx$

$$= \frac{-\csc x \cot x}{2} - \frac{\ln |\csc x - \cot x|}{2} + C$$

4. a) $\int \sec^4 3t \sec 3t \tan 3t \, dt = \frac{\sec^5 3t}{15} + C$

b) $\int \sec^2 2x \sec^2 2x \tan^5 2x \, dx = \int (\tan^2 2x + 1) \tan^5 2x \sec^2 2x \, dx$

$$= \frac{\tan^8 2x}{16} + \frac{\tan^6 2x}{12} + C$$

c) $\frac{1}{2} \int \left[\sin \left(\frac{-x}{6} \right) + \sin \left(\frac{7x}{6} \right) \right] dx = 3 \cos \left(\frac{x}{6} \right) - \frac{3}{7} \cos \left(\frac{7x}{6} \right) + C$

d) $\int \cot^4 \theta \csc^2 \theta \, d\theta = \frac{-\cot^5 \theta}{5} + C$

e) $\int \frac{\cos^2 x}{\sqrt{\sin x}} \cos x \, dx = \int \frac{1 - \sin^2 x}{\sqrt{\sin x}} \cos x \, dx$

$$= 2\sqrt{\sin x} - \frac{2\sqrt{\sin^5 x}}{5} + C$$

f) $\int \cot^3 2x \csc^2 2x \csc^2 2x \, dx = \int \cot^3 2x \, (1 + \cot^2 2x) \csc^2 2x \, dx$

$$= \frac{-\cot^4 2x}{8} - \frac{\cot^6 2x}{12} + C$$

g) $\frac{1}{6} \sec^5 x \tan x + \frac{5}{24} \sec^3 x \tan x + \frac{5}{16} \sec x \tan x + \frac{5}{16} \ln |\sec x + \tan x| + C$

h) $\int [2 + (\sin x \cos x)^2]\, dx = \int \left[2 + \dfrac{1}{4} \sin^2 2x\right] dx$

$\qquad = \dfrac{17x}{8} - \dfrac{\sin 4x}{32} + C$

i) $\int \sin^2 \theta \tan^3 \theta\, d\theta = \int \dfrac{\sin^2 \theta \sin^3 \theta}{\cos^3 \theta}\, d\theta$

$\qquad = \int \dfrac{\sin^4 \theta}{\cos^3 \theta} \sin \theta\, d\theta$

$\qquad = \int \dfrac{(1 - \cos^2 \theta)^2}{\cos^3 \theta} \sin \theta\, d\theta$

$\qquad = \int \dfrac{\sin \theta}{\cos^3 \theta}\, d\theta - 2\int \dfrac{\sin \theta}{\cos \theta}\, d\theta + \int \cos \theta \sin \theta\, d\theta$

$\qquad = \dfrac{\sec^2 \theta}{2} + 2 \ln |\cos \theta| - \dfrac{\cos^2 \theta}{2} + C$

5. a) $\left(\dfrac{\theta}{2} + \dfrac{\sin 2\theta}{4}\right)\Big|_0^{\frac{\pi}{4}} = \dfrac{\pi}{8} + \dfrac{1}{4}$

b) $\left(\dfrac{\sin^3 x}{3} - \dfrac{\sin^5 x}{5}\right)\Big|_{-\frac{\pi}{2}}^{\frac{\pi}{2}} = \dfrac{4}{15}$

c) $\left(\dfrac{\tan^3 u}{3} + \tan u\right)\Big|_0^{\frac{\pi}{4}} = \dfrac{4}{3}$

d) $\left(\dfrac{\cos^5 x}{5} - \dfrac{\cos^3 x}{3}\right)\Big|_{\pi}^{2\pi} = \dfrac{-4}{15}$

e) $\left(\dfrac{-\cos x}{2} - \dfrac{\cos 7x}{14}\right)\Big|_0^{2\pi} = 0$

f) $\left(\dfrac{-\cot^7 x}{7} - \dfrac{\cot^5 x}{5}\right)\Big|_{\frac{\pi}{4}}^{\frac{\pi}{2}} = \dfrac{12}{35}$

6.
```
> with(plots):
> y:=plot([(sin(x))^2,(cos(x))^3],x=0..4,color=[red,blue]):
> c:=plot([(sin(x))^2,(cos(x))^3],x=Pi/2..,filled=true,
    color=yellow):
> display(y,c,scaling=constrained);
```

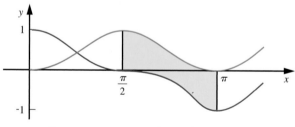

$A = \int_{\frac{\pi}{2}}^{\pi} (\sin^2 x - \cos^3 x)\, dx = \left(\dfrac{\pi}{4} + \dfrac{2}{3}\right) u^2$

Exercices 4.3 (page 208)

1. a) $\cos \theta = \dfrac{\sqrt{25 - x^2}}{5}$;

$\tan \theta = \dfrac{x}{\sqrt{25 - x^2}}$; $\csc \theta = \dfrac{5}{x}$;

$\theta = \text{Arc sin}\left(\dfrac{x}{5}\right)$

b) $\sin \theta = \dfrac{\sqrt{9u^2 - 7}}{3u}$;

$\sin 2\theta = \dfrac{2\sqrt{7}\sqrt{9u^2 - 7}}{9u^2}$;

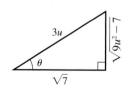

$\cot \theta = \dfrac{\sqrt{7}}{\sqrt{9u^2 - 7}}$; $\theta = \text{Arc sec}\left(\dfrac{3u}{\sqrt{7}}\right)$

2. a) $x = 2 \sin \theta$; $\text{Arc sin}\left(\dfrac{x}{2}\right) + C$

b) $x = \sin \theta$; $\dfrac{1}{2} \ln \left|\dfrac{1+x}{1-x}\right| + C$

c) $x = 3 \sin \theta$; $\dfrac{(\sqrt{9 - x^2})^3}{3} - 9\sqrt{9 - x^2} + C$

d) $x = 4 \sin \theta$; $\dfrac{x}{16\sqrt{16 - x^2}} + C$

e) $x = 2 \sin \theta$; $\left(2\,\text{Arc sin}\left(\dfrac{x}{2}\right) + \dfrac{x\sqrt{4 - x^2}}{2}\right)\Big|_0^2 = \pi$

f) $x = 6 \sin \theta$; $3 \ln \left|\dfrac{6 - \sqrt{36 - x^2}}{x}\right| + \dfrac{\sqrt{36 - x^2}}{2} + C$

3. a) $x = \tan \theta$; $\ln \left|\dfrac{\sqrt{x^2 + 1}}{x} - \dfrac{1}{x}\right| + C$

b) $x = 6 \tan \theta$; $\dfrac{x}{36\sqrt{36 + x^2}} + C$

c) $x = \dfrac{3}{2} \tan \theta$; $\dfrac{x\sqrt{4x^2 + 9}}{2} + \dfrac{9}{4} \ln \left|\dfrac{\sqrt{4x^2 + 9}}{3} + \dfrac{2x}{3}\right| + C$

d) $x = \sqrt{3} \tan \theta$; $\dfrac{-\sqrt{3 + x^2}}{3x}\Big|_1^5 = \dfrac{10 - \sqrt{28}}{15}$

e) $x = \dfrac{1}{3} \tan \theta$; $\dfrac{-(9x^2 + 1)^{\frac{3}{2}}}{3x^3} + C$

f) $x = 3 \tan \theta$; $\dfrac{1}{81}\left[\ln \left|\dfrac{x}{\sqrt{9 + x^2}}\right| - \dfrac{x^2}{2(9 + x^2)}\right] + C$

4. a) $x = \sec \theta$; $\sqrt{x^2 - 1} - \text{Arc sec}\, x + C$

b) $x = \dfrac{1}{3} \sec \theta$; $\dfrac{x\sqrt{9x^2 - 1}}{18} + \dfrac{1}{54} \ln |3x + \sqrt{9x^2 - 1}| + C$

c) $x = \dfrac{1}{3} \sec \theta$; $3 \ln |3x + \sqrt{9x^2 - 1}| - \dfrac{\sqrt{9x^2 - 1}}{x} + C$

d) $x = \dfrac{\sqrt{3}}{\sqrt{5}} \sec \theta$; $\dfrac{\sqrt{5x^2 - 3}}{3x} + C$

e) $x = 4 \sec \theta$; $\dfrac{-x}{16\sqrt{x^2 - 16}}\Big|_{-6}^{-5} = \dfrac{5}{48} - \dfrac{3\sqrt{5}}{80}$

f) $x = \dfrac{1}{2} \sec \theta$; $\dfrac{2x\sqrt{4x^2 - 1} - \ln |2x + \sqrt{4x^2 - 1}|}{8} + C$

5. a) $(x + 2)^2 - 3$

b) $\left(x - \dfrac{5}{2}\right)^2 + \dfrac{3}{4}$

c) $(x - 4)^2 - 16$

d) $4\left(x + \dfrac{3}{2}\right) + 2$

e) $\dfrac{57}{4} - \left(x + \dfrac{7}{2}\right)^2$

f) $\dfrac{25}{3} - 3\left(x - \dfrac{5}{3}\right)^2$

6. a) $(3 - x^2 - 2x) = 4 - (x + 1)^2$; $(x + 1) = 2 \sin \theta$;

$\dfrac{x + 1}{4\sqrt{3 - x^2 - 2x}} + C$

b) $(4x^2 + 12x + 25) = (2x + 3)^2 + 16$; $(2x + 3) = 4 \tan \theta$;

$\dfrac{1}{2} \ln \left|\dfrac{\sqrt{4x^2 + 12x + 25}}{4} + \dfrac{2x + 3}{4}\right| + C$

c) $(x^2 - 6x) = (x - 3)^2 - 9$; $(x - 3) = 3 \sec \theta$;

$\sqrt{x^2 - 6x} + 3 \ln \left|\dfrac{x - 3}{3} + \dfrac{\sqrt{x^2 - 6x}}{3}\right| + C$

d) $x^2 + 4x + 13 = (x+2)^2 + 9$; $(x+2) = 3 \tan \theta$;

$$\left(\ln \left| \frac{\sqrt{x^2+4x+13}+(x+2)}{3} \right| \right)\Big|_{-2}^{2} = \ln 3$$

7. a) $x = \sin^4 \theta$; $4 \left[\frac{(\sqrt{1-\sqrt{x}})^3}{3} - \sqrt{1-\sqrt{x}} \right] + C$

b) $x = 16 \sec^4 \theta$; $\ln \left| \frac{\sqrt{\sqrt{x}-4}}{\sqrt[4]{x}} \right| + C$

c) $x = \tan^2 \theta$; $2 \ln \left| \frac{\sqrt{x+1}}{\sqrt{x}} - \frac{1}{\sqrt{x}} \right| + C$

d) $u = \tan\left(\frac{x}{2}\right)$; $\sin x = \frac{2u}{1+u^2}$; $\cos x = \frac{1-u^2}{1+u^2}$;

$dx = \frac{2}{1+u^2} du$; $\left[\ln \left| 1 + \tan\left(\frac{x}{2}\right) \right| \right]\Big|_0^{\frac{\pi}{2}} = \ln 2$

e) $u = \tan\left(\frac{x}{2}\right)$; $\tan x = \frac{2u}{1-u^2}$; $\sin x = \frac{2u}{1+u^2}$; $dx = \frac{2}{1+u^2} du$;

$\frac{1}{2} \ln \left(\tan\left(\frac{x}{2}\right) \right) - \frac{\tan^2\left(\frac{x}{2}\right)}{4} + C$

f) $u = \tan\left(\frac{x}{2}\right)$; $\sin x = \frac{2u}{1+u^2}$; $dx = \frac{2}{1+u^2} du$;

$(u-2) = \sqrt{3} \sec \theta$;

$\frac{2\sqrt{3}}{3} \ln \left| \frac{\tan\left(\frac{x}{2}\right) - 2 - \sqrt{3}}{\sqrt{\tan^2\left(\frac{x}{2}\right) - 4\tan\left(\frac{x}{2}\right) + 1}} \right| + C$

8. a) $\frac{-\sqrt{4-9x^2}}{4x} + C$

b) $\frac{2(1+2x^2)\sqrt{x^2-1}}{x^3}\Big|_2^4 = \frac{33\sqrt{15}-72\sqrt{3}}{32}$

c) $\text{Arc}\sin(x-1)$

d) $\frac{-\sqrt{9+x^2}}{2x^2} + \frac{1}{6}\ln\left| \frac{\sqrt{9+x^2}-3}{x} \right| + C$

e) $18\,\text{Arc}\sin\left(\frac{x}{6}\right) - \frac{x\sqrt{36-x^2}}{2} + C$

f) $\frac{(2x-3)\sqrt{4x^2-12x+18}}{4} + \frac{9}{4}\ln\left| \frac{(2x-3)+\sqrt{4x^2-12x+18}}{3} \right| + C$

g) $\frac{1}{2}\ln(x^2+\sqrt{x^4+1})\Big|_{-1}^{1} = 0$

h) $\frac{2\sqrt{3}}{3}\,\text{Arc}\tan\left(\frac{\sqrt{3}\tan\left(\frac{x}{2}\right)}{3} \right) + C$

9. a) Pour démontrer la formule, il faut poser $x = a \sin \theta$;

$\frac{-\sqrt{5-x^2}}{7x} - \frac{1}{7}\,\text{Arc}\sin\left(\frac{x}{\sqrt{5}}\right) + C$

b) Pour démontrer la formule, il faut poser $x = a \tan \theta$;

$\sqrt{x^2+4} - 2\ln\left| \frac{2+\sqrt{x^2+4}}{x} \right| + C$

c) Pour démontrer la formule, il faut poser $x = a \sec \theta$;

$\left(\frac{x}{8}(2x^2-9)\sqrt{x^2-9} - \frac{81}{8}\ln|x+\sqrt{x^2-9}| \right)\Big|_3^5 = \frac{205}{2} - \frac{81}{8}\ln 3$

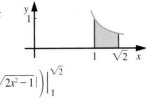

10. a) $A = \displaystyle\int_1^{\sqrt{2}} \frac{1}{\sqrt{2x^2-1}} dx$

Posons $x = \frac{1}{\sqrt{2}} \sec \theta$.

$A = \left(\frac{1}{\sqrt{2}}\ln|\sqrt{2}\,x + \sqrt{2x^2-1}| \right)\Big|_1^{\sqrt{2}}$

$= \frac{\sqrt{2}}{2}\ln\left(\frac{2+\sqrt{3}}{1+\sqrt{2}} \right) \text{u}^2$

b) $A = \displaystyle\int_{-3}^3 [5 - \sqrt{x^2+16}]\, dx$

Posons $x = 4 \tan \theta$.

$A = \left(5x - \frac{x\sqrt{x^2+16}}{2} - 8\ln\left| \frac{x+\sqrt{x^2+16}}{4} \right| \right)\Big|_{-3}^3$

$= (15 - 16\ln 2)\,\text{u}^2$

c) $y = \frac{\pm 3}{2}\sqrt{4-x^2}$

$A = 4\displaystyle\int_0^2 \frac{3}{2}\sqrt{4-x^2}\, dx$

Posons $x = 2 \sin \theta$.

$A = \left(3x\sqrt{4-x^2} + 12\,\text{Arc}\sin\left(\frac{x}{2}\right) \right)\Big|_0^2$

$= 6\pi\,\text{u}^2$

d) $A = \displaystyle\int_0^1 \sqrt{1-\sqrt{x}}\, dx$

Posons $x = \sin^4 \theta$.

$A = 4\left[\frac{(\sqrt{1-\sqrt{x}})^5}{5} - \frac{(\sqrt{1-\sqrt{x}})^3}{3} \right]\Big|_0^1 = \frac{8}{15}\,\text{u}^2$

11. a) $\left[\frac{\pi r^2}{2} - a\sqrt{r^2-a^2} - r^2\,\text{Arc}\sin\left(\frac{a}{r}\right) \right]\text{u}^2$

b) $\frac{(4\pi - 3\sqrt{3})\,r^2}{12}\,\text{u}^2$

Exercices 4.4 *(page 223)*

1. a) $\frac{A}{x-1} + \frac{B}{x+3}$

b) $5 + \frac{A}{x+1} + \frac{B}{x-4}$

c) $\frac{A}{x} + \frac{B}{x^2} + \frac{C}{x^3} + \frac{D}{3x+4}$

d) $x - 1 + \frac{2}{x+1}$

e) $\frac{A}{x} + \frac{B}{x-1} + \frac{C}{x+1}$

f) $\frac{A}{x} + \frac{Bx+C}{x^2+1}$

g) $\frac{A}{x} + \frac{B}{x+1} + \frac{Cx+D}{x^2-x+1}$

h) $\dfrac{A}{x-1}+\dfrac{B}{(x-1)^2}+\dfrac{C}{x+1}+\dfrac{D}{(x+1)^2}+\dfrac{Ex+F}{(x^2+1)}+\dfrac{Gx+I}{(x^2+1)^2}$

i) $\dfrac{A}{x+1}+\dfrac{B}{(x+1)^2}+\dfrac{C}{(x+1)^3}+\dfrac{Dx+E}{x^2+x+1}+\dfrac{Fx+G}{(x^2+x+1)^2}$

j) $\dfrac{A}{x}+\dfrac{B}{x^2}+\dfrac{C}{x^3}+\dfrac{D}{(x-1)}+\dfrac{E}{(x-1)^2}+\dfrac{F}{(x+1)}+\dfrac{Gx+H}{x^2+1}$

2. a) $\displaystyle\int\left[\dfrac{5}{x-2}+\dfrac{3}{x+3}\right]dx = 5\ln|x-2|+3\ln|x+3|+C$

b) $\displaystyle\int\left[\dfrac{1}{x-1}+\dfrac{1}{(x-1)^2}\right]dx = \ln|x-1|-\dfrac{1}{x-1}+C$

c) $\displaystyle\int\left[3+\dfrac{4}{x-2}+\dfrac{2}{x+1}\right]dx = 3x+4\ln|x-2|+2\ln|x+1|+C$

d) $\displaystyle\int\left[\dfrac{1}{x}+\dfrac{-2}{x+1}+\dfrac{2}{x-1}\right]dx = \ln|x|-2\ln|x+1|+2\ln|x-1|+C$

e) $\displaystyle\int_1^2\left[\dfrac{2}{x}+\dfrac{3}{x+1}-\dfrac{4}{(x+1)^2}\right]dx$

$= \left(2\ln|x|+3\ln|x+1|+\dfrac{4}{x+1}\right)\Big|_1^2 = 3\ln 3-\ln 2-\dfrac{2}{3}$

f) $\displaystyle\int\left[\dfrac{1}{x}+\dfrac{-12}{(2x+3)^3}\right]dx = \ln|x|+\dfrac{3}{(2x+3)^2}+C$

g) $\displaystyle\int_2^4\left[\dfrac{1}{x^3}+\dfrac{4}{(x+1)^2}\right]dx = \left(\dfrac{-1}{2x^2}-\dfrac{4}{x+1}\right)\Big|_2^4 = \dfrac{301}{480}$

h) $\displaystyle\int\left[\dfrac{3}{x-2}+\dfrac{4}{x+2}+\dfrac{-1}{x-1}+\dfrac{2}{x+1}\right]dx =$

$3\ln|x-2|+4\ln|x+2|-\ln|x-1|+2\ln|x+1|+C$

i) $\displaystyle\int\left[x^2-x+1-\dfrac{4}{x}+\dfrac{4}{x^2}+\dfrac{3}{x+1}\right]dx =$

$\dfrac{x^3}{3}-\dfrac{x^2}{2}+x-4\ln|x|-\dfrac{4}{x}+3\ln|x+1|+C$

3. a) $\displaystyle\int\left[\dfrac{3}{x}+\dfrac{4x-5}{x^2+1}\right]dx =$

$3\ln|x|+2\ln(x^2+1)-5\,\text{Arc}\tan x+C$

b) $\displaystyle\int\left[\dfrac{4}{x^2}+\dfrac{-2x+1}{x^2-x+5}\right]dx = \dfrac{-4}{x}-\ln|x^2-x+5|+C$

c) $\displaystyle\int_0^1\left[\dfrac{2x}{x^2+3}+\dfrac{5x-1}{x^2+1}\right]dx =$

$\left(\ln|x^2+3|+\dfrac{5}{2}\ln|x^2+1|-\text{Arc}\tan x\right)\Big|_0^1$

$= \ln\left(\dfrac{4}{3}\right)+\dfrac{5}{2}\ln 2-\dfrac{\pi}{4}$

d) $\displaystyle\int\left[4x^3+\dfrac{7x}{2x^2+5}\right]dx = x^4+\dfrac{7}{4}\ln|2x^2+5|+C$

e) $\displaystyle\int\left[\dfrac{1}{x}+\dfrac{-6x}{(x^2+2)^2}+\dfrac{x}{(x^2+2)^3}\right]dx =$

$\ln|x|+\dfrac{3}{x^2+2}-\dfrac{1}{4(x^2+2)^2}+C$

f) $\displaystyle\int_{-1}^1\left[2x+\dfrac{1}{x^2+1}+\dfrac{-2x}{(x^2+1)^2}\right]dx =$

$\left(x^2+\text{Arc}\tan x+\dfrac{1}{x^2+1}\right)\Big|_{-1}^1 = \dfrac{\pi}{2}$

g) $\displaystyle\int\left[\dfrac{1}{x^2}+\dfrac{-6x-9}{(x^2+3x+5)^2}\right]dx = \dfrac{-1}{x}+\dfrac{3}{(x^2+3x+5)}+C$

h) $4\ln|x-1|+\ln(x^2+2x+5)-\dfrac{1}{2}\text{Arc}\tan\left(\dfrac{x+1}{2}\right)+C$

i) $2\ln|x|+\dfrac{1}{2}\ln(x^2+1)-\text{Arc}\tan x+\dfrac{3}{2(x^2+1)}+C$

4. a) $\displaystyle\int\left[\dfrac{2}{(u-2)}+\dfrac{5}{(u-2)^2}\right]du = 2\ln|e^x-2|-\dfrac{5}{e^x-2}+C$

b) $\displaystyle\int\left[2+\dfrac{4u-2}{u^2+1}\right]du =$

$2\sqrt{x}+2\ln|x+1|-2\,\text{Arc}\tan\sqrt{x}+C$

c) $\displaystyle\int\left[\dfrac{1}{u-1}+\dfrac{-1}{u+1}\right]du =$

$\ln|\sqrt{x+1}-1|-\ln|\sqrt{x+1}+1|+C$

5. a) $u = \tan\theta$

$\displaystyle\int\left[\dfrac{\frac{1}{4}}{u-2}+\dfrac{\frac{-1}{4}}{u+2}\right]du =$

$\dfrac{1}{4}\ln|\tan\theta-2|-\dfrac{1}{4}\ln|\tan\theta+2|+C$

b) $u = \sin x$

$\displaystyle\int\left[\dfrac{-1}{u}+\dfrac{-1}{u^2}+\dfrac{1}{u-1}\right]du =$

$-\ln|\sin x|+\csc x+\ln|\sin x-1|+C$

c) $u = \ln x$

$\displaystyle\int\left[\dfrac{3}{u}+\dfrac{4u-5}{u^2+1}\right]du =$

$3\ln|\ln x|+2\ln|\ln^2 x+1|-5\,\text{Arc}\tan(\ln x)+C$

d) $u = \sin\theta$

$-5\csc\theta-5\,\text{Arc}\tan(\sin\theta)+C$

6. a)
```
> with(plots):
> g:=plot(x^2|(x^2+1),x=-1..1,color=red):
> c:=plot(x^2|(x^2+1),x=-1..1,filled=true,color=yellow):
> display(g,c);
```

$A = \displaystyle\int_{-1}^1\left[1-\dfrac{1}{1+x^2}\right]dx$

$= (x-\text{Arc}\tan x)\Big|_{-1}^1$

$= \left(2-\dfrac{\pi}{2}\right)u^2$

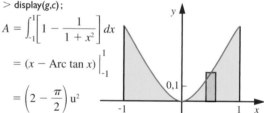

b)
```
> with(plots):
> f:=plot(t/(t^2+t-12),t=-3..2,color=red):
> c:=plot(t/(t^2+t-12),t=-3..2,filled=true,color=yellow):
> display(f,c);
```

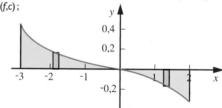

$A = \displaystyle\int_{-3}^0\left[\dfrac{4}{7(t+4)}+\dfrac{3}{7(t-3)}\right]dt$

$-\displaystyle\int_0^2\left[\dfrac{4}{7(t+4)}+\dfrac{3}{7(t-3)}\right]dt$

$= \left(\dfrac{4}{7}\ln|t+4|+\dfrac{3}{7}\ln|t-3|\right)\Big|_{-3}^0$

$-\left(\dfrac{4}{7}\ln|t+4|+\dfrac{3}{7}\ln|t-3|\right)\Big|_0^2$

$$= \frac{8}{7} \ln 4 + \frac{6}{7} \ln 3 - \ln 6$$

$$= \left(\frac{9 \ln 2 - \ln 3}{7} \right) u^2$$

c) > with(plots):
   > g:=plot((4−x)/(x^2−4),x=3..4,color=red):
   > c:=plot((4−x)/(x^2−4),x=3..4,filled=true,color=yellow):
   > display(g,c);

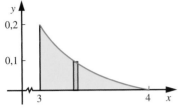

$$A = \int_3^4 \left[\frac{1}{2(x-2)} - \frac{3}{2(x+2)} \right] dx$$

$$= \left(\frac{1}{2} \ln |x-2| - \frac{3}{2} \ln |x+2| \right) \Big|_3^4$$

$$= \left(\frac{1}{2} \ln 2 + \frac{3}{2} \ln \left(\frac{5}{6} \right) \right) u^2$$

d) > with(plots):
   > f:=plot(1+10*x^4/(x+1)^3,x=0..1,color=red):
   > c:=plot(1+10*x^4/(x+1)^3,x=0..1,filled=true,
     color=yellow):
   > display(f,c);

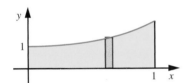

$$A = \int_0^1 \left[1 + 10x - 30 + \frac{60}{x+1} - \frac{40}{(x+1)^2} + \frac{10}{(x+1)^3} \right] dx$$

$$= \left(-29x + 5x^2 + 60 \ln |x+1| + \frac{40}{x+1} - \frac{5}{(x+1)^2} \right) \Big|_0^1$$

$$= \left(60 \ln 2 - \frac{161}{4} \right) u^2$$

7. a) $\dfrac{dQ}{dt} = 0{,}000\,15 Q(2400 - Q)$

b) $\displaystyle\int \left[\frac{\frac{1}{2400}}{Q} + \frac{\frac{1}{2400}}{2400 - Q} \right] dQ = \int 0{,}000\,15\, dt$

$$\frac{1}{2400} \ln \left(\frac{Q}{2400 - Q} \right) = 0{,}000\,15 t + C.$$

En remplaçant t par 0 et Q par 400, nous trouvons

$$C = \frac{1}{2400} \ln \left(\frac{1}{5} \right),$$

d'où $Q = \dfrac{2400}{1 + 5e^{-0{,}36t}}$.

c) Lorsque $t = 3$, $Q \approx 889$ truites.

d) En posant $Q = 1800$, nous trouvons $t \approx 7{,}52$ mois.

e) > Q:=t→2400/(1+5*exp(-0.36*t));
   > with(plots):
   > c:=plot(Q(t),t=0..20,y=0..2500):
   > A:=plot(2400,t=0..20,linestyle=4,color=blue):
   > display(c,A);

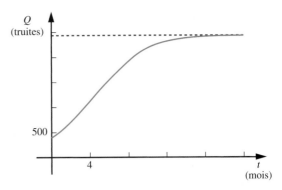

8. a) $\displaystyle\int \left(\frac{\frac{1}{2000}}{1500 - Q} + \frac{\frac{1}{2000}}{500 + Q} \right) dQ = \int k\, dt$

$$\frac{1}{2000} \ln \left(\frac{500 + Q}{1500 - Q} \right) = kt + C$$

En remplaçant t par 0 et Q par 500, nous trouvons $C = 0$.
En remplaçant t par 10 et Q par 1000, nous trouvons

$$k = \frac{\ln 3}{20\,000}, \text{ d'où } Q \approx \frac{1500(3^{0{,}1t}) - 500}{1 + 3^{0{,}1t}}.$$

b) Environ 1300 g

c) Environ 26,77 min

d) $\displaystyle\lim_{t \to +\infty} \frac{1500(3^{0{,}1t}) - 500}{1 + 3^{0{,}1t}}$ $\left(\text{indétermination de la forme } \frac{+\infty}{+\infty} \right)$

$$= \lim_{t \to +\infty} \frac{150(3^{0{,}1t}) \ln 3}{(0{,}1)3^{0{,}1t} \ln 3} \quad \text{(règle de L'Hospital)}$$

$$= 1500$$

D'où $Q_{\max} = 1500$ g

e) > Q:=t→(1500*3^(t/10)−500)/(1+3^(t/10)):
   > with(plots):
   > c:=plot(Q(t),t=0..40,y=0..1600):
   > A:=plot(1500,t=0..40,linestyle=4,color=blue):
   > display(c,A);

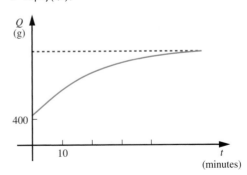

9. a) $\dfrac{dP}{dt} = kP(32\,000 - P)$

b) $k = \dfrac{\ln 5}{192\,000}$, d'où $P = \dfrac{32\,000}{1 + 15(0{,}2)^{\frac{t}{6}}}$.

c) Environ 15 794 bactéries

d) Environ 15,28 heures

e) $\displaystyle\lim_{t \to +\infty} \left(\frac{32\,000}{1 + 15(0{,}2)^{\frac{t}{6}}} \right) = 32\,000$, d'où 32 000 bactéries

f)
```
> P:=t→32000/(1+15*(1/5)^(t/6)):
> with(plots):
> c:=plot(P(t),t=0..30,y=0..35000):
> A:=plot(32000,t=0..30,color=blue):
> display(c,p,A);
```

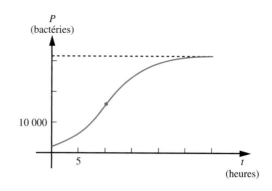

▦ Exercices récapitulatifs (page 227)

1. a) $5(t \sin t + \cos t) + C$

b) $-3x^2 \, e^{\frac{-x}{3}} - 18x \, e^{\frac{-x}{3}} - 54 \, e^{\frac{-x}{3}} + C$

c) $\dfrac{x^2 \operatorname{Arc\,sec} x}{2} - \dfrac{\sqrt{x^2-1}}{2} + C$

d) $\dfrac{e^{-x} \sin x - e^{-x} \cos x}{2} + C$

e) $\dfrac{-1}{y}(\ln^2 y + 2\ln y + 2) + C$

f) $\dfrac{xe^x \sin x + xe^x \cos x - e^x \sin x}{2} + C$

g) 2

2. a) $\dfrac{33x}{2} + 8\sin x + \dfrac{\sin 2x}{4} + C$

b) $\ln |\tan \theta| - \csc \theta + C$

c) $x - \tan x + \dfrac{\tan^3 x}{3} + C$

d) $\dfrac{1}{8}\left(\dfrac{5t}{2} - \sin 4t + \dfrac{3\sin 8t}{16} + \dfrac{\sin^3 4t}{12}\right) + C$

e) $\dfrac{1}{6}\sec^5 x \tan x - \dfrac{7}{24}\sec^3 x \tan x + \dfrac{1}{16}\sec x \tan x + \dfrac{1}{16}\ln |\sec x + \tan x| + C$

f) $\dfrac{1}{4}\left(x + \dfrac{\sin 2x}{4} + \dfrac{\sin 4x}{4} + \dfrac{\sin 6x}{6} + \dfrac{\sin 10x}{20}\right) + C$

g) $\dfrac{8}{15}$

3. a) $\dfrac{\sqrt{u^2-16}}{3} - \dfrac{4}{3}\operatorname{Arc\,sec}\dfrac{u}{4} + C$

b) $\dfrac{2x^3}{3(1-2x^2)^{\frac{3}{2}}} + \dfrac{x}{\sqrt{1-2x^2}} + C$

c) $\dfrac{2x}{(1+4x^2)} + \operatorname{Arc\,tan} 2x + C$

d) $\dfrac{(x+3)\sqrt{x^2+6x+5}}{2} - 2\ln\left|\dfrac{(x+3)+\sqrt{x^2+6x+5}}{2}\right| + C$

e) $2\ln\left|\dfrac{2-\sqrt{4-y}}{\sqrt{y}}\right| + C$

f) $3\tan\left(\dfrac{\theta}{2}\right) + 2\ln\left(\tan^2\left(\dfrac{\theta}{2}\right)+1\right) - 3\theta + C$

g) $2\operatorname{Arc\,sec}\left(\dfrac{\sqrt{x}}{2}\right) + C$

4. a) $4\ln|t-2| - \dfrac{5}{3}\ln|3t+4| + C$

b) $x^2 + \ln|x| + 2\ln|x+2| - \ln|x-1| + C$

c) $\ln|y-3| + 2\ln|y+3| + \dfrac{3}{2}\ln(y^2+9) + \dfrac{4}{3}\operatorname{Arc\,tan}\left(\dfrac{y}{3}\right) + C$

d) $\dfrac{-1}{x} - \dfrac{1}{x^2} - \dfrac{7}{2}\ln|2x+5| + C$

e) $\dfrac{3}{2}\ln(x^2+4) + \dfrac{1}{16}\operatorname{Arc\,tan}\left(\dfrac{x}{2}\right) + \dfrac{x}{8(x^2+4)} + C$

f) $\ln|\cos\theta-3| - \ln|\cos\theta-4| + C$

g) $2\ln 2 + \dfrac{\pi}{4}$

5. a) $\dfrac{-2\sin 3x \sin 2x - 3\cos 3x \cos 2x}{5} + C$;

$\dfrac{-\cos x}{2} - \dfrac{\cos 5x}{10} + C$

b) Changement de variable, décomposition en une somme de fractions partielles et substitution trigonométrique :

$\dfrac{-1}{2}\ln|16-x^2| + C$

c) $\dfrac{\sin^6 3\theta}{18} - \dfrac{\sin^8 3\theta}{12} + \dfrac{\sin^{10} 3\theta}{30} + C$;

$\dfrac{-\cos^6 3\theta}{18} + \dfrac{\cos^8 3\theta}{12} - \dfrac{\cos^{10} 3\theta}{30} + C$;

$\dfrac{-\cos 6\theta}{192} + \dfrac{\cos^3 6\theta}{288} - \dfrac{\cos^5 6\theta}{960} + C$

6. a) $\left(\dfrac{5x^3}{3} + 8x\right)\ln x - \dfrac{5x^3}{9} - 8x + C$

b) $\dfrac{\cos^7(5\theta)}{35} - \dfrac{\cos^5(5\theta)}{25} + C$

c) $\dfrac{x(4+x^2)^{\frac{3}{2}}}{4} - \dfrac{x\sqrt{4+x^2}}{2} - 2\ln\left|\dfrac{x+\sqrt{4+x^2}}{2}\right| + C$

d) $\sqrt{v^2-1}\operatorname{Arc\,sec} v - \ln|v| + C$

e) $\dfrac{5}{2}\ln(x^2+1) + 4\operatorname{Arc\,tan} x - \dfrac{3}{x^2+1} + C$

f) $\dfrac{-(x+1)}{9\sqrt{x^2+2x+10}} - \dfrac{1}{\sqrt{x^2+2x+10}} + C$

g) $e^t \sin t + C$

h) $\dfrac{2\sec^5\sqrt{u}}{5} - \dfrac{2\sec^3\sqrt{u}}{3} + C$

i) $\dfrac{1}{1-x^2} + \ln\sqrt{1-x^2} + C$

j) $\dfrac{3}{16}\ln|x| - \dfrac{1}{8x^2} + \dfrac{13}{32}\ln(x^2+4) + C$

k) $\dfrac{\sqrt{2}}{4}\sqrt{(2x-3)^2-1} + \dfrac{5\sqrt{2}}{4}\ln|2x-3+\sqrt{(2x-3)^2-1}| + C$

l) $\dfrac{8\sqrt{3}}{3}\,\text{Arc tan}\left(\dfrac{2\tan\left(\frac{\theta}{2}\right)+1}{\sqrt{3}}\right) - \theta + C$

7. a) $\dfrac{1}{2}\ln\left(\dfrac{8}{3}\right)$

b) $\dfrac{3}{8}$

c) $x(\text{Arc sin } x)^2 + 2\sqrt{1-x^2}\,\text{Arc sin } x - 2x + C$

d) $\ln\left|\dfrac{\sqrt{1+\sin^2\theta}-1}{\sin\theta}\right| + C$

e) $4\ln 4 - 4$

f) $\ln|\sqrt{x^2+2x+4}+x+1| - \dfrac{x+1}{\sqrt{x^2+2x+4}} + C$

g) $4\ln\left|1+\tan\left(\dfrac{x}{2}\right)\right| + \dfrac{4}{1+\tan\left(\frac{x}{2}\right)} + C$

h) $2 + 4\ln\left(\dfrac{3}{4}\right)$

i) $\dfrac{5}{2} - \ln 2$

j) $-4x^3\sqrt{1-x^2} - 6x\sqrt{1-x^2} + 6\,\text{Arc sin } x + C$

k) $2(\sqrt{x}\sin\sqrt{x} + \cos\sqrt{x}) + C$

l) $\dfrac{8}{3}$

8. a) $\displaystyle\int x^n\cos x\,dx = x^n\sin x - n\int x^{n-1}\sin x\,dx$,
où $n \in \{1, 2, 3, \dots\}$;

$\displaystyle\int x^n\sin x\,dx = -x^n\cos x + n\int x^{n-1}\cos x\,dx$,
où $n \in \{1, 2, 3, \dots\}$;

$\displaystyle\int x^3\sin x\,dx = -x^3\cos x + 3x^2\sin x + 6x\cos x - 6\sin x + C$

b) $\displaystyle\int x^k(\ln x)^n\,dx = \dfrac{x^{k+1}(\ln x)^n}{k+1} - \dfrac{n}{k+1}\int x^k(\ln x)^{n-1}\,dx$, si $k \neq -1$

et $n \in \{1, 2, 3, \dots\}$

c) $\displaystyle\int \tan^n(ax)\,dx = \dfrac{1}{a}\dfrac{\tan^{n-1}(ax)}{(n-1)} - \int \tan^{n-2}(ax)\,dx$,

où $n \in \{2, 3, 4, \dots\}$

9. a) $\dfrac{x}{8}(2x^2-a^2)\sqrt{a^2-x^2} + \dfrac{a^4}{8}\,\text{Arc sin}\left(\dfrac{x}{a}\right) + C$

b) $\dfrac{-\sqrt{x^2+a^2}}{x} + \ln|x+\sqrt{x^2+a^2}| + C$

c) $\dfrac{x}{8}(2x^2-5a^2)\sqrt{x^2-a^2} + \dfrac{3a^4}{8}\ln|x+\sqrt{x^2-a^2}| + C$

d) $\dfrac{e^{ax}(a\cos bx + b\sin bx)}{a^2+b^2} + C$

e) $\dfrac{-ax\cos bx}{b} + \dfrac{a\sin bx}{b^2} + C$

f) $\dfrac{2x\sqrt{ax+b}}{a} - \dfrac{4(ax+b)^{\frac{3}{2}}}{3a^2} + C$

g) $\dfrac{b\sin ax\sin bx + a\cos ax\cos bx}{b^2-a^2} + C$

10. Les représentations graphiques sont laissées à l'élève.

a) $\left(2e^2 + \dfrac{6}{e^2}\right)$ u²

b) 8 u²

c) $(\ln(4+\sqrt{17}) + \ln(1+\sqrt{2}))$ u²

d) $\left(\ln 2 - \dfrac{1}{2}\right)$ u²

e) $\left(\dfrac{e^\pi + e^{-\pi} + 2}{2}\right)$ u²

f) $[3\ln(1+\sqrt{2}) - \sqrt{2}]$ u²

g) $\left(\dfrac{22}{7} - \pi\right)$ u²

11. a) $P = 15te^{\frac{t}{15}} - 225e^{\frac{t}{15}} + 20\,225$

b) $20\,124$ habitants ; $20\,893$ habitants

12. a) $\dfrac{dP}{dt} = kP(75\,000 - P)$ \quad c) Environ $12\,905$ habitants

b) $P = \dfrac{75\,000}{1 + 499\left(\frac{49}{499}\right)^{\frac{t}{15}}}$ \quad d) Environ 40 jours

13. a) Environ $1{,}82$ mois

b) Oui, car $P = 55{,}74\,\%$ en sa faveur

14. Laissé à l'élève.

Problèmes de synthèse (page 230)

1. a) $\dfrac{x^3 e^{x^3}}{3} - \dfrac{e^{x^3}}{3} + C$

b) $2\sqrt{x}\,\text{Arc tan}\sqrt{x} - \ln|1+x| + C$

c) $\dfrac{2\sec^{\frac{5}{2}}\theta}{5} - 2\sqrt{\sec\theta} + C$

d) $\dfrac{e^x\sqrt{e^{2x}+1} + \ln|e^x+\sqrt{e^{2x}+1}|}{2} + C$

e) $2 + \ln 2$

f) $\text{Arc tan } e^y + C$

g) $\dfrac{-1}{3}\ln|1-e^x| + \dfrac{1}{3}\ln\sqrt{e^{2x}+e^x+1} + \dfrac{\sqrt{3}}{3}\,\text{Arc tan}\left(\dfrac{2e^x+1}{\sqrt{3}}\right) + C$

h) $\dfrac{5}{4} - \dfrac{3\pi}{8}$

i) $\dfrac{2\sqrt{u-4}}{u} + \text{Arc sec}\left(\dfrac{\sqrt{u}}{2}\right) + C$

j) $2\sqrt{e^x-1} - 2\,\text{Arc tan}\sqrt{e^x-1} + C$ ou
$2\sqrt{e^x-1} - 2\,\text{Arc sec}\sqrt{e^x} + C$

2. Laissé à l'élève.

3. a) $\displaystyle\int_0^{\frac{\pi}{2}}\sin^n x\,dx = \dfrac{n-1}{n}\int_0^{\frac{\pi}{2}}\sin^{n-2}x\,dx$, où $n \in \{2, 3, 4, \dots\}$

b) $\dfrac{16}{35}$ \quad c) $\left(\dfrac{19}{20}\right)\left(\dfrac{17}{18}\right)\left(\dfrac{15}{16}\right)\dots\left(\dfrac{3}{4}\right)\left(\dfrac{1}{2}\right)\dfrac{\pi}{2}$

4. a) $\left[36\ln\left(\dfrac{4}{9}\right) + \dfrac{73}{2}\ln 2 + 6(\text{Arc tan } 2 - \text{Arc tan}(-3))\right]$ u² $\approx 10{,}24$ u²

b) $\left(\dfrac{3}{2} - 2\ln 2\right) u^2 \approx 0{,}11\ u^2$

c) $\dfrac{\pi}{6} u^2$

5. a) $\pi ab\ u^2$ b) $8{,}5\pi\ u^2$

6. $A_1 \approx 4{,}33\ u^2$; $A_2 \approx 2{,}76\ u^2$

7. $\dfrac{2e^3}{3e^4 + 1}$

8. a) $A = 1\ u^2$ b) $c = (2\sqrt{2} - 2) \approx 0{,}83$

9. Laissées à l'élève.

a) $C\left(\dfrac{\pi}{6}, \dfrac{\pi}{4}\right)$

b) $C\left(\dfrac{1}{e - 1}, \dfrac{e + 1}{4}\right)$

c) $C\left(\dfrac{e - 2}{2}, \dfrac{e^2 + 1}{4}\right)$

d) $C\left(\dfrac{3\ln 5 - 4}{2\ln 3 - \ln 5}, \dfrac{12 - 5\ln 5}{60(2\ln 3 - \ln 5)}\right)$

e) $C\left(\pi, \dfrac{3}{4}\right)$

f) $C\left(\dfrac{1}{2}, \dfrac{32}{15\pi}\right)$

10. a) $v(t) = \dfrac{t}{2} - \dfrac{\sin t}{2}$, où $v(t)$ est en m/s

b) $x(t) = \dfrac{t^2}{4} + \dfrac{\cos t}{2} + \dfrac{3}{2}$, où $x(t)$ est en m

c) $\left(\dfrac{\pi^2}{16} - \dfrac{1}{2}\right) \approx 0{,}12$, donc environ 0,12 mètre

11. a) Environ 10,58 m ; environ 3,14 m

b) -1,28 m/s²

12. Environ 32 796 $

13. a) $y = \dfrac{N}{1 + Ce^{-Nkt}}$, où C est une constante

b)

14. a) $h = \dfrac{60}{1 + 5e^{\frac{\ln\left(\frac{5}{4}\right)}{3}t}} = \dfrac{60}{1 + 5\left(\dfrac{4}{5}\right)^{\frac{t}{3}}}$

b) Environ 21,7 cm

c) Environ 21,6 jours

d) $I\left(\dfrac{3\ln 5}{\ln(1{,}25)}, 30\right)$; laissée à l'élève.

e) 30 cm

15. Environ 10,5 minutes

16. a) $C = \dfrac{7(1 - e^{\frac{-t}{200}})}{7 - e^{\frac{-t}{200}}}$

b) Environ 5,64 % ; environ 29 %

c) Environ 75 minutes

17. a) $\dfrac{dP}{dt} = kP^2 - 0{,}2P$

b) $P = \dfrac{20\ 000}{3 + e^{\frac{t}{5}}}$

c) Laissée à l'élève.

d) Environ en l'an 2008

C h a p i t r e   5

▦ Test préliminaire *(page 235)*

1. a) $h = \dfrac{c\sqrt{3}}{2}$ b) $h = \sqrt{c^2 - \dfrac{b^2}{4}}$

2. a) $\dfrac{a}{b} = \dfrac{d}{c}$ b) $\dfrac{b}{c} = \dfrac{a}{d}$

3. $d = \sqrt{(x_2 - x_1)^2 + (y_2 - y_1)^2}$

4. a) $C = 2\pi r$; $A = \pi r^2$

b) $V = \pi r^2 h$; $A = 2\pi rh + 2\pi r^2$

c) $V = \dfrac{4\pi r^3}{3}$; $A = 4\pi r^2$

d) $V = \dfrac{4\pi r^2 h}{3}$; $A = \pi r^2 + \pi r\sqrt{r^2 + h^2}$

5. a) 0   b) $+\infty$ c) $-\infty$ d) $+\infty$ e) $\dfrac{-\pi}{2}$ f) $\dfrac{\pi}{2}$

6. a) 1   b) 0   c) 0   d) 0

7. a) $A = \displaystyle\lim_{(\max \Delta x_i) \to 0} \sum_{i=1}^{n} f(x_i)\,\Delta x_i$ b) $A = \displaystyle\int_a^b f(x)\,dx$

8. a) $\dfrac{\sec\theta\tan\theta + \ln|\sec\theta + \tan\theta|}{2} + C$

b) $\dfrac{\cos\theta\sin\theta + \theta}{2} + C$

⬛ Exercices

Exercices 5.1 *(page 245)*

1. a) $V = \pi \int_0^3 (x^2)^2\, dx = \dfrac{243\pi}{5}\ \text{u}^3$

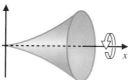

b) $V = \pi \int_0^9 y\, dy = \dfrac{81\pi}{2}\ \text{u}^3$

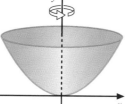

c) $V = \pi \int_0^{\sqrt{3}} (\sqrt{3 - x^2})^2\, dx = 2\sqrt{3}\,\pi\ \text{u}^3$

d) $V = \pi \int_0^8 (2 - \sqrt[3]{y})^2\, dy = \dfrac{16\pi}{5}\ \text{u}^3$

e) $V = \pi \int_{-2}^2 [(1 - x^2) - (\text{-}3)]^2\, dx = \dfrac{512\pi}{15}\ \text{u}^3$

f) $V = \pi \int_{-3}^3 [(\text{-}1) - (y^2 - 10)]^2\, dy = \dfrac{1296\pi}{5}\ \text{u}^3$

2. a) $V = 2\pi \int_0^9 y(3 - \sqrt{y})\, dy = \dfrac{243\pi}{5}\ \text{u}^3$

b) $V = 2\pi \int_0^3 x(9 - x^2)\, dx = \dfrac{81\pi}{2}\ \text{u}^3$

c) $V = 2\pi \int_0^2 x(x - 1)^2\, dx = \dfrac{4\pi}{3}\ \text{u}^3$

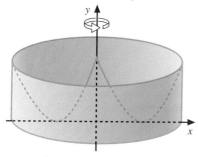

d) $V = 2\pi \int_0^1 x[e^{x^2} - (\text{-}2)]\, dx = \pi(e + 1)\ \text{u}^3$

e) $V = 2\pi \int_0^1 x\left(\dfrac{1}{1 + x^2}\right) dx = \pi \ln 2\ \text{u}^3$

f) $V = 2\pi \int_0^1 (1 - x)\left(\dfrac{1}{1 + x^2}\right) dx = \left(\dfrac{\pi^2}{2} - \pi \ln 2\right)\text{u}^3$

3. a) $V = \pi \int_0^3 [(\text{-}x^2 + 6x)^2 - (x^2)^2]\, dx = 81\pi\ \text{u}^3$

b) $V = 2\pi \int_0^3 x[(\text{-}x^2 + 6x) - x^2]\, dx = 27\pi\ \text{u}^3$

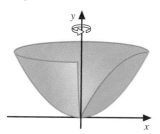

c) $V = 2\pi \int_1^4 (5 - x)\,[4x^2 + 3 - x]\, dx = 342\pi\ \text{u}^3$

d) $V = \pi \int_0^1 [(x + 1)^2 - (x^2 + 1)^2]\, dx = \dfrac{7\pi}{15}\ \text{u}^3$

4.

	Méthode du disque	Méthode du tube	$V\ (\text{u}^3)$
a)	$32\pi - \pi \int_0^2 x^4\, dx$	$2\pi \int_0^4 y\sqrt{y}\, dy$	$\dfrac{128\pi}{5}$
b)	$\pi \int_0^4 y\, dy$	$2\pi \int_0^2 x\,(4 - x^2)\, dx$	8π
c)	$\pi \int_0^2 (4 - x^2)^2\, dx$	$2\pi \int_0^4 (4 - y)\sqrt{y}\, dy$	$\dfrac{256\pi}{15}$
d)	$\pi \int_0^2 (5 - x^2)^2\, dx - 2\pi$	$2\pi \int_0^4 (5 - y)\sqrt{y}\, dy$	$\dfrac{416\pi}{15}$
e)	$16\pi - \pi \int_0^4 (2 - \sqrt{y})^2\, dy$	$2\pi \int_0^2 (2 - x)\,(4 - x^2)\, dx$	$\dfrac{40\pi}{3}$
f)	$\pi \int_0^4 (\sqrt{y} + 2)^2\, dy - 16\pi$	$2\pi \int_0^2 (x + 2)\,(4 - x^2)\, dx$	$\dfrac{88\pi}{3}$
g)	$72\pi - \pi \int_0^2 (x^2 + 2)^2\, dx$	$2\pi \int_0^4 (y + 2)\sqrt{y}\, dy$	$\dfrac{704\pi}{15}$
h)	$144\pi - \pi \int_0^4 (6 - \sqrt{y})^2\, dy$	$2\pi \int_0^2 (6 - x)\,(4 - x^2)\, dx$	56π
i)	$18\pi - \pi \int_1^2 (x^2 - 1)^2\, dx$	$2\pi \int_1^4 (y - 1)\sqrt{y}\, dy$	$\dfrac{232\pi}{15}$
j)	$4\pi - \pi \int_0^1 (1 - \sqrt{y})^2\, dy$	$2\pi \int_0^1 (1 - x)\,(4 - x^2)\, dx$	$\dfrac{23\pi}{6}$

5. a) Un cône de rayon 6 et de hauteur 10.

b) $V = \pi \int_0^{10} \left(\dfrac{3x}{5}\right)^2 dx = 120\pi\ \text{u}^3$

6. a) $V = \pi \int_{-3}^3 4\left(1 - \dfrac{x^2}{9}\right) dx = 16\pi\ \text{u}^3$

b) $V = \pi \int_{-2}^2 9\left(1 - \dfrac{y^2}{4}\right) dy = 24\pi\ \text{u}^3$

7. $V = \pi \int_{-\sqrt{3}}^{\sqrt{3}} [(4 - y^2) - 1]\, dy$
$\quad\ = 4\sqrt{3}\,\pi\ \text{u}^3$

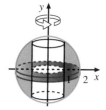

8. Sur $[0, 0{,}5]$, $V_1 = \pi \int_0^{0,5} (0{,}4\,x)^2\, dx = 0{,}00\overline{6}\pi$;

sur $[0{,}5, 4]$, $V_2 = 0{,}14\pi$ (cylindre);

sur $[4, 5]$, $V_3 = \pi \int_4^5 [0{,}20\,(x^2 - 7x + 13)]^2\, dx = 0{,}148\pi$;

sur $[5, 5{,}3]$, $V_4 = 0{,}108\pi$ (cylindre);

sur $[5, 5{,}3]$, $V_5 = \pi \int_5^{5,3} (2(x - 5))^2\, dx = 0{,}036\pi$;

d'où $V = V_1 + V_2 + V_3 + V_4 - V_5 = 0{,}3\overline{6}\pi$
$\qquad \approx 1{,}15\ \text{cm}^3$

Exercices 5.2 *(page 250)*

1. $V = \dfrac{\pi}{8} \int_0^4 x^4\, dx = \dfrac{128}{5}\pi\ \text{u}^3$

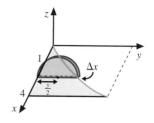

2. $V = \int_0^6 \left(\dfrac{y}{2}\right)^2 dy = 18 \, u^3$

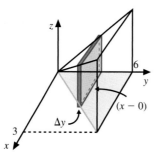

3. a) $V = \int_0^2 x^4 \, dx = \dfrac{32}{5} \, u^3$

   b) $V = \int_0^4 (2 - \sqrt{y})^2 \, dy = \dfrac{8}{3} \, u^3$

4. a) $V = \dfrac{\pi}{8} \int_0^6 \left(2 - \dfrac{x}{3}\right)^2 dx = \pi \, u^3$

   b) $V = \int_0^6 \left(2 - \dfrac{x}{3}\right)^2 dx = 8 \, u^3$

   c) $V = \dfrac{3}{2} \int_0^6 \left(2 - \dfrac{x}{3}\right)^2 dx = 12 \, u^3$

5. a) $V = \dfrac{\pi}{8} \int_0^3 (9 - y^2) \, dy = \dfrac{9}{4}\pi \, u^3$

   b) $V = \int_0^3 (9 - y^2) \, dy = 18 \, u^3$

6. a) $V = 2\int_{-4}^4 (16 - x^2) \, dx = \dfrac{512}{3} \, u^3$

   b) $V = \int_{-4}^4 (16 - x^2) \, dx = \dfrac{256}{3} \, u^3$

7. a) $V = 2\int_0^2 (2x - x^2)^2 \, dx$

      $= \dfrac{32}{15} \, u^3$

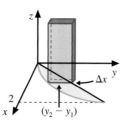

   b) $V = 2\int_0^4 \left(\sqrt{y} - \dfrac{y}{2}\right)^2 dy$

      $= \dfrac{16}{15} \, u^3$

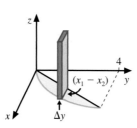

8. a) $V = \int_0^h \dfrac{a^2(h - z)^2}{h^2} \, dz = \dfrac{a^2 h}{3} \, u^3$

   b) $2\,592\,100 \, m^3$

9. a) $\dfrac{9}{2}\pi \, u^3$ b) $9\pi \, u^3$

   c) Le quart d'une sphère de rayon 3

10. a) $27\pi \, u^3$; cône de hauteur 9 et dont le rayon de la base est 3

    b) $36\pi \, u^3$; sphère de rayon 3 et dont le centre est le point $(3, 3, 0)$

11. a) $V = \dfrac{2R^3 \tan \alpha}{3} \, u^3$ b) $\alpha \approx 41{,}6°$

Exercices 5.3 *(page 257)*

1. a) $L = \int_1^2 \sqrt{1 + 9x^4} \, dx$

   b) $L = \int_2^9 \sqrt{1 + \dfrac{1}{9(y-1)^{\frac{4}{3}}}} \, dy$

   c) $L = \int_0^1 \sqrt{4t^2 + (6t^5 + 12t^3 + 6t)^2} \, dt$

2. a) $L = \int_0^{\frac{\pi}{4}} \sqrt{1 + \tan^2 x} \, dx = \int_0^{\frac{\pi}{4}} \sec x \, dx$

      $= \ln(\sqrt{2} + 1) \approx 0{,}88 \, u$

   b) $L = \int_0^3 \sqrt{1 + 4y} \, dy = \dfrac{1}{6}\left[(13)^{\frac{3}{2}} - 1\right] \approx 7{,}65 \, u$

   c) $L = \int_{-2}^4 \sqrt{1 + [x(x^2 + 2)^{\frac{1}{2}}]^2} \, dx = \int_{-2}^4 (x^2 + 1) \, dx = 30 \, u$

   d) $L = \int_{\sqrt{3}}^{\sqrt{15}} \sqrt{1 + \dfrac{1}{x^2}} \, dx = \int_{\sqrt{3}}^{\sqrt{15}} \dfrac{\sqrt{x^2 + 1}}{x} \, dx \approx 2{,}29 \, u$

   e) $L = \int_1^3 \sqrt{1 + \left(y^3 - \dfrac{1}{4y^3}\right)^2} \, dy = \int_1^3 \left(y^3 + \dfrac{1}{4y^3}\right) dy = \dfrac{181}{9} \, u$

3.
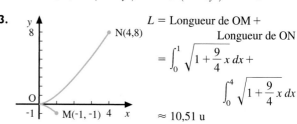

$L = $ Longueur de OM + Longueur de ON

$= \int_0^1 \sqrt{1 + \dfrac{9}{4}x} \, dx + \int_0^4 \sqrt{1 + \dfrac{9}{4}x} \, dx$

$\approx 10{,}51 \, u$

4. a)
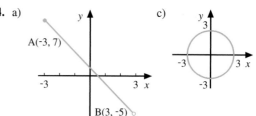

   c)
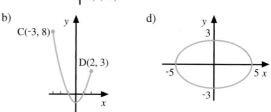

   b)
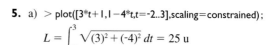

   d)

5. a) $>$ plot([3*t+1,1−4*t,t=−2..3],scaling=constrained);

     $L = \int_{-2}^3 \sqrt{(3)^2 + (-4)^2} \, dt = 25 \, u$

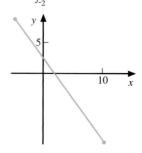

b) > plot([(sin(t))^2,(cos(t))^2,t=0..Pi/2],scaling=constrained);

$$L = \int_0^{\frac{\pi}{2}} \sqrt{(2\sin t \cos t)^2 + (\text{-}2\cos t \sin t)^2}\, dt$$

$$= 2\sqrt{2} \int_0^{\frac{\pi}{2}} \sin t \cos t\, dt = \sqrt{2}\ \text{u}$$

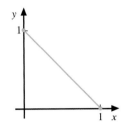

c) > plot([3*t,(4/3)*t^(3/2),t=0..4],scaling=constrained);

$$L = \int_0^4 \sqrt{(3)^2 + (2t^{\frac{1}{2}})^2}\, dt$$

$$= \int_0^4 \sqrt{9+4t}\, dt = \frac{49}{3}\ \text{u}$$

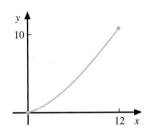

d) > plot([sin(t)−cos(t),sin(t)+cos(t),t=0..Pi/2],
   x=-1..1,y=0..2,scaling=constrained);

$$L = \int_0^{\frac{\pi}{2}} \sqrt{(\cos t + \sin t)^2 + (\cos t - \sin t)^2}\, dt$$

$$= \sqrt{2} \int_0^{\frac{\pi}{2}} dt = \frac{\pi\sqrt{2}}{2}\ \text{u}$$

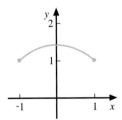

6. $L = 4 \int_0^{\frac{\pi}{2}} 3a \cos t \sin t\, dt = 6a\ \text{u}$

7. Déterminons d'abord la valeur positive de x telle que $y = \text{-}11$. En résolvant $25 - 0,01\, x^2 = \text{-}11$, nous trouvons $x = 60$.

$$L = \int_{-50}^{60} \sqrt{1 + 0,0004\, x^2}\, dx \approx 129,65\ \text{m}$$

Exercices 5.4 (page 261)

1. a) $2\pi \int_a^b f(x) \sqrt{1 + (f'(x))^2}\, dx$

b) $2\pi \int_c^d y \sqrt{1 + (g'(y))^2}\, dy$

c) $2\pi \int_a^b x \sqrt{1 + (f'(x))^2}\, dx$

d) $2\pi \int_c^d g(y) \sqrt{1 + (g'(y))^2}\, dy$

e) $2\pi \int_a^b (f(x) - k_1) \sqrt{1 + (f'(x))^2}\, dx$

f) $2\pi \int_a^b (k_2 - x) \sqrt{1 + (f'(x))^2}\, dx$

2. a) $S = 2\pi \int_2^5 3x\sqrt{1 + (3)^2}\, dx = 63\sqrt{10}\,\pi\ \text{u}^2$

b) $S = 2\pi \int_2^5 x\sqrt{1 + (3)^2}\, dx = 21\sqrt{10}\,\pi\ \text{u}^2$

c) $S = 2\pi \int_2^5 (21 - 3x) \sqrt{1 + (3)^2}\, dx = 63\sqrt{10}\,\pi\ \text{u}^2$

d) $S = 2\pi \int_2^3 y^3\sqrt{1 + 9y^4}\, dy = \frac{\pi}{27} [(730)^{\frac{3}{2}} - (145)^{\frac{3}{2}}]\ \text{u}^2$

e) $S = 2\pi \int_1^3 \left(\frac{2}{3}x^{\frac{3}{2}} - \frac{1}{2}x^{\frac{1}{2}}\right) \sqrt{1 + \left(x^{\frac{1}{2}} - \frac{1}{4x^{\frac{1}{2}}}\right)^2}\, dx$

$$= 2\pi \int_1^3 \left(\frac{2}{3}x^{\frac{3}{2}} - \frac{1}{2}x^{\frac{1}{2}}\right)\left(x^{\frac{1}{2}} + \frac{1}{4x^{\frac{1}{2}}}\right) dx = \frac{151\pi}{18}\ \text{u}^2$$

f) $S = 2\pi \int_0^3 x\sqrt{1 + 4x^2}\, dx = \frac{\pi}{6} [(37)^{\frac{3}{2}} - 1]\ \text{u}^2$

3. a) $S = 2\pi \int_0^{2\pi} (3 + \cos t) \sqrt{(\cos t)^2 + (\text{-}\sin t)^2}\, dt = 12\pi^2\ \text{u}^2$

b) $S = 2\pi \int_0^{2\pi} (5 + \sin t) \sqrt{(\cos t)^2 + (\text{-}\sin t)^2}\, dt = 20\pi^2\ \text{u}^2$

c) $S = 2\pi \int_0^{2\pi} [7 - (5 + \sin t)] \sqrt{(\cos t)^2 + (\text{-}\sin t)^2}\, dt = 8\pi^2\ \text{u}^2$

d) $S = 2\pi \int_0^1 3t\sqrt{9 + 16t^2}\, dt = \frac{49\pi}{4}\ \text{u}^2$

4. a)

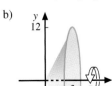

Surface latérale d'un cône de rayon 3 et de hauteur 12.

$$S = 2\pi \int_0^3 x\sqrt{1 + (4)^2}\, dx$$

$$= 9\sqrt{17}\,\pi\ \text{u}^2$$

b)

Surface latérale d'un cône de rayon 12 et de hauteur 3.

$$S = 2\pi \int_0^3 4x\sqrt{1 + (4)^2}\, dx$$

$$= 36\sqrt{17}\,\pi\ \text{u}^2$$

5. Laissée à l'élève.

5

6. $S = 2\pi \int_1^2 \sqrt{4 - x^2} \sqrt{1 + \left(\dfrac{-x}{\sqrt{4 - x^2}}\right)^2}\, dx$

$\quad = 2\pi \int_1^2 2\, dx$

$\quad = 4\pi\, \text{u}^2$

7. $S = 2\left[2\pi \int_0^{\frac{\pi}{2}} a\sin^3 t \sqrt{9a^2\cos^4 t \sin^2 t + 9a^2 \sin^4 t \cos^2 t}\, dt\right]$

$\quad = 12\pi a^2 \int_0^{\frac{\pi}{2}} \sin^4 t \cos t\, dt$

$\quad = \dfrac{12\pi a^2}{5}\, \text{u}^2$

Exercices 5.5 (page 270)

1. a) $\displaystyle\lim_{s\to3^+} \int_s^5 \dfrac{1}{x-3}\, dx$

b) Non

c) $\displaystyle\lim_{t\to3^-} \int_0^t \dfrac{1}{v-3}\, dv + \lim_{s\to3^+} \int_s^5 \dfrac{1}{v-3}\, dv$

d) $\displaystyle\lim_{s\to\left(\frac{-\pi}{2}\right)^+} \int_s^0 \tan\theta\, d\theta$

e) $\displaystyle\lim_{N\to-\infty} \int_N^2 \dfrac{1}{\sqrt{x^2+1}}\, dx$

f) $\displaystyle\lim_{t\to0^-} \int_{-1}^t \dfrac{e^x}{e^x-1}\, dx + \lim_{s\to0^+} \int_s^1 \dfrac{e^x}{e^x-1}\, dx$

g) Non

h) $\displaystyle\lim_{N\to-\infty} \int_N^{-1} \dfrac{1}{x}\, dx + \lim_{t\to0^-} \int_{-1}^t \dfrac{1}{x}\, dx + \lim_{s\to0^+} \int_s^1 \dfrac{1}{x}\, dx + \lim_{M\to+\infty} \int_1^M \dfrac{1}{x}\, dx$

2. a) $\displaystyle\lim_{s\to0^+} \int_s^1 \dfrac{1}{x}\, dx = \lim_{s\to0^+} [\ln 1 - \ln s] = +\infty$

b) $\displaystyle\lim_{t\to0^-} \int_{\frac{-1}{5}}^t \dfrac{1}{x^2}\, dx = \lim_{t\to0^-} \left[\dfrac{-1}{t} - 5\right] = +\infty$

c) $\displaystyle\lim_{s\to0^+} \int_s^4 \dfrac{1}{\sqrt{x}}\, dx = \lim_{s\to0^+} [2\sqrt{4} - 2\sqrt{s}] = 4$

d) $\displaystyle\lim_{t\to1^-} \int_0^t \dfrac{1}{(u-1)^5}\, du = \lim_{t\to1^-} \left[\dfrac{-1}{4(t-1)^4} + \dfrac{1}{4}\right] = -\infty$

e) $\displaystyle\lim_{t\to8^-} \int_0^t \dfrac{1}{\sqrt[3]{x-8}}\, dx = \lim_{t\to8^-} \left[\dfrac{3(t-8)^{\frac{2}{3}}}{2} - 6\right] = -6$

f) $\displaystyle\lim_{t\to\left(\frac{\pi}{2}\right)^-} \int_0^t \tan\theta\, d\theta = \lim_{t\to\left(\frac{\pi}{2}\right)^-} [-\ln|\cos t| + \ln 1] = +\infty$

3. a) $\displaystyle\lim_{t\to0^-} \int_{-1}^t \dfrac{7}{y^2}\, dy + \lim_{s\to0^+} \int_s^2 \dfrac{7}{y^2}\, dy = (+\infty) + (+\infty) = +\infty;\ \text{D}$

---

b) $\displaystyle\lim_{s\to-1^+} \int_s^0 \dfrac{x}{\sqrt{1-x^2}}\, dx + \lim_{t\to1^-} \int_0^t \dfrac{x}{\sqrt{1-x^2}}\, dx = (-1) + (1) = 0;\ \text{C}$

c) $\displaystyle\lim_{s\to0^+} \int_s^1 \dfrac{2x-4}{x^2-4x}\, dx + \lim_{t\to4^-} \int_1^t \dfrac{2x-4}{x^2-4x}\, dx = (+\infty) + (-\infty);\ \text{D}$

4. a) $\displaystyle\lim_{M\to+\infty} \int_1^M \dfrac{1}{\sqrt{x}}\, dx = \lim_{M\to+\infty} [2\sqrt{M} - 2] = +\infty;\ \text{D}$

b) $\displaystyle\lim_{M\to+\infty} \int_1^M \dfrac{4}{x^3}\, dx = \lim_{M\to+\infty} \left[\dfrac{-2}{M^2} + 2\right] = 2;\ \text{C}$

c) $\displaystyle\lim_{N\to-\infty} \int_N^0 e^{-x}\, dx = \lim_{N\to-\infty} [-1 + e^{-N}] = +\infty;\ \text{D}$

d) $\displaystyle\lim_{M\to+\infty} \int_0^M \sin\theta\, d\theta = \lim_{M\to+\infty} [-\cos M + 1]$ n'existe pas ; D

e) $\displaystyle\lim_{M\to+\infty} \int_1^M \dfrac{1}{1+u^2}\, du = \lim_{M\to+\infty} \left[\text{Arc}\tan M - \dfrac{\pi}{4}\right] = \dfrac{\pi}{4};\ \text{C}$

f) $\displaystyle\lim_{M\to+\infty} \int_0^M 3^x\, dx = \lim_{M\to+\infty} \left[\dfrac{3^M}{\ln 3} - \dfrac{1}{\ln 3}\right] = +\infty;\ \text{D}$

5. a) $\displaystyle\lim_{N\to-\infty} \int_N^0 2e^{-x}\, dx + \lim_{M\to+\infty} \int_0^M 2e^x\, dx = (+\infty) + 2 = +\infty;\ \text{D}$

b) $\displaystyle\lim_{N\to-\infty} \int_N^0 xe^{-x^2}\, dx + \lim_{M\to+\infty} \int_0^M xe^{-x^2}\, dx = \left(\dfrac{-1}{2}\right) + \left(\dfrac{1}{2}\right) = 0;\ \text{C}$

c) $\displaystyle\lim_{N\to-\infty} \int_N^0 x\, dx + \lim_{M\to+\infty} \int_0^M x\, dx = (-\infty) + (+\infty);\ \text{D}$

6. a) $\displaystyle\lim_{s\to0^+} \int_s^1 \dfrac{1}{x}\, dx + \lim_{M\to+\infty} \int_1^M \dfrac{1}{x}\, dx = (+\infty) + (+\infty) = +\infty$

b) $\displaystyle\lim_{N\to-\infty} \int_N^{-1} \dfrac{1}{x^2}\, dx + \lim_{t\to0^-} \int_{-1}^t \dfrac{1}{x^2}\, dx = (1) + (+\infty) = +\infty$

c) $\displaystyle\lim_{s\to1^+} \int_s^2 \dfrac{1}{x\sqrt{x^2-1}}\, dx + \lim_{M\to+\infty} \int_2^M \dfrac{1}{x\sqrt{x^2-1}}\, dx$

$\qquad = \left(\dfrac{\pi}{3}\right) + \left(\dfrac{\pi}{2} - \dfrac{\pi}{3}\right) = \dfrac{\pi}{2}$

7. a) $12;\ \text{C}$ \qquad e) $e^{\frac{\pi}{2}} - e^{\frac{-\pi}{2}};\ \text{C}$

b) $+\infty;\ \text{D}$ \qquad f) $(2e - 2);\ \text{C}$

c) $+\infty;\ \text{D}$ \qquad g) $(+\infty) + (-\infty);\ \text{D}$

d) $\dfrac{1}{\ln 3};\ \text{C}$ \qquad h) $2;\ \text{C}$

8. a) Convergente si $p < 1$; divergente si $p \geq 1$

b) Convergente si $p > 1$; divergente si $p \leq 1$

c) Divergente pour tout p

9. a) L'aire est infinie. \qquad c) $A = \pi\, \text{u}^2$

 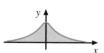

b) $A = 1\, \text{u}^2$ \qquad d) $A = \dfrac{15}{2}\, \text{u}^2$

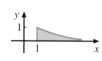

10. a) Puisque $\dfrac{1}{x^4+1} < \dfrac{1}{x^2}$, $\forall\, x \in [1, +\infty$ et que $\displaystyle\int_1^{+\infty} \dfrac{1}{x^2}\, dx$ est convergente (voir 9 b), alors $\displaystyle\int_1^{+\infty} \dfrac{1}{x^4+1}\, dx$ est convergente.

b) Puisque $\dfrac{1}{\sqrt{\sqrt{x}-0,5}} > \dfrac{1}{\sqrt{x}}$, $\forall\, x \in [1, +\infty$ et que $\displaystyle\int_1^{+\infty} \dfrac{1}{\sqrt{x}}\, dx$ est divergente (voir 9 a), alors

$\displaystyle\int_1^{+\infty} \dfrac{1}{\sqrt{\sqrt{x}-0,5}}\, dx$ est divergente.

11. a) $V = \dfrac{\pi}{3}\,\text{u}^3$ b) Le volume est infini.

12. a) L'aire est infinie.   b) $V = \pi\,\text{u}^3$

13. $Q = 0,15 \displaystyle\int_0^{+\infty} 2^{\frac{-t}{37}}\, dt \approx 8\ \text{m}^3$

▦ Exercices récapitulatifs (page 274)

1.

	Méthode du disque	Méthode du tube	$V(\text{u}^3)$
a)	$\pi \displaystyle\int_0^2 x^4\, dx$	$2\pi \displaystyle\int_0^4 y(2-\sqrt{y})\, dy$	$\dfrac{32\,\pi}{5}$
b)	$16\pi - \pi \displaystyle\int_0^4 y\, dy$	$2\pi \displaystyle\int_0^2 x^3\, dx$	8π
c)	$32\pi - \pi \displaystyle\int_0^2 (4-x^2)^2\, dx$	$2\pi \displaystyle\int_0^4 (4-y)(2-\sqrt{y})\, dy$	$\dfrac{224\pi}{15}$
d)	$50\pi - \pi \displaystyle\int_0^2 (5-x^2)^2\, dx$	$2\pi \displaystyle\int_0^4 (5-y)(2-\sqrt{y})\, dy$	$\dfrac{304\pi}{15}$
e)	$\pi \displaystyle\int_0^4 (2-\sqrt{y})^2\, dy$	$2\pi \displaystyle\int_0^2 (2-x)\,x^2\, dx$	$\dfrac{8\pi}{3}$
f)	$64\pi - \pi \displaystyle\int_0^4 (2+\sqrt{y})^2\, dy$	$2\pi \displaystyle\int_0^2 (x+2)\,x^2\, dx$	$\dfrac{56\pi}{3}$
g)	$\pi \displaystyle\int_0^2 (2+x^2)^2\, dx - 8\pi$	$2\pi \displaystyle\int_0^4 (y+2)(2-\sqrt{y})\, dy$	$\dfrac{256\pi}{15}$
h)	$\pi \displaystyle\int_0^4 (6-\sqrt{y})^2\, dy - 64\pi$	$2\pi \displaystyle\int_0^2 (6-x)x^2\, dx$	24π

2. a) $\pi\left[\dfrac{e^4+e^{-4}}{2}-1\right] \approx 82,6\ \text{u}^3$

b) $\pi\left(\ln 3 - \dfrac{1}{3}\right) \approx 2,4\ \text{u}^3$

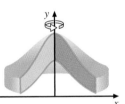

c) $\dfrac{\pi^2}{2}\,\text{u}^3$

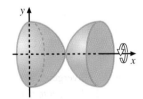

d) $2\pi^2\,\text{u}^3$

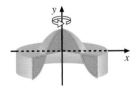

3. a) $\dfrac{4\pi a^2 b}{3}\,\text{u}^3$

b) $\dfrac{4\pi a b^2}{3}\,\text{u}^3$

4. a) La région délimitée par $y = \sqrt{R^2 - x^2}$ et $y = 0$.

b) $V = \pi \displaystyle\int_{-R}^{R} (R^2 - x^2)\, dx = \dfrac{4\pi R^3}{3}\,\text{u}^3$

c) $\dfrac{4\pi}{3}(R^2 - r^2)^{\frac{3}{2}}\,\text{u}^3$

d) $\dfrac{\pi\sqrt{3}}{2}\,R^3\,\text{u}^3$

e) $r \approx 1,2\ \text{cm}$

5. a) $24\pi\,\text{u}^3$ b) $\left(\dfrac{e^6}{2} - 4e^3 + \dfrac{13}{2}\right) \approx 127,9\ \text{u}^3$

6. a) $\pi\left(\dfrac{2R^3}{3} - aR^2 + \dfrac{a^3}{3}\right)\text{u}^3$; $\pi\left(\dfrac{2R^3}{3} + aR^2 - \dfrac{a^3}{3}\right)\text{u}^3$

b) $\dfrac{112\pi}{3}\,\text{m}^3$; $\dfrac{2873\pi}{3}\,\text{m}^3$

c) Approximativement 117 286,13 kg; approximativement 3 008 598,6 kg

d) 31,25 %

7. a) $\dfrac{2\sqrt{5} + \ln(2+\sqrt{5})}{4} \approx 1,48\ \text{u}$; $\sqrt{2} \approx 1,41\ \text{u}$

b) $\dfrac{62}{27}\,\text{u}$

c) Environ 0,88 u

d) $\sqrt{2}(e^{\frac{\pi}{2}} - 1) \approx 5,39\ \text{u}$

e) $\dfrac{61}{27}\,\text{u}$

8. a) $H_1 = 20\ \text{m}$; $H_2 \approx 25\ \text{m}$ b) $L \approx 200,3\ \text{m}$

9. Environ 67 167 $

10. a) Environ 261,3 u²; environ 117,3 u²
b) Environ 23,4 u²; environ 6,7 u²
c) Environ 3,3 u²; environ 1,1 u²

11. Environ 1413,72 $

12. a) 21; C   e) π; C
b) $+\infty$; D   f) $+\infty$; D
c) $\dfrac{2}{\pi}$; C   g) 2; C
d) $-\infty + \infty$; D   h) N'existe pas; D

13. a) 2 u²   b) L'aire est infinie.   c) 2 u²   d) 4 u²

14. a) 1 u²   b) $\dfrac{\pi}{2}\,\text{u}^3$; $2\pi\,\text{u}^3$; $\dfrac{3\pi}{2}\,\text{u}^3$

15. a) 3 u³   b) Le volume est infini.

16. 25 millions de barils

1. a) $\dfrac{-1}{9}$; C

    e) $+\infty$; D

    b) N'existe pas ; D

    f) $\dfrac{328}{3} - 100 \ln 3$

    c) $\dfrac{1}{2}$; C

    g) $\dfrac{-4}{3}$; C

    d) $\ln 2$; C

    h) $\dfrac{\pi}{2}$; C

2. a) $(\sqrt{2} - 1) \approx 0{,}41 \ \text{u}^2$

    b) $\dfrac{\pi}{2} \approx 1{,}57 \ \text{u}^3$; $\left(\dfrac{\sqrt{2}\pi^2}{2} - 2\pi\right) \approx 0{,}696 \ \text{u}^3$

    c) $\left(\dfrac{\pi}{4} - \dfrac{1}{2}\right) \approx 0{,}29 \ \text{u}^3$; $\left(\dfrac{\sqrt{2}\pi}{2} - 2\right) \approx 0{,}22 \ \text{u}^3$

3. a) Laissée à l'élève.

    b) $V = \pi \displaystyle\int_0^h \left(\dfrac{rx}{h}\right)^2 dx = \dfrac{\pi r^2 h}{3} \ \text{u}^3$

    c) $V = \dfrac{\pi h(R^3 - r^3)}{3(R - r)} = \dfrac{\pi h}{3}(R^2 + Rr + r^2) \ \text{u}^3$

4. a) $V = 2\pi^2 ar^2 \ \text{u}^3$; $A = 4\pi^2 ar \ \text{u}^2$

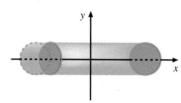

    b) $V_1 = 24\pi^2$ et $V_2 = 20\pi^2$, d'où $V_1 > V_2$.
    c) $a = 12$

5. Environ 30 329 litres

6. $\dfrac{1024}{3} \ \text{u}^3$

7. $a = 4$; $L \approx 13{,}8 \ \text{m}$

8. a) $L_1 = \displaystyle\int_0^1 \sqrt{1 + 9x^4}\, dx \approx 1{,}548 \ \text{km}$; $L \approx 4{,}096 \ \text{km}$

    b) Environ 3,606 km

9. $L = 40 \ \text{u}$

10. a) $4 \ \text{u}^2$

    c) $2\pi\left[2\sqrt{2} + \ln\left(\dfrac{\sqrt{2}+1}{\sqrt{2}-1}\right)\right] \approx 28{,}85 \ \text{u}^2$

    b) $\pi^2 \ \text{u}^2$

    d) $L = 2\displaystyle\int_0^\pi \sqrt{1 + \cos^2 x}\, dx \approx 7{,}64 \ \text{u}$

11. $\dfrac{\pi^2}{4} \ \text{u}^3$; le volume est infini.

12. a) $p > \dfrac{1}{2}$; $V = \dfrac{\pi}{2p - 1} \ \text{u}^3$

    b) $p > 2$; $V = \dfrac{2\pi}{p - 2} \ \text{u}^3$

13. Laissées à l'élève.

    a) $L = \displaystyle\int_0^2 \sqrt{1 + (3x^2 + 1)^2}\, dx \approx 10{,}340 \ \text{u}$

    b) $L = \displaystyle\int_{-1}^1 \sqrt{1 + (e^x + xe^x)^2}\, dx \approx 4{,}029 \ \text{u}$

    c) $L = \displaystyle\int_0^\pi \sqrt{1 + \cos^2 x}\, dx \approx 3{,}820 \ \text{u}$

    d) $L = \displaystyle\int_0^{\frac{\pi}{4}} \sqrt{64 \sin^2 2\theta + 144 \cos^2 4\theta}\, d\theta \approx 7{,}696 \ \text{u}$

14. a) $\dfrac{62}{5} \ \text{u}^2$; environ 19,63 u

    c) $\dfrac{255}{4} \ \text{u}^3$; $\dfrac{932}{35} \ \text{u}^3$

    b) $\dfrac{255\pi}{4} \ \text{u}^3$; $\dfrac{508\pi}{7} \ \text{u}^3$

15. a) $108\pi \ \text{u}^3$; $180\pi \ \text{u}^3$

    b) $18\pi \ \text{u}^3$; $72\pi \ \text{u}^3$

16. a) 10 000 $

    b) Environ 23 962,95 $

17. Environ 62 832 litres

18. 10 mètres

19. a) $V = \pi h^2 \left(R - \dfrac{h}{3}\right)$ (exprimé en m³)

    b) Environ 3,64 heures ; environ 11,64 heures

    c) $\dfrac{0{,}05}{19\pi} \approx 0{,}000\ 84 \ \text{m/s}$; $\dfrac{0{,}05}{99\pi} \approx 0{,}000\ 16 \ \text{m/s}$

20. a) $54\pi \ \text{cm}^3$

    b) $V(t) = -3t + 54\pi$; $V(h) = \dfrac{3\pi h^2}{8}$ (en cm³)

    c) $\dfrac{dh}{dt} = \dfrac{-4}{\pi h}$ (en cm/s)

    d) Environ -0,21 cm/s ; environ -0,15 cm/s ; environ -0,31 cm/s

    e) Environ 56,55 s

21. a) $c = 9$

    b) $\left(1 - \dfrac{7}{e^6}\right)$; $\dfrac{7}{e^6}$; $\dfrac{2}{3}$

22. Laissée à l'élève.

Chapitre 6

■■ Test préliminaire *(page 281)*

1. a) $n! = n(n - 1)(n - 2)(n - 3) \ldots 3 \cdot 2 \cdot 1$
    b) $0! = 1$

    c) $\dfrac{3}{(n + 1)n}$

    d) $\dfrac{1}{(2k + 2)(2k + 1)}$

2. a) 6   b) $3{,}0414 \times 10^{64}$ c) 22 350

4. a) $x \in \ ]{-2}, 2[$

    c) $x \in \left]{-4}, \dfrac{16}{3}\right[$

3. a) $(n - 1)!$
    b) $n + 1$

    b) $x \in [-3, 11]$

    d) $x \in \ \left]{-\infty}, \dfrac{-1}{5}\right] \cup \left[\dfrac{1}{5}, +\infty\right[$

5. a) $n = 5$ c) $n = 6$
    b) $n = 14$ d) $n = 3$

6. a) ... f est croissante sur $[a, b]$.
    b) ... f est décroissante sur $[a, b]$.

7. a) 1   c) e
    b) 0   d) 1

8. a) $\dfrac{n(n+1)}{2}$ b) $\dfrac{n(n+1)\,(2n+1)}{6}$

▦ Exercices

Exercices 6.1 *(page 293)*

1. a) $\{9, 11, 13, 15, 17, \ldots\}$

    b) $\{1, 3, 7, 15, 31, \ldots\}$

    c) $\left\{-1, \dfrac{1}{2}, \dfrac{-1}{3}, \dfrac{1}{4}, \dfrac{-1}{5}, \ldots\right\}$

    d) $\left\{\dfrac{4}{27}, \dfrac{5}{81}, \dfrac{2}{81}, \dfrac{7}{729}, \dfrac{8}{2187}, \ldots\right\}$

    e) $\{5, 5, 5, 5, 5, \ldots\}$

    f) $\left\{1, \dfrac{-1}{2}, \dfrac{1}{6}, \dfrac{-1}{24}, \dfrac{1}{120}, \ldots\right\}$

    g) $\{0, 0, 0, 0, 0, \ldots\}$

    h) $\left\{\dfrac{3}{2}, 12, 0, \dfrac{-24}{11}, \dfrac{6}{5}, \ldots\right\}$

2. a) $\left\{5, \dfrac{1}{5}, 5, \dfrac{1}{5}, 5, \ldots\right\}$ c) $\{2, 3, 7, 13, 27, \ldots\}$

    b) $\{1, 7, 19, 43, 91, \ldots\}$ d) $\left\{4, 2, 1, \dfrac{1}{2}, \dfrac{1}{4}, \ldots\right\}$

3. a) n^2 d) $(-1)^{n+1}\,4$ g) $\left(\dfrac{-1}{3}\right)^{n-1}$ j) $\dfrac{1}{n!+1}$

    b) $n^3 - 1$ e) $2n - 1$ h) $\dfrac{3n-1}{n}$ k) $\dfrac{5n-7}{n^2}$

    c) 4   f) $\dfrac{1}{2(n+1)}$ i) $n!$ l) $\dfrac{(-1)^n\,2n}{2n+1}$

4. a)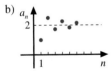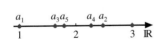

    b)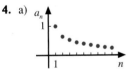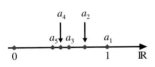

    c)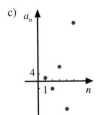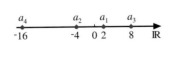

    d)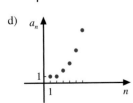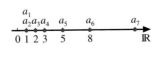

5. a) 0; C   f) N'existe pas; D   k) 0; C
    b) 5; C   g) 0; C   l) 1; C
    c) $\dfrac{-3}{5}$; C   h) 0; C   m) N'existe pas; D
    d) N'existe pas; D   i) 1; C   n) 1; C
    e) $+\infty$; D   j) $+\infty$; D   o) N'existe pas; D

6. a) $\displaystyle\lim_{n \to +\infty} \sin(n\pi) = 0$ et $\displaystyle\lim_{x \to +\infty} \sin(\pi x)$ n'existe pas.

    b) Faux; vrai uniquement si $\displaystyle\lim_{x \to +\infty} f(x)$ existe.

7. a)

Valeurs de r	$\displaystyle\lim_{n \to +\infty} r^n$
$r \leq -1$	N'existe pas.
$-1 < r < 1$	0
$r = 1$	1
$r > 1$	$+\infty$

    b) 0; $+\infty$; n'existe pas.

8. a) $a_n = \dfrac{n^3}{3^n}$; 0; C

    b) $a_n = \dfrac{2^n+1}{2^n}$; 1; C

    c) $a_n = \dfrac{2^n-1}{n}$; $+\infty$; D

    d) $a_n = \dfrac{(-1)^{n+1}\,n}{n+2}$; n'existe pas; D.

    e) $a_n = \left(\dfrac{-1}{3}\right)^{n-1}$; 0; C

    f) $a_n = (n-1)!$; $+\infty$; D

9. Puisque $-1 \leq \sin n \leq 1$, alors $\dfrac{-1}{n} \leq \dfrac{\sin n}{n} \leq \dfrac{1}{n}$.

    De plus, $\displaystyle\lim_{n \to +\infty} \dfrac{-1}{n} = \lim_{n \to +\infty} \dfrac{1}{n} = 0$.

    Ainsi $\displaystyle\lim_{n \to +\infty} \dfrac{\sin n}{n} = 0$, par le théorème sandwich.

10. a) Bornée; $b = 1$ et $B = 4$.

    b) Bornée inférieurement; $b = \dfrac{10}{3}$.

    c) Non bornée inférieurement et non bornée supérieurement.

    d) Bornée supérieurement; $B = -2$.

    e) Bornée; $b = 1$ et $B = e$.

    f) Bornée; $b = -1$ et $B = 1$.

11. a) Croissante; monotone
    b) Ni croissante ni décroissante
    c) Décroissante; monotone
    d) Croissante; monotone

6

e) Ni croissante ni décroissante

f) Décroissante ; monotone

12. a) F ; $\{(-1)^n\}$ c) F ; $\{n\}$ e) V

    b) V   d) V   f) V

13. $a_1 = 3,5$

14. a) $a_n = 500\,(3)^n$ b) 10 heures

15. a) $a_{n+1} = 3n + 1 \,;\, \dfrac{a_{n+1}}{a_n} = \dfrac{3n+1}{3n-2}$

   b) $a_{n+1} = \dfrac{3}{(n+1)!} \,;\, \dfrac{a_{n+1}}{a_n} = \dfrac{1}{n+1}$

   c) $a_{n+1} = \dfrac{n}{4^{n+1}} \,;\, \dfrac{a_{n+1}}{a_n} = \dfrac{n}{4(n-1)}$

   d) $a_{n+1} = \dfrac{(-3)^{n+3}}{(2n+2)!} \,;\, \dfrac{a_{n+1}}{a_n} = \dfrac{-3}{(2n+2)\,(2n+1)}$

Exercices 6.2 (page 309)

1.

	S_n	$\lim\limits_{n \to +\infty} S_n$	C ou D	Somme
a)	$\dfrac{n}{10}$	$+\infty$	D	$+\infty$
b)	$\dfrac{n}{n+1}$	1	C	1
c)	$\dfrac{n(n+1)\,(2n+1)}{6}$	$+\infty$	D	$+\infty$
d)	-1 si n impair 0 si n pair	$\nexists$	D	Non définie
e)	$\dfrac{3}{10}\dfrac{\left(1 - \left(\dfrac{1}{10}\right)^n\right)}{\left(1 - \dfrac{1}{10}\right)}$	$\dfrac{1}{3}$	C	$\dfrac{1}{3}$
f)	$\dfrac{1}{2} - \dfrac{1}{n+2}$	$\dfrac{1}{2}$	C	$\dfrac{1}{2}$

2. a) $\displaystyle\sum_{n=1}^{+\infty} \dfrac{1}{n^2} + \sum_{n=1}^{+\infty} \dfrac{(-1)^{n+1}}{n} = \left(\dfrac{\pi^2}{6} + \ln 2\right)$; C

   b) $\dfrac{1}{5} \displaystyle\sum_{n=0}^{+\infty} \dfrac{1}{n!} = \dfrac{e}{5}$; C

   c) $\displaystyle\sum_{n=1}^{+\infty} \dfrac{1}{n^2} - \left(1 + \dfrac{1}{4} + \dfrac{1}{9}\right) = \dfrac{\pi^2}{6} - \dfrac{49}{36}$; C

   d) $\displaystyle\sum_{n=1}^{+\infty} \dfrac{1}{n^2} - \sum_{n=1}^{+\infty} \dfrac{1}{n} = \dfrac{\pi^2}{6} - \infty = -\infty$; D

   e) $5 \displaystyle\sum_{n=0}^{+\infty} \dfrac{1}{n!} - \left(5 + 5 + \dfrac{5}{2}\right) = 5e - \dfrac{25}{2}$; C

   f) $2 \displaystyle\sum_{n=1}^{+\infty} \dfrac{(-1)^{n+1}}{n} - 2\,(1) = 2\ln 2 - 2$; C

3. $\displaystyle\sum_{n=1}^{+\infty} \dfrac{1}{n} = +\infty, \; \sum_{n=1}^{+\infty} \dfrac{-1}{n} = -\infty$ et $\displaystyle\sum_{n=1}^{+\infty} \left(\dfrac{1}{n} - \dfrac{1}{n}\right) = 0$

4. a) $5 \displaystyle\sum_{n=1}^{+\infty} \dfrac{1}{n} = 5\,(+\infty) = +\infty$

   b) $\dfrac{1}{100} \displaystyle\sum_{n=1}^{+\infty} \dfrac{1}{n} = \dfrac{1}{100}\,(+\infty) = +\infty$

   c) $\displaystyle\sum_{n=1}^{+\infty} \dfrac{1}{n} - \sum_{n=1}^{99} \dfrac{1}{n} = +\infty - S_{99} = +\infty$

   d) $\dfrac{-1}{4}\left[\displaystyle\sum_{n=1}^{+\infty} \dfrac{1}{n} - \sum_{n=1}^{999} \dfrac{1}{n}\right] = \dfrac{-1}{4}\left[+\infty - S_{999}\right] = -\infty$

5. a) $-29 - 25 - 21 - 17 - 13 - \ldots$

   b) $a_{51} = -29 + (51 - 1)4 = 171$

   c) $S_{51} = \dfrac{51}{2}(2(-29) + (50)(4)) = 3621$

   d) $\dfrac{n}{2}(2(-29) + (n-1)4) = 51$

     $4n^2 - 62n - 102 = 0$

     d'où $n = 17$ ($n = -1,5$ à rejeter)

6. $a_7 = 7$, ainsi $a + 6d = 7$

   $S_{20} = -70$, ainsi $\dfrac{20}{2}(2a + 19d) = -70$

   En résolvant le système précédent, nous obtenons $a = 25$ et $d = -3$.

7. a) $2 + \dfrac{2}{3} + \dfrac{2}{9} + \dfrac{2}{27} + \ldots + \dfrac{2}{3^{n-1}} + \ldots = \displaystyle\sum_{i=1}^{+\infty} \dfrac{2}{3^{i-1}}$

   b) $2 - \dfrac{4}{3} + \dfrac{8}{9} - \dfrac{16}{27} + \ldots + 2\left(\dfrac{-2}{3}\right)^{n-1} + \ldots = \displaystyle\sum_{i=1}^{+\infty} 2\left(\dfrac{-2}{3}\right)^{i-1}$

   c) $1 - 1 + 1 - 1 + \ldots + (-1)^{n+1} + \ldots = \displaystyle\sum_{i=1}^{+\infty} (-1)^{i+1}$

   d) $4 + \dfrac{12}{5} + \dfrac{36}{25} + \dfrac{108}{125} + \ldots + 4\left(\dfrac{3}{5}\right)^{n-1} + \ldots = \displaystyle\sum_{i=1}^{+\infty} 4\left(\dfrac{3}{5}\right)^{i-1}$

   e) $-1 + x - x^2 + x^3 + \ldots + (-x)^n + \ldots = \displaystyle\sum_{i=1}^{+\infty} (-1)(-x)^{i-1}$

8. a) Oui ; $a = 1, r = \dfrac{1}{2}$

   b) Non

   c) Oui ; $a = 1, r = -4$

   d) Non

   e) Oui ; $a = \dfrac{1}{3}, r = \dfrac{-1}{\sqrt{3}}$

   f) Oui ; $a = x, r = -x^2$

   g) Non

   h) Oui ; $a = 9, r = \dfrac{1}{10}$

   i) Oui ; $a = \dfrac{32}{25}, r = \dfrac{-2}{5}$

   j) Non

9.

	a	r	C ou D	S
a)	3	$\dfrac{1}{2}$	C	6
b)	3	$\dfrac{3}{5}$	C	$\dfrac{15}{2}$
c)	1	$\dfrac{\pi}{3}$	D	$+\infty$
d)	1	-2	D	Non définie
e)	$\dfrac{5}{7}$	$\dfrac{5}{7}$	C	$\dfrac{5}{2}$
f)	$\dfrac{7}{5}$	$\dfrac{7}{5}$	D	$+\infty$
g)	$\dfrac{-125}{32}$	$\dfrac{5}{4}$	D	$-\infty$
h)	$\dfrac{1}{2}$	$\dfrac{1}{3}$	C	$\dfrac{3}{4}$
i)	$\dfrac{-8}{27}$	$\dfrac{-2}{3}$	C	$\dfrac{-8}{45}$
j)	$\dfrac{3}{16}$	$\dfrac{-1}{2}$	C	$\dfrac{1}{8}$
k)	27	$\dfrac{3}{4}$	C	108
l)	$\dfrac{1}{8}$	$\dfrac{-5}{2}$	D	Non définie

10. a) $0,\overline{183} = \dfrac{\dfrac{183}{1000}}{1 - \dfrac{1}{1000}} = \dfrac{61}{333}$

b) $5,4\overline{27} = 5,4 + 0,0\overline{27} = \dfrac{27}{5} + \dfrac{\dfrac{27}{1000}}{1 - \dfrac{1}{100}} = \dfrac{597}{110}$

c) $0,0\overline{60} = \dfrac{2}{33}$

d) $0,\overline{9} = 1$

11. a) $\displaystyle\sum_{k=1}^{+\infty}\left(\dfrac{1}{3}\right)^k + \sum_{k=1}^{+\infty}\left(\dfrac{2}{3}\right)^k = \dfrac{1}{2} + 2 = \dfrac{5}{2}$

b) $\displaystyle\sum_{n=2}^{+\infty}\dfrac{1}{2^n} + \sum_{n=1}^{+\infty}\dfrac{1}{n} = \dfrac{1}{2} + \infty = +\infty$

c) $\displaystyle\sum_{k=1}^{+\infty}\dfrac{1}{5^k} + \sum_{k=1}^{+\infty}\dfrac{2^k}{5^k} = \dfrac{1}{4} + \dfrac{2}{3} = \dfrac{11}{12}$

12. a) C pour $|x| < 1$ et $S = \dfrac{1}{1-x}$

b) C pour $|x| < 1$ et $S = \dfrac{1}{1+x}$

c) C pour $|x| > 1$ et $S = \dfrac{1}{x-1}$

d) C pour $|x| < 1$ et $S = \dfrac{1}{1+x^2}$

13. a) $S_{25} = \dfrac{2(1-2^{25})}{1-2} = 67\ 108\ 862 ; S = +\infty$

b) $S_{1000} = \dfrac{1(1-(1,001)^{1000})}{1-1,001} \approx 1716,92 ; S = +\infty$

c) $S_{11} = \dfrac{\dfrac{16}{9}\left(1-\left(\dfrac{2}{3}\right)^{11}\right)}{1-\dfrac{2}{3}} \approx 5,27 ; S = \dfrac{16}{3}$

14. a) $h_n = 4\left(\dfrac{2}{3}\right)^n$, en mètres

b) Environ 0,53 m

c) Treizième rebond

d) 20 m

15. a) Soit S_n la quantité de médicament présent dans l'organisme après n jours.

$S_1 = 20$
$S_2 = 20 + 20(0,75)$ (il reste 0,75 de S_1)
$S_3 = 20 + 20(0,75) + 20(0,75)^2$
$\vdots$
$S_{10} = 20 + 20(0,75) + \ldots + 20(0,75)^9$
$\quad\quad = \dfrac{20\ [1 - (0,75)^{10}]}{1 - 0,75}$

d'où $S_{10} \approx 75,49$ mg

b) La somme d'une série géométrique où $|r| < 1$ est donnée par $\dfrac{a}{1-r}$, où $a = 20$ et $r = 0,75$,

d'où $S = \dfrac{20}{1 - 0,75} = 80$ mg.

Exercices 6.3 *(page 326)*

1.

	Calculs à effectuer	Conclusion
Critère du terme général	$\displaystyle\lim_{n\to+\infty} a_n$	Si $\displaystyle\lim_{n\to+\infty} a_n \neq 0$, alors $\displaystyle\sum_{n=1}^{+\infty} a_n$ diverge.
Série géométrique	$\dfrac{a_{n+1}}{a_n} = r$	Si $|r| < 1$, alors $\displaystyle\sum_{n=1}^{+\infty} a_n$ converge et $S = \dfrac{a}{1-r}$. Si $|r| \geq 1$, alors $\displaystyle\sum_{n=1}^{+\infty} a_n$ diverge.
Critère de l'intégrale	$a_k = f(k) > 0$ et f décroissante $\displaystyle\int_1^{+\infty} f(x)\,dx$	Si $\displaystyle\int_1^{+\infty} f(x)\,dx$ converge, alors $\displaystyle\sum_{k=1}^{+\infty} a_k$ converge. Si $\displaystyle\int_1^{+\infty} f(x)\,dx$ diverge, alors $\displaystyle\sum_{k=1}^{+\infty} a_k$ diverge.

(suite) 1.

	Calculs à effectuer	Conclusion
Série de Riemann	Série de la forme $$\sum_{n=1}^{+\infty} \frac{1}{n^p}$$	Si $p \leq 1$, alors $\sum_{n=1}^{+\infty} \frac{1}{n^p}$ diverge. Si $p > 1$, alors $\sum_{n=1}^{+\infty} \frac{1}{n^p}$ converge.
Critère de comparaison	$0 < a_k \leq b_k$	Si $\sum_{k=1}^{+\infty} a_k$ diverge, alors $\sum_{k=1}^{+\infty} b_k$ diverge. Si $\sum_{k=1}^{+\infty} b_k$ converge, alors $\sum_{k=1}^{+\infty} a_k$ converge.
Critère de comparaison à l'aide d'une limite	$L = \lim\limits_{n \to +\infty} \dfrac{a_n}{b_n}$	Si $L \in \mathbb{R}$ et $L > 0$ et si $\sum_{k=1}^{+\infty} b_k$ converge, alors $\sum_{k=1}^{+\infty} a_k$ converge. si $\sum_{k=1}^{+\infty} b_k$ diverge, alors $\sum_{k=1}^{+\infty} a_k$ diverge.
Critère des polynômes	p = degré du numérateur q = degré du dénominateur $d = (q - p)$	Si $d \leq 1$, alors $\sum_{k=1}^{+\infty} a_k$ diverge. Si $d > 1$, alors $\sum_{k=1}^{+\infty} a_k$ converge.
Critère de d'Alembert	$R = \lim\limits_{n \to +\infty} \dfrac{a_{n+1}}{a_n}$	Si $R < 1$, alors $\sum_{k=1}^{+\infty} a_k$ converge. Si $R > 1$, alors $\sum_{k=1}^{+\infty} a_k$ diverge. Si $R = 1$, alors nous ne pouvons rien conclure.
Critère de Cauchy	$R = \lim\limits_{n \to +\infty} \sqrt[n]{a_n}$	Si $R < 1$, alors $\sum_{k=1}^{+\infty} a_k$ converge. Si $R > 1$, alors $\sum_{k=1}^{+\infty} a_k$ diverge. Si $R = 1$, alors nous ne pouvons rien conclure.

2. a) $\lim\limits_{n \to +\infty} \dfrac{3n+4}{n} = 3$; la série diverge.

b) $\lim\limits_{n \to +\infty} \left(1 + \dfrac{1}{n^2}\right) = 1$; la série diverge.

c) $\lim\limits_{n \to +\infty} \dfrac{n+1}{n^2} = 0$; la série peut converger.

d) $\lim\limits_{n \to +\infty} \dfrac{1}{n!} = 0$; la série peut converger.

e) $\lim\limits_{n \to +\infty} \dfrac{n}{100n+5} = \dfrac{1}{100}$; la série diverge.

f) $\lim\limits_{n \to +\infty} \dfrac{2n+1}{\ln n} = +\infty$; la série diverge.

3. a) $\displaystyle\int_1^{+\infty} \dfrac{1}{\sqrt{x}}\, dx = +\infty$, donc $\sum_{n=1}^{+\infty} \dfrac{1}{\sqrt{n}}$ diverge.

b) $\displaystyle\int_4^{+\infty} \dfrac{7}{x-3}\, dx = +\infty$, donc $\sum_{k=4}^{+\infty} \dfrac{7}{k-3}$ diverge.

c) $\displaystyle\int_3^{+\infty} \dfrac{1}{(5x+1)^{\frac{3}{2}}}\, dx = \dfrac{1}{10}$, donc $\sum_{n=3}^{+\infty} \dfrac{1}{(5n+1)^{\frac{3}{2}}}$ converge.

d) $\displaystyle\int_1^{+\infty} \dfrac{1}{1+x^2}\, dx = \dfrac{\pi}{4}$, donc $\sum_{n=1}^{+\infty} \dfrac{1}{1+n^2}$ converge.

e) $\displaystyle\int_2^{+\infty} \dfrac{x}{x^2-1}\, dx = +\infty$, donc $\sum_{n=2}^{+\infty} \dfrac{n}{n^2-1}$ diverge.

4. c) $a_3 \leq \displaystyle\sum_{n=3}^{+\infty} \dfrac{1}{(5n+1)^{\frac{3}{2}}} \leq a_3 + \int_3^{+\infty} \dfrac{1}{(5x+1)^{\frac{3}{2}}}\, dx$

$\dfrac{1}{64} \leq \displaystyle\sum_{n=3}^{+\infty} \dfrac{1}{(5n+1)^{\frac{3}{2}}} \leq \dfrac{1}{64} + \dfrac{1}{10}$,

d'où $b = \dfrac{1}{64}$ et $c = \dfrac{37}{320}$

d) $a_1 \leq \displaystyle\sum_{n=1}^{+\infty} \dfrac{1}{1+n^2} \leq a_1 + \int_1^{+\infty} \dfrac{1}{1+x^2}\, dx$

$\dfrac{1}{2} \leq \displaystyle\sum_{n=1}^{+\infty} \dfrac{1}{1+n^2} \leq \dfrac{1}{2} + \dfrac{\pi}{4}$, d'où $b = \dfrac{1}{2}$ et $c = \dfrac{2+\pi}{4}$

5. a) Série de Riemann, où $p = \dfrac{1}{3}$. Puisque $p \leq 1$, alors

$\displaystyle\sum_{n=1}^{+\infty} \dfrac{1}{\sqrt[3]{n}}$ diverge.

b) Série de Riemann, où $p = 3$. Puisque $p > 1$, alors

$\displaystyle\sum_{n=1}^{+\infty} \dfrac{1}{n^3}$ converge.

6. a) ... $\displaystyle\sum_{k=1}^{+\infty} a_k$ converge.

b) ... $\displaystyle\sum_{k=1}^{+\infty} a_k$ peut converger ou peut diverger, ainsi nous ne pouvons rien conclure.

c) ... $\displaystyle\sum_{k=1}^{+\infty} b_k$ peut converger ou peut diverger, ainsi nous ne pouvons rien conclure.

d) ... $\displaystyle\sum_{k=1}^{+\infty} b_k$ diverge.

7. a) Puisque $\dfrac{1}{n^2+5} \leq \dfrac{1}{n^2}$, pour $n \geq 1$ et

que $\displaystyle\sum_{n=1}^{+\infty} \dfrac{1}{n^2}$ converge (série de Riemann, où $p = 2 > 1$),

alors $\displaystyle\sum_{n=1}^{+\infty} \dfrac{1}{n^2+5}$ converge.

b) Puisque $\dfrac{5k+4}{5k^2-1} \geq \dfrac{1}{k}$, pour $k \geq 1$ et

que $\displaystyle\sum_{k=1}^{+\infty} \dfrac{1}{k}$ diverge (série harmonique),

alors $\displaystyle\sum_{k=1}^{+\infty} \dfrac{5k+4}{5k^2-1}$ diverge.

c) Puisque $\dfrac{1}{3^n+n} \leq \dfrac{1}{3^n}$, pour $n \geq 1$ et

que $\displaystyle\sum_{n=1}^{+\infty} \dfrac{1}{3^n}$ converge $\left(\text{série géométrique où } r = \dfrac{1}{3} < 1\right)$,

alors $\displaystyle\sum_{n=1}^{+\infty} \dfrac{1}{3^n+n}$ converge.

d) Puisque $\dfrac{2}{2^n-1} \leq \dfrac{2}{2^{n-1}}$, pour $n \geq 1$ et

que $\displaystyle\sum_{n=1}^{+\infty} \dfrac{2}{2^{n-1}}$ converge $\left(\begin{array}{c}\text{série géométrique où} \\ r = \dfrac{1}{2} < 1\end{array}\right)$,

alors $\displaystyle\sum_{n=1}^{+\infty} \dfrac{2}{2^n-1}$ converge.

8. a) Soit $b_k = \dfrac{1}{4^k}$

$$L = \lim_{k \to +\infty} \frac{\dfrac{1}{4^k-3}}{\dfrac{1}{4^k}} = \lim_{k \to +\infty} \frac{4^k}{4^k-3} = 1$$

Puisque $L \in \mathbb{R}$ et $L > 0$ et puisque $\displaystyle\sum_{k=1}^{+\infty} \dfrac{1}{4^k}$ converge

$\left(\text{série géométrique où } r = \dfrac{1}{4} < 1\right)$,

alors $\displaystyle\sum_{k=1}^{+\infty} \dfrac{1}{4^k-3}$ converge.

b) Soit $b_n = \dfrac{1}{n}$

$$L = \lim_{n \to +\infty} \frac{\sin\left(\dfrac{1}{3n}\right)}{\dfrac{1}{n}} \quad \left(\text{indétermination de la forme } \dfrac{0}{0}\right)$$

$$= \lim_{x \to +\infty} \frac{\sin\left(\dfrac{1}{3x}\right)}{\dfrac{1}{x}} \quad \text{(théorème 6.1)}$$

$$= \lim_{x \to +\infty} \frac{\cos\left(\dfrac{1}{3x}\right)\left(\dfrac{-1}{3x^2}\right)}{\dfrac{-1}{x^2}} = \lim_{x \to +\infty} \frac{\cos\left(\dfrac{1}{3x}\right)}{3} = \frac{1}{3}$$

Puisque $L \in \mathbb{R}$ et $L > 0$ et puisque $\displaystyle\sum_{n=1}^{+\infty} \dfrac{1}{n}$ diverge (série harmonique),

alors $\displaystyle\sum_{n=1}^{+\infty} \sin\left(\dfrac{1}{3n}\right)$ diverge.

c) Soit $b_k = \dfrac{1}{k^{\frac{5}{2}}}$

$$L = \lim_{k \to +\infty} \frac{\dfrac{7}{k\sqrt{k^3+1}}}{\dfrac{1}{k^{\frac{5}{2}}}} = \lim_{k \to +\infty} \frac{7k^{\frac{5}{2}}}{k\sqrt{k^3+1}}$$

$$= \lim_{k \to +\infty} \frac{7k^{\frac{5}{2}}}{k^{\frac{5}{2}}\sqrt{1+\dfrac{1}{k^3}}} = 7$$

Puisque $L \in \mathbb{R}$ et $L > 0$ et puisque $\displaystyle\sum_{k=8}^{+\infty} \dfrac{1}{k^{\frac{5}{2}}}$ converge

$\left(\text{série -}p\text{, où } p = \dfrac{5}{2} > 1\right)$,

alors $\displaystyle\sum_{k=8}^{+\infty} \dfrac{1}{k\sqrt{k^3+1}}$ converge.

9. a) $d = 2 - 0 = 2 > 1$, d'où la série converge.

b) $d = 6 - 5 = 1 \leq 1$, d'où la série diverge.

c) $d = 4 - 4 = 0 \leq 1$, d'où la série diverge.

d) $a_n = \dfrac{3n-1}{n^3}$; $d = 3 - 1 = 2 > 1$, d'où la série converge.

10. a) $R = \lim_{n \to +\infty} \dfrac{\dfrac{3^{n+1}}{(n+1)!}}{\dfrac{3^n}{n!}} = \lim_{n \to +\infty} \dfrac{3}{n+1} = 0$

$R < 1$, d'où la série converge.

b) $R = \lim_{n \to +\infty} \dfrac{\dfrac{1}{(n+1)^2+1}}{\dfrac{1}{n^2+1}} = \lim_{n \to +\infty} \dfrac{n^2+1}{(n+1)^2+1} = 1$

$R = 1$, d'où nous ne pouvons rien conclure.
D'après le critère des polynômes, la série converge car $d = 2 > 1$.

c) $R = \lim_{n \to +\infty} \dfrac{\dfrac{4^{n+1}}{2(n+1)+3}}{\dfrac{4^n}{2n+3}} = \lim_{n \to +\infty} \dfrac{4(2n+3)}{2n+5} = 4$

$R > 1$, d'où la série diverge.

d) $R = \lim_{n \to +\infty} \dfrac{\dfrac{n+1}{e^{n+1}}}{\dfrac{n}{e^n}} = \lim_{n \to +\infty} \dfrac{n+1}{ne} = \dfrac{1}{e}$

6

$R < 1$, d'où la série converge.

e) $R = \lim\limits_{n \to +\infty} \dfrac{\dfrac{(n+1)!}{e^{n+1}}}{\dfrac{n!}{e^n}} = \lim\limits_{n \to +\infty} \dfrac{n+1}{e} = +\infty$

$R > 1$, d'où la série diverge.

f) $R = \lim\limits_{n \to +\infty} \dfrac{\dfrac{(n+1)^{n+1}}{(n+1)!}}{\dfrac{n^n}{n!}} = \lim\limits_{n \to +\infty} \left(\dfrac{n+1}{n}\right)^n = e$

$R > 1$, d'où la série diverge.

11. a) $R = \lim\limits_{n \to +\infty} \sqrt[n]{\dfrac{2^n}{n^n}} = \lim\limits_{n \to +\infty} \dfrac{2}{n} = 0$

$R < 1$, d'où la série converge.

b) $R = \lim\limits_{n \to +\infty} \sqrt[n]{\dfrac{e^n}{n^3}} = \lim\limits_{n \to +\infty} \dfrac{e}{\sqrt[n]{n^3}} = e$

$R > 1$, d'où la série diverge.

c) $R = \lim\limits_{n \to +\infty} \sqrt[n]{\dfrac{1}{n^2}} = \lim\limits_{n \to +\infty} \dfrac{1}{\sqrt[n]{n^2}} = 1$

$R = 1$, d'où nous ne pouvons rien conclure. D'après le critère des polynômes, la série converge car $d = 2 > 1$.

d) $R = \lim\limits_{n \to +\infty} \sqrt[n]{\left(\dfrac{2n^2+5}{3n^2}\right)^n} = \lim\limits_{n \to +\infty} \dfrac{2n^2+5}{3n^2} = \dfrac{2}{3}$

$R < 1$, d'où la série converge.

12.

a)	Polynômes	$d = 2 > 1$	C
b)	D'Alembert	$R = 0 < 1$	C
c)	Cauchy	$R = \dfrac{1}{2} < 1$	C
d)	D'Alembert	$R = 2 > 1$	D
e)	Intégrale	$\displaystyle\int_1^{+\infty} \dfrac{\text{Arc tan } x}{x^2+1}\, dx = \dfrac{3\pi^2}{32}$	C
f)	Comparaison	$\dfrac{1}{7\sqrt{n}-1} > \dfrac{1}{7\sqrt{n}}$, série de Riemann, $p = \dfrac{1}{2} \le 1$	D
g)	Terme général	$\lim\limits_{n \to +\infty} \dfrac{n}{\ln n} = +\infty \neq 0$	D
h)	Comparaison à l'aide d'une limite	$b_n = \dfrac{1}{\sqrt{n}}$ et $L = 1 > 0$	D
i)	Comparaison	$\dfrac{\sqrt{n}}{n^2+5} < \dfrac{1}{n^{\frac{3}{2}}}$, série de Riemann, où $p = \dfrac{3}{2} > 1$	C
j)	Intégrale	$\displaystyle\int_4^{+\infty} \dfrac{e^{\sqrt{x}}}{\sqrt{x}}\, dx = +\infty$	D
k)	D'Alembert	$R = \dfrac{1}{3} < 1$	C
l)	Comparaison	$\dfrac{1}{\left(\dfrac{1}{3}\right)^k + 5^k} < \dfrac{1}{5^k}$, d'Alembert, $R = \dfrac{1}{5} < 1$	C

13. a) D'Alembert ; C
b) Cauchy ; C
c) Terme général ; D
d) Comparaison ; D
e) Polynômes ; C
f) Intégrale ; D
g) Intégrale ; C
h) D'Alembert ; C
i) Comparaison à l'aide d'une limite ; C
j) Cauchy ; C

14. a) $\displaystyle\sum_{n=1}^{+\infty} \dfrac{1}{(3n)^2}$; polynômes ; C

b) $\displaystyle\sum_{n=1}^{+\infty} \dfrac{n}{e^{n^2}}$; d'Alembert ; C

c) $\displaystyle\sum_{n=1}^{+\infty} \dfrac{n}{2n+1}$; terme général ; D

d) $\displaystyle\sum_{n=1}^{+\infty} \dfrac{n}{n^2+1}$; polynômes ; D

e) $\displaystyle\sum_{n=1}^{+\infty} \dfrac{3^n}{4n}$; d'Alembert ; D

Exercices 6.4 (page 334)

1. a) La suite $\left\{\dfrac{1}{k^2}\right\}$ est décroissante, car $\dfrac{1}{k^2} > \dfrac{1}{(k+1)^2}$

et $\lim\limits_{k \to +\infty} \dfrac{1}{k^2} = 0$, donc la série converge.

b) La suite $\left\{\dfrac{3n^2+4}{n^2}\right\}$ est décroissante, car en posant

$f(x) = \dfrac{3x^2+4}{x^2}$, nous obtenons $f'(x) = \dfrac{-8}{x^3} < 0, \forall x \ge 1$

et $\lim\limits_{n \to +\infty} \dfrac{3n^2+4}{n^2} = 3 \neq 0$, donc la série diverge.

c) La suite $\left\{\dfrac{3+k^2}{k^3}\right\}$ est décroissante, car en posant

$f(x) = \dfrac{3+x^2}{x^3}$, nous obtenons $f'(x) = \dfrac{-(x^2+9)}{x^4} < 0$,

$\forall x \ge 1$ et $\lim\limits_{k \to +\infty} \dfrac{3+k^2}{k^3} = 0$, donc la série converge.

d) La suite $\left\{\dfrac{\cos n\pi}{3n+1}\right\}$ est décroissante,

car $\dfrac{1}{3n+1} > \dfrac{1}{3(n+1)+1}$ et $\lim\limits_{n \to +\infty} \dfrac{\cos n\pi}{3n+1} = 0$,

donc la série converge.

e) La suite $\left\{\dfrac{1}{\sqrt{n}}\right\}$ est décroissante, car $\dfrac{1}{\sqrt{n}} > \dfrac{1}{\sqrt{n+1}}$

et $\lim\limits_{n \to +\infty} \dfrac{1}{\sqrt{n}} = 0$, donc la série converge.

f) La suite $\left\{\dfrac{k!}{5^k}\right\}$ n'est pas décroissante, car

$\dfrac{1}{5} > \dfrac{2!}{5^2} > \dfrac{3!}{5^3} > \dfrac{4!}{5^4} = \dfrac{5!}{5^5} < \dfrac{6!}{5^6} < \dfrac{7!}{5^7} < \ldots$,

donc la série diverge.

2. a) $\displaystyle\sum_{k=1}^{+\infty} \left|\dfrac{(-1)^k}{k^2}\right| = \sum_{k=1}^{+\infty} \dfrac{1}{k^2}$ converge (série de Riemann, où $p = 2 > 1$),

d'où $\displaystyle\sum_{k=1}^{+\infty} \dfrac{(-1)^k}{k^2}$ est absolument convergente.

b) $\displaystyle\sum_{n=1}^{+\infty} \left|\dfrac{(-1)^{n+1}(3n^2+4)}{n^2}\right| = \sum_{n=1}^{+\infty} \dfrac{3n^2+4}{n^2}$ diverge

(critère du polynôme $d = 0 \le 1$) et

$\sum\limits_{n=1}^{+\infty} \dfrac{(-1)^{n+1}(3n^2+4)}{n^2}$ diverge,

d'où $\sum\limits_{n=1}^{+\infty} \dfrac{(-1)^{n+1}(3n^2+4)}{n^2}$ n'est pas absolument convergente ni conditionnellement convergente.

c) $\sum\limits_{k=1}^{+\infty} \left| \dfrac{(-1)^k(3+k^2)}{k^3} \right| = \sum\limits_{k=1}^{+\infty} \dfrac{3+k^2}{k^3}$ diverge

(critère des polynômes $d = 1 \leqslant 1$)

d'où $\sum\limits_{k=1}^{+\infty} \dfrac{(-1)^k(3+k^2)}{k^3}$ est conditionnellement convergente.

d) $\sum\limits_{n=1}^{+\infty} \left| \dfrac{\cos n\pi}{3n+1} \right| = \sum\limits_{n=1}^{+\infty} \dfrac{1}{3n+1}$ diverge

(critère des polynômes $d = 1 \leqslant 1$)

d'où $\sum\limits_{n=1}^{+\infty} \dfrac{\cos n\pi}{3n+1}$ est conditionnellement convergente.

e) $\sum\limits_{n=1}^{+\infty} \left| \dfrac{(-1)^{n+1}}{\sqrt{n}} \right| = \sum\limits_{n=1}^{+\infty} \dfrac{1}{\sqrt{n}}$ diverge

$\left(\text{série de Riemann, où } p = \dfrac{1}{2} \leqslant 1\right)$, et

$\sum\limits_{n=1}^{+\infty} \dfrac{(-1)^{n+1}}{\sqrt{n}}$ converge,

d'où $\sum\limits_{n=1}^{+\infty} \dfrac{(-1)^{n+1}}{\sqrt{n}}$ est conditionnellement convergente.

f) $\sum\limits_{k=1}^{+\infty} \left| \dfrac{k!}{(-5)^k} \right| = \sum\limits_{k=1}^{+\infty} \dfrac{k!}{5^k}$ diverge

(critère de d'Alembert, où $R = +\infty > 1$)

et $\sum\limits_{k=1}^{+\infty} \dfrac{k!}{(-5)^k}$ diverge,

d'où $\sum\limits_{k=1}^{+\infty} \dfrac{k!}{(-5)^k}$ n'est pas absolument convergente ni conditionnellement convergente.

3. a) $\sum\limits_{k=1}^{+\infty} \dfrac{(-1)^{k+1}}{\sqrt{k}} \approx 1 - \dfrac{1}{\sqrt{2}} + \dfrac{1}{\sqrt{3}} - \dfrac{1}{\sqrt{4}} + \dfrac{1}{\sqrt{5}}$ et $E \leqslant \dfrac{1}{\sqrt{6}}$,

d'où $S \approx 0{,}817$ et $E \leqslant 0{,}408\ldots$

b) $\sum\limits_{k=1}^{+\infty} \dfrac{(-1)^k}{k^3} \approx -1 + \dfrac{1}{8} - \dfrac{1}{27} + \dfrac{1}{64}$ et $E \leqslant \dfrac{1}{125}$,

d'où $S \approx -0{,}896$ et $E \leqslant 0{,}008$.

c) $\sum\limits_{k=1}^{+\infty} \dfrac{(-1)^{k-1}}{(k-1)!} \approx 1 - 1 + \dfrac{1}{2!} - \dfrac{1}{3!} + \dfrac{1}{4!} - \dfrac{1}{5!}$ et $E \leqslant \dfrac{1}{6!}$,

d'où $S \approx 0{,}3\overline{6}$ et $E \leqslant 0{,}001\,3\overline{8}$.

4. a) Puisque $E \leqslant a_{n+1} = \dfrac{1}{(n+1)!}$, $n = 6$ suffit,

car $\dfrac{1}{7!} < 0{,}001$, d'où $S \approx 0{,}631\,9\overline{4}$.

b) Puisque $E \leqslant a_{n+1} = \dfrac{1}{(n+1)^{n+1}}$, $n = 5$ suffit,

car $\dfrac{1}{6^6} < 0{,}0001$, d'où $S \approx -0{,}783\,45$.

c) Puisque $E \leqslant a_{n+1} = \dfrac{(0{,}1)^{2n+1}}{(2n+1)!}$, $n = 2$ suffit,

car $\dfrac{(0{,}1)^5}{5!} < 10^{-6}$, d'où $S \approx 0{,}099\,8\overline{3}$.

5. a) $S \approx 1 - \dfrac{1}{2^2} + \dfrac{1}{3^2} - \dfrac{1}{4^2} + \dfrac{1}{5^2} - \dfrac{1}{6^2} + \dfrac{1}{7^2} - \dfrac{1}{8^2} + \dfrac{1}{9^2}$

et $E \leqslant \dfrac{1}{10^2}$

$S \approx 0{,}827\,962\,1$ et $E \leqslant 0{,}01$;

$\left| \dfrac{\pi^2}{12} - S \right| = 0{,}005\,495\,1 \leqslant 0{,}01$

b) $\dfrac{1}{(n+1)^2} < 0{,}000\,15$

$(n+1)^2 > 6666{,}\overline{6}$

$n + 1 > 81{,}6\ldots$

$n > 80{,}6\ldots$

d'où $n = 81$ suffit.

Exercices 6.5 (page 344)

1. Dans les solutions suivantes, $R = \lim\limits_{n \to +\infty} \left| \dfrac{u_{n+1}}{u_n} \right|$.

a) $R = \left| \dfrac{x}{2} \right| < 1$ si $|x| < 2$ $\quad (-2 < x < 2)$

Si $x = 2$, nous obtenons $1 + 1 + 1 + \ldots$, série divergente.
Si $x = -2$, nous obtenons $1 - 1 + 1 - 1 + \ldots$, série divergente.
Donc $I = \,]{-2}, 2[$ et $r = 2$.

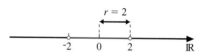

b) $R = |x| \lim\limits_{n \to +\infty} \dfrac{n^2}{(n+1)^2} = |x| < 1$ $\quad (-1 < x < 1)$

Si $x = 1$, nous obtenons $\sum\limits_{k=1}^{+\infty} \dfrac{(-1)^k}{k^2}$, série convergente.

Si $x = -1$, nous obtenons $\sum\limits_{k=1}^{+\infty} \dfrac{1}{k^2}$, série convergente.

Donc $I = [-1, 1]$ et $r = 1$.

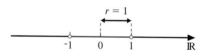

c) $R = |x + 5| \lim\limits_{n \to +\infty} (n+1) = +\infty$ si $x \neq -5$.

Donc la série converge uniquement pour $x = -5$ et $r = 0$.

d) $R = |3x + 4| \lim\limits_{n \to +\infty} \dfrac{1}{(n+1)} = 0$ pour tout x

$(-\infty < x < +\infty)$

Donc $I = \,]{-\infty}, +\infty[$ et $r = +\infty$.

2. Dans les solutions suivantes, $R = \lim\limits_{n \to +\infty} \sqrt[n]{|u_n|}$.

a) $R = \dfrac{|x - 4|}{3} < 1$ si $|x - 4| < 3$ $\quad (1 < x < 7)$

Si $x = 7$, nous obtenons $1 + 1 + 1 + \ldots$, série divergente.
Si $x = 1$, nous obtenons $1 - 1 + 1 - 1 + \ldots$, série divergente.
Donc $I = \,]1, 7[$ et $r = \dfrac{7 - 1}{2} = 3$.

6

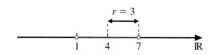

b) $R = 3 \; |x - 5| < 1$ si $|x - 5| < \dfrac{1}{3}$ $\left(\dfrac{14}{3} < x < \dfrac{16}{3} \right)$

Si $x = \dfrac{16}{3}$, nous obtenons $1 + 1 + 1 + \ldots$, série divergente.

Si $x = \dfrac{14}{3}$, nous obtenons $-1 + 1 - 1 + 1 \ldots$, série divergente.

Donc $I = \left] \dfrac{14}{3}, \dfrac{16}{3} \right[$ et $r = \dfrac{\dfrac{16}{3} - \dfrac{14}{3}}{2} = \dfrac{1}{3}$.

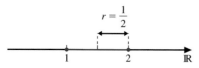

c) $R = |2x| \; \lim\limits_{x \to +\infty} \dfrac{1}{n} = 0$ pour tout x $(-\infty < x < +\infty)$

Donc $I = -\infty, +\infty$ et $r = +\infty$.

d) $R = |2x - 3| \; \lim\limits_{n \to +\infty} \dfrac{1}{n^{\frac{3}{n}}} = |2x - 3| < 1$ $(1 < x < 2)$

Si $x = 1$, nous obtenons $\sum\limits_{k=1}^{+\infty} \dfrac{(-1)^k}{k^3}$, série convergente.

Si $x = 2$, nous obtenons $\sum\limits_{k=1}^{+\infty} \dfrac{1}{k^3}$, série convergente.

Donc $I = [1, 2]$ et $r = \dfrac{2 - 1}{2} = \dfrac{1}{2}$.

3. a) $R = \lim\limits_{n \to +\infty} \sqrt[n]{|(nx)^n|} = |x| \; \lim\limits_{n \to +\infty} n = +\infty$

Donc la série converge uniquement pour $x = 0$.

b) $R = \lim\limits_{n \to +\infty} \left| \dfrac{(n+1)x^{n+1}}{nx^n} \right| = |x| \; \lim\limits_{n \to +\infty} \dfrac{n+1}{n} = |x| < 1$

$\hspace{6cm} (-1 < x < 1)$

Si $x = -1$, nous obtenons $-1 + 2 - 3 + 4 - \ldots$, série divergente.

Si $x = 1$, nous obtenons $1 + 2 + 3 + 4 + \ldots$, série divergente.

Donc $I =]-1, 1[$.

c) $R = \lim\limits_{n \to +\infty} \left| \dfrac{x^{n+1}}{n+1} \cdot \dfrac{n}{x^n} \right| = |x| \; \lim\limits_{n \to +\infty} \dfrac{n}{n+1} = |x| < 1$

$\hspace{6cm} (-1 < x < 1)$

Si $x = -1$, nous obtenons $-1 + \dfrac{1}{2} - \dfrac{1}{3} + \dfrac{1}{4} - \ldots$, série convergente.

Si $x = 1$, nous obtenons $1 + \dfrac{1}{2} + \dfrac{1}{3} + \dfrac{1}{4} + \ldots$, série divergente.

Donc $I = [-1, 1[$.

d) $R = \lim\limits_{n \to +\infty} \sqrt[n]{\left| \left(\dfrac{x}{n} \right)^n \right|} = |x| \; \lim\limits_{n \to +\infty} \dfrac{1}{n} = 0$ pour tout x

$\hspace{6cm} (-\infty < x < +\infty)$

Donc $I = -\infty, +\infty$.

4. a) $f(x) = 1 - \dfrac{x^2}{2!} + \dfrac{x^4}{4!} - \dfrac{x^6}{6!} + \ldots + \dfrac{(-1)^n x^{2n}}{(2n)!} + \ldots$

b) Par le critère généralisé de d'Alembert,

$R = |x^2| \; \lim\limits_{n \to +\infty} \dfrac{1}{(2n+2)(2n+1)} = 0$ pour tout x.

Donc $r = +\infty$.

c) $f'(x) = 0 - \dfrac{2x}{2!} + \dfrac{4x^3}{4!} - \dfrac{6x^5}{6!} + \ldots + \dfrac{(-1)^n 2nx^{2n-1}}{(2n)!} + \ldots$

$= -x + \dfrac{x^3}{3!} - \dfrac{x^5}{5!} + \ldots + \dfrac{(-1)^n x^{2n-1}}{(2n-1)!} + \ldots$

Donc $r = +\infty$ (théorème 6.26)

d) $F(x) = x - \dfrac{x^3}{3 \cdot 2!} + \dfrac{x^5}{5 \cdot 4!} - \dfrac{x^7}{7 \cdot 6!} + \ldots + \dfrac{(-1)^n x^{2n+1}}{(2n+1)(2n)!} + \ldots + C$

Puisque $F(0) = 0$, alors $C = 0$, d'où

$F(x) = x - \dfrac{x^3}{3!} + \dfrac{x^5}{5!} - \dfrac{x^7}{7!} + \ldots + \dfrac{(-1)^n x^{2n+1}}{(2n+1)!} + \ldots$

Donc $r = +\infty$ (théorème 6.27)

e) 0

5. a) La série converge uniquement pour $x = 0$.

b) $]-1, 1[,]-1, 1], [-1, 1[$ ou $[-1, 1]$

c) $]-r_0, r_0[,]-r_0, r_0], [-r_0, r_0[$ ou $[-r_0, r_0]$

d) $-\infty, +\infty$

6. a) $R = \lim\limits_{n \to +\infty} \left| \dfrac{x^{n+1}}{x^n} \right| = |x| < 1$

Si $x = -1$, $1 - 1 + 1 - 1 + \ldots$, série divergente.

Si $x = 1$, $1 + 1 + 1 + \ldots$, série divergente.

Donc $I =]-1, 1[$ et $r = 1$.

b) Série géométrique de raison égale à x, donc

$f(x) = \dfrac{1}{1 - x}$ si $x \in \;]-1, 1[$,

d'où $\dfrac{1}{1 - x} = 1 + x + x^2 + x^3 + \ldots + x^n + \ldots$

c) En intégrant, nous obtenons

$-\ln(1 - x) = x + \dfrac{x^2}{2} + \dfrac{x^3}{3} + \ldots + \dfrac{x^{n+1}}{n+1} + \ldots + C$

En posant $x = 0$, nous trouvons $C = 0$, d'où

$\ln(1 - x) = -x - \dfrac{x^2}{2} - \dfrac{x^3}{3} - \dfrac{x^4}{4} - \ldots - \dfrac{x^{n+1}}{n+1} - \ldots$

Si $x = -1$, $1 - \dfrac{1}{2} + \dfrac{1}{3} - \dfrac{1}{4} + \ldots$, série convergente.

Si $x = 1$, $-1 - \dfrac{1}{2} - \dfrac{1}{3} - \dfrac{1}{4} - \ldots$, série divergente.

Donc $I = [-1, 1[$.

d) $\ln 2 = 1 - \dfrac{1}{2} + \dfrac{1}{3} - \dfrac{1}{4} + \ldots + \dfrac{(-1)^{n+1}}{n} + \ldots$

e) $\ln 2 \approx 1 - \dfrac{1}{2} + \dfrac{1}{3} - \dfrac{1}{4} + \dfrac{1}{5}$ et $E \le \dfrac{1}{6}$,

d'où $\ln 2 \approx 0{,}78\overline{3}$ et $E \le 0{,}1\overline{6}$.

f) En calculant la dérivée de $\left(\dfrac{1}{1 - x} \right)$ et de la série correspondante,

$\dfrac{1}{(1 - x)^2} = 1 + 2x + 3x^2 + 4x^3 + \ldots + nx^{n-1} + \ldots$

et $I = \;]-1, 1[$.

7. a) $g(0) = 0$ et $f(0) = 1$

b) $g'(x) = f(x)$ et $f'(x) = -g(x)$

c) $g''(x) = -g(x)$ et $f''(x) = -f(x)$

d) $g(x) = \sin x$ et $f(x) = \cos x$

8. a) En appliquant le critère généralisé de d'Alembert, nous obtenons pour $x \neq -5$

$$R = \lim_{n \to +\infty} \left| \frac{u_{n+1}}{u_n} \right| = \lim_{n \to +\infty} \left| \frac{\dfrac{(x+5)^{n+1}}{2^{n+1}}}{\dfrac{(x+5)^n}{2^n}} \right| = \left| \frac{x+5}{2} \right|$$

Lorsque $R < 1$, c'est-à-dire $\left| \dfrac{x+5}{2} \right| < 1$,

donc $-7 < x < -3$, la série converge.

Lorsque $R > 1$, c'est-à-dire $\left| \dfrac{x+5}{2} \right| > 1$,

donc $x > -3$ ou $x < -7$, la série diverge.

Lorsque $R = 1$, c'est-à-dire $\left| \dfrac{x+5}{2} \right| = 1$, nous ne pou-

vons rien conclure.

Nous devons alors étudier séparément le cas où

$\left| \dfrac{x+5}{2} \right| = 1$, c'est-à-dire $x = -7$ ou $x = -3$.

Si $x = -7$, $\displaystyle\sum_{k=0}^{+\infty} \frac{(x+5)^k}{2^k} = \sum_{k=0}^{+\infty} \frac{(-2)^k}{2k} = 1 - 1 + 1 - 1 + \ldots$

est une série divergente.

Si $x = -3$, $\displaystyle\sum_{k=0}^{+\infty} \frac{(x+5)^k}{2^k} = \sum_{k=0}^{+\infty} \frac{2^k}{2^k} = 1 + 1 + 1 + 1 + \ldots$

est une série divergente.

D'où l'intervalle de convergence est $]-7, -3[$ et $r = 2$.

b) $]-2, -4[\,; r = 3$ f) $\left[\dfrac{-1}{3}, \dfrac{1}{3} \right[\,; r = \dfrac{1}{3}$

c) $-\infty, +\infty\,; r = +\infty$ g) $[0, 2]\,; r = 1$

d) $[-1, 1[\,; r = 1$ h) $[-1, 1[\,; r = 1$

e) $\left] \dfrac{-1}{3}, \dfrac{1}{3} \right[\,; r = \dfrac{1}{3}$

Exercices 6.6 (page 356)

1. a) $f(x) = \sin x$ $f(0) = 0$
$f'(x) = \cos x$ $f'(0) = 1$
$f''(x) = -\sin x$ $f''(0) = 0$
$f'''(x) = -\cos x$ $f'''(0) = -1$
$f^{(4)}(x) = \sin x$ $f^{(4)}(0) = 0$

D'où
$$\sin x = 0 + 1x + \frac{0}{2!} x^2 - \frac{1}{3!} x^3 + \frac{0}{4!} x^4 + \frac{1}{5!} x^5 + \ldots$$
$$= x - \frac{x^3}{3!} + \frac{x^5}{5!} - \frac{x^7}{7!} + \ldots + \frac{(-1)^n x^{2n+1}}{(2n+1)!} + \ldots$$

Par le critère généralisé de d'Alembert,

$$R = \lim_{n \to +\infty} \left| \frac{(-1)^{n+1} x^{2n+3}}{(2n+3)!} \cdot \frac{(2n+1)!}{(-1)^n x^{2n+1}} \right|$$
$$= x^2 \lim_{n \to +\infty} \frac{1}{(2n+3)(2n+2)} = 0,$$

donc la série converge pour $x \in \mathbb{R}$.

b) $f(x) = e^{3x}$ $f(0) = 1$
$f'(x) = 3e^{3x}$ $f'(0) = 3$
$f''(x) = 3^2 e^{3x}$ $f''(0) = 3^2$
$f'''(x) = 3^3 e^{3x}$ $f'''(0) = 3^3$
$\vdots$ $\vdots$
$f^{(n)}(x) = 3^n e^{3x}$ $f^{(n)}(0) = 3^n$

D'où
$$e^{3x} = 1 + 3x + \frac{3^2 x^2}{2!} + \frac{3^3 x^3}{3!} + \ldots + \frac{3^n x^n}{n!} + \ldots$$

Par le critère généralisé de d'Alembert,

$$R = \lim_{n \to +\infty} \left| \frac{3^{n+1} x^{n+1}}{(n+1)!} \cdot \frac{n!}{3^n x^n} \right| = |3x| \lim_{n \to +\infty} \frac{1}{n+1} = 0,$$

donc la série converge pour $x \in \mathbb{R}$.

c) $f(x) = \cos 2x$ $f(0) = 1$
$f'(x) = -2 \sin 2x$ $f'(0) = 0$
$f''(x) = -2^2 \cos 2x$ $f''(0) = -2^2$
$f'''(x) = 2^3 \sin 2x$ $f'''(0) = 0$
$f^{(4)}(x) = 2^4 \cos 2x$ $f^{(4)}(0) = 2^4$

D'où
$$\cos 2x = 1 + 0x - \frac{2^2}{2!} x^2 + \frac{0}{3!} x^3 + \frac{2^4}{4!} x^4 + \ldots$$
$$= 1 - \frac{2^2}{2!} x^2 + \frac{2^4}{4!} x^4 - \frac{2^6}{6!} x^6 + \ldots + \frac{(-1)^n 2^{2n}}{(2n)!} x^{2n} + \ldots$$

Par le critère généralisé de d'Alembert,

$$R = \lim_{n \to +\infty} \left| \frac{(-1)^{n+1} 2^{2n+2} x^{2n+2}}{(2n+2)!} \cdot \frac{(2n)!}{(-1)^n 2^{2n} x^{2n}} \right|$$
$$= 4x^2 \lim_{n \to +\infty} \frac{1}{(2n+2)(2n+1)} = 0,$$

donc la série converge pour $x \in \mathbb{R}$.

2. a) $f(x) = \sin x$ $f(\pi) = 0$
$f'(x) = \cos x$ $f'(\pi) = -1$
$f''(x) = -\sin x$ $f''(\pi) = 0$
$f'''(x) = -\cos x$ $f'''(\pi) = 1$
$f^{(4)}(x) = \sin x$ $f^{(4)}(\pi) = 0$

D'où
$$\sin x = 0 - 1(x - \pi) + \frac{0}{2!}(x - \pi)^2 + \frac{1}{3!}(x - \pi)^3 + \frac{0}{4!}(x - \pi)^4 + \ldots$$
$$= -(x - \pi) + \frac{(x - \pi)^3}{3!} - \frac{(x - \pi)^5}{5!} + \frac{(x - \pi)^7}{7!} - \ldots$$
$$+ (-1)^{n+1} \frac{(x - \pi)^{2n+1}}{(2n+1)!} + \ldots$$

$$R = \lim_{n \to +\infty} \left| \frac{(-1)^{n+2}(x - \pi)^{2n+3}}{(2n+3)!} \cdot \frac{(2n+1)!}{(-1)^{n+1}(x - \pi)^{2n+1}} \right|$$
$$= (x - \pi)^2 \lim_{n \to +\infty} \frac{1}{(2n+3)(2n+2)} = 0,$$

donc la série converge pour $x \in \mathbb{R}\,; r = +\infty$.

b) De façon analogue,

$$\sin x = 1 - \frac{\left(x - \dfrac{\pi}{2} \right)^2}{2!} + \frac{\left(x - \dfrac{\pi}{2} \right)^4}{4!} - \frac{\left(x - \dfrac{\pi}{2} \right)^6}{6!} + \ldots,$$

pour $x \in \mathbb{R}\,; r = +\infty$.

c) $f(x) = \dfrac{1}{x}$ $f(-1) = -1$

$f'(x) = \dfrac{-1}{x^2}$ $f'(-1) = -1$

$f''(x) = \dfrac{2}{x^3}$ $f''(-1) = -2$

$f'''(x) = \dfrac{-3!}{x^4}$ $f'''(-1) = -3!$

$f^{(4)}(x) = \dfrac{4!}{x^5}$ $f^{(4)}(-1) = -4!$

$\vdots$ $\vdots$

$f^{(n)}(x) = \dfrac{(-1)^n n!}{x^{n+1}}$ $f^{(n)}(-1) = -n!$

D'où

$\frac{1}{x} = -1 - (x+1) - \frac{2}{2!}(x+1)^2 - \frac{3!}{3!}(x+1)^3 - ... - \frac{n!}{n!}(x+1)^n - ...$

$= -1 - (x+1) - (x+1)^2 - (x+1)^3 - ... - (x+1)^n - ...$

Par le critère généralisé de Cauchy,

$R = \lim\limits_{n \to +\infty} \sqrt[n]{|-(x+1)^n|} = |x+1|$, la série converge

pour $|x+1| < 1$, c'est-à-dire $-2 < x < 0$.

Pour $x = -2$ et pour $x = 0$, la série diverge ; donc la série converge pour $x \in]-2, 0[$; $r = 1$.

d) $\cos x = -1 + \frac{(x-\pi)^2}{2!} - \frac{(x-\pi)^4}{4!} + \frac{(x-\pi)^6}{6!} - ... + (-1)^{n+1} \frac{(x-\pi)^{2n}}{(2n)!} + ...,$

pour $x \in \mathbb{R}$: $r = +\infty$.

e) $\cos x = \frac{1}{2} - \frac{\sqrt{3}}{2}\left(x - \frac{\pi}{3}\right) - \frac{1}{2} \frac{\left(x - \frac{\pi}{3}\right)^2}{2!} + \frac{\sqrt{3}}{2} \frac{\left(x - \frac{\pi}{3}\right)^3}{3!} +$

$\frac{1}{2} \frac{\left(x - \frac{\pi}{3}\right)^4}{4!} + ...,$

pour $x \in \mathbb{R}$: $r = +\infty$.

3. a) $\ln(1+x) = x - \frac{x^2}{2} + \frac{x^3}{3} - \frac{x^4}{4} + ..., x \in]-1, 1]$; $r = 1$

b) En remplaçant x par $-x$ dans le développement de $\ln(1+x)$, nous obtenons

$\ln(1-x) = -x - \frac{x^2}{2} - \frac{x^3}{3} - \frac{x^4}{4} - ..., x \in [-1, 1[$; $r = 1$

c) $\ln\left(\frac{1+x}{1-x}\right) = \ln(1+x) - \ln(1-x)$

$= 2\left[x + \frac{x^3}{3} + \frac{x^5}{5} + \frac{x^7}{7} + ...\right], x \in]-1, 1[$; $r = 1$

4. a) En remplaçant x par $-x$ dans le développement de e^x, nous obtenons

$e^{-x} = 1 - x + \frac{x^2}{2!} - \frac{x^3}{3!} + \frac{x^4}{4!} - ... + \frac{(-1)^n x^n}{n!} + ...$

Par le critère généralisé de d'Alembert,

$R = \lim\limits_{n \to +\infty} \left| \frac{(-1)^{n+1} x^{n+1}}{(n+1)!} \cdot \frac{n!}{(-1)^n x^n} \right|$

$= |x| \lim\limits_{n \to +\infty} \frac{1}{n+1} = 0,$

donc la série converge pour $x \in \mathbb{R}$.

b) En remplaçant x par x^2 dans le développement de $\cos x$, nous obtenons

$\cos x^2 = 1 - \frac{x^4}{2!} + \frac{x^8}{4!} - \frac{x^{12}}{6!} + ... + \frac{(-1)^n x^{4n}}{(2n)!} + ...$

Par le critère généralisé de d'Alembert,

$R = \lim\limits_{n \to +\infty} \left| \frac{(-1)^{n+1} x^{4(n+1)}}{(2(n+1))!} \cdot \frac{(2n)!}{(-1)^n x^{4n}} \right|$

$= x^4 \lim\limits_{n \to +\infty} \frac{1}{(2n+2)(2n+1)} = 0,$

donc la série converge pour $x \in \mathbb{R}$.

c) En multipliant par x le développement de $\sin x$, nous obtenons

$x \sin x = x\left(x - \frac{x^3}{3!} + \frac{x^5}{5!} - \frac{x^7}{7!} + ... + \frac{(-1)^n x^{2n+1}}{(2n+1)!} + ...\right)$

$= x^2 - \frac{x^4}{3!} + \frac{x^6}{5!} - \frac{x^8}{7!} + ... + \frac{(-1)^n x^{2n+2}}{(2n+1)!} + ...$

Par le critère généralisé de d'Alembert,

$R = \lim\limits_{n \to +\infty} \left| \frac{(-1)^{n+1} x^{2n+4}}{(2n+3)!} \cdot \frac{(2n+1)!}{(-1)^n x^{2n+2}} \right|$

$= x^2 \lim\limits_{n \to +\infty} \frac{1}{(2n+3)(2n+2)} = 0$, donc la série converge pour $x \in \mathbb{R}$.

d) $\sin 2x = 2x - \frac{(2x)^3}{3!} + \frac{(2x)^5}{5!} - \frac{(2x)^7}{7!} + ... + (-1)^n \frac{(2x)^{2n+1}}{(2n+1)!} + ...,$

pour $x \in \mathbb{R}$.

e) En remplaçant x par $\sqrt{x}$ dans le développement de e^x, nous obtenons

$e^{\sqrt{x}} = 1 + \sqrt{x} + \frac{(\sqrt{x})^2}{2!} + \frac{(\sqrt{x})^3}{3!} + \frac{(\sqrt{x})^4}{4!} + ... + \frac{(\sqrt{n})^n}{n!} + ...$

$e^{\sqrt{x}} = 1 + x^{\frac{1}{2}} + \frac{x^{\frac{2}{2}}}{2!} + \frac{x^{\frac{3}{2}}}{3!} + \frac{x^{\frac{4}{2}}}{4!} + ... + \frac{x^{\frac{n}{2}}}{n!} + ...$

$\sqrt{x}\, e^{\sqrt{x}} = \sqrt{x}\left(1 + x^{\frac{1}{2}} + \frac{x^{\frac{2}{2}}}{2!} + \frac{x^{\frac{3}{2}}}{3!} + \frac{x^{\frac{4}{2}}}{4!} + ... + \frac{x^{\frac{n}{2}}}{n!} + ...\right)$

$\sqrt{x}\, e^{\sqrt{x}} = x^{\frac{1}{2}} + x + \frac{x^{\frac{3}{2}}}{2!} + \frac{x^2}{3!} + \frac{x^{\frac{5}{2}}}{4!} + ... + \frac{x^{\frac{n+1}{2}}}{n!} + ...$

pour $x \in [0, +\infty$

f) $\frac{e^x - 1}{x} = 1 + \frac{x}{2!} + \frac{x^2}{3!} + \frac{x^3}{4!} + ... + \frac{x^n}{(n+1)!} + ...,$

La série converge $\forall\, x \in \mathbb{R}$, cependant la fonction $\frac{e^x - 1}{x}$ est définie $\forall\, x \in \mathbb{R} \setminus \{0\}$.

5. a) `> (sec(x))=taylor(sec(x),x=0,16);`

$\sec(x) = 1 + \frac{1}{2}x^2 + \frac{5}{24}x^4 + \frac{61}{720}x^6 + \frac{277}{8064}x^8 +$

$\frac{50521}{3628800}x^{10} + \frac{540553}{95800320}x^{12} + \frac{199360981}{87178291200}x^{14} + O(x^{16})$

b) `> exp(x)*cos(x)=taylor(exp(x)*cos(x),x=0,10);`

$e^x\cos(x) = 1 + x - \frac{1}{3}x^3 - \frac{1}{6}x^4 - \frac{1}{30}x^5 + \frac{1}{630}x^7 +$

$\frac{1}{2520}x^8 + \frac{1}{22680}x^9 + O(x^{11})$

c) `> (sin(x))^2 =taylor((sin(x))^2,x =0,16);`

$\sin(x)^2 = x^2 - \frac{1}{3}x^4 + \frac{2}{45}x^6 - \frac{1}{315}x^8 + \frac{2}{14175}x^{10} -$

$\frac{2}{467775}x^{12} + \frac{4}{42567525}x^{14} + O(x^{16})$

6. a) Puisque $\sin x = x - \frac{x^3}{3!} + \frac{x^5}{5!} - \frac{x^7}{7!} + ...$

alors $\sin(0,2) = 0,2 - \frac{(0,2)^3}{3!} + \frac{(0,2)^5}{5!} - \frac{(0,2)^7}{7!} + ...$

Ainsi, $\sin(0,2) \approx 0,2 - \frac{(0,2)^3}{3!} + \frac{(0,2)^5}{5!}$, avec $E \leq \frac{(0,2)^7}{7!}$,

d'où $\sin(0,2) \approx 0,198\,669\,3$ où $E \leq 2,54 \times 10^{-9}$.

b) Puisque $e^x = 1 + x + \frac{x^2}{2!} + \frac{x^3}{3!} + \frac{x^4}{4!} + ...$

alors $\sqrt{e} = e^{\frac{1}{2}} = 1 + \frac{1}{2} + \frac{\left(\frac{1}{2}\right)^2}{2!} + \frac{\left(\frac{1}{2}\right)^3}{3!} + \frac{\left(\frac{1}{2}\right)^4}{4!} + ...$

Ainsi $\sqrt{e} \approx 1 + \frac{1}{2} + \frac{\left(\frac{1}{2}\right)^2}{2!} + \frac{\left(\frac{1}{2}\right)^3}{3!}$,

d'où $\sqrt{e} \approx 1,645\,8\overline{3}$.

La série n'étant pas alternée, nous ne pouvons pas utiliser le théorème 6.22 pour évaluer l'erreur maximale.

c) $x^5 = 1 + 5(x-1) + 10(x-1)^2 + 10(x-1)^3 + 5(x-1)^4 + (x-1)^5$,
d'où $(1,02)^5 = 1,104\,080\,803\,2$; $E = 0$, la valeur est exacte, car tous les autres termes du développement sont 0.

7. a) $\dfrac{1}{1-x} = 1 + x + x^2 + x^3 + x^4 + x^5 + \ldots + x^n + \ldots$,

pour $x \in\,]\text{-}1, 1[$; $r = 1$.

b) En intégrant les deux membres de l'équation,

$\text{-}\ln(1-x) = x + \dfrac{x^2}{2} + \dfrac{x^3}{3} + \ldots + \dfrac{x^{n+1}}{n+1} + \ldots + C$

En posant $x = 0$, nous trouvons $C = 0$, d'où

$\ln(1-x) = \text{-}x - \dfrac{x^2}{2} - \dfrac{x^3}{3} - \dfrac{x^4}{4} - \dfrac{x^5}{5} - \ldots - \dfrac{x^n}{n} - \ldots$,

pour $x \in [\text{-}1, 1[$.

c) En remplaçant x par -0,4 dans le développement précédent,

$\ln(1,4) = 0,4 - \dfrac{(0,4)^2}{2} + \dfrac{(0,4)^3}{3} - \dfrac{(0,4)^4}{4} + \dfrac{(0,4)^5}{5} - \ldots$;

ainsi $\ln(1,4) \approx 0,4 - \dfrac{(0,4)^2}{2} + \dfrac{(0,4)^3}{3} - \dfrac{(0,4)^4}{4}$, avec $E \leq \dfrac{(0,4)^5}{5}$,

d'où $\ln(1,4) \approx 0,335$ où $E \leq 0,0021$.

d) Il suffit d'utiliser sept termes, car $E \leq \dfrac{(0,4)^8}{8} < 0,0001$.

8. a) $\dfrac{\sin x}{x} = \dfrac{\left[x - \dfrac{x^3}{3!} + \dfrac{x^5}{5!} - \dfrac{x^7}{7!} + \ldots \right]}{x}$, d'où

$\dfrac{\sin x}{x} = 1 - \dfrac{x^2}{3!} + \dfrac{x^4}{5!} - \dfrac{x^6}{7!} + \dfrac{x^8}{9!} - \ldots$

b) $\displaystyle\lim_{x \to 0} \dfrac{\sin x}{x} = \lim_{x \to 0} \left(1 - \dfrac{x^2}{3!} + \dfrac{x^4}{5!} - \dfrac{x^6}{7!} + \dfrac{x^8}{9!} - \ldots \right)$

$= 1$

c) $\displaystyle\int_0^1 \dfrac{\sin x}{x}\, dx = \int_0^1 \left[1 - \dfrac{x^2}{3!} + \dfrac{x^4}{5!} - \dfrac{x^6}{7!} + \dfrac{x^8}{9!} - \ldots \right] dx$

$= \left[x - \dfrac{x^3}{3 \cdot 3!} + \dfrac{x^5}{5 \cdot 5!} - \dfrac{x^7}{7 \cdot 7!} + \ldots \right]\Big|_0^1$

$= 1 - \dfrac{1}{3 \cdot 3!} + \dfrac{1}{5 \cdot 5!} - \dfrac{1}{7 \cdot 7!} + \dfrac{1}{9 \cdot 9!} - \ldots$

D'où

$\displaystyle\int_0^1 \dfrac{\sin x}{x}\, dx \approx 1 - \dfrac{1}{3 \cdot 3!} + \dfrac{1}{5 \cdot 5!}$, avec $E \leq \dfrac{1}{7 \cdot 7!}$

$\approx 0,946\,11$ avec $E \leq 0,000\,03$.

9.

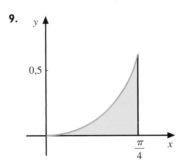

Puisque $\sin x = x - \dfrac{x^3}{3!} + \dfrac{x^5}{5!} - \dfrac{x^7}{7!} + \ldots$, alors

$\sin(x^2) = x^2 - \dfrac{x^6}{3!} + \dfrac{x^{10}}{5!} - \dfrac{x^{14}}{7!} + \ldots$ Ainsi,

$A = \displaystyle\int_0^{\frac{\pi}{4}} \sin(x^2)\, dx = \int_0^{\frac{\pi}{4}} \left[x^2 - \dfrac{x^6}{3!} + \dfrac{x^{10}}{5!} - \dfrac{x^{14}}{7!} + \ldots \right] dx$

$= \left[\dfrac{x^3}{3} - \dfrac{x^7}{7 \cdot 3!} + \dfrac{x^{11}}{11 \cdot 5!} - \dfrac{x^{15}}{15 \cdot 7!} + \ldots \right]\Big|_0^{\frac{\pi}{4}}$

$= \dfrac{\left(\dfrac{\pi}{4}\right)^3}{3} - \dfrac{\left(\dfrac{\pi}{4}\right)^7}{7 \cdot 3!} + \dfrac{\left(\dfrac{\pi}{4}\right)^{11}}{11 \cdot 5!} - \dfrac{\left(\dfrac{\pi}{4}\right)^{15}}{15 \cdot 7!} + \ldots$

Puisque $\dfrac{\left(\dfrac{\pi}{4}\right)^{15}}{15 \cdot 7!} < 10^{-5}$, alors

$A = \displaystyle\int_0^{\frac{\pi}{4}} \sin(x^2)\, dx \approx \dfrac{\left(\dfrac{\pi}{4}\right)^3}{3} - \dfrac{\left(\dfrac{\pi}{4}\right)^7}{7 \cdot 3!} + \dfrac{\left(\dfrac{\pi}{4}\right)^{11}}{11 \cdot 5!}$

d'où $A \approx 0,157\,155$ avec $E < 10^{-5}$.

▓ Exercices récapitulatifs (page 360)

1. a) $\left\{ 2, \dfrac{5}{2}, \dfrac{3}{2}, \dfrac{19}{8}, \dfrac{7}{4}, \ldots \right\}$ c) $\left\{ 1, 1, \dfrac{3}{2}, \dfrac{8}{5}, \dfrac{25}{13}, \ldots \right\}$

b) $\{1, 0, \text{-}1, 0, 1, \ldots\}$ d) $\{\text{-}2, \text{-}1, \text{-}3, 3, \text{-}21, \ldots\}$

2. a) $b_{n+1} = \dfrac{1}{2} b_n$ b) $b_n = \dfrac{\text{-}7}{2^{n-1}}$; $a_n = 10 - \dfrac{7}{2^{n-1}}$

3.

	$\displaystyle\lim_{n \to +\infty} a_n$	B.S.	B.I.	B.	Cr.	Déc.	Conv.	Div.
a)	2	V	V	V	V	V	V	F
b)	$+\infty$	F	V	F	V	F	F	V
c)	$\nexists$	V	V	V	F	F	F	V
d)	0	V	V	V	F	F	V	F
e)	$\nexists$	F	F	F	F	F	F	V
f)	$-\infty$	V	F	F	F	V	F	V
g)	$+\infty$	F	V	F	V	F	F	V
h)	2	V	V	V	V	F	V	F

4. a) $a_n = \dfrac{2^n}{n^2}$; $+\infty$

b) $a_n = \dfrac{2n}{3n+1}$; $\dfrac{2}{3}$

c) $a_n = \dfrac{(\text{-}1)^n n^2}{2n-3}$; $\nexists$

5. a) $S_n = 2n$; D ; $S = +\infty$

b) $S_n = \dfrac{2n}{2n+1}$; C ; $S = 1$

c) $S_n = 1 - (n+1)^3$; D ; $S = -\infty$

d) $S_n = \dfrac{3}{2} - \dfrac{1}{n+1} - \dfrac{1}{n+2}$; C ; $S = \dfrac{3}{2}$

6. a) $a_{50} = 192$; $S_{50} = 5925$ d) $d = \dfrac{90}{n+1}$

b) $a = \text{-}240$; $d = 8$ e) $a = \text{-}7$

c) $S = \text{-}1480$

6

7. a) Oui ; $a = 1$, $r = \dfrac{2}{7}$; $S = \dfrac{7}{5}$.

b) Oui ; $a = e$, $r = -e^2$; S n'est pas définie.

c) Non ; $S = \dfrac{1}{2}\left(\displaystyle\sum_{n=1}^{+\infty}\dfrac{1}{n}\right) = +\infty$ (série harmonique).

d) Oui ; $a = \pi$, $r = \dfrac{1}{2}$; $S = 2\pi$.

e) Oui ; $a = 0$, $r = 0$; $S = 0$.

f) Oui ; $a = -1$, $r = -1$; S n'est pas définie.

g) Oui ; $a = \dfrac{-e}{\pi}$, $r = \dfrac{-e}{\pi}$; $S = \dfrac{-e}{\pi+e}$.

h) Non ; $S = \dfrac{-1}{53}\left(\displaystyle\sum_{n=100}^{+\infty}\dfrac{1}{n}\right) = -\infty$ (série harmonique).

8. a) $\dfrac{\sqrt{2}}{\sqrt{2}+1}$

b) $\dfrac{7}{2}$

c) $4{,}869\ 5\ldots$; $4{,}996\ 5\ldots$; 5

d) $-22\ 369\ 622$; $44\ 739\ 242$; non définie

e) $-0{,}404\ 6\ldots$; $-0{,}396\ 9\ldots$; -4

f) $0{,}179\ 8\ldots$; 0

9. a) $\dfrac{1}{2}$ b) $\dfrac{3}{5}$ c) 0 d) 9

10. a) $P\left(\dfrac{11}{2}, \dfrac{8}{3}\right)$ b) $D = 6{,}5$ m

11.
a) D   d) C   g) C   j) D
b) C   e) D   h) D   k) C
c) D   f) C   i) D   l) D

12.
a) D   g) D
b) C   h) C
c) D ; $S = +\infty$ i) C
d) D   j) C ; $S = \dfrac{41}{20}$
e) C   k) C
f) C ; $S = \dfrac{-40}{13}$ l) C ; $S = \dfrac{\pi^2}{\sqrt{98} - \pi^2}$

13.
a) C ; C C   c) D   e) D
b) C ; A C   d) C ; A C   f) C ; C C

14. a) $S \approx -0{,}312\ 2\ldots$; $E \leq 0{,}306\ 1\ldots$
b) $S \approx -0{,}896\ 4\ldots$; $E \leq 0{,}008$

15. $n = 101$ suffit.

16. a) $\left]\dfrac{-9}{4}, \dfrac{-7}{4}\right]$; $r = \dfrac{1}{4}$ e) $-\infty, +\infty$; $r = +\infty$

b) $[3, 4]$; $r = \dfrac{1}{2}$ f) $\left]\dfrac{-1}{3}, 3\right[$; $r = \dfrac{5}{3}$

c) $]-1, 1[$; $r = 1$ g) Converge pour $x = 5$; $r = 0$

d) $[-1, 1]$; $r = 1$ h) $-\infty, +\infty$; $r = +\infty$

17. Les représentations graphiques sont laissées à l'élève.

a) $\dfrac{1}{1+x} = 1 - x + x^2 - x^3 + x^4 - \ldots + (-1)^n x^n + \ldots$; $x \in\ ]{-1}, 1[$; $r = 1$

b) $e^{-x} = 1 - x + \dfrac{x^2}{2!} - \dfrac{x^3}{3!} + \ldots + \dfrac{(-1)^n x^n}{n!} + \ldots$; $x \in \mathbb{R}$; $r = +\infty$

c) $\sin(-3x) = -3x + \dfrac{(3x)^3}{3!} - \dfrac{(3x)^5}{5!} + \ldots + \dfrac{(-3x)^{2n+1}}{(2n+1)!} + \ldots$; $x \in \mathbb{R}$; $r = +\infty$

d) $\ln(1-2x) = -2x - \dfrac{(2x)^2}{2} - \dfrac{(2x)^3}{3} - \ldots - \dfrac{(2x)^n}{n} - \ldots$; $x \in \left[\dfrac{-1}{2}, \dfrac{1}{2}\right[$; $r = \dfrac{1}{2}$

18. a) $\sin x = \dfrac{1}{2} + \dfrac{\sqrt{3}}{2}\left(x - \dfrac{\pi}{6}\right) - \dfrac{1}{2}\dfrac{\left(x - \dfrac{\pi}{6}\right)^2}{2!} - \dfrac{\sqrt{3}}{2}\dfrac{\left(x - \dfrac{\pi}{6}\right)^3}{3!} + \dfrac{1}{2}\dfrac{\left(x - \dfrac{\pi}{6}\right)^4}{4!} + \ldots$; $x \in \mathbb{R}$

b) $e^x = e + e(x-1) + e\dfrac{(x-1)^2}{2!} + \ldots + e\dfrac{(x-1)^n}{n!} + \ldots$; $x \in \mathbb{R}$

c) $\dfrac{x-2}{x+2} = \dfrac{(x-2)}{4} - \dfrac{(x-2)^2}{4^2} + \dfrac{(x-2)^3}{4^3} - \ldots + \dfrac{(-1)^{n+1}(x-2)^n}{4^n} + \ldots$; $x \in\ ]{-2}, 6[$

d) $\sin 2x = 2(x - \pi) - \dfrac{2^3(x-\pi)^3}{3!} + \dfrac{2^5(x-\pi)^5}{5!} - \ldots + \dfrac{(-1)^n 2^{2n+1}(x-\pi)^{2n+1}}{(2n+1)!} + \ldots$; $x \in \mathbb{R}$

19. a) $\cos x = -\left(x - \dfrac{\pi}{2}\right) + \dfrac{\left(x - \dfrac{\pi}{2}\right)^3}{3!} - \dfrac{\left(x - \dfrac{\pi}{2}\right)^5}{5!} + \ldots + \dfrac{(-1)^n\left(x - \dfrac{\pi}{2}\right)^{2n+1}}{(2n+1)!} + \ldots$

b) Laissée à l'élève.

c) $\cos\left(\dfrac{\pi}{2} - 0{,}5\right) \approx 0{,}479\ \overline{16}$ où $E \leq 0{,}000\ 26\ldots$;
$\cos 0 \approx 0{,}924\ 8$ où $E \leq 0{,}079\ 69\ldots$

20. a) $\tan x = x + \dfrac{x^3}{3} + \dfrac{2x^5}{15} + \ldots$

b) $\sin x \cos x = x - \dfrac{2^2 x^3}{3!} + \dfrac{2^4 x^5}{5!} - \dfrac{2^6 x^7}{7!} + \ldots$

c) $e^x \sin x = x + x^2 + \dfrac{x^3}{3} - \dfrac{x^5}{30} - \ldots$

d) $\dfrac{\ln(1+x)}{x} = 1 - \dfrac{x}{2} + \dfrac{x^2}{3} - \dfrac{x^3}{4} + \ldots$

21. a) Environ $0{,}493\ 97$ b) Environ $0{,}097\ 514$

22. $30\ 000\ 000$ \$

23. a) $d_A = 1010{,}\overline{10}$ m ; $d_t = 10{,}\overline{10}$ m
b) $10{,}\overline{10}$ m
c) $4{,}\overline{04}$ min

24. Laissée à l'élève.

1. a) π; C   c) 0; C   e) e^3; C
    b) 1; C   d) $+\infty$; D

2. $\left\{3, \dfrac{3}{2}, \dfrac{-3}{4}, \dfrac{3}{8}, \dfrac{-3}{16}, \ldots\right\}$

3. a) $a_1 = 1$, $a_2 = 1$, $a_3 = 2$, $a_8 = 21$, $a_{12} = 144$
    b) Laissée à l'élève.

4. a) $S_n = \dfrac{-n^2\,(n+1)^2}{4}$; D; $S = -\infty$

    b) $S_n = \begin{cases} n & \text{si } n \text{ est pair} \\ -(n+1) & \text{si } n \text{ est impair} \end{cases}$;

      D; S n'est pas définie.

    c) $S_n = 7 + 2\left(1 - \left(\dfrac{1}{2}\right)^{n-2}\right)$ si $n \geq 3$; C; $S = 9$

    d) $S_n = \dfrac{1}{3} - \dfrac{1}{n+3}$; C; $S = \dfrac{1}{3}$

5. a) $n = 14$ ou $n = 37$ b) $a = -13$ et $b = \dfrac{5}{2}$

6. a) C   e) C   i) D
    b) D   f) C   j) C
    c) D   g) C   k) D
    d) C   h) C   l) C

7. a) $[-1, 1]$; $r = 1$ b) $\left]\dfrac{b-c}{a}, \dfrac{b+c}{a}\right[$; $r = \dfrac{c}{a}$

8. a) $r = \dfrac{1}{e}$ b) $r = e$

9. a) $x \in {-\infty}, -1] \cup]1, +\infty$ c) $x \in \mathbb{R}\backslash\{0\}$
    b) $x \in {-\infty}, 2] \cup \left[\dfrac{8}{3}, +\infty\right[$ d) Aucune valeur de x

10. a) Laissée à l'élève.

    b) $2 \leq \displaystyle\sum_{k=1}^{+\infty} \dfrac{2}{k^5} \leq 2{,}5$

      $\dfrac{1}{e} \leq \displaystyle\sum_{k=1}^{+\infty} ke^{-k^2} \leq \dfrac{3}{2e}$

    c) Laissé à l'élève.

11. $p > 1$

12. $R = \sqrt[n]{r}$

13. a) $\sqrt{4{,}3} \approx 2{,}075$

    b) $\sqrt{x} = 2 + \dfrac{(x-4)}{2^2} - \dfrac{(x-4)^2}{2^5 \cdot 2!} + \dfrac{3\,(x-4)^3}{2^8 \cdot 3!} - \dfrac{15\,(x-4)^4}{2^{11} \cdot 4!} + \ldots$

    c) $\sqrt{4{,}3} \approx 2{,}073\,646\ldots$; $E \leq 2{,}5 \times 10^{-6}$

14. a) Environ $1{,}532\,8\ldots$ u³; $E \leq 0{,}000\,039\ldots$
    b) Environ $0{,}769\,34\ldots$ u³; $E \leq 0{,}000\,004\ldots$

15. 10 100 $

16. a) $f(n+1) = f(n)\,(k+1)$
      $f(1) = 100(k+1)$, $f(2) = 100(k+1)^2$
      $f(3) = 100(k+1)^3$
    b) $f(n) = 100(k+1)^n$
    c) Pays A: environ 134,01
      Pays B: environ 158,69
    d) Pays A: environ 14,2 ans
      Pays B: environ 9 ans
    e) Pays A: 1; 1,029…; 1,059…
      Pays B: 1; 0,972…; 0,946…

17. $r = \dfrac{5}{2}$ ou $r = \dfrac{2}{5}$

18. $a_1 = 48$ et $r = \dfrac{1}{4}$, ou $a_1 = 80$ et $r = \dfrac{-1}{4}$

19. a) Laissée à l'élève.

    b) $r = \dfrac{3}{2}$ et $a_1 = \dfrac{16}{9}$ ou $r = \dfrac{2}{3}$ et $a_1 = 9$

20. a) $\dfrac{6}{11}$ b) $\dfrac{5}{11}$

21. a) $A = \dfrac{5}{3}$ m²   c) $A_{10} = 1{,}666\,632\ldots$ m²; $L_{10} = 28$ m
    b) $L = +\infty$

22. a) $\sinh x = \displaystyle\sum_{n=0}^{+\infty} \dfrac{x^{2n+1}}{(2n+1)!}$, où $x \in \mathbb{R}$; et

      $\cosh x = \displaystyle\sum_{n=0}^{+\infty} \dfrac{x^{2n}}{(2n)!}$, où $x \in \mathbb{R}$

    b) Laissée à l'élève.
    c) Laissée à l'élève.

23. a) $e^{ix} = \cos x + i \sin x$ b) $e^{i\pi} = -1$

24. Laissée à l'élève.

25. a) Laissée à l'élève.
    b) $\displaystyle\lim_{n \to +\infty} a_n = 0{,}577\,2\ldots$

26. a) Laissée à l'élève.
    b) $A_1 = 2\pi$ u² $A_3 = 6\pi$ u²
      $A_2 = 4\pi$ u² $A_4 = 8\pi$ u²
    c) $A = 650\pi$ u²
    d) Laissée à l'élève.

6

Index

INDEX des tableaux

INDEX des réseaux de concepts

INDEX des listes de vérification des connaissances   Page

Références iconographiques :

Dominique Parent
(Couverture, 1, 48, 49, 56, 91, 94, 96, 97a, 97b, 98, 103a, 103b, 105, 106a, 106b, 107, 109, 149, 155, 166, 168, 173, 224, 231a, 231b, 232, 233, 244, 246, 253, 261, 274, 276, 277, 278, 279, 308, 310, 365)

Sylvain Baillargeon (250)

Pierre Parent (234, 258, 275)

INDEX des mots

A

Abel N. H., 280

Accélération, 84

Aire(s),
    calcul à l'aide de limites, 118
    calcul à l'aide de l'intégrale
        définie, 140
    calcul par approximation, 156
    de rectangles inscrits et
        circonscrits, 119
    délimitée par une courbe et
        un axe, 141
    d'une surface de révolution, 258
    entre deux courbes, 143

Alembert, Jean Le Rond d', 322

Antidérivée, 57

Apollonius de Perge, 234

Approximation,
    à l'aide des séries de Maclaurin,
        351
    à l'aide des séries de Taylor, 352
    de la somme d'une série alternée
        convergente, 331
    d'intégrales définies, 156, 356
    en utilisant la différentielle, 54
    méthode de Simpson, 159

Archimède, 50, 118, 234

Archytas de Tarente, 234

Arithmétique, série, 302

Astroïde, 258

B

Borne,
    inférieure, 112, 290
    infinie, 266
    supérieure, 112, 290

Bornées, suites, 290

C

Calotte, 262

Cauchy, A. L., 26, 110, 280, 324
    théorème de, 26

Centre de gravité, 152

Chaînette, 253

Changement de variable, 64

Complétion de carré, 203

Concavité, 12

Condition initiale, 79

Conjugué, 72

Constante,
    de proportionnalité, 86
    de rappel, 151
    d'Euler, 366
    d'intégration, 57

Convergence,
    absolue, 332
    conditionnelle, 334
    d'une intégrale impropre, 264
    d'une série, 295

    d'une série de puissances, 335
    d'une suite, 286
    intervalle de, 337
    rayon de, 338

Copernic, N., 2

**Corollaires du théorème de
    Lagrange, 25**

Cosinus hyperbolique, 365

Courbes orthogonales, 81

Coût marginal, 155

Critère(s) de convergence,
    de Cauchy, 324
    de comparaison, 318
    de comparaison à l'aide
        d'une limite, 319
    de d'Alembert, 323
    de la racine n^e, 324
    de la série alternée, 328
    de la série-p, 316
    de Leibniz, 328
    de l'intégrale, 313
    de Riemann, 316
    des polynômes, 322
    du rapport, 323
    du terme général, 311
    généralisé de Cauchy, 337
    généralisé de d'Alembert, 337

Croissance exponentielle, 86

Cycloïde, 256

Bibliographie

Charron, G. et P. Parent, *Calcul différentiel, 5ᵉ édition,* Laval, Groupe Beauchemin, éditeur, 2002.

Annexe

Définitions

$\mathbb{N} = \{1, 2, 3, 4, \ldots\}$

$\mathbb{Z} = \{\ldots, -2, -1, 0, 1, 2, 3, \ldots\}$

$\mathbb{Q} = \left\{ \dfrac{a}{b} \ \middle| \ a, b \in \mathbb{Z}, \text{ et } b \neq 0 \right\}$

$\mathbb{R} = $ ensemble des nombres réels

Décomposition en facteurs

$a^2 + 2ab + b^2 = (a + b)^2$

$a^2 - 2ab + b^2 = (a - b)^2$

$a^2 - b^2 = (a + b)(a - b)$

$a^3 - b^3 = (a - b)(a^2 + ab + b^2)$

$a^3 + b^3 = (a + b)(a^2 - ab + b^2)$

$a^4 - b^4 = (a + b)(a - b)(a^2 + b^2)$

Zéros de l'équation quadratique

$ax^2 + bx + c = 0$, si

$x = \dfrac{-b + \sqrt{b^2 - 4ac}}{2a}$ ou $x = \dfrac{-b - \sqrt{b^2 - 4ac}}{2a}$

Développements

$(a + b)^3 = a^3 + 3a^2b + 3ab^2 + b^3$

$(a - b)^3 = a^3 - 3a^2b + 3ab^2 - b^3$

$(a + b)^4 = a^4 + 4a^3b + 6a^2b^2 + 4ab^3 + b^4$

$(a - b)^4 = a^4 - 4a^3b + 6a^2b^2 - 4ab^3 + b^4$

Abréviations

centimètre	cm	mètre	m
décimètre	dm	minute	min
degré (d'arc)	°	newton	N
heure	h	radian	rad
jour	d	seconde	s
kilomètre	km	kelvin	K

Valeur absolue

$|a| = \begin{cases} a & \text{si } a \geq 0 \\ -a & \text{si } a < 0 \end{cases}$

$|a| = |{-a}|$

$|a + b| \leq |a| + |b|$

$|a - b| \geq |a| - |b|$

$|a + b| \leq c \Leftrightarrow -c \leq a + b \leq c$

$\qquad\qquad \Leftrightarrow -c - b \leq a \leq c - b$

$|a + b| \geq c \Leftrightarrow a + b \geq c$ ou $a + b \leq -c$

Factorielle

$n! = n(n - 1)(n - 2)\ldots 3 \cdot 2 \cdot 1$, où $n \in \mathbb{N}$

$0! = 1$

Remarque Les propriétés suivantes ne s'appliquent que si les expressions sont définies.

Lois des exposants

$a^m a^n = a^{m+n}$ $\qquad \dfrac{a^m}{a^n} = a^{m-n}$

$(a^m)^n = a^{mn}$ $\qquad a^{-m} = \dfrac{1}{a^m}$

$(ab)^m = a^m b^m$ $\qquad a^0 = 1$

$\left(\dfrac{a}{b}\right)^m = \dfrac{a^m}{b^m}$

Radicaux

$a^{\frac{1}{n}} = \sqrt[n]{a}$ $\qquad \sqrt[n]{\dfrac{a}{b}} = \dfrac{\sqrt[n]{a}}{\sqrt[n]{b}}$

$a^{\frac{m}{n}} = \sqrt[n]{a^m} = (\sqrt[n]{a})^m$ $\qquad \sqrt[n]{a^n} = |a|$, si n est pair.

$\sqrt[n]{ab} = \sqrt[n]{a}\,\sqrt[n]{b}$ $\qquad \sqrt[n]{a^n} = a$, si n est impair.

Définitions de la dérivée

$f'(x) = \lim\limits_{h \to 0} \dfrac{f(x + h) - f(x)}{h}$

$f'(x) = \lim\limits_{\Delta x \to 0} \dfrac{f(x + \Delta x) - f(x)}{\Delta x}$

$f'(x) = \lim\limits_{t \to x} \dfrac{f(t) - f(x)}{t - x}$

Propriétés de la dérivée

Fonction	Dérivée
1. $k f(x)$	**1.** $k f'(x)$
2. $f(x) \pm g(x)$	**2.** $f'(x) \pm g'(x)$
3. $f(x) g(x)$	**3.** $f'(x) g(x) + f(x) g'(x)$
4. $\dfrac{f(x)}{g(x)}$	**4.** $\dfrac{f'(x) g(x) - f(x) g'(x)}{g^2(x)}$
5. $[f(x)]^r$	**5.** $r[f(x)]^{r-1} f'(x)$
6. $f(g(x))$	**6.** $f'(g(x))g'(x)$

Formules de dérivation

Fonction	Dérivée
1. k, constante	**1.** 0
2. x, identité	**2.** 1
3. x^a, où $a \in \mathbb{R}$	**3.** ax^{a-1}
4. $\sin f(x)$	**4.** $[\cos f(x)] f'(x)$
5. $\cos f(x)$	**5.** $[-\sin f(x)] f'(x)$
6. $\tan f(x)$	**6.** $[\sec^2 f(x)] f'(x)$
7. $\cot f(x)$	**7.** $[-\csc^2 f(x)] f'(x)$
8. $\sec f(x)$	**8.** $[\sec f(x) \tan f(x)] f'(x)$
9. $\csc f(x)$	**9.** $[-\csc f(x) \cot f(x)] f'(x)$
10. $a^{f(x)}$	**10.** $a^{f(x)} \ln a\, f'(x)$
11. $e^{f(x)}$	**11.** $e^{f(x)} f'(x)$
12. $\ln f(x)$	**12.** $\dfrac{f'(x)}{f(x)}$
13. $\log_a f(x)$	**13.** $\dfrac{f'(x)}{f(x) \ln a}$
14. $\operatorname{Arc} \sin f(x)$	**14.** $\dfrac{f'(x)}{\sqrt{1 - [f(x)]^2}}$
15. $\operatorname{Arc} \cos f(x)$	**15.** $\dfrac{-f'(x)}{\sqrt{1 - [f(x)]^2}}$
16. $\operatorname{Arc} \tan f(x)$	**16.** $\dfrac{f'(x)}{1 + [f(x)]^2}$
17. $\operatorname{Arc} \cot f(x)$	**17.** $\dfrac{-f'(x)}{1 + [f(x)]^2}$
18. $\operatorname{Arc} \sec f(x)$	**18.** $\dfrac{f'(x)}{f(x)\sqrt{[f(x)]^2 - 1}}$
19. $\operatorname{Arc} \csc f(x)$	**19.** $\dfrac{-f'(x)}{f(x)\sqrt{[f(x)]^2 - 1}}$

Propriétés des logarithmes

$$\log_a (MN) = \log_a M + \log_a N$$
$$\log_a \left(\frac{M}{N}\right) = \log_a M - \log_a N$$
$$\log_a (M^k) = k \log_a M$$
$$\log_a M = \frac{\log_b M}{\log_b a}$$

$$\log a = \log_{10} a$$
$$\ln a = \log_e a$$
$$\log_a 1 = 0$$
$$\log_a a = 1$$
$$\log_a b = c \Leftrightarrow a^c = b$$
$$\ln A = B \Leftrightarrow e^B = A$$
$$e^{\ln A} = A$$
$$\ln e^B = B$$
$$e^{\frac{\ln A}{c} x} = A^{\frac{x}{c}}$$

Théorème de Pythagore et trigonométrie

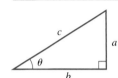

$$a^2 + b^2 = c^2 \qquad \cos \theta = \frac{b}{c}$$
$$\sin \theta = \frac{a}{c} \qquad \tan \theta = \frac{a}{b}$$

Identités trigonométriques

$$\sin^2 A + \cos^2 A = 1$$
$$\tan^2 A + 1 = \sec^2 A$$
$$\cot^2 A + 1 = \csc^2 A$$
$$\sin (A + B) = \sin A \cos B + \cos A \sin B$$
$$\sin (A - B) = \sin A \cos B - \cos A \sin B$$
$$\cos (A + B) = \cos A \cos B - \sin A \sin B$$
$$\cos (A - B) = \cos A \cos B + \sin A \sin B$$
$$\sin (2A) = 2 \sin A \cos A$$
$$\cos (2A) = \cos^2 A - \sin^2 A$$
$$\sin (-A) = -\sin A$$
$$\cos (-A) = \cos A$$
$$\sin^2 A = \frac{1 - \cos 2A}{2}$$
$$\cos^2 A = \frac{1 + \cos 2A}{2}$$
$$\sin A \cos B = \frac{1}{2} [\sin (A - B) + \sin (A + B)]$$
$$\sin A \sin B = \frac{1}{2} [\cos (A - B) - \cos (A + B)]$$
$$\cos A \cos B = \frac{1}{2} [\cos (A - B) + \cos (A + B)]$$

Définition de l'intégrale indéfinie

$$\int f(x)\, dx = F(x) + C, \text{ si } F'(x) = f(x)$$

Propriétés de l'intégrale

1. $\displaystyle\int k f(x)\, dx = k \int f(x)\, dx$

2. $\displaystyle\int [f(x) \pm g(x)]\, dx = \int f(x)\, dx \pm \int g(x)\, dx$

Primitives de fonctions élémentaires

1. $\int x^a\,dx = \dfrac{x^{a+1}}{a+1} + C,\ \forall\ a \in \mathbb{R}$ et $a \neq -1$

2. $\int \dfrac{1}{u}\,du = \ln|u| + C$

3. $\int e^u\,du = e^u + C$

4. $\int a^u\,du = \dfrac{a^u}{\ln a} + C,$ où $a>0$ et $a \neq 1$

5. $\int \sin u\,du = -\cos u + C$

6. $\int \cos u\,du = \sin u + C$

7. $\int \sec^2 u\,du = \tan u + C$

8. $\int \csc^2 u\,du = -\cot u + C$

9. $\int \sec u \tan u\,du = \sec u + C$

10. $\int \csc u \cot u\,du = -\csc u + C$

11. $\int \dfrac{1}{\sqrt{1-u^2}}\,du = \text{Arc}\sin u + C$

12. $\int \dfrac{1}{1+u^2}\,du = \text{Arc}\tan u + C$

13. $\int \dfrac{1}{u\sqrt{u^2-1}}\,du = \text{Arc}\sec u + C$

14. $\int \tan u\,du = \ln|\sec u| + C = -\ln|\cos u| + C$

15. $\int \cot u\,du = \ln|\sin u| + C$

16. $\int \sec u\,du = \ln|\sec u + \tan u| + C$

17. $\int \csc u\,du = \ln|\csc u - \cot u| + C$
$\qquad = -\ln|\csc u + \cot u| + C$

Série de Taylor, autour de a

$$f(x) = f(a) + f'(a)(x-a) + \dfrac{f''(a)}{2!}(x-a)^2 + \ldots$$
$$+ \dfrac{f^{(n)}(a)}{n!}(x-a)^n + \ldots,$$

pour tout x dans l'intervalle de convergence.

Série de Maclaurin

$$f(x) = f(0) + f'(0)x + \dfrac{f''(0)}{2!}x^2 + \dfrac{f'''(0)}{3!}x^3 + \ldots$$
$$+ \dfrac{f^{(n)}(0)}{n!}x^n + \ldots,$$

pour tout x dans l'intervalle de convergence.

Série géométrique

Si a est le premier terme et r la raison,
où $-1 < r < 1$, alors $S = \dfrac{a}{1-r}$

Changement de variable

$\int f(g(x))\,g'(x)\,dx = \int f(u)\,du,$ où $u = g(x)$

Intégrale définie

$$\int_a^b f(x)\,dx = \lim_{(\max \Delta x_i \to 0)} \sum_{i=1}^{n} f(c_i)\,\Delta x_i,$$ où $c_i \in [x_{i-1}, x_i]$

Théorème fondamental du calcul

$$\int_a^b f(x)\,dx = F(b) - F(a),$$ où $F'(x) = f(x)$

Intégration par parties

$\int u\,dv = uv - \int v\,du$

Méthode des trapèzes

$$\int_a^b f(x)\,dx \approx \dfrac{b-a}{2n}\left[f(x_0) + 2f(x_1) + \ldots + 2f(x_{n-1}) + f(x_n)\right]$$

Méthode de Simpson

$$\int_a^b f(x)\,dx \approx \dfrac{b-a}{3n}\Big[f(x_0) + 4f(x_1) + 2f(x_2) + 4f(x_3) + 2f(x_4) +$$
$$\ldots + 2f(x_{n-2}) + 4f(x_{n-1}) + f(x_n)\Big],$$ où n est pair

Volume de solides de révolution

Autour de l'axe des x sur $[a, b]$

Méthode du disque
$$\int_a^b \pi\,[f(x)]^2\,dx$$

Méthode du tube
$$\int_a^b 2\pi x f(x)\,dx$$

Longueur de courbe

$$\int_a^b \sqrt{1 + (f'(x))^2}\,dx \qquad \int_a^b \sqrt{\left(\dfrac{dx}{dt}\right)^2 + \left(\dfrac{dy}{dt}\right)^2}\,dt$$

Aire de surface

Autour de l'axe des x sur $[a, b]$

$$\int_a^b 2\pi f(x) \sqrt{1 + (f'(x))^2}\, dx$$

$$\int_a^b 2\pi\, y(t) \sqrt{\left(\frac{dx}{dt}\right)^2 + \left(\frac{dy}{dt}\right)^2}\, dt$$

Formules d'intégration

Expressions contenant $a^2 - u^2$

1. $\displaystyle\int \frac{1}{a^2 - u^2}\, du = \frac{1}{2a} \ln \left| \frac{u + a}{u - a} \right| + C$

2. $\displaystyle\int \frac{1}{\sqrt{a^2 - u^2}}\, du = \operatorname{Arc\,sin} \frac{u}{a} + C$

3. $\displaystyle\int \sqrt{a^2 - u^2}\, du = \frac{u}{2} \sqrt{a^2 - u^2} + \frac{a^2}{2} \operatorname{Arc\,sin} \frac{u}{a} + C$

4. $\displaystyle\int u^2 \sqrt{a^2 - u^2}\, du = \frac{u}{8} (2u^2 - a^2) \sqrt{a^2 - u^2} + \frac{a^4}{8} \operatorname{Arc\,sin} \frac{u}{a} + C$

5. $\displaystyle\int \frac{\sqrt{a^2 - u^2}}{u}\, du = \sqrt{a^2 - u^2} - a \ln \left| \frac{a + \sqrt{a^2 - u^2}}{u} \right| + C$

6. $\displaystyle\int \frac{\sqrt{a^2 - u^2}}{u^2}\, du = \frac{-1}{u} \sqrt{a^2 - u^2} - \operatorname{Arc\,sin} \frac{u}{a} + C$

7. $\displaystyle\int \frac{u^2}{\sqrt{a^2 - u^2}}\, du = \frac{-u}{2} \sqrt{a^2 - u^2} + \frac{a^2}{2} \operatorname{Arc\,sin} \frac{u}{a} + C$

8. $\displaystyle\int \frac{1}{u\sqrt{a^2 - u^2}}\, du = \frac{-1}{a} \ln \left| \frac{a + \sqrt{a^2 - u^2}}{u} \right| + C$

9. $\displaystyle\int \frac{1}{u^2\sqrt{a^2 - u^2}}\, du = \frac{-1}{a^2 u} \sqrt{a^2 - u^2} + C$

10. $\displaystyle\int (a^2 - u^2)^{\frac{3}{2}}\, du = \frac{-u}{8} (2u^2 - 5a^2) \sqrt{a^2 - u^2} + \frac{3a^4}{8} \operatorname{Arc\,sin} \frac{u}{a} + C$

11. $\displaystyle\int \frac{1}{(a^2 - u^2)^{\frac{3}{2}}}\, du = \frac{u}{a^2\sqrt{a^2 - u^2}} + C$

Expressions contenant $u^2 + a^2$

12. $\displaystyle\int \frac{1}{u^2 + a^2}\, du = \frac{1}{a} \operatorname{Arc\,tan} \frac{u}{a} + C$

13. $\displaystyle\int \sqrt{u^2 + a^2}\, du = \frac{u}{2} \sqrt{u^2 + a^2} + \frac{a^2}{2} \ln |u + \sqrt{u^2 + a^2}| + C$

14. $\displaystyle\int u^2\sqrt{u^2 + a^2}\, du = \frac{u}{8} (2u^2 + a^2) \sqrt{u^2 + a^2} - \frac{a^4}{8} \ln |u + \sqrt{u^2 + a^2}| + C$

15. $\displaystyle\int \frac{\sqrt{u^2 + a^2}}{u}\, du = \sqrt{u^2 + a^2} - a \ln \left| \frac{a + \sqrt{u^2 + a^2}}{u} \right| + C$

16. $\displaystyle\int \frac{\sqrt{u^2 + a^2}}{u^2}\, du = \frac{-\sqrt{u^2 + a^2}}{u} + \ln |u + \sqrt{u^2 + a^2}| + C$

17. $\displaystyle\int (u^2 + a^2)^{\frac{3}{2}}\, du = \frac{u}{8} (2u^2 + 5a^2) \sqrt{u^2 + a^2} + \frac{3a^4}{8} \ln |u + \sqrt{u^2 + a^2}| + C$

18. $\displaystyle\int \frac{1}{\sqrt{u^2 + a^2}}\, du = \ln |u + \sqrt{u^2 + a^2}| + C$

19. $\displaystyle\int \frac{u^2}{\sqrt{u^2 + a^2}}\, du = \frac{u}{2} \sqrt{u^2 + a^2} - \frac{a^2}{2} \ln |u + \sqrt{u^2 + a^2}| + C$

20. $\displaystyle\int \frac{1}{u\sqrt{u^2 + a^2}}\, du = \frac{-1}{a} \ln \left| \frac{a + \sqrt{u^2 + a^2}}{u} \right| + C$

21. $\displaystyle\int \frac{1}{u^2\sqrt{u^2 + a^2}}\, du = \frac{-\sqrt{u^2 + a^2}}{a^2 u} + C$

22. $\displaystyle\int \frac{1}{(u^2 + a^2)^{\frac{3}{2}}}\, du = \frac{u}{a^2\sqrt{u^2 + a^2}} + C$

Expressions contenant $u^2 - a^2$

23. $\displaystyle\int \frac{1}{u^2 - a^2}\, du = \frac{1}{2a} \ln \left| \frac{u - a}{u + a} \right| + C$

24. $\displaystyle\int \frac{1}{u\sqrt{u^2 - a^2}}\, du = \frac{1}{a} \operatorname{Arc\,sec} \frac{u}{a} + C$

25. $\displaystyle\int \sqrt{u^2 - a^2}\, du = \frac{u}{2} \sqrt{u^2 - a^2} - \frac{a^2}{2} \ln |u + \sqrt{u^2 - a^2}| + C$

26. $\displaystyle\int u^2 \sqrt{u^2 - a^2}\, du = \frac{u}{8} (2u^2 - a^2) \sqrt{u^2 - a^2} - \frac{a^4}{8} \ln |u + \sqrt{u^2 - a^2}| + C$

27. $\displaystyle\int \frac{\sqrt{u^2 - a^2}}{u}\, du = \sqrt{u^2 - a^2} - a \operatorname{Arc\,sec} \frac{u}{a} + C$

28. $\displaystyle\int \frac{\sqrt{u^2 - a^2}}{u^2}\, du = \frac{-\sqrt{u^2 - a^2}}{u} + \ln |u + \sqrt{u^2 - a^2}| + C$

29. $\int (u^2 - a^2)^{\frac{3}{2}}\, du = \dfrac{u}{8}(2u^2 - 5a^2)\sqrt{u^2 - a^2} +$

$$\dfrac{3a^4}{8}\ln|u + \sqrt{u^2 - a^2}| + C$$

30. $\int \dfrac{1}{\sqrt{u^2 - a^2}}\, du = \ln|u + \sqrt{u^2 - a^2}| + C$

31. $\int \dfrac{u^2}{\sqrt{u^2 - a^2}}\, du = \dfrac{u}{2}\sqrt{u^2 - a^2} +$

$$\dfrac{a^2}{2}\ln|u + \sqrt{u^2 - a^2}| + C$$

32. $\int \dfrac{1}{u^2\sqrt{u^2 - a^2}}\, du = \dfrac{\sqrt{u^2 - a^2}}{a^2 u} + C$

33. $\int \dfrac{1}{(u^2 - a^2)^{\frac{3}{2}}}\, du = \dfrac{-u}{a^2\sqrt{u^2 - a^2}} + C$

Expressions contenant ln u

34. $\int \ln u\, du = u \ln u - u + C$

35. $\int u \ln u\, du = \dfrac{u^2}{2}\ln u - \dfrac{u^2}{4} + C$

36. $\int u^n \ln u\, du = \dfrac{u^{n+1}}{n+1}\left[\ln u - \dfrac{1}{n+1}\right] + C$

37. $\int \ln^2 u\, du = u \ln^2 u - 2u \ln u + 2u + C$

Expressions contenant e^{au}

38. $\int u e^{au}\, du = \dfrac{u\,e^{au}}{a} - \dfrac{e^{au}}{a^2} + C$

39. $\int u^2 e^{au}\, du = \dfrac{u^2\,e^{au}}{a} - \dfrac{2u\,e^{au}}{a^2} + \dfrac{2e^{au}}{a^3} + C$

40. $\int \dfrac{1}{r + se^{au}}\, du = \dfrac{u}{r} - \dfrac{1}{ra}\ln|r + se^{au}| + C$

41. $\int e^{au} \cos bu\, du = \dfrac{e^{au}(a\cos bu + b\sin bu)}{a^2 + b^2} + C$

42. $\int e^{au} \sin bu\, du = \dfrac{e^{au}(a\sin bu - b\cos bu)}{a^2 + b^2} + C$

Expressions contenant des fonctions trigonométriques

43. $\int \sin^2 au\, du = \dfrac{u}{2} - \dfrac{\sin 2au}{4a} + C$

44. $\int \cos^2 au\, du = \dfrac{u}{2} + \dfrac{\sin 2au}{4a} + C$

45. $\int u \sin au\, du = \dfrac{\sin au}{a^2} - \dfrac{u\cos au}{a} + C$

46. $\int u \cos au\, du = \dfrac{\cos au}{a^2} + \dfrac{u\sin au}{a} + C$

47. $\int u \sin^2 au\, du = \dfrac{u^2}{4} - \dfrac{u\sin 2au}{4a} - \dfrac{\cos 2au}{8a^2} + C$

48. $\int u \cos^2 au\, du = \dfrac{u^2}{4} + \dfrac{u\sin 2au}{4a} + \dfrac{\cos 2au}{8a^2} + C$

49. $\int \sec^3 au\, du = \dfrac{\sec au \tan au}{2a} + \dfrac{\ln|\sec au + \tan au|}{2a} + C$

Formules de réduction

50. $\int \sin^n u\, du = \dfrac{-\sin^{n-1} u \cos u}{n} + \dfrac{n-1}{n}\int \sin^{n-2} u\, du$

51. $\int \cos^n u\, du = \dfrac{\cos^{n-1} u \sin u}{n} + \dfrac{n-1}{n}\int \cos^{n-2} u\, du$

52. $\int u^n \sin u\, du = -u^n \cos u + n\int u^{n-1}\cos u\, du$

53. $\int u^n \cos u\, du = u^n \sin u - n\int u^{n-1}\sin u\, du$

54. $\int \sec^n u\, du = \dfrac{\sec^{n-2} u \tan u}{n-1} + \dfrac{n-2}{n-1}\int \sec^{n-2} u\, du$

55. $\int \tan^n u\, du = \dfrac{\tan^{n-1} u}{n-1} - \int \sec^2 u\, du$

56. $\int u^n e^{au}\, du = \dfrac{u^n e^{au}}{a} - \dfrac{n}{a}\int u^{n-1} e^{au}\, du$

57. $\int u^k (\ln u)^n\, du = \dfrac{u^{k+1}(\ln u)^n}{k+1} - \dfrac{n}{k+1}\int u^k (\ln u)^{n-1}\, du$